A REFERÊNCIA NO DESIGN GRÁFICO

UM GUIA VISUAL PARA A LINGUAGEM, APLICAÇÕES E HISTÓRIA DO DESIGN GRÁFICO

Blucher

Edgard Blücher *Publisher*
Eduardo Blücher *Editor*
Rosemeire Carlos Pinto *Editora de desenvolvimento*

Marcelo Alves *Tradutor*
Vânia Cavalcanti *Preparação de texto*
Thiago Carlos dos Santos *Revisão de provas*
Join Bureau *Editoração*

Rua Pedroso Alvarenga, 1.245, 4º andar
04531-012 – São Paulo – SP – Brasil
Tel.: 55 (11) 3078-5366
editora@blucher.com.br
www.blucher.com.br

Segundo Novo Acordo Ortográfico, conforme 5. ed.
do *Vocabulário Ortográfico da Língua Portuguesa*.
Academia Brasileira de Letras, março de 2009.

Ficha Catalográfica

Gomez-Palacio, Bryony
A referência no design gráfico / Bryony Gomez-Palacio e Armin Vit; [tradução Marcelo Alves.] – São Paulo: Blucher, 2011.

Título original: Graphic design, referenced.
ISBN: 978-85-212-0569-2

1. Arte comercial 2. Artes gráficas I. Vit, Armin. II. Título.

10-12918 CDD-741.6

Índice para catálogo sistemático
1. Design gráfico 741.6

A REFERÊNCIA NO DESIGN GRÁFICO

UM GUIA VISUAL PARA A LINGUAGEM, APLICAÇÕES E HISTÓRIA DO DESIGN GRÁFICO

Bryony Gomez-Palacio e **Armin Vit**

Tradução:
Marcelo Alves

Blucher

AGRADECIMENTOS

Antes de mais nada, agradecemos a todas as pessoas que responderam nossos e-mails e telefonemas e dispuseram de algum tempo para fornecer material e informações que são a essência deste livro.

A obra *A Referência no Design Gráfico* provavelmente não existiria não fossem a editora, Winnie Prentiss, e Emily Pottos, editora de aquisições, ambas da Rockport, que nos procuraram com a ideia de criar um tomo ambicioso a respeito de design gráfico. Mais importante, agradecemos pela paciência na medida em que adiávamos nossos prazos por meses e meses. Também na Rockport, agradecemos a Regina Grenier, diretora de arte e gerente sênior de design, por seu apoio no projeto deste livro, além de a Tiffany Hill e a Cora Hawks por suas capacidades gerenciais.

Por auxiliar-nos a evitar maiores constrangimentos, estendemos nossa máxima gratidão a Aaris Sherin, professora assistente de design gráfico na St. John's University, por sua infatigável verificação de dados e a Madeline Gutin Perri, por fazer com que parecêssemos escritores melhores do que realmente somos, com sua precisa edição de texto.

Os conselhos e sugestões iniciais de Michael Bierut, Tobias Frere-Jones, Jonathan Hoefler, Adrian Shaughnessy e dos leitores na *Speak Up* foram fundamentais para nos colocar no rumo correto. A pesquisa inicial de Nikita Prokhorov nos ajudou a aliviar o fardo, e sugestões de Joe Marianek de projetos para ilustrar algumas das entradas revelaram verdadeiras preciosidades. Também agradecemos a Steven Heller, Michael Johnson e Patrick Burgoyne pela ajuda consistente em assuntos grandes e pequenos por todo este projeto.

Agradecemos a todas as pessoas maravilhosas que nos auxiliaram com os pedidos mais simples ou complexos (apresentadas na ordem cronológica que nos auxiliaram): Stephen Coles, Michael Pieracci e Yves Peters, FontShop International; Rich Kaplan, Finlay Printing; Kurt Koepfle, Susannah McDonald, Tamara McKenna, Adi Wise, Simon Beresford-Smith, Pentagram; Bob Zeni, STA; Dmitry Utkin, designyoutrust.com; Emmet Byrne, Walker Art Center; Design Maven; Elaine Lustig Cohen; Laetitia Wolff; Markus Rathgeb; Derrick Schultz e Katie Varrati; Emily Roz e Mike Essl, Herb Lubalin Study Center; Marian Bantjes; Stephen Eskilson; Joe Kral; Kari Horowicz e David Pankow, Cary Graphic Arts Collection, RIT; Michael Evamy; Marc J. Frattasio, Thomas Phinney, Adobe; Jennifer Bass; Louise Sandhaus; Grant Hutchinson; Robert Jones e Jordan Crane, Wolff Olins; Ian Lynam; David Pearson; Heather Strelecki, AIGA; Sarah Coffman; Michelle French; Mark Kingsley; Maaike de Laat; Allan Haley; Steff Geissbuhler; Jose Nieto; Joe Miller; Kevin Reagan; Richard R. Anwyl, The Center for Design Study. Desculpem-nos se deixamos alguém de fora.

Aos nossos pais e irmãos, nossos torcedores mais fervorosos sem o apoio e confiança deles este trabalho teria sido uma batalha sem fim.

E, acima de tudo, a nossa filha, Maya, cuja desenfreada curiosidade e desejo pela descoberta foram o nosso motor.

APRESENTAÇÃO

É doloroso e ao mesmo tempo catártico ter que admitir isto no papel impresso e logo no primeiro parágrafo de nossa apresentação: este livro é um dos projetos mais difíceis, mais desafiadores e cansativos que já fizemos. Uma parte foi simplesmente as implicações físicas e logísticas que experimentamos – escrever quase 115.000 palavras, coletar mais de 2.500 imagens e seus respectivos formulários de liberação, além de acompanhar os 3.500 e-mails que escrevemos, sem falar em ter que encarar prazos de escrita que nós, envergonhadamente, tivemos que postergar mais de uma vez. A outra parte deste fardo criativo – e que recai de forma mais pesada sobre nós mesmos, a despeito da alegria em concluir este projeto – é o fato de este livro ser relativamente incompleto.

De início, estabelecemos que o livro *A Referência no Design Gráfico* serviria como um bazar metafórico de informações sobre design gráfico, abrangendo seus princípios básicos, história formativa, projetos seminais e profissionais influentes.

Mas, como logo descobrimos, foi impossível abranger tudo, seja pelas restrições de tempo, pela limitação no já generoso número de páginas, disponibilidade de imagens reprodutíveis ou o consentimento dos designers participantes ou dos detentores dos direitos de obra, e ficamos na posição em que, para algumas inclusões de sucesso, houve várias omissões que incomodam – e demo-nos conta de que as últimas são tão significativas quanto as primeiras num campo tão rico e diversificado quanto o design gráfico. Entretanto, essas condições não nos eximem de críticas pelas omissões propositais que cometemos. Se questionados de maneira educada, ficaremos satisfeitos em explicar nosso posicionamento, seja ele devido à pura ignorância ou intencional. É claro que nem tudo é irremediável: dependendo do sucesso desta primeira edição, muitas dessas falhas poderão ser corrigidas nas próximas.

O conteúdo final deste livro é o resultado de um turbilhão em constante mudança com nomes, termos, fontes, métodos, eventos, marcas, revistas e outros numerosos verbos, substantivos e nomes próprios que funcionam como pontos de referência para profissionais do design gráfico – daí o título. Adotar a palavra referência nos permitiu abordar o design gráfico de duas maneiras: primeiro, como reconhecimento de como os designers gráficos referenciam cotidianamente sua própria história, apontando constantemente para outros designers em particular ou projetos específicos como fonte de inspiração ou comparação; e, segundo, como desafio de criar um livro que servisse de referência tanto de informação textual quanto visual, documentando e localizando no tempo o escopo do design gráfico contemporâneo. Talvez seja mais adequado explicar este livro usando nosso slogan de motivação: se você estiver somente em companhia de designers gráficos, este livro provavelmente tratará de todos os assuntos profissionais que possam surgir, dando a você informação suficiente para entender uma piada sobre o assunto ou balançar a cabeça sinalizando entendimento frente a uma afirmação mais profunda.

Devido ao fato de abordarmos assuntos semelhantes aos de *A History Graphical Design*, de Phillip B. Meggs; *Graphic Design: A Concise*

Notas sobre este livro e como usá-lo

ESTRUTURA

Cada capítulo (por exemplo, "Princípios") é composto de subcapítulos (por exemplo, "Princípios de tipografia"), e nestes estão títulos amplos que abrangem muitos tópicos (por exemplo, "Letra gótica" é um tópico do título "Classificação" em "Princípios de tipografia"). Esses títulos amplos são explicados em cada página do subcapítulo, estabelecendo contexto e critérios para os tópicos.

Texto

A maioria dos tópicos tem de 150 a 300 palavras. Isso não é muito. Assim, nós admitimos, de maneira bastante direta, que muitos detalhes foram deixados de lado e muitas histórias podem parecer incompletas. Não poupamos nenhum esforço para incluir o máximo de informações relevantes, mas isso nem sempre foi possível. Quando disponíveis, fizemos recomendações de leituras adicionais.

Leituras Recomendadas

Este ícone aparece na base de alguns tópicos; ele indica a página 390, onde você poderá encontrar sugestões acessíveis.

Bibliografia e Notas de Rodapé

Desculpe, mas não existem. Isso não quer dizer que não consultamos um grande número de livros, periódicos, revistas e entrevistas de rádio ou em vídeo. Nós o fizemos. E, surpreendentemente, a maioria desses materiais de referencia é facilmente encontrada em buscas online. Quando não são plenamente disponíveis online, as fontes originais podem ser adquiridas em livrarias, consultadas em bibliotecas ou obtidas de conhecidos que têm bibliotecas de obras sobre design. Aproveitamos a oportunidade para aplaudir o Google Books e o Look Inside da Amazon que nos deram acesso a muitos livros que encareceriam muito a pesquisa se tivéssemos que adquiri-los.

History de Richard Hollis e mesmo ao último item da categoria de pesquisa histórica *Graphic Design, A New History*, de Stephen J. Eskilon, nós devemos diferenciar nosso conteúdo – que certamente construímos sobre os ombros desses gigantes – oferecendo uma nova perspectiva organizacional por meio da qual seja possível analisar nosso passado e presente enquanto são trazidas novas inclusões do crescente cânone de nossa profissão. Em "Princípios", examinamos os fundamentos do design gráfico para estabelecer a linguagem, os termos e conceitos relativamente objetivos que regem o que fazemos e como fazemos. Em "Conhecimento", exploramos as fontes mais influentes a partir das quais aprendemos a respeito de design gráfico, desde as instituições de ensino que frequentamos às revistas e livros que lemos. Com "Representantes", tentamos coletar aqueles praticantes individuais ou em grupo que, com o passar dos anos, têm sido os mais influentes ou que mudaram os rumos do design gráfico de uma maneira ou outra. Finalmente, em "Prática", destacamos os trabalhos mais importantes que tanto exemplificam as melhores práticas quanto ilustram o legado potencial do trabalho que produzimos.

Com esse referencial estabelecido, seguimos adiante com o preenchimento de quase 500 páginas em branco, usando uma combinação de períodos de texto abrangentes (embora admitidamente não aprofundados) e – testando nossa capacidade de resolver quebras-cabeça – com tantas imagens que o layout pudesse acomodar. A despeito dos já mencionados desafios e tensões, este foi um livro excitante para ser definido, pesquisado, escrito e visualizado. Embora isto possa não ser a ideia que a maioria tenha de prazer, adoramos ter mergulhado no mundo do design gráfico. Livros de design com vários post-it colados estão espalhados pelo nosso escritório; nosso scanner sempre tem uma fila de materiais que precisam ser digitalizados; nosso histórico de páginas visitadas na rede tem quilômetros de extensão; os correios, UPS e FedEx estão constantemente nos entregando encomendas contendo artefatos originais de design que os designers nos enviam ou que compramos no eBay; nosso servidor de transferência de dados está constantemente em atividade com downloads e uploads de arquivos; além de usarmos este projeto como desculpa para visitar arquivos de design na nossa vizinhança. Pode parecer um pouco bobo e talvez paradoxal, mas esta foi uma experiência surpreendentemente enriquecedora.

O resultado é um livro que acreditamos – ou, no mínimo, desejamos – que forneça um ponto de vista ágil, energético e informativo sobre as múltiplas facetas de nossa profissão. Não somos nem historiadores nem críticos, somos meros praticantes do design que reconhecem a importância de se estar ciente do rumo que nossa profissão seguiu de modo que seja possível modificá-lo. Esta obra é, no final das contas, uma reflexão de nossas próprias experiências formativas, e seu conteúdo representa o que achamos importante, relevante e influente ao longo de muitos anos. Estamos ansiosamente confiantes e avidamente inseguros a respeito da relevância e recepção do livro *A Referência no Design Gráfico*, mas temos confiança que ele servirá como pedra fundamental, para nós e a profissão, para forjar uma história e prática novas no século XXI.

Bryony Gomez-Palacio e Armin Vit

Relacionado

Um objetivo que gostaríamos de atingir com este livro é mostrar a teia de conexões na nossa indústria; e, no espírito da Internet, criamos enlaces (links) entre itens relacionados. Estes são evidenciados no texto por um sublinhado em cinza e uma flecha indicando a página apropriada, como aqui > 10.

Imagens Históricas

Para nossa consternação, projetos de design datando dos anos 1950 ou anteriores são dolorosamente caros para serem adquiridos de universidades, museus e coleções especiais. Se dinheiro e tempo não fossem um problema, este livro estaria repleto deles. Dadas nossas restrições de tempo e orçamento, limitamos sua inclusão e, para nossas duas linhas do tempo, fizemos nossas próprias interpretações de algumas das imagens mais significativas e conhecidas.

Imagens Contemporâneas

Para entradas que não precisam de projetos específicos de design, fizemos um esforço consciente para encontrar trabalhos novos e inéditos de todo o mundo. Muito do que colhemos veio de páginas da web como ffffound.com, manystuff.org, monoscope.com e thedieline.com. Entretanto, pode ser que você já tenha visto alguns destes.

Para Considerações Futuras

Neste livro existem dez itens que destacamos por meio de designs diferentes e narrativas mais longas, são projetos ou tópicos que acreditamos merecerem uma maior consideração e atenção.

Realimentação

Esperamos receber correções, perguntas a respeito de omissões e qualquer outro tipo de retorno. Por favor, visite underconsideration.com/gdr.

1869 / EUA

É fundada a primeira agência de publicidade, N.W. Ayer & Son

1880 / EUA

Edward J. Hamilton funda a Hamilton Company em Two Rivers, Wisconsin, tornando-se o maior produtor de tipos de madeira

1886 / EUA

Ottmar Mergenthaler inventa a primeira máquina de composição, o linotipo

1887 / EUA

Tolbert Lanston inventa a máquina de composição monotipo

1896 / GRÉCIA

Os jogos da primeira olimpíada apresentam a primeira olimpíada de verão › 356

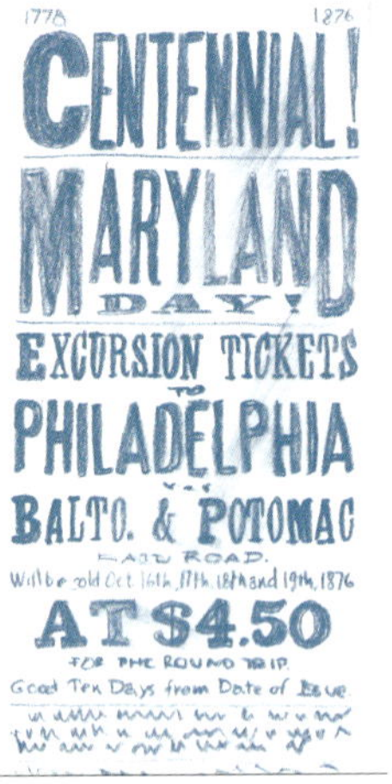
CENTENNIAL!
MARYLAND
DAY!
EXCURSION TICKETS
PHILADELPHIA
BALTO. & POTOMAC
AT $4.50

1876 / EUA

Cartaz prospecto feito usando tipos de madeira

REPRESENTANTES PRINCIPAIS

ALEMANHA Peter Behrens / REINO UNIDO William Morris / EUA Dard Hunter, Bruce Rogers

c. 1880 - c. 1910

Artes e Ofícios

1891 / REINO UNIDO

William Morris funda a Kelmscott Press

1895 / EUA

Elbert Hubbard estabelece a comunidade Roycroft

REPRESENTANTES PRINCIPAIS

ALEMANHA (JUGENDSTIL) Peter Behrens / FRANÇA Jules Cheret, Alphonse Mucha, Théophile Steinlen, Henri de Toulouse-Lautrec / REINO UNIDO Aubrey Beardsley, The Beggarstaff Brothers: William Nicholson, James Prydel / EUA William Bradley / VIENNA (SECESSÃO) Gustav Klimt

c. 1890 - c. 1915

Art Nouveau

1896 - 1926 / ALEMANHA

Georg Hirth publica a revista *Jugend* (juventude)

Uma Modesta Linha Ilustrada do Tempo

Uma linha do tempo para o design gráfico verdadeiramente completa deveria começar milhares de anos antes de Cristo, transportando o leitor através da Renascença, das revoluções industrial e digital e abordando os movimentos Art Nouveau, construtivista e Bauhaus, apenas para dar alguns exemplos de marcos históricos. Felizmente, essa abordagem já foi adotada em *A History of Graphic Design*, de Philip B. Meggs, que continua sendo a pedra angular da história do design gráfico.

Ficou claro desde o começo que não seríamos capazes de acrescentar nada de novo aos capítulos iniciais da história do design. Mesmo a primeira metade do século XX se mostrou estar além do nosso alcance. Nós tivemos sorte mais uma vez, pois existe o livro de Richard Hollis, *Graphic Design: A Concise History*, que apresenta uma visão global da evolução das artes gráficas em design gráfico e seu desenvolvimento na Europa e nos Estados Unidos. Nós realmente recomendamos esses dois livros aos leitores desejosos de uma pesquisa mais aprofundada.

Nossa linha do tempo é um resumo de alguns dos mais relevantes eventos, movimentos, designers e trabalhos em design desde o final do século XIX até o início do século XXI. Ela conta apenas uma parte de história, mas talvez o bastante para dar uma ideia das bases sobre as quais os que estão representados neste livro se desenvolveram.

NOTAS

Todas as ilustrações são interpretações monocromáticas do design original e não são réplicas exatas.
Devido ao espaço e estrutura do layout, a posição de alguns anos não é perfeita e às vezes os mesmos anos não estão alinhados.
Alguns tópicos interessantes não foram incluídos na cronologia e são tratados com mais profundidade no restante do livro.

1903 / EUA
Frederic W. Goudy funda a Village Press

LITTLE JOURNEYS
TO THE HOMES OF
GREAT BUSINESS MEN
BY ELBERT HUBBARD
JOHN J. ASTOR

1904 / EUA
Dard Hunter, capa do livro *Little Journeys to the Homes of Great Businessman*

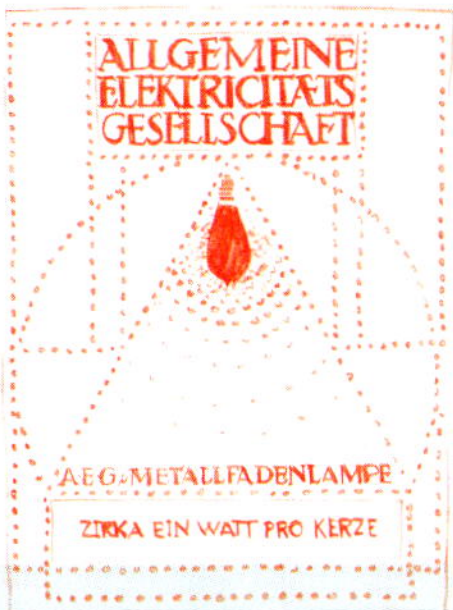
ALLGEMEINE
ELEKTRICITÄTS
GESELLSCHAFT
AEG-METALLFADENLAMPE
ZIRKA EIN WATT PRO KERZE

1907 / ALEMANHA
Behrens é nomeado designer industrial na Allgemeine Elektrizitäts-Gesellschft / MOSTRA cartaz Lâmpada AEG, 1910

Primeira Guerra Mundial
1914 - 1918

Revolução Russa
1917

I WANT YOU
FOR U.S. ARMY
NEAREST RECRUITING STATION

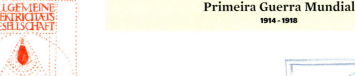

1917 / EUA
James Montgomery Flagg, cartaz "I want you for U.S. Army"

1896
CABARET
CHAT NOIR
PARIS

1896 / FRANÇA
Théophile Steilen, cartaz Cabaret du Chat Noir

SIMPLICISSIMUS
10 PF

1897 / ALEMANHA
Thomas Heine, cartaz Simplicissimus

REPRESENTANTES PRINCIPAIS
AUSTRIA Julius Klinger / ALEMANHA Lucian Bernhard, Ludwig Hohlwein, Hans Rudi Erdt / SUÍÇA Otto Baumberger

c. 1905 - c. 1920
Sachplakat ("cartaz Objeto")

Priester

1905 / ALEMANHA
Lucian Bernhard, cartaz Fósforos Priester

1910 / ALEMANHA
Hans Josef Sachs publica Das Plakat (O cartaz)

REPRESENTANTES PRINCIPAIS
ITÁLIA Fortunato Depero, Filippo Marinetti

c. 1910 - c. 1930
Futurismo

1909 / FRANÇA
Filippo Marinetti publica seu *Manifesto Futurista* no jornal francês Le Figaro

PALLONE
FRENATO
TURCO

1914 / ITÁLIA
Filippo Marinetti, Detalhe de página do *Zang Tumb Tumb* Edizioni Futuriste de Poesia

DINAMO-AZARI
DEPERO
FUTURISTA

1927 / ITÁLIA
Fortunato Depero, Livro *Depero Futurista*

dada
50 Pfg.
Ach

REPRESENTANTES PRINCIPAIS
ALEMANHA Raoul Hausmann, John Heartfield, Kurt Schwitters, Theo van Doesburg / SUÍÇA Jean Arp, Hugo Ball, Tristan Tzara / EUA Marcel Duchamp, Man Ray

c. 1915 - c. 1925
Dada

1918 / SUÍÇA
No terceiro número de revista *Dada*, Tristan Tzara publica o "Manifesto Dada 1918"

1919 / ALEMANHA
Roul Hausmann, capa do n. 1 do *Der Dada*

1922 / EUA

O termo “design gráfico” é usado pela primeira vez por W. A. Dwiggins › 141 num artigo para o *Boston Evening Transcript*

MERZ
11
TYPO
REKLAME

1923 - 1932 / ALEMANHA

Kurt Schwitters publica o periódico *Merz*
/ MOSTRADO capa do n. 11 de Merz

REPRESENTANTES PRINCIPAIS

FRANÇA Jean Carlu, A.M. Cassandre / REINO UNIDO E. McKnight Kauffer

c. 1925 - c.1940

Art Deco

AU BUCHERON
LE GRAND MAGASIN DU MEUBLE

1923 / FRANÇA

A M Cassandre, cartaz Au Bucheron

REPRESENTANTES PRINCIPAIS

RUSSIA Gustav Klutsis; El Lissitzky; Alexander Rodchenko; Stenberg Brothers: Georgii Stenberg, Vladimir Stenberg; Varvara Stepanova; Vladimir Tatlin

c. 1920 - c. 1930

Construtivismo

1919 / RUSSIA

El Lissitzky cartaz *Derrotar os Brancos com a Cunha Vermelha*

ВСЕМ...ВСЕМ...ВСЕМ...
ДОБРОЛЕТ

1923 / RUSSIA

Alexander Rodchenko, cartaz para a aerolinha Dobrolet

Georgii e Vladimir Stenberg cartaz *O homem com a câmera de cinema*

1929 / RUSSIA

ЧЕЛОВЕК С КИНОАППАРАТОМ

REPRESENTANTES PRINCIPAIS

HOLANDA Piet Mondrian, Gerrit Rietveld, Bart van der Leck, Theo van Doesburg

c. 1920 - c. 1930

De Stijl

1917 - 1931 / HOLANDA, ALEMANHA

Theo van Doesburg publica a revista *de Stijl* (O estilo) até sua morte em 1931

DE STIJL

1919 / HOLANDA

Theo van Doesburg (Logomarca “De Stijl”) e Vilmos Huszar (xilogravura) detalhe do periódico de artes *de Stijl*

REPRESENTANTES PRINCIPAIS

ALEMANHA Josef Albers, Herbert Bayer, Max Bill, Walter Gropius, Johannes Itten, Wassily Kandinsky, Ludwig Mies van der Rohe, László Moholy-Nagy, Oskar Schlemmer, Joost Schmidt

c. 1920 - c.1940

Bauhaus

1919 / ALEMANHA

Walter Gropius cria a escola Staatliches Bauhaus Weimar e publica o manifesto Bauhaus

1923 / ALEMANHA

A Bauhaus realiza sua primeira exposição pública de trabalhos estudantis

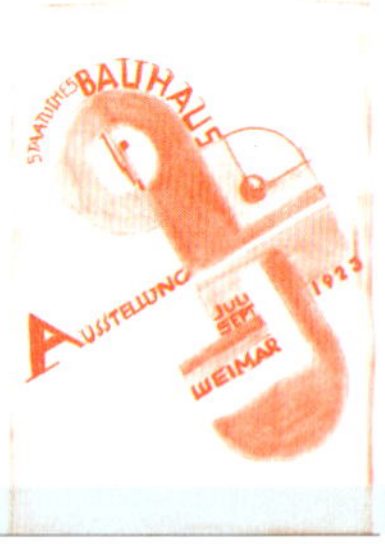
STAATLICHES BAUHAUS
AUSSTELLUNG
WEIMAR
1923

1923 / ALEMANHA

Joost Schimidt, cartaz de exposição

1925 / ALEMANHA

A escola muda para Dessau

REPRESENTANTES PRINCIPAIS

ALEMANHA Herbert Bayer, El Lissitzky, László Moholy-Nagy, Jan Tschichold

c. 1920 - c. 1930

Tipografia Nova

2000000
ZWEI MILLION MARK

1923 / ALEMANHA

Herbert Bayer, Cédula de 2 milhões de Marcos para o Governo Estadual da Turíngea em Weimar

Segunda Guerra Mundial 1939 - 1945

1925 / FRANÇA

A exposição Internacional de Artes decorativas e Industriais Modernas é realizada em Paris

Heinz Schulsz-Neudamm, cartaz do filme *Metropolis*

1926 /ALEMANHA

METROPOLIS
EIN FILM VON FRITZ LANG

DUBONNET
DUBONNET
DUBONNET

1932 / FRANÇA

A M Cassandre, cartaz do Dubonnet

1927 / EUA

Sol Cantor e Dr. Robert L. Leslie fundam The Composing Room, uma empresa de composição tipográfica

1929 / EUA

M. F. Agha junta-se à Conde Nast e torna-se diretor de arte de Vogue, Vanity Fair e House and Garden

SCHWEIZ
SWATCH

1934, 1986 / SUÍÇA, EUA

Herbert Matter, cartaz de turismo suíço; Paula Scher, cartaz dos relógios Swatch

1934 - 1942 / EUA

Dr. Leslie publica a revista *PM* (Production Manager), mais tarde renomeada *A-D* (Art Director) / MOSTRADO Lester Beall, capa da *PM*, Novembro 1937

Fortune

1930 / EUA

Revista *Fortune* é criada por Henry Booth Luce / *Mostrado* John F. Wilson (Ilustração), Capa da *Fortune*, Outubro, 1940

UNIVERSAL
WILLIAM POWELL
CAROLE LOMBARD
MY MAN GODFREY

1936 / EUA

Sequência com o letreiro de abertura do filme *My Man Godfrey* (O galante vagabundo – BR)

1935 / ALEMANHA

A bandeira nazista com a swastika é tornada a bandeira nacional alemã por decreto

RUNNING WATER
RURAL ELECTRIFICATION ADMINISTRATION

DIE
FORM

1925 - 1934 / ALEMANHA

A Deutscher Werkbund publica o periódico *Die Form* / MOSTRADO Joost Schmidt, capa de *Die Form*, 1926

1932 / ALEMANHA

A escola muda para Berlin

1933 / ALEMANHA

Sob pressão nazista, a Bauhaus fecha

1937 / EUA

Emigrado, László Moholy-Nagy cria em Chicago a Nova Escola Bauhaus (renomeada Instituto de Design em 1944)

1937 / EUA

Lester Beall, cartaz *Rural Eletrification – Running Water* (Eletrificação Rural – Água Corrente)

1937 / EUA

William Golden junta-se à CBS

LINZ, PROMENADE 25
WIEN VIII, ALSERSTR. 35
HEITZMANN

1924 / ALEMANHA

Herbert Bayer, cartão de visitas

1928 / ALEMANHA

Tschichold publica *Die Neue Typographie: Ein handbuch für Zeitgemäss Schaffende* (A Nova Tipografia: Um Manual para o Designer Contemporâneo)

1935 / SUÍÇA

Dois anos após fugir da Alemanha Tschichold publica Typographische Gestaltung (Forma Tipográfica) no qual ele escreve: "Para meu assombro total I detectei os paralelos mais chocantes entre os ensinamentos da Nova Tipografia e do Nacional Socialismo e Facismo"

Segunda Guerra Mundial
1939 - 1945

America's answer!
PRODUCTION

1942 / EUA

Jean Carlu, cartaz *America's Answer! Production*

1941 / EUA

Charles e Ray Eames Casam

1941 / EUA

Walter Landor funda a Landor Associates em San Francisco, Califórnia

We Can Do It!

1942 / EUA

J. Howard Miller, cartaz We can do it!

USE SPADES NOT SHIPS
GROW YOUR OWN FOOD
AND SUPPLY YOUR OWN COOKHOUSE

1942 / UK

Abram Games, cartaz *Grow your own food*

1943 / EUA

A revista semanal *Saturday Evening Post* publica, em quatro edições consecutivas, a série de cartazes *Four Freedoms,* de Norman Rockwell.

REPRESENTANTES PRINCIPAIS

ALEMANHA Max Bill, Otl Aicher / ITÁLIA Max Huber / SUÍÇA Theo Ballmer, Max Bill, Karl Gerstner, Armin Hofmann, Richard Paul Lohse, Josef Müller-Brockmann, Hans Neuburg, Emil Ruder, Carlo Vivarelli / EUA Rudolph de Harak

c. 1950s - EARLY 1970s

Estilo Tipográfico International

1946 / SUÍÇA

Armin Hoffman e Emil Ruder criam a Escola de design da Basileia › 128

1953 / ALEMANHA

Max Bill e Otl Aicher criam a Hochschule für Gestaltung (HfG) em Ulm

1945 / EUA

Georg Olden junta-se à CBS

1947 / EUA

Paul Rand publica seu primeiro livro de design, Thoughts on Design

1947 / UK

Tschichold junta-se à Penguin Books › 274

Gran premio
dell'Autodromo
Monza

1948 / ITÁLIA

Max Huber, cartaz *Gran Premio Dell'Autodromo*

SCOPE

1949 - 1971 / EUA

Como consultor de design para a Companhia Upjohn burtin torna-se diretor de arte da revista da empresa, *Scope* / MOSTRADA capa da *Scope*, vol. IV, n. 2, Verão, 1954

REPRESENTANTES PRINCIPAIS

POLÔNIA Roman Cieślewicz, Wiktor Górka, Tadeusz Gronowski, Wojciech Fangor, Jan Lenica, Eryk Lipiński, Jan Młodożeniec, Józef Mroszczak, Franciszek Starowieyski, Waldemar Świerzy, Henryk Tomaszewski, Tadeusz Trepkowski, Wojciech Zamecznik, Bronisław Zelek

c. 1940s - c. 1960s

Escola Polonesa de Cartazes

1946 / POLÔNIA

Henryk Tomaziewski começa a criar cartazes de filme para o departamento polonês de cinema

Armin Hofman,
cartaz *Die Gute Form*

1954 / SUÍÇA

die Gute Form

1955 / EUA

Hoffman começa a lecionar na Yale School of Art › 129

1957 / SUÍÇA

Edouard Hoffman e Max Miedinger lançam o tipo Neue Hass Grotesk – rebatizado de Helvética em 1960 › 373

Joseph Miller-Brochman
cartaz Musica Viva

1958 / SUÍÇA

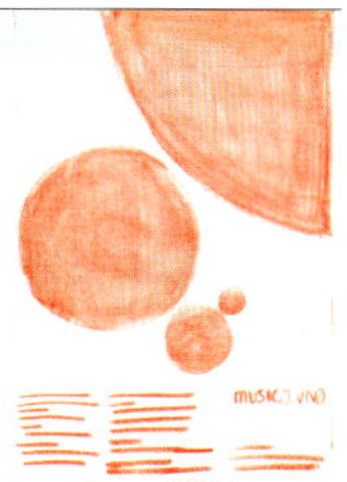

1958 - 1965 / SUÍÇA

Richard Paul Lohse, Josef Muller-Brochman, Hans neuburg e Carlo Vivarelli publicam *Neue Grafik* › 97

REPRESENTANTES PRINCIPAIS

ALEMANHA Otl Aicher / REINO UNIDO F.H.K. Henrion, Wolff Olins / EUA Saul Bass, Lester Beall, Ralph Eckerstrom, Chermayeff & Geismar, John Massey, Paul Rand, Elinor Selame, Unimark, Massimo Vignelli, Lance Wyman

MEADOS DOS ANOS 1950 AO INÍCIO DOS ANOS 1980

Crescimento da Identidade Corporativa

CCA

1950 - 1980 / EUA

Sob o patronato e liderança de Walter Paepcke, a Container Corporation of America (fundada em 1926) estabelece uma identidade corporativa abrangente com Ralph Eckerstrom e John Massey se sucedendo no papel de diretores de design

1954 / EUA

Herbert Matter, Identidade da ferrovia de New Haven Railroad › 350

IBM

1956 / EUA

Paul Rand começa a trabalhar na identidade da IBM › 341

1954 / FRANÇA

Adrian Frutiger lança a família de tipos Univers › 372

TO KILL A MOCKINGBIRD

1951 / EUA

Paepcke cria a Conferência Internacional de Design (ICDA) em Aspen

1952 / EUA

O Massachusetts Institute of Technology (MIT) cria o seu escritório de publicações chefiado por Muriel Cooper até 1958 e Jacqueline S. Cassey, de 1972 a 1989 › 188

1954 / EUA

Brownjohn, Ivan Chermayeff e Tom Geismar brincam com o livreto *Watching the Words Move*

1962 / EUA

Stephen O. Frankfurt, sequência inicial de títulos para *To kill a Mockingbird*

1952 / POLÔNIA

Tomaszewski e Jósef Mroszczak entram para a Academia de Belas-Artes de Varsóvia como professores e codiretores

NIE!

1952 / POLÔNIA

Trepkowski Tadeusz, cartaz *Nie!*

MICHELE MORGAN PIERRE BLANCHAR
SYMFONIA PASTORALNA

1957 / POLÔNIA

Tomaszewski, cartaz *Symfonia Pastoralna*

ALBAN BERG WOZZECK

1964 / POLÔNIA

Jan Lenica, cartaz *Alban Berg Wozzeck*

1958 / REINO UNIDO

A campanha pelo desarmamento nuclear > 348 e o comitê de ação direta contra a guerra nuclear organizam um protesto e uma marcha até Aldermaston contra os testes de armas nucleares

STOP
H BOMB TESTS

1960 / EUA

Ben Shahn, cartaz *Stop H-Bomb tests*

1962 / EUA

Andy Warhol pinta as latas de sopa Campbell's

REPRESENTANTES PRINCIPAIS

EUA Rick Griffin, Alton Kelly, Bonnie MacLean, Peter Max, Victor Moscoso, Stanley "Mouse" Miller, Wes Wilson / REINO UNIDO Hapshash and the Coloured Coat: Michael English, Nigel Waymouth; Osiris Visions

MEADOS DOS ANOS 1960 - ATÉ MEADOS DOS ANOS 1970

Psicodelia

1967 / EUA

Victor Moscoso, cartaz *The Steve Miller Blues Band*

Guerra do Vietnã

1959 - 1975

MEADOS 1950 - INÍCIO 1980

Crescimento da Identidade corporativa

1960 / EUA

Chermayeff & Geismar; identidade do banco Chase Manhattan

1960 / REINO UNIDO

F.H.K Henrion, identidade da KLM

1964 / EUA

Ralph Eckerstrom e Massimo Vignelli criam a Unimark International

1967 / EUA

Massimo Vignelli, Unimark, identidade da American Airlines

1967 / REINO UNIDO

Wolff Olins, identidade da Bovis usando um beija-flor para identificar uma companhia de construção

1963 / FRANÇA

A. M. Cassandre, logotipo da Yves Saint Laurent

1967 / EUA

Landor Associates, logotipo da Levi's

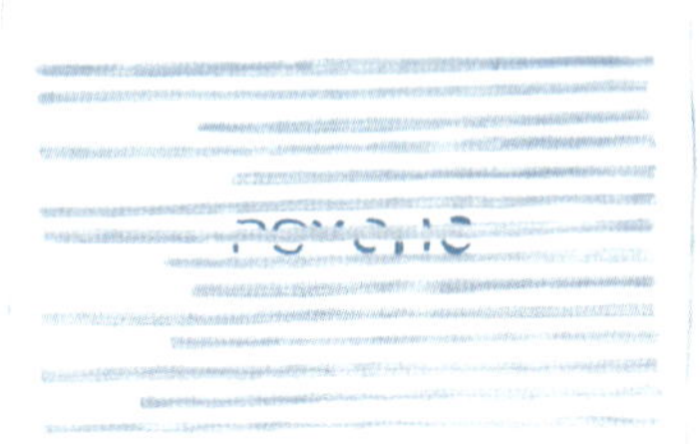

1960 / EUA

Saul Bass, sequencia inicial de títulos de Psicose (Psycho)

LA POLICE S'AFFICHE AUX BEAUX ARTS
LES BEAUX ARTS AFFICHENT dans la RUE
RETOUR A LA NORMALE...
LA LUTTE CONTINUE

1968 / FRANÇA

Da École des Beaux-Arts de Paris (Escola de Belas-Artes) ocupada por estudantes e professores, o atelier Populaire (atelier popular) cria centenas de cartazes de protesto em silkscreen

Paris, Maio 1968 Revoltas Estudantis e de Trabalhadores

1968

1966 / POLÔNIA

A primeira bienal internacional de cartazes se realiza

1962 / UK

Maurice Binder, sequência inicial de títulos de *O satânico Dr. No*. Essa sequência do tambor de revolver passou a ser usada em todos os filmes subsequentes

STRANGELOVE
DR.
OR HOW I LEARNED TO STOP WORRYING AND LOVE THE BOMB

1964 / EUA

Pablo Ferro, sequência inicial de títulos de *Dr. Strangelove*

1968 / EUA

Steward Brand publica a primeira edição de *Whole Earth Catalog*

1968 / SUÍÇA

Wolfgang Weingart > 178 torna-se professor na recém criada disciplina avançada de Design gráfico na Escola de Design de Basileia

1967 / EUA

Bonnie MacLean, cartaz *Eric Burdon & the Animals, Mother Earth, Hour Glass*

1969 / EUA

Acontece o festival de Música e Arte de Woodstock

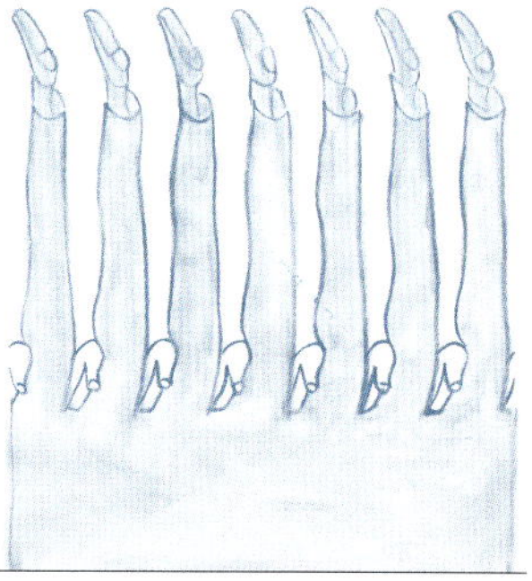

1975 / JAPÃO

Shigeo Fukuda, cartaz para a loja de departamentos Keio

1979 / EUA

Tilbor Kalman, com Carol Bokuniewicz e Liz trovato, cria a M&Co. › 183

1979 / ALEMANHA

Erik Spiekermann › 226 cria a MetaDesign

1971 / EUA

Carolyn Davidson, logotipo da Nike › 343

1972 / EUA

Paul Rand, o logotipo da IBM ganha suas listras

1974 / EUA

Danne & Blackburn, logotipo da NASA

1977 / EUA

Rob Janoff, logotipo da Apple

Anos 1970 / HOLANDA

Fundada em 1963 por Ben Bos, Wim Crouwel, Friso Kramer, Dick e Paul Schwarz (irmãos) e Benno Wissing, a Total Design cria a abordagem minimalista, padronizada, que permeia as identidades corparativas naquele país

1976 / EUA

O editor Leonard Koren publica o primeiro número da revista de vanguarda *Wet*

1978 - 1982 / HOLANDA

Rick Vermeulen, Willem Kars, Hens Elenga, Gerard Hadders e Tom van des Haspel publicam a revista *Hard Werken* – esse nome será adotado posteriormente para indicar o seu grupo

1970 - 1990 / FRANÇA

Pierre Bernard, François Miehe e Gérard Paris-Clavel formam o design coletivo socialmente consciente *Grapus* — todos eles foram membros do Atelier Populaire e tinham estudado com Henryk Tomaszewski na Polônia

1971 / EUA

Katherine e Michael McCoy são indicados chefes dos programas bi e tridimensionais na Academia de Arte Cranbrook › 130

1972 / UK

É criada a Pentagram › 162

REPRESENTANTES PRINCIPAIS

REINO UNIDO Barney Bubbles, Mark Perry, Jamie Reid / EUA Frank Edie, John Holmstrom, Winston Smith

MEADOS 1970 - INÍCIO 1980

Punk

bodies
NEW YORK
GOD SAVE THE QUEEN
ANARCHY IN THE U.K.
liar
SEVENTEEN
EMI Unlimited Edition
problems
pretty vacant

1977 / REINO UNIDO

Jamie Reid, capa do disco do Sex Pistols – *Never Mind the Bollocks, Here's the Sex Pistols*

DOCTOR WHO

1970 / UK

Bernard Lodge, sequência inicial de títulos da sétima temporada de *Doctor Who.*

1970 - 1972 / SUÍÇA

Os designers americanos Dan friedman e April Greiman estudam com Weingart

1972 / UK

A MIT Press publica *Learning from Las Vegas: The Forgotten Symbolism of Architectural form* de Robert Venturi, Steven Izenour e Denise Scott Brown

1978 / EUA

R / GA, sequência inicial de títulos de *Superman*

1981 / EUA

Vai ao ar a MTV › 352 às 00:01 de 1º de agosto

REPRESENTANTES PRINCIPAIS

EUA Dan Friedman; April Greiman; Willi Kunz; "The Michaels" (San Francisco): Michael Mabry, Michael Manwaring, Michael Patrick Cronan, Michael Vanderbyl; Jayme Odgers, Deborah Sussman

CAL
ARTS

LATE 1970s - MID 1980s

New Wave

1979 / EUA

April Greiman, Catálogo da CalArts

1986 / EUA

Pau Rand, logotipo da Next

1987 / EUA

Com o apoio do editor-chefe, Sonny Mehta, Carol Devine Carson cria o grupo interno de design na Editora Random House, do Grupo Editorial Knopf. Esse grupo incluía Barbara deWilde, Archie Fergunson and Chip Kidd › 192

REPRESENTANTES PRINCIPAIS

HOLANDA / Hard Werken, Studio Dumbar / REINO UNIDO Jonathan Barnbrook, Neville Brody, Peter Saville, Why Not Associates / EUA Andrew Blauvelt, David Carson, Elliott Earls, Ed Fella, Allen Hori, Tibor Kalman, Jeffery Keedy, Laurie and P. Scott Makela, Katherine McCoy

1984 / EUA

Rudy VanderLans publica o primeiro tema de *Emigre* › 100 revista

1986 - 2002 / REINO UNIDO

Mark Holt, Simon Johnston e Hamish Muir criam a empresa de design 8vo e publicam o periódico internacional de tipografia *Octavo*

FINAL DOS ANOS 1970 - MEADOS ANOS 1990

Pós-Modernismo

1981 / REINO UNIDO

Neville Brody torna-se o diretor de arte da *The Face* › 332

1983 - 1985 / EUA

Jeffery Keedy frequenta a Academia de Arte Cranbrook

1985 / EUA

Lorraine Wild junta-se ao Instituto de Artes da Califórnia (CalArts) › 131 para renovar o curso de design gráfico

1985 - 1987 / EUA

Ed Fella › 185 frequenta a Academia de Arte Cranbrook

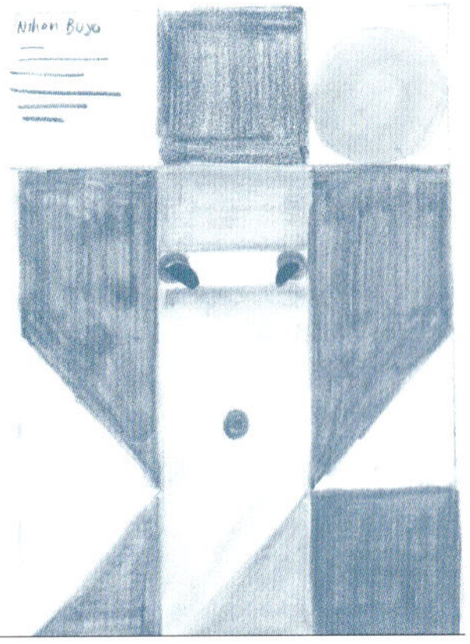
Nihon Buyo

1981 / JAPÃO

Ikko Tanaka, cartaz *Nihon Buyo*

A Adobe cria a linguagem PostScript
1982

A Apple apresenta o Macintosh
1984

NOVEMBER
SOUP BOUDIN & WARM TARTS
GUSTY WINDS
HIGHS UPPER 40S TO MID 50S
LOWS UPPER 30S TO MID 40S
FLORENT
OPEN 24 HOURS 989 5779
WATCH FOR HEAVY RAINS
WEAR YOUR GALOSHES
MNCO

1987 / EUA

Tibor Kalman, quadro de cardápio para o mês de novembro para o restaurante Florent

1981 / EUA

Paul Randa, cartaz *Eye-Bee-M*

Musée d'Orsay
go

1983 / EUA

Philippe Apeloig, cartaz Chicago, Birth of a Metropolis 1872-1922

1987 / EUA

Gail Anderson e Fred Woodward vão para a revista *Rolling Stone* › 328

1989 / EUA

Mildred Friedman é a curadora da exposição *Graphic Design in America: A Visual Language History*, no Walker Art Center › 120

A “Bolha da Internet” ou a “Bolha Ponto-Com”
1995 - 2000

1989 - 2002 / EUA

O American Center for Design nasce de uma transformação da The Society of Typographic Arts – e finalmente fecha devido a problemas econômicos

1996 / EUA

Paul Rand, logotipo da Enron
Esse foi o último trabalho de Rand antes de falecer. Foi feito para a Doug Evans + Partners – Evans era um antigo funcionário de Rand

1996 / MUNDO

Sendo algumas dos poucos tipos de letras instalados em quase todos os computadores, Arial, Times New Roman, Verdana e Georgia ganham proeminência na tipografia

2003 / EUA

Jeffrey Zeldman escreve *Designing With the Web Standards*

1994 / REINO UNIDO

Neville Brody realiza a primeira conferência FUSE, com uma sequência no ano posterior em Berlin

1998 / EUA

Sergey Brin e Larry Page criam o sistema de buscas Google

1993 / UK, EUA

O ensaio “Cult of the Ugly”, de Steven Heller, é publicado na *Eye*

1995 / EUA

Elliot Earls, cartaz *The Conversion of Saint Paul*

1995 / EUA

P. Scott e Laurie Haycock Makela são indicados designers – residentes no lugar dos McCoys

2000 / EUA

Allen Hori, cartaz *Not Yet the Periphery*

1990 / EUA

Sheila Levrant de Brettville é nomeada diretora de estudos sobre Design Gráfico na Yale School of Arts › 129

SE7EN

1995 / EUA

Kyle Cooper, sequência inicial de títulos de *Seven*. O autor cria a Imaginary Forces um ano mais tarde

1999 / HOLANDA, REINO UNIDO, EUA

É publicado o Manifesto First Things First 2000 › 48

2000 / EUA

Stefan Sagmeister fica um ano sem clientes

1990 / REINO UNIDO

Rick Poynor lança *Eye* › 103

1991 / REINO UNIDO

Steve Baker, Dirk Van Dooren, Karl Hyde, Richard Smith, Simon Taylor, John Warwicker e Graham Wood criam a Tomato

1997 / ALEMANHA

Steffen Sauertig, Svend Smital e Kai Vermehr criam a eBoy especializada em complexas ilustrações com pixels

2003 / EUA

Futurebrand recria o logotipo de Paul Rand para a UPS › 342 – iniciando uma febre de importantes e coincidentes recriações de identidades corporativas

1992 / EUA

Com David Carson como diretor de arte, o editor Marvin Scott Jarrett lança *Ray Gun* › 330

2005 / EUA

A *Emigre* deixa de ser publicada

1993 / EUA

O editor Louis Rossetto, juntamente com John Plunkett como diretor de arte, lança a revista *wired*

Art is...
WHATEVER

1997 / EUA

Milton Glaser, cartaz *Art is whatever*

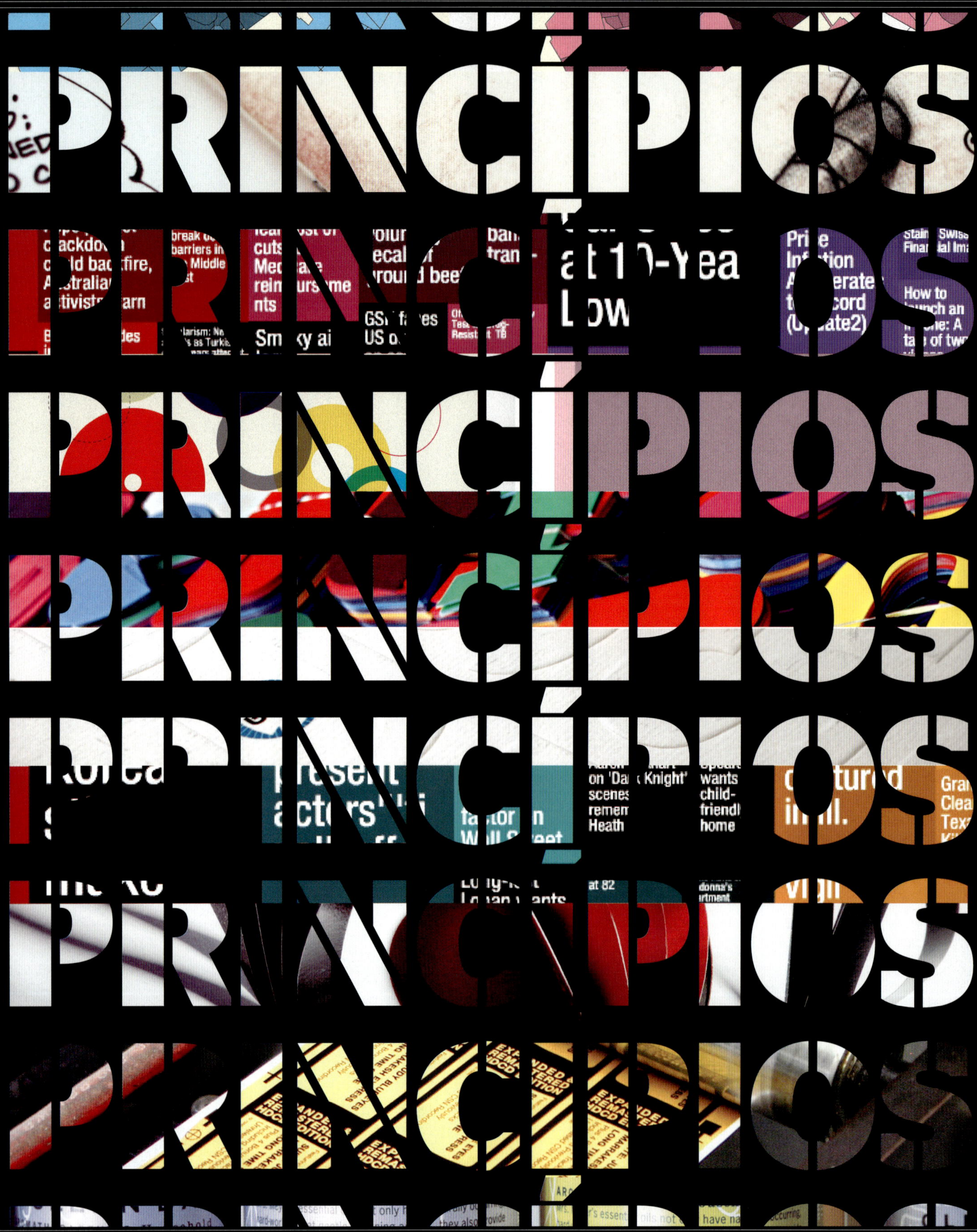
PRINCÍPIOS
PRINCÍPIOS
PRINCÍPIOS
PRINCÍPIOS
PRINCÍPIOS
PRINCÍPIOS
PRINCÍPIOS
PRINCÍPIOS

O Design gráfico vem evoluindo por mais de cem anos nos últimos três séculos – do seu reconhecimento inicial como arte comercial no final do século XIX, à criação do termo por W. A. Dwiggins em 1922, até a sua posição atual como uma disciplina que engloba uma miríade de especialidades. Através das décadas, a profissão foi transformada com mudanças acadêmicas, práticas e tecnológicas que gradualmente criaram uma série de princípios pelos quais o design gráfico pode ser ensinado, entendido, categorizado e praticado. Compreender a gama de termos, definições técnicas e processos é essencial para entender o design gráfico.

Zeit
genö
ssi
sche
chi
ne
si
sche
Sch
rift
pla
kate
Bilder
Schrift
14.September-06.November.2005
Mo.-Fr.: 09.00-21.00 Uhr, Sa.: 09.00-12.00 Uhr
Rössligasse 12, HGK Luzern
Organisiert von Posters Lucerne
POST ERS
Vernissage: Kornschütte im Rathaus Luzern
14. September 2005 um 18 Uhr

PRINCÍPIOS

De Design

24

Disciplinas

É uma anedota comum dizer que nem mesmo os pais de designers sabem o que seus filhos e filhas fazem. “Alguma coisa com computadores” é uma das respostas mais precisas. Essa incerteza pode ser causada pela enorme gama de especialidades e disciplinas nas quais os designers podem se envolver – criar logotipos, capas de livros, embalagem de alimentos, créditos de filmes, exposições em museus –, o que dificulta o estabelecimento de uma definição clara. A possibilidade de trabalhar com diferentes meios de produção, para uma variedade de clientes e usuários finais é um dos grandes atrativos do design gráfico.

50

Layout

Por toda a miríade de disciplinas do design gráfico e suas numerosas manifestações, um fundamento é permanente: layout. Não importa como seja o projeto – grande ou pequeno, online ou impresso, em página simples ou múltipla, plano ou tridimensional, quadrado ou redondo – imagens e/ou texto devem ser dispostos e organizados conscientemente.
O layout pode ser descrito, de maneira objetiva, como as propriedades físicas (espaçamento, tamanho, posicionamento) e disposição dos elementos de design numa determinada área e, finalmente, como um design acabado. Isso leva à avaliação subjetiva de como efetivamente essas propriedades são dispostas naquela área – e a acaloradas discussões entre designers. Enquanto um layout pode ser executado de infinitas maneiras, uns poucos princípios devem ser considerados para decidir como explorá-lo.

56

Cor

Além da tipografia, a cor pode ser a mais indispensável e influente variável no design gráfico, uma vez que tem o poder de transmitir uma variedade de emoções, sinais visuais específicos e estabelecer uma conexão imediata com o observador. Por causa da extensão das interpretações e associações que as cores geram, uma avaliação definitiva de sua influência e significado é impossível. A tarefa mais sensata e benéfica para os designers é entender como a cor é composta e categorizada, e testar como as cores se comportam – sozinhas e em combinação – nos contextos desejados.

Detalhe do **CARTAZ PARA A EXPOSIÇÃO *BILDER-SCHRIFT*, DE CARTAZES CHINESES NA SUÍÇA NA ASSOCIAÇÃO DE CARTAZES DE LUCERNA** / **Hesign International / Alemanha, 2005**

Design de Identidade

No processo de identificação de um produto, serviço ou organização, o design de identidade é mais do que simplesmente criar um logotipo – ainda que não exista nada de simples nisso. Através da aplicação, juntamente com um logotipo, de um conjunto consistente e conciso de elementos distintos – cores, tipografia e outros elementos visuais – os designers de identidade criam um sistema visual que torna um produto, serviço ou organização facilmente identificáveis. A identidade pode ser manifestada em cartões de visita, uniformes, materiais de marketing e outros materiais de comunicação. O design de identidade é dividido em linhas gerais em identidade corporativa e identidade de varejo ou marca. A primeira é especializada em designs para corporações e negócios enquanto a outra trata do design para o contato direto com os consumidores. Em ambos os casos o design de identidade é um aspecto influente de nossa profissão, pois cria manifestações tangíveis para valores intangíveis de um determinado produto, serviço ou organização, não importa se grande ou pequena.

FULL
Full Service Check-In
All Gates

RECRIAÇÃO DA IDENTIDADE DA DELTA AIRLINES / Lippincott / EUA, 2007 / Foto no aeroporto: Albert Vecerka / Esto

EST.
1915

PROGRAMA DE IDENTIDADE DO BUTTERFILED MARKET / Mucca Design: direção criativa, Matteo Bologna; Direção de arte, Christine Celic; design, Christine Celic, Lauren Sheldon / EUA, 2007

MTK

Osaava maaseu
MTK

Maa- ja metsätaloustuottajain Keskusliitto MTK ry
MTK

MTK, PROGRAMA DE IDENTIDADE DA UNIÃO CENTRAL DOS PRODUTORES AGRÍCOLAS E DONOS DE FLORESTAS / Porkka & Kuutsa / Finlândia, 2007

BUTTERFIELD
CATERING
1114 LEX
NYC 10021

1114 LEX
NYC
EST.
1915

Branding

Relacionado tipicamente aos produtos de consumo e serviços – embora os mesmos princípios apliquem-se às corporações e negócios e mesmos às personalidades – o objetivo de branding é formar uma percepção geral de um dado produto, serviço ou organização na mente do consumidor por uma série de meios. Estes vão do comportamento do staff às condições de iluminação numa loja, à música que toca num comercial de TV, à fotografia numa campanha impressa, ao tom de voz com o qual algo é comunicado. Branding é geralmente resultado da colaboração entre designers gráficos, estrategistas, pesquisadores e escritores, em que todas as disciplinas – web, publicidade, relações públicas, design de identidade – juntam-se de forma coesa para posicionar e transmitir as aspirações, valores e benefícios de um produto, serviço ou organização. Branding de sucesso cria associações positivas e estabelece expectativas consistentes para o consumidor. E, sim, branding de sucesso também gera lucros.

MISSION:
DELIVER THE GOODS ★
★ TO THE GOOD GUYS
bivvy wear
THE SWEATER WITH A HISTORY!
max +tac
COMBAT CLOTH
1944 60 2004
D-DAY
A TRIBUTE

PILOT'S SURVIVAL KNIFE
550 SURVIVAL CORD
WATCH CAP
NOTESAF TABLET HOLDER
90 MPH DUCT TAPE

WWW.ACTIONGEAR.COM
BRIGADE
QUARTERMASTERS
THE GOODS
GOOD GUYS
TAKE ACTION
1-800-338-4327

WWW.ACTIONGEAR.COM
BRIGADE
QUARTERMASTERS
DELIVER THE GOODS
TO THE GOOD GUYS
SALE!
1-800-338-4327
REDUCED PRICES

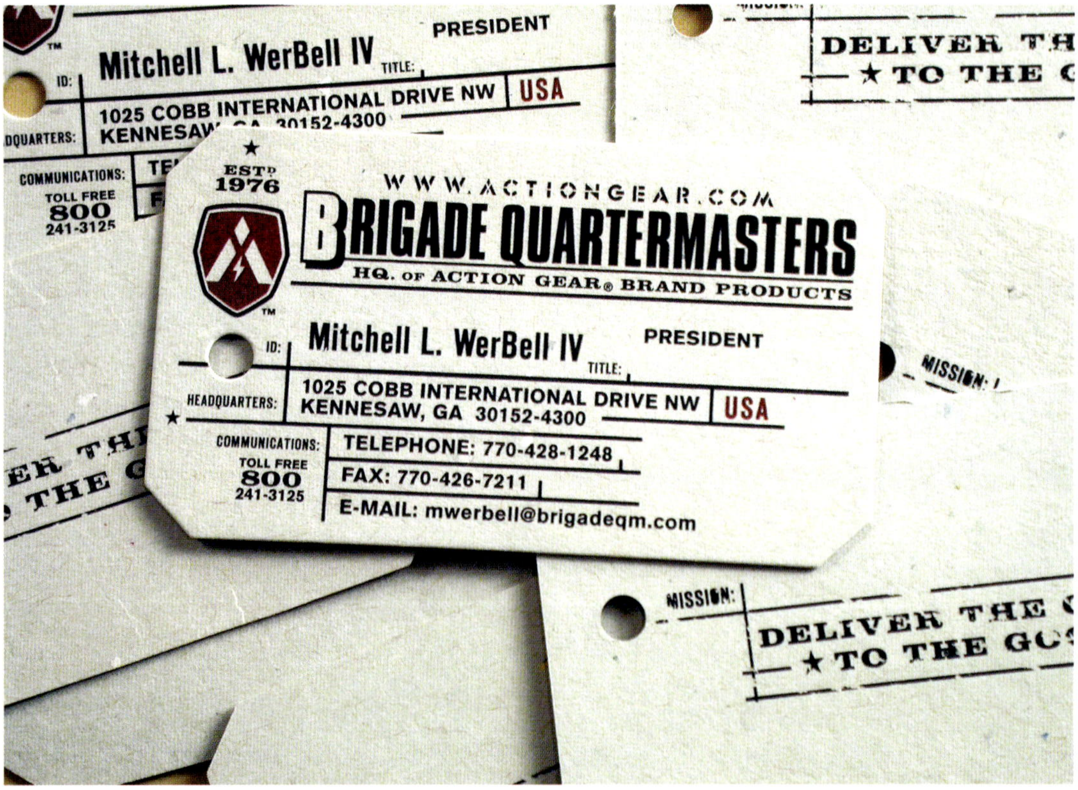
EST'D 1976
WWW.ACTIONGEAR.COM
BRIGADE QUARTERMASTERS
HQ. OF ACTION GEAR® BRAND PRODUCTS
ID: Mitchell L. WerBell IV
TITLE: PRESIDENT
HEADQUARTERS: 1025 COBB INTERNATIONAL DRIVE NW
KENNESAW, GA 30152-4300
USA
COMMUNICATIONS: TOLL FREE 800 241-3125
TELEPHONE: 770-428-1248
FAX: 770-426-7211
E-MAIL: mwerbell@brigadeqm.com
MISSION:
DELIVER THE
TO THE

BRANDING PARA BRIGADE QUARTERMASTERS / Thomas W. Cox / EUA, 2002-2003

every
neighborhood
will celebrate
TimeWarner
NYC2012

people
will speak
your
language
NYC2012
jazz
at lincoln center

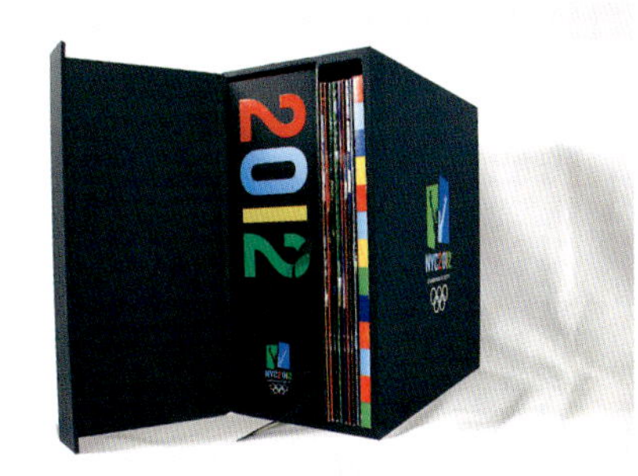
2012

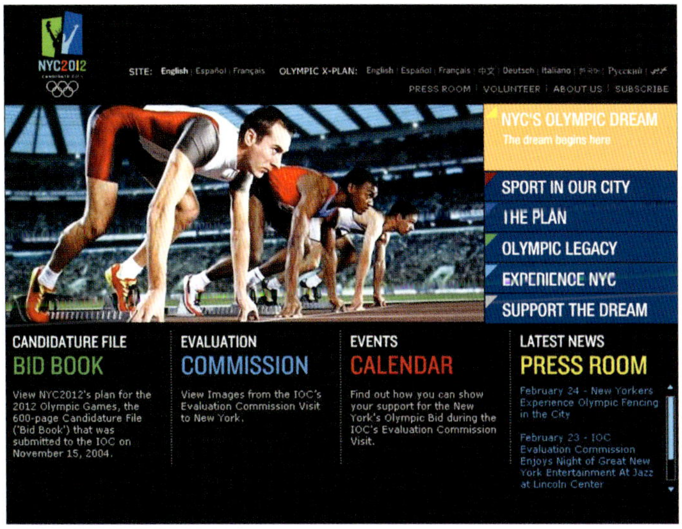
NYC2012
SITE: English | Español | Français
OLYMPIC X-PLAN: English | Español | Français | 中文 | Deutsch | Italiano | Русский
PRESS ROOM | VOLUNTEER | ABOUT US | SUBSCRIBE
NYC'S OLYMPIC DREAM
The dream begins here
SPORT IN OUR CITY
THE PLAN
OLYMPIC LEGACY
EXPERIENCE NYC
SUPPORT THE DREAM
CANDIDATURE FILE
BID BOOK
View NYC2012's plan for the 2012 Olympic Games, the 600-page Candidature File ('Bid Book') that was submitted to the IOC on November 15, 2004.
EVALUATION
COMMISSION
View Images from the IOC's Evaluation Commission Visit to New York.
EVENTS
CALENDAR
Find out how you can show your support for the New York's Olympic Bid during the IOC's Evaluation Commission Visit.
LATEST NEWS
PRESS ROOM
February 24 - New Yorkers Experience Olympic Fencing in the City
February 23 - IOC Evaluation Commission Enjoys Night of Great New York Entertainment At Jazz at Lincoln Center

peace is the dream
NYC2012
CHAMPS
CHAMPS
Subway

BRANDING PARA A CAMPANHA DE NOVA YORK COMO CIDADE SEDE DA OLIMPÍADA DE 2012 / BIG, Ogilvy & Mather Worldwide: direção criativa, Brian Collins; direção de design, Jennifer Kinon; design, Kristin Johnson, Erika Lee, Christine Koroki, Abigail Smith, Luis Moya; consultoria de design, Rick Boyko, RG / A, TwoTwelve Associates, Giampetro + Smith, Stuart Rogers, Bobby C. Martin Jr.; texto, Charles Hall, Sophia Hollander / EUA, 2004 / Imagens: cortesia de NYC2012

Design Colateral

Todos os produtos, serviços e organizações devem comunicar além do que a marca, identidade e propaganda são capazes e, nesse sentido, o design colateral pode ser uma das disciplinas mais variadas e ativas no design gráfico. Através de uma gama ilimitada de abordagens, os designers criam catálogos, panfletos, manuais e relatórios anuais de todos os tamanhos, números de páginas e técnicas de produção, do exagerado ao compacto, do informativo ao emocional, o design colateral oferece infinitas possibilidades expressivas e comunicativas – talvez até demais.

just
hold me
OBJ
ECT
SPA
PUTS OBJECTS INTO PLAY
MEMBERS

***JUST HOLD ME*, CATÁLOGOS DA EXPOSIÇÃO OBJECTSPACE** / Utiliza múltiplos tipos de papéis de trabalhos anteriores / Inhouse Design Group Ltda.: design, Alan Deare / Nova Zelândia, 2006

AJOUR
De Valère Novarina
CANTATRIX SOPRANICA L.
SEQUENZA III

PROGRAMA DO LEGRAIN THÉATHRE DE LA VOIX PARA O ESTÚDIO DE MICHEL BOUVET / Ellen Tongzhou Zhao / Paris, 2007

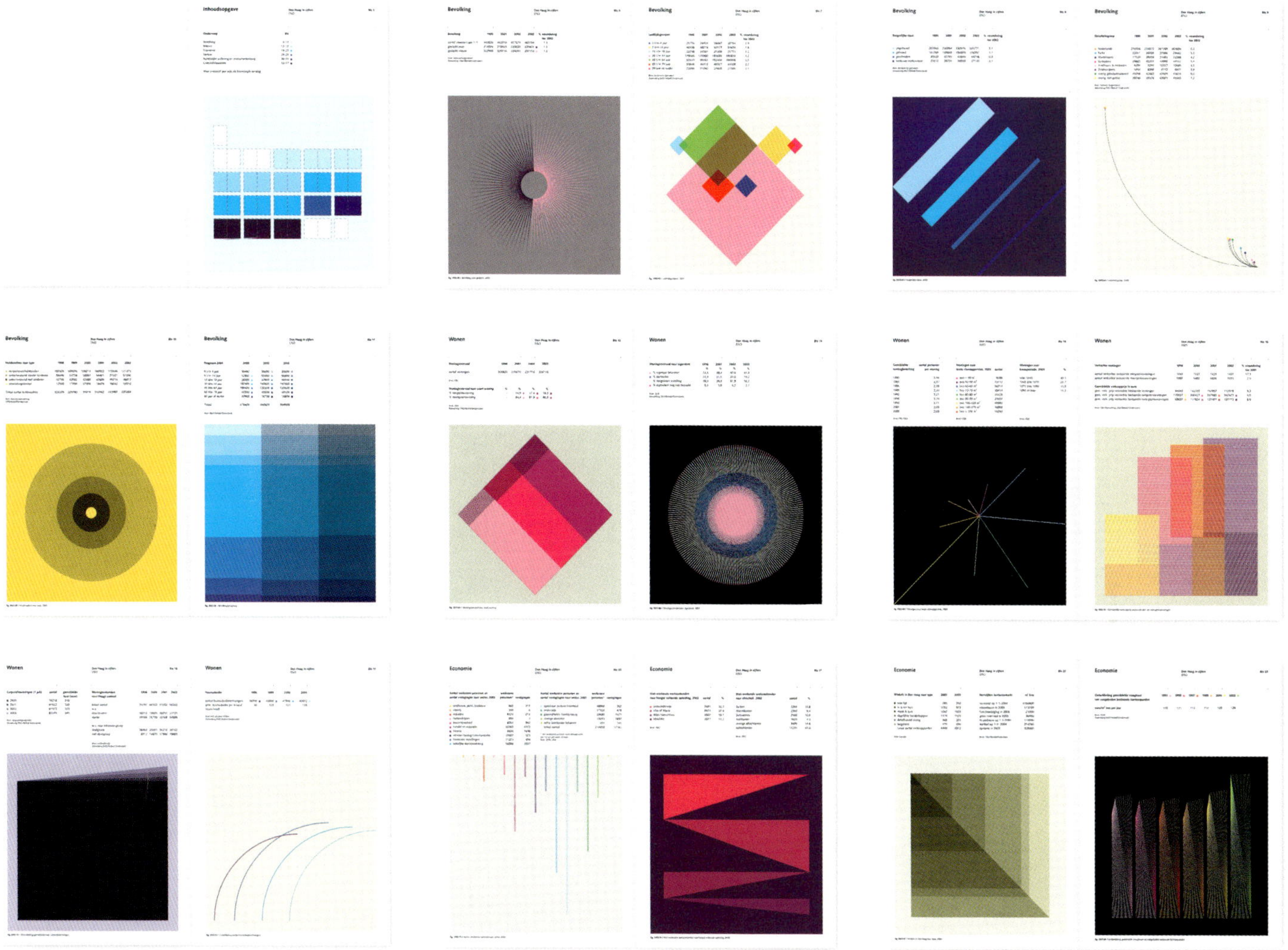

***HAIA EM FATOS E NÚMEROS*, RELATÓRIO ANUAL DA CIDADE DE HAIA** / Toko: design, Eva Dijkstra / Holanda, 2004

***SQUARE FEET*, CATÁLOGO DE INTERFACE** / Valentine Group / EUA, 1998

Design Ambiental

A despeito do nome, design ambiental não está necessariamente preocupado com iniciativas ecológicas, mas se refere às aplicações de design para um ambiente específico. Seja a serviço de um museu, um aeroporto, uma estação de trem ou metrô, um parque de diversões, um cinema, um shopping center ou de todo um bairro, o design de ambiente ajuda e enriquece o modo pelo qual o destino é experimentado, navegado e entendido. Seja na forma de sinalização e informação de trajetos, design de exposição, grafismo de restaurantes, varejo e mesmo decoração de interior, entre outras manifestações, esta disciplina confere uma excelente oportunidade de resultados para o design na medida em que interage com as construções e se beneficia de materiais e texturas que podem ser produzidos em em qualquer tamanho – todo designer de ambiente irá dizer que a Helvetica em negrito (ou qualquer outro tipo de letra) será ainda mais incrível se especificada com alguns metros de tamanho do que nas tradicionais medidas de tamanho de corpo.

BROOKLYN SUPERHERO SUPPLY CO.

EVER VIGILANT, EVER TRUE.
BROOKLYN SUPERHERO SUPPLY CO.
IF WE DON'T HAVE IT, A SUPERHERO DOESN'T NEED IT.
826 NYC
HQ OFFICES OF 826NYC
372 FIFTH AVENUE
718-499-9884 • www.826nyc.org
DO NOT BE ALARMED — ALL IS SECURE
OUR PRODUCTS ARE THESE:
ALL TRANSGALACTIC EQUIPMENT GUARANTEED UNDER EARTH LAWS ONLY—NO EXCEPTIONS!
ONE STOP FOR ALL YOUR FOE-BATTLING NEEDS

CINCINNATI

CINCINNATI
Duke Energy Center

SINAIS DE FACHADA DE LOJA BROOKLYN SUPERHERO STORE & CO. PARA A 826NYC / Sam Potts, Inc. / EUA, 2004

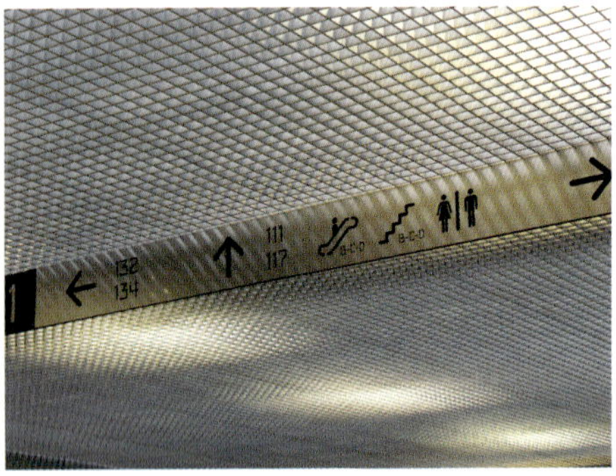

SINALIZAÇÃO E MURAL DO CENTRO INTERNACIONAL DE CONVENÇÕES DE BARCELONA / Mario Eskenazi, Ricardo Alavedra / Espanha, 2003-2004

ICONOGRAFIA, SINALIZAÇÃO E INTERIORES DO CENTRO DE CONVENÇÕES DE CINCINNATI / Sussman/Prejza & Company, Inc.; arquitetura, LMN Architects / EUA, 2006 / Fotos: J. Miles Wolf

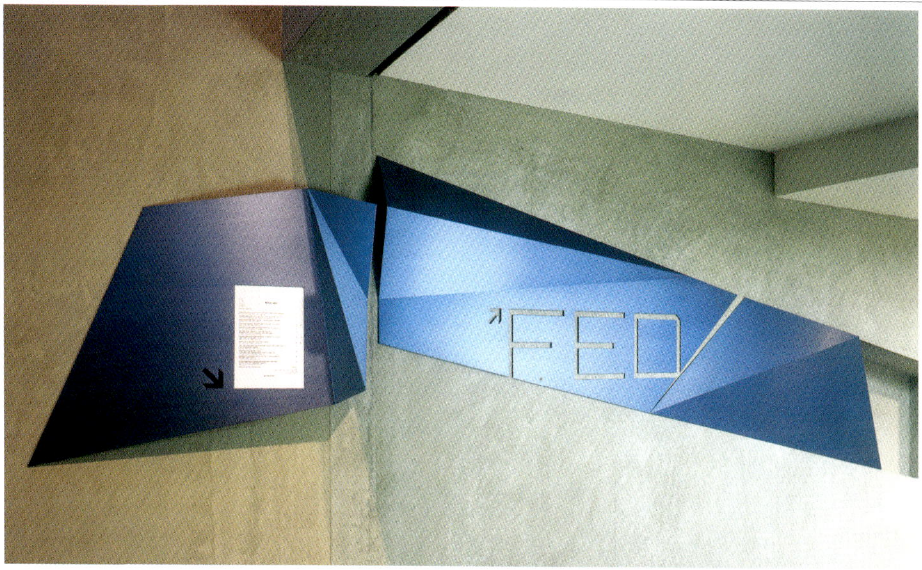

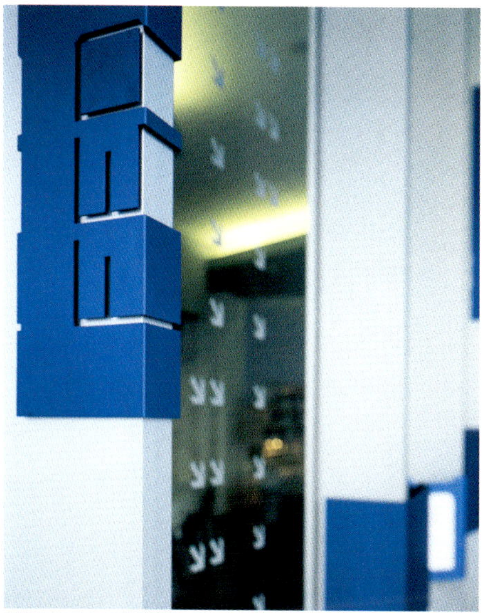

GRÁFICOS DE AMBIENTE E ORIENTAÇÃO NATIONAL GALLERY OF VICTORIA / emerystudio / Austrália, 2003

Spectacular
Craft

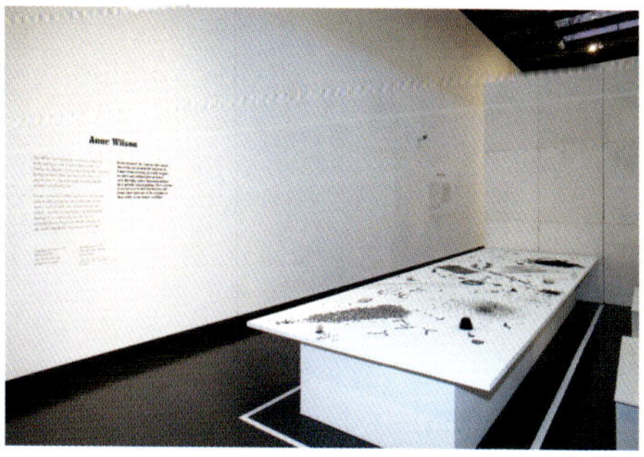

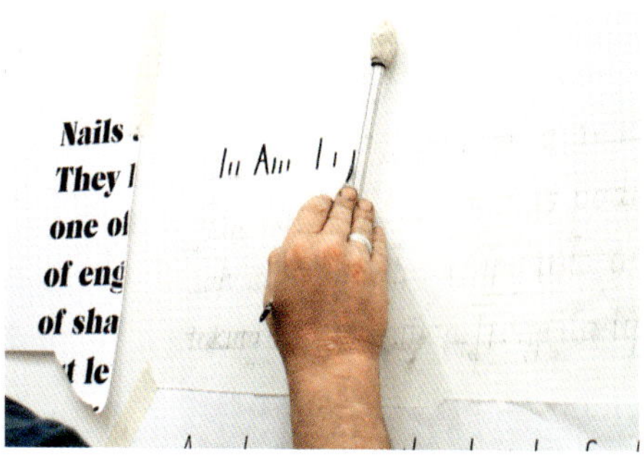

GRÁFICOS DE EXPOSIÇÃO DO VICTORIA AND ALBERT MUSEUM, GALERIA POTER, EXPOSIÇÃO *OUT OF THE ORDINARY: SPETACULAR CRAFT* / Sara de Bondt / Reino Unido, 2007 / Fotos: V&A Museum

Iconografia

As dificuldades em criar sistemas coesos com dúzias de ícones que devem comunicar uma grande quantidade de informações variadas num estilo único e unificado, com o menor número possível de elementos visuais, fazem com que a iconografia seja uma especialidade rara. Ícones são desenvolvidos para uma série de aplicações – interfaces de usuários de computador e dispositivos portáteis, aplicativos de software, manuais de instrução, sinais de alerta em equipamentos, sinalização, informação do clima, entre outras – e que devem ser adaptáveis aos vários meios em que são empregados, de gráficos baseados em pixel num relógio de pulso aos identificadores em metal num aeroporto. A iconografia tem um papel importante também em grandes programas gráficos, como o dos os jogos olímpicos > 356 ou de um zoológico, porque ninguém gosta de confundir esgria com arremeso de dardo, ou ursos com lêmures.

Odlot
Départ

Stabsstellen
04 Konferenzräume
Marketing/Vertrieb
03 Geschäftsführung
Controlling/Logistik
02 Technik/Umwelt

SISTEMAS DE SINALIZAÇÃO E IDENTIDADE DO AEROPORTO DE COLÔNIA-BONN / Integral Ruedi Baur Paris, Berlin, Zürich: Reudi Baur, Chantal Grossen, Eva Kubinyi, Toan Vu-Huu, Simon Burkart, Axel Steinberger / Alemanha, 2000-2004

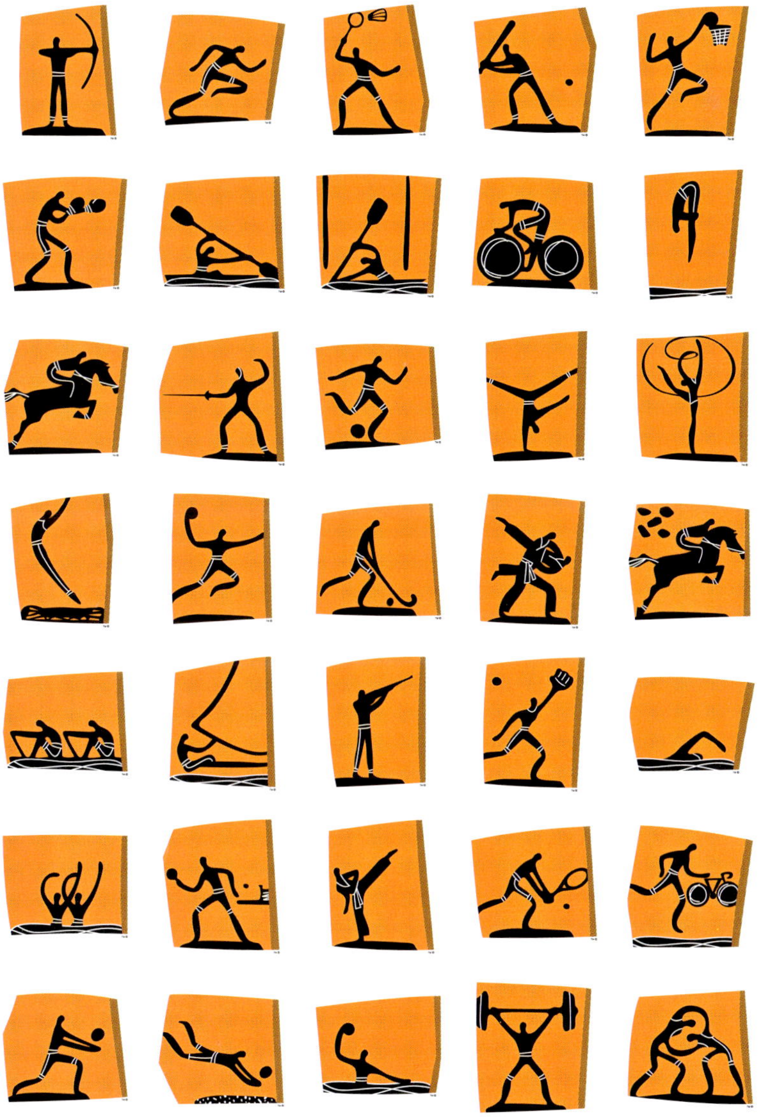

PICTOGRAMAS PARA OS JOGOS OLÍMPICOS DE 2004 / k2design: direção criativa, Yiannis Kouroudis; design, Yiannis Kouroudis, Dimitra Diamanti, Chrysafis Chrysafis / Grécia, 2003

9:42 AM
Configure
Done
Latest News
Politics
N.Y./Region
Photos
Arts
Business
Most E-Mailed
Opinion
Sports
Technology
U.S.
World
More
9:42 AM
More
Edit
Arts
Automobiles
Business
Dining & Wine
Fashion & Style
Health
Most E-Mailed
Obituaries
Latest News
Politics
N.Y./Region
Photos
More

ICONOGRAFIA E INTERFACE GRÁFICA DO USUÁRIO PARA O APLICATIVO DE IPHONE DO *NEW YORK TIMES* / Felix Stockwell, LLC; The *New York Times:* Direção criativa, Khoi Vinh; design, Caryn Tutino / EUA, 2008

whites
reds
LOCAL VINE

wines we love
cult wine
female winemaker
critics' choice
local wine
organic or biodynamic

ICONOGRAFIA E CARDÁPIO DA LOCAL VINE BRAND / Turnstyle: direção de arte, Ben Graham; design, Jason Gómez, Ben Graham, Lesley Feldman / EUA, 2007

SINALIZAÇÃO DE BANHEIROS

Logo após o final da Primeira Guerra Mundial o cientista social e filósofo vienense, Otto Neurath, foi nomeado secretário-geral da associação austríaca das Sociedades de Habitação Cooperativa e Concessão de Jardins, sendo incumbido de disseminar informação num país cuja classe trabalhadora era majoriatariamente não escolarizada. Uma de suas primeiras exposições públicas usou mapas com desenhos simples; por exemplo, o aumento da produção de frangos foi representado por meio de uma pilha de desenhos de aves. A exposição foi um sucesso e, em 1924, Neurath criou o Museu Social e Econômico, em Viena, para aprofundar sua pesquisa e desenvolver o potencial de indicação pictórica de informação quantitativa com o menor envolvimento da linguagem.

Na década seguinte, juntamente com sua esposa, Marie Neurath, Neurath desenvolveu o sistema internacional de Educação Pictórica Tipográfica (ISOTYPE), que consiste de milhares de pictogramas – a maioria deles desenhada por Gerd Arntz – simbolizando dados industriais, demográficos, políticos e econômicos. ISOTYPE também sugeria a apresentação apropriada dos pictogramas e muitos jornais e revistas adotaram esse método de visualização. A evolução subsequente de uma figura humana arquetípica veio nos pictogramas, seguindo um grid angular rígido que Otl Aicher › 166 criou para a Olimpíada de 1972 em Munique › 356. Esses ícones serviram de base para outros sistemas pictóricos

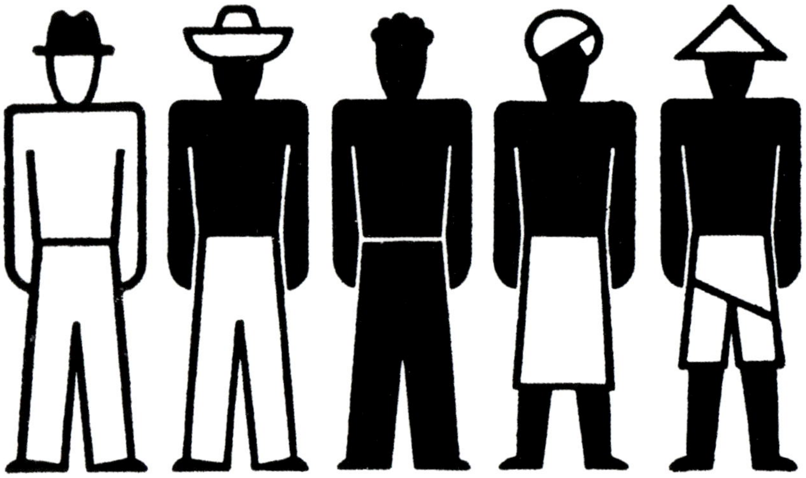

AMOSTRA MASCULINA DO ISOTYPE / Gerd Arntz / Áustria, c. 193

ÍCONES DE BANHEIRO DA COLEÇÃO DE SINAIS SIMBÓLICOS / AIGA / The professional Association for Design; Departamento de Transportes dos EUA / EUA, 1974

***AEROPORTO*, UM FILME DE CURTA METRAGEM INCORPORANDO OS SÍMBOLOS DE DOMÍNIO PÚBLICO DA AIGA** / Iain Anderson / Austrália, 2005

abrangentes criados por Archer para a ERCO e para o Aeroporto de Munique. Estão em ambientes públicos como os aeroportos, hospitais e grandes complexos onde a comunicação pictórica pode romper as barreiras da língua e mesmo do analfabetismo.

No mundo todo, sistemas pictóricos foram desenvolvidos, geralmente do zero, resultando em diferentes interpretações visuais de um mesmo conceito. Nos Estados Unidos, sob o Programa Federal de Melhora do Design, de 1972, o Departamento de Transportes incumbiu o Instituto Americano de Artes Gráficas (AIGA) › 244 de supervisionar o desenvolvimento de uma conjunto coeso e universal de "sinais simbólicos" que poderiam se tornar os padrões para os projetos de orientação. Os designers Roger Cook e Don Shanosky trabalharam com um comitê composto por Tom Geismar › 156, Seymour Chwast › 171, Rudolph de Harak, John Lees e Massimo Vignelli › 160, para criar o conjunto inicial de 34 sinais simbólicos. Estes foram lançados em 1974, seguidos de outros 16, em 1979.

Enquanto todos os 50 sinais desempenham funções importantes, nenhum aparenta ter atingido a popularidade e a ubiquidade do símbolo para lavatórios. Uma evolução clara do ISOTYPE de Neurath, o homem e a mulher são representados sem detalhes, tendo apenas suas roupas como elementos de diferenciação – calças para ele e vestido para ela. Devido à sua absoluta simplicidade, eles são propensos a se tornar alvos de sátiras e humor ou de comentários sociais ou políticos, uma vez que representam todos, não ofendem ninguém. E, a despeito da clareza dos símbolos de banheiros, os designers e proprietários de estabelecimentos encontram a todo tempo formas inteligentes de indicar o gênero dos lavatórios.

Target.com/2DaySale

COMERCIAL DE TV PARA A TARGET *RACE 2 THE 2DAY SALE* / Lobo / Brasil, 2007

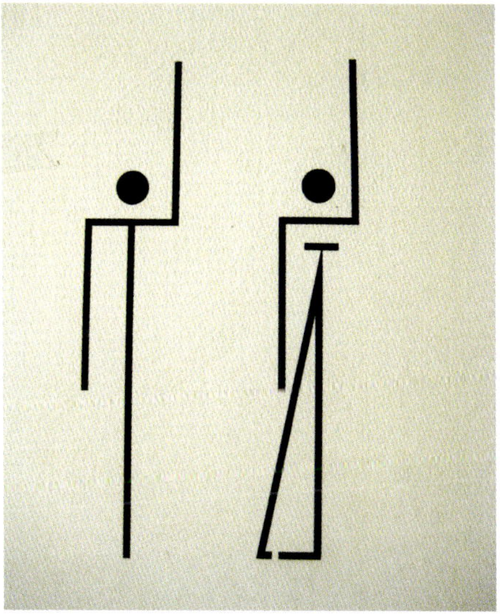

MUSEU DA FUNDAÇÃO SERRALVES / Portugal, 2008 / Foto: Usuário Riddle do Flickr

WOMEN
MEN

MUSEU DE ARTE MODERNA, Nova York / EUA, 2008 / Foto: Kate Shanle

BANHEIRO PÚBLICO NO SOHO LONDRINO / Reino Unido, 2008 / Foto: Leah Buley

Family restrooms

MUSEU DO BROOKLYN / EUA, 2006 / Foto: J. Brandon King

Design Informativo

Enquanto os designers gerenciam e organizam informações em todos os projetos, uma disciplina específica trata da apresentação de informações complexas – estatísticas, resultados de pesquisas, comparações de dados, formulários etc. – da maneira mais eficiente e mais fácil de ser entendida. Através de diagramas, gráficos, iconografia e ilustrações ou fotografias, inovadoras, alusivas e atraentes, o design informativo apresenta visualmente fatos, números, eventos e dados que ajudam a entender um determinado tópico. Usado tipicamente em contextos editoriais como elemento de apoio de artigos em jornais, revistas e periódicos, o design interativo é bem-sucedido no domínio interativo. A internet tem criado um novo tipo de design informativo que pode analisar dados, sejam estáticos ou dinâmicos, de várias fontes e apresentá-los de maneira dinâmica, mostrando como os dados estão mudando e evoluindo a cada segundo. Com a interatividade, o design informativo pode agora atrair os usuários de maneiras que poucas outras disciplinas são capazes.

WHO'S PAID WHAT?
RED TAPE
THE GOVERNMENT GRIND
THE U.S. GOVERNMENT EMPLOYS 2,690,238 PEOPLE
(ABOUT 1% OF THE U.S. POPULATION)
INTERNATIONAL NETWORKS ARCHIVE

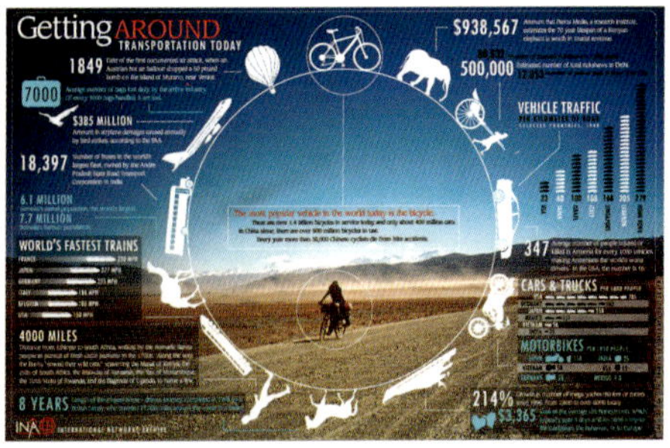
Getting AROUND
TRANSPORTATION TODAY

CHOOSE YOUR WEAPON
THE GLOBAL ARMS TRADE
USA

AS REDES INTERNACIONAIS DA UNIVERSIDADE DE PRINCETON ABRIGAM EM ARQUIVOS OS MAPAS INFORMATIVOS QUE ILUSTRAM A FILOSOFIA EXPERIMENTAL DE MAPEAMENTO DA INSTITUIÇÃO / Number 25 / EUA, 2003

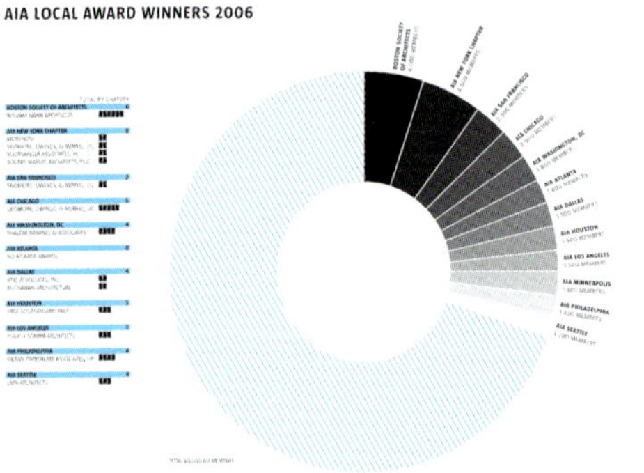
AIA LOCAL AWARD WINNERS 2006

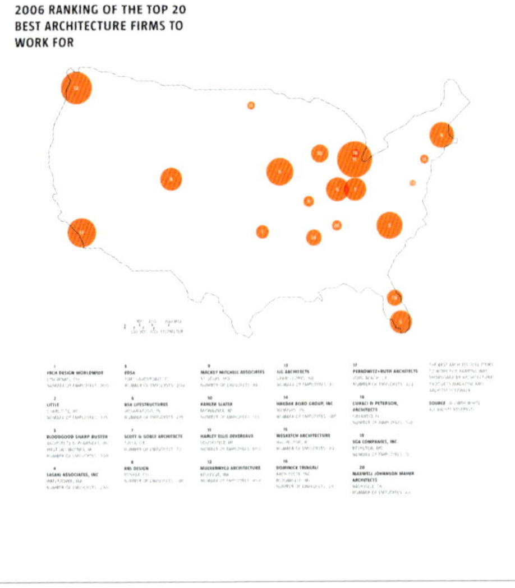
2006 RANKING OF THE TOP 20 BEST ARCHITECTURE FIRMS TO WORK FOR

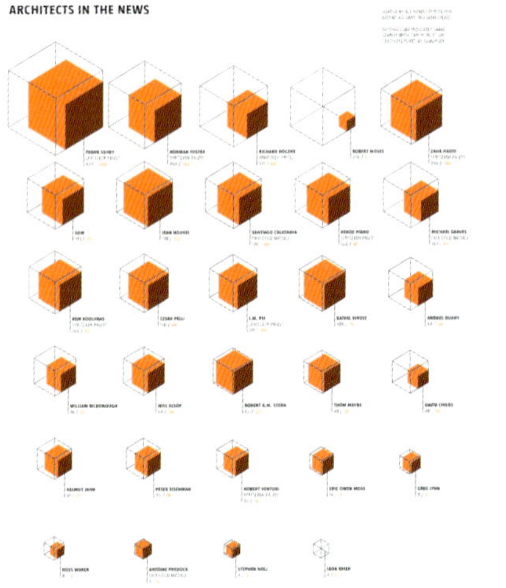
ARCHITECTS IN THE NEWS

INFOGRÁFICOS DA PRIMEIRA PEQUISA ANUAL DE EDUCAÇÃO PARA A REVISTA *ARCHITECT* / Catalogtree / Holanda, 2007

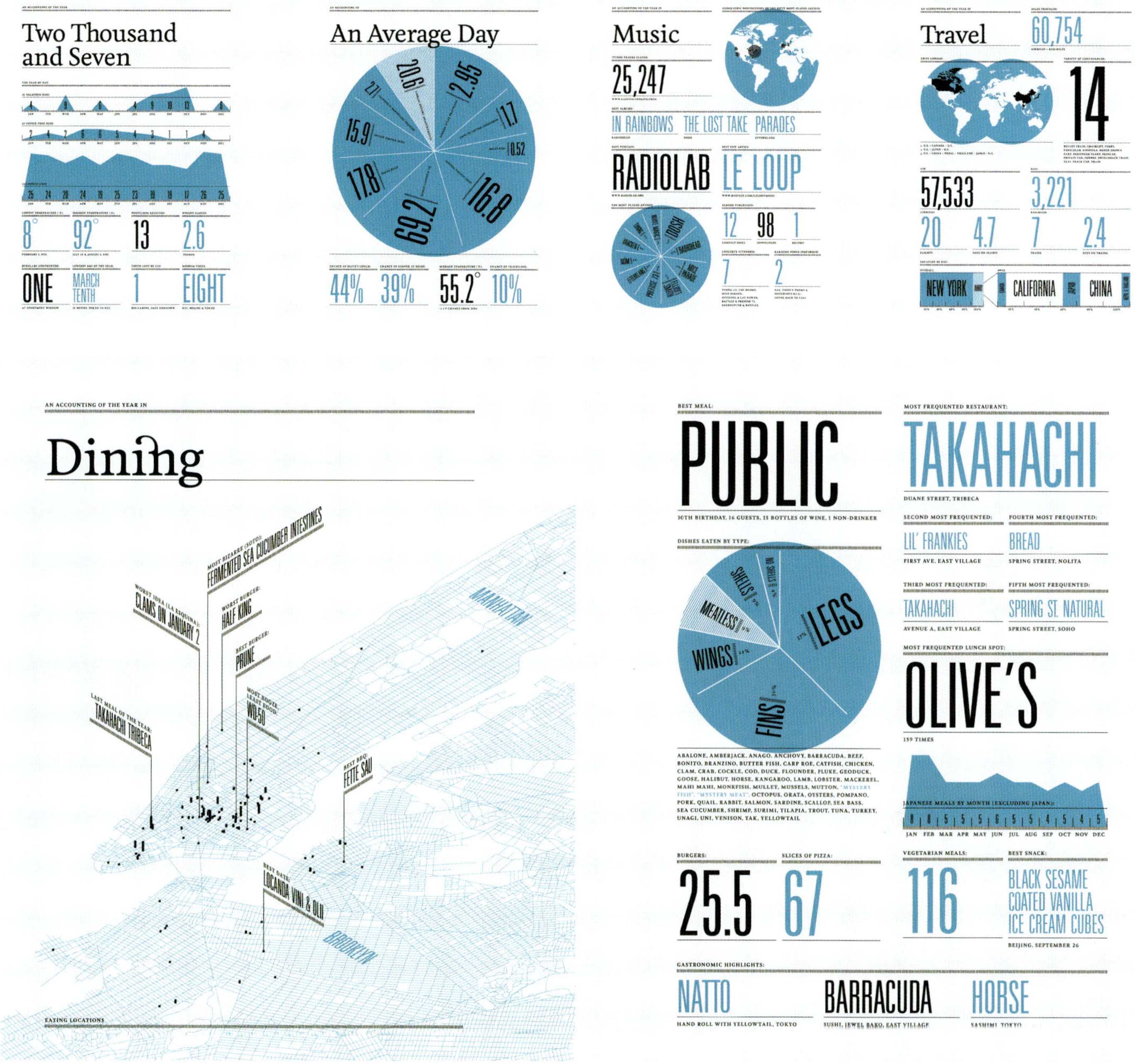
Two Thousand and Seven
ONE
MARCH TENTH
1
EIGHT
An Average Day
20.6
2.95
1.7
0.52
16.8
69.2
17.8
15.9
2.7
44%
39%
55.2°
10%
Music
25,247
IN RAINBOWS
THE LOST TAKE
PARADES
RADIOLAB
LE LOUP
12
98
1
7
2
Travel
60,754
14
57,533
3,221
20
4.7
7
2.4
NEW YORK
CALIFORNIA
CHINA
AN ACCOUNTING OF THE YEAR IN
Dining
MOST BIZARRE (SOTO):
FERMENTED SEA CUCUMBER INTESTINES
WORST IDEA (LA ESQUINA):
CLAMS ON JANUARY 2
WORST BURGER:
HALF KING
BEST BURGER:
PRUNE
LAST MEAL OF THE YEAR:
TAKAHACHI TRIBECA
MOST BOGIE, LEAST GOOD:
WD-50
BEST BBQ:
FETTE SAU
BEST DATE:
LOCANDA VINI & OLII
MANHATTAN
BROOKLYN
EATING LOCATIONS
BEST MEAL:
PUBLIC
30TH BIRTHDAY, 16 GUESTS, 15 BOTTLES OF WINE, 1 NON-DRINKER
DISHES EATEN BY TYPE:
SHELLS
NO SHELLS
MEATLESS
WINGS
LEGS
FINS
ABALONE, AMBERJACK, ANAGO, ANCHOVY, BARRACUDA, BEEF, BONITO, BRANZINO, BUTTER FISH, CARP ROE, CATFISH, CHICKEN, CLAM, CRAB, COCKLE, COD, DUCK, FLOUNDER, FLUKE, GEODUCK, GOOSE, HALIBUT, HORSE, KANGAROO, LAMB, LOBSTER, MACKEREL, MAHI MAHI, MONKFISH, MULLET, MUSSELS, MUTTON, "MYSTERY FISH", "MYSTERY MEAT", OCTOPUS, ORATA, OYSTERS, POMPANO, PORK, QUAIL, RABBIT, SALMON, SARDINE, SCALLOP, SEA BASS, SEA CUCUMBER, SHRIMP, SURIMI, TILAPIA, TROUT, TUNA, TURKEY, UNAGI, UNI, VENISON, YAK, YELLOWTAIL
MOST FREQUENTED RESTAURANT:
TAKAHACHI
DUANE STREET, TRIBECA
SECOND MOST FREQUENTED:
LIL' FRANKIES
FIRST AVE, EAST VILLAGE
FOURTH MOST FREQUENTED:
BREAD
SPRING STREET, NOLITA
THIRD MOST FREQUENTED:
TAKAHACHI
AVENUE A, EAST VILLAGE
FIFTH MOST FREQUENTED:
SPRING ST. NATURAL
SPRING STREET, SOHO
MOST FREQUENTED LUNCH SPOT:
OLIVE'S
159 TIMES
JAPANESE MEALS BY MONTH (EXCLUDING JAPAN):
JAN FEB MAR APR MAY JUN JUL AUG SEP OCT NOV DEC
BURGERS:
25.5
SLICES OF PIZZA:
67
VEGETARIAN MEALS:
116
BEST SNACK:
BLACK SESAME COATED VANILLA ICE CREAM CUBES
BEIJING, SEPTEMBER 26
GASTRONOMIC HIGHLIGHTS:
NATTO
HAND ROLL WITH YELLOWTAIL, TOKYO
BARRACUDA
SUSHI, JEWEL BAKO, EAST VILLAGE
HORSE
SASHIMI, TOKYO

RELATÓRIO ANUAL DE 2007 DA FELTRON / Nicolas Feltron / EUA, 2008

Design Editorial

É tarefa do designer editorial, juntamente com os editores, escritores, fotógrafos, ilustradores e designers de informação, dar forma ao layout e ritmo de revistas, jornais e livros – itens adquiridos, lidos e colecionados por milhões de pessoas. Com revistas e jornais, o desafio e a graça estão em criar layouts únicos sob um estilo consistente, regidos por grids rígidos e com prazos muito curtos. Para os livros, os prazos podem ser mais dilatados, mas as demandas de conteúdo extenso, a necessidade de ritmo consistente e o imperativo de se manter uma execução visual uniforme, permitindo que o conteúdo seja o protagonista, formam o problema para o designer de livros. Criar uma hieraquia visual de sucesso para as informações, pontuada por tratamentos gráficos ousados – como páginas duplas, fotografias de página cheia, apenas para mencionar alguns exemplos – que guiam os leitores do começo ao final, mantendo a atenção destes e atiçando sua curiosidade.

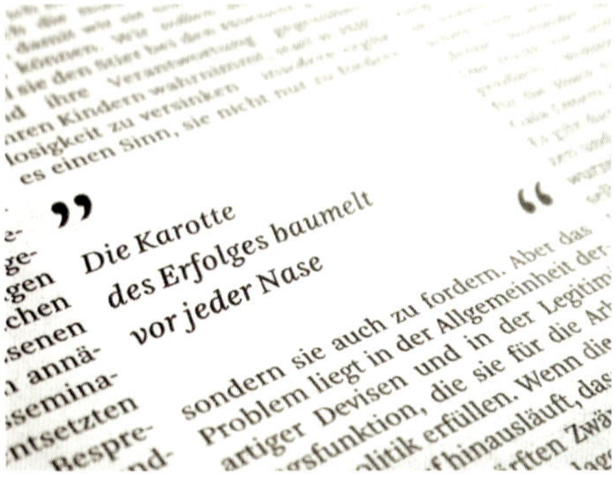
Die Karotte des Erfolges baumelt vor jeder Nase

In Nablus setzt man auf die Börse
Die Macht ist mächtiger als der Profit
Ein Doktor, ein Übersetzer, ein Fotograf und ein Soldat
Nicht nur für Pinochet

Wasser als Wirtschaftsgut

LE MONDE diplomatique
LE MONDE diplomatique
Demokratie
Perestroika
Dokumentarfilme
Einwanderer
Jonathan Meese

DESIGN ANTERIOR DO JORNAL *LE MONDE DIPLOMATIQUE*

LE MONDE diplomatique

Deutsche Ausgabe

Der Ruin von Parmalat

DOSSIER SEITEN 6 BIS 11

Kopftuch – das falsche Verb

Die Sittenwächter

Ein Volvo-Fahrer

MUSEUM LUDWIG

REDESENHO DO JORNAL *LE MONDE DIPLOMATIQUE* / SpiekermannPartners / Alemanha, 2005

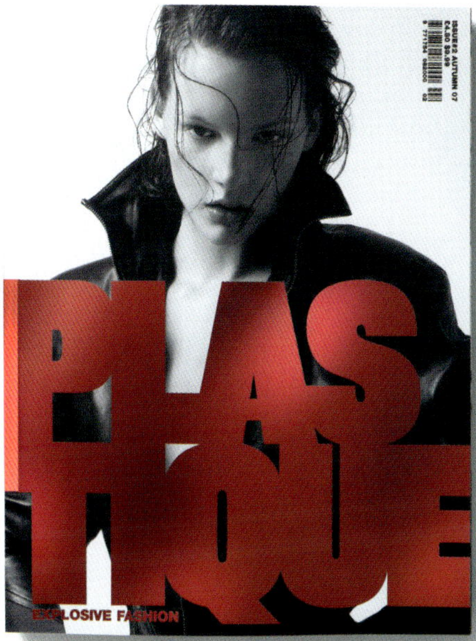
PLASTIQUE
EXPLOSIVE FASHION

PRADA TIMELINE
SPRING
FALL
SPRING
2000 01 02 03 04 05 06
SPRING
SPRING
SPRING
FALL

MAD HATTER

PHOTOGRAPHY MARI SARAI
NITE
NITE

CONTRIBUTORS
MATT DOCHENSKI
RENATA ESPINOSA
KAI Z FENG
PETER HAVAS
DANIELA GILBERT
GAVIN LUCAS
LAUREN DAVID PEDEN
PETER PARRA
PROSPER KEATING
KATE RUTH
NANDINI D'SOUZA

REVISTA *PLASTIQUE* / Studio8 Design: direção de arte, Matt Willey; design, Matt Curtis / Londres, 2007

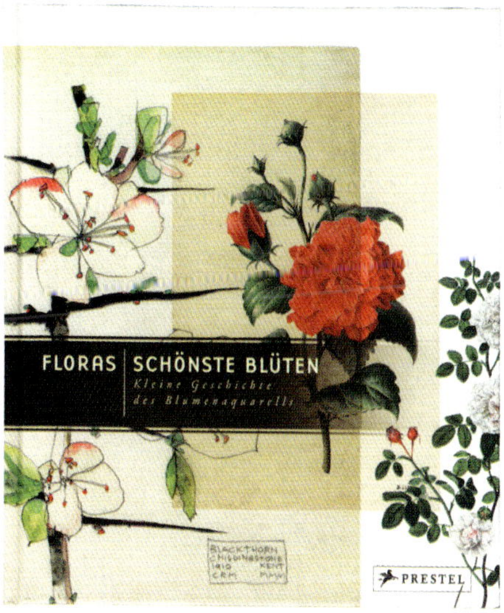
FLORAS SCHÖNSTE BLÜTEN
Kleine Geschichte des Blumenaquarells
PRESTEL

CHARLES RENNIE MACKINTOSH

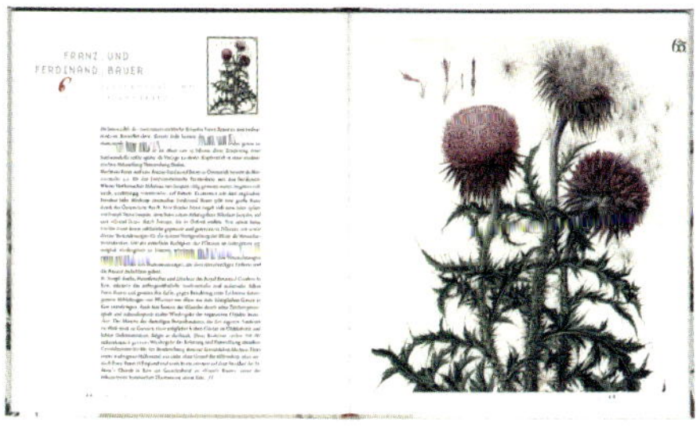
FRANZ UND FERDINAND BAUER

DESIGN DO LIVRO *FLORAS SCHÖNSTE BLÜTEN* PARA A PRESTEl / LIQUID Agentur für Gestaltung / Alemanha, 2007

Design de Cartazes

Como forma bastante badalada de design e por conta do grande espaço em branco dado ao designer, o design de cartazes é uma empreitada cobiçada. Sejam anunciando concertos, filmes, produtos ou eventos esportivos ou servindo às causas de ativismo ou consciência pública, os cartazes têm grande impacto e ressonância. Os propósitos dos cartazes são: ser um dispositivo utilitário para transmitir informação, ser uma voz provocadora de chamamento ou um canto sedutor para se escolher um determinado produto ou serviço. Incluídos em coleções permanentes de museus, apresentados em galerias e organizados em bienais ao redor do mundo, os cartazes são embaixadores para a profissão do design, testemunhas do potencial criativo e comunicativo que a profissão confere.

UNIVERSITÀ DEGLI STUDI DI MACERATA
cultura giuridica e politiche pubbliche in italia
vecchie e nuove migrazioni nell'area mediterranea
tripoli come un miraggio
MASTER DI PRIMO LIVELLO
etica applicata ai problemi dell'economia e della società
statuti atto II
aula magna
24 novembre 2006

CARTAZES DE CONFERÊNCIA DA UNIVERSITÀ DEGLI STUDI DE MACERATA / **Iceberg: direção de arte e design, Marcello Piccinini, Simona Castelani, Paolo Rinaldi / Itália, 2002-2006**

ART ENTERTAINMENT BREVITY
CHICAGO SHORT FILM BRIGADE 2008
ONGOING SCREENINGS OF LOCAL & INTERNATIONAL SHORT FILMS
FILMBRIGADE.COM

CARTAZ *CHICAGO SHORT FILM BRIGADE* / 2008

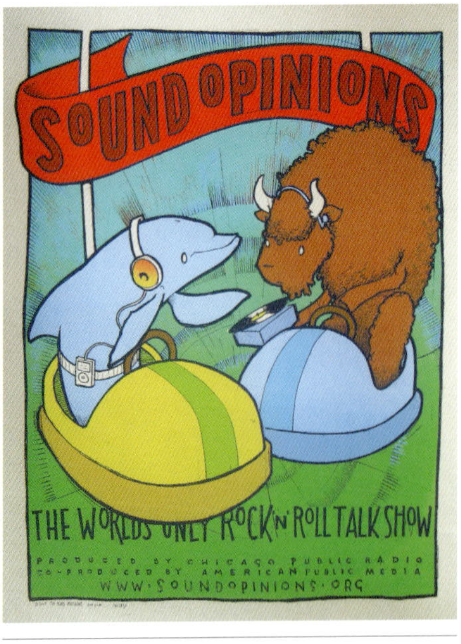
SOUND OPINIONS
THE WORLDS ONLY ROCK'N'ROLL TALK SHOW
PRODUCED BY CHICAGO PUBLIC RADIO
CO-PRODUCED BY AMERICAN PUBLIC MEDIA
WWW.SOUNDOPINIONS.ORG

CARTAZ *SOUND OPTIONS RADIO SHOW* POSTER / 2007

SHELLAC
DIANOGAH
DJ DAMON LOCKS
21+ 8PM
$25 = BENEFIT FOR CAL ROBBINS
27 APRIL 2007
SUBTERRANEAN
CHICAGO

CARTAZ *SHELLAC* / 2007

The Bird Machine: Jay Ryan / EUA

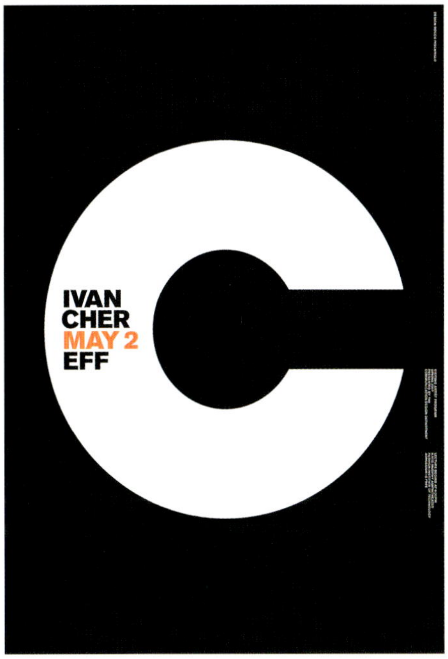
IVAN
CHER
MAY 2
EFF

michael bierut
11 october
massimo vignelli
16 november
visiting artist program
celebrating five years
communication design department
fashion institute of technology
katie murphy amphitheater
lectures begin at 6:30pm

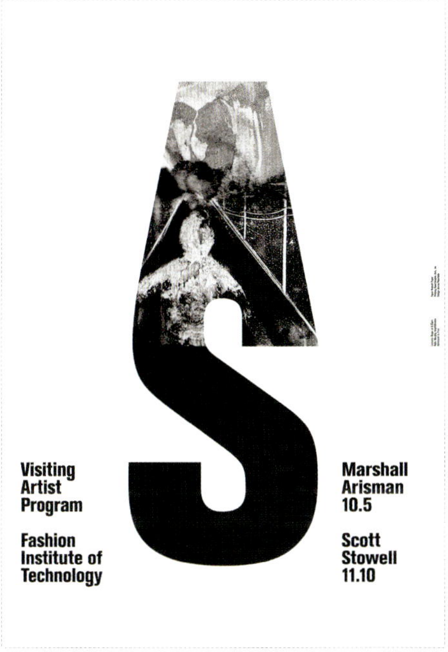
Visiting
Artist
Program
Fashion
Institute of
Technology
Marshall
Arisman
10.5
Scott
Stowell
11.10

CARTAZES DE ARTISTAS VISITANTES NO FASHION INSTITUTE OF TECHNOLOGY / Piscatello Design Center: design, Rocco Piscatello / EUA, 2004-2007

CARTAZ *NEW GRAPHIC* PARA A REVISTA *NEW GRAPHIC* / Hesign International / Alemanha, 2004

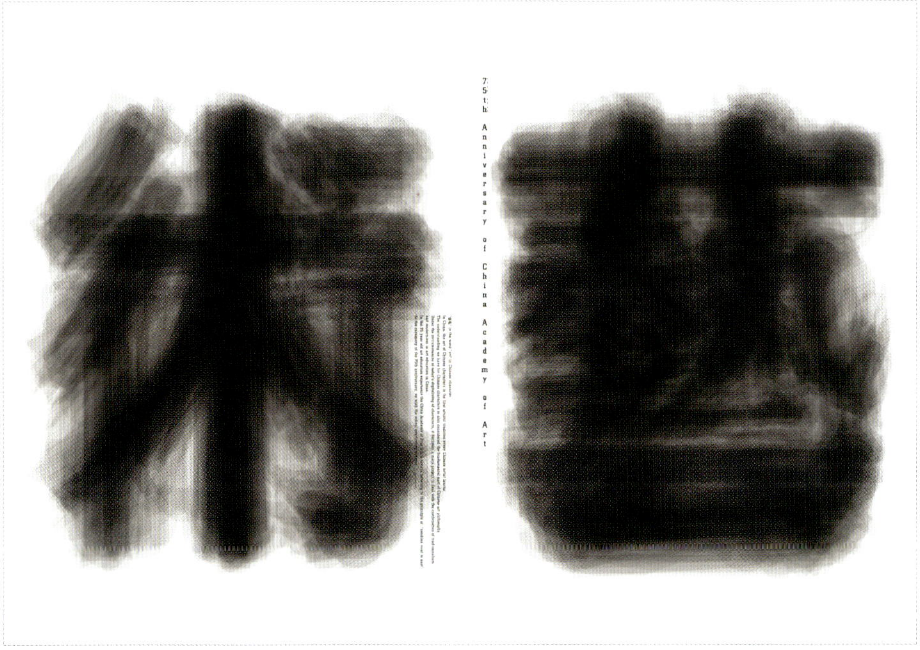
75th Anniversary of China Academy of Art

CARTAZ DO 75º ANIVERSÁRIO DA ACADEMIA DE ARTES DA CHINA / Hesign International / Alemanha, 2003

Embalagem

Mais do que qualquer outra disciplina, a embalagem está ligada intimamente ao consumidor geral, pois ocupa quase todos os momentos do dia das pessoas. Ela manifesta-se numa interminável série de produtos que as pessoas compram ou usam, de frascos de xampu à caixa de leite, latas de tinta, latinhas de refrigerante – todos os itens concebíveis que estão disponíveis para consumo. Nas suas aplicações mais incríveis, a embalagem serve para unificar grandes famílias de produtos, obedecendo rigorosos requisitos legais por meio de sistemas visuais consistentes que permitem variação (tamanhos, sabores, quantidades etc.) e criam uma presença única e reconhecível nas prateleiras de lojas de várias regiões e países. A embalagem também pode servir a lojas e boutiques menores por meio de produtos de distribuição limitada, oferecendo uma identidade diferenciada. A despeito do volume ou alcance de um dado produto, a embalagem oferece a possibilidade de enriquecer cada design pelo uso de materiais, acabamentos e técnicas de produção diferentes que interagem com a presença tridimensional do produto. O desafio do design da embalagem, que é persuadir o consumidor a escolher, entre dúzias de outros, o produto que ela contém, é o seu principal motor.

BLOSSA GLÖGG
03
BLOSSA GLÖGG
04
BLOSSA GLÖGG
05
BLOSSA GLÖGG
BLOSSA GLÖGG
07
BLOSSA GLÖGG

SÉRIE DE GARRAFAS DE VINHO DA EDIÇÃO ANUAL DA BLOSSA GLÖGG PARA A VIN&SPIRIT / BVD: direção criativa, Catrin Vagnemark; design, Sussana Nygren Barrett, Mia Heijkenskjöld / Suécia, 2003-2008

SPESIALØL
Mack
ICE
PREMIUM
Mack
HAAKON
PREMIUM
SPESIALØL
Mack
FATØL
PREMIUM

EMBAGELENS DA CERVEJARIA MACK / Tank Design / Noruega, 2006

VANILLA BLOSSOM
Sula
LILY LOTUS
Sula
STILETTO MUSK
Sula
SUN-KISSED CITRUS
Sula
BUTTERFLY KISS
Sula
CHAMPAGNE SUGAR
Sula
CHAMPAGNE SUGAR
Sula

EMBALAGEM DAS FRAGÂNCIAS SULA PARA A SUSANNE LANG PARFUMERIE / Concrete Design Communications, Inc.: direção criativa, Diti Katona, John Pylypczak; design, Agnes Wong, Natalie Do / Canadá, 2007

Askul
Ink Jet Paper
インクジェットペーパー
写真用印画紙
Photo
Resin Coated Gloss
A4
FUJIFILM
詰替用
90L×2P×3
Askul
Alkaline Battery
アルカリ乾電池
Made in Japan

TRÊS DOS MAIS DE 25.000 PRODUTOS OFERECIDOS PELA EMPRESA JAPONESA DE COMÉRCIO POR CORREIO ASKUL / StockholmDesignLab / Suécia, 2006 – até o presente

Design Interativo

Sendo a disciplina mais nova, o design interativo vem se redefinindo desde meados dos anos 1990, evoluindo vigorosamente juntamente com a tecnologia e crescimento da internet – embora o trabalho interativo viesse a ser feito antes do advento da internet na forma de quiosques interativos, CD-ROMs e formas iniciais de interface de usuário. Enquanto websites possam ser as expressões mais comuns de design interativo, a disciplina aparece na forma de interfaces de usuário para equipamentos eletrônicos (câmeras digitais, dispositivos portáteis e computadores), aplicativos de software, quiosques de venda eletrônica de bilhetes, menus na tela para DVD e guias de programação de TV por assinatura e ainda como mostradores interativos de informações. O crucial no design interativo é a consideração pelo usuário final. O designer se concentra na usabilidade e acessibilidade do design, buscando a interação minimamente obstruída e mais intuitiva com a informação. O design interativo se baseia na colaboração dos designers gráficos, programadores de computador e arquitetos de informação – ou com um indivíduo realmente inteligente que realize essas funções.

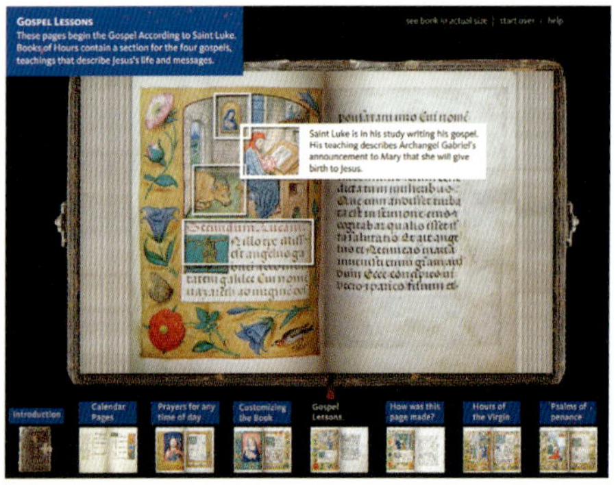
Gospel Lessons
These pages begin the Gospel According to Saint Luke. Books of Hours contain a section for the four gospels, teachings that describe Jesus's life and messages.
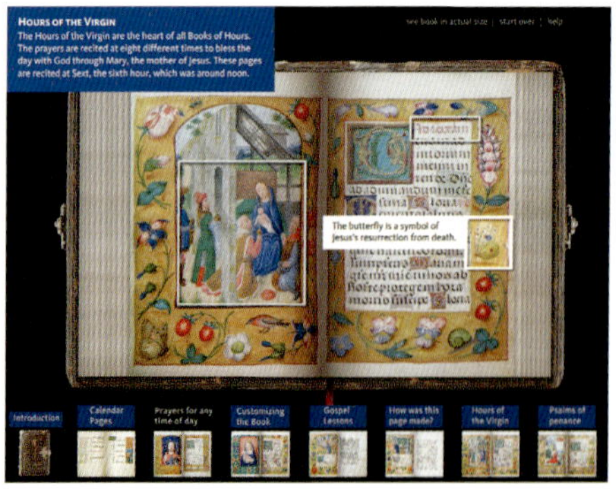
Hours of the Virgin
The butterfly is a symbol of Jesus's resurrection from death.
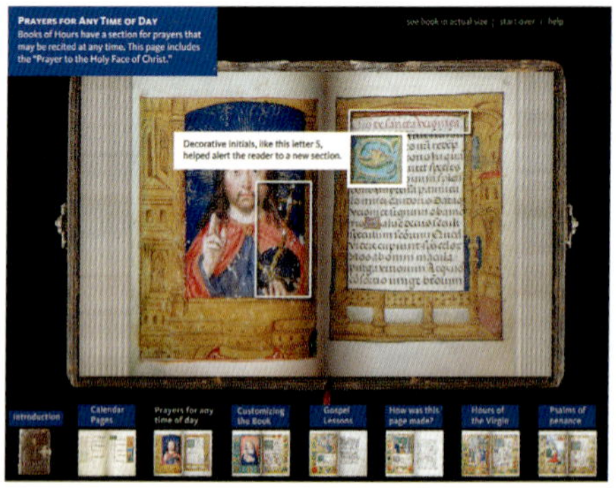
Prayers for Any Time of Day
Decorative initials, like this letter S, helped alert the reader to a new section.

***THE ART OF DINING* E *BOOK OF THE DEAD*, INSTALAÇÕES INTERPRETATIVAS E INTERATIVAS PARA O INSTITUTO DE ARTES DE DETROIT** / Pentagrama: Lisa Strausfeld / EUA, 2007

The Chicago Manual of Style Online

The Chicago Manual of Style Online
Contents

The Chicago Manual of Style Online
6 : Punctuation

The Chicago Manual of Style Online
6 : Punctuation

VERSÃO ONLINE DO *THE CHICAGO MANUAL OF STYLE* / Universidade de Chicago / EUA, 2007

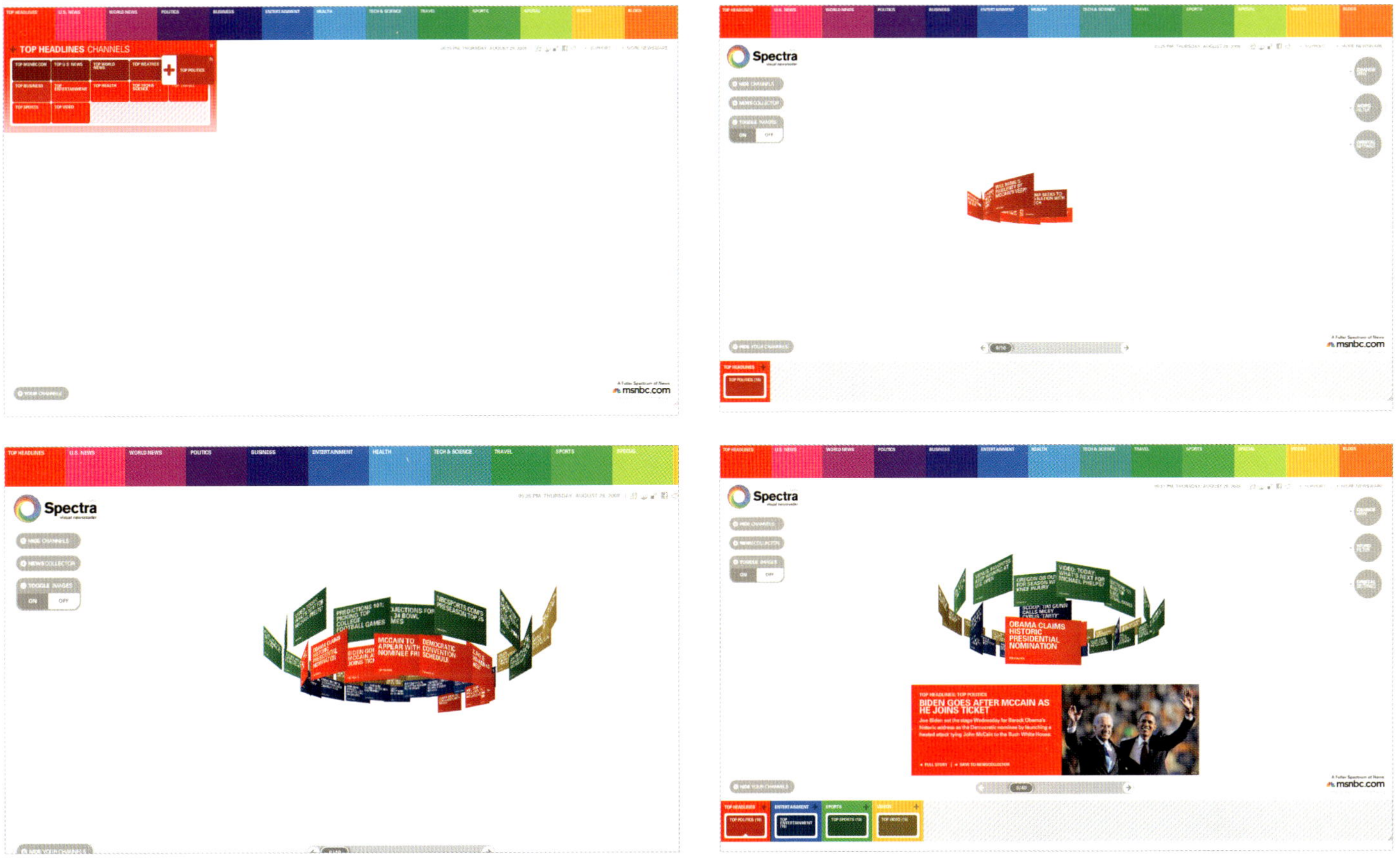

LEITOR VISUAL DE NOTÍCIAS MSNBC SPECTRA, UM MÉTODO ALTERNATIVO PARA OBTER NOTÍCIAS DA MSNBC. COM / SS+K / EUA, 2008

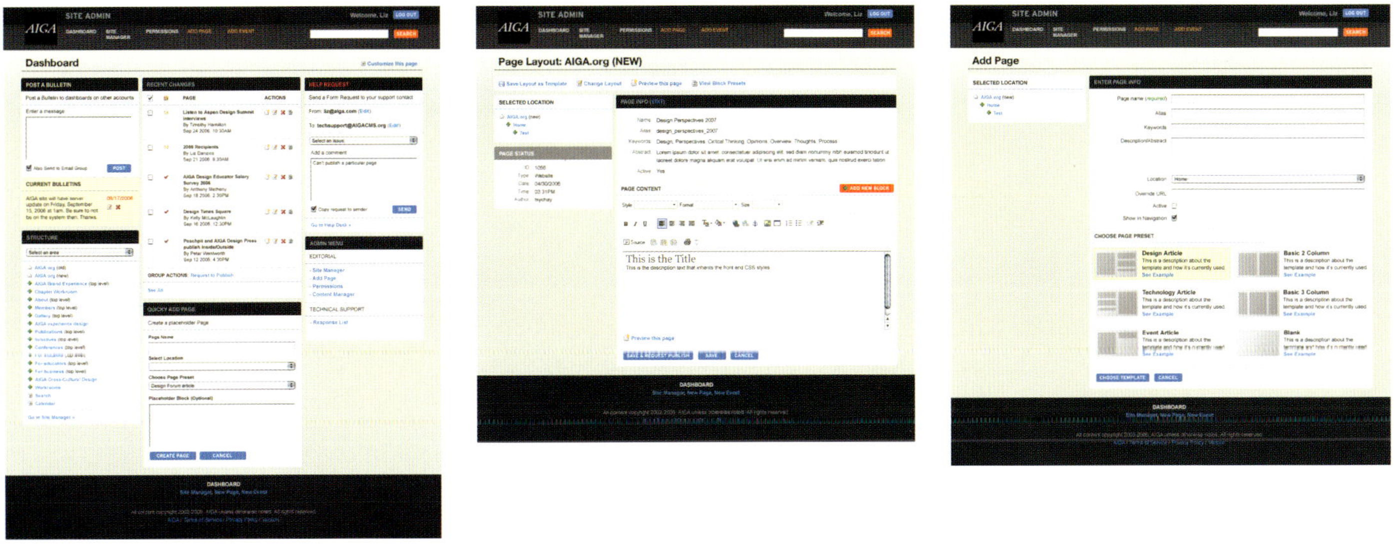

REPROJETO DA INTERFACE DE USUÁRIO DO SISTEMA DE GERENCIAMENTO DE CONTEÚDO DA AIGA / Weightshift: direção de arte e design, Naz Hamid / EUA, 2007

Gráficos em Movimento

Software acessível, poderoso e fácil de usar, em conjunto com um crescente número de canais de divulgação – a web, dispositivos móveis, centenas de canais de TV, telões digitais, salões de entrada de edifícios –, trouxe uma atenção e um interesse crescentes aos gráficos em movimento, uma disciplina praticada desde os anos 1920. Sejam como abertura ou encerramento de filmes ou de programas de TV, animação em dois segundos de um logotipo, a composição completa de curta metragem ou vídeo musical, os gráficos sobre imagem filmada ou os identificadores de canais de TV, os gráficos em movimentos prosperam na integração e orquestração de tipografia, imagens, som, efeitos digitais e conteúdo com movimento e tempo, dando aos designers a oportunidade de desempenhar papel excitante e glamuroso de diretor – algo que não existe nas outras disciplinas – ainda que a maior estrela do elenco seja Mrs. Eaves › 381.

UNIVERSAL PICTURES
DREAMWORKS PICTURES
IMAGINE ENTERTAINMENT
present
a
BRIAN GRAZER
production
MIKE MYERS
Dr. Seuss'
THE CAT IN THE HAT

SEQUÊNCIA DE ABERTURA PARA *THE CAT IN THE HAT* / Universal Pictures / Imaginary Forces / EUA, 2003

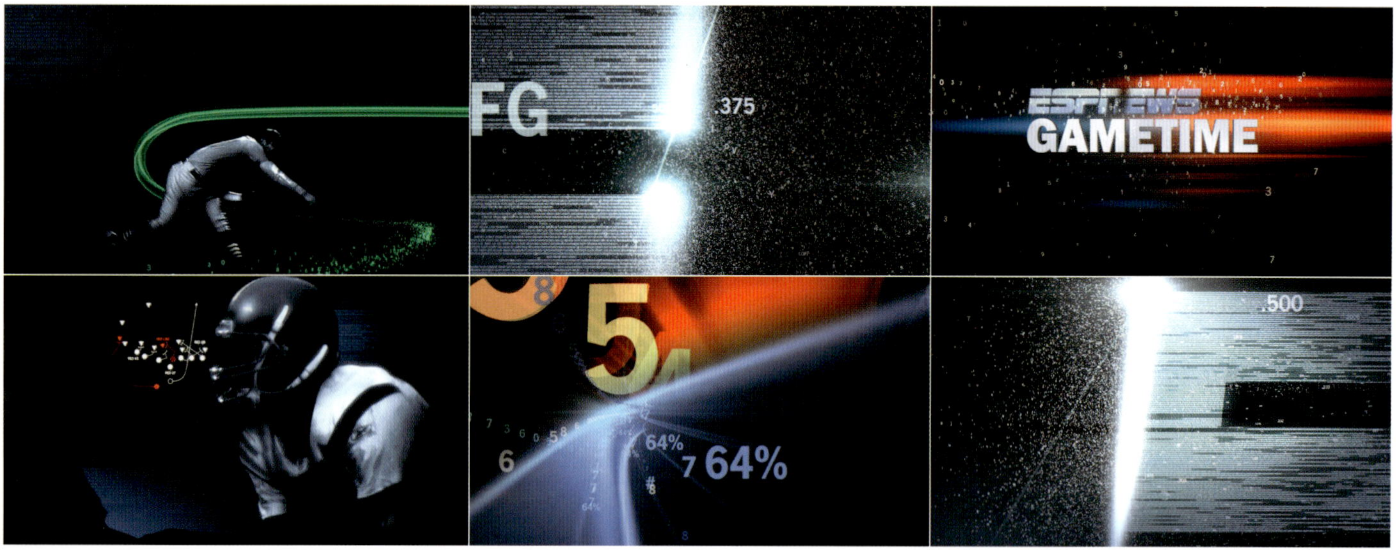
FG
.375
GAMETIME
64%
7 64%
.500

ANIMAÇÃO PARA A ESPNEWS / Trollbäck + Company: diretor de criação, Jakob Trollbäck, Joe Wright; assistente de direção de criação, Matthew Tragesser; design, Tetsuro Mise, Tolga Yildiz, Paul Schlacter, Lloyd Alvarez, Dan Degloria; animação, Lloyd Alvarez, Dan Degloria, Lu Liu, Fu-Chun Chu, Peter Alfano; produção, Danielle Amaral; produção executiva, Marisa Fiechter / ESPN: Rick Paiva, David Saphirstein, Wayne Elliott / EUA, 2008

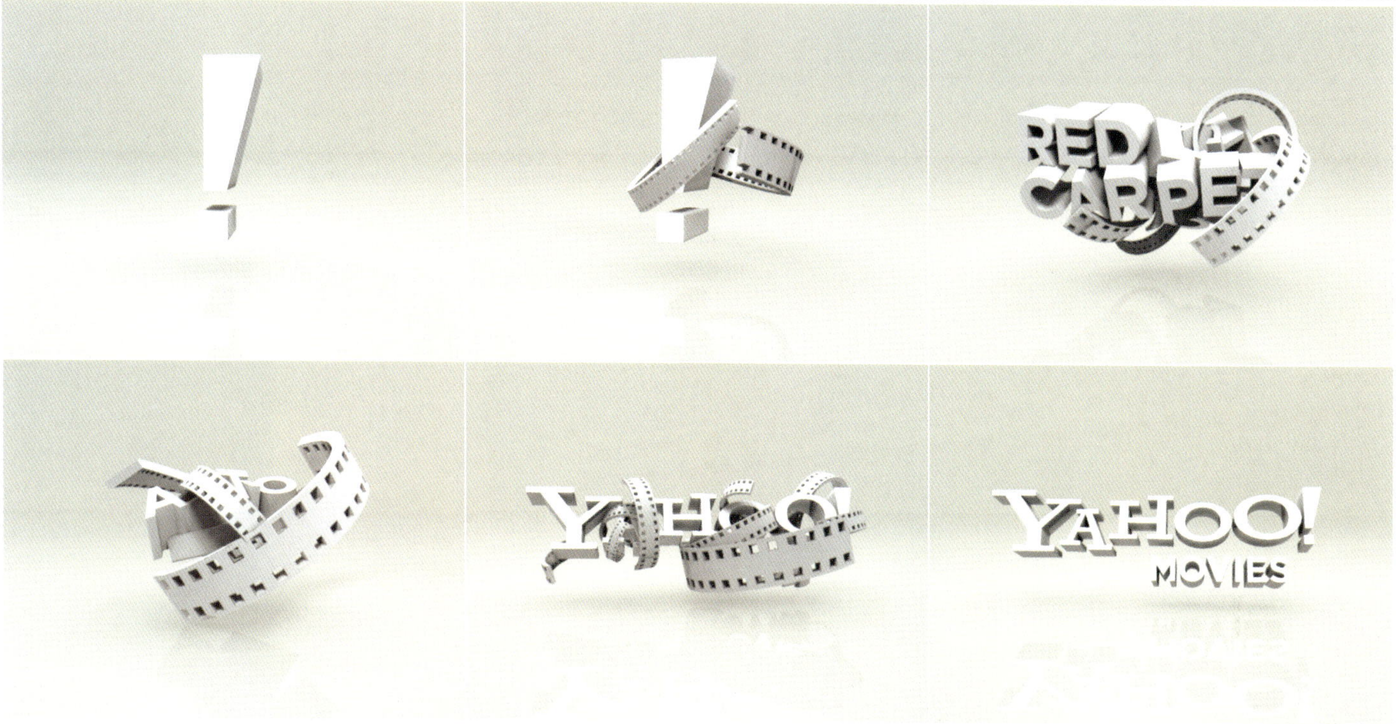
RED CARPET
YAHOO!
MOVIES

ANIMAÇÃO PARA ESPERA DE CONTEÚDO SENDO BAIXADO NA YAHOO / GRETEL: Greg Hahn, Diana Park, Joe Di Valerio / EUA, 2006

PLAY BEYOND

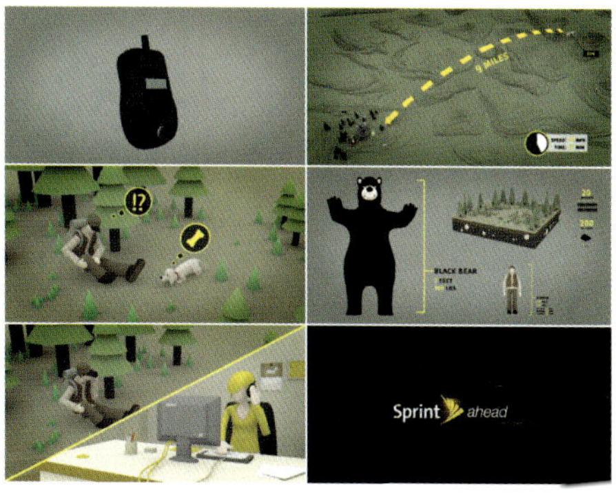
Sprint ahead

Stop&Shop

Sentido horário ***UNIVERSO DO ENTRETENIMENTO*** **PARA PLAYSTATION 3,** ***IREDEL*** **PARA A SPRINT,** ***STOP*** **PARA PARA A PROPAGANDA DA STOP&SHOP** / Superfad / EUA, 2007, 2008, 2008

MANIFESTO FIRST THINGS FIRST

Durante um encontro da Sociedade dos Artistas Industriais no Instituto Londrino de Artes Contemporâneas, em 29 de novembro de 1963, o designer gráfico, Ken Garland, escreveu e declamou o manifesto First Things First. Diante de uma economia britânica em crescimento e aumento no consumo, Garland reagiu contra a noção estabelecida de que a maioria das aplicações lucrativas do talento do designer estave ligada a coisas tão desnecessárias como comida para gato, desodorantes e cigarros. Ele argumentou que os designers deveriam dispor seus serviços para atividades de maior valor, como sinais para ruas e edifícios, auxílios educacionais e publicações científicas e educacionais. O manifesto foi assinado naquele encontro e foi publicado e distribuído em janeiro de 1964; seus 22 signatários incluíam designers experientes, fotográfos e estudantes. Atraiu atenção rápida e fervorosa quando foi publicado posteriormente, naquele mesmo mês, no jornal Guardian e mencionado no noticiário da BBC naquele mesmo dia. Publicações ao redor do mundo logo reproduziram o manifesto.

Em 1998, a rebelde revista *Adbusters* reimprimiu o manifesto original numa

first
things
first

A manifesto

We, the undersigned, are graphic designers, photographers and students who have been brought up in a world in which the techniques and apparatus of advertising have persistently been presented to us as the most lucrative, effective and desirable means of using our talents. We have been bombarded with publications devoted to this belief, applauding the work of those who have flogged their skill and imagination to sell such things as:

cat food, stomach powders, detergent, hair restorer, striped toothpaste, aftershave lotion, beforeshave lotion, slimming diets, fattening diets, deodorants, fizzy water, cigarettes, roll-ons, pull-ons and slip-ons.

By far the greatest time and effort of those working in the advertising industry are wasted on these trivial purposes, which contribute little or nothing to our national prosperity.

In common with an increasing number of the general public, we have reached a saturation point at which the high pitched scream of consumer selling is no more than sheer noise. We think that there are other things more worth using our skill and experience on. There are signs for streets and buildings, books and periodicals, catalogues, instructional manuals, industrial photography, educational aids, films, television features, scientific and industrial publications and all the other media through which we promote our trade, our education, our culture and our greater awareness of the world.

We do not advocate the abolition of high pressure consumer advertising: this is not feasible. Nor do we want to take any of the fun out of life. But we are proposing a reversal of priorities in favour of the more useful and more lasting forms of communication. We hope that our society will tire of gimmick merchants, status salesmen and hidden persuaders, and that the prior call on our skills will be for worthwhile purposes. With this in mind, we propose to share our experience and opinions, and to make them available to colleagues, students and others who may be interested.

Edward Wright
Geoffrey White
William Slack
Caroline Rawlence
Ian McLaren
Sam Lambert
Ivor Kamlish
Gerald Jones
Bernard Higton
Brian Grimbly
John Garner
Ken Garland
Anthony Froshaug
Robin Fior
Germano Facetti
Ivan Dodd
Harriet Crowder
Anthony Clift
Gerry Cinamon
Robert Chapman
Ray Carpenter
Ken Briggs

Published by Ken Garland, 13 Oakley Sq NW1
Printed by Goodwin Press Ltd. London N4

REIMPRESSÃO RECENTE DO MANIFESTO ORIGINAL PUBLICADO EM 1964

edição na qual os editores Kalle Lasn e o diretor de arte Chris Dixon mostraram mais tarde a Tibor Kalman › 183, que sugeriu que eles atualizassem o manifesto para o contexto do final do século. Juntamente com Rick Poynor › 237 e com a aprovação de Garland, a Adbusters rascunhou um texto revisado que levava em conta as mudanças havidas em mais de 30 anos. Numa época em que a economia da internet e do consumismo que ela gerava – Hummers e Cadeiras Aeron de Herman Miller, entre outros excessos de luxo – atingiam um crescimento sem limites, First things First 2000 conclamava para uma "reversão de prioridades" para longe da publicidade, marketing e branding de tais produtos para mudar a atenção para causas sociais, culturais e ambientais. Com 33 assinaturas de todo o mundo, o manifesto foi publicado juntamente pela *Adbusters*, *AIGA Journal of Graphic Design* › 105, *Blueprint*, *Emigre* › 100, *Eye* › 103, *Form* e *Items* entre 1999 e 2000.

Nas suas duas versões, First Things First desencadeou debate acalorado na indústria e mostrou as escolhas profissionais que os designers gráficos têm que fazer. Eles podem escolher entre uma variedade de disciplinas, cada uma gerando seus próprios desafios conceituais e técnicos, resultando numa gama diversa de resultados tangíveis, mas tão importantes como escolher para quem se trabalha.

FIRST THINGS FIRST 2000
A DESIGN MANIFESTO
It's a visual world. Some of the best minds that create it want a new world vision.

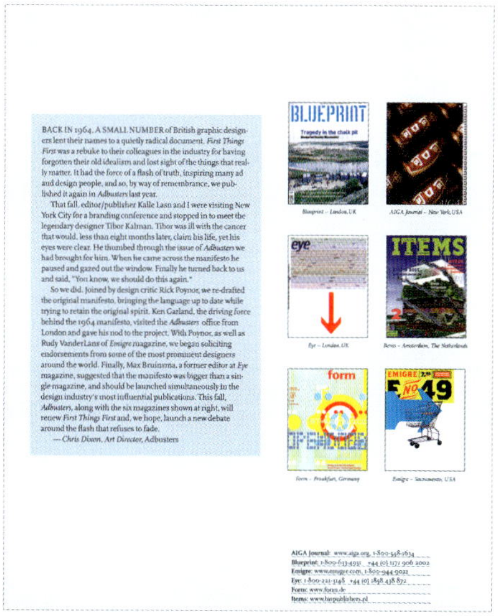
BLUEPRINT
ITEMS
eye
form
EMIGRE 49

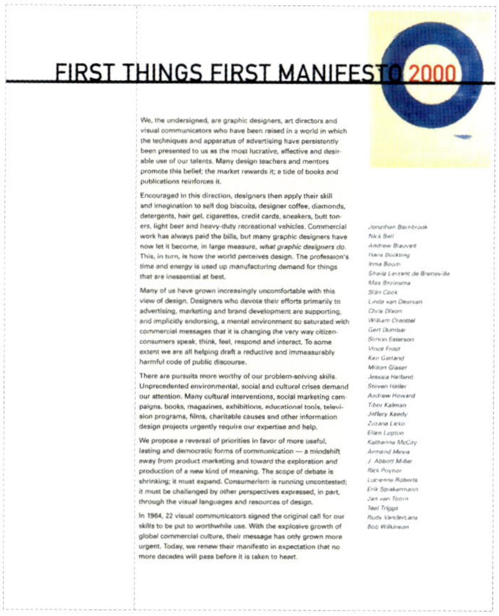
FIRST THINGS FIRST MANIFESTO 2000

***ADBUSTERS*, N. 27** / Canadá, Outono 1999 / Imagem: cortesia da Adbusters Media Foundation

FIRST THINGS FIRST MANIFESTO—2000

***JOURNAL OF GRAPHIC DESIGN*, EDIÇÃO CULT AND CULTURE: POP GOES THE CULTURE 17, N. 2** / EUA, 1999 / Imagem: cortesia do arquivo AdamsMorioka, AIGA

***EMIGRE*, N. 51** / EUA, Verão 1999

First Things First Manifesto 2000

***EYE* 33, VOL. 9** / Reino Unido, Autumn 1999

Grid

A reação imediata à noção de grid é sentir-se restringido, limitado e destinado a um tedioso conjunto de colunas modulares e eixos horizontais. Felizmente, nada poderia estar mais distante da verdade. O Design baseado em grids está ligado intimamente ao estilo tipográfico internacional (ou mais coloquialmente, design suíço) do início dos anos 1950, que buscava simplicidade visual e uniformidade por meio do emprego de elementos de design, num grid construído matematicamente, resultando em layouts extremamente precisos – para deleite subjetivo ou horror de designers ao longo do tempo. O grid é, no máximo, uma infraestrutura sobre a qual se constroem layouts, tanto austeros como complexos, que permitem hierarquia e acessibilidade através de flexibilidade e consistência.

Por meio dos seus proponentes mais entusiasmados, incluindo Max Bill, Karl Gerstner e Josef Müller-Brockmann › 152, o estilo tipográfico internacional tipifica a abordagem baseada em grid, mas seu uso remonta ao Construtivismo e de Stijl, seguidos pela Bauhaus, crescendo até as afirmações mais fortes e práticas sobre sua importância na Die Neue Typographie (*A Nova Tipografia*), como expressado por Jan Tschichold's › 140 na sua obra influente *Elementare Typographie*.

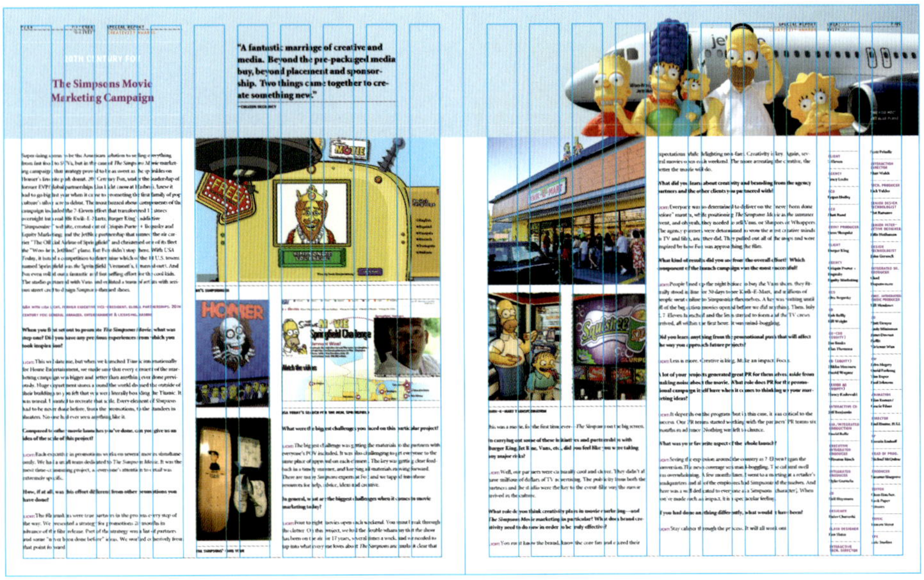

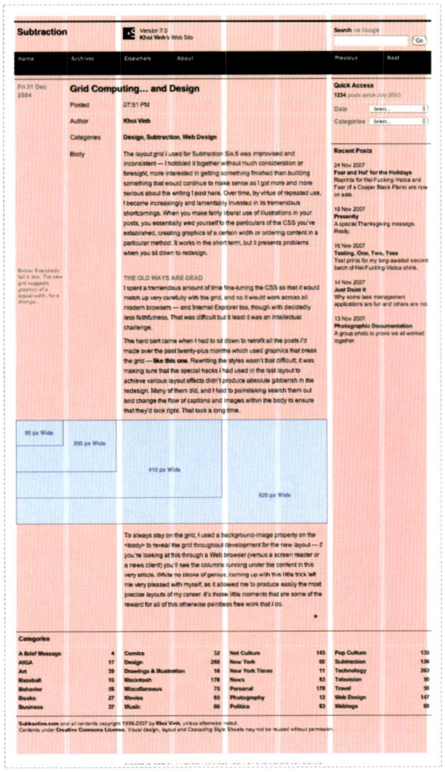

SUBTRACTION EXPOSED GRID (em rosa) / **Khoi Vinh / EUA, 2005**

REVISTA *CREATIVITY* / direção de arte, Jeanine Dunn / EUA, Maio 2008

Esse tratado de 24 páginas explicava e demonstrava o uso de composição tipográfica assimétrica em colunas múltiplas com o alinhamento de todos os elementos na páginas, ao mesmo tempo que rejeitava a nocão antiquada de composições com eixo central. O livro de Tschichold de 1928, *Die Neue Typographie*, avançou a necessidade dessa nova abordagem.

O uso do grid tornou-se mais enraizado com o crescimento da identidade corportativa nos anos 1950 e 1960, quando empresas de design, tais como a Unimark e Chermayeff & Geismar › 156 e designers, como Lester Beall › 146 e Paul Rand › 159, criaram identidades para corporações nacionais e globais, confiando no seu poder para estabelecer programas estritos de design corporativo que especificavam, algumas vezes com precisão milimétrica, onde e como cada elemento de design deveria ser disposto e como deveria ser usado em todos os manuais corporativos que eram, eles mesmos, manifestações de grid. Em 1972, o design de Otl Aicher para os Jogos Olímpicos em Munique › 356 deu ao grid uma audiência mundial, enquanto Wim Crouwel › 153, nos anos 1980 e a Experimental Jetset, nos anos 1990, deram ao grid um sentido de adequação. Acima de tudo, o grid evoluiu para ser uma estrutura indispensável para auxiliar os designers na produção de layouts racionalizados. Ignorar o uso do grid é algo próximo ao suicídio profissional.

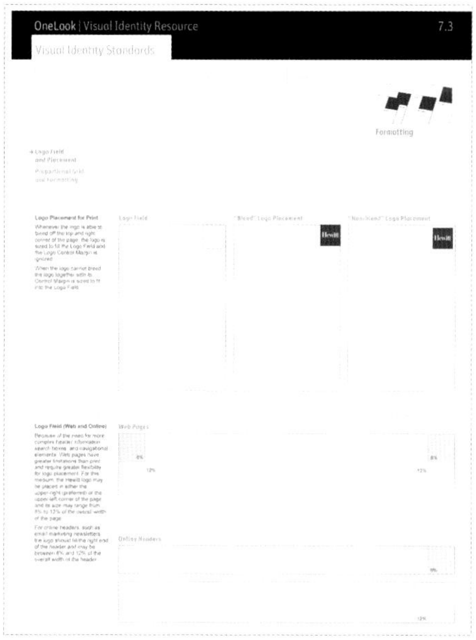
OneLook | Visual Identity Resource
7.3
Visual Identity Standards
Formatting

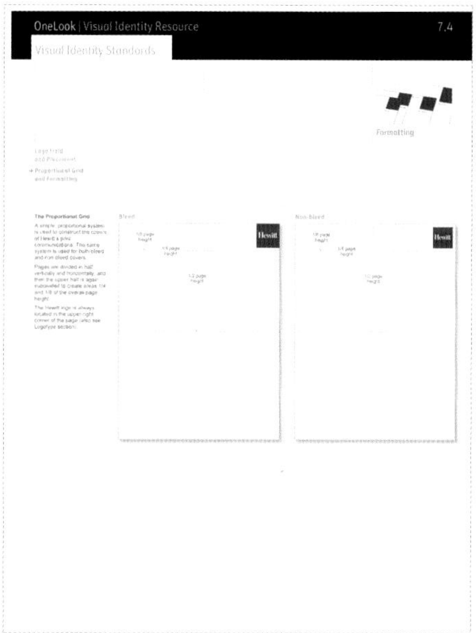
OneLook | Visual Identity Resource
7.4
Visual Identity Standards
Formatting

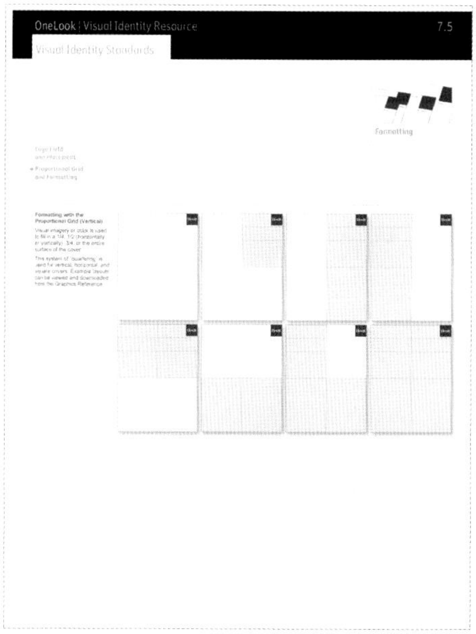
OneLook | Visual Identity Resource
7.5
Visual Identity Standards
Formatting

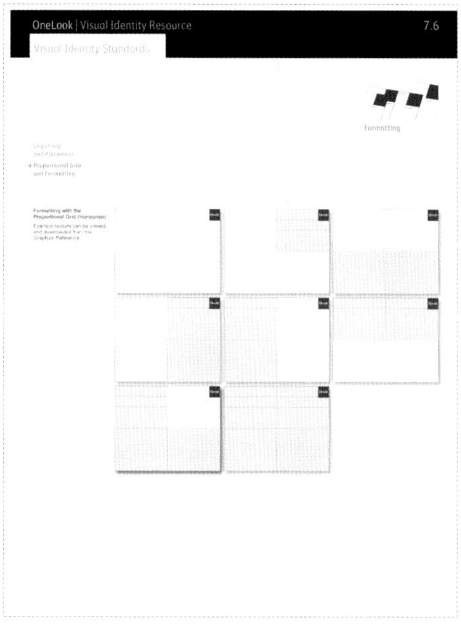
OneLook | Visual Identity Resource
7.6
Visual Identity Standards
Formatting

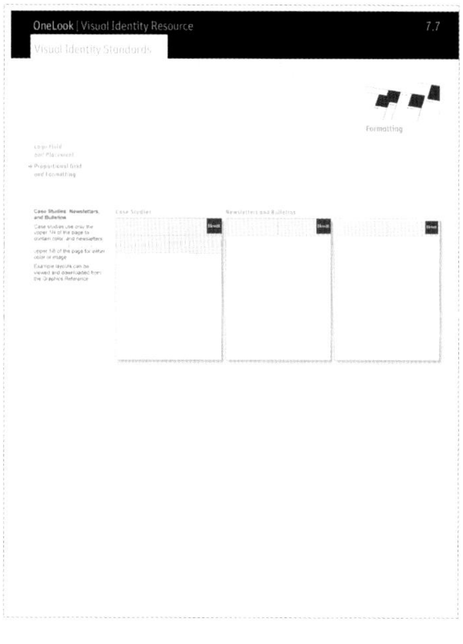
OneLook | Visual Identity Resource
7.7
Visual Identity Standards
Formatting

HEWITT ASSOCIATES, INC. RECURSO DE IDENTIDADE VISUAL BASEADO EM LAYOUT DE PÁGINAS WEB ONELOOK. PÁGINAS DE DEMOSTRAÇÃO DE CONCEITO / **Crosby Associates / EUA, 2007**

Anatomia de um Layout

Seja da página de uma revista, de um rótulo de embalagem ou uma página da web, um layout pode ser feito por meio de uma série de elementos comuns que auxiliam e apoiam seu design. Manipulando os valores de margens, números de colunas e suas larguras, espaço entre colunas e guias horizontais – basicamente os elementos de um grid –, cada layout pode se adaptar ao seu contexto e produzir inúmeras variações aprimoradas pela criatividade de cada designer.

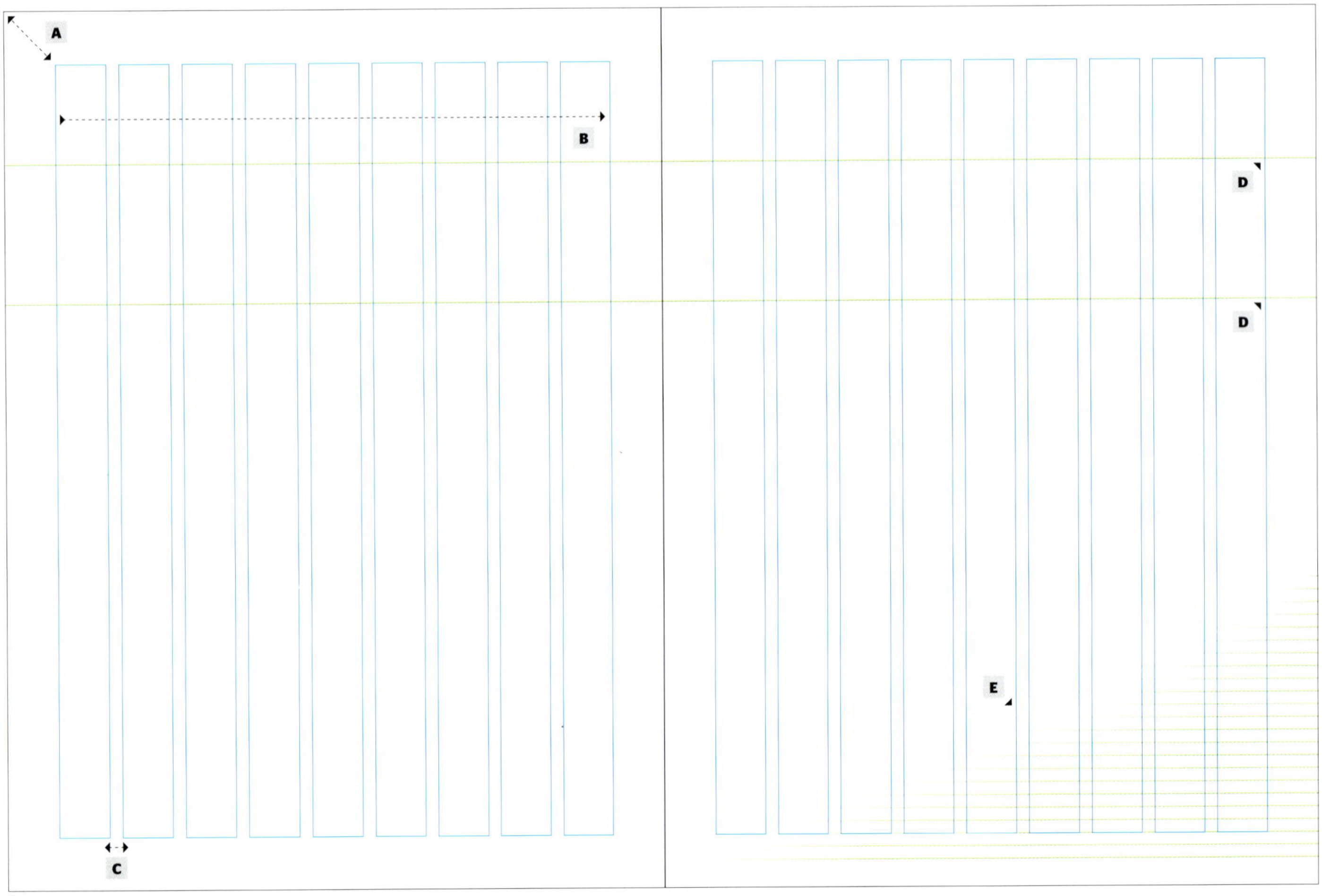
A
B
C
D
D
E

Após definir o tamanho do layout, deve-se iniciar definindo as margens (A), o espaço no layout que limita o conteúdo e o produto final. As margens podem ser grandes ou pequenas, conforme se deseje (e não devem ser vistas como imutáveis, pois layouts de página cheia podem ser poderosos), mas considerações de impressão devem ser levadas em conta de modo que elementos de design não estejam perigosamente próximos da mutilação. No interior das margens, um número de colunas (B) deve ser especificado para ajudar a organizar, alinhar e distribuir o conteúdo eficiente, consistente e logicamente.

O número de colunas é uma decisão pessoal; pode ser 1, 12 ou 33, desde que se preste atenção ao espaço entre elas (C). Uma vez que as decisões sobre o vertical tenham sido tomadas, linhas horizontais (D), que definem posições horizontais importantes no layout, devem ser estabelecidas. Elas ajudam especialmente na criação de consistência em projetos de múltiplas páginas. Finalmente, uma linha de grid subjacente (E), que confira espaçamento horizontal consistente, pode adicionar um sentido mais profundo de coesão ao layout.

Hierarquia

Estabelecer uma hierarquia que seja fácil de navegar e entender pode soar como uma premissa simples, mas a maioria das falhas dos designs resulta de elementos necessários que foram erroneamente enfatizados, priorizados ou apresentados – por exemplo, as confusas cédulas de votação da Flórida na eleição presidencial americana de 2000, que não ofereciam nenhuma indicação visual para que a seleção desejada fosse feita e, em vez disso, complicavam o processo. Uma hierarquia de sucesso favorece o usuário final e permite que ele interaja de maneira adequada com um dado design. Isso é obtido por meio da implementação adequada e consciente de elementos visuais que enfatizam conteúdos significativos no design, ao mesmo tempo que minimizam gradualmente a atenção necessária para outros elementos, seja pelo exagero no tamanho do texto ou da imagem, pelo isolamento de um elemento de design ou pelo emprego de gráficos adicionais que chamam a atenção para um local específico no layout. Um design sem hierarquia é plano, imemorável e, como no exemplo aqui mencionado, potencialmente perigoso.

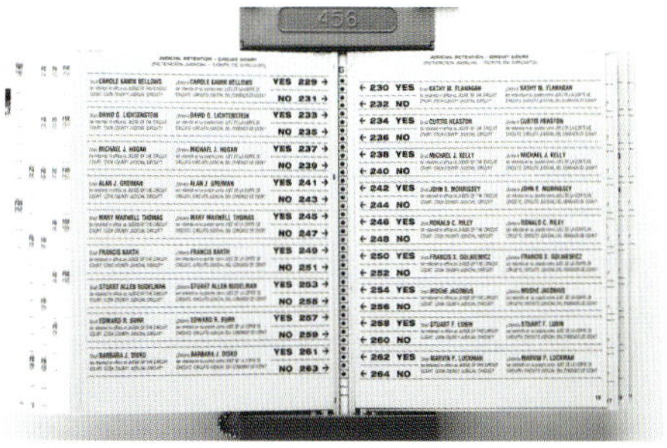

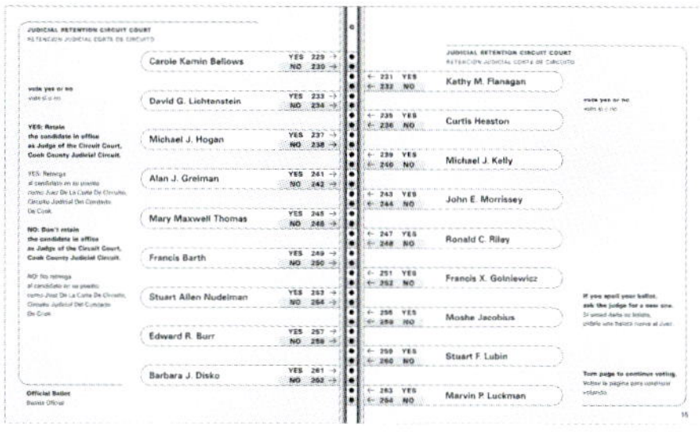

Acima, à esquerda **CÉDULA ELEITORAL ORIGINAL DO CONDADO COOK NO ANO 2000**
Acima, à direita **REDESIGN PROPOSTO PARA A CÉDULA ELEITORAL DO CONDADO COOK** / Marcia Lausen / EUA, 2000

Chutney
Raspberry
Jam
Marmalade
Chutney

SISTEMA DE EMBALAGEM DA SHEILA JAM / Company, Londres / Reino Unido, 2008

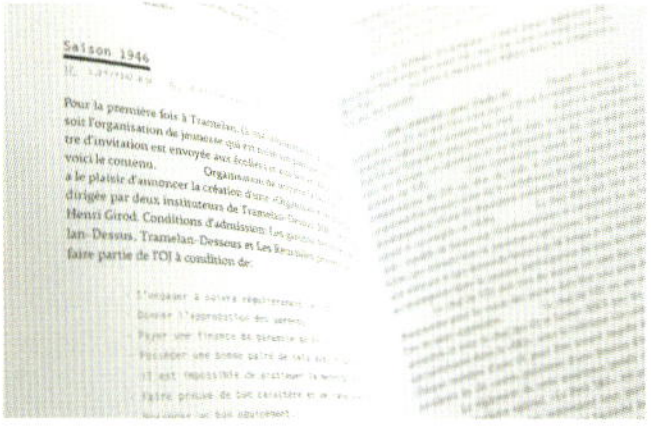

***SKI-CLUB TRAMELAN*: 100 ANS D'HISTOIRE ET DE SPORT** / Onlab: Nicholas Bourquin, Linda Hintz / Alemanha, 2008

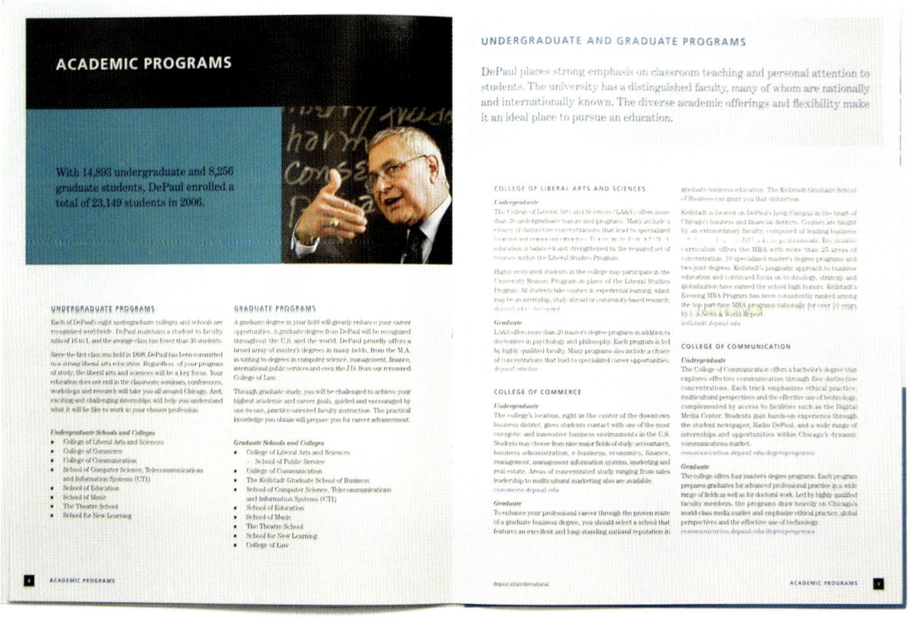
ACADEMIC PROGRAMS
With 14,893 undergraduate and 8,256 graduate students, DePaul enrolled a total of 23,149 students in 2006.
UNDERGRADUATE AND GRADUATE PROGRAMS
DePaul places strong emphasis on classroom teaching and personal attention to students. The university has a distinguished faculty, many of whom are nationally and internationally known. The diverse academic offerings and flexibility make it an ideal place to pursue an education.

STUDENT SERVICES & FINANCIAL AID

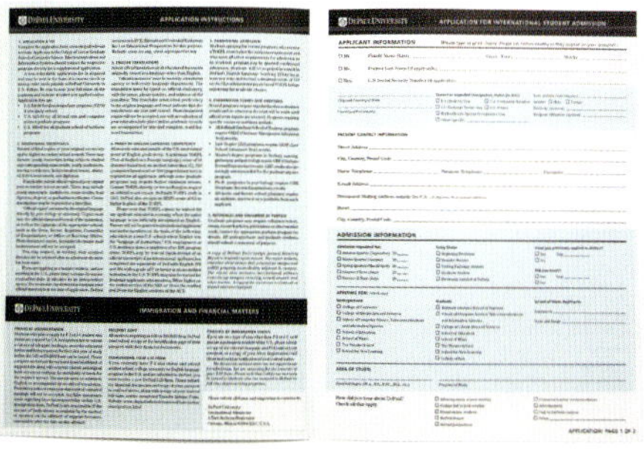

FOLHETO ILUSTRATIVO PARA ESTUDANTES ESTRANGEIROS DA DE PAUL UNIVERSITY / End Communications: design, Kyle Eetermoed, Kyle Romberg / EUA, 2007

Espaço em Branco

Algo comparável à esquiva baleia branca em *Moby Dick*, o espaço em branco (tecnicamente chamado de espaço negativo) é a eterna busca dos designers gráficos que batalham para justificar aos clientes ou aos superiores o valor dos espaços vazios em catálogos, páginas de web, artigos de papelaria e outros projetos de design. O espaço em branco é, em essência, o espaço onde não existe texto ou imagem. A necessidade básica – designers irão dizer que é a do cliente – é preencher esses vazios, ainda que seja imperativo reconhecer que o espaço negativo entre imagens é tão importante quanto a localização e tamanho das imagens e textos. O uso legítimo do espaço em branco, tratado objetivamente, confere hierarquia e ritmo ao permitir ao usuário final que descanse ao navegar pelo design ou ao isolar um elemento que demanda atenção. Subjetivamente, pode dar tensão ou mesmo efeito dramático. Num ambiente visual onde a maioria dos anúncios, produtos de consumo e cartazes expressa uma necessidade de preencher todos os espaços, designs que empregam espaços em branco comunicam melhor.

05
07

365: THE AIGA IN DESIGN 23 / **Rigsby Hull: ilustração, Andy Dearwater; foto: ProGraphics / EUA, 2002**

DOMINION
Girone
delle Manie
Girone
della Moda

FOLHETOS DOMINION PARA JOAN MOREY / Albert Folch Studio / Espanha, 2005

Contraste

O conceito de contraste num layout opera em dois níveis: primeiro, como os elementos no layout contrastam e, segundo, como o layout em si contrasta com o contexto. Ambos os cenários respondem ao uso de formas opostas de comparação que podem ser executadas visualmente – grande ou pequeno, vazio ou cheio, preto ou branco, púrpura ou laranja e daí em diante – forçando a distinção entre uma coisa e outra como forma de comunicar uma mensagem. Num layout, isso permite que o design tenha um ou mais pontos de distinção, enquanto no contexto permite que o produto final se destaque do que o cerca. Uma tangente adicionada ao contraste é aquela que pode seguir em duas direções: baixo contraste e alto contraste. Cada uma tem vantagens e desvantagens e ambas as abordagens podem solidificar as intenções e o clima de um dado design.

PROSPECTO DO ESCRITÓRIO OWP/P ARCHITECTS / Relevo e estampado em folhas de Plike, um material semelhante ao plástico / End Communications / EUA, 2008

LAVENDER SODA
KUMQUAT SODA
LEMONGRASS SODA
RHUBARB SODA
DRY
SODA: LAVENDER / 12 FL OZ (355 mL)
SODA: KUMQUAT / 12 FL OZ (355 mL)
SODA: LEMONGRASS / 12 FL OZ (355 mL)
SODA: RHUBARB / 12 FL OZ (355 mL)

EMBALAGEM DA DRY SODA / Turnstyle: direção de arte, Steve Watson, Ben Graham; design, Steve Watson / EUA, 2004-2006

VOYE URI SM ?
WHO'S WATCHING
8

MATERIAL DE APRESENTAÇÃO DO FILME *MICHAEL HANEKE: NOW, YOU CAN LET GO* / Nikolay Saveliev / EUA, 2007

Cor

Biennale
de la jeune
création
2006
Arts plastiques,
théâtre, musique,
et danse
Houilles
24 mars - 7 avril

CARTAZ DA *BIENNALLE DE LA JEUNE CRÉATION* / Fanette Mellier / França, 2006

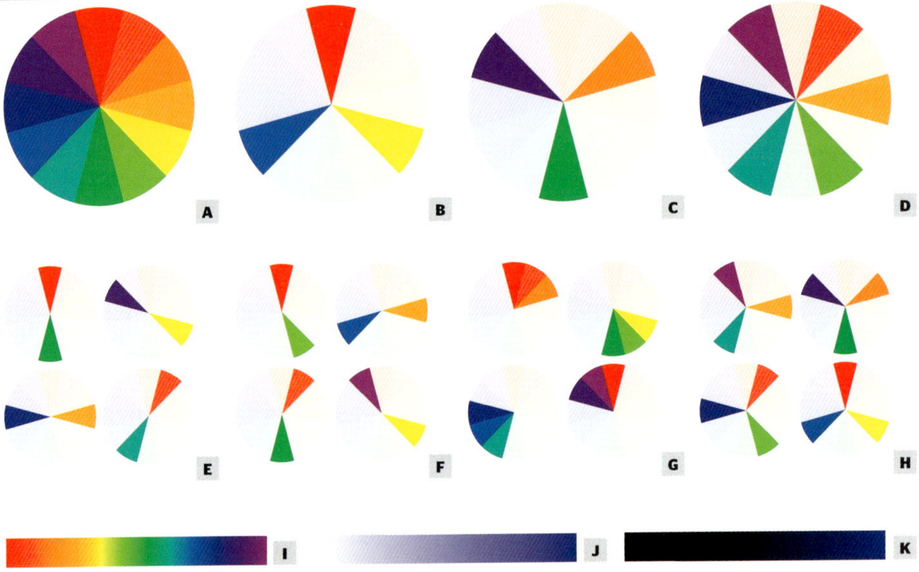

A
B
C
D
E
F
G
H
I
J
K

Resumir a teoria das cores numa única página, enquanto dúzias de livros foram escritos sobre o assunto, é impossível. Considere o período seguinte como uma introdução a esse assunto complexo e rico. A estrutura básica da cor pode ser representada por meio de uma roda de cores (**A**), que consiste de doze unidades: três cores primárias (**B**), três cores secundárias (**C**) e seis cores terciárias (**D**). Combinações comuns podem ser derivadas desta estrutura: complementaridade (**E**) ao escolher cores em pontos diretamente opostos da roda; conflito (**F**) ao selecionar um cor em cada lado de sua cor complementar; análogo (**G**) selecionando três cores adjacentes; e tríade (**H**), em que as três cores selecionadas são equidistantes na roda. Combinações ilimitadas podem ser feitas por meio da escolha de uma nuance qualquer (**I**), matiz ou saturação (**J**), e sombra ou brilho (**K**). Isso, é claro, não deve impedir qualquer um de combinar rosa com vermelho.

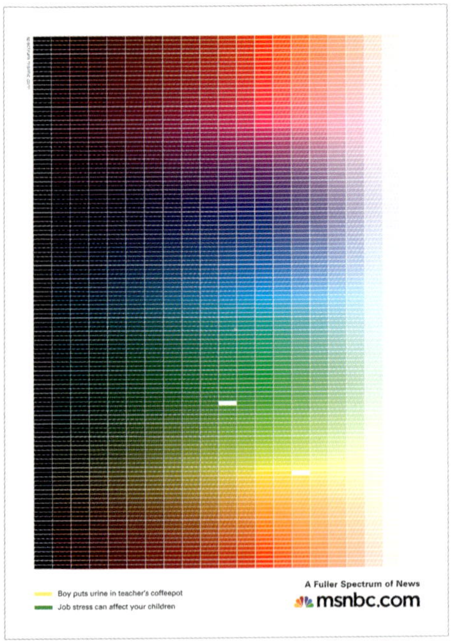

Boy puts urine in teacher's coffeepot
Job stress can affect your children
A Fuller Spectrum of News
msnbc.com

LANÇAMENTO DA CAMPANHA *SPECTRUM* DA MSNBC / 1 de 39 anúncios criados / SS+K: direção de criação, Sam Mazur, Matt Ferrin: direção de arte, Matt Ferrin; escrita, Sam Mazur / EUA, 2007

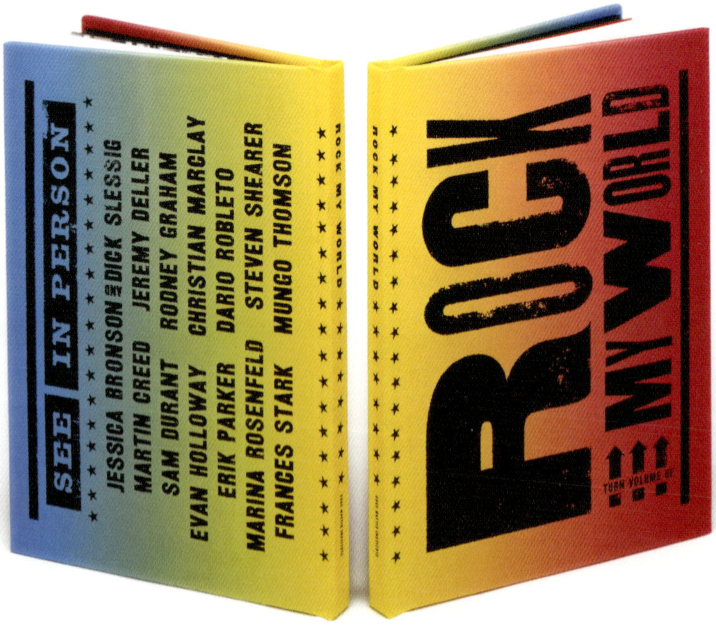

SEE IN PERSON
JESSICA BRONSON AND DICK SLESSIG
MARTIN CREED JEREMY DELLER
SAM DURANT RODNEY GRAHAM
EVAN HOLLOWAY CHRISTIAN MARCLAY
ERIK PARKER DARIO ROBLETO
MARINA ROSENFELD STEVEN SHEARER
FRANCES STARK MUNGO THOMSON
ROCK MY WORLD
ROCK
MY WORLD
TURN VOLUME UP

CATÁLOGO DA EXPOSIÇÃO *ROCK MY WORLD* NO CCA WATTIS INSTITUTE FOR CONTEMPORARY ARTS / Volume, Inc.; direção de criação, Adam Brodsley, Eric Heiman; design, Eric Heiman / EUA, 2007

LEITURA RECOMENDADA › 390

Paleta de Cores

A seleção de uma faixa de cores para aplicar num design é parte integrante de seu sucesso, impacto e propriedade, na medida em que diferentes combinações de cores sugerem, desencadeiam e significam uma diversa faixa de temperamentos, referências e associações – tudo relativo ao contexto e audiência. Paletas de cor podem ser tão simples quanto um par de cores ou tão complexas como um sistema de múltiplas cores separadas em conjuntos primários e secundários de cores que chegam às dúzias. Paletas podem se estender de combinações monocromáticas a seleções muito variadas. Não é raro associar adjetivos a paletas de cores, tais como “quente”, “na moda” ou “sofisticada”, mas se a cor em si é subjetiva, comunicar com uma paleta de cores é ainda mais: o que pode aparentar ser uma paleta “quente” para uma pessoa pode parecer “rústica” ou “terrena” para outra. Não existe certo ou errado quando se define uma paleta de cores – desde que nenhuma retina seja danificada no processo.

Columbus
PALE ALE
APRICOT ALE
OHIO HONEY WHEAT
90 SHILLING ALE
WINTER WARMER
IPA
90 SHILLING ALE
PALE ALE
1859 PORTER
IPA
APRICOT ALE
OHIO HONEY WHEAT

EMBALAGEM E IDENTIDADE DA COMPANHIA CERVEJEIRA COLUMBUS / Element: direção de criação, John McCollun. Meg Russell; design, Jeremy Slagle / EUA, 2007

SCHOOL OF ARCHITECTURE
LE CORBUSIER BY GERARD REINMUTH 08 03 2008
End of semester public design reviews June 12 11am-5pm
celebration & exhibition
June 12 / 5pm-late
Gerard Reinmuth
Social context in finance

SUB-BRANDING, CATÁLOGO, CARTAZES E WEBSITE DA UTS SCHOOL OF ARCHITECTURE / Toko: design, Michael Lugmayr / Austrália, 2008

Gradiente

Para conferir um sentido de profundidade, textura e movimento além do que a cor simples pode atingir, um gradiente bem concebido pode emitir uma afirmação visual forte ou conferir um brilho audacioso e divertido. A beleza – e o perigo – dos gradientes está na suas interações ilimitadas; seja por conterem todas as cores num arco-íris que lentamente se modificam umas nas outras ou com qualquer cor indo para o branco ou preto. Gradientes podem se transformar em muletas visuais quando não há intensões mais fortes no design. A versatilidade dos gradientes os torna especialmente atraentes porque podem ser reproduzidos numa variedade de meios. Eles ficam perfeitos numa tela e em aplicações online e quase toda técnica de impressão pode realizá-los também, incluindo o silkscreen e impressão de tipos. Poucas coisas se mostram tão encantadoras quanto um cartaz cuidadosamente feito em split fountain.

POSTER DESIGN
FRAGOLE A GENNAIO IDENTITY
COLLECTIVE TYPE PROJECT
SCHOOL FOR LIFE IDENTITY PROPOSAL
EMILY CARR INSTITUTE SIGNAGE

PORTFÓLIO AUTO-PROMOCIONAL / Livretos individuais contêm cada projeto, enquanto os gradientes das capas refletem as paletas de cores do interior / Abi Huynh / Canadá, 2008

Creating Wellness

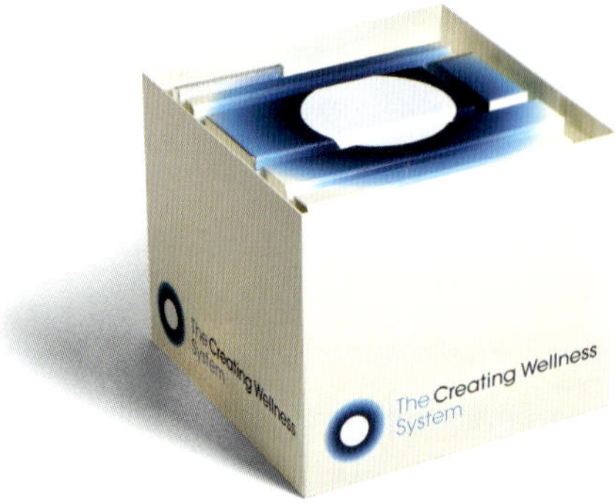
The Creating Wellness System

EMBALAGEM E LOGOTIPO DA CREATING WELLNESS / End Communications: design, Kyle Eetermoed, Kyle Romberg / EUA, 2003

Split Foutain

Seja executado em offset, silkscreen ou impressão de tipos, o efeito de split fountain é obtido ao se colocar duas ou mais cores no reservatório de tinta da impressora. No offset, isso significa que as cores, separadas por divisores nos reservatórios, são misturadas pela oscilação da impressora; no silkscreen e na impressão de tipos, as cores devem ser misturadas cuidadosamente à mão.

SPLIT FOUNTAIN DE QUATRO CORES COM IMPRESSÃO DE TIPOS DE MADEIRA / Tom Rowe / Reino Unido, 2007

Composição em Cores

Entender as sutilezas efêmeras da cor é essencial para a prática do design, mas tão importante quanto é entender como traduzir estas em designs funcionais que sejam reprodutíveis numa série de formatos. Uma divisão clara existe entre impressão e tela, onde os modelos de cores CMYK e RGB, respectivamente, reinam em cada um desses meios. Telas emitem cores e, assim, baseiam-se no modelo RGB por este ser aditivo, no qual a combinação de vermelho, verde e azul resulta em branco. Já o papel absorve cores, logo, ele se baseia no modelo CMYK que é subtrativo, no qual combinações de ciano, magenta e amarelo resultam em preto. A despeito dos mistérios da perecepção das cores pelo cérebro humano, uma importante lição é que o CMYK não deve ser usado em telas e o RGB não funciona em impressão.

No design para tela o principal é assegurar que todo trabalho seja feito em RGB, de forma que seja interpretado corretamente. Entretanto, no que tange à impressão, o modelo CMYK é apenas um dos diversos métodos de se compor em cores. CMYK, ou impressão em quatro cores, usa uma placa para cada cor de maneira a produzir qualquer combinação de cores – de campos contínuos de cor a fotografias e ilustrações. Se uma cor muito específica for desejada, CMYK não é necessariamente o meio mais preciso ou mais fácil para dar resultados consistentes; para esses casos, manchas de cor são as mais precisas pois usam sistemas de cobinação de cores como o Pantone (também chamado de PMS), que é bastante usado nos EUA e na Europa; ou o Toyo, que é usado principalmente na Ásia. O problema com esses sistemas é que fotos em cor plena não são possíveis. Finalmente, impressão em escala de cinza ou cor única é outra opção; essa abordagem baseia-se na interpretação dos valores da cor, luz e sombra enquanto tons de uma única cor, do claro ao escuro, reproduzidos na forma de semitons, usando pontos de tamanhos variados.

Frequentemente, o escopo e as especificações de um projeto, bem como seu uso final, determinarão a escolha da execução das cores, mas também podem ser especialmente selecionadas para objetivos específicos de comunicação que apoiam os conceitos do designer.

CMYK: Subtrativo

RGB: Aditivo

CMYK e RGB comparados em impressão

Impressão em 4 cores

Construção fotográfica

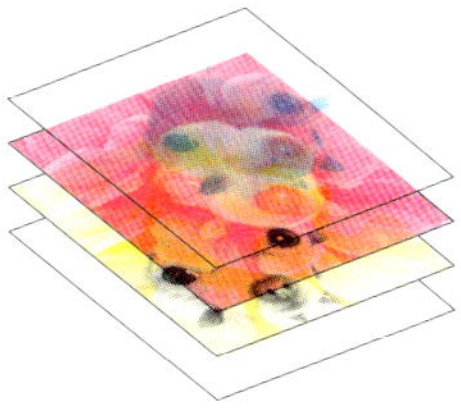

Construção de cor contínua

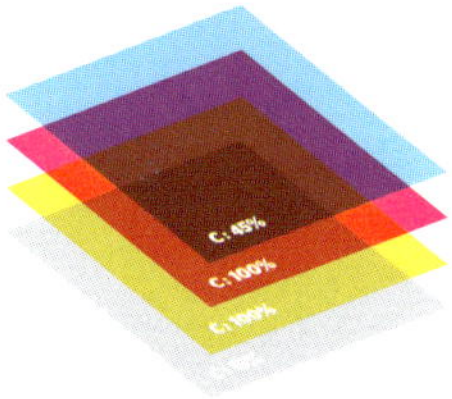

Impressão em uma cor

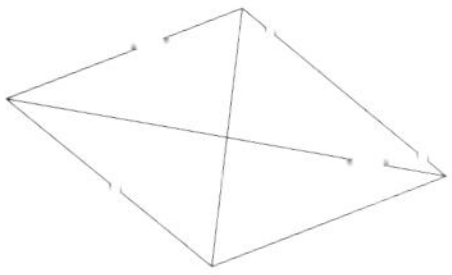

Escala de cinza

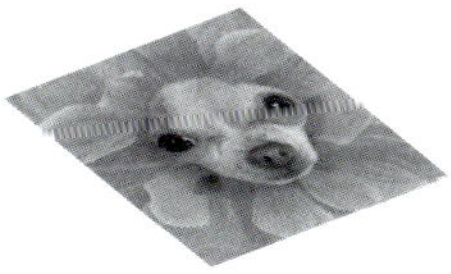

Spot color

Meio tom

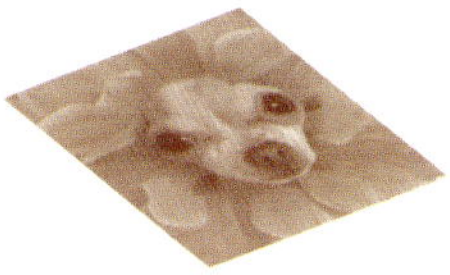

Detalhe de meio tom exagerados para apresentação

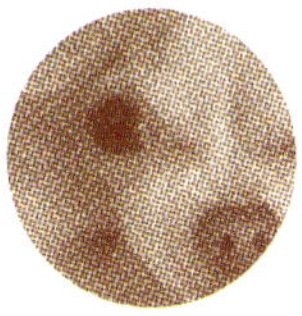

2004 Annual Report

Society of Graphic Designers of Canada

British Columbia Chapter

President

Yves Anselle, MGDC
president.bc@gdc.net

Gadzooks, another year! This past year we got back to the **business** of design.

We delivered more programming focused on **small business concerns** expressed by our members, covering topics of copyright, taxation and business management.

We improved our Chapter as a business, strengthening membership, budget controls and financial stability, which was one of our goals in 2003. With some additional funds, we hope to be able to provide our members with more **free stuff and events** in 2005.

Our Society **spoke out** to the media and the business community when the Vancouver Olympic committee worked towards **grossly devaluing** our profession's contribution to our country and economy.

A dialogue has begun with this province's **consumer taxation branch** in hopes of improving government's understanding of our profession and how we conduct business.

And the **fun stuff**. We met some of our profession's **heroes**, including Amy, Cameron and Molly from Infinite Scale Design, who are now preparing the look and feel for the upcoming NFL Superbowl; Debbie Millman, who talked to us about managing small clients like Burger King and Hershey's; and Casey Hrynkow, who's been on my hero list for a long time, shared her vast knowledge with us.

Thanks to all members for your participation and another **big thanks** to our loyal sponsors who are integral in helping us reach our goals. Again, I encourage all members to work with our sponsors and **share the love.** And finally a group hug to my fellow board members whose energy, creativity and dedication has overwhelmed me throughout the year.

READ ME

Yves is the owner of the design firm Bau+Wow, as well as a partner in Orange Dog.

www.bauwow.com

Secretary

Sigrid Albert, MGDC
secretary.bc@gdc.net

This was a fun year to be on the GDC/BC executive. While everyone on the committee is responsible for their own duties, input from all execs into any area is encouraged. For example, due to our lack of an Events Executive this past year, we all took turns organizing events. I took on the **Xmas Tease Party** organization which had me consulting with bar owners, magicians, jazz singers and burlesque dancers.

The Secretary position, which I have held for these past 2 years, is a great starting position for anyone who wants to get involved with the GDC/BC at the executive level. It has a well-defined set of recurring duties, making it relatively easy to incorporate into a work schedule, while providing an opportunity to contribute to and learn about other executive positions.

I look forward to taking on the **Education Executive** position in 2005-2006.

Sigrid is the owner of Echelon Design.

www.echelondesign.com

Membership

Judy Snaydon, MGDC
membership.bc@gdc.net

Members come and members go, but the opportunities and challenges facing the GDC/BC remain mostly unchanged. We are the **largest** GDC Chapter in the country by a considerable margin, but our ability to alter the face of the design industry in our province is always dependant on the volunteer executives' ability to juggle GDC business with making a living.

Positive changes in 2004 included the arrival of a group of new members eager to step up to the plate and become involved in the Chapter. Enthusiastic new faces are always a **huge encouragement** to all of us on the board. In 2005 we hope to involve more members in manageable volunteer roles which will greatly benefit the organisation and members alike. Membership is an area where **committed volunteers** can make a real difference.

Another **positive trend** is a sense of greater overall curiosity about the GDC and the services and opportunities it provides. This year we received 279 requests for information about membership. There has been a notable increase in inquiries about volunteering opportunities. We currently have 73 member and non-member volunteers listed in our database.

Disappointing changes in 2004 included a **drop in membership** numbers over 2003. Although we received little feedback from members, membership numbers may have been affected by January's rate increase. It is an ongoing struggle for the GDC to understand **what motivates members** to join and to keep supporting the society.

I welcome any **feedback** from members about what makes you renew your membership every year and what you think would make GDC membership even more desireable.

After 6 great years of freelancing, Judy felt the need for a change, and is now heading up the graphic design department at Mountain Equipment Coop. Change is good!

READ ME

Association Liaison

Serge Bédard, MGDC
liaison.bc@gdc.net

Here, at the end of my 2-year term as Association Liaison, I find I've gained a great appreciation of the Society's endeavours to provide a communication network between its members and businesses for the exchange of information and ideas pertinent to the development of the profession. I also appreciate the new relationships that I have made that have enabled me to be part of a network of great people. The Society is only as effective and productive as its individual members make it and in my term I have seen, first hand, many volunteer's efforts ensure that the goals of the society are maintained.

This, 2004, was a quiet year for this position. There was the usual liaising with other associations but most of the promotion of the GDC was made through events, communications, membership and the commitment of a great volunteer board.

I will be stepping down from my position on the board, but I encourage members to get more involved. The position of Association Liaison presents a good opportunity to **network** and meet members of other professions and business. Our friends in architecture, photography, advertising and other related professions are often hosting events that could benefit all of us. We really need someone to keep in touch with them, and encourage working together.

If you are interested, please contact Yves at president.bc@gdc.net.

Serge is an independent designer.

READ ME

Sponsorship

Riley Haslinger, MGDC
sponsorship.bc@gdc.net

Our sponsors have given us much more than financial support. They have shown their loyalty year after year, they have been enthusiastic members of our community, and they have helped with their time and resources in every way.

I am very excited about my **new role** as the Sponsorship Chair because maintaining and building the relationships we have with our sponsors is crucial to maintaining the activities, services and events that we enjoy. My **primary objective** in this role is to ensure the sponsors get the most from their participation the GDC/BC.

This year we will be looking for sponsors to help us with accommodation for speakers (hotels), catering, venues and other event sponsors so that we can continue to bring in speakers like **Rick Valicenti**, keep the **Salazar** and **Grapher Awards** going and provide more events for our community of designers. It is important, while looking for sponsors, that we find companies that are interested in being involved with BC's graphic design community so they will benefit from their on-going participation.

You can **help build our sponsorship** by letting your suppliers know that you are a GDC member and that sponsoring the GDC locally or nationally is a great opportunity to reach the graphic design market.

You can help maintain our sponsorship by using sponsor services and, when you do, **tell them** how much you appreciate their involvement.

Please contact me if you have any questions about sponsorship or if you think your company or one of your contacts may be interested in becoming a GDC sponsor.

A Vancouverite who loves skiing and her two little girls, Riley runs Honeycomb Creative and photosphere.com with her husband.

READ ME

events

JANUARY — 2004 Annual General Meeting & Infinite Scale Design Group
This was when we first got the brilliant idea of luring you out to our AGM with the bait of someone more interesting than our humble selves. **Infinite Scale** wowed us with their **Look of the Olympic Games Story**. **Metropolitan Fine Printers** sponsored. And don't forget how much fun we had singing that song ... c'mawn, you enjoyed it.

APRIL — The Paper Bash
Thanks to **Peter Eller**, for spearheading this bashful event with volunteers **Peter Romick**, **Paulo Alvarez**, **Rene Quijada**, **Jason Lau** and **Quentin Harris**.

MAY — Olympic Summit
The **Pow Wow** in the middle of the **Foofaraw**. Vancouver's senior designers agreed.

JUNE — New York Stories: Debbie Millman
The business design of the design business? **Debbie Millman** showed us how; Casey Hrynkow hugged her for it.

JUNE — Salazar Student Awards
See the Education report for details.

SEPTEMBER — Copyright Law: David Wotherspoon
Expert advice from a charming lawyer on all those sticky copyright issues.

OCTOBER — Beer & Taxes
Our version of "Octoberfest" ... or was it "Bitchfest"? Fun and educational, whatever it was. Thanks to our tax experts from **Beck & Associates**.

NOVEMBER — The Business of Design: Casey Hrynkow
There's no-one better in this town to give us advice about running a design firm than our very own **Casey Hrynkow**.

DECEMBER — Xmas Tease
Seasonal feather boas & Burlesque: what more can we say? **Jim Skipp** enjoyed himself!

2004 New Members	
MGDC	8
LGDC	2
Associate	3
Graduate	5
Student	16
Total	34

Includes 4 transfers from other Chapters.

There were 13 member resignations in 2004. An additional 21 memberships were cancelled as a result of unpaid dues. Total change in membership: 34 member decrease over 2003.

New Members 2004

Student
Kimberley Ang
Sarah Balakshin
Diane Bosic
Sanjit Singh Fernandes Bakshi
Lisa Hemingway
Kristin Hubbard
Melissa Irving
Sandy Jaffaraanzangsei
Scott Laurie
Lu-Luan Lin
Veronica Mak
Nina Palmer
Christopher Parton
Luvlina Sanghera
Shannon Telland
Christine Joltof

Graduate
Cameron L. Jantzen
Keith Leinweber
Gale Leitch
Sonya Paefiniuk
Shannon White

Associate
Adam Blasberg
Uta Nagel
Darcy Paterson

Professional
Matthew Clark
Byron Dowler
Lisa Edward
Bojena Kavro-Buckley
Felicia Lo
Santiago J. Salazar
Daniela Wood
Nancy Wu

Licentiate
Amanda Daly
Julie Lavoie

Resignations 2004

Lisa Bissell
Simon Beitchford
Steven Dwayne Beyl
Lily Chow
Mariah Hamilton
Corrie Keeinga
Natasha Lafos
Kimberley Norcott
Adrienne Noyes
Chloe Perron
Nigel Procter
Steve Renz
Lindsay Simmonds

Total GDC/BC paid Membership	2003	2004
FGDC	3	3
MGDC	109	116
LGDC	15	18
Associate	13	20
Graduate	18	21
Student	39	54
Total	197	231

Education

Terrance Zines
education.bc@gdc.net

For the past two years, I have had the privilege of being involved with the GDC/BC as a student executive member. This past year in particular was a very gratifying one, as I was able to witness the BC Chapter transform into a new, and exciting entity. With a group of dedicated executives and sponsors, a new era of the Chapter is now evolving.

Joining the GDC as a student member has had immense benefits for me as a young designer, and I would urge others to experience this for themselves.

As an executive team, we are always encouraging GDC members at every level to become involved, as member input and participation are the essence of what we are trying to accomplish. Member participation is our greatest asset.

As Education Chair for the past two years, I will be passing the education torch to fellow executive, **Sigrid Albert**, whose experience will greatly benefit our student members. I am looking forward to my continued involvement with the GDC, and will continue to contribute in any way I can.

READ ME

Terry is a local independent designer, husband, dad, printer, film buff & dog lover who enjoys long walks at Spanish Banks with good coffee and good conversation.

GDC/BC Salazar Student Awards

This year's judges were:
Regan Burns, MGDC (Raidor Design Group),
Derek Hepburn, MGDC (Teflon Creative)
Christopher Clark, MGDC (Serengeti Design Group).

Thank you to all of the judges for their dedication and hard work.

Platinum Sponsor, Metropolitan Fine Printers is the founding sponsor of the GDC/BC Salazar Student Awards which include scholarships created in support of graphic design development in British Columbia.

We would also like to thank this year's **supporting sponsor** Creo, UBC Robson Square and our guest speaker, **Matthew Clark** of Subplot Design for his wonderfully informative presentation.

2004 GDC/BC Salazar Student Award Winners	
4-Year Programme Winner	**Nina Palmer**, Emily Carr Institute
3-Year Programme Winner	**Todd Chapman**, Capilano College
2-Year Programme Winner	**Daniele Maria Rudischer**, Malaspina University College
4-Year Honourable Mention	**Kimberly Ang** Emily Carr Institute
3-Year Honourable Mention	**Evan Miller** Capilano College
2-Year Honourable Mention	**Nicole Gaboury**, Malaspina University College

sponsors

2004 Platinum Sponsors

Metropolitan fine PRINTERS

In 2004 **Metropolitan** started off the year by sponsoring our AGM in January, subsidizing the cost of bringing the design group **Infinite Scale** to talk to us about designing for the Olympics. Met also printed **The Point** 3, and the materials for the **Salazar Awards**, for which they are the founding sponsor.

Hemlock PRINTERS LTD.

Hemlock Printers upgraded themselves to Platinum Sponsorship this year with their additional contribution to the 2003 **Grapher Catalogue**. In November they saved our heinies by printing **The Point** 4.

2004 Gold Sponsor

Teldon print media

Teldon Print Media printed the materials for the **Paper Bash**, and will be printing **The Point** 5 in March 2005, to complete their Gold Sponsorship for 2004.

2004 Silver Sponsors

WESTERN | PRINTERS & LITHOGRAPHERS

Western Printers did a lovely job of printing last year's Annual Report. Remember it?

True Colours

True Colours was a new sponsor for us this past year, and they supplied those fabulous banners you see at all our events.

2004 Bronze Sponsors

Cascades

Cascades Paper, a long-time sponsor of the GDC, provided paper for last year's **Annual Report**, **The Point** 3, and the **Paper Bash**.

COAST PAPER

Coast Paper also continues to keep us in print with their paper donations; in 2004 for the **Salazar Awards** and **The Point** 4.

RepArt

RepArt contributed some fabulous illustrations to **The Point** 3.

SYDNEY

Sydney Sales handles our mailings, the assembly of our membership kits, and provided the lovely machine sewing for **The Point** 3.

Treasurer

Patricia Xu, MGDC
treasurer.bc@gdc.net

As treasurer, on behalf of the GDC/BC, I would like to say thank you to all the board members for their hard work which made our Chapter financially sound, and made 2004 a great year.

It is certainly great that we further strengthened the Chapter's financial position this past year! Compared with some previous years when there was no surplus, or there was a deficit. **We are in very good shape.** But, when we think about what we want to do, it seems that the funds are still not sufficient. Many great international designers are too far away from us. It is too expensive to invite them here to meet our members. There are many great design shows around the world, we could hardly afford to bring them here either. The GDC's 50th anniversary is right around the corner. Celebrations have been long-awaited by our members, especially those who have loved and devoted so much to their Society. There are also many great ideas not yet in progress and still to be realized because they are too costly.

With a stronger financial position we might possibly make things happen gradually. For those who are satisfied with what we have done, I would say that next year

financials

Unaudited Statement of Revenue & Expenses
January 1–December 31, 2004 (in dollars)

Income	Event Income		
	BC Chapter AGM	$	3,520.74
	Business Basic Event		1,450.00
	Christmas Party		1,360.00
	Copyright Event		815.00
	Graphex '03 Catalogue		350.00
	New York Stories		1,175.00
	Paper Bash		405.00
	Total Event Income	$	9,405.74
	Interest Income		8.29
	Membership Dues from National		18,639.30
	Miscellaneous		5.95
	Sponsor Cash Contributions		8,500.00
Total Income		$	36,559.28
Expenses	Accounting Fees	$	490.00
	Administration & Database		3,921.50
	Advertising & Promotion		4,412.77
	Couriers		762.89
	Event Expenses		
	BC Chapter AGM	$	4,935.83
	Business Basic Event		772.77
	Christmas Party		3,276.52
	Copyright Event		649.53
	Graphex '03 Catalogue		40.59
	National AGM		2,852.76
	New York Stories		1,071.08
	Paper Bash		639.29
	Salazar Student Awards		1,245.70
	Strategic Connections Conference		120.14

Ethics & Professional Practices

Linda Coe, FGDC
ethics.bc@gdc.net

Professional practices relating to the business of design are clearly detailed in the GDC Code of Ethics. The VP Ethics offers information and mediation; the role is extensive, and activities pertain to professional, client, supplier, educator and community relations. Where necessary, written grievances may be sent to the National Ethics Committee (via the National Secretariat) for review, to mediate and informally resolve them. The Ethics Committee may refer non-frivolous grievance cases to the National Discipline Committee for a hearing.

In 2004, local queries concerned disputes arising from ill-prepared contractual agreements. Two professional practice events, **Understanding Copyright** with David Wotherspoon and **Design Business Basics** with Casey Hrynkow tackled this and other business issues. The upcoming **Business In Vancouver How To** book includes the article, "**How to Use a Contract for Design Services.**"

Assisting the Ethics Chair provides opportunities to connect with the business community and increase awareness of standard practices within our profession.

Interested volunteers may contact me at the email address above.

Linda has over 25 years of experience as a design practitioner and educator.

E-communications

Mel Buenaventura
ecommunications.bc@gdc.net

Kicking off the 2004 e-news was GDC National launching a **new web site** that transformed the old site into one that addressed the needs of the Society pertaining to enhancement of its public image, improved access to general information and provided better usability for an individual member's page, as an example.

This upcoming fiscal year for 2005, GDC/BC will hope to again transform from its current state to one that will address e-communication objectives of the chapter through the use of various electronic media, such as enhanced web functionality catering to specific chair needs, e-mail template and e-newsletter. Such efforts will better communicate the aspirations of the society pertaining to events, membership, news and any other community-related information of interest.

In addition, if you would like to volunteer and learn valuable experience in research, business, marketing, writing, design and coordination of web content—where required—please contact me at the email address above. You can help shape, in small increments, the design community of BC.

I'm looking forward to another fun year.

Mel possesses over a decade of marketing communications experience in the private, public and non-profit sectors.

PRINCÍPIOS
De Tipografia

É improvável que um designer fosse demitido de um emprego de reputação por se referir à orelha da letra g minúscula como "aquela coisinha bonitinha que sai da ponta em cima" ou por não saber a diferença entre uma terminal e um remate, mas certamente não prejudica aprender os termos adequados para os elementos que compõe os caracteres do alfabeto.

A abundância de famílias de tipos pode, às vezes, ser desafiadora – um sentimento aumentado pela miríade de pesos, estilos e variantes, com uma coleção de termos semanticamente confusos que são facilmente mal entendidos e repedidamente mal comunicados. É fonte ou tipo? Itálico ou oblíquo? Este é condensado ou comprimido? Quão antigas são as letras de estilo antigo? Compreender a extensão e alternativas oferecidas em cada família de tipos pode aliviar a dor de ter que selecionar a mais apropriada. Percorrer o menu de fontes e escolher qualquer família que esteja destacada após você ter contado até dez é também uma opção válida.

Ao longo do século XX, esforços significativos foram feitos para cunhar o conjunto final de termos para classificar a sempre crescente coleção de tipos de letras. Nos anos 1920, o tipógrafo francês, Francis Thibaudeau, classificou, os tipos pelo formato de suas serifas em Elzevirs, Didots, Egípcias e Antigas. Em 1954 outro tipógrafo francês, Maximilien Vox, propôs um sistema mais abrangente baseado em abordagens históricas; as categorias incluíam Clássicas (subdivididas em Humanistas, Garáldicas e de Transição), Modernas (Didônicas, Mecânicas, Lineares) e Outras (Incididas, Cursivas, Manuais, Góticas e Não Latinas). Esse sistema foi adotado em 1962 pela Associação Tipográfica Internacional (AtypI) e, posteriormente, pela Adobe para organizar sua biblioteca imensa. Outras tentativas notáveis foram feitas pelo tipógrafo italiano, Aldo Novarese, em 1956; pelo canadense, Robert Bringhurst, em 1992 e pelos criadores de tipos digitais buscando organizar os seus produtos de modo mais acessível para uma clientela crescente de compradores de tipos. Este capítulo apresenta uma classificação baseada no modo como designers se referem aos tipos na linguagem diária, pois rara é a ocasião em que um diretor de criação recomenda ao designer que experimente uma mecanicista ao invés de uma Elzevir.

A composição talvez seja a atividade que ocupa a maior parte do tempo do designer – de maneira bem direta, dispor as letras em palavras, palavras em frases, frases em parágrafos e parágrafos em layouts. Alguns princípios e semântica a respeito de espaçamento, organização e uso adequado de pontuação são imperativos para uma composição competente.

Detalhe do **ANUÁRIO DE 2004 DO CAPÍTULO DA COLUMBIA BRITÂNICA DA SOCIEDADE DOS DESIGNERS GRÁFICOS DO CANADÁ** / **Composto em dez fontes góticas diferentes / Mariam Bantjes / Canadá, 2007**

Anatomia

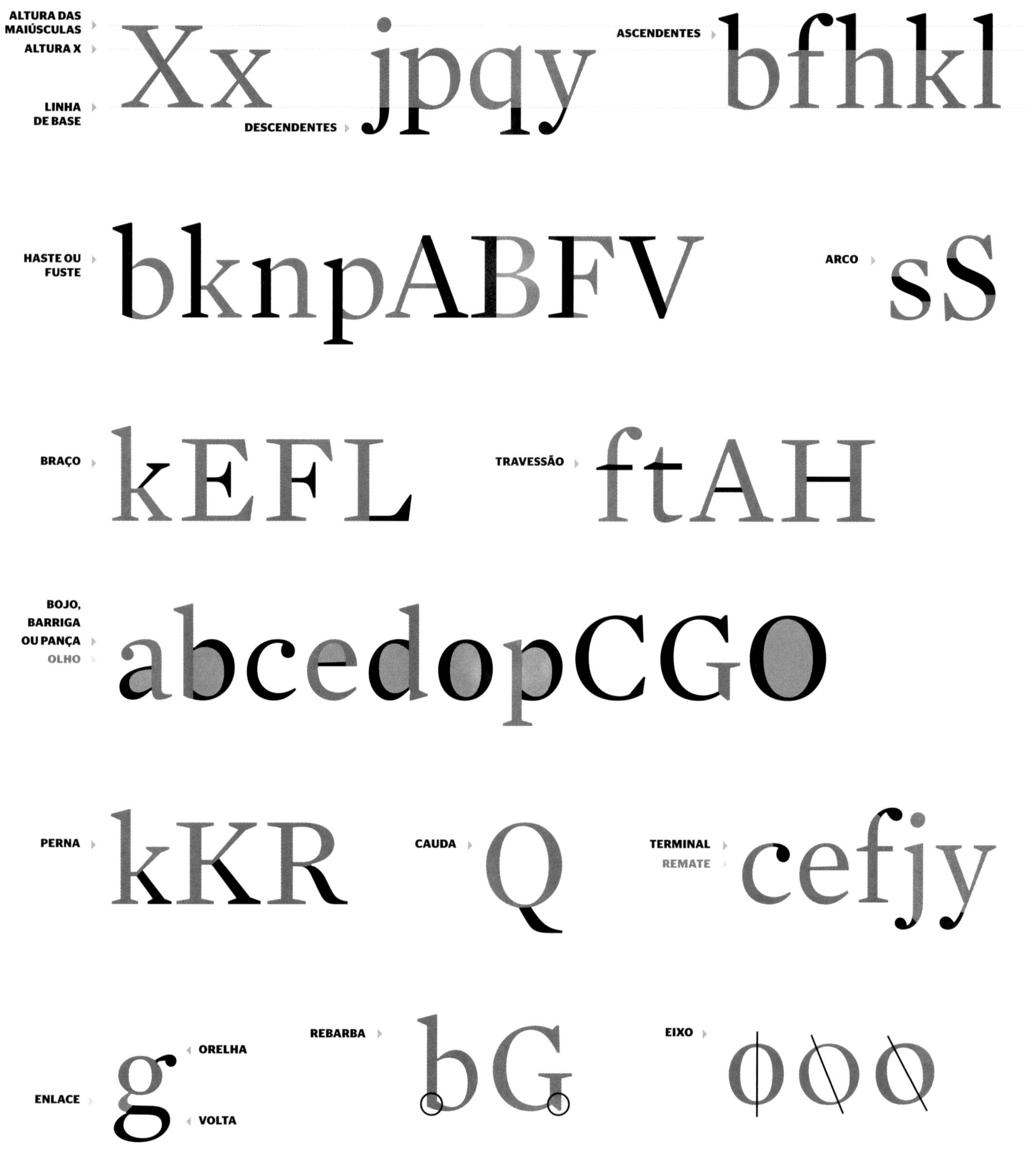
ALTURA DAS MAIÚSCULAS
ALTURA X
LINHA DE BASE
Xx
DESCENDENTES
jpqy
ASCENDENTES
bfhkl
HASTE OU FUSTE
bknpABFV
ARCO
sS
BRAÇO
kEFL
TRAVESSÃO
ftAH
BOJO, BARRIGA OU PANÇA
OLHO
abcedopCGO
PERNA
kKR
CAUDA
Q
TERMINAL
REMATE
cefjy
ORELHA
ENLACE
VOLTA
g
REBARBA
bG
EIXO
ooo

Genealogia

Durante a exibição dos créditos finais de um episódio de 2007 do programa de prêmios "The Wheel of Fortune" (A Roda da Fortuna), o apresentador, Par Sajak, perguntou à assistente de palco, Vanna White, qual era sua fonte preferida – "Eu uso Arial e uso Geneva", ela respondeu prontamente. Além de surpreendente como tópico para a brincadeira, foi a escolha de palavras que leva a incompreensões, mesmo entre designers gráficos, sobre a semântica real da tipografia, especialmente na medida em que a linguagem do design gráfico perpassa para o público geral cada vez mais. O que Sajak deveria ter perguntado era: "Qual sua família de letras preferida?" Caso contrário, a resposta de White deveria ter sido especificamente referente ao peso, estilo e tamanho de corpo da Arial e Geneva que ela prefere.

Quando um tipo é fundido em metal e pesos, estilos e tamanhos de corpo específicos são armazenados pelos impressores, uma fonte refere-se a uma única variante destas alternativas – por exemplo, Helvetica em negrito com corpo 55. No domínio da tecnologia digital, o termo *fonte* refere-se ao arquivo digital que armazena as informações e características escaláveis de um tipo de letra ou, em outras palavras, armazena o design da letra. Um tipo de letra tem peso ou estilo únicos com características e estática singulares. A agregação de tipos de letras com elementos comuns de design executados com diferentes pesos e estilos é uma família de tipos.

Tipo de letra e fonte são termos comumente mal empregados, tratados normalmente como sinônimos – um problema criado em parte por aplicativos de software que juntam as escolhas tipográficas no menu "fonte".

abcdefghij
klmnopqrs
tuvwxyz

MERCURY ROMANA

abcdefghij
klmnopqrs
tuvwxyz

MERCURY MEIO-NEGRITO

abcdefghij
klmnopqrs
tuvwxyz

MERCURY NEGRITO

abcdefghij
klmnopqrs
tuvwxyz

MERCURY ITÁLICA

abcdefghij
klmnopqrs
tuvwxyz

MERCURY MEIO-NEGRITO ITÁLICA

abcdefghij
klmnopqrs
tuvwxyz

MERCURY NEGRITO ITÁLICA

ABCDEFGHIJ
KLMNOPQRS
TUVWXYZ

MERCURY ROMANA MAIÚSCULAS PEQUENAS (VERSALETES)

ABCDEFGHIJ
KLMNOPQRS
TUVWXYZ

MERCURY MEIO-NEGRITO PEQUENAS

ABCDEFGHIJ
KLMNOPQRS
TUVWXYZ

MERCURY NEGRITO MAIÚSCULAS PEQUENAS (VERSALETES)

FAMÍLIA DE TIPOS

abcdefghijklmnopqrstuvwxyz

MERCURY MEIO-NEGRITO

TIPO: PESO ESPECÍFICO (MEIO-NEGRITO)

abcdefghijklmnopqrstuvwxyz

MERCURY MEIO-NEGRITO ITÁLICA

TIPO: PESO ESPECÍFICO (MEIO-NEGRITO), ESTILO ITÁLICO

abcdefghijklm
nopqrstuvwxyz

MERCURY MEIO-NEGRITO ITÁLICA, 34 PT

FONTE: PESO ESPECÍFICO (MEIO-NEGRITO), ESTILO ITÁLICO E TAMANHO DE CORPO (34 PT)

V

MERCURY MEIO-NEGRITO, 34 PT, LETRA V

GLIFO

* meio-negrito também conhecido como semi-bold

Peso

GOTHAM / TOBIAS FRERE-JONES, 2000

abc EXTRA LEVE — abc LEVE — abc LIVRO — abc MEDIUM

abc NEGRITO — abc ESCURA — abc ULTRA

APEX SERIF / CHESTER JENKINS, 2002

abc LEVE — abc LIVRO — abc MÉDIA

abc NEGRITO — abc EXTRA NEGRITO

MINION / ROBERT SLIMBACH, 1990

abc REGULAR — abc MEIO-NEGRITO

abc NEGRITO — abc ESCURA

O modo mais fácil, mais rápido e mais tradicional para chamar atenção para uma palavra, frase ou parágrafo pode ser o ato simples de colocá-los em negrito – tanto mais efetivo, é claro, se o restante estiver com um menor grau de negrito para que exista o contraste. Pesos de negrito, especificamente para serifadas, não eram usados até o século XIX, mas lentamente tornaram-se obrigatórios com a introdução, em meados do século XX, de famílias de tipos mais compactas, com uma 'serie de pesos, tais como Univers de Adrian Univers › 372**. Hoje, é raro encontar uma letra com peso médio ou regular que não tenha contrapartes com mais negrito ou mais leves. Embora fosse possível ligar essa afluência ao avanço em software de desenvolvimento de fonte, a criação de pesos diferentes para um tipo de letra é bem menos simples do que pode parecer e cada peso deve ser opticamente redesenhado. Os exemplos mostram a relação entre os vários pesos e o desafio de manter uma altura levemente flutuante à medida que alteram as larguras para redefinir o peso – do estreito quase invisível ao tão escuro que só quem não quisesse não veria.**

Largura

GÓTICA PENDENTE / DAVID BERLOW, 2005

EFV SKYLINE — EFV COMPRIMIDA — EFV CONDENSADA

EFV ESTREITA — EFV NORMAL — EFV LARGA

EFV ESTENDIDA

EFV COMPRIMIDA — EFV CONDENSADA — EFV NORMAL

INTERSTATE / TOBIAS FRERE-JONES, 1993

EFV CONDENSADA — EFV ROMANA

BAUER BODONI / LOUIS HOLL, HEINRICH JOST, 1926

É difícil imaginar como as intermináveis listas de créditos espremidas nos cartazes de filmes atuais iriam parecer se ninguém tivesse ousado comprimir o alfabeto. Logo, era apropriado que, em fins do século XIX, cartazes da indústria de entretenimento daquela época, tais como o circo, empregassem uma série de tipos entalhados em madeira que eram produzidos numa incrível variedade de larguras estendidas e condensadas. Estes não eram necessariamente concebidos como famílias de tipos com características compartilhadas de design; ao contrário, eram agrupados de forma um tanto objetiva pelo tipógrafo para que palavras mais longas fossem compostas com tipos condensados, e palavras mais curtas com os extendidos. Não foi antes dos anos 1900 que tipos como Cheltenham de Morris Fuller Benton foram concebidos em várias larguras desde o início e denominados como família de tipos.

As atuais famílias de múltiplas larguras têm seu design e construção feitos com um propósito muito mais claro. Como mostardo, a chave para manter a uniformidade é manter a largura das hastes, permitindo ajustes mínimos na altura e peso – em oposição ao delito recorrente de simplesmente esticar horizontalmente um tipo já existente, estragando as proporções do design original. Enquanto condesada/comprimida e larga/estendida são as larguras mais comuns, não há lei proibindo criar um tipo de letra tão estreita quanto um lápis ou tão grande quanto um navio.

Estilo

aefmvx aefmvx aefmvx aefmvx

ROMANA ROMANA

ITÁLICO ITÁLICO

aefmvx *aefmvx* *aefmvx* *aefmvx*

WHITMAN / KENT LEW, 2003

GALAXIE POLARIS / CHESTER JENKINS, 2005

GÓTICA TRADE / JACKSON BURKE, 1948

ITC LUBALIN GRAPH / HERB LUBALIN, 1974

Como pasta de amendoim e geleia, os tipos itálicos e romanos trabalham em conjunto para uma combinação sem emendas de sabores distintos. Enquanto o itálico mais antigo pode ser atribuído a Francesco Griffo no final do século XV, só depois do fim do século XVII que combinações de romano com itálico, (às vezes de tipos diferentes) numa mesma linha, começaram a brotar como uma forma de fazer distinções num texto, e só no início do século XX que tipos romanos foram desenhados em conjunto com suas contrapartes itálicas. Itálicos, conforme mostrado, são uma interpretação fluida dos caracteres romanos, com início e final do traço mais pronunciados. Eles são desenhados em ângulos tão sutis quanto 2º ou periclitantes 25º. Alguns dos caracteres em itálico são desenhados diferentemente – por exemplo, o "a" minúsculo, desenhado como uma letra composta de duas partes no romano e com parte única no itálico, ou o "f" com uma extensão de sua haste – e no itálico são comumente de 5 a 10% mais estreitos que os caracteres romanos. Em contraste, os oblíquos são simplesmente caracteres romanos inclinados, sem correções ópticas ou modificações, o que resulta em caracteres mais largos e sem intenção no design. Em outras palavras, usar oblíquos é como misturar pasta de amendoin com molho de picles.

ROMANO | MAIÚSCULAS PEQUENAS (VERSALETES) — CIFRAS PARA TÍTULOS | CIFRAS EM ESTILO ANTIGO

Fruk KURF 1234567890 1234567890

SCALA / MARTIN MAJOOR, 1988

Fruk KURF 1234567890 1234567890

SECTION / GREG LINDY, 2003

Maiúsculas pequenas (versaletes) e cifras de estilo antigo carregam um ar sofisticado de tradição e charme do velho mundo – as primeiras, com seu tamanho de mobília de casa de bonecas e as outras, com seus ascendentes e descendentes livres. Cifras de estilo antigo foram a forma mais comumente usada de números do século XVI ao início do XIX, quando as cifras para títulos, tão altas quanto as maiúsculas, lentamente as substituíram. Só depois de um período bem avançado, no século XX, as letras produzidas digitalmente adotaram esse estilo uma vez mais. Versaletes, por outro lado, sempre foram parte do léxico visual da tipografia; e foram companheiros comuns de suas contrapartes romanas desde o século XVI e sobreviveram ao massacre de suas proporções feito pela editoração e aplicativos de software que, de maneira enganadora, encolhiam letras maiúsculas para caber na altura – X ao pressionar de um botão. Versaletes, cifras de títulos e de estilo antigo devem todos ser desenhados individualmente para que se obtenham as relações estruturais adequadas entre eles.

VAW ROMANO | APRESENTAÇÃO VAW

VAW | VAW

H&FJ DIDOT / JONATHAN HOEFLER, 1991

VAW ROMANO | APRESENTAÇÃO VAW

VAW | VAW

REQUIEM / JONATHAN HOEFLER, 1992

Fazer a tipografia tão grande, com tamanhos tais como corpo 100, 160, 300, num computador não é realmente difícil e não há nada errado em fazê-lo. Entretanto, com a tipografia infinitamente escalável, elementos de design desenhados para funcionar em tamanhos pequenos aparentarão ser gigantescos, mesmo disformes, quando retirados da proporção. Quando os tipos eram feitos em metal e cada tamanho de fonte era criado independentemente, era possível modular o contraste dos elementos de design para manter uma textura semelhante em todos os tamanhos de corpo, mas com a tipografia digital, todos os tamanhos são iguais quando criados. Algumas famílias de letras, como as apresentadas, incluem estilos de apresentação desenhados especificamente para reprodução em tamanho grande, exagerando o contraste do design. De maneira oposta, é importante evitar o uso de estilos de apresentação ao se imprimir em tamanhos pequenos.

Serifadas

Além do apelido reconhecidamente engraçadinho de “pezinhos”, as serifas são os traços de acabamento em todas as letras que não o “O”, “o” e “Q”. Serifas podem ser unilaterais, protuberantes em uma única direção, como a serifa no lado esquerdo do topo da letra F; ou podem ser bilaterais, como quando são protuberantes em duas direções, como nas serifas de base no F.

Desde o século XV, a forma desses “pezinhos” vem definindo a evolução dos tipos serifados (ou romanos) à medida que os tipógrafos iam reagindo ao trabalho de seus predecessores e adaptavam-se às novas tecnologias de impressão. Serifas humanistas, desenvolvidas durante a renascença, representam uma mudança para além da letra gótica usada nas primeiras décadas de uso dos tipos móveis. No século XVI, as Garaldes – denominação derivada dos nomes dos criadores Claude Garamond e Aldus Manutius – apresentavam mais contrastes entre traços finos e largos. As transicionais, com serifas mais definidas e uma estrutura mais vertical, prepararam o caminho para as formas de letras que se distanciavam da formas caligráficas com a introdução das Didones – o nome deriva dos criadores Firmin Didot e Giambsttista Bodoni – ou as Modernas, no século XVIII, com suas serifas complicadas |e elevado contraste. E, no século XIX, as transicionais novas eram uma mistura evoluída dos tipos precedentes, produzidas para atender aos novos processos desenvolvidos pela Revolução Industrial.

Certamente, a origem desses tipos de letra não podem ser ignoradas: textos romanos inscritos datados do primeiro século, como os da fomosa coluna de Trajano > 368. Essas serifas, Glíficas ou Inseridas, são representativas do cinsel sobre pedra, em oposição à pena sobre o papel – embora uma teoria sugira que essas incisões fossem inicialmente desenhadas com um pincel e depois entalhadas, deixando incertas as reais origens das serifas. O resultado pode ser sutil como nas serifas alargadas da fonte Trajano ou podem ser robustas, com serifas grandes, triangulares e junções abruptas em cada caracter, como nas letras mercury deste livro.

HUMANISTA

Quick Fox,
Lazy Dog:
Jumped.

ADOBE JENSON / ROBERT SLIMBACH, 1996 / ***Baseada no trabalho de Nicolas Jenson do século XV***

GARALDE

Quick Fox,
Lazy Dog:
Jumped.

BEMBO / STANLEY MORISON, 1929 / ***Baseada no trabalho de Francesco Griffo do século XV***

TRANSICIONAL

Quick Fox,
Lazy Dog:
Jumped.

BASKERVILLE / JOHN BASKERVILLE, POR VOLTA DE 1754

DIDONE ou MODERNA

Quick Fox,
Lazy Dog:
Jumped.

DIDOT / FIRMIN DIDOT, 1784

TRANSICIONAL NOVAS

Quick Fox,
Lazy Dog:
Jumped.

CENTURY SCHOOLBOOK / MORRIS FULLER BENTON, 1924

GLÍFICA ou INSERIDA

QUICK FOX,
LAZY DOG:
JUMPED.

TRAJANO / CAROL TWOMBLY, 1989 / ***Baseada nas inscrições da Coluna de Trajano em Roma, erigida no primeiro século***

Sem Serifas

No equivalente tipográfico da circuncisão, as sem serifas são desprovidas dos apêndices. Elas apareceram inicialmente em meados do século XIX (também podem ser chamadas de góticas), com a introdução dos tipos gravados em madeira. A produção aumentada das sem serifa, em todos os tamanhos e larguras, permanece até hoje, uma vez que estas mostram-se bastante maleáveis.

Ainda que não tenha sido a primeira sem serifa a aparecer, a Akzidens Grotesk > 369, lançada nos anos 1890, representa a estrutura mecânica das neogrotescas, que retinham algumas das características dos tipos desenhados à pena por meio de leve contraste entre traços espessos e finos. Geométricas sem serifa, como a Futura > 371 e a Kabel dos anos 1920, representam formas de letra ainda mais desprovidas de qualquer decoração. Humanistas sem serifa estavam enraizadas nos tratos caligráficos das serifas do século XV mais do que na evolução dos tipos em madeira.

NEO-GROTESCA

Quick Fox,
Lazy Dog:
Jumped.

AKZIDENZ GROTESK / BERTHOLD TYPE FOUNDRY, 1898

GROTESCA

Quick Fox,
Lazy Dog:
Jumped.

GÓTICA FRANKLIN / MORRIS FULLER BENTON, 1904

GEOMETRICA

Quick Fox,
Lazy Dog:
Jumped.

FUTURA / PAUL RENNER, 1927

HUMANISTA

Quick Fox,
Lazy Dog:
Jumped.

GILL SEM SERIFA / ERIC GILL, 1927

Algumas notas a respeito de termos possivelmente confusos

O termo *Grotesco*, da palavra alemã *Grotesk*, foi de fato cunhado a partir da falta de comprimentos e pela mudança abrupta no status quo representado por esses tipos de letra. *Gótico* era o termo americano para as sem serifas, embora a palavra *gótico* também se refira ao tipo de letra que, em inglês, é denominado Black Letter > 68; e, em algumas situações, é erroneamente rotulada como *Inglesa Antiga*, um estilo em si mesmo. *Lineal* é outro termo para as sem serifas, e (apenas por curiosidade) na Espanha são chamadas de "Palo Seco" (pau seco). Por algum tempo, a serifas grossas eram chamadas de Claredons e posteriormente de Egípcias, mas, à medida que novas serifas grossas foram desenvolvidas, certas características do design auxiliaram a agrupá-las.

Serifas Grossas

Enquanto as serifas grossas são classificadas tipicamente no grupo das serifas, sua distinta atitude visual – definida pelas serifas grossas e de extremidades em ângulo reto – indica a necessidade de uma categoria própria. Um estilo popular também durante os meados do século XIX (A Clarendon > 375 foi produzida pela primeira vez em 1845), as grossas têm evoluído com uma combinação de estruturas, como as Claredons e as Egípcias, que são construídas mais como serifadas, e as Geométricas, que são baseadas nas sem serifas. E nem todas as grossas são criadas do mesmo modo: Geométricas e Egípicias não possuem as conexões curvadas que ligam troncos e braços das com serifas, como as Claredons.

CLARENDON (SERIFAS COM CONECTORES)

Quick Fox,
Lazy Dog:
Jumped.

CLARENDON / ROBERT BESLEY, 1845

EGÍPCIA (SERIFAS SEM CONECTORES)

Quick Fox,
Lazy Dog:
Jumped.

ZIGGURAT / JONATHAN HOEFLER, 1991

GEOMÉTRICA (CONTÍNUA, SEM CONECTORES)

Quick Fox, Lazy Dog:
Jumped.

ITC LUBALIN GRAPH / HERB LUBALIN, 1974

Letra Gótica

Nomes de jornal, rótulos de cerveja, textos religiosos e tatuagens, bem como bandas de Heavy Metal, cantores de RAP ou estrelas POP, todos usam a letra gótica, um estilo tipográfico usado há mais de 600 anos. É difícil apontar qual foi o seu uso inicial, pois a letra gótica teve uma evolução diversa e gradual a partir de fontes diversas como a Carolíngea, a Inglesa Antiga e trabalhos de escrita manual datando do século IX na França, Itália e Alemanha. A letra gótica tornou-se obrigatória entre os séculos XV e XVI, especialmente após a marcante impressão da Bíblia por Johannes Guttemberg, em 1452, com a introdução dos tipos móveis na Alemanha – e, embora o estilo tenha se espalhado e evoluído a partir deste país, a ligação permanece forte, possivelmente de forma não positiva.

Durante os anos 1930, a letra gótica – principalmente o estilo fraktur – foi apropriado pelo regime nazista e usado em sua propaganda. Entretanto, em 1941, Adolf Hitler, por meio de seu secretário, Martin Bormann, decretou que a fraktur não deveria ser mais usada por suas alegadas origens judaicas. Reclamações de ilegibilidade podem ter tido algum papel relevante na decisão. A despeito desse período de trevas, a letra gótica permanece como uma das escolhas tipográficas mais usadas por sua versatilidade e tem sido objeto de renovações modernas por alguns dos designers mais celebrados da indústria tipográfica.

BASTARDA ou SCHWABACHER

Quick Fox,
Lazy Dog:
Jumped.

LETRA GÓTICA LUCIDA / CHARLES BIGELOW E KRIS HOLMES, 1992 / *Baseada em letra gótica do século XV*

ROTUNDA

Quick Fox,
Lazy Dog:
Jumped.

SAN MARCO / KARLGEORG HOEFER, 1990 / *Baseada em letra gótica do século XV*

FRAKTUR

Quick Fox,
Lazy Dog:
Jumped.

FETTE FRAKTUR / LINOTIPO / *Baseada em letra gótica do século XIX*

TEXTURA

Quick Fox,
Lazy Dog:
Jumped.

INGLESAS ANTIGAS GRAVADAS / MORRIS FULLER BENTON, 1907 / *Baseada em letra gótica do século XIX*

Letra Gótica versão 2.0

...é a nova Gótica A

...é a nova Gótica B

...e a nova Jotica C

...é a nova Gótica D

...é a nova Gótica E

Fakir da Underware, 2006 (**A**); Sabbath Black e Ferox de Miles Newlyn's, 1992 e 1995 (**B** e **C**), Avebury de Jim Parkinson , 2005 (**D**); e Brea de Corey Holms, 2003 (**E**)

LEITURA RECOMENDADA › 390

Cursiva

Assim como a escrita à mão, as letras cursivas são muito diferentes entre si e existem desde que os humanos colocaram pena sobre o papel com o intuito de escrever – os rabiscos apareceram quando foram obrigados a participar de reuniões. Tipos cursivos há muito têm tentado traduzir no metal, madeira, foto ou digitalmente a natureza dinâmica, fluida e imperfeita da escrita manual, o que gerou a grande quantidade de opções, com um número atordoante de abordagens.

Tipos cursivos têm uma grande variedade de características e classificá-los pode ser uma tarefa frustrante. Eles podem ser divididos em função de sua estética subjetiva (formal x informal); pelas conexões ou falta destas (fluente *versus* não fluente); pelas ferramentas usadas (ponta de feltro, pena de cisne ou pincel, entre outros) e por outras variáveis como retas, reversas e manuscritas. Na sua variedade, os tipos cursivos foram separados para usos específicos – textos formais para convites de casamentos, jantares, mensagens de melhoras, por exemplo.

Mas os tipos cursivos têm experimentado um ressurgimento no século XXI, com os jovens designers de tipos como House Industries › 228, Underware › 232 e Alejandro Paul, trazendo ar fresco e vibração para esse tipo de letra com o auxílio do Opentype. Esse formato permite que as fontes reajam à disposição dos caracteres – assim, uma palavra como *feel* é composta com dois glifos distintos para o "e", ou por várias formas de conectá-lo às outras letras, dando ao texto uma cadência de manuscrito em que dois caracteres não são desenhados da mesma forma. Indicativo da popularidade de tipos cursivos são os acervos de fornecedores de letras como Veer › 233, em que os tipos cursivos vendem mais do que outros, serifados ou não.

FLUENTE

INFORMAL

Fox, Dog: Jumped

ESCRITA À PINCEL / ROBERT E. SMITH, 1942

FORMAL

Fox, Dog: Jumped

BICKHAM CURSIVO / RICHARD LIPTON, 1997

DE PÉ (FORMAL)

Fox, Dog: Jumped

FRENCH CURSIVO / MONOTYPE DESIGN STUDIO, 2003

PINCEL

Fox, Dog: Jumped

MISTRAL / ROGER EXCOFFON, 1953

MANUSCRITO (INFORMAL)

Fox, Dog: Jumped

ESCRITA ESCOLAR / MONOTYPE

NÃO FLUENTE

INFORMAL

Fox, Dog: Jumped

SINCLAIR / PAT HICKSON, 1992

FORMAL

Fox, Dog: Jumped

LIBERTY / WILLARD T. SNIFFIN, 1927

DE PÉ (CASUAL)

Fox, Dog: Jumped

SONORA / PROFONTS, 2005

PINCEL

Fox, Dog: Jumped

CHOC / ROGER ESCOFFON, 1954

MANUSCRITO (FORMAL)

Fox, Dog: Jumped

VOLGARE / STEPHEN FARRELL, 1996

egg gobble look matter LIGAMENTOS ATIVOS

egg gobble look matter LIGAMENTOS INATIVOS

BELLO / UNDERWARE, 2004

LIGAMENTOS DO OPENTYPE EM AÇÃO

Bitmap

Fontes bitmap, compostas de pixels pretos dispostos num grid sob fundo branco, são criadas para apresentar de modo apropriado em tamanhos específicos na tela. Originalmente, foram desenvolvidas ao encontro das resoluções grosseiras dos primeiros sistemas operacionais e impressoras nos anos 1980 e, à medida que a tecnologia evoluiu, permitiu-se a execução de tipos com contornos mais lisos – ao menos para tamanhos maiores do que o corpo 9 – o seu uso foi lentamente encerrado em meados dos anos 1990. Mas nas últimas décadas, esse tipo de fonte experimentou um ressurgimento por conta de seu uso em design na web, pois aparecia de maneira clara e precisa, não importando qual monitor ou sistema operacional o usuário final estivesse usando. Em menos de dois anos, os designers e criadores de tipos geraram um grande número de fontes bitmap, uma vez que estas são muito mais fáceis de desenvolver e distribuir em comparação com os outros tipos. E, a despeito do seu uso planejado nos tamanhos de corpo 5pts., 7pts. ou 9 pts., os designers se sentiram compelidos a usá-las para aplicações em impressão em tamanho grande.

QUICK FOX,
LAZY DOG:
JUMPED.

SILKSCREEN / JASON KOTTKE, 1999 / ***Criada num grid de 5 × 5 pixels***

QUICK FOX,
LAZY DOG:
JUMPED.

SUPERMAGNET / SVEN STÜBER, 2001 / ***Criada num grid de 5 × 5 pixel s***

Quick Fox,
Lazy Dog:
Jumped.

UNIBODY / UNDERWARE, 2002 / ***Criada num grid de 10 × 10 pixels***

QUICK FOX,
LAZY DOG:
JUMPED.

FIXED V2 / ORGDOT, 2001 / ***Criada num grid de 12 × 12 pixels***

O mundo nebuloso do anti-aliasing

O tipo na tela parece ser liso e com curvas, seguindo curvas e voltas cuidadosamente elaboradas, em cada caracter, com grande dificuldade pelos designers de tipos. Mas não confie em seus olhos – tudo o que você vê são pixels quadrados apresentados em escala de cinza que simulam essas curvas. Aliasing é o estado natural no qual os pixels são desenhados na tela; ele contém uma coleção rugosa de pixels negros incapazes de aproximar curvas suaves, de modo que o anti-aliasing é uma ferramenta que corrige isso na tela. Tipos bitmap são feitos para uso sem o anti-aliasing, de modo que os pixels aparentem ser mais claros, enquanto os tipos regulares precisam de anti-aliasing para aparecer conforme a intenção inicial.

Monoespaço

Tipos monoespaço são inspirados pelas máquinas de escrever, em que todas as letras se encaixam num largura física específica, resultanto em formas de letras que devem expandir ou encolher para melhor usar o espaço disponível – daí os *is* largos e *ms* estreitos. Eles também são chamados de não proporcionais em contraste aos típicos tipos proporcionais, em que cada caractere tem uma largura diferente. Outra característica dos tipos monoespaço – que pode ser favorável ou não – é que são espaçados de maneira uniforme, criando colunas de texto alinhadas de modo regular. Isso é útil para criar tabelas financeiras de um relatório anual e mostrou-se a melhor escolha para programadores ao escrever códigos. O espaçamento, as formas incomuns e a possibilidade de designs futuristas limitam a aplicação de fontes monoespaço.

Quick Fox,
Lazy Dog:
Jumped.

COURIER / HOWARD "BUD" KETTLER, 1955

Quick Fox,
Lazy Dog:
Jumped.

OCR A / AMERICAN TYPE FOUNDERS, 1968

QUICK FOX,
LAZY DOG:
JUMPED.

ORATOR / JOHN SCHLEPPER, 1962

Quick Fox,
Lazy Dog:
Jumped.

OCR B / ADRIAN FRUTIGER, 1966

Spacing
non-proportional

Spacing
proportional

Grunge

Em algum lugar onde se encontram a aparência descuidada de Kurt Cobain, a grande disponibilidade do software de criação de tipos — Fontographer e o clima geral da tipografia desconstrutiva e pós-modernista dos anos 1980, surgiu uma nova família de tipos amalgamados e arranhados que foram populares nos anos 1990 e 2000, em paralelo com a popularização (e decadência) do estilo musical grunge, que deu o nome a esse estilo de letras. Não existem definições claras para os tipos grunge, mas eles compatilham uma estética e filosofia secas em contraste com as convenções da tipografia clássica. Eles também têm em comum a apropriação de tipos existentes, bem como o vernáculo visual para gerar designs novos. Exemplos iniciais de 1990 como a Gótica Template › 382, baseada num sinal existente em sua lavanderia local e a Dead History de P. Scott Makela, uma fusão da Centennial serifada com a borbulhante VAG arredondada sem serifa, garatiram a viabilidade de criar híbridos novos, uma linguagem imperfeita criada pela emergência de software de desenvolvimento de fontes que podia transformar qualquer um em criador de tipos. Isso aumentou o número de designers amadores e pequenas empresas criadoras de fontes, incluindo a Emigre › 224, [T-26] › 229, GarageFonts, Plazm eThirstype › 200, cujo trabalho definiu muito da aparência dos anos 1990.

Quick Fox, Lazy Dog: Jumped.

DEAD HISTORY / P. SCOTT MAKELA, 1990

QUICK FOX LAZY DOG JUMPED

THYME CAÍDA / FONTOSAURUS TEXT, 2001

QUICK FOX, LAZY DOG★ JUMPED.

MC AUTO / BRIAN STUPARYK, 2002

Quick Fox, Lazy Dog: Jumped.

TURBO RASGADA / GYOM SÉGUIN

Quick Fox, Lazy Dog: Jumped.

ESCALIDO STREAK / JIM MARCUS, 1994

QUICK FOX LAZY DOG JUMPED

LAUNDROMAT 1967 / LAST SOUNDTRACK, 2006

Não Declarado

Se o comediante Jerry Seinfeld tivesse um senso de humor tipográfico, certamente perguntaria: "O que é que há com a Optima? Digo, é serifada ou não serifada?" Esses dois novos tipos, Optima e Gótica Copperplate, impressionaram os designers por algum tempo com suas serifas dilatadas ligadas à estruturas sem serifas.

Quick Fox, Laxy Dog: Jumped.

OPTIMA / HERMANN ZAPF, 1958

QUICK FOX, LAZY DOG: JUMPED.

GÓTICA COPPERPLATE / FREDERIC W. GOUDY, 1901

TIPO AMERICANO EM MADEIRA (AMERICAN WOOD)

Em meados do século XIX, uma alternativa à composição com tipos metálicos surgiu na forma dos tipos de madeira. Mais baratos e mais versáteis, os tipos de madeira prepararam o afluxo de novos designs de tipos de apresentação desde os sem serifas aos com serifa larga e toscanas, muito usadas em cartazes e faixas em colagens com diversas larguras, pesos e tamanhos. O entusiasmo com esse método de impressão arrefeceu no final do século, especialmente com a evolução da composição com tipos metálicos com o surgimento das máquinas de linotipo e monotipo. Entretanto, alfabetos em tipos de madeira ficaram esquecidos em oficinas de impressão por todo os Estados Unidos e um dos seus colecionadores mais entusiasmados foi Rob Roy Kelly, um educador e historiador de design bastante prolífico e influente. Graduado pela Yale School of Arts and Architecture, Kelly lecionou por mais de 30 anos no Minneapolis College of Art and Design (MCAD), Kansas City Art Institute, Carnegie Mellon University, Western Michigan University e Arizona State University. No MCAD, ele criou um curso de impressão no qual usou sua coleção de tipos americanos em madeira com os estudantes que questionavam sobre as origens e uso dos

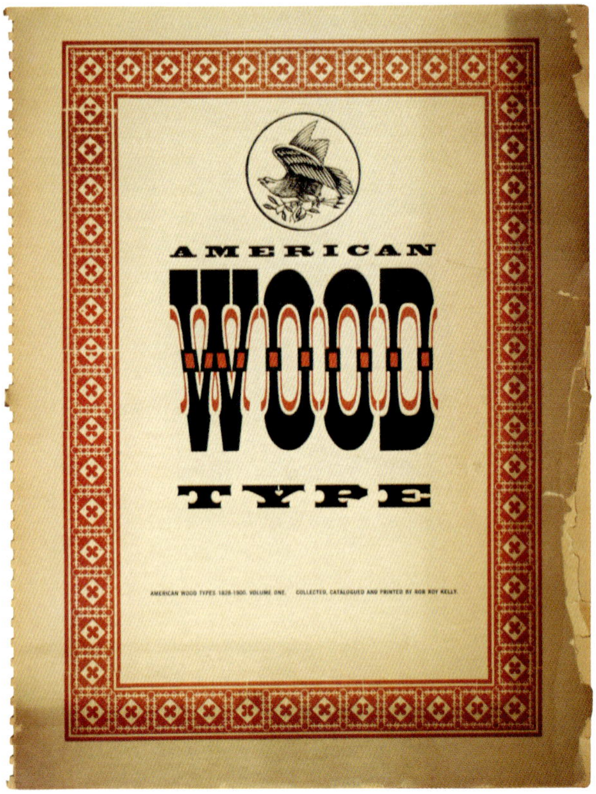
AMERICAN
WOOD
TYPE

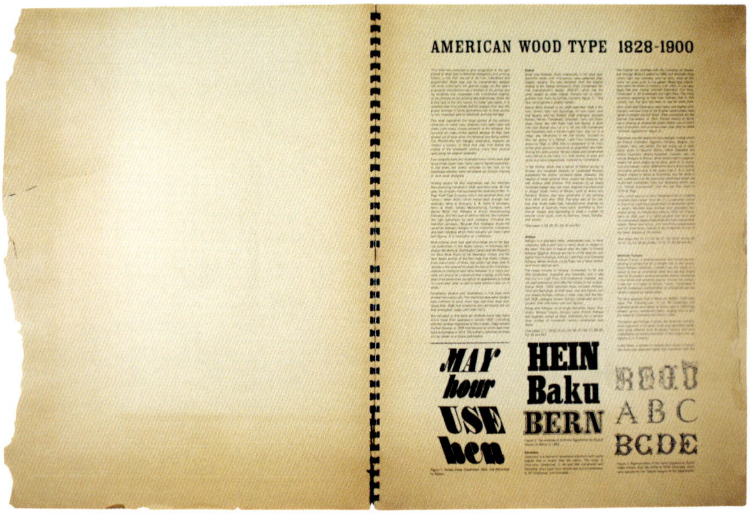
AMERICAN WOOD TYPE 1828-1900

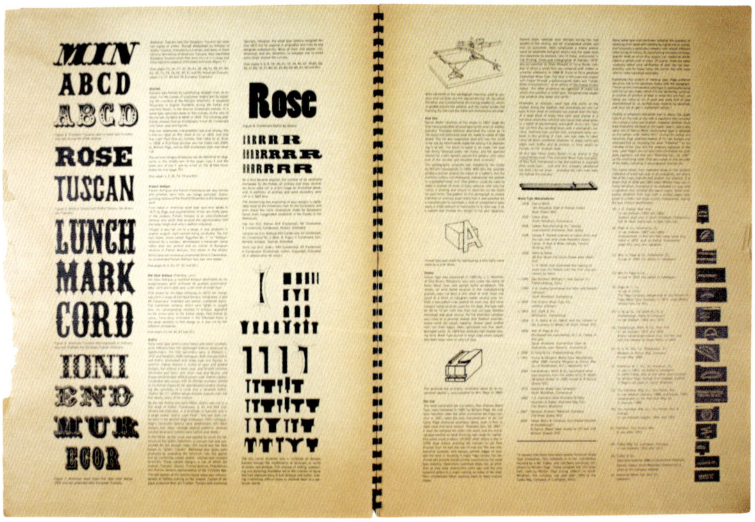

***MOSTRUÁRIO DE AMERICAN WOOD TYPE*, VOL. 1** / Rob Roy Kelly / EUA, 1965

mesmos. Em 1957, Kelly iniciou a organização de sua coleção. Ele se aprofundou nesse tópico, documentando o papel dos tipos de madeira na história da impressão e da tipografia.

Trabalhando inicialmente a partir de um conjunto de tipos de 1906, fabricados pela Hamilton Manufacturin Company – um dos primeiros fabricantes de tipos de madeira nos Estados Unidos – e com outros tipos da Universidade de Columbia, da Biblioteca e Museu Henry E. Hunting, da Biblioteca Newbery e da Biblioteca Pública de Nova York, Kelly criou um sistema de classificação abrangente e estabeleceu a datação e origens da fabricação da maioria dos tipos em sua coleção. Em 1963, ele publicou uma versão inicial de suas descobertas no n. 56 da revista Degin Quarterly, do Walker Art Center e, em 1967, ele publicou *American Wood Types 1828-1900, Volume One*, uma publicação imponente de tamanho 17" x 22" (43,2 cm X 55,9 cm). Este foi seguido pela publicação, em 1969, de *American Wood Types 1828-1900: Notes on the Evolution of Decorated and Large types and Comments on Related Trades of the Period*, que foi reeditado em 1977. A grande disponibilidade dessa publicação ajudou a ser encontrada nas mãos de designers gráficos que, encarando o domínio não disputado da Helvetica › 373, usaram a pesquisa de Kelly num ressurgimento de uma linguagem visual há muito esquecida. Ao final dos anos 1960, Kelly vendeu sua coleção para o Museu de Arte Moderna de Nova York › 121, que, então, a revendeu para a Universidade do Texas em Austin, onde hoje está mais uma vez disponível aos estudantes na forma de coleção de pesquisa.

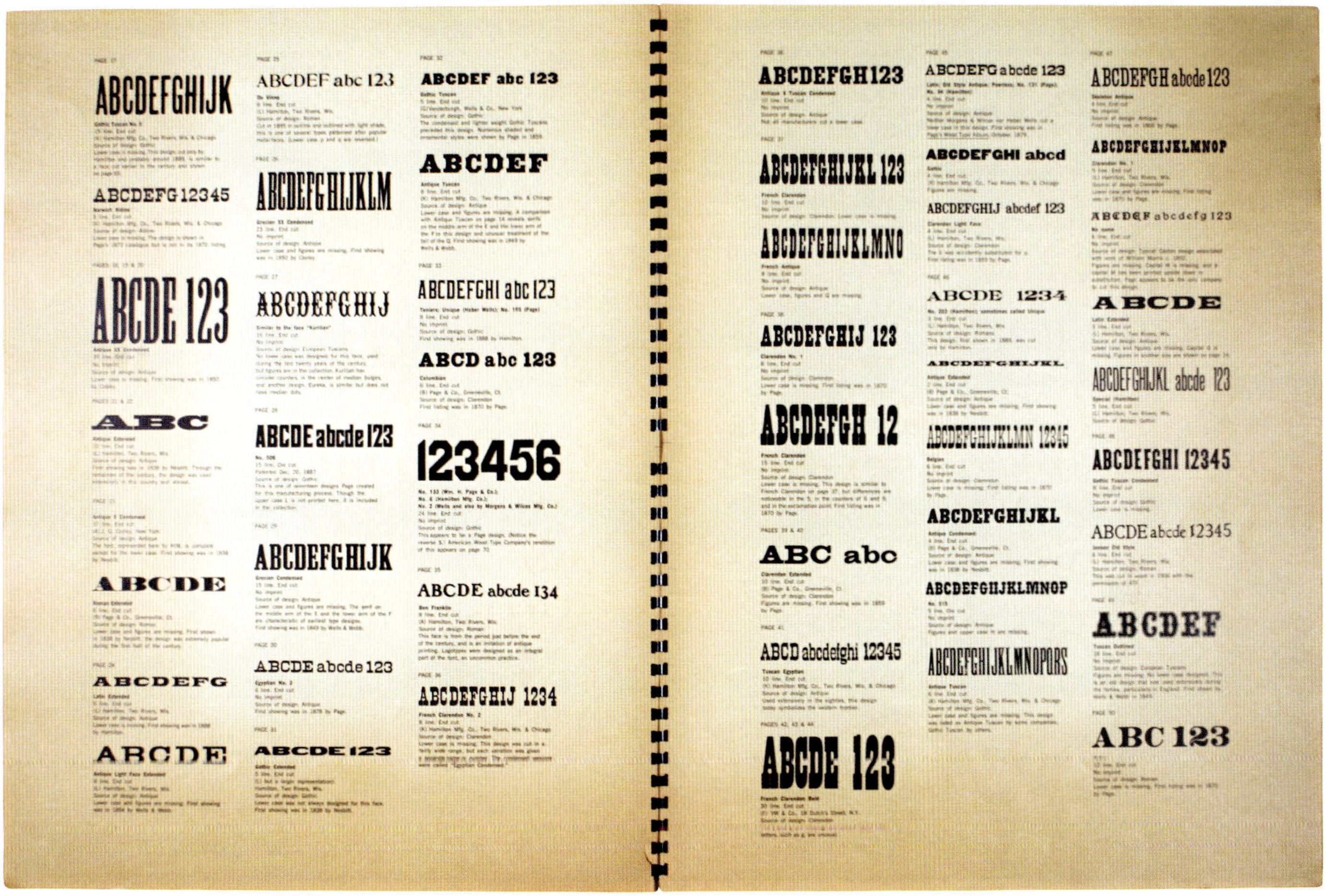
ABCDEFGHIJK
ABCDEF abc 123
ABCDEF abc 123
ABCDEFGHIJKLM
ABCDEF
ABCDEFG 12345
ABCDE 123
ABCDEFGHIJ
ABCDEFGHI abc 123
ABCD abc 123
ABC
ABCDE abcde 123
123456
ABCDEFGHIJK
ABCDE
ABCDE abcde 134
ABCDEFG
ABCDE abcde 123
ABCDEFGHIJ 1234
ABCDE
ABCDE 123
ABCDEFGH123
ABCDEFG abcde 123
ABCDEFGH abcde 123
ABCDEFGHIJKL 123
ABCDEFGHI abcd
ABCDEFGHIJKLMNOP
ABCDEFGHIJKLMNO
ABCDEFGHIJ abcdef 123
ABCDE 1234
ABCDE
ABCDEFGHIJ 123
ABCDEFGH 12
ABCDEFGHI 12345
ABCDEFGHIJKL
ABC abc
ABCDE abcde 12345
ABCDEFGHIJKLMNOP
ABCD abcdefghi 12345
ABCDEF
ABCDE 123
ABC 123

Composição

ALINHAMENTO

Alguns princípios e semântica no espaçamento, organização e uso de pontuação adequada são imperativos para uma composição competente.

ALINHADO À ESQUERDA / DIREITA IRREGULAR

Alguns princípios e semântica no espaçamento, organização e uso de pontuação adequada são imperativos para uma composição competente.

CENTRALIZADO

Alguns princípios e semântica no espaçamento, organização e uso de pontuação adequada são imperativos para uma composição competente.

ALINHADO À DIREITA / ESQUERDA IRREGULAR

Alguns princípios e semântica no espaçamento, organização e uso de pontuação adequada são imperativos para uma composição competente.

JUSTIFICADO

ESPAÇO ENTRE LINHAS

Alguns princípios e semântica no espaçamento, organização e uso de pontuação adequada são imperativos para uma composição competente

8/12

Alguns princípios e semântica no espaçamento, organização e uso de pontuação adequada são imperativos para uma composição competente.

8/15

Alguns princípios e semântica no espaçamento, organização e uso de pontuação adequada são imperativos para uma composição competente.

8/18

Alguns princípios e semântica no espaçamento, organização e uso de pontuação adequada são imperativos para uma composição competente.

8/21

O espaço entre linhas do texto é denominado em inglês leading. Pronuncia-se "léding" e não liding, uma vez que é derivado da palavra *lead* – chumbo – pois na época da composição com tipos metálicos, eram usadas barras de chumbo (também chamadas de tiras ou faixas) de espessuras diferentes, posicionadas entre as linhas de texto para criar o espaçamento. Coloquialmente, o espaçamento é referido como "8 sobre 12" ou escrevendo-se 8/12, o que significa texto em corpo 8 e espaçamento corpo 12. Como os exemplos mostram, quando se usam incrementos constantes no espaço entre linhas, nesse caso 3pts., é possível alinhar horizontalmente os parágrafos com diferentes valores de espaçamento.

ENTRELETRA ou ESPAÇO ENTRE LETRAS

compoição
composição
composição

composição
composição
composição

COMPOSIÇÃO
COMPOSIÇÃO
COMPOSIÇÃO

COMPOSIÇÃO
COMPOSIÇÃO
COMPOSIÇÃO

ENTRELETRAS NORMAL, ABERTO E MAIS ABERTO

"Homens que colocam entre letras em minúsculas namorariam ovelhas."

Frederic W. Goudy
Tipógrafo americano

"Qualquer um que coloque entreletras em minúsculas roubaria ovelhas."

Erik Spiekermann
tipógrafo alemão
parafraseando o
tipógrafo americano
Frederic W. Goudy

Entreletras é o espaço total entre cada letra. É possível espaçar as letras de maneira fechada ou mais aberta conforme se deseje, mas, como os exemplos demostram, Goudy e Spiekermann podem estar certos. Versaletes e maiúsculas se beneficiam de um espaçamento mais generoso.

KERNING

Topo
Topo

O -80

Keming. *s.* O resultado do inadequado

TERMO INTRODUZIDO EM JANEIRO DE 2008 POR DAVID FRIEDMAN DA IRONICSANS.CO

Wet
Wet

E -80

MAVERICK
MAVERICK

V -80 R -20 C -40 K -20

AS LINHAS SUPERIORES NÃO APRESENTAM AJUSTES DE KERNING, AS LINHAS INFERIORES SÃO AJUSTADAS. VALORES NUMÉRICOS FORAM BASEADOS NO ADOBE INDESIGN.

***Kerning* é o espaço entre duas letras específicas. É ajustado independentemente do entreletras. Tipos digitais são dotados de milhares de pares de kerning, o que já é um bom começo; mas, invarialvelmente, ajustes terão que ser feitos, especialmente em textos compostos em tamanhos maiores, em que o espaçamento é mais pronunciado. Em alguns círculos, boas habilidades em kerning é o que separa os bons profissionais dos principiantes.**

ÓRFÃS E VIÚVAS

A composição talvez seja a atividade que ocupa a maior parte do tempo do designer – de maneira bem direta, dispor as letras em palavras, palavras em frases, frases em parágrafos e parágrafos em layouts.

Alguns princípios e semântica

a respeito de espaçamento, organização e uso adequado de pontuação são imperativos para uma composição competente.

A composição talvez seja a atividade que ocupa a maior parte do tempo do designer – de maneira bem direta, dispor as letras em

As órfãs, acima, ocorrem quando a primeira linha de um parágrafo começa no final de uma página ou coluna. Viúvas, abaixo, ocorrem quando a última linha do parágrafo é a primeira de uma coluna ou página. Para parafrasear Robert Bringhurst em "The elements of Typographic Style", órfãs não têm passado, mas terão futuro; e as viúvas têm um passado, mas não um futuro. Entretanto, tipicamente uma única palavra isolada no final de um parágrafo também é chamada de órfã.

A composição talvez seja a atividade que ocupa a maior parte do tempo do designer – de maneira bem direta, dispor as letras em palavras, palavras em frases, frases em parágrafos e parágrafos em layouts.

Alguns princípios e semântica a respeito de espaçamento, organização e uso adequado de pontuação são imperativos para

uma composição competente.

A composição talvez seja a atividade que ocupa a maior parte do tempo do designer – de maneira bem direta, dispor as letras em palavras, palavras em frases, frases em parágrafos e parágrafos em layouts.

PONTUAÇÃO PENDENTE

A composição talvez seja a atividade que ocupa a maior parte do tempo do designer – de maneira bem direta, dispor as letras em palavras, palavras em frases, frases em parágrafos e parágrafos em layouts.
"Alguns princípios", ele disse, "e semântica a respeito de espaçamento, organização e uso adequado de pontuação são imperativos para uma composição competente."

A composição padrão para parágrafos em programas de layout é iniciar cada linha de texto a partir do mesmo limite vertical, seja com alinhamento à esquerda ou à direita; mas, quando uma linha de texto inicia com aspas, a textura vertical do texto é interrompida por um glifo menor, como acima. A alternativa é deixar a pontuação pendente, fora do limite vertical, de modo que as palavras estejam alinhadas a esta referência, criando um texto mais liso, como mostrado abaixo. No alinhamento justificado, isso se aplica a vírgulas e pontos na extremidade direita.

A composição talvez seja a atividade que ocupa a maior parte do tempo do designer – de maneira bem direta, dispor as letras em palavras, palavras em frases, frases em parágrafos e parágrafos em layouts.
"Alguns princípios", ele disse, "e semântica a respeito de espaçamento, organização e uso adequado de pontuação são imperativos para uma composição competente."

PONTUAÇÃO

"Engraçado", disse ele.

ASPAS

Um dos maiores erros em composição está no uso incorreto das aspas, que são substituídas tipicamente por primos. Aspas têm glifos de abertura e encerramento e que podem ser distinguidos pela curvatura nos tipos serifados ou pela angulação nos não serifados.

I am 5'6" tall

EU MEÇO 5' E 6' DE ALTURA DE PRIMOS

Um primo simples indica pés; um duplo, polegadas. Nada mais do que isso.

Um tubarão devora-homens

HÍFEM

Hífens juntam palavras e separam sílabas.

Aberto 13:00–14:00

TRAVESSÃO–N

Travessões-n indicam faixas e podem ser lidos como "a" (prep.) ou até. Eles têm a largura de uma letra *n*.

Então—timidamente—beijaram-se.

TRAVESSÃO—M

Travessões-m quebram, interrompem ou pontuam uma frase com uma narrativa adicional. Tipógrafos preguiçosos usam dois hífens no lugar de um travessão m. Certifique-se de que seu design não sofre desse problema. Esses travessões têm a largura de um *m*.

E... Ação!

RETICÊNCIAS

Em tipografia, reticências têm o seu próprio glifo com um espaçamento ligeiramente mais compacto, que aparenta ser mais natural do que três pontos finais em sequência.

Legibilidade

Além da capacidade óptica, física, de melhor distinguir uma letra de corpo 26 de outra de corpo 6, a legibilidade está relacionada à facilidade ou complexidade necessária para decifrar, distinguir e entender uma mensagem visual, levando em consideração seu contexto, ambiente e público para o qual se direciona: um folheto irritadiço de uma banda punk dos anos 1970 é tão legível quanto um convite de casamento formal composto em fonte cursiva spenceriana; tudo é simplesmente uma questão de contexto. Há, de fato, casos em que a legibilidade pode ser prejudicada ou ressaltada pelo designer; todas as escolhas, do tamanho dos tipos ao entreletras, entrelinhas, cores e layout, têm o potencial de influenciar a legibilidade. Entretanto, o problema tem sido definir o que é bom ou ruim.

Designers e tipógrafos têm lutado por muito tempo a respeito da adequação de certos maneirismos do design. O mais notável foi a névoa de legibilidade dos anos 1980 e 1990, iniciada com os layouts de vanguarda da revista Emigre › 100 e seus novos tipos que não eram nem Helvetica › 373 nem Garamond › 364. Em paralelo com a Emigra, havio o trabalho desconstruído e robustamente disposto proveniente da Cranbrook Academy of Art › 130, como reação ao modernismo. Juntando-se à luta nos anos 1990, estava David Carson › 186, cujo trabalho para as revistas *Beach Culture* e *Ray Gun* › 330 literalmente negligenciavam a legibilidade em favor da estética. Steven Heller › 238 questionou o impacto da Emigre chamando-a de "bolha no contínuo", no seu ensaio de 1993, "Cult of the Ugly" (culto ao feio), e proponentes da clareza e funcionalidade se opunham a essas manifestações de maneira ardente, sendo Massimo Vignelli › 160 o mais veemente. É claro que essas confrontações visuais (e verbais) não tiveram nem vencedores, nem perdedores, mas um o diálogo que se seguiu e os extremos para onde a legibilidade foi levada demonstraram a maleabilidade da tipografia nas mãos dos designers gráficos.

Imagine que você está diante de uma garrafa de vinho. Você pode escolher o seu tipo predileto para esta demonstração imaginária, desde que seja de uma cor púrpura intensa. Você tem dois cálices diante de si. Um é de ouro maciço, forjado com os padrões mais exóticos. O outro é de vidro cristalino, fino como uma bolha e tão transparente quanto. Sirva e beba; e de acordo com sua escolha de cálice eu saberei se você é ou não um conhecedor de vinhos. Pois, se você não tem nenhum sentimento a respeito do vinho de um modo ou outro, irá querer a sensação de beber o conteúdo de um recipiente que pode custar milhares de libras; mas se você é um dos membros da tribo cada vez menor dos amantes dos melhores vinhos, escolherá o de cristal, pois tudo a repeito dele é planejado para revelar, em vez de esconder, o belo conteúdo que ele deve ter.

Em mais **DE 2.000 PALAVRAS, BEATRICE WARD, UMA ACADÊMICA, ESCRITORA E ENTUSIASTA AMERICANA DA TIPOGRAFIA, CRIOU UMA INTERESSANTE METÁFORA ENTRE O CÁLICE DE CRISTAL E A TIPOGRAFIA EM SEU ENSAIO DE 1955, "THE CRISTAL GOBLET, OR PRINTING SHOULD BE INVISIBLE" (O CÁLICE DE CRISTAL, OU A IMPRESSÃO DEVE SER INVISÍVEL). CONVERSANDO SOBRE COMPOSIÇÃO E IMPRESSÃO, WARDE ARGUMENTOU QUE DESIGN E TIPOGRAFIA DEVERIAM SER INVISÍVEIS, PERMITINDO QUE O CONTEÚDO BRILHE E SE REVELE SEM NENHUM FILTRO, COMO UM TAÇA DE VINHO CLARA E SEM ADORNOS. O OPOSTO, UMA TAÇA QUE É DECORADA E EXTRAVAGANTE, É UM OBSTÁCULO À APRECIAÇÃO DO CONTEÚDO. UMA CATÁSTROFE NÃO INFERIOR DO QUE UM DESIGN QUE SE ACABA NA SUA PRÓRPIA ESTÉTICA. E PENSAR QUE OS TIPOS PUNK, GRUNGE NEM BITMAP EXISTIAM NOS ANOS 1950.**

A impressão demanda uma humildade de espírito que, faltando nas outras artes, faz com que estas hoje se percam em experimentações autoconscientes e piegas. Não é nada simples ou aborrecido se obter uma página transparente. A ostentação vulgar é uma prática muito mais simples. Quando você se der conta que a tipografia feia nunca se apaga, será capaz de captar a beleza da mesma forma que os sábios capturam a felicidade ao apontar para uma coisa qualquer. O "tipógrafo audaz" aprende a inconstância dos ricos que odeim ler. Por eles, não há suspiros para serifas e kern, eles não apreciarão sua separação dos espaços em branco. Ninguém (salvo os outros artífices) apreciará uma fração de sua habilidade. Mas você pode gastar intermináveis anos de feliz experimentação em criar o cálice cristalino para conter o vinho da mente humana.

Despina Curtis
Set Design
Styling
Design Consultancy
+44 (0)7958 031 668
studio@despinacurtis.com
www.despinacurtis.com

PRINCÍPIOS

De Produção Impressa

80

Métodos de Impressão

Entre a imaginação do designer e o produto final há um amplo e, às vezes, intimidador processo de concretizar as ideias por meio de distintos métodos de impressão. Com vantagens e desvantagens únicas – em termos de custo, qualidade, disponibilidade e propriedade –, cada método leva a diferentes resultados por meio de processos específicos. Ser consciente de como cada método funciona pode somente incrementar o conceito original de um design que seja otimizado para fazer o melhor uso do seu método de impressão.

86

Acabamento

Tão significativo quanto a qualidade do material ou método de impressão é o modo no qual tudo se junta para a apresentação final por meio de encadernação, dobradura e qualquer técnica especial adicional que possa auxiliar a definir a presença da peça acabada –, seja um luxuoso relatório anual, perfeitamente encadernado, com 80 páginas, com uma capa em relevo, cortada a laser, e polida além de um cartaz central dobrado, seja um simples caderno encapado com grampos.

Detalhe de **CARTÕES DE PORTFÓLIO E IDENTIDADE DE DESPINA CURTIS** / Multistorey / Reino Unido, 2008

Offset

Como método mais usado, o offset, também chamado de *litografia offset*, oferece versatilidade, qualidade e velocidade. Prensas de offset podem ser pequenas, imprimindo uma ou duas cores de cada vez em pequenas folhas de papel (por volta de 18" de largura), ou grandes, com até oito cores impressas ao mesmo tempo e imprimindo grandes folhas de papel (até 55" de largura). Em qualquer das configurações, CMYK, cor única, vernises e cobreturas podem ser aplicados a partir de unidades disponíveis. Um trabalho típico de offset – digamos, um relatório anual – seria impresso numa prensa de seis cores, das quais, quatro são usadas para o CMYK, uma quinta unidade para a cor base e a última unidade para o verniz ou revestimento.

Há dois tipos de impressoras offset: folha-a-folha e contínuo. As impressoras folha-a-folha são mais comumente usadas na confecção de catálogos, blocos de escrita, cartazes e outros materiais impressos que se beneficiam de precisão e qualidade para corridas de impressão que não excedam mais de 20000 unidades (folhas são alimentadas individualmente na impressora). Impressoras contínuas podem imprimir volumes muito maiores – até centenas de milhares de unidade de jornais, revistas e catálogos – por funcionarem mais rapidamente e alimentarem o papel a partir de rolos enormes que são continuamente desenrolados. A desvantagem é que a qualidade e os detalhes ficam mais difíceis de serem controlados.

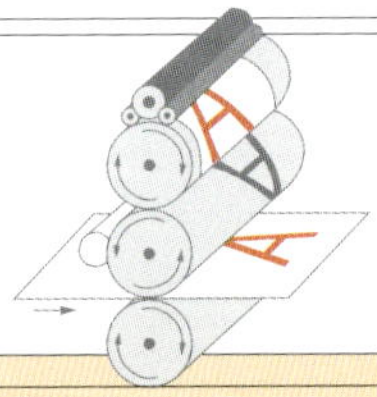

O proceso se inicia com a transferência de arquivos digitais para lâminas, tipicamente feitas de metal, nas quais uma imgem é imprimida. Na prensa propriamente dita, essas lâminas são enroladas ao redor de cilindros que interagem com dois conjuntos intermediários de rolos: acima, rolos de tinta fornecem tinta a partir de recipientes e um rolo denominado blanqueta que transfere a tinta ao papel. Esse rolo é importante porque adapta-se a diferentes superfícies de papel. Esse aspecto do método lhe confere o seu nome, pois o rolo desloca (offset) a lâmina original em relação ao papel.

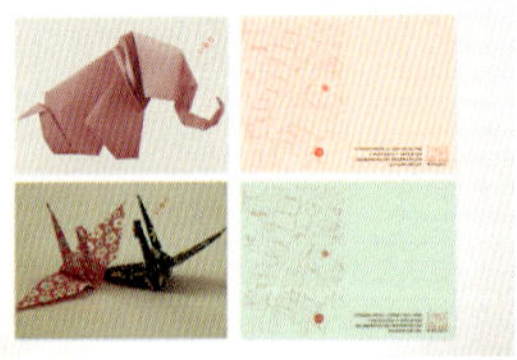

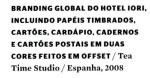

BRANDING GLOBAL DO HOTEL IORI, INCLUINDO PAPÉIS TIMBRADOS, CARTÕES, CARDÁPIO, CADERNOS E CARTÕES POSTAIS EM DUAS CORES FEITOS EM OFFSET / **Tea Time Studio / Espanha, 2008**

QUEBRA-CABEÇAS, ALEXIS CUADRADO / **bjurecords / Hyperakt: Deroy Peraza / EUA, 2008**

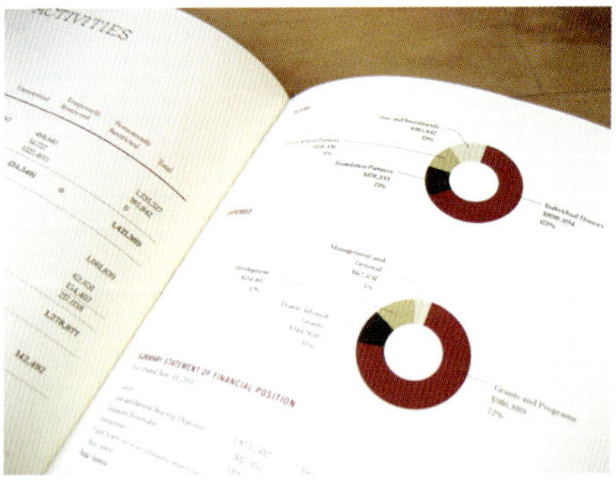

***TOOLS FOR DEMOCRACY*, RELATÓRIO ANUAL DE 2007 DO FUNDO NORTH STAR** / **Hyperakt: direção de criação, Julie Vakser; design, Julie Vakser, Matthew Anderson / EUA, 2008**

Impressão tipográfica

As origens da impressão tipográfica remontam ao século XI na China, quando blocos de madeira e argila eram entalhados, deixando em relevo o caractere que seria pintado e comprimido contra o papel. O princípio não mudou muito com o tempo até os dias de hoje, apenas os meios, que progrediram desde o advento da impressão com os tipos móveis, que se baseavam em tipos fundidos em metal, na Europa do século XV; passando pelas grandes faixas usando designs entalhados em madeira, do século XIX, às prensas mecâncias da revolução industrial. Hoje, a impressão tipográfica renasce com a disponibilidade de impressoras antigas, coleções de tipos metálicos e de madeira e artesãos que trouxeram esse método para o século XXI – especificamente com o aparecimento de placas de foto-polímeros para uso em antigas máquinas rotativas do século XIX. A marca, sensível ao toque dos designs no papel, é capaz de excitar alguns deles.

DA PLACA DE POLÍMERO À IMPRESSÃO / EUA, 2007 / Fotos: usuário do Flickr Sarah is me

DESIGN
IS DEAD NOW
SO BE IT
THE REAL FUN
BEGIN

TIPOS METÁLICOS E CARTAZ FEITO POR ESTUDANTE, MUSEU DE ARQUEOLOGIA INDUSTRIAL E TÊXTIL / Armina Ghazaryan / Bélgica, 2008

DANIEL J. SNOW
PHOTOGRAPHER
612.839.0109
DANIELJSNOW.COM

Garrett Cardon, AuD
Clinical Audiologist
garrett.cardon@colorado.edu
303.241.6666
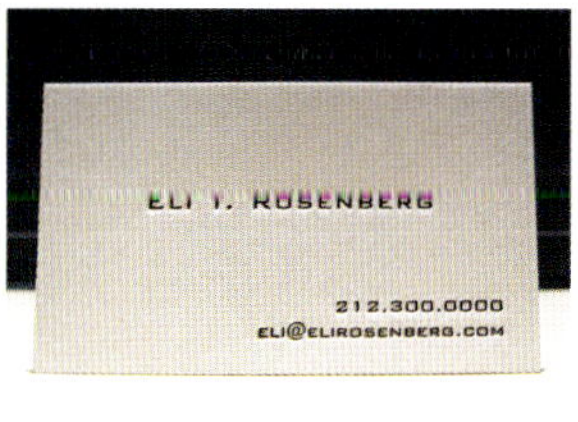
ELI Y. ROSENBERG
212.300.0000
ELI@ELIROSENBERG.COM

CARTÕES DE VISITA FEITOS EM IMPRESSÃO TIPOGRÁFICA / design e impressão, Dolce Press / EUA, 2008

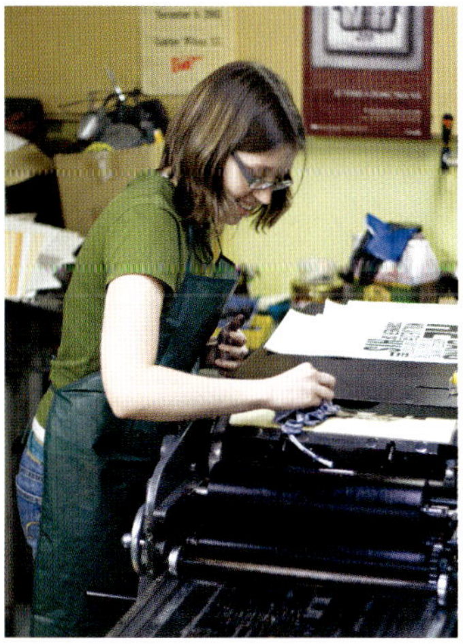
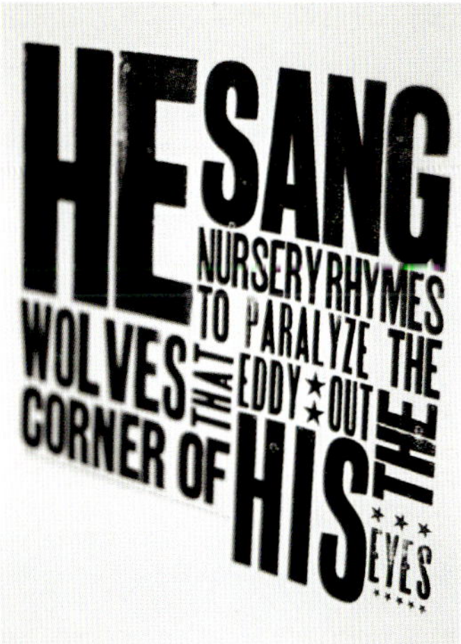
HE SANG
NURSERY RHYMES
TO PARALYZE THE
WOLVES THAT EDDY OUT
CORNER OF HIS THE EYES

EMILY SERVAIS IMPRIMINDO NUMA PRENSA ANTIGA / Canadá, 2008 / Fotos: Emily Servais, Sue Globensky

Impressão em Silkscreen

Popular por sua versatilidade, brilho e reprodução de cor sólida, a impressão em silkscreen (também referida como *impressão em tela* ou *serigrafia*) é um método confiável para produzir a baixo custo e com boa qualidade. Atráves dos anos serviu a figuras como Andy Warhol, bandas de rock, artesãos que produzem pequenas edições de impressões, fabricantes de estampas em camisetas baratas, para nomear alguns exemplos. Muitos designers têm os seus próprios equipamentos de silkscreen para produzir pequenas quantidades de designs, mantendo controle total sobre o processo, da concepção ao acabamento, e com qualidade tão boa quanto a das máquinas industrializadas. A capacidade de imprimir sobre papel, tecido, metal, madeira, concreto e plástico é uma vantagem importante da impressão em silkscreen.

O processo se inicia com a impressão em uma tela de nylon ou poliéster – originalmente, usava-se a seda – que é coberta com uma emulsão fotossensível que é exposta à luz, cobrindo o desenho a ser impresso. Essa etapa cria um estêncil para cada cor do desenho. A tinta é aplicada na superfície final – camiseta, CD, papel, o que você quiser – com a ajuda de uma compressão sobre a superfície final, num processo que se repete quantas vezes se queira.

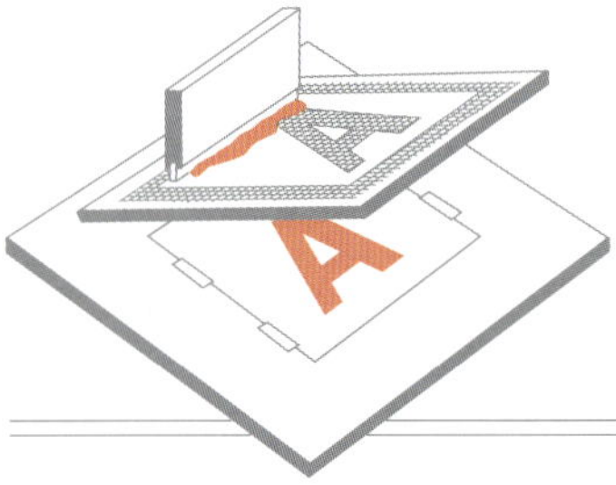

MÁQUINA AUTOMÁTICA DE IMPRESSÃO EM SILKSCREEN / EUA, 2008 / Foto: usuário do Flickr Conor Keller

TINTA VERDE É PASSADA SOBRE A TELA / Foto: Aesthetic Apparatus

Screen Colour Systems

APARATO MANUAL DE SILKSCREEN COM ACESSÓRIOS / Reino Unido, 2007 / Foto: usuário do Flickr richt

THE SUBMARINES DECLARE A NEW STATE!

CARTAZ *O SUBMARINO DECLARA UM NOVO ESTADO* / Aesthetic Apparatus: design, Michael Byzewski, Dan Ibarra / EUA, 2006

APARATO DE MESA PARA SILKSCREEN / EUA, 2008 / Foto: usuário do Flickr karpov that wrecked the train

Gravação

Gravação, o caviar das técnicas de impressão, é um processo caro, especializado e demorado que leva a superfícies levemente elevadas, saturação de cor densa, e reprodução precisa capaz de impressionar, perfeita para convites para reuniões onde se usa traje a rigor. A gravação é obtida pelo entalhe de uma imagem – à mão ou, graças à modernidade, por meio de máquinas automáticas – numa placa metálica (geralmente cobre), preenchendo o espaço oco com tinta, posicionando o papel sobre a placa e pressionando de modo que o papel pegue a tinta.

PLACA GRAVADA PARA CARTÕES DE VISITA

HYDE PARK
ANTIQUES, LTD.
nest English 18th and Early 19th-Century Furniture
Rachel Karr
BROADWAY (at 13th Street) • NEW YORK, NY 10003
TEL: 212 477-0033 • FAX: 212 477-1781

CARTÃO DE VISITA RESULTANTE

WATHNE

DETALHE DA GRAVAÇÃO COM TINTA DOURADA

EUA, 2004 / Materiais: cortesia do Lehman Brothers, INC.

Termografia

O resultado final da termografia – uma superfície elevada em acabamento brilhante – é semelhante àquela da gravação e, para alguém que não se importa com os detalhes da impressão, ambas parecem ser a mesma coisa. Entretanto, diferente da gravação, a termografia não é nem cara, nem refinada, e seus processos são completamente diferentes. A termografia é feita usando tinta de secagem lenta, tipicamente numa impressora de offset, revestida com pó termográfico e acabada pela aplicação de calor que funde o pó com a tinta e faz com que a imagem levante. Detalhes tipográficos e de design são normalmente perdidos devido ao processo de inflação da tinta – não é um processo indicado para aqueles que estão preocupados com os detalhes.

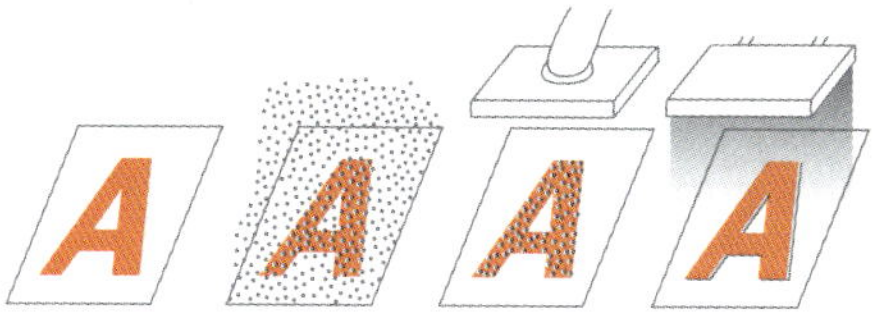
A
A
A
A

Elizabeth

DETALHE EM TINTA COM RELEVO NUM CONVITE DE CASAMENTO / KRISTEN JACKSON / EUA, 2008 / Foto: usuário do Flickr CryBabyInk

Sandra Navarrete
Thomas Graham

Wedding
Ceremony & Reception
TURQUOISE ST
GRAND AVE

CONVITE DE CASAMENTO EM TRÊS PARTES DE SANDRA E THOMAS / Rolaine Llanes / EUA, 2008

Flexografia

Operando tipicamente por meio de prensas contínuas, a flexografia usa placas de borracha ou plásticos maleáveis com uma imagem levemente levantada e, em vez de tinta à base de óleo, utiliza tintas à base de água, que secam mais rapidamente. Essa técnica é usada para materiais que não são tão porosos quanto o papel, tais como o plástico, papel kraft ou rótulos –, assim, é usada tipicamente em embalagens como pacotes de pão, sacolas plásticas de compras e embalagens de leite. Por usarem máquinas contínuas, com placas feitas de material maleável, a fidelidade do registro da imagem entre as placas de cor e a densidade da cor estão longe do ideal.

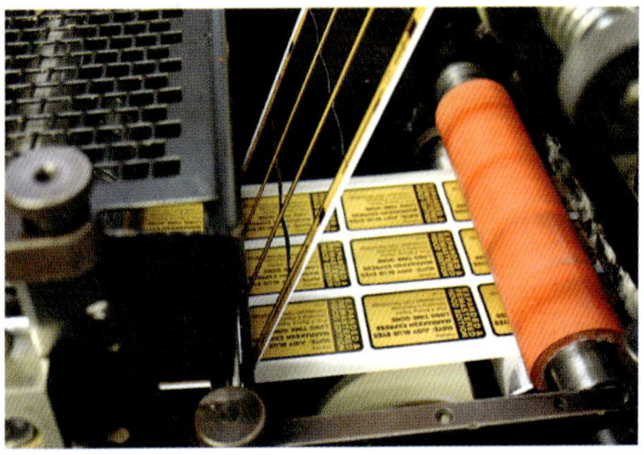

IMPRESSORA DE ETIQUETAS NA FÁBRICA IVY HILL / EUA, 2007 / Fotos: Steven Silvas

Wonder
SMALL

EXEMPLO DE IMPRESSÃO POR FLEXOGRAFIA EM EMBALAGEM DE PRODUTO DE CONSUMO DE MASSA / EUA, 2008

Estampagem em Papel Laminado

Quando detalhes sofisticados de brilho e ousadia são desejados, a estampagem de papel laminado confere um efeito delicado, luxuoso e mesmo deslumbrante que tem sido usado desde os séculos I e II em manuscritos com iluminuras – termo esse que surgiu do resultado desse processo – que envolvia a moagem de ouro num pó fino, batido sobre a página para dar o resultado iluminado. Hoje o processo não é tão desgastante: uma placa de relevo (ou molde) é criada com o design, é aquecida e colocada numa impressora de tipos, e um pedaço de papel laminado é usado por sobre o papel que vai na impressora e o papel laminado adere à imagem em relevo. Estampagem em papel laminado pode ser feita sobre uma variedade de materiais, incluindo tecido, couro e madeira, e é opaca o bastante para sobressair sobre qualquer cor do material – dourado sobre um tecido preto é um clássico.

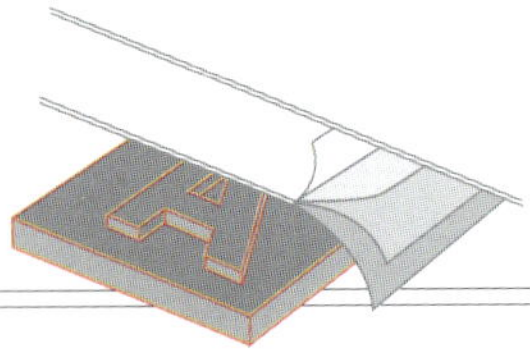

EDIÇÃO LIMITADA DOS CARTÕES POSTAIS DA UNIVERSIDADE NOTTINGHAM TRENT / Un.titled / Reino Unido, 2007

This is living
PLAYSTATION 3

MATERIAL DE LANÇAMENTO DO PLAYSTATION 3 / RGB Studio; design Rob Brearley; Love Creative / Reino Unido, 2007

IDENTIDADE DA DIGITALMILL / RGB Studio; design Rob Brearley; Love Creative / Reino Unido, 2008

impressão Digital

Devagar, mas continuamente, a impressão digital tem evoluído num método de impressão com o qual os designers se sentem confortáveis. Diferente do offset › 80, a impressão digital não requer lâminas, ao contrário, usa um "toner" (em pó) no lugar de tinta (líquida), depositado sobre o papel em vez de ser absorvido. Pode ser usada para quantidades pequenas ou grandes de impressões (de centena a alguns milhares) a um preço acessível. A qualidade das imagens, tipos e blocos de cor sólida tem aumentado enormemente, mas a impressão digital ainda não atinge a fidelidade do offset nem a consistência de cores de uma PMS. Desde o final dos anos 1990, Xerox, Hewlett-Packard e Heidelberg têm oferecido impressoras complexas – com cada versão melhorando capacidades e qualidade – capazes de usar uma variedade grande de papéis. Essas máquinas são capazes de organizar e encadernar, mas talvez sua maior vantagem seja a capacidade de produzir dados variáveis – isto é, cada unidade impressa pode apresentar um dado único sem muita complicação. A configuração rápida, baixo custo (comparado ao do offset) e qualidade melhorada não são mais ignorados pelos designers.

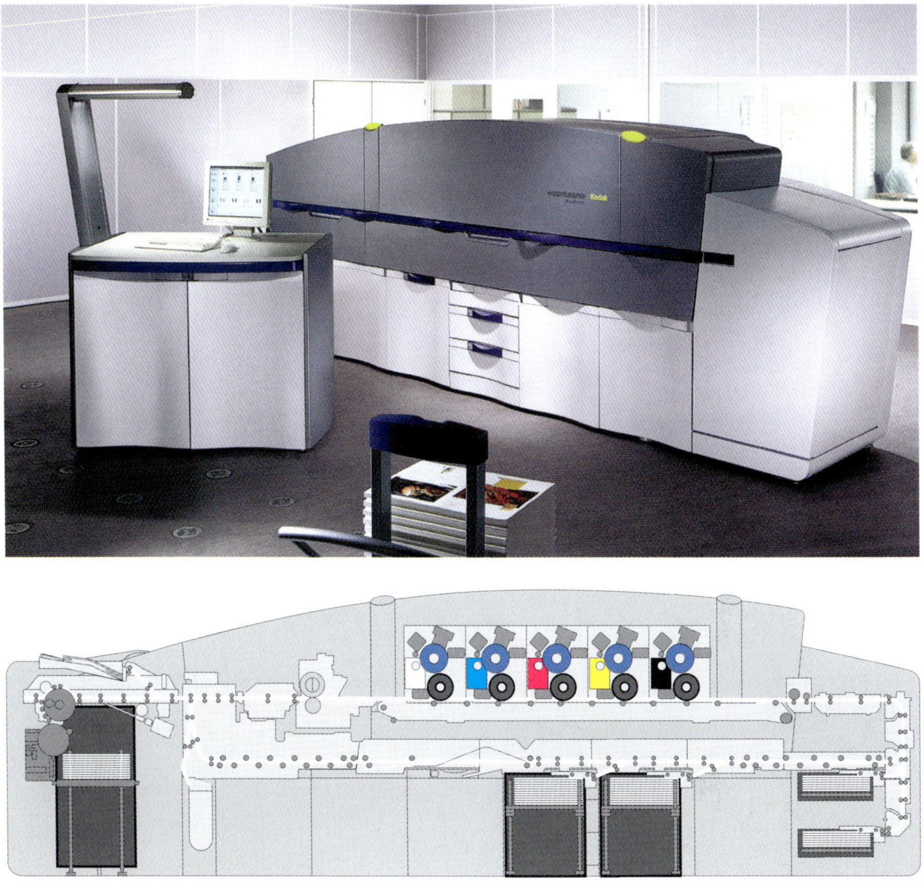

Fotos: Heidelberger Druckmaschinen AG

Jato de Tinta

Para um número pequeno de impressões (na casa das centenas) ou mesmo individuais, a impressão a jato de tinta é o método ideal e, com o equipamento correto, os designers podem fazer um belo trabalho no conforto de seus escritórios ou lares. Pruduzindo imagens ricamente saturadas – incluindo um preto mais preto do que qualquer outro já visto – e tipos precisamente definidos sobre uma grande variedade de papel, incluido os papéis especiais bastante texturados, a impressão a jato de tinta é ideal para impressões artísticas, de cartazes e modelos para apresentações aos clientes. O jato de tinta também é usado em impressão comercial como método para imprimir endereços e outras informações variáveis em revistas e catálogos. Com preços acessíveis ao consumidor, esse método de impressão é um modo excelente para que fotógrafos, ilustradores, pequenos escritórios de design e designers independentes apresentem seu trabalho.

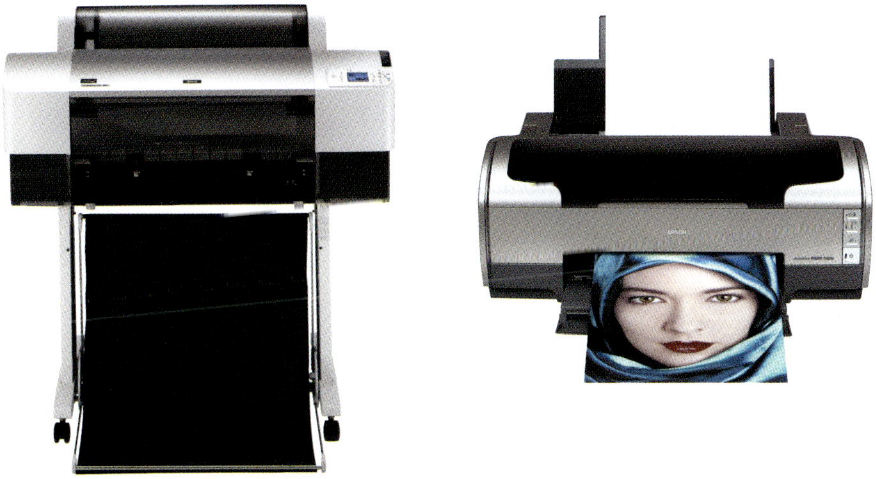

Fotos: Epson America, Inc.

Encardenação ou Dobradura

Existem muitos modos de juntar o material impresso, a escolha de qual deles será usado dependerá do orçamento e do número de páginas. Projetos que precisam de não mais do que 6, 8, ou mesmo 12 páginas podem ser normalmente resolvidos por meio de dobradura, criando-se uma peça que pode ser facilmente enviada por correio e distribuída, além de gradualmente conferir ritmo; pois à medida que o leitor vai desdobrando, obtém um sentido de direção e engajamento com o conteúdo. Projetos que ficam entre 20 e 40 páginas são encadernados preferencialmente, seja por um grampo barato em forma de sela, seja por uma encadernação mais cara. Qualquer projeto com mais de 40 páginas não poderá ser mantido num bloco usando-se grampos, fazendo com que a encadernação seja a melhor escolha em termos econômicos e a adoção de uma capa dura a opção mais cara. Certamente, esses são alguns pontos de partida básicos, e, pelo preço correto, os projetos podem ser dobrados ou encadernados de maneiras inovadoras – mas até que um patrono ardiloso apareça, é melhor agarrar-se ao básico.

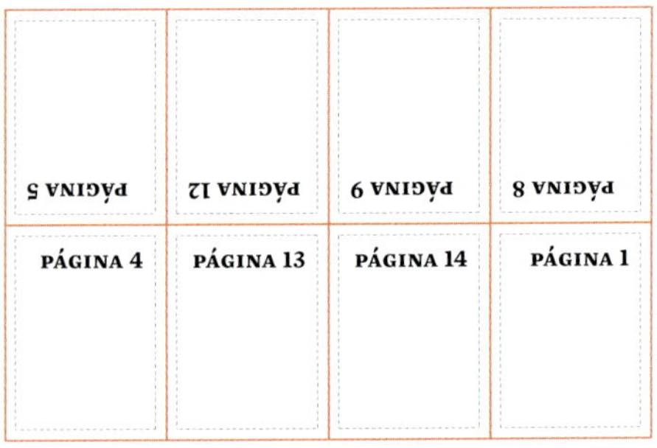
PÁGINA 5
PÁGINA 12
PÁGINA 9
PÁGINA 8
PÁGINA 4
PÁGINA 13
PÁGINA 14
PÁGINA 1

Quase todas as peças impressas – excluindo papéis timbrados simples, envelopes e cartazes que são criados para caberem em tamanhos padrão de papel – são executadas em folhas de formato grande, resultando nas assinaturas em que as páginas são dispostas de modo peculiar (chamado oficialmente de *imposição*). Essas folhas são dobradas e cortadas para casarem de forma precisa quando vistas em blocos. Tamanhos comuns de assinatura vão dos pequenos 4 páginas por folha aos grandes 32 páginas por folha.

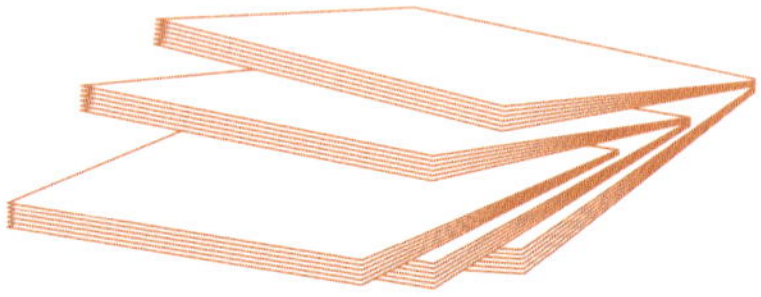

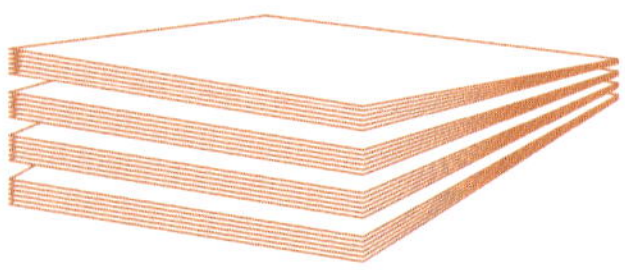

Quando as assinaturas necessárias são dobradas e cortadas, podem ser agrupadas para grampeamento ou para encadernação em capa mole ou dura.

ENCARDENAÇÃO

ENCARDENAÇÃO EM CAPA DURA (COSTURA SMYTHE)

ENCARDENAÇÃO COM GRAMPOS

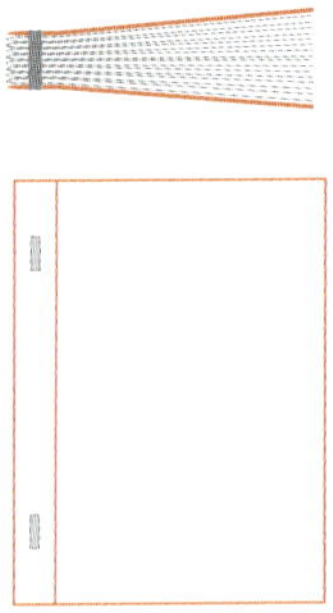

ENCARDENAÇÃO COM GRAMPOS LATERAIS

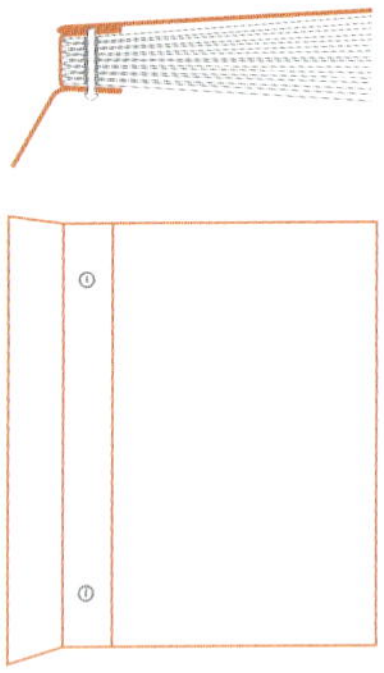

ENCARENAÇÃO COM PARAFUSOS

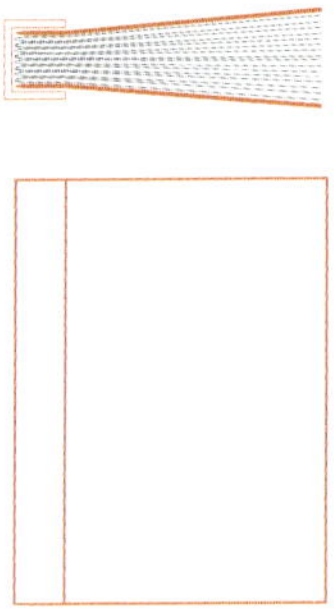

ENCARDENAÇÃO COM FITAS

ENCARDENAÇÃO COM PENTE PLÁSTICO

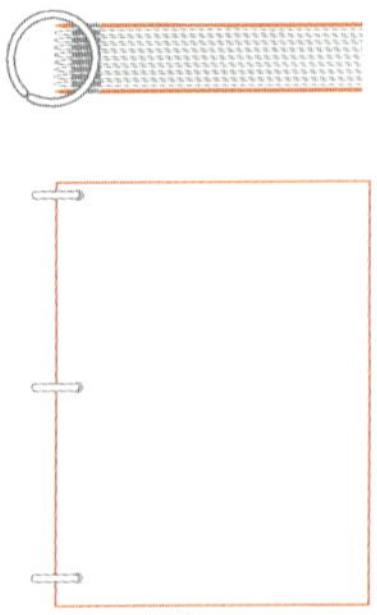

ENCARDENAÇÃO COM ANÉIS METÁLICOS

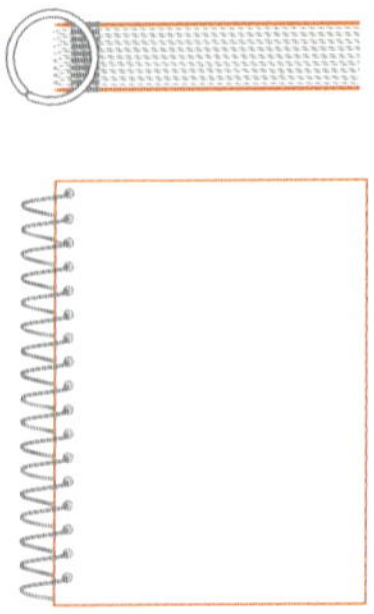

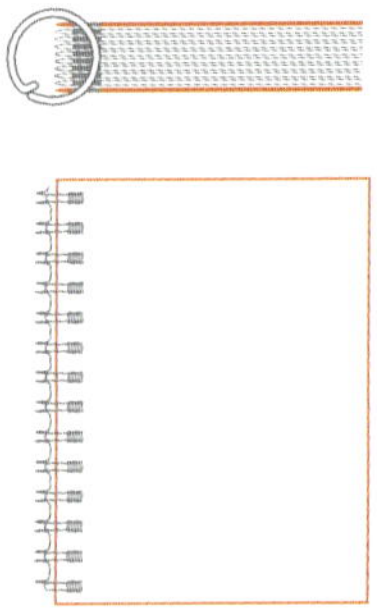

ENCARDENAÇÃO COM ESPIRAL SIMPLES OU DUPLO

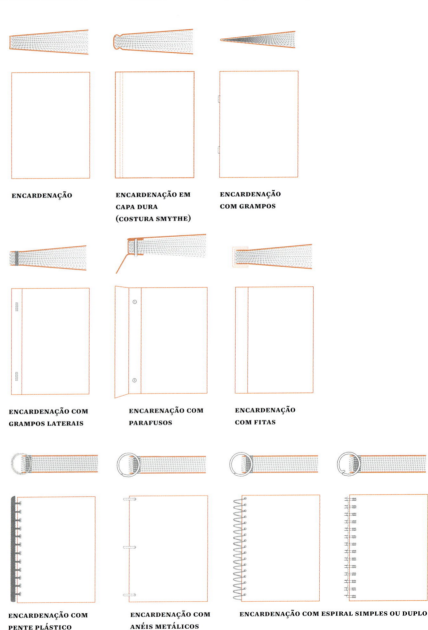

UMA AMOSTRA DOS MÉTODOS DISPONÍVEIS PARA ENCARDENAR

The Olympics
is the wedding
of sport and art
Pierre de Coubertin
1863–1937

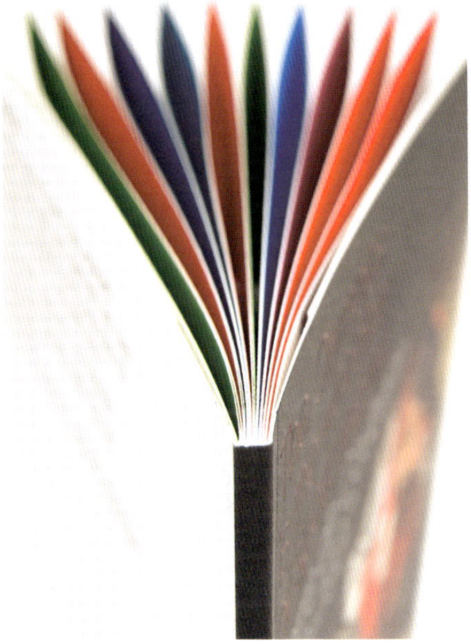

BoomBox

A OLIMPÍADA É O CASAMENTO ENTRE ESPORTE E ARTE / Encadernação com dobra francesa, com os interiores impressos, criando uma camada interna adicional de interesse (e custo) / Thompson Design / RGB Studio: design, Rob Brearly, Reino Unido, 2006

BOOMBOX / Richard Mortimer em associação com M.A.C. Cosmetics / Eat Sleep Work | Play / Reino Unido, 2006

Da esquerda para a direita **DETALHES DOS DIFERENTES MÉTODOS DE ENCADERNAÇÃO** / Encadernação com espiral duplo, com rebites laterais e encadernação com capas coladas, com capa dura (costura Smythe)

DOBRA SIMPLES EM QUATRO PÁGINAS

DOBRA SANFONADA EM SEIS PÁGINAS

DOBRA EM SEIS PÁGINAS

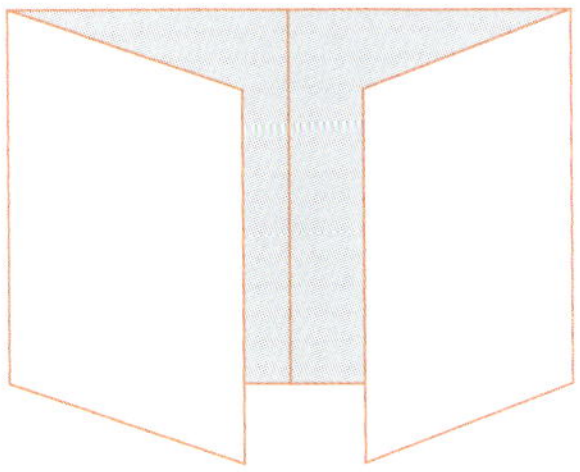

DOBRA EM FORMA DE PORTAL COM OITO PÁGINAS

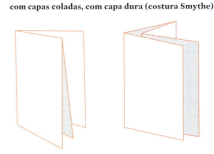

DOBRA FRANCESA EM OITO PÁGINAS / ASSINATURA DE 16 PÁGINAS

DOBRA PARALELA EM OITO PÁGINAS

Para peças que são dobradas, a imposição também se faz necessária, embora de maneira menos complicada que na encadernação. Entretanto, a imposição varia bastante conforme as numerosas maneiras de dobrar. Com folhas grandes que são dobradas até tamanhos pequenos, as dobras e voltas podem ser confusas.

Vernizes

Aplicados como medida de proteção para evitar que a tinta descasque ou como acabamento estético para atrair a atenção para elementos específicos de design, ou ainda numa combinação dessas duas funções, os vernizes aparecem numa variedade de acabamentos e podem ser aplicados de diversas formas. Brilhante, acetinado, baço e fosco são opções comuns aplicadas tanto em conjunto ou como cor adicional quando a impressão está ocorrendo ou numa segunda passagem pela impressora. Os vernizes podem ser aplicados pela página inteira ou em locais específicos. Para aumento da proteção e brilho, existem vernizes ultravioleta, em que uma cobertura plástica é aplicada e secada usando-se luz ultravioleta, e filmes laminados com espessuras de 0,001 a 0,010" que permitem ao usuário final, caso queira, submergir o produto acabado em água sem causar danos.

Richard Moran
Photography
15 Spen Drive
West Park
Leeds LS16 5AH
T +44 (0)113 293 6671
F +44 (0)113 293 6671
M +44 (0)777 494 6229
info@moranphoto.co.uk
www.moranphoto.co.uk

IDENTIDADE DA FOTOGRAFIA RICHARD MORAN / RGB Studio: design, Rob Brearly / Reino Unido, 2008

Un.titled

CARTÃO DE VISITA DA UN.TITLED / Un.titled / Reino Unido, 2008

Alto e Baixo Relevo

Formados usando-se dois moldes casados, chamados macho e fêmea, baixo e alto relevo criam imagens, respectivamente, suprimidas e levantadas que conferem textura e dimensionalidade ao que, de outro modo, seria uma superfície plana. Impressões podem ter até 1/8" de espessura e podem conter muitas camadas para dar um efeito de superposição. Um método comum de relevo, chamado de relevo cego, serve para criar textura sem adicionar tinta; isso é em parte feito pois a aparência é excelente, mas também porque registrar o relevo com um molde num design previamente impresso é difícil e muitas vezes leva a resultados pobres. Sendo uma técnica relativamente cara, uma alternativa aos relevos é a impressão tipográfica na qual se pede uma impressão mais profunda.

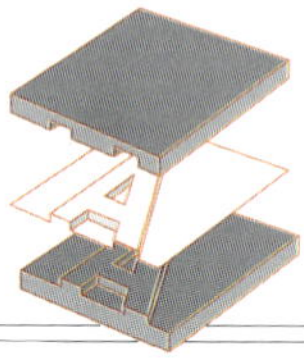

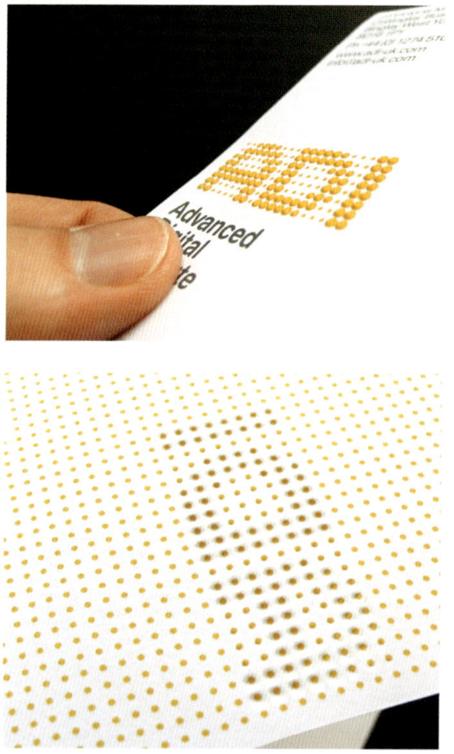
Advanced

IDENTIDADE DO ADVANCED DIGITAL INSTITUTE / RGB Studio: design, Rob Brearly / Reino Unido, 2006

CHEK
Brian Kaminer
Chek Group
bkaminer@chekgroup.com
chekgroup.com
M 917 679 9058
11 Valley Ridge Road
Harrison, NY 10528

IDENTIDADE DO GRUPO CHEK / Hyperakt: direção de criação, Deroy Peraza; design Deroy Peraza, Matthew Anderson / EUA, 2008

dyson

DYSON EMPLOYEE BRAND BOOK / Theirteen / Reino Unido, 2006

Corte em Matriz

Tal como cortar massa de biscoito, e com resultados igualmente deliciosos, o corte em prensa pode gerar contornos únicos, tais como cantos arredondados, arestas em ângulo ou ainda pode gravar formatos específicos nas extremidades de uma peça. Tiras finas de metal são dobradas e moldadas na forma desejada, depois são pressionadas sobre um bloco de madeira, criando uma matriz sobre a qual o papel será pressionado para que o corte seja realizado. Se a pressão for suave o bastante, rótulos podem ser destacados, mantendo o fundo intacto. Matrizes também são criadas para perfurações e dobra. Às vezes, todas as funções são feitas ao mesmo tempo por uma mesma matriz. Por conta das matrizes serem de cara fabricação, é prudente perguntar aos impressores se eles têm alguma antiga guardada de trabalhos anteriores e que possa ser reciclada. Alguns impressores mantêm um estoque de matrizes comuns para itens como folders de bolso.

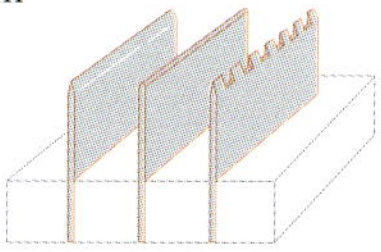

SALT

CARTÃO DE VISITA DO RESTAURANTE SALT / Flux Labs / EUA, 2003

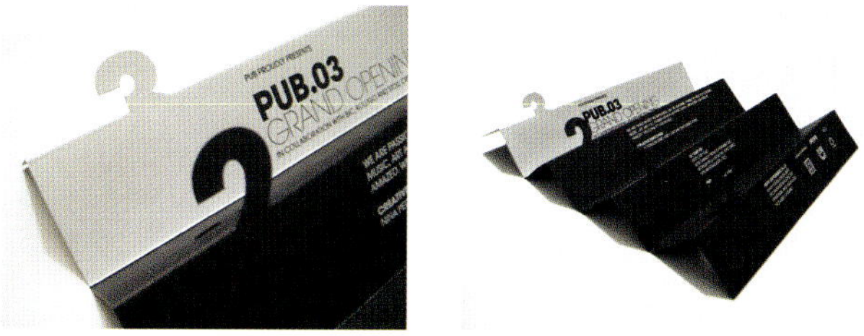
PUB.03
GRAND OPENING

CONVITE DA FESTA DE LANÇAMENTO DA LOJA DE DEPARTAMENTOS PUB / 25sh / Suécia, 2007

Curious
BOYM
PRINCETON ARCHITECTURAL PRESS
Curious BOYM
Curious
BOYM

CURIOUS BOYM: DESIGN WORKS, Constantin Boyn, Peter Hall, Steven Skov Holt / Luva cortada em matriz e rebarba usada como convite para o lançamento do livro / Princeton Architectural press / KarlssonWilker, Inc. / EUA, 2002

Corte a Laser

Como o corte em matriz é feito manualmente e necessita de dobras em metal cuja maleabilidade é finita, a complexidade e o detalhamento dos designs ficam limitados. Entretanto, o corte a laser dá uma liberdade muito maior para a experimentação no tipo de arte que pode ser feita, literalmente queimando superfícies do papel para criar designs muito complexos e detalhados com mais furos que um coador. Trabalhando a partir de um arquivo digital, o laser corta o papel, podendo tanto vaporizar o material quanto recortar o contorno de uma forma e sugar a sobra de material. Se há uma desvantagem no corte com laser é que ele deixa uma marca de queimado nos contornos, mas isto não é nada que um papel escuro não possa mitigar enquanto a técnica ainda não resolver esse problema.

RELATÓRIO ANUAL DE 2006 DA NEENAH PAPER INC. "UNCONVENTIONAL WISDOM" / Addison / EUA, 2007

CARTAZ "DESIGN IGNITES" ACADEMY FOR EDUCATIONAL DEVELOPMENT / Marian Bantjes / Canadá, 2008

CONHECIMENTO

Tão imperativo quanto estar atualizado com as notícias do mundo, conhecer as outras disciplinas e interessar-se por uma série de tópicos, é essencial se aprofundar no mundo do design gráfico. Um interesse sustentado nas publicações especializadas, livros, blogs e exposições que catalogam e rastreiam a evolução do design gráfico ajuda a aumentar a compreensão que uma pessoa tem de como essa atividade é praticada, debatida e apresentada. Como um todo, o conhecimento encontrado em publicações impressas, recursos online, em organizações culturais e instituições de ensino forma um retrato da vasta e variada prática do design gráfico, que ajuda a consolidar seu status de profissão legítima, com uma história profunda e extenso alcance em todos os campos imagináveis de negócio, cultura, comércio e política.

Neue Grafik
New Graphic Design
Graphisme actuel

Internationale Zeitschrift für Grafik und verwandte Gebiete
Erscheint in deutscher, englischer und französischer Sprache

International Review of graphic design and related subjects
Issued in German, English and French language

Revue internationale pour le graphis
et domaines annexes
Parution en langue allemande, anglaise et française

Ausgabe September 1958

Inhalt

Einzelnummer Fr. 15.–

Issue for September 1958

Contents

Single number Fr. 15.–

Fascicule septembre 1958

Table des matières

Le numéro Fr. 15.–

ber und Redaktion
d Managing Editors
t rédaction

Richard P. Lohse SWB/VSG, Zürich
J. Müller-Brockmann SWB/VSG, Zürich
Hans Neuburg SWB/VSG, Zürich
Carlo L. Vivarelli SWB/VSG, Zürich

rlag
ublishing

Verlag Otto Walter AG, Olt

CONHECIMENTO

No Papel

94

Periódicos e Revistas

A despeito do crescimento, desde o ano 2000, do conteúdo online, atualizado gratuitamente de minuto a minuto, periódicos e revistas de design têm mantido sua relevância mesmo quando a tendência tem sido proclamar a sua morte iminente. Desde meados do século XX, publicações de design têm mantido os designers gráficos informados, ocupados e desafiados por meio de um fluxo de conhecimento que evolui e que abrange as práticas mais relevantes e representativas em design gráfico através da orientação hábil de seus editores e do quadro de escritores dispostos.

106

Livros

Goste-se ou não deles, os livros de design dão um conhecimento abrangente à miríade de assuntos que tratam, desde monografias extensas, manuais úteis sobre como fazer algo, compêndios inspiradores, recursos educacionais e uma série de tópicos especiais. Exibidos com orgulho nas estantes dos designers ao redor do mundo, livros de design gráfico formam uma grande biblioteca que conta a história da profissão e descreve sua prática – e amavelmente desenhados. As seleções aqui apresentadas são apenas indicativas dos numerosos livros encontrados em quaisquer categorias; uma visita à livraria é altamente recomendada para que se descubra o restante.

Detalhe da **PRIMEIRA EDIÇÃO DE *NEUE GRAFIK* / CARLO I. VIVARELLI / Suíça, 1958-1960 / Da coleção de John Kraal**

Print

Como a mais antiga publicação americana de design, lançada em 1940, *Print* foi originalmente um periódico técnico para profissionais da indústria de impressão e edição e, lentamente, tornou-se uma revista genérica de design gráfico. Seu foco e ambição mudaram radicalmente quando Martin Fox, um aspirante a dramaturgo e aficionado hesitante de design, tornou-se editor em 1963. Sob a editoria de Fox, *Print* relatou o efervescente ramo do design gráfico nos anos 1960 e 1970, publicando com mesmo fervor designers americanos e seus colegas europeus, ao passo que estabelecia uma precedente para a crítica do design com a introdução da coluna "A Cold Eye" (Um Olhar Frio) no final dos anos 1980. Após o período de 40 anos de Fox, Joyce Rutter Kaye assumiu o comando da revista em 2003, da qual continuou a tendência internacional. Ela também tratou de assuntos mais espinhosos – como sexo, a edição de maior vendagem daquele ano, é claro. *Print* ganhou quatro vezes (1994, 2002, 2005 e 2008) e foi indicada dez vezes na categoria de Excelência Geral dos prêmios Ellie, conferidos pela American Society of Magazine Editors.

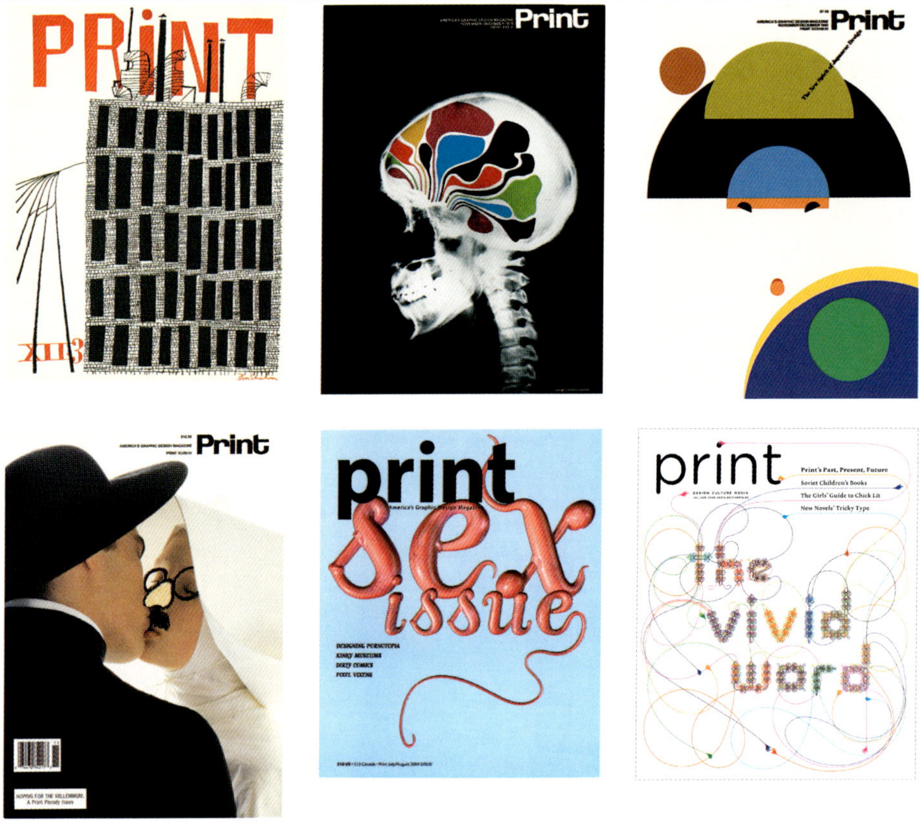
PRINT
XIII 3
Print
Print
Print
print
sex issue
print
Print's Past, Present, Future
Soviet Children's Books
The Girls' Guide to Chick Lit
New Novels' Tricky Type
the vivid word

REVISTA *PRINT* / 1940–2008

Graphis

Sobre a seletiva direção de seu editor fundador e designer, Walter Herdeg, a *Graphis* estabeleceu-se rapidamente como um juiz respeitável do gosto, assim que foi publicada em 1944. Baseado em Zurique, Herdeg compilou números da revista com perfis completos de designers e ilustradores de todo o mundo, estabelecendo uma publicação verdadeiramente internacional que expunha o trabalho que dificilmente seria visto pelos profissionais em seus respectivos continentes. Além de sua publicação periódica, *Graphis* publicou vários anuários – o primeiro em 1952, tornando-se um dos compêndios mais reverenciados de trabalhos – bem como volumes dedicados a uma única disciplina ou tópico. Em 1986, o experiente designer gráfico, B. Martin Pedersen, comprou de Herdeg a *Graphis* e mudou sua sede para Nova York. Desde então, em duas décadas Pedersen manteve o rigor da revista e produziu deliciosos compêndios e anuários que continuam a frequentar as paredes de bibliotecas de design ao redor do mundo.

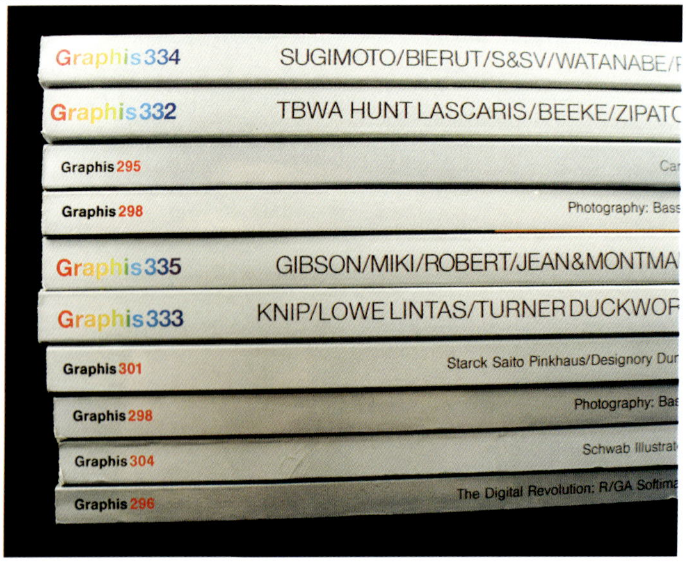
Graphis 334 SUGIMOTO/BIERUT/S&SV/WATANABE/
Graphis 332 TBWA HUNT LASCARIS/BEEKE/ZIPAT
Graphis 295
Graphis 298 Photography: Bass
Graphis 335 GIBSON/MIKI/ROBERT/JEAN&MONTMA
Graphis 333 KNIP/LOWE LINTAS/TURNER DUCKWOR
Graphis 301 Starck Saito Pinkhaus/Designory Dur
Graphis 298 Photography: Bas
Graphis 304 Schwab Illustrat
Graphis 296 The Digital Revolution: R/GA Softima

REVISTA *GRAPHIS* / EUA

Typographica

Em contraste com uma gama um tanto estreita de temas que o título pode sugerir, a revista britânica *Typographica* foi uma das publicações de design mais ecléticas de seu tempo. Mesclava observações sérias sobre a prática da tipografia, design gráfico no modernismo e sobre a Nova Tipografia com ensaios fotográficos, avaliações venturosas e coleções de tipografia descobertas, gráfica efêmera e outras produções criativas variadas que interessavam ao seu fundador e designer, Herbert Spencer. Em 1949, na tenra idade de 25 anos e com apoio editorial e de impressão da Lund Humphries e de seu chairman Peter Gregory, Spencer publicou o primeiro número da *Typographica*. Ele continuou a fazê-lo por 18 anos e 32 edições que foram divididas em dois grupos, a série antiga e a série nova, cada uma iniciando no número 1. O design mesmo da revista – tipicamente carregado com papéis diferentes e métodos de produção tangíveis – refletia os interesses paradoxais de Spencer, conferindo atratividade à publicação. Hoje, a *Typographica* permanece uma obsessão: o preço inicial para uma coleção em leilão no ebay, com os números de 1-16, é de 4.000 dólares.

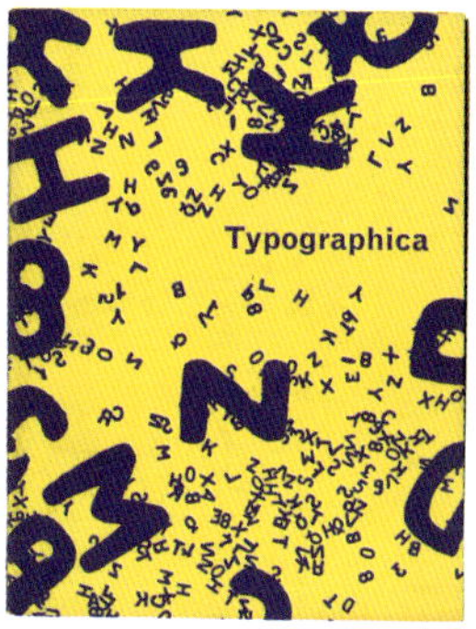
Typographica

***SÉRIE NOVA*, N. 1 / Reino Unido, 1960**

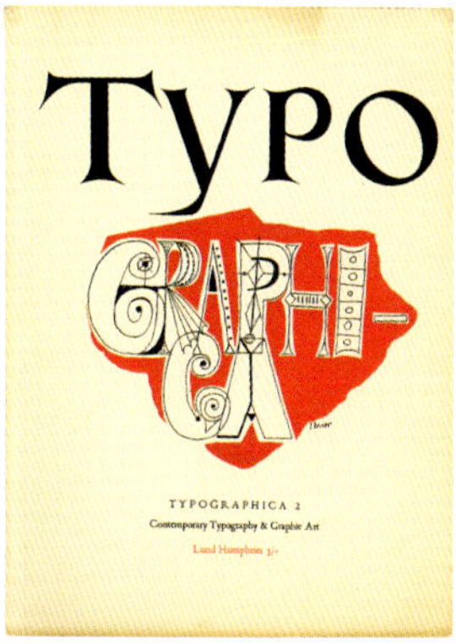
Typo
TYPOGRAPHICA 2
Contemporary Typography & Graphic Art
Lund Humphries

***SÉRIE ANTIGA*, N. 2 / Reino Unido, 1950**

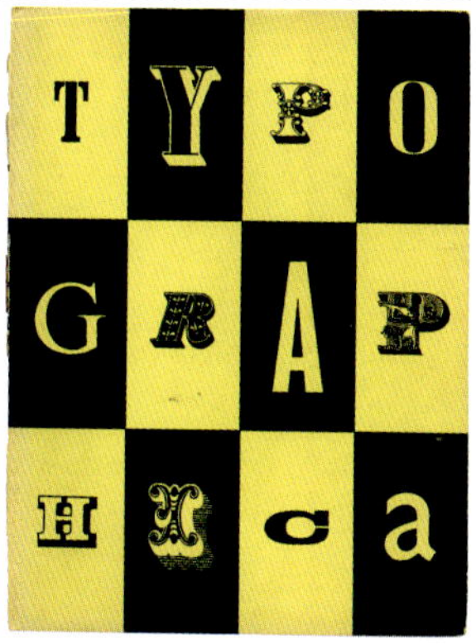
T Y P O
G R A P
H I C a

***SÉRIE ANTIGA*, N. 3 / Reino Unido, 1950**

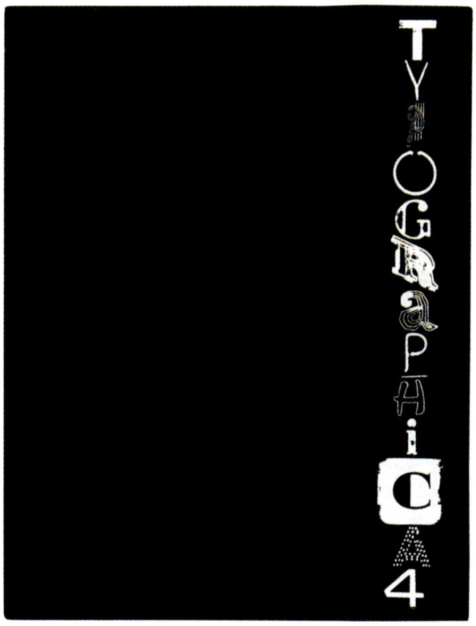
TYPOGRAPHICA 4

***SÉRIE NOVA*, N. 4 / REINO UNIDO, 1961**

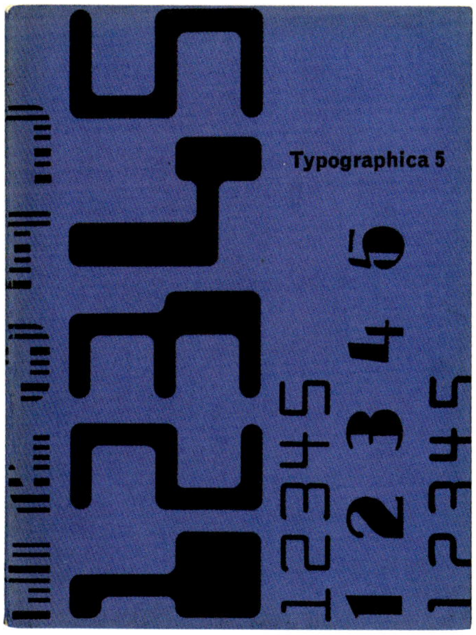
Typographica 5
12345

***SÉRIE NOVA*, N. 5 / REINO UNIDO, 1962**

Typographica 7

***SÉRIE NOVA*, N. 7 / Reino Unido, 1963**

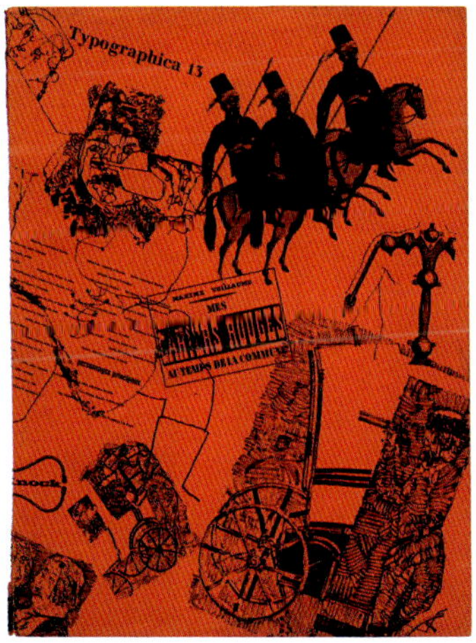
Typographica 13

***SÉRIE ANTIGA*, N. 13 / Reino Unido, 1957**

14

***SÉRIE ANTIGA*, N. 14 / Reino Unido, 1958**

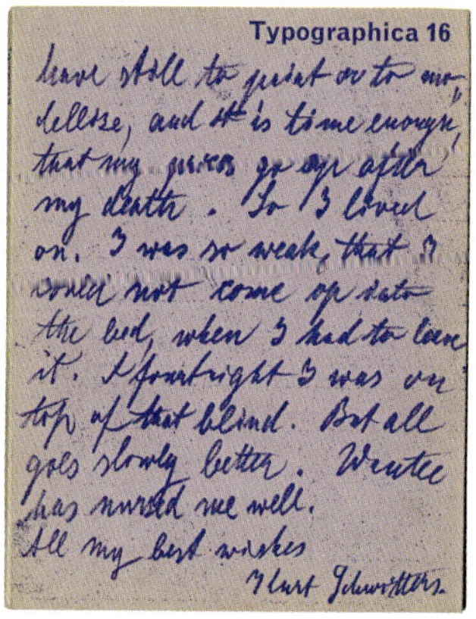
Typographica 16

***SÉRIE NOVA*, N. 16 / Reino Unido, 1967**

LEITURA RECOMENDADA › 390

As proporções entre os tamanhos das edições foram respeitadas

Communication Arts

Fluindo do interior das capas brancas de *Communication Arts*, desde 1959, quando foi lançada por Richard Coyne e seu sócio, Bob Blanchard (com uma tiragem inicial, nos primeiros seis meses, de 5.000 exemplares e atualmente com uma circulação auditada de mais de 63.000 exemplares pagos), há uma torrente de trabalhos produzidos nos campos de design gráfico, publicidade, fotografia e ilustração, apresentados num formato austero que continuamente coloca o trabalho em primeiro plano. A esposa de Richard Coyne, Jean Coyne, juntou-se mais tarde em tempo integral à equipe da revista e, em 1986, foi a vez seu filho, Patrick, ambos permanecem editores da revista e continuam o legado de Richard Coyne, falecido em 1990. *Communication Arts* é talvez mais conhecida por seus anuários de design brutalmente competitivos e bastante consultados. O primeiro anuário, em 1960, recebeu mais de 5000 propostas; hoje recebe mais de 8000 e demanda três dias e nove juízes para a lista de menos de 200 vencedores.

ca
THE JOURNAL OF COMMERCIAL ART

PRIMEIRA EDIÇÃO / design, Lloyd Price / EUA, August 1959

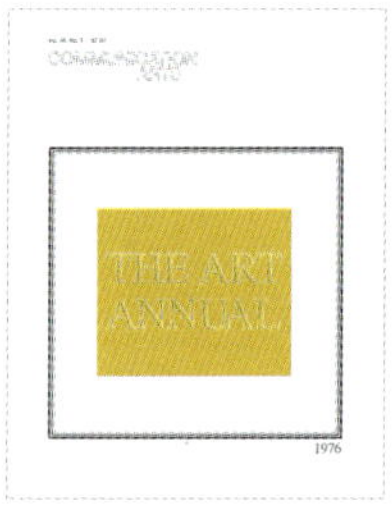
THE ART ANNUAL

O ANUÁRIODE ARTE / design, Jean Coyne / EUA, 1976

Design, Jean Coyne; foto: William Arbogast / EUA, 1967

CA MAGAZINE
How many black Americans will graduate from art school this year?

Design, Richard Coyne; foto: William Arbogast / EUA, 1968

Design, Dugald Sterner; foto: William Arbogast / EUA, 1972

COMMUNICATION ARTS

Ilustração, James Marsh / EUA, Maio/Junho 1991

Design Annual 44
Communication Arts

O ANUÁRIO DE DESIGN / design, Patrick Coyne / EUA, Novembro 2003

REVISTA *COMMUNICATION ARTS* / EUA

Industrial Design (I.D.)

Em 1954, o editor Charles Whitney lançou *Industrial Design* para cobrir a atividade emergente que deu nome à revista, com Jane Fisk e Deborah Allen, membros da equipe de outra publicação de Whitney, atuando como editoras. O lançamento apresentava algumas das últimas direções de arte e designs de Alvin Lustig › 144, que no ano seguinte sucumbiria ao diabetes. Durante sua existência, a revista experimentou muitas mudanças, com diferentes proprietários assumindo as responsabilidades e diferentes editores levando a revista a direções variadas – notáveis entre estes estavam Ralph Caplan › 238 nos anos 1960, Steven Holt e Chee Pearlman nos anos 1990 e, mais recentemente, Julis Lasky. Até memso o nome da publicação foi modificado para *International Design*, em 1988, para refletir os ampliados interesses e coberturas da revista. Por tudo isso, *I.D.* apareceu como uma publicação provocadora, abrangendo os numerosos campos e profissionais na categoria "design", sempre por meio de um escopo global. Com seu número especial anual "I.D. 40", a revista uniu alguns dos designers mais influentes nas diversas indústrias e localidades, demonstrando a riqueza e a variedade do design.

INDUSTRIAL DESIGN
1
2
INDUSTRIAL DESIGN
INDUSTRIAL DESIGN
3

REVISTA *I.D.*, NÚMEROS 1-3 / Alvin Lustig / EUA, 1954

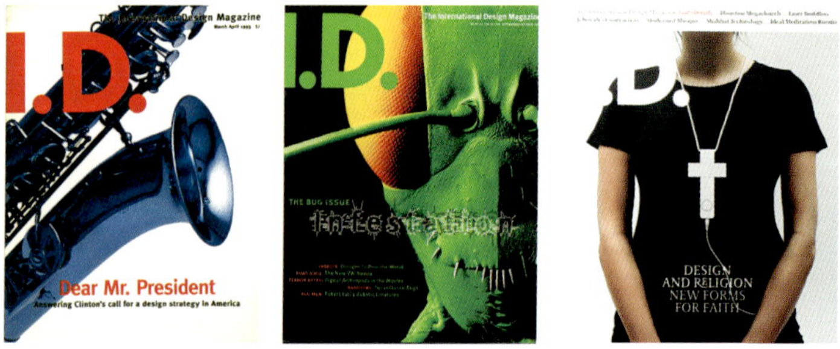
I.D.
Dear Mr. President
I.D.
DESIGN AND RELIGION NEW FORMS FOR FAITH

REVISTA *I.D.* / EUA, 1993–2007

Neue Grafik

Oficial e simplesmente entitulada *Novo Design Gráfico*: *Revista Internacional de Design Gráfico e Assuntos Relacionados*, era editada em alemão, inglês e francês, a *Neue Grafik* foi publicada pela primeira vez em 1958 por seus editores baseados em Zurique e proponentes ativos do estilo tipográfico internacional, Richard Paul Lohse, Josef Müller-Brockmann › 152, Hans Neuburg e Carlo L. Vivarelli. Esse último criou a capa icônica com quatro colunas, bem como o layout das páginas, todas compostas em Akzidenz Grotesk › 369, que veio representar a estrita filosofia do design suíço. Nos seus 18 números em quase sete anos de publicação, a *Neue Grafik*, publicou o trabalho e os textos de seus editores, normalmente assinados coletivamente pelas iniciais "LMNV", juntamente com outros designers suíços, incluindo Max Bill e Emil Ruder. No século XXI, mais de 50 anos após a sua publicação inicial, as capas de *Neue Grafik* permanecem como bastiões de uma abordagem sigular de design.

Neue Grafik
New Graphic Design
Graphisme actuel
1
2
3
4
5
6

***NEUE GRAFIK*, NÚMEROS 1-6** / Carlo L. Vivarelli / Suíça, 1958–1960 / Da coleção de Joe Kraal

LEITURA RECOMENDADA › 390

U&lc

Na linha de frente da fotocomposição estava a International Typeface Corporation (ITC) › 220, iniciada por Herb Lubalin › 167, Aaron Burns e Ed Rondthaler em 1970, era uma sempre crescente coleção de designs expressivos de letras destinados especificamente às agências de publicidade e à emeregente profissão de design gráfico. Para promover seus tipos de letra, ao invés de simplesmemte anunciar numa revista do ramo ou enviar amostras pelo correio, a ITC lançou em 1973 a *U&lc (Uppercase and Lowercase – Maiúscula e minúscula)*, uma publicação gratuita em formato tabloide, impressa numa cor única, em papel jornal, feita apenas com letras da ITC e com conteúdo exclusivo para essa publicação trimestral. Nos primeiros oito anos até sua morte em 1981, Lubalin editou e fez o design da revista, oferecendo layouts incríveis e energéticos que mostravam os produtos da ITC. Edward Gottschall, o sucessor editorial, manteve essa fórmula até 1990. Com Margareth Richardson como editora, cada edição era criada por um artista convidado.

A amálgama de design exuberante e conteúdo relevante; que combinava trabalhos de designers, ilustradores e tipógrafos, com interessantes coleções de arte efêmera e experimentos em tipografia; fez de *U&Lc* uma das publicações de design de maior circulação nos anos 1980 e 1990. No seu auge, a circulação da revista chegou a 200.000 exemplares e chegou a ter anunciantes de ramos relacionados de negócios que tinham muita clareza do alcance e influência da revista.

Em meados dos anos 1990, as coisas começaram a mudar e a indústria de tipos foi revolucionada pela produção e distribuição digitais – um novo ambiente rapidamente abraçado pela ITC. Com o novo editor, John D. Berry, a ITC lançou a *U&Lc* online em 1998, um companheiro para a revista que estava prestes a sofrer uma transformação radical. Celebrando o seu 25º aniversário, a primeira edição de 1998, reformulada num formado mais brilhante (comparado com o anterior), em papel tamanho letter e o número seguinte apresentaram o novo layout e logotipo criados por Mark Van Bronkhorst que se distanciavam bastante da versão original. Desnecessário dizer que a mundança não foi bem recebida. No outono de 1999, a *U&Lc* publicou o seu último número. Hoje os designers se mantêm firmes a ela em sua fragilidade do auge impresso em papel jornal.

U&lc.
5741
(1981)
PEACE

VOL. 3, N. 2 / EUA, Julho 1976

U&lc.

VOL. 5, N. 3 / EUA, Setembro 1978

U&lc.
WANTED

VOL. 5, N. 4 / EUA, Dezembro 1978

U&lc.

VOL. 7, N. 4 / EUA, Dezembro 1980

U&LC: THE INTERNATIONAL JOURNAL OF TYPOGRAPHICS / International Typeface Corporation / design, Herb Lubalin

U&LC: THE INTERNATIONAL JOURNAL OF GRAPHIC DESIGN AND DIGITAL MEDIA / International Typeface Corporation / design, Mark van Bronkhorst

VOL. 25, N. 1 / EUA, Verão 1998

VOL. 25, N. 2 / EUA, Outono 1998

VOL. 25, N. 3 / EUA, Inverno 1998

U&lc

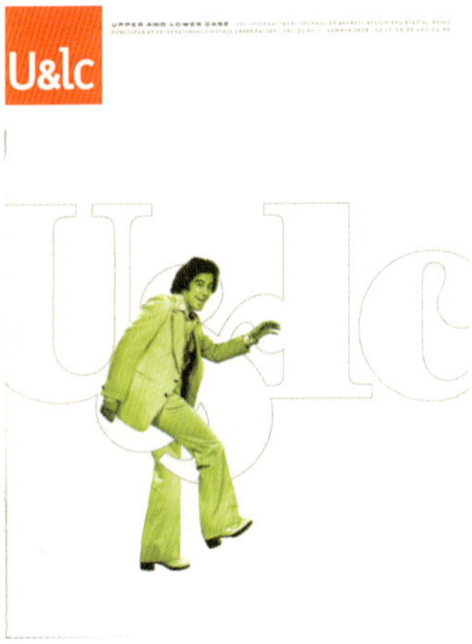
U&lc

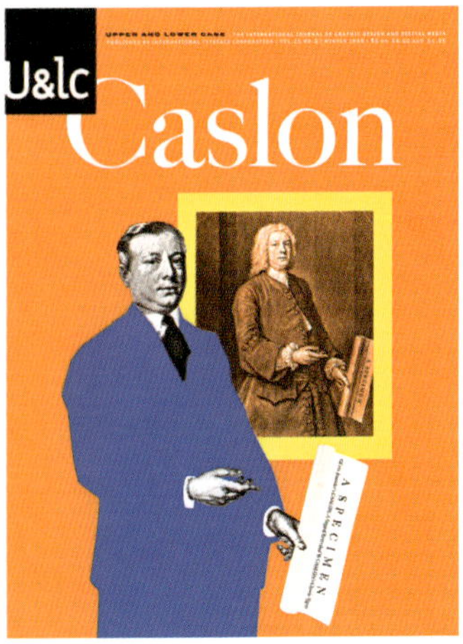
U&lc
Caslon

Baseline

Inicialmente publicada em Londres, em 1979, pela TSI (Typographic Systems International Ltd.), membro do Grupo Letraset e fundada por Mike Daines, *Baseline* – produzida sem regularidade, apenas quando havia material e tempo disponíveis – serviu como veículo de promoção para novos estilos de letras. Após anos de publicação inconsistente, ainda que plena de realizações, e com as dificuldades crescentes nos negócios da Letraset, Daines e Hans Dieter Reichert, que fora nomeado diretor artístico em 1993, compraram a revista da Letraset em 1995. Desde então, a editora Bradbourne, constituída por Daines e Reichert, publica a *Baseline* de maneira independente. Esta publicação tem sido financiada, editada, criada e produzida pela empresa londrina de Reichert, a HDR Visual Communication, em três edições por ano entre a produção para sua clientela. Em janeiro de 2007, Daines desistiu da *Baseline* e da editora Bradbourne. Desde a primavera daquele ano, a HDR Visual Communication é a única responsável pelo conteúdo, design e produção da revista.

baseline baseline

LOGOTIPOS *BASELINE* MAGAZINE / 1993–2007, 2007–presente

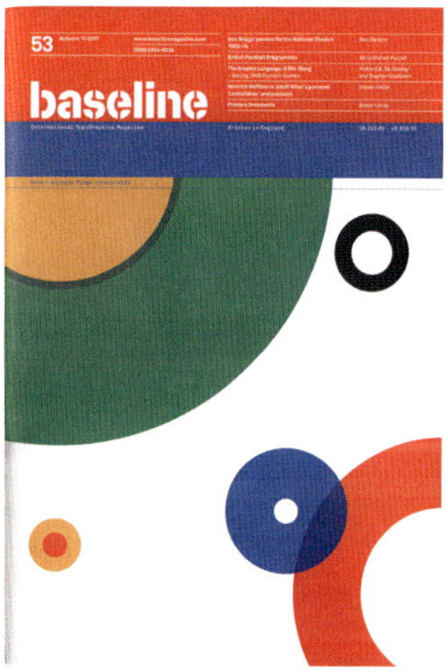
53
baseline

REVISTA *BASELINE* EDIÇÃO 53 / Outubro 2007

EDIÇÕES DE *BASELINE*

HDR Visual Communication / Reino Unido

Creative Review

Creative Review foi lançada como uma publicação trimestral em Londres, em 1980. Sua dona, a editora Centaur, já publicava *Marketing Week* e viu uma oportunidade para uma revista destinada à crescente comunidade dos profissionais de criação. *Creative Review* logo passou a ser mensal, com seu leitores vindos principalmente das indústrias do design gráfico e publicidade, além das ligadas a ofícios como a Fotografia, Ilustração e produção de comerciais. À medida que esses campos cresceram e se diversificaram, o mesmo aconteceu com o escopo da revista – nas mãos de Patrick Burgoyne, editor desde 1999, e, previamente, Lewis Blackwell › 239, que deteve a posição por dez anos – e hoje engloba todas as formas de comunicação visual, sejam as produzidas comercialmente, seja por diletantismo. Seu alcance geográfico também foi alargado, com assinantes em mais de 80 países e, pelo CR blog, atinge leitores em mais de 190 países. Desde 1990 *Creative Review* apoia o crescimento de designers jovens com a sua celebração anual de "Futuros Criativos": designers com menos de 28 anos que um dia tomarão seus empregos e clientes.

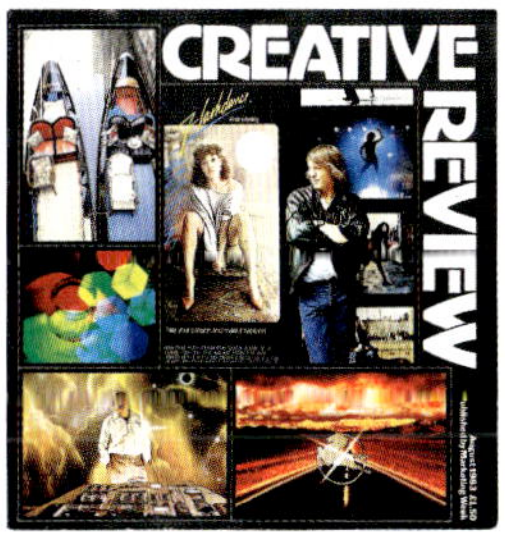
CREATIVE
REVIEW

Direção de arte, Gary Cook; design, Substance / Agosto 1983

CREATIVE
REVIEW

Direção de arte, Gary Cook; design, Substance / Janeiro 1995

CR

Direção de arte, Nathan Gale; foto: Jenny van Sommers / Março 2002

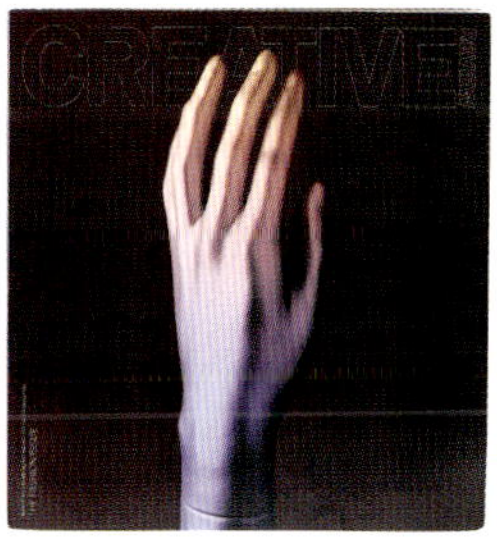
CREATIVE

Direção de arte, Paul Pensom; foto: Andy Barter / Março 2002

CR
NO ONE KNOWS WHY
KARLSSONWILKER
IS ON THE COVER,
AND YOU ARE NOT.

Direção de arte, Paul Pensom; design, Karlsson Wilker / Junho 2008

REVISTA *CREATIVE REVIEW* / Reino Unido / Fotos: PSC Photography

Emigre

A primeira edição de *Emigre* e as que se seguiram de imediato, em 1984, não eram a publicação catártica de design que se esperaria que se tornasse nas mãos de seu fundador, editor e designer, Rudy VanderLans. Foi incialmente concebida – por VanderLans em conjunto com seus compatriotas holandeses, residentes na Califórnia, Marc Susan e Menno Meyjes – como uma publicação para mostar o trabalho de fotógrafos, escritores, designers e artistas que viviam, ou tinha vivido, fora de seus países de origens: imigrantes. Após três números, Meyjes e Susan seguiram seu próprio caminho – o primeiro escreveu *Indiana Jones e a Última Cruzada* – e VanderLans viu-se sozinho com a revista, que ele poderia moldar como quizesse. Foram a época e o local certos para uma publicação bastante inovadora. O Macintosh havia sido recém apresentado e, enquanto a maioria dos designers não percebia o seu potencial, a *Emigre* explorava suas características e limitações iniciais para produzir uma nova linguagem de design que estava além do comum.

Substituindo no texto as letras de máquina de escrever, usadas nas primeiras duas edições de emigre, havia tipos bitmap grosseiros criados por Zuzana Licko › 225, esposa de VanderLans, criando um precedente em que uma revista era escrita com dúzias de tipos de letra que a Emigre Fonts › 224 – a usina de criação de tipos da dupla – desenvolveria nas três décadas seguintes. À medida que a *Emigre* ganhava notoriedade pelo seu design e pela obra que apresentava – como uma edição completa de 1988 dedicada às capas de disco criadas por Vaugham Oliver para o selo musical londrino 4AD › 30. – iniciou uma profunda e tumultuada afiliação com a indústria do design. Alinhou-se, talvez inconscientemente, com um insipiente grupo de estudantes, professores, escritores e profissionais que desafiavam constantemente, em trabalhos e textos, os mandamentos existentes do design gráfico, ao memo tempo em que a profissão era polarizada pelo Macintosh e experimentava grandes mudanças.

A primeira colaboração da *Emigre* com a Cranbrook Academy of Art › 130 deu-se em 1988, com a edição n. 10 tendo sido totalmente editada, criada e produzida pelos estudantes – entre eles futuros colaboradores, como Ed Fella › 185, Andrew Blauvet, Allen Hori e Jeffrey Keedy. Durante a vida da revista, a *Emigre* e Cranbrook foram se encontrando regularmente, à medida que outros integrantes, como Katherine McCoy › 185, Lorraine Wild, Laurie Haycock Makela, P. Scott Makela e Elliot Earls contribuíam para o cânone do design com seus textos, tipos ou ambos. Assim que Wild, Keedy e Fella tornaram-se professores na CalArts › 131, aquela instituição também se tornou parte do grupo não oficial. O que essas instituições e a *Emigre* tinham em comum – em retrospecto, um sentido de exploração irrefletida

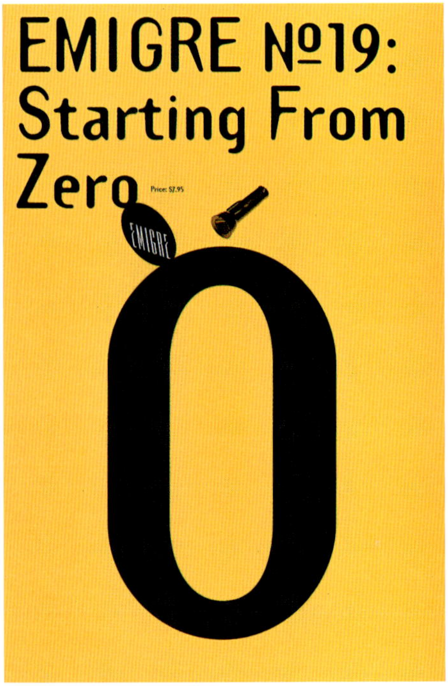
EMIGRE №19:
Starting From
Zero
EMIGRE
0

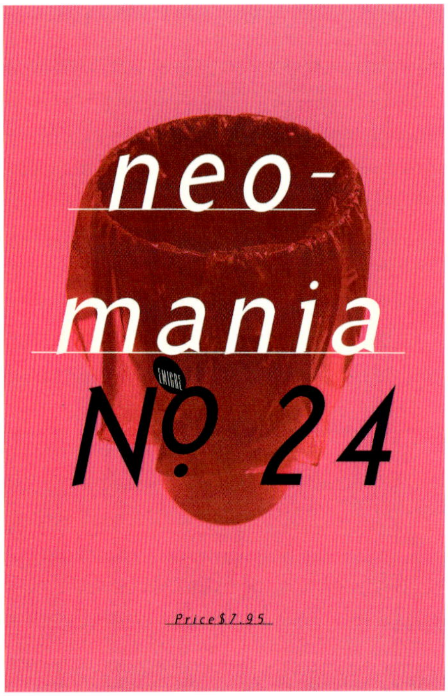
neo-
mania
EMIGRE
№ 24
Price$7.95

E.54
THE LAST WAVE

REVISTA *EMIGRE* / Emigre design, Rudy VanderLans / EUA

LEITURA RECOMENDADA › 390

– manifestado na superfície como uma estética visualmente radical não agradava a muitos contemporâneos. Nas páginas de *Print* › 94, em 1992, Massimo Vignelli › 160 descreveu *Emigre* como uma “calamidade nacional” e uma “aberração da cultura”, enquanto Steven Heller › 238 a considerou nada mais que uma “bolha no contínuo” no ensaio de 1993, “Cult of the Ugly” (Culto ao Feio), na revista *Eye* › 103. Mesmo David Carson › 186 teve uma rusga contínua com a revista. A despeito do desconforto, acompanhado de um contínuo desafio à autopublicação da revista, o grupo de VanderLans levou a *Emigre* adiante à medida que esta evoluía.

Diferente do que foi visto em outras revisas de design, a abordagem editorial de VanderLans dava espaço para entrevistas, perfis extensos, reimpressões de textos antigos e a publicação de longos ensaios, contidos em designs que variavam de uma edição à outra, enquanto se apresentava uma coleção crescente de tipos exclusivos – indo algumas vezes a extremos, como na edição 19 de 1991, coposta exclusivamente na Gótica Template › 186 de Barry Deck. Até 1997 e a edição 41, a *Emigre* era produzida em formato tabloide, tornando-a cara para ser impressa e distribuída, mesmo em tiragens pequenas de 3.500 a 5.000. Com a edição 42, a revista passou por uma de suas maiores transformações: encolheu para o tamanho Letter, cresceu sua circulação para 43.000 e era distribuída gratuitamente. mudança foi drástica, mas também foram o crescimento do número de leitores e a atenção recebida pela *Emigre* – incluindo as lendárias cartas ao editor, entituladas “Caro Emigre”, que iam de breves missivas, repletas de palavrões, a textos com tamanho de ensaios que não eram editados e geravam longas discussões entre leitores e editores. Continuou dessa forma até 2001, publicando artigos centrais e coleções ecléticas de material – das fotografias experimentais do deserto da Califórnia, feitas por VanderLans, até a ode pictórica de Experimental Jetset aos formatos esquecidos como a fita cassete – quando a edição 60 foi um CD de áudio e assim foi nas três edições seguintes, com excesão da 62 que continha o DVD *Catfish*, de Earls. Numa iteração final, agora com apenas 6.000 exemplares, foi publicada em conjunto com a Princeton Architectural Press e focava exclusivamente em escrita. A primeira edição nesse formato de bolso, a n. 64, Rant, foi uma provocação reconhecida para desafiar designers e escritores jovens “a desenvolverem uma atitude crítica em relação ao seu próprio trabalho e ao cenário geral do desig”. Funcionou. Grandes discussões em blogs como o Speak Up › 113, representando a nova geração, e respostas de designers e escritores jovens e ainda desconhecidos foram impressas nas edições seguintes da *Emigre,* demonstrando que a chama ainda estava acessa.
A despeito dessa ressurgência no engajamento com a crítica do design e escrita, *Emigre* deixou de ser publicada em 2005 com a edição n. 69, com os títulos garrafais The End (Fim).

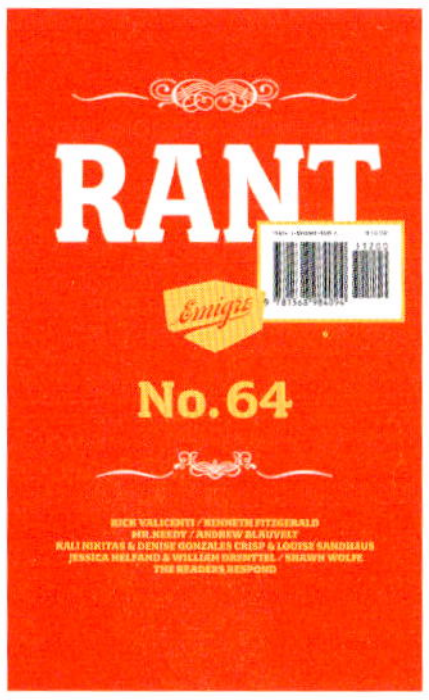
RANT
Emigre
No.64

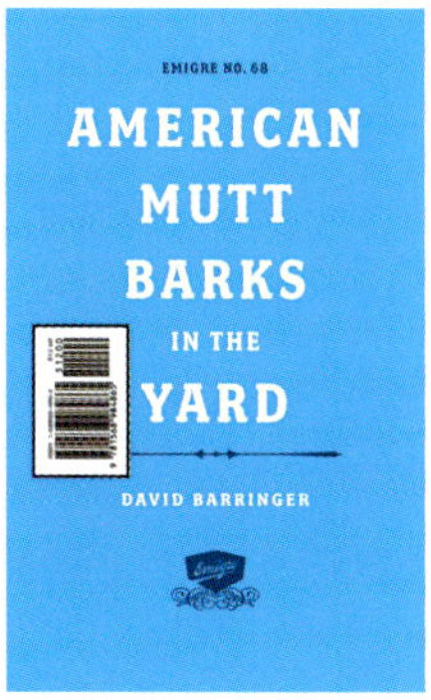
EMIGRE NO. 68
AMERICAN
MUTT
BARKS
IN THE
YARD
DAVID BARRINGER

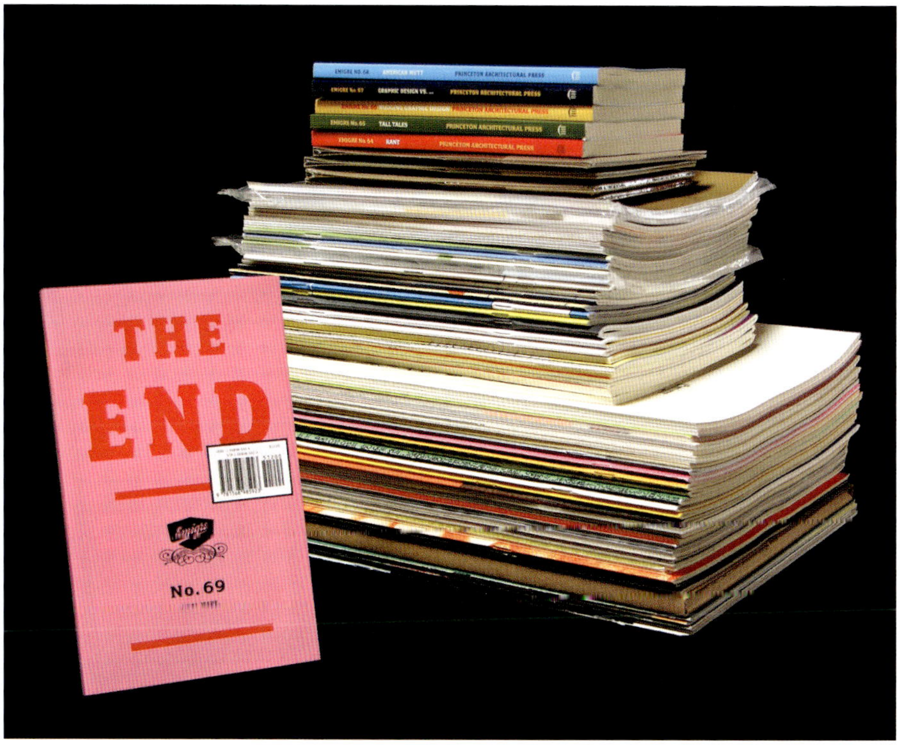
THE
END
Emigre
No.69

As proporções entre os tamanhos das edições foram respeitadas

HOW

Criada como um desdobramento de *Print* › 94 em 1985, *HOW* foi originalmente rotulada como “uma revista de ideias e técnicas de design gráfico”, com ênfase maior em artigos na linha como fazer. Em 1989, quando foi adquirida pela editora F + W, de Cincinnati e Laurel Harper passou a ser o editor, a revista mudou de orientação para uma ênfase mais geral nos negócios e na criatividade. Desde então – e com a troca de guarda entre editores em 1998, quando Bryn Mooth, que fora membro do corpo editorial desde 1990, assumiu a revista –, *How* se estabeleceu como fonte vibrante para os negócios e aconselhamento de carreira, bem como vitrine para os trabalhos mais interessantes dos EUA. Foi capaz de estender essa atitude e personalidade para as populares conferências de design, Mind Your Own Bussiness e In-HOWse.

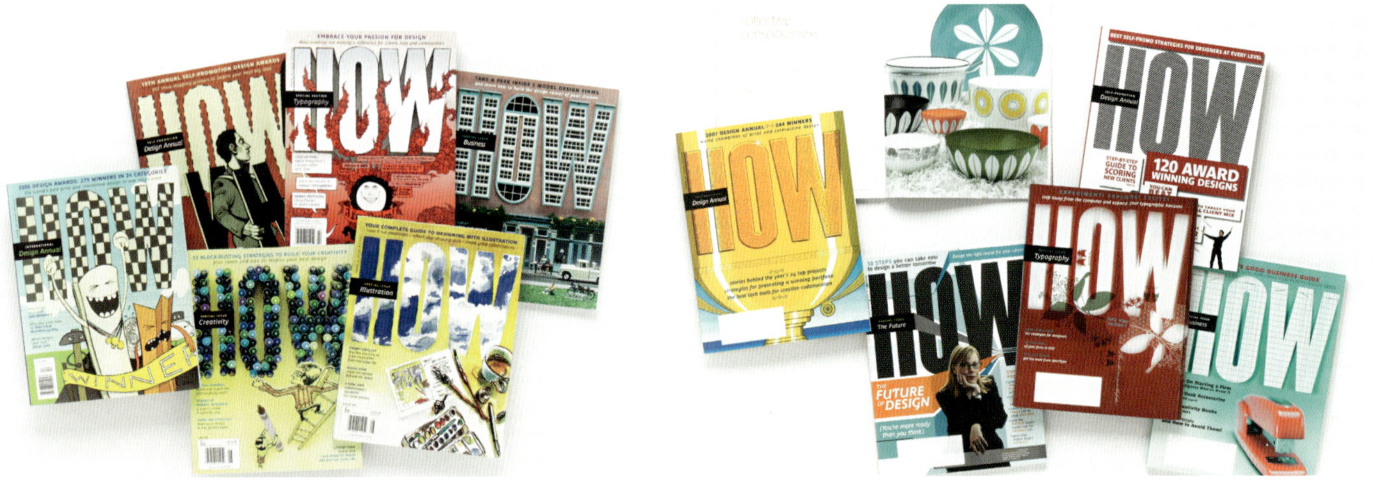
HOW
120 AWARD WINNING DESIGNS
FUTURE OF DESIGN

***HOW* MAGAZINE** / **direção de arte da capa, Tricia Bateman** / **Fotos: Hal Barkan**

STEP inside design

Com mais de seis anos desde o seu ressurgimento como *STEP inside design*, foi fácil esquecer que, de 1985, quando se iniciou a publicação, até 2002, era chamada *Step-by-step Graphics*, e seu conteúdo era primordialmente uma interpretação literal de seu título, destacando as habilidades e técnicas do design gráfico. Destinada originalmente aos designers que buscavam abraçar o desktop publishing e as possibilidades do computador, à medida que a indústria amadureceu, esse tipo de conteúdo foi ficando menos relevante, o que levou às mudanças de título, design e abordagem editorial que passa a contemplar a criatividade por trás do design e os profissionais que o realizam. Na supervisão dessa transição estava Emilly Potts, a editora da revista de 1998 a 2002; ela criou uma publicação dinâmica, posteriormente liderada por Tom Biederbeck. Uma das edições mais populares e singulares da revista foi “*STEP* 100 Design Annual”, um compêndio com exemplos selecionados entre mais de 3000 propostas. Em 2009, *STEP* deixou de ser publicada.

STEP-BY-STEP
graphics
STEP BY STEP

***STEP-BY-STEP GRAPHICS* MAGAZINE** / **EUA, 1990, 1999**

STEP
INSIDE DESIGN
PREMIER ISSUE
TYPE!
BUSINESS MACHINE

***STEP INSIDE DESIGN* MAGAZINE** / **EUA, 2002, 2008, 2008**

@Issue

Por volta de 1986, a escritora Delphine Hirasuna e o sócio da Pentagram › 162, Kit Hinrichs, tentaram encontrar uma editora para uma revista que eles propunham. A intenção deles era criar uma ponte entre designers e clientes corporativos, lidando com a percepção sempre presente de que nenhum deles entendia claramente como cada um colaboraria. Eles não encontraram ninguém que abraçasse o projeto até 1994, quando Hinrichs mencionou a ideia ao novo diretor de marketing da Potlatch papers. A Corporate Design Foundation (Fundação para o Design Corporativo), criada em 1985, envolveu-se no papel de editor oficial de *@Issue: Journal of Business and Design*. Desde 1995, com Hirasuna como editora e Hinrichs como diretor de criação, a *@Issue* tem publicado estudos de casos reais que trazem à baila o conceito original com entrevistas incisivas e uma visão global de designers e clientes trabalhando em conjunto. Disponível apenas para assinantes, sua circulação atinge a impressionante marca de 100.000 exemplares em suas últimas edições. Com o sucesso da revista, uma conferência derivada foi iniciada em 2006, com designers e cliente falando em conjunto sobre projetos específicos e consolidando cada vez mais o relacionamento entre o mundo dos negócios e o design.

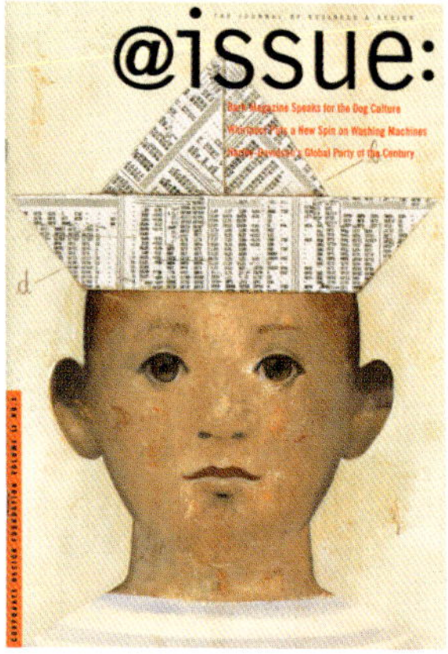
@issue:

Ilustração, Gerard DuBois / 2005

@issue:

Foto: Gerald Bybee / 2001

Ilustração, John Hersey / 1998

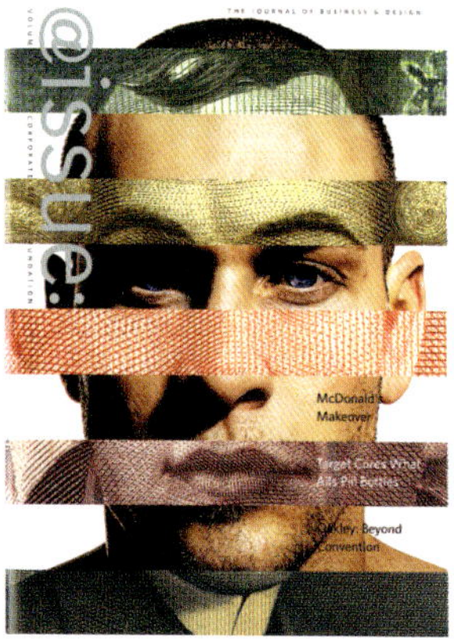
@issue:

Foto: Stephen Smith / 2006

@issue:

Ilustração, Michael Schwab / 2002

***@ISSUE* MAGAZINE** / Pentagram: Kit Hinrichs / EUA

Eye

Durante duas décadas de publicação, iniciadas com a respectiva fundação em 1990 pelo escritor e crítico britânico, Rick Poynor › 237, a EYE estabeleceu-se como uma das mais diversas publicações de design. Continuamente trata em profundidade o passado, presente e futuro do design gráfico com os textos incisivos, críticos e desafiadores de vários escritores espalhados pelo mundo. Em 1997, o escritor e crítico holandês, Max Bruinsma › 237, assumiu as responsabilidades editoriais e, em 1999, o escritor da indústria musical, John Walters, tornou-se o editor. Comparável na atitude com o seu texto, o design da revista raramente caiu no convencional, com uma abordagem editorial singular que foi desenvolvida de maneira ousada, entre 1997 e 2005, pelo diretor de criação, Nick Bell, e agora expandida pelo diretor de arte, Simon Esterson. Em 2008, Walters comprou a revista da Haymarket Brand Media, a maior das quatro editoras e proprietárias da revista, que passa a ser publicada de maneira autônoma pela Eye Magazine Ltd., uma companhia nova criada por Esterson e a diretora de negócios, Hannah Tyson.

***EYE* MAGAZINE** / Reino Unido

Critique

"O mandamento de Critique", escreveu Marty Neumeier na sua edição inicial no verão de 1996, "é simplesmente este: compartilhar uma visão dos maiores profissionais da área, de modo que nada se perca pelo caminho". Por cinco anos, a Neumeier Design Team criou, editou e financiou uma publicação de design ricamente acabada, com periodicidade trimestral, que estava sempre a par, talvez até demasiado próxima, dos imensos desafios enfrentados pela profissão nos finais dos anos 1990 e início dos anos 2000. Após 18 edições, *Critique* foi encerrada em 2001 devido a razões de ordem financeira: o ambiente econômico, a falta de assinantes e a limitada quantidade de anúncios pagos. A despeito dessa curta existência, *Critique* deixou uma marca indelével nos seus leitores, que lamentam a sua ausência.

Critique
CRITIQUE 12
CRITIQUE 13
CRITIQUE 14
CRITIQUE 15
CRITIQUE 17
CRITIQUE 18

REVISTA *CRITIQUE* / **Publicada por Marty Neumeier / EUA, 1996–2001**

Dot Dot Dot

Na forma de revista independente, publicada e financiada por dois editores baseados em Amsterdam, Stuart Bailey e Peter Bilak, *Dot Dot Dot* tem perseverado de maneira admirável, desde 2000, com uma publicação que é totalmente diferente de um número ao outro – e de qualquer outra coisa no mercado – com um conteúdo que supera todo limite tênue (ou nem tanto) entre arte, design, arquitetura, musica e literatura. Com uma abordagem editorial e estética propositalmente solta, relacionada ao título, que poderia ser traduzido como "reticências", conforme indicado na edição inicial, "uma revista em fluxo" e "pronta a ajustar-se ao conteúdo". Talvez o que torna esta publicação tão incrível é que se trata de apenas mais uma das várias em execução por seus criadores, permitindo uma variação de interesses sem que tenham de se ocupar com a revista todo o tempo. Bilak, em Haia, na Holanda, é um criador de fontes; entre elas, a grande família Fedra. Já Bailey, que foi para Nova York em 2006, opera, em conjunto com o escritor David Reinfurt, a Dexter Sinister, "uma oficina *just-in-time* e livraria ocasional". Tal como sua revista, suas carreiras não são fechadas.

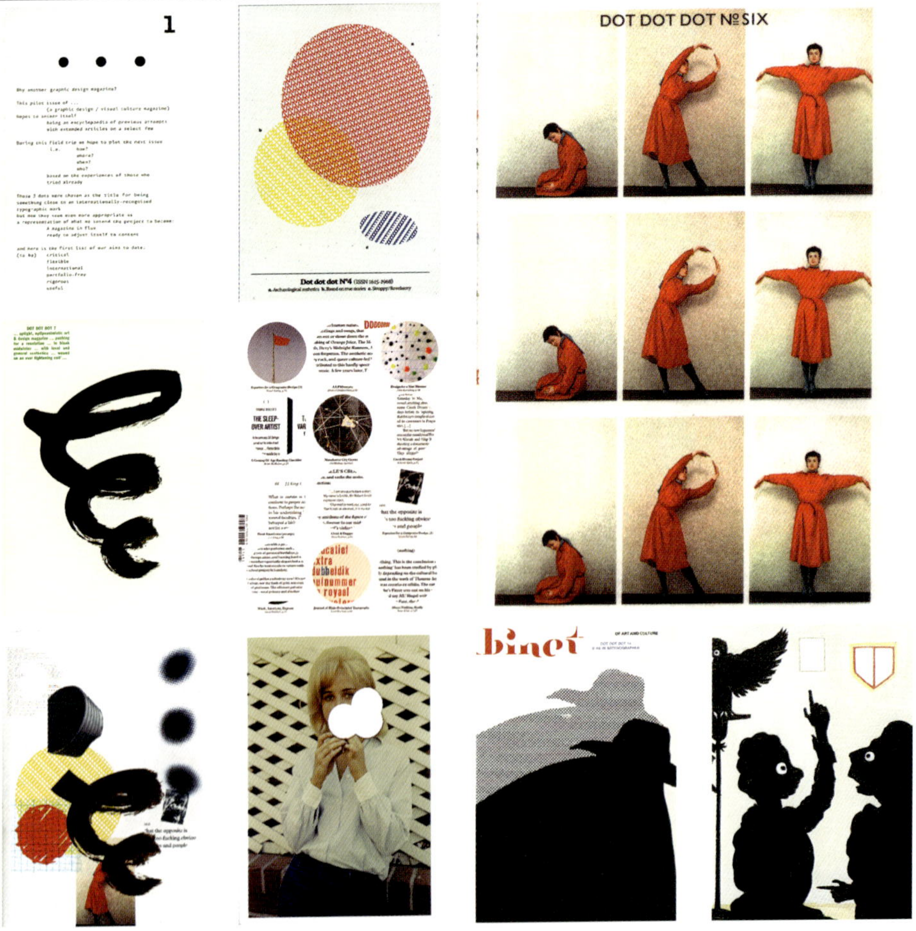
DOT DOT DOT Nº SIX

REVISTA *DOT DOT DOT* / **EUA, 2000–2008**

AIGA Journal of Graphic Design

Entre o início dos anos 1920 e a Segunda Guerra Mundial, o Instituto Americano de Artes Gráficas (AIGA – American Institute of Graphic Arts), criado em 1914, publicava um boletim (*newsletter*) (curiosamente denominado *News-Letter*), que ressurgiu em 1947 como *A. I. G. A. Journal*. Nas seis décadas seguintes foi publicado regularmente, adaptando-se aos diferentes editores, voluntários, equipe e membros da direção, além de mudar de nome para *Journal of the AIGA*, em 1965 e, depois, para *AIGA Journal of Graphic Design*, em 1982. O periódico teve grande impacto durante o final dos anos 1980 e início dos 1990. Steven Heller › 238, editor desde 1985, recolheu artigos provocadores e esclarecedores, de autoria de profissionais de todo o ramo, formando um relato da evolução da profissão. Nesse formado, o último número foi publicado em 2000. No ano seguinte, num esforço em dar sequência à revista antiga, foram publicados quatro números de Trace: *AIGA journal of design*, e, em 2004, o periódico tomou a sua última forma sob o título *VOICE: AIGA Journal of Design* › 113, uma publicação online editada por Heller e incrementada com comentários dos leitores.

AIGA Journal

***AIGA JOURNAL* 1, N. 1** / ilustração do cabeçalho, Reynard Biemiller / EUA, Junho 1947

A. I. G. A. JOURNAL

***AIGA JOURNAL* 2, N. 1** / iniciais decorativas, Mr. Valenti Angelo / EUA, Maio 1949

JOURNAL

***JOURNAL OF THE AMERICAN INSTITUTE OF GRAPHIC ARTS*, N. 19** / design, Antupit & Others / EUA, 1971

AIGA

***AIGA JOURNAL OF GRAPHIC DESIGN* 11, N. 1** / ilustração, Mirko Ilic / EUA, 1993

AIGA

***JOURNAL OF GRAPHIC DESIGN, EDIÇÃO POP E CULTURA: POP GOES THE CULTURE* 17, N. 2** / texto, Ken Garland / EUA, 1999

IDEA

Criada por Kikumatsu Ogawa em 1912, a editora Seibundo Shinkosha criou publicações sobre temas tão diversos quanto ciência popular e jardinagem. Uma delas foi a revista *Koukotu to Chinretsu* (Publiciadade e Cartaz), publicada inicialmente em 1926 e cobrindo o mundo da publicidade no Japão, deixando de ser publicada em 1941, devido à Segunda Guerra Mundial. Como sucessora surgiu em 1953 – IDEA, liderada pelo editor-chefe, Takashi Miyayama, e pelo diretor de arte, Hiroshi Ohchi – com uma política editorial de unir o Japão e o resto do mundo no contexto do design gráfico moderno. Miyayama e Ohchi estabeleceram a tradição de exibir extensos catálogos de autores renomados, com números inteiros dedicados a um mesmo designer de renome mundial. Os dois fundadores deixaram IDEA, respectivamente, em 1964 e 1974. Ela ainda permanece ativa sob a liderança de Kiyonori Muroga e Toshiaki Koga.

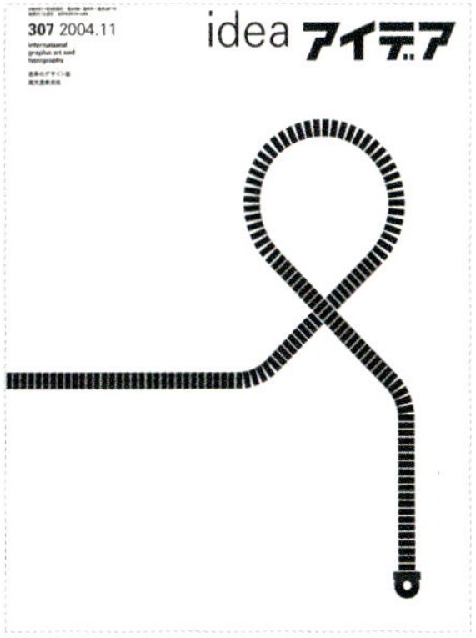
307 2004.11
idea アイデア

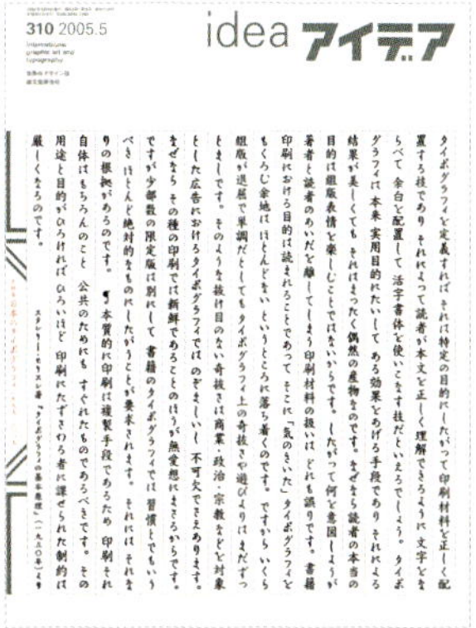
310 2005.5
idea アイデア

318 2006.9
idea アイデア
IDEA
Special
特集 エドワード・フェラ
Ed Fella

321 2007.3
idea アイデア

323 2007.7
idea アイデア
wim crouwel

326 2008.1
idea アイデア

REVISTA *IDEA* NOS ANOS RECENTES / Japão

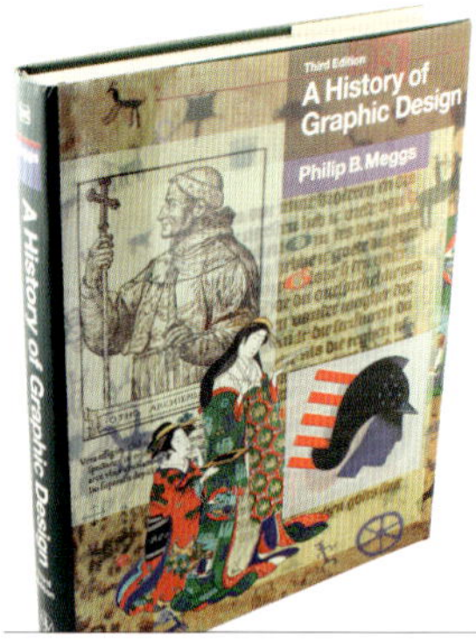
Third Edition
A History of Graphic Design
Philip B. Meggs
A History of Graphic Design

A HISTORY OF GRAPHIC DESIGN, por Philip B. Meggs / John Wiley & Sons, 1983 (1. ed.), 1992 (2. ed.), 1998 (3. ed.), 2005 (4. ed.)

Atualmente na sua quarta edição, com traduções para chinês, hebraico, japonês, coreano e espanhol, é seguro afirmar que a narrativa extensa e detalhada de Phillip B. Meggs seja talvez o tratado mais influente a respeito desta incrivelmente ampla história da profissão e as inúmeras mudanças sociais, culturais, políticas e econômicas que contribuíram para seu desenvolvimento desde que o homem desenhou pela primeira vez um cavalo na parede de uma caverna. Embora não seja um livro para ser lido perto da lareira, numa tarde chuvosa, deveria estar presente na estante de todos os designers para referência contínua.

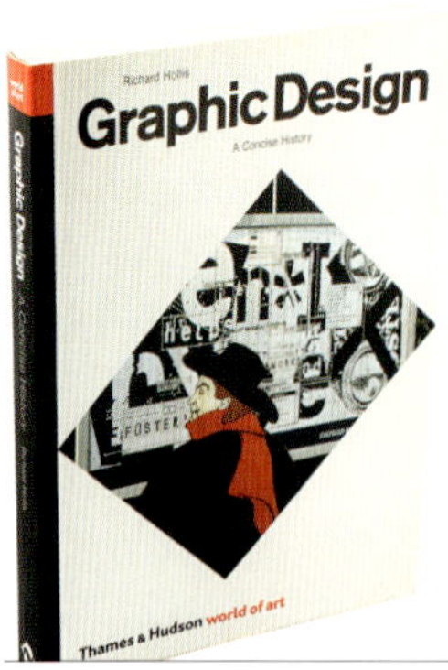
Richard Hollis
Graphic Design
A Concise History
Graphic Design
Thames & Hudson world of art

GRAPHIC DESIGN: A CONCISE HISTORY, por Richard Hollis / Thames & Hudson, 1994 (1. ed.), 2001 (2. ed.)

Escrita em formato de narrativa, em que os personagens interagem e um evento leva a outro, a abordagem de Richard Hollis para a história do design é viva e detalhada. Como sugere o título, o escopo é menor do que aquele de *A history of Graphic Design*. Hollis inicia no final do século XIX e, à medida que o livro e as décadas avançam, ele vai rapidamente de um país ao outro para estabelecer as áreas de maior influência em cada época. O livro é temperado com ilustrações pequenas, normalmente em branco e preto, que ajudam na narrativa e despertam o gosto do leitor para pesquisar sobre determinado ponto.

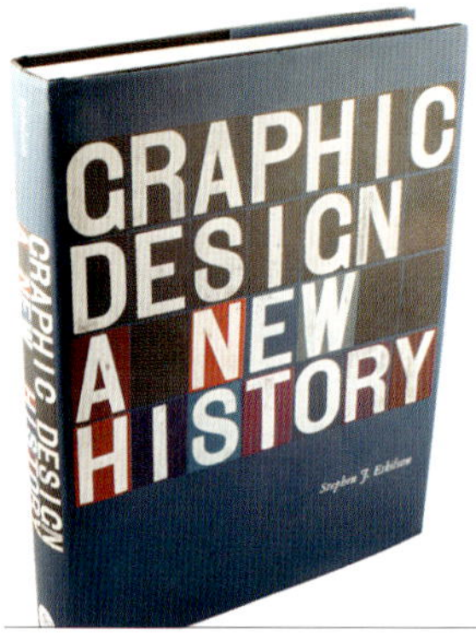
GRAPHIC
DESIGN
A NEW
HISTORY
Stephen J. Eskilson
GRAPHIC DESIGN

GRAPHIC DESIGN: A NEW HISTORY, por Stephen J. Eskilson / Yale University Press, 2007

Também começando pelo final do século XIX, é um livro ricamente ilustrado este de Stephen J. Eskilon, último item da categoria pesquisa histórica – um fato que permite que o autor trate os desenvolvimentos de finais dos anos 1990 e início do século XXI de maneira mais organizada que seus antecessores, que fizeram emendas a cada edição. O livro de Eskilon sofreu críticas pesadas por conta de erros factuais – nenhum que não pudesse ser facilmente corrigido numa edição seguinte – e recebeu reclamações subjetivas a respeito da abordagem e critérios de seleção, mas o seu aspecto positivo está em aumentar as fontes autorais a respeito da história do design.

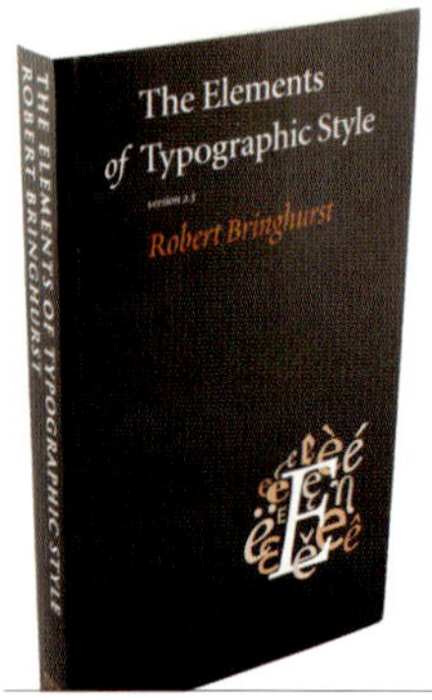
The Elements of Typographic Style
Robert Bringhurst
THE ELEMENTS OF TYPOGRAPHIC STYLE
ROBERT BRINGHURST

THE ELEMENTS OF TYPOGRAPHIC STYLE, por Robert Bringhurst / Hartley and Marks Publishers, 1992 (1. ed.), 1996 (2. ed.), 2002 (3. ed.)

A questão subjetiva sobre o que constitui a boa tipografia sempre foi uma preocupação dos designers e, por esse caráter subjetivo, a discussão do assunto é melhor iniciada com uma questão objetiva: o que é uma tipografia adequada? O tipógrafo, designer de livros e poeta canadense, Robert Bringhurst, nos brinda com um livro de regras, indicado pela própria área, que é eludidativo e apaixonado, estabelecendo uma etiqueta para o uso da tipografia. Con linguagem floreada e vasto conhecimento do material histórico, ligando a tipografia digital com as suas origens, Bringhurst explica tudo, de espaçamentos até a localização dos pontos de interrogação. Tipografia pode ser boa ou má, mas ela deve ser sempre adequada.

new & revised edition
Lewis Blackwell
20th-Century Type

TWENTIETH-CENTURY TYPE, por Lewis Blackwell / Rizzoli, 1992 (1. ed.); Gingko Press, 1999 (remix ed.), Laurence King Publishing, 1998 (2. ed.); Yale University Press, 2004 (3. ed.)

A história e o desenvolvimento do design gráfico estão intimamente ligados à evolução da tipografia e Lewis Blackwell detalha essa simbiose de maneira interessante. Década a década, Blackwell apresenta as fontes principais, seus criadores e suas implicações e repercussões na estética da comunicação visual. Um glossário conciso e claro, sistema de classificação e análise de anatomia completam o conteúdo.

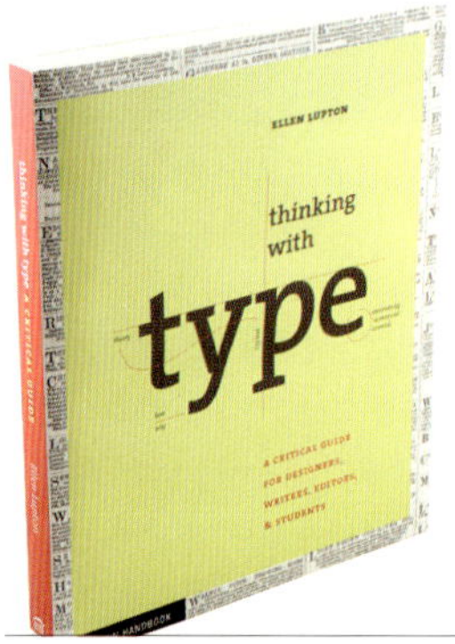
ELLEN LUPTON
thinking
with
type
A CRITICAL GUIDE FOR DESIGNERS, WRITERS, EDITORS, & STUDENTS

THINKING WITH TYPE, por Ellen Lupton / Princeton Architectural Press, 2004

Se alguém desconhecer o que é tipografia (e todas as implicações do termo), o livro de Ellen Lupton é o meio ideal para começar a aprender. Dividido em três capítulos – "Letter", "Text" e "Grid" – este livro dá aos leitores as ferramentas para entender o que são os tipos de letras, como funcionam e como operam em contexto. Lupton oferece diagramas claros, exemplos instigantes de impressão e design interativo, além de liguagem acessível. Empregados em todo o texto estão os "Type Crimes" (Crimes com tipo) que ilustram alegremente as ciladas típicas em tipografia; só o apêndice, com "dicas" e "alertas", já vale o preço do livro.

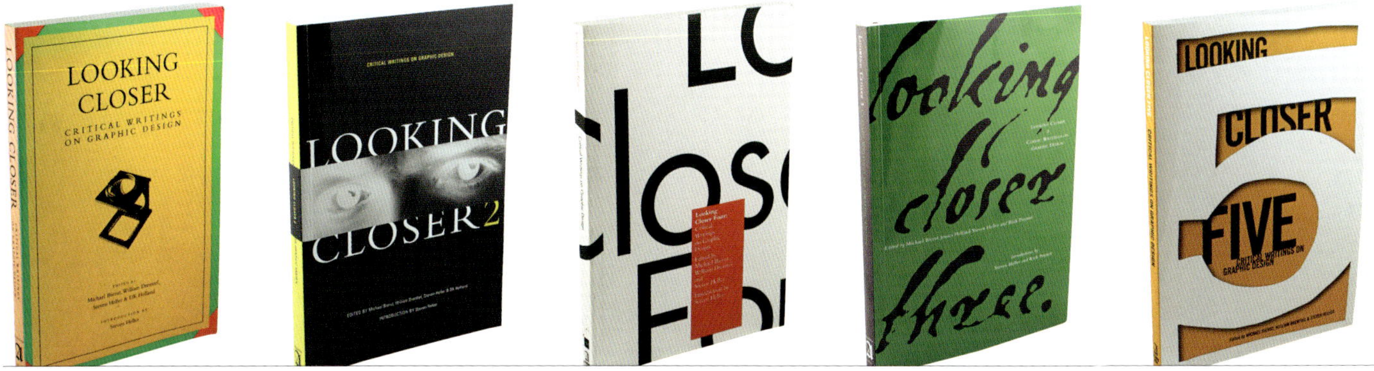
LOOKING CLOSER
CRITICAL WRITINGS ON GRAPHIC DESIGN
LOOKING CLOSER 2
looking closer three.
LOOKING CLOSER FIVE
CRITICAL WRITINGS ON GRAPHIC DESIGN

LOOKING CLOSER: CRITICAL WRITINGS ON GRAPHIC DESIGN 1-5, Editado por Michael Bierut (1–5), William Drenttel (1–2, 4–5), Jessica Helfand (3), Steven Heller (1–5), DK Holland (1–2) e Rick Poynor (3) / Allworth Press, 1994 (1), 1997 (2), 1999 (3), 2002 (4), 2007 (5)

Um livro sobre design gráfico sem nenhuma imagem e muito (mas muito mesmo) texto parece demasiado esquisito, mas esse era o escopo do primeiro *Looking Closer* de 1994, uma antologia de críticas e textos sobre design, que foi emergindo lenta e veemente, com o passar dos anos, em revistas e periódicos do ramo.

Agora com cinco volumes e contento 254 ensaios de 165 autores, *Looking Closer* apresenta uma amostragem clara do tipo de crítica que a arte e a arquitetura vêm tendo ao longo dos anos, certamente consolidando sua importância, e agora é a vez do design gráfico.

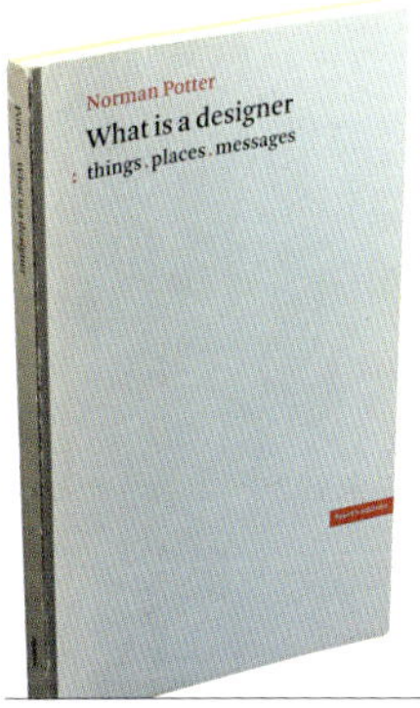
Norman Potter
What is a designer
: things . places . messages

WHAT IS A DESIGNER? THINGS, PLACES, MESSAGES, por Norman Potter / Studio Vista, 1969 (1. ed.); Hyphen Press, 1980 (2. ed.), 1989 (3. ed.), 2002 (4. ed.)

Pode parecer surpreendente que os conselhos mais sólidos e as descrições mais bem embasadas do que é e do que faz um designer tenham origem no final dos anos 1960, com um fabricante de armários. É claro que isso não diminui as realizações profissionais de Norman Potter nem apagam seu sucesso como professor e escritor, mas enfatizam que as áreas de arquitetura, design gráfico, interiores e produto e, sim, fabricação de armários compartilham um conjunto de princípios éticos, práticos e intelectuais que orientam os profissionais – todos rigorosa e vividamente apresentados neste livro.

How/to/be/a graphic/designer/without/losing/your/soul/

HOW TO BE A GRAPHIC DESIGNER WITHOUT LOSING YOUR SOUL, por Adrian Shaughnessy / Princeton Architectural Press, 2005

Embora não exista uma lista de pontos sobre como se afferar à proverbial alma dos designers, Adrian Shaughnessy, a partir de mais de 20 anos de experiência na sua própria empresa de design, expõe todos os aspectos menos glamurosos de se tornar um desiger gráfico e permanecer como tal. Sem dourar a pílula, Shaughnessy escreve sobre o que se passa em entrevistas, no desenvolvimento de uma carreira de freelancer, para abrir um estúdio novo, administrar o referido estúdio, ganhar clientes e o vacilante ato de autopromoção. Apoiado por entrevistas com um elenco de designers de renome internacional, este livro pode ser tão significativo quanto um título universitário na educação de designers gráficos.

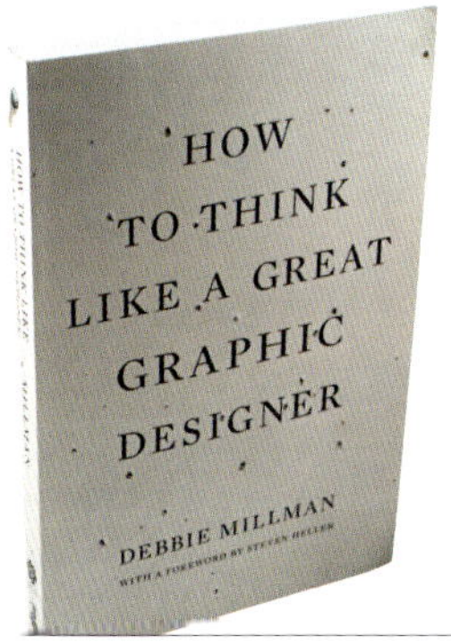
HOW TO THINK LIKE A GREAT GRAPHIC DESIGNER
DEBBIE MILLMAN

HOW TO THINK LIKE A GREAT GRAPHIC DESIGNER, por Debbie Millman / Allworth Press, 2007

Este realmente não é um livro na linha "como fazer", como o título talvez levasse você a pensar – e, talvez, usando quase as mesmas palavras, mas em ordem diversa, *How Great Graphic Designers Like to Think* (Como Grandes Designers Gráficos Gostam de Pensar) resultasse num título melhor. No livro, Debbie Millman oferece um olhar distinto a respeito das vidas, mentes, temores sonhos e promessas de alguns dos profissionais de maior sucesso no ramo. Ela trata seus entrevistados com tal empatia que extrai respostas sobre as realidades de ser um designer gráfico, indo além das conquistas ou estética para revelar as pessoas por trás das obras.

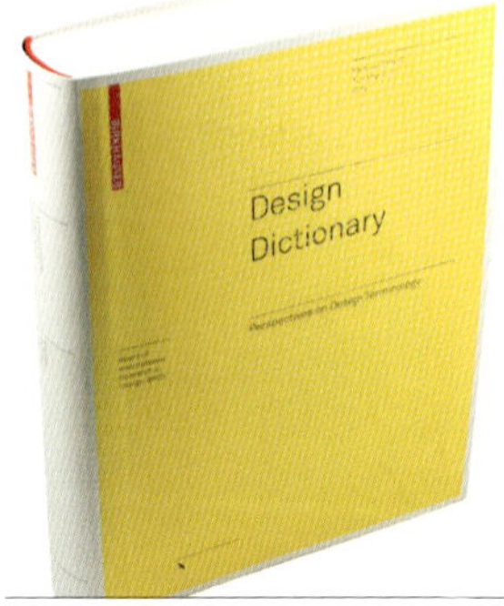
Design
Dictionary

DESIGN DICTIONARY, Editado por Michael Erlhoff, Timothy Marshall / Birkhäuser, 2008

Como o título implica e como seu subtítulo, *Perspectivas sobre a Terminologia do Design*, aprofunda, o *Dicionário de Design* é um tomo abrangente, contendo mais de 250 definições extraídas do mundo do design, cada uma delas escrita por um dos 110 colaboradores espalhados ao redor do mundo. De modo incansável, o livro abrange termos extremamente específicos tais como "flyer", "gimmick" e "intellectual property", bem como assuntos bastante abertos tais como processo de design, olhar, sensação e responsabilidade. Excluindo setas e pequenos pássaros decorativos, o livro é um tomo denso de 472 páginas repletas de definições. Às vezes, mil palavras valem mais do que uma imagem

DESIGN
WRITING
RESEARCH
WRITING
ON
GRAPHIC
DESIGN

DESIGN WRITING RESEARCH, por Ellen Lupton, Abbott Miller / Kiosk, 1996; Phaidon 1999

Com o mesmo nome da empresa criada por Ellen Lupton e Abbott Miller em 1985, *Design Writing Research* é uma coleção de ensaios sobre uma diversidade de temas como desconstrução, iconografia, Andy Warhol e fotografia – escritos de maneira lúcida e com propósito. Também inclui uma linha do tempo incomum sobre a história do design. Além do seu entusiamante conteúdo, o livro demonstra a eficácia do modelo designer-autor, em que tanto o texto como o layout se beneficiam de pontos de vistas paralelos e combinados.

NO MORE
RULES
GRAPHIC
DESIGN AND
POSTMODERNI
SM
RICK POYNOR

NO MORE RULES: GRAPHIC DESIGN AND POSTMODERNISM, por Rick Poynor / Laurence King Publishing, Yale University Press, 2003

Como um dos mais recentes "ismos" no design gráfico, o pós-modernismo não tem a clareza de uma definição convencional e consensual que existe para outros "ismos". Com o *No More Rules*, Rick Poynor percorre o desconstruído e o teorizado para encontrar o elo comum, ou talvez não comum, que une os anos tumultuados de meados da década de 1980 até meados de 1990. Mas ao invés de seguir uma linha cronológica, Poynor adota uma perspectiva baseada nas características definidoras: desconstrução, apropriação, tecnologia, autoria e oposição. Ilustrado com alguns dos mais populares trabalhos do período, *No More Rules* é um retrato crítico de uma época.

of Excellence

MARKS OF EXCELLENCE, por Per Mollerup / Phaidon, 1997

A simplicidade memorável da maioria dos logotipos esconde a complexidade de sua criação, bem como as possíveis infinitas direções nas quais um logotipo qualquer pode ser desenvolvido. O livro analítico de Per Mollerup celebra o poder dessa simplicidade, enquanto apresenta uma classificação assertiva, fornecendo uma base sólida para a discussão entre os designers a respeito do design de logotipos. Após estabelecer o referencial histórico, Mollerup organiza alguns dos logotipos mais reconhecidos no mundo conforme o motivo – animais, corações, mitologia, ondas e assim por diante –, criando uma visão abrangente da rica atividade de criação de marcas e identidades corporativas.

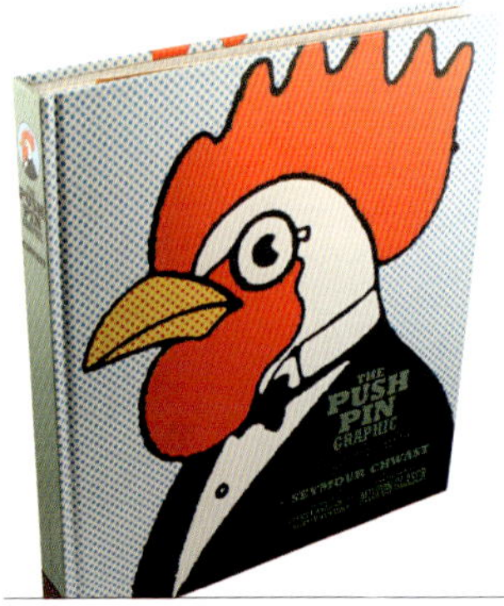
THE
PUSH
PIN
GRAPHIC
SEYMOUR CHWAST

THE PUSH PIN GRAPHIC, por Seymour Chwast, editado por Steven Heller e Martin Venezky / Chronicle Books, 2004

Para muitos designers, particularmente aqueles que iniciaram suas carreiras após os anos 1980, o eclético Push Pin Graphic, publicado pelo Push Pin Studio de 1957 a 1980, é uma coleção influente e com status de lenda – é, acima de tudo, impossível de ser experimentada pessoalmente uma vez mais. Nesta ode de 256 página dedicada ao periódico, são representadas suas capas e algumas das ilustrações internas mais relevantes, permitindo que as novas gerações se fartem nessa mistura de sucesso entre ilustração, design, texto e edição que fez com que Push Pin fosse um publicação tão cobiçada.

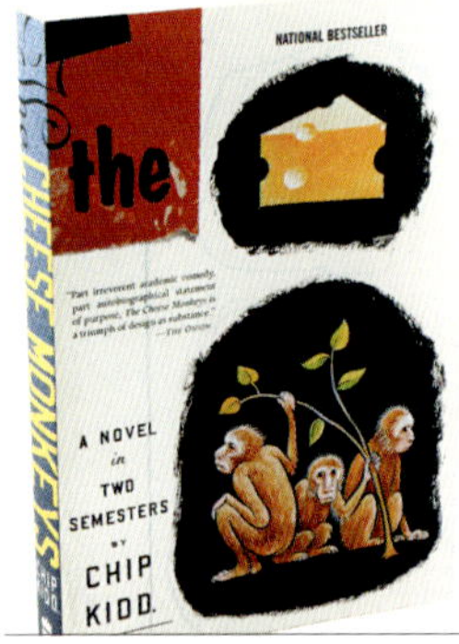
NATIONAL BESTSELLER
the
A NOVEL
in
TWO
SEMESTERS
by
CHIP
KIDD

THE CHEESE MONKEYS, por Chip Kidd / Scribner, 2001; Perennial, 2002; Harper Perennial, 2008

Como uma de fonte de informação – especialmente se constratado com as monografias, pesquisas e antologias apresentadas neste capítulo – um romance pode não parecer uma escolha apropriada; ainda assim, o mundo criado por Chip Kidd ao redor de seu personagem principal, Happy, e sua experiência de frequentar uma faculdade de artes numa universidade estadual no final dos anos 1950 traz uma sensação de se viver o que os personagens passavam nas mãos de um tirânico professor de arte comercial, Winter Sorbeck, e com as tendências amalucadas da professora de desenho, Dorothy Spang. As críticas carregadas de ansiedade na aula de Sorbeck devem despertar as memórias e dar calafrios em qualquer designer.

Monografias com ênfase no trabalho de um único designer gráfico ou empresa de design são passíveis de uma relação de amor e ódio por parte dos leitores – e não leitores. Nos extremos do espectro da apreciação, monografias podem ser consideradas interessantes ou autocongratulatórias, abrangentes ou autoindulgentes e, basicamente, necessárias ou desnecessárias. A despeito das preferências pessoais, monografias, se bem feitas, são coleções cuidadosamente editadas de trabalhos que exemplificam o melhor que um designer ou empresa de design têm a oferecer, além de darem uma ideia do que é o processo de criação e confirmam a necessidade de sua publicação.

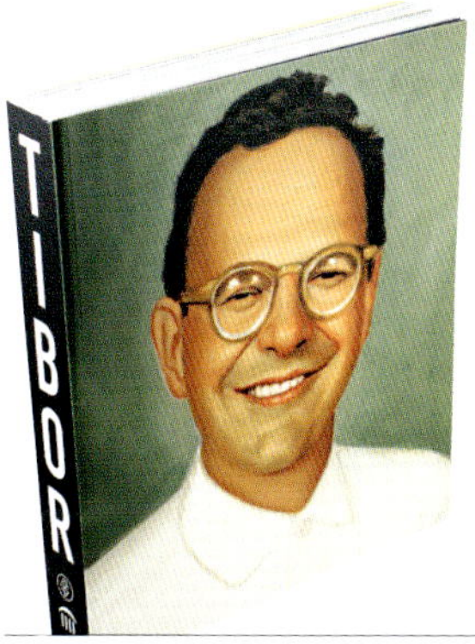
TIBOR

***TIBOR KALMAN, PERVERSE OPTIMIST*, Editado por Peter Hall and Michael Bierut / Booth-Clibborn Editions, Princeton Architectural Press, 1998**

tollesondesign

***SOAK WASH RINSE SPIN*, por Tolleson Design / Princeton Architectural Press, 2000**

Paul Rand

***PAUL RAND*, por Steven Heller / Phaidon Press, 2000**

SCHER

***MAKE IT BIGGER*, por Paula Scher / Princeton Architectural Press, 2002**

THE END OF PRINT:
THE GRAPHIC DESIGN OF DAVID CARSON

***THE END OF PRINT*, por Lewis Blackwell e David Carson / Chronicle Books, 1995 (1. ed.), 2000 (2. ed.)**

***ROBERT BROWNJOHN: SEX AND TYPOGRAPHY*, por Emily King / Laurence King Publishing, Princeton Architectural Press, 2005**

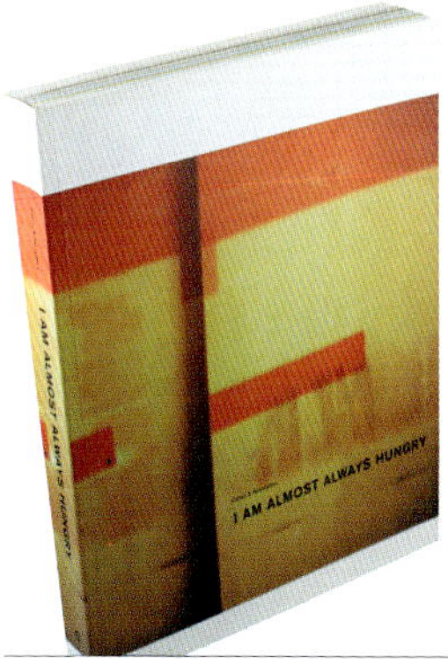

***I AM ALMOST ALWAYS HUNGRY*, por Cahan & Associates / Princeton Architectural Press, 1999**

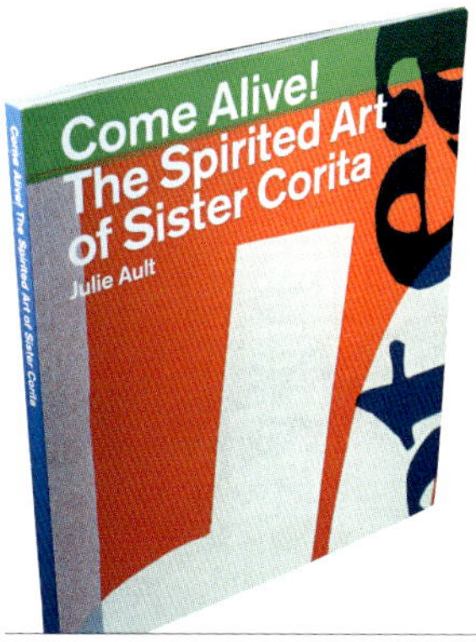
Come Alive!
The Spirited Art
of Sister Corita
Julie Ault

***COME ALIVE! THE SPIRITED ART OF SISTER CORITA*, por Julie Ault / Four Corners Books, 2007**

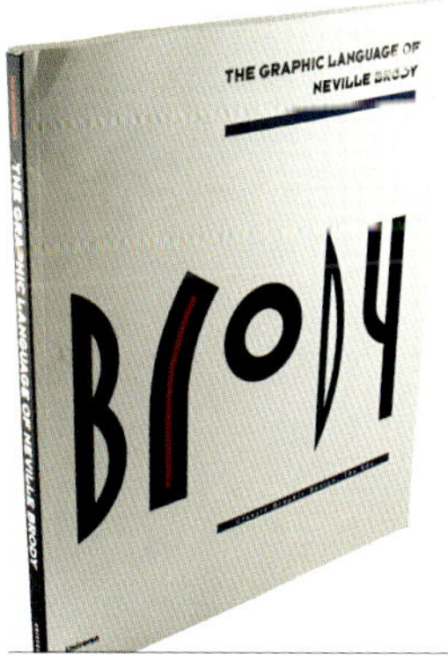
BRODY

***THE GRAPHIC LANGUAGE OF NEVILLE BRODY*, por Jon Wozencroft / Universe, 1988**

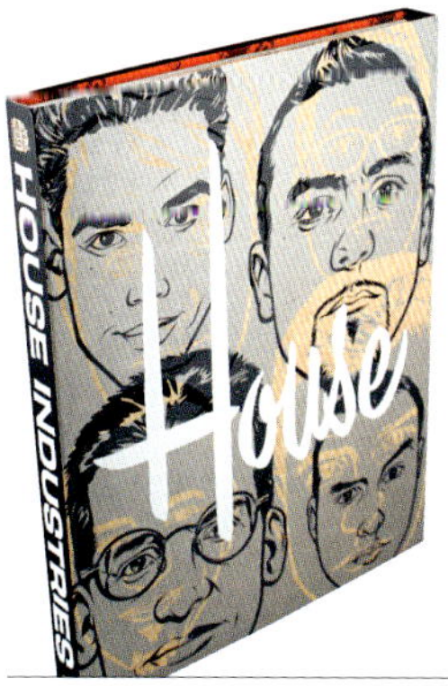
HOUSE INDUSTRIES
House

***HOUSE INDUSTRIES*, por House Industries / Die Gestalten Verlag, 2003**

***EMOTION AS PROMOTION*, por Rick Valicenti / Monacelli, 2005**

Designed by Peter Saville

***DESIGNED BY PETER SAVILLE*, por Peter Saville, Editado por Emily King / Princeton Architectural Press, 2003**

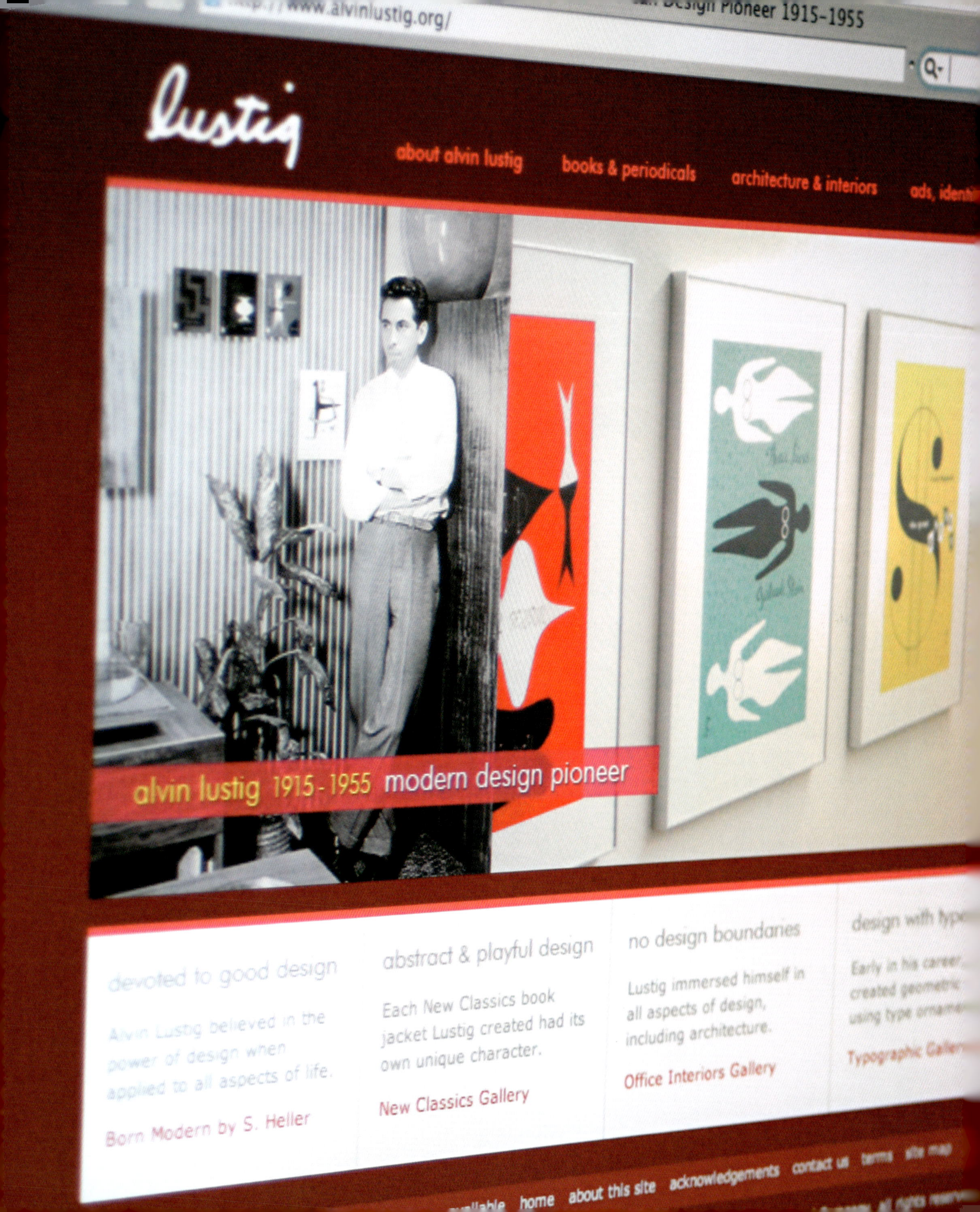

www.alvinlustig.org/
Design Pioneer 1915-1955
lustig
about alvin lustig
books & periodicals
architecture & interiors
alvin lustig 1915-1955 modern design pioneer
devoted to good design
Alvin Lustig believed in the power of design when applied to all aspects of life.
Born Modern by S. Heller
abstract & playful design
Each New Classics book jacket Lustig created had its own unique character.
New Classics Gallery
no design boundaries
Lustig immersed himself in all aspects of design, including architecture.
Office Interiors Gallery
home
about this site
acknowledgements
contact us
terms
site map

CONHECIMENTO
Online

112

Blogs, Fóruns e Diários

Enquanto o imediatismo e a interatividade dos blogs, fórum e outros diários e revistas movidos por comentários não matem as revistas, livros ou jornais impressos, como se temia, instigam uma nova forma de diálogo entre autor e públicos que, no contexto adequado, eleva o nível do debate por contemplar diferentes pontos de vista. No design gráfico, em que os meios de comunicação são majoritariamente visuais, a propagação da palavra escrita fez com que a nova geração de designers desenvolvesse uma voz que pudesse facilmente encontrar um público e provocasse a geração mais velha a adaptar sua experiência a um novo meio, criando um campo livre para se descobrir quem tem a última palavra sobre design. Felizmente, ninguém tem.

115

Arquivos, Referências e Acervos

Com servidores de grande capacidade capazes de abrigar uma grande quantidade de imagens e documentos – garantidos desde que alguém assuma a responsabilidade de fornecer dados, pagar a manutenção dos servidores e atualizar os links na rede –, a internet é um ambiente em florescimento, onde coleções de design efêmero, artigos e ensaios fora de circulação ou arquivos com coleções de um designer podem ser compartilhados globalmente, de modo relativamente fácil, seja sob os cuidados de alguns indivíduos ou gerados por centenas de usuários. Esses gestos generosos – mais comumente do que se imagina, todo esse conteúdo é gratuito – oferecem a oportunidade para mergulhar em imagens ou palavras que, de outro modo, permaneceriam inacessíveis ou, pior, esquecidos.

117

Podcasts e Rádio Online

As entonações singulares, a acústica e cadências da palavra falada podem avivar a maioria dos assuntos, inclusive o design gráfico. Com a improbabilidade de um programa numa emissora AM ou FM dedicado somente ao design gráfico compensada pela facilidade de criação e acessibilidade de arquivos de áudio digital que podem ser armazenados, compartilhados e baixados, uma série de entrevistas com designers tem sido transmitidas na internet, dando aos designers um conteúdo relativamente novo pelo qual aprendem sobre sua área e os respectivos profissionais. Além disso, palavras como *Helvetica*, *Spiekermann* e *kern* soam mais exóticas quando faladas do que escritas.

Detalhe de **ALVINLUSTIG.ORG** / Kind Company / EUA, 2006

Typo-L

LISTSERV.HEANET.IE / LISTS / TYPO-L.HTML

Anterior crescimento dos blogs e dos fóruns, um modo hoje quase pré-histórico de grupo de discussão através de email – uma lista de discussão – onde um grupo de pessoas se inscrevia e enviava perguntas e respostas. Em 1992, para apoiar o desenvolvimento do TeX, um software popular de composição de livros sobre ciência da computação, matemática e física. Peter Flynn começou o Typo-L para discutir as minúcias do design de letras e prática da composição. À medida que a lista se expandia para além do seu público inicial, designers gráficos e de fontes, desenvolvedores e outras partes interessadas se inscreviam na Typo-L. Compartilhavam listas de leituras e discutiam tudo, de ligamentos a acentos, modernismo e David Carson › 186, com uma energia ilimitada, permitida por este novo modo de comunicação global. A grande maioria dos assinantes foi para os blogs e fóruns no início dos anos 2000, mas Typo-L continua – um email de cada vez.

Typophile

TYPOPHILE.COM

Em abril de 2000, os designers Jared Benson e Joe Pemberton, ambos de São Francisco, lançaram Typophile como repositório de arquivos exclusivos e interativos sobre tipografia, desenvolvidos por Jonathan Hoefler › 230. Juntamente com este, havia os fóruns crescentemente mais populares onde bastava fazer uma inscrição para iniciar uma discussão (normalmente acalorada), disponibilizar um tipo de letra em desenvolvimento para que fosse avaliado pelo público ou desafiar o crescente grupo de leitores para que identificasse o tipo de letra em uso. Desde sua criação, Typophile engajou a relativamente pequena comunidade dos designers e desenvolvedores de tipos numa interminável torrente de discussões, atraindo os mais fervorosos profissionais. Benson e Pemberton lançaram o Thypophile Filme Festival em 2004 para que coincidisse com a conferência TypeCon › 249 daquele ano, em São Francisco, e a coleção de animações e filmes baseados em tipos de letras foi recebida por uma plateia cheia.

Typographica

TYPOGRAPHICA.ORG

Originalmente editado por Joshua Lurie-Terrell e Stephen Coles, sendo que este último é o único editor atualmente, Typographica – sem relação com o periódico homônimo editado por Herbert Spencer › 95 – foi lançado em 2002, um dos primeiros blogs do ramo a funcionar com múltiplos autores de vários cantos do mundo, discorrendo sobre tipografia e criação de tipos de letras. Dezenas de autores contribuíram durante anos, com mais ênfase durante os primeiros três anos, à medida que o Typographica publicava texto após texto para um público entusiasmado que ia aprendendo o código de boas maneiras em blogs. Para atrair ainda mais a participação dos leitores, o Typographica os encorajava a publicar suas propostas de tipos para serem usados no título da página. Desde 2006, para tristeza de muitos, o Typographica esteve ativo por breves períodos, oferecendo apenas um resumo anual dos novos tipos de letras com as resenhas feitas pelos leitores.

TYPO-L Archives
April 1993

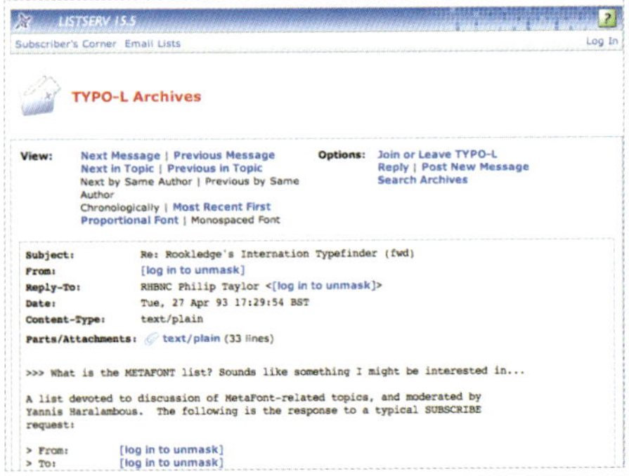
TYPO-L Archives

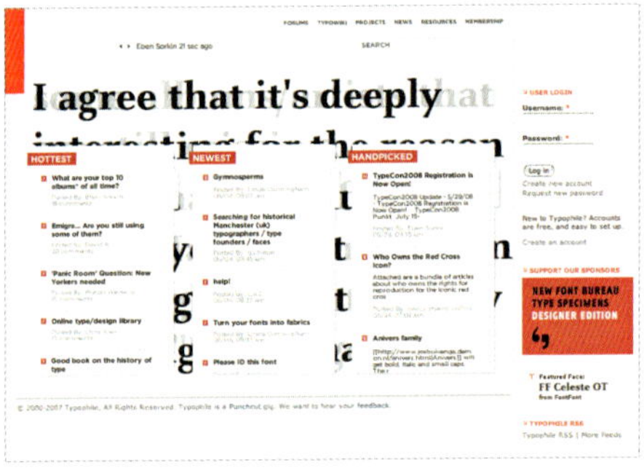
I agree that it's deeply

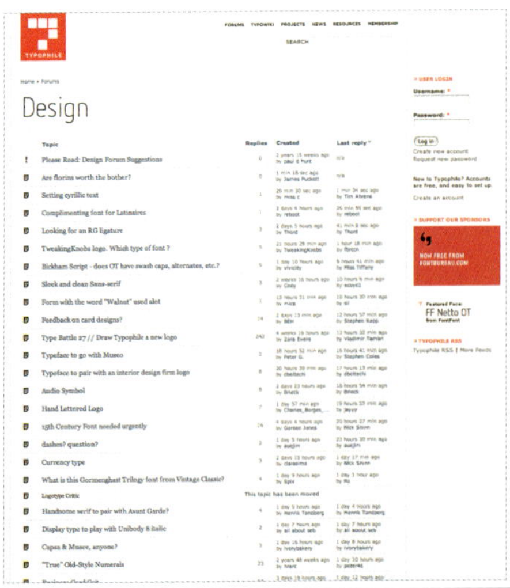
Design

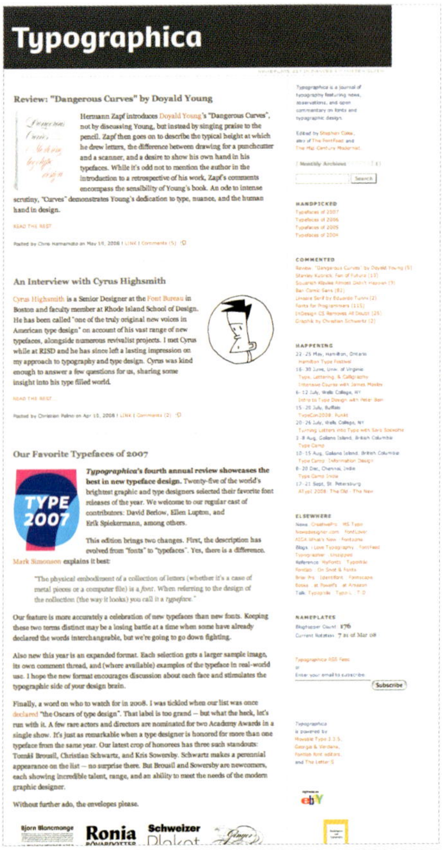
Typographica

Speak Up

UNDERCONSIDERATION.COM / SPEAKUP

Sem ter sido o primeiro blog a falar sobre design, nem o último, Speak Up foi o primeiro a ter um grande número de seguidores na indústria nas suas calorosas discussões sem limites, alimentadas por um grupo flutuante de autores que iniciavam as discussões e uma crescente congregação de comentaristas que davam continuidade a elas. Criado em 2002 por Armin Vit – que já fora exposto aos blogs por ser um dos autores de Typographica – e Bryony Gomez-Palacio, Speak Up cresceu durante três anos à medida que fazia a crônica e a crítica de eventos, livros e da produção em geral de designers gráficos. Buscando continuamente a participação de seus leitores, Speak Up promoveu uma série de concursos, fornecia uma palavra por mês para que os leitores pudessem ilustrá-la usando a ferramenta Word It, e isso serviu como plataforma de lançamanto de eventos como seriouSerie e publicações como *Stop Being Sheep*;

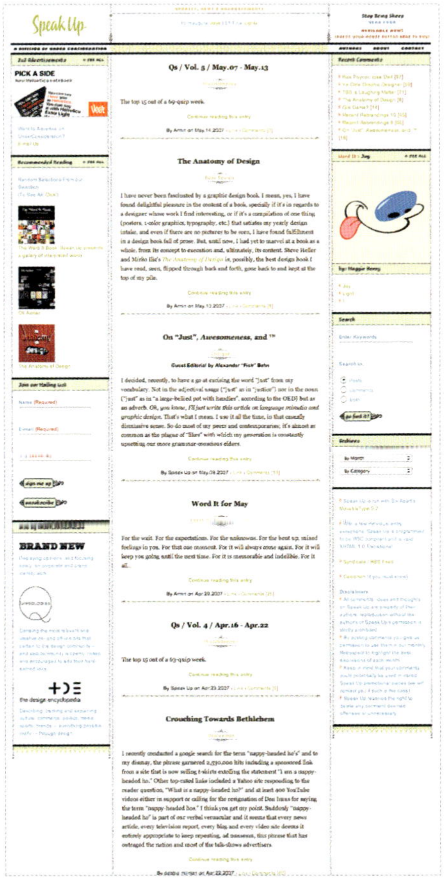
Speak Up
Qs / Vol. 5 / May.07 - May.13
The Anatomy of Design
Word It for May
Qs / Vol. 4 / Apr.16 - Apr.22
Crouching Towards Bethlehem

Design Observer

DESIGNOBSERVER.COM

Enquanto jornalistas e escritores tradicionais poderavam os ganhos e os problemas dos blogs, quatro dos escritores mais importantes da indústria do design gráfico e profissionais com anos de experiência – Michael Bierut › 203, William Drenttel, Jessica Helfand e Rick Poynor › 237 – inesperadamente, lançaram Design Observer em 2003. Tratando de maneira geral os tópicos de negócios, cultura, arte, política e arquitetura no que havia de intersecção com o design, os quatro autores rapidamente ganharam um grande público com textos tipicamente longos e poderados. Em sua maior parte, as discussões que se seguiam iam no mesmo padrão, embora algumas trocas de mensagens mais explosivas não fossem raras. Com o passar dos anos, outros escritores experientes, que escrevem profissionalmente – como Steven Heller › 238, Alice Twemlow › 241, e Tom Vanderbilt –, juntaram-se ao Design Observer para fortalecer a qualidade do texto e da pesquisa que raramente é associada aos blogs.

DESIGNOBSERVER
Reflections on The Ephemeral World, Part One: Ink
The (Faux) Old Ball Game
Polling Place Photo Project on Super Tuesday

VOICE: AIGA Journal of Design

VOICE.AIGA.ORG

Enquanto o AIGA buscava um novo canal para a crítica escrita que atingisse seus membros, aproveitou a crecente aceitação dos textos online sobre design e lançou VOICE, em 2004, com Steven Heller › 238 como editor. Livre dos custos e da logística de um periódico impresso, VOICE foi capaz de publicar os artigos assim que ficavam disponíveis e de atrair um número variável de colaboradores, incluindo críticos e escritores veteranos como Ralph Caplan › 238, Ellen Lupton › 240, Phil Patton e Véronique Vienne. Ainda que não seja um catalisador de comentários imediatos como outros blogs e fóruns, VOICE transmite um tom de autoridade emprestado de sua organização e expande a tradição de crítica e escritos sobre design iniciada em 1947 com o *AIGA Journal of Graphic Design* › 105, muito antes que o botão "post" fosse sequer uma ideia.

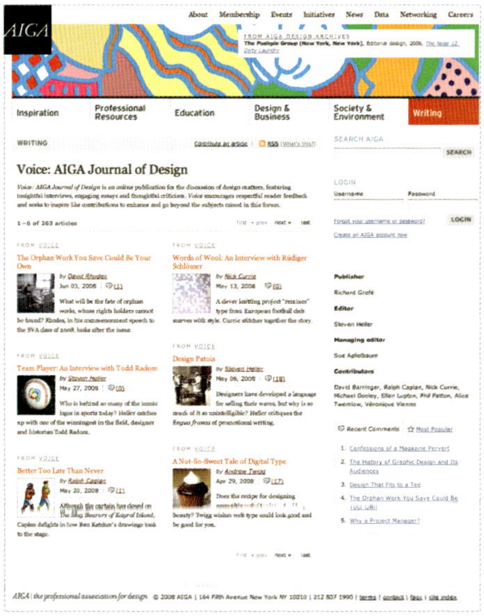
AIGA
Inspiration
Professional Resources
Education
Design & Business
Society & Environment
Writing
Voice: AIGA Journal of Design
The Orphan Work You Save Could Be Your Own
Words of Wool: An Interview with Rüdiger Schlömer
Team Player: An Interview with Todd Radom
Design Patois
Better Too Late Than Never
A Not-So-Sweet Tale of Digital Type

Core77
CORE77.COM

Em 1995, quando eram estudantes de pós-graduação em design industrial no Pratt Institute, Stuart Constantine e Eric Ludlum apresentaram o Core77 como sua tese: adotando o meio nascente de design de websites e interfaces para consolidar informações e recursos sobre sua futura profissão. Desde o início, Core77 atraiu um público amplo e fiel que contribuía avidamente com artigos, recursos, ofertas de emprego, entre outros, o que fez com que se tornasse um site de referência para designers industriais. Allan Chochinov juntou-se ao grupo em 2000, no papel de sócio, e tem supervisionado o desenvolvimento consistente da voz editorial e da comunidade do Core77, incluindo um blog popular e os artigos publicados, além de publicações e eventos offline. Dentre os fóruns que estão ligados, há o 1 Hour Design Challenge (Desafio de Design em 1 Hora), onde os leitores são convidados a apresentar conceitos e esboços para coisas como calçados para ciclismo ou melhorar uma ducha. A despeito da ênfase em design industrial, muito de seu conteúdo é relevante para qualquer empreendimento criativo.

core77
design magazine & resource
The Crowd Will Save Us
(Re)make it New
Wednesday, August 20, 2008
IMD Awards 2008 nearing completion
Creative Seeds
MOST POPULAR POSTS
FEATURED EVENTS
mind your own business
DISCUSSION THREADS
Poor man's CNC

A List Apart
ALISTAPART.COM

Mais do que apenas o número ISSN (Numéro de Série Padrão Internacional) 1534-0295 que a identifica como publicação periódica eletrônica, A List Apart é um site que tem influenciado o modo como se pratica o webdesign. Lançado como uma lista de discussão em 1997 pelo desenvolvedor de web, Brian M. Platz, e pelo escritor e webdesigner, Jeffrey Zeldman, congregou uma audiência de 16.000 assinantes em meses. Em 1998, migrou para a web para estabelecer um consistente fluxo de artigos informativos criados e editados por Zeldman e sua equipe e organizados seguntos os tópicos Código, Conteúdo, Cultura, Design, Processo e Usabilidade, sobe a premissa de desenvolver conteúdo para "pessoas que fazem websites". Liderando com seu próprio exemplo, A List Apart foi um dos primeiros sites a adotar o layout em folha contínua já em 2001 – em outras palavras, uma grande coisa para quem se dedica a falar sobre a web.

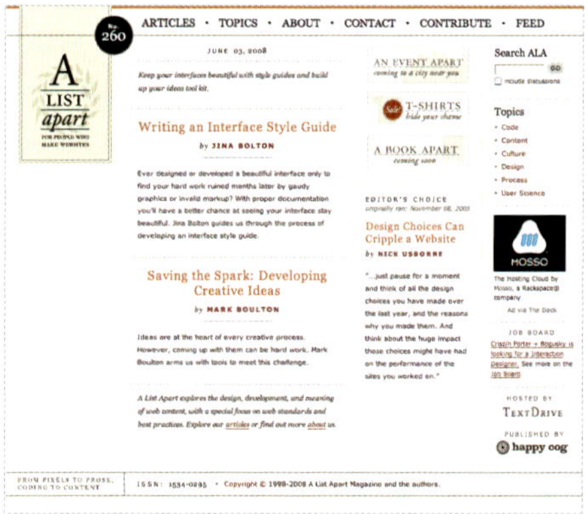
ARTICLES · TOPICS · ABOUT · CONTACT · CONTRIBUTE · FEED
A LIST apart
Writing an Interface Style Guide
Saving the Spark: Developing Creative Ideas
Design Choices Can Cripple a Website
Search ALA
Topics

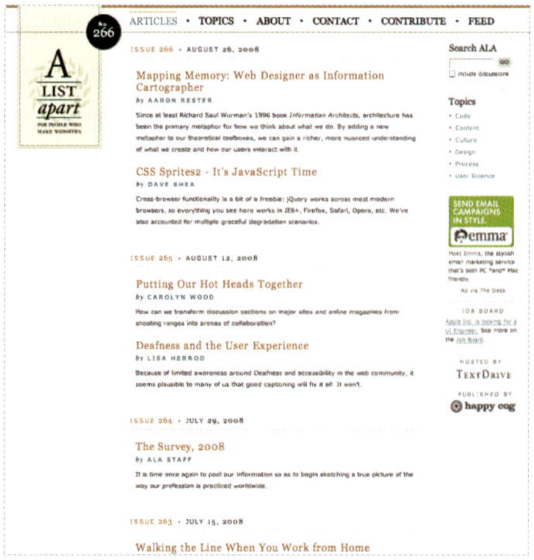
ARTICLES · TOPICS · ABOUT · CONTACT · CONTRIBUTE · FEED
A LIST apart
Mapping Memory: Web Designer as Information Cartographer
CSS Sprites2 - It's JavaScript Time
Putting Our Hot Heads Together
Deafness and the User Experience
The Survey, 2008
Walking the Line When You Work from Home

Typotheque
TYPOTHEQUE.COM / ARTICLES

Na web para complementar a existência do Typotheque na web, o escritório de criação de letras criado por Peter e Johanna Bilak, em Haia, há esta seleção crescente e abrangente de artigos, disponível na web de modo bastante simples desde 2001 – talvez a única antologia online com um curador com artigos críticos a respeito de tipografia. Enquanto alguns artigos são reproduções de textos antigos publicados em revistas e periódicos, incluindo o famoso artigo de 1993, "Cult of the Ugly"(Eye), por Steven Heller › 238 –, Typotheque também oferece material inédito obtido de apresentações e aulas, bem como dispõe de muitas resenhas de livros e entrevistas. Com mais de 140 artigos em inglês, espanhol, francês, alemão, italiano e coreano, o Typotheque oferece uma visão global do que se escreve sobre design e sua crítica.

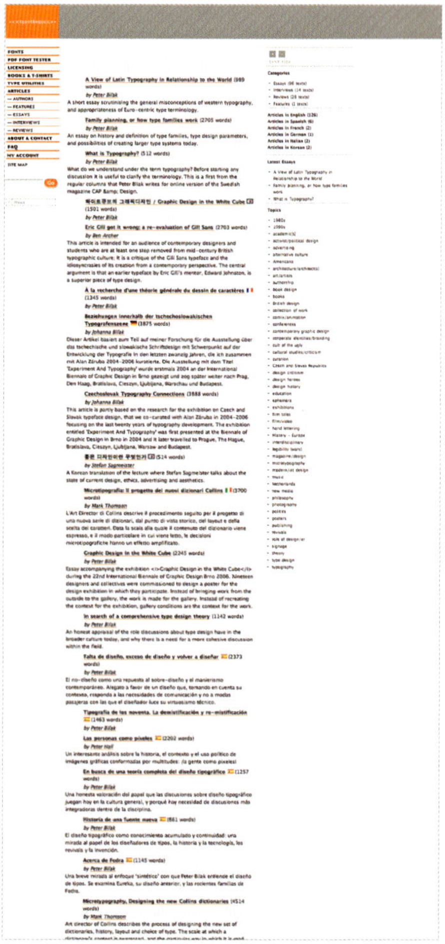

Página de Cartazes Rene Wanner's

POSTERPAGE.CH

O mundo do design de cartazes é interncionalizado e cada local tem sua cota de heróis, exposições e competições. Fazendo a crônica desse mundo, em detalhes, está Rene Wanner, um PhD em física experimental que também é um colecionador de cartazes. Atualmente aposentando e vivendo numa pequena cidade na Suíça, Wanner iniciou seu website em 1997 como um modo de expor sua considerável coleção de cartazes que ele iniciara em 1977, numa viagem a Varsóvia, Polônia. Mantendo ele mesmo o site, Wanner cria exposições virtuais apresentando o trabalho de um específico criador de cartazes, mantém os registros de ganhadores de bienais, publicações de livros e catálogos, além de galerias de fotos que os leitores enviam do mundo todo. Tudo isso se junta a um grande arquivo de cartazes que, de outro modo, parmaneceria desconhecido de muitos.

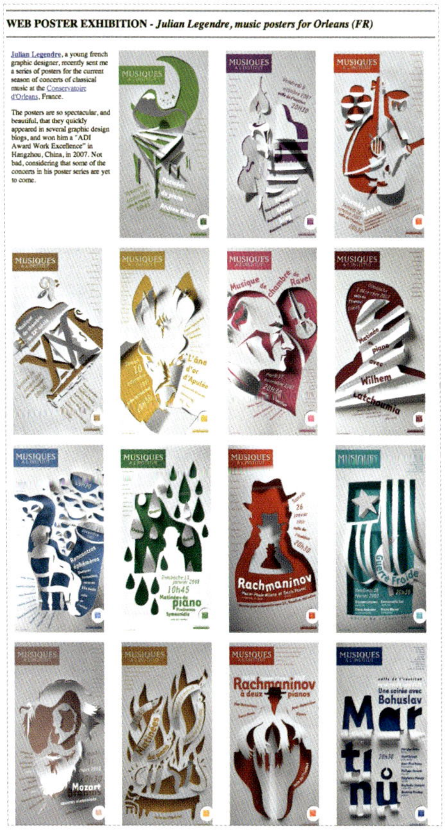
WEB POSTER EXHIBITION - Julian Legendre, music posters for Orleans (FR)
Julian Legendre, a young french graphic designer, recently sent me a series of posters for the current season of concerts of classical music at the Conservatoire d'Orleans, France.
The posters are so spectacular, and beautiful, that they quickly appeared in several graphic design blogs, and won him a "ADI Award Work Excellence" in Hangzhou, China, in 2007. Not bad, considering that some of the concerts in his poster series are yet to come.
MUSIQUES
Rachmaninov

BibliOdyssey

BIBLIODYSSEY.BLOGSPOT.COM

Em 2005, Paul K – ou peacay, ou PK, ou ainda, qualquer coisa que oculte sua personalidade real em benefício do conteúdo que apresenta – lançou BibliOdyssey, um blog que contém algumas das mais incríveis ilustrações de livros raros, arte gráfica, textos especiais, litografias e impressões da Renascença que se podem encontrar online, criando, assim, uma dicotomia interessante entre trabalhos seculares apresentados num meio com duas décadas de idade. Paul se aventura na web com incrível zêlo, passando por bibliotecas digitais, arquivos culturais e sites de trocas de livros. Ele é auxiliado por ilustradores, bibliotecários, historiadores, bibliófilos, arquivistas e outros blogueiros que fornecem ajuda e dicas. Além das imagens que chamam a atenção, Paul escreve comentários perspicazes sobre o artista, bem como a coleção de origem. Após apenas dois anos, Paul publicou o livro adequadamente entitulado BibliOdyssey: Amazing Archival Images from the Internet (BibliOdisseia: incríveis imagens de aquivos da internet), trazendo uma grande parcela do seu conteúdo para o papel impresso.

BibliOdyssey
The Cheerful Cricket
THE CHEERFUL CRICKET AND OTHERS
THE CHEERFUL·CRICKET AND OTHERS WITH TUNES

Grain Edit

GRAINEDIT.COM

Dando ênfase ao design gráfico produzido entre os anos 1950 e 1970 bem como do trabalho moderno influenciado pela estética desses períodos, Grain Edit fornece um fluxo constante de nostalgia visual na forma de fontes, cartazes, selos postais, livros, capas de dicos e outros materiais efêmeros de várias partes do mundo. Editado pelo californiano David Cuzner desde 2007, o site também realiza entrevistas com designers que seguem a mesma linha do site e cujos trabalhos são expostos regularmente. Cuzner também busca exemplos de sua própria biblioteca, mostrando fotos de livros raros, catálogos, mapas, revistas que raramente deixam de provocar um suspiro de nostalgia por esse tipo de trabalho.

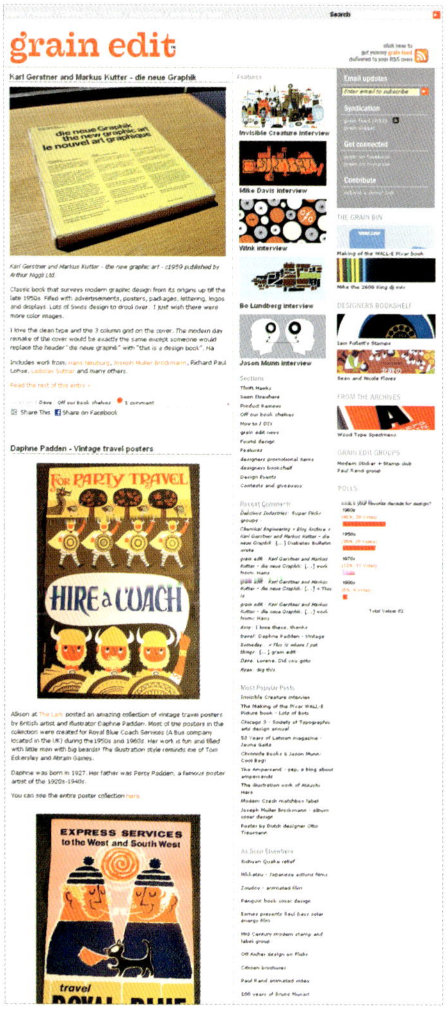
grain edit
Karl Gerstner and Markus Kutter - die neue Graphik
Daphne Padden - Vintage travel posters
FOR PARTY TRAVEL
HIRE a COACH
EXPRESS SERVICES to the West and South West

The Design Encyclopedia

THEDESIGNENCYCLOPEDIA.ORG

Concebida por Bryony Gomez-Palacio e Armin Vit, da UnderConsideration, e feita pela House of Pretty, de Chicago, a Encyclopedia foi lançada em 2003 pegando carona no interesse crescente, seja positivo ou negativo, na Wikipedia, lançada em 2001. Usando e reconhecendo a mesma presmissa na qual os usuários podem criar e modificar conteúdos, a Design Encyclopedia busca captar o máximo de informação e imagens encontradas online, bem como referências a publicações e material impresso para criar um repositório de informações e recursos sobre a ampla atividade do design. A despeito de sua evolução lenta, a Design Encyclopedia, oferece mais de 600 verbetes abrangendo tudo, desde Dungeons and Dragons a *Emigre* › 100, de Herb Lubalin › 167 a Steve Jobs. Um capítulo especial é dedicado ao arquivamento de teses e trabalhos estudantis e outros artigos que não teriam o benefício de uma publicação com maior circulação.

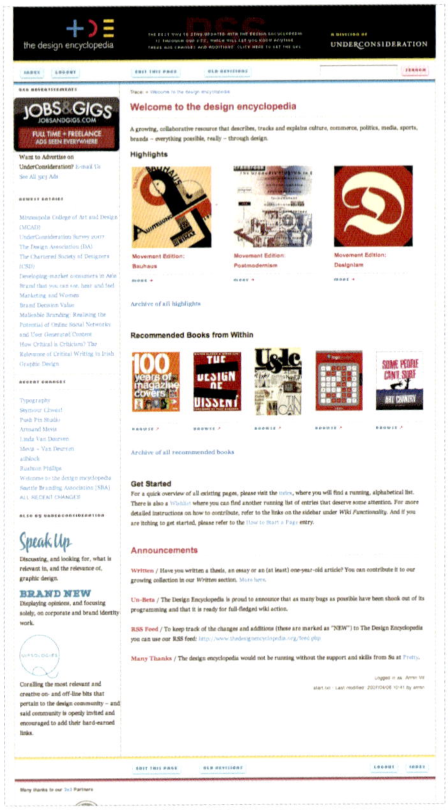
the design encyclopedia
UNDERCONSIDERATION
Welcome to the design encyclopedia
Highlights
Recommended Books from Within
Get Started
Announcements

Alvin Lustig

ALVINLUSTIG.ORG

Num mundo idealizado do século XXI, todo personagem histórico teria um endereço na web associado ao seu trabalho, com o site contendo um coleção detalhada de seu trabalho, extensa e detalhada biografia, referências bibliográficas e quaisquer outros materiais que pudessem funcionar como um arquivo em expansão, recurso educacional ou meramente como inspiração. Um exemplo dessa abordagem está em alvinlustig.org, um website criado em 2005 por Patricia Belen e Greg D'Onofrio, da Kind Company, no Brooklyn. O site congrega os trabalhos e os textos de Alvin Lustig › 144. Com a ajuda de Steven Heller › 238 e Elaine Lustig Cohen, viúva de Lustig, a Kind Company fez uma presença online definitiva para este designer, cuja obra influente tem sido bastante celebrada ainda mais nos dias de hoje.

lustig
alvin lustig 1915-1955 modern design pioneer
STRIAL DESIGN

lustig

AIGA Design Archives

DESIGNARCHIVES.AIGA.ORG

Quando da redação deste livro, mais de 19.000 itens estavam diligentemente catalogados nos arquivos online da AIGA, um site dinâmico, criado em 2005 e que contém os vencedores das competições nacionais da AIGA desde 1925. Criado e realizado pela Second Story, de Portland, Oregon, os arquivos são acessíveis por uma interface extremamente amigável, feita em Flash, que, em animações precisas, traz os resultados de buscas organizados por categorias ou coleção específica e ainda responde de maneira rápida a solicitações de buscas mais refinadas sobre qualquer coisa; desde o tipo de letra usado aos nomes do designer ou da empresa, até os nomes das empresas clientes. Um dispositivo permite que se ampliem quaisquer itens, tais como as fontes de corpo 4 que estavam em moda nos anos 1990, por exemplo.

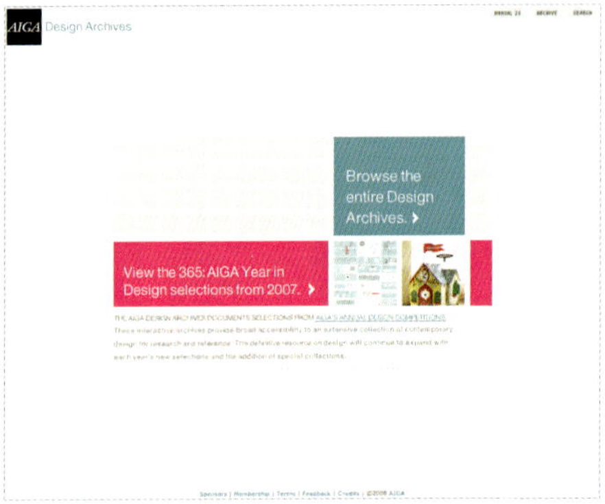
AIGA Design Archives
Browse the entire Design Archives.
View the 365: AIGA Year in Design selections from 2007.

AIGA Design Archives

FFFFOUND!

FFFFOUND.COM

Uma das muitas promessas da internet é a habiliade de domar os interesses de centenas e milhares de usuários para criar uma unidade. NO FFFFOUND!, um site de compartilhamento de bookmarks (endereços favoritos na rede) de imagens desenvolvido pelo pioneiro online, Yugo Nakamura, em 2007, os usuários "encontram" as imagens de que gostam e, ao apertarem um botão, adicionam a imagem a uma homepage infinitamente adaptável. A ênfase é decididamente para o gráfico, com centenas de capas de livros, cartazes, logotipos, ilustrações, fotografias, fontes e experimentos com tipos que adornavam o design relativamente esparso do site FFFFOUND!. A torrente infindável e aleatória de imagens confere uma exposição sem precedentes a uma variedade de obras do mundo todo, gerando um retrato em evolução da cultura visual global.

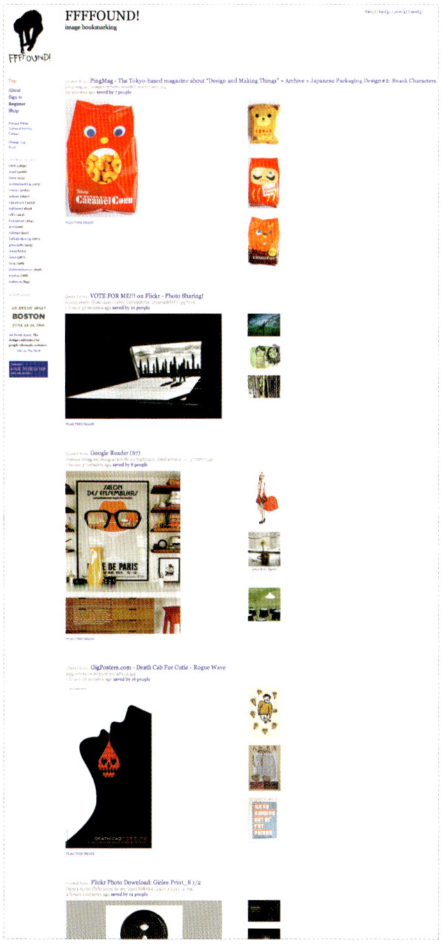
FFFFOUND!
image bookmarking

Design Matters

STERLINGBRANDS.COM / DESIGNMATTERS.HTML

A imagem de um designer gráfico no século XXI tentanto avidamente conseguir uma hora numa sexta-feira de tarde para ouvir um programa de rádio, como se este fosse o único meio de comunicação, parece pouco plausível. Mas esse foi o início de Design Matters (Questões de Design) na rede de rádio online, VoiceAmerica, em 2005, com apresentação da afficionada por marcas, Debbie Millman. Transmitido ao vivo nas sextas – e facilmente obtido para download posterior – Design Matters apresenta conversas animadas entre Millman e sua crescente lista de entrevistados, incluindo os luminares do design como Michael Bierut › 203, Milton Glaser › 170, e Paula Scher › 182, bem como talentos em geral como o escritor Malcom Gladwell, o ganhador do prêmio Nobel, Eric Kandel, e o artista Lawrence Weiner. Criando o clima do programa com um monólogo bem pensado, Millman guia seus entrevistados com questões adequadamente pesquisadas, gracejos extemporâneos e, no geral, uma atitude insolente que mantém os ouvintes ligados.

VOICE AMERICA BUSINESS
current shows
schedules
interests
community
advertise
about us
design matters with debbie millman
CONTENT LIBRARY
NOW PLAYING
Adobe
NEENAH PAPER
modavox

Typeradio

TYPERADIO.ORG

O público da conferência TypoBerlin de 2004 foi brindado com a apresentação da Typeradio, um programa ao vivo transmitido de um estúdio improvisado e por uma microemissora de FM; qualquer pessoa num raio de 1500 metros ou próxima de um dos 20 receptores localizados no local do evento, poderia sintonizar na frequência 92.7MHz e ouvir entrevistas com Stefan Sagmeister › 202 e Peter Saville › 180, entre outros. Typeradio – uma colaboração de Donald Beekman, Liza Enebeis e Underware › 232 (Akiem Helmling, Bas Jacobs, Sami Kortemäki) – tem, desde então, ido a outras conferências ao redor do mundo para fazer entrevistas e debates, enquanto desenvolve programas originais e conteúdo independente das conferências. A sua biblioteca completa, disponível para transmissão online, contém diálogos com mais de 150 designers, escritores e educatores no mundo todo.

Typeradio.org

Walker Art Center / Minneapolis Sculpture Garden

2006 Summer Classes for Kids Ages 3-14

June / July / August

Summer's Cool

Encourage your child's love of learning! Register now for a summer filled with awesome adventures in contemporary art.

CONHECIMENTO

Na Sala de Exposição

120

Museus

Em muitas de suas vertentes, o design gráfico tem sido, apenas de forma intermitente, objeto de exposições ou mostras nas coleções permanentes de museus ao redor do mundo; mas, à medida que a fama da profissão aumenta e o valor de seus artefatos históricos vem à baila, mais e mais museus de arte contemporânea estão exibindo cartazes, logotipos, embalagens e catálogos, com a mesma reverência e cuidado dedicados aos trabalhos de outros artistas. Com retrospectivas individuais de designers ou exposições temáticas, museus oferecem o prazer de ver trabalhos originais que seriam mais comuns em livros e catálogos, em tamanho menor. Igualmente encorajadoras são as crescentes aquisições de trabalhos de design que esses museus fazem, para serem preservadas e manuseadas com luvas brancas.

124

Arquivos

Presevar o design gráfico é uma fração das preocupações de museus maiores, assim, a importância de arquivos menores e de centros de estudos, com ênfase principal em design gráfico, é fundamental para manter amostras físicas do design gráfico, que são descartáveis por natureza. Abrigados em universidades, escolas de design e museus, tais arquivos oferecem aos pesquisadores e designers curiosos uma oportunidade rara para manusear anuários com mais de 40 anos e copiões com séculos de idade ou ainda ficar próximo de cartazes com 1,80m de altura.

Detalhe do **CATÁLAGO DE AULAS DE 2006 PARA O WALKER ART CENTER, JARDIM DE ESCULTURAS DE MINNEAPOLIS** / **Walker Art Center: design, Scott Ponik / EUA, 2006**

Museu Nacional de Design Cooper-Hewitt

Como o único museu nos Estados Unidos dedicado completamente ao design histórico e contemporâneo, o Cooper-Hewitt, criado em 1897, é dos mais ardentes paladinos da área, apresentando a importância do design ao grande público. Sua ambiciosa série trienal do design nacional, iniciada em 2000, é importante para mostar as diferentes manifestações de design. Os prêmios nacionais anuais de design, lançados em 1997, para homenagear os melhores profissionais em uma variedade de setores criativos, tem atraído uma boa atenção da mídia. Com Ellen Lupton › 240 no papel de curadora de design contemporâneo desde 1992, o museu tem produzido exibições voltadas ao design gráfico, como *The Avant-Garde Letterhead (1996), Mixing Messages: Graphic Design in Contemporary Culture (1996-1997)* e *Graphic Design in the Mechanical Age (1999)*, entre outras. Uma visita apenas para admirar o design contemporâneo na histórica mansão de Andrew Carnegie, em Nova York, já vale o preço do ingresso.

Cooper-Hewitt
National Design Museum
www.si.edu/ndm
General Admission
Comp-Guest $0.00
August 10, 2008
Smithsonian
Cooper-Hewitt, National Design Museum
Trx#:358971 1:16 PM
The Museum of Modern Art

Walker Art Center

O Walker Art Center de Minneapolis, criado em 1927, oferece uma rica variedade de experiências na forma de exposições, aulas, performances, oficinas e por um longo tempo tem sido associado ao design gráfico; *Design Quarterly*, publicada de 1946 a 1993, apresentava regularmente o trabalho de designers gráficos; *Insights*, uma contínua série de aulas em cooperação com a seção do AIGA › 244, em Minessota, vem acontecendo desde 1986; uma exposição fundamental sob a curadoria de Mildred Friedman, em 1989, *Graphic Design in America: A visual Language History*, consolidou mais sua reputação entre os profissionais; e, talvez mais notavelmente, seu grupo interno de design produziu todos os catálogos, gráficos de exposição e componentes de identidade da organização sob a orientação dos diretores de design, Mildred Friedman (1979-1990), Laurie Haycock Makela (1991-1996), Matt Eller (1996-1998) e Andrew Blauvelt (1998 – presente), colhendo aclamações e construindo uma boa vontade para com a área.

WALKER
WALKER
WALKER
WALKER

Free Admission to P.S.1 MoMA
Present this ticket within thirty days of date on ticket for free admission to P.S.1 Contemporary Art Center. Offer not valid during Warm Up or other P.S.1 events or benefits.
See back of ticket for details.
Become a MoMA Member Now!
The Museum or film admission value of this ticket may be applied toward a new MoMA membership within seven days of entry. Limit one ticket per membership. Inquire at the lobby Member Services desk or in the MoMA Stores.
MoMA E-News
Subscribe at www.moma.org/enews.
2:02 PM
ANDREW
08/10/08
San Francisco Museum of Modern Art
National Sponsors: Bank of America and Fundacion Televisa
Frida Kahlo
Includes general admission
September 27, 2008
Timed entry: 5:30 PM - 6:00 PM
Kahlo Adult
$17.50
9/27/2008
5:30 PM
Please enter Frida Kahlo within 20 minutes of the entry time on your ticket. You can remain in Frida Kahlo for as long as you like. Most visitors spend 30-45 minutes in the exhibition.
SFMOMA
SKIP THE LINES!
Apply your paid ticket towards a new Membership up to 45 minutes before the galleries close today.
Apply two tickets for Individual & higher levels. Apply one ticket for discounted levels.
SFMOMA

Museu de Arte Moderna de Nova York

O museu de arte moderna de Nova York (MoMA), criado em 1929, é conhecido por sua impressionante coleção permanente de arte, certamente por bons motivos e, enquanto o design do produto é uma visão mais comum, o design gráfico penetrou por breves períodos nas suas paredes. Mais recentemente, foi envolvido nas elaboradas e abrangentes exposições *SAFE: Design Takes on Risk* (2005-2006) e *Design and the Elastic Mind* (2008), sob a curadoria de Paola Antonelli, a curadora sênior do museu no departamento de arquitetura e design. Exposições anteriores incluem *The Graphic Design of Herbert Matter* (1991), *Typography and the Poster* (1995), *Stenberg Brothers: Constructing a Revolution in Soviet Design* (1997), *The Russian Avant-Garde Book*, 1910-1934 (2002) e *Fifty Years of Helvetica* (2008). O MoMA também comprou o trabalho de Irma Boom › 193, Massimo Vignelli › 160, e Willi Kunz › 257, bem como um conjunto de tipos em chumbo da Helvetica › 373 em negrito, corpo 36.

Museu de Arte Moderna de São Francisco

Com uma versátil mistura de meios formando as exposições do Museu de Arte Moderna de São Francisco (SFMOMA), é louvável que o design gráfico tenha sido incluído no rodízio de exposições. A partir de suas coleções permanentes de arquitetura e design, SFMOMA apresenta regularmente o trabalho de designers da Costa Oeste, tais como Rebeca Méndez, AdamsMorioka, Jennifer Morla, Jennifer Sterling, Martin Venezky e Lorraine Wild. Em 1999 apresentou *Tiborcity: Design and Undesign by Tibor Kalman, 1979-1999*; exibiu o trabalho editorial das páginas das revistas *Emigre* › 100 e *Wired*, além de *Belles Lettres: The Art of Typography*, foi exibida em 2004.

Museu Victoria e Albert

Em algum lugar nos mais de 46.450m2 do Museu Victoria e Albert, em Londres (V&A), criado em 1852, e por entre suas volumosas coleções e exposições de pinturas, cerâmicas, esculturas, tecidos e mobiliário, relances de design gráficos se destacam com brilho. Para além do icônico logotipo, criado por Alan Fletcher em 1988, V&A tem cortejado a indústria do design com exposições como *Brand.New* (2000-2001), *Paper Movies: Graphic Design and Photography at Harper's Bazaar and Vogue, 1934-1963* (2007) e a significativa *Modernism: Designing a New World, 1914-1939* (2006) e *China Design Now* (2008). Para coincidir com a Olimpíada de Pequim em 2008, o V&A organizou a exposição *A Century of Olypic Posters* (Um Século de Cartazes Olímpicos), que seguirá intinerante até os jogos de 2012 em Londres.

Museu de Design

Antes que o Design Museum abrisse, 1989, seus salões num déposito de bananas da década de 1940, era conhecido anteriormente como Boilerhouse, uma galeria localizada no porão do Museu Victoria e Albert, criada por Terence Conran e dirigida por Stephen Bayley. Nas duas situações o objetivo era chamar a atenção para a prática do design. Em sua história curta, o museu já experimentara sua parcela de controvérsia a medida de renúncias e conflitos internos vieram à público - e não vale a pena relatar aqui - o que desviou a atenção do conteúdo oferecido. Para designers gáficos, o período da diretora Alice Rawsthorn › 241 (2001-2006) pode ter sido o mais frutífero, uma vez que ela patrocinou exposições sobre Peter Saville › 180, Saul Bass › 158 e Alan Fletcher; exposições recentes sobre Robert Brownjohn › 155, Jonathan Barnbrook e Helvetica › 373 foram razoavelmente bem sucedidas. Desde 2003, o museu tem ofertado um prêmio de £25000 (vinte e cinco mil libras) para o designer do ano, uma iniciativa que regularmente acaba em controvérsia.

DESIGN MUSEUM
Adult
01/11/2006
£5.00
13:38:26

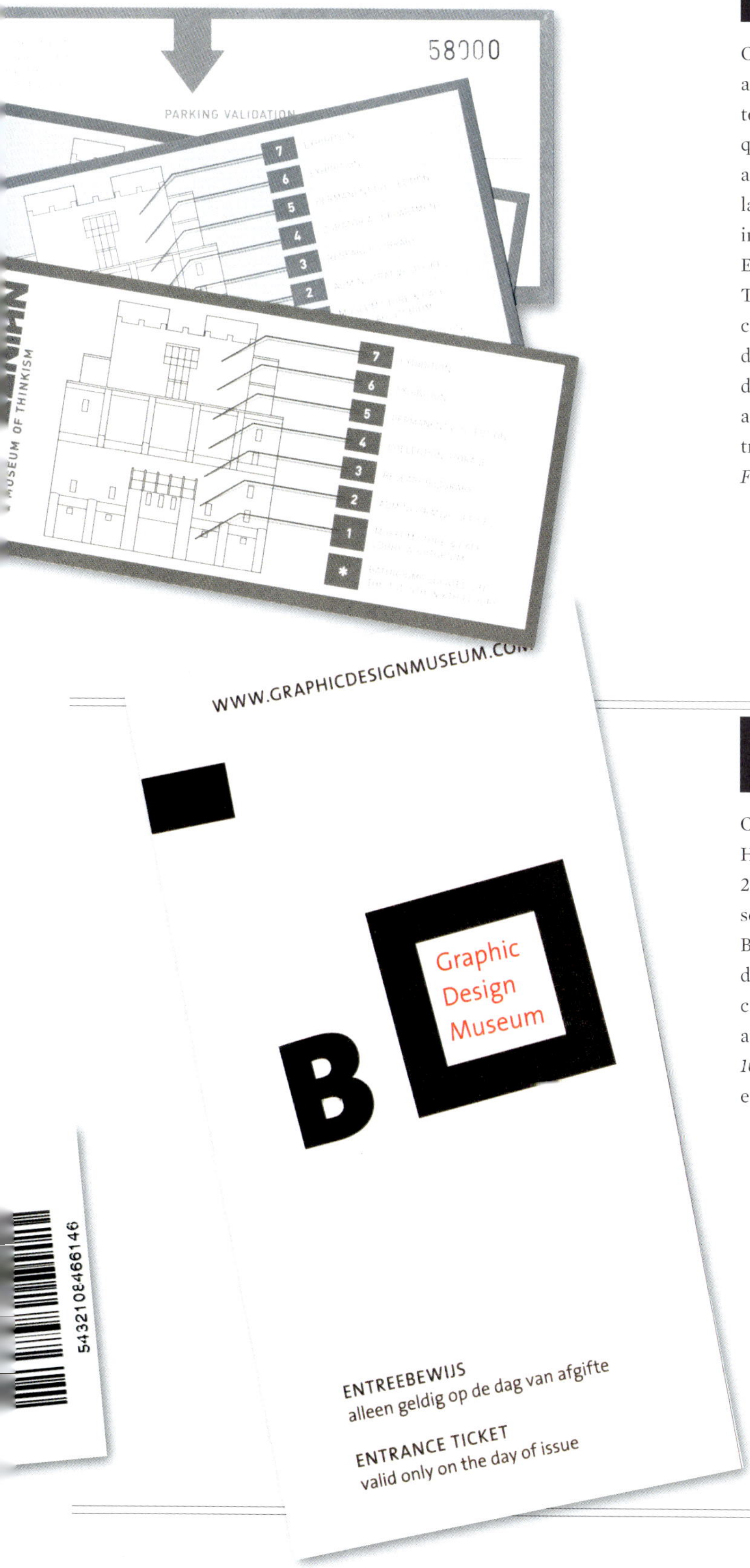
PARKING VALIDATION
MUSEUM OF THINKISM
WWW.GRAPHICDESIGNMUSEUM.CO
Graphic Design Museum
B
ENTREEBEWIJS
alleen geldig op de dag van afgifte
ENTRANCE TICKET
valid only on the day of issue
5432108466146

Wolfsonian-Florida International University

Criada originalmente em 1986 para expor e documentar a coleção de artes decorativas e de propaganda de Mitchell Wolfson Jr., a Wolfsonian tornou-se parte da Florida International University (FIU), em 1997, quando Wolfson doou a coleção e seu edifício histórico em Miami Beach, atualmente, um museu restaurado com 52.00m2. A Wolsonian-FIU é o lar de uma invejável coleção de propagandas políticas do século XX, incluindo impressos, cartazes, desenhos e livros da Alemanha, Itália e Estados Unidos, bem como material do Reino Unido, Espanha, Rússia, Tchecoslováquia e Hungria. Outras coleções que podem deixar designers com água na boca contêm cartazes, catálogos e outros materiais efêmeros da indústria de viagens e transportes – transatlânticos, aeroplanos, dirigíveis e trens - e das feiras e exposições mundiais. Em 2008, o museu apresentou *Thoughts on Democracy*, uma exposição que mostrava o trabalho de 60 artistas que reinterpretaram a série de cartazes *Four Freedoms* (Quatro Liberdades), de Norman Rockwell.

Museu de Design Gráfico

Centros importantes de design como Nova York, São Francisco, Londres e Haia não têm algo que Breda, uma pequena cidade com aproximadamente 200.000 mil habitantes, no sul da Holanda, possui: um museu dedicado somente ao design gráfico. Inaugurado em 2008, o Museu de Design Gráfico, Beyerd Breda, é o primeiro desse tipo, muito mais por seu conteúdo e foco do que pela abordagem de oferecer exposições e recursos para adultos, crianças e uma categoria intermadiária denominada "jovens". Uma das atrações principais desde sua inauguração foi a mostra restrospectiva *100 Years of Graphic Design in the Netherlands*. Cruze os dedos para que este museu tenha imitadores.

Biblioteca St Bride

Inaugurada em 1895, a Biblioteca St. Bride, em Londres, é especializada em impressão e respectivas especialidades de apoio de tipografia, caligrafia, fotografia, encadernação e gravação, entre dúzias de outras. Com aproximadamente 50.000 livros e 3.500 periódicos, catálogos e arquivos, uma coleção de tipos metálicos e em madeira datando do século XVII ao XX e coleções especiais contendo o trabalho de W.A. Dwiggins › 141, Eric Gill e Beatrice Warde, a biblioteca St. Bride é uma verdadeira câmara do tesouro.

Centro de Estudos Herb Lubalin

Estabelacido na Cooper Union for the Advancement of Science and Art › 131 em 1985 – sob a curadoria de Ellen Lupton › 240 até 1992 e, hoje, sob a liderança de Mike Essl e Emily Roz – o Centro de Estudos sobre Design e Tipografia Herb Lubalin contém um vasto acervo de trabalhos do século XX. Sua coleção mais significativa é um arquivo abrangente de logotipos, trabalhos editoriais e de embalagens, juntamente com muitos esboços de autoria de Herb Lubalin › 167, um ex-aluno da Cooper Union. Coleções menores de Lou Dorfsman › 173, Herbert Bayer, Bradbury Thompson, Alvin Lustig › 144 e Alexey Brodovitch › 143, bem como periódicos e cartazes complementam o acervo.

Arquivos de Design do AIGA

Se vasculhar um arquivo com grandes exemplos do design gráfico usando uma interface em Flash na web › 116 não satisfaz a curiosidade do designer, uma vista aos arquivos do AIGA, abrigados desde 2006 no Museu de Arte de Denver, projetado por Daniel Liebeskind, provavelmente satisfará. O arquivo contém os vencedores das competições nacionais do AIGA desde 1980. Em 2007, Darrin Alfred foi indicado curador assistente do AIGA para design gráfico, supervisionando a coleção e também gerenciando outras aquisições, como os 857 cartazes de rock psicodélico e 20 obras de Art Chantry › 184, adquiridas pelo museu em 2008.

Biblioteca do Type Directors Club

A blibliteca do Type Directors Club (TDC) de Nova York › 247 é repleta de protótipos, catálogos de oficinas de tipografia e trabalhos de caligrafia. Um item raro na coleção é um vídeo de 15 minutos feito com filmes do grande designer de letras americano, Frederic W. Goudy.

Coleção Rob Roy Kelly de Tipos Americanos em Madeira

Para sua publicação seminal, *American Wood Types 1828–1900, Volume One* › 72, Rob Roy Kelly amealhou uma coleção enorme de tipos em madeira que, à medida que ficou difícil de ser mantida, ele vendeu para o bibliotecário chefe do MoMA's › 121 , Dr. Bernard Karpel, nos anos 1960. Por sua vez, após seis meses, Karpel a vendeu para o Centro de Pesquisas em Humanidades Harry Ramson, na Universidade o Texas em Austin (UT). A coleção ficou esquecida por lá até 1991, quando o centro esteve prestes a se desfazer dela durante uma reforma, mas um contato com o departamento de artes da universidade procurando por interessados pela coleção, encontrou a Profa. Gloria Lee que adotou a coleção. Em 2004, como parte de seu período na UT, David Shields assumiu extra-oficialmente a coleção e iniciou um trabalho com os estudantes para desembalar as 40 caixas e explorar seus conteúdos. Imprimindo e digitalizando a coleção inteira, eles chegaram a 135 famílias de tipos (próximo a 170 tipos singulares de letras), muitas das quais não haviam sido publicadas no livro de Kelly – e, de modo ainda mais promissor, Shields encoraja os visitantes a virem e imprimirem com os tipos, pois foi para isso que eles foram feitos.

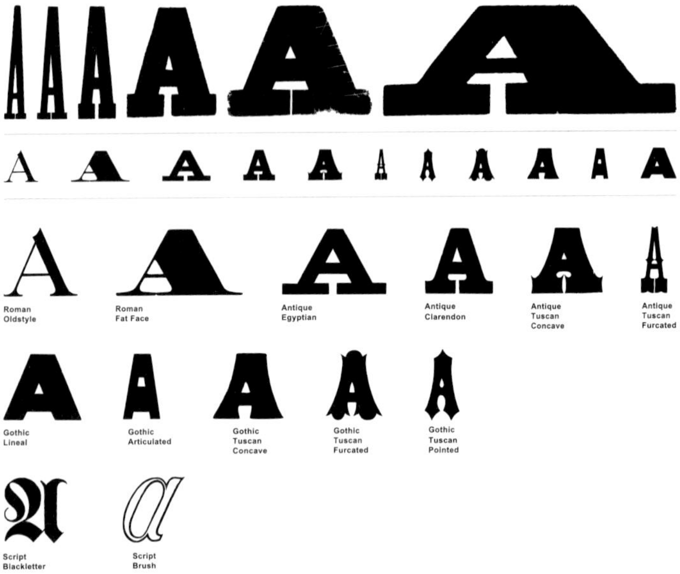
Roman Oldstyle
Roman Fat Face
Antique Egyptian
Antique Clarendon
Antique Tuscan Concave
Antique Tuscan Furcated
Gothic Lineal
Gothic Articulated
Gothic Tuscan Concave
Gothic Tuscan Furcated
Gothic Tuscan Pointed
Script Blackletter
Script Brush

Análise da coleção de tipos americanos em madeira mostrando a gama encontrada de estilos e larguras

Arquivos de Design Gráfico no Instituto de Tecnologia Rochester

Criado por R. Roger Remington sob a curadoria administrativa da mais ampla Coleção Cary de Artes Gráficas, no Instituto de Tecnologia de Rochester (RIT), os arquivos de design gráfico concentram-se nos trabalhos de designers gráficos americanos dos anos 1920 aos anos 1950, incluindo Saul Bass, Lester Beall, Alexey Brodovitch, Tom Carnese, William Golden, Rob Roy Kelly, Alvin Lustig, Cipe Pineles, Ladislav Sutnar e Bradbury Thompson. Complementando os artefatos de design, existem desenhos, correspondência e outros materiais que ajudam a formar uma perspectiva mais ampliada de cada designer.

Biblioteca e Arquivo do Centro de Estudos Doris e Henry Dreyfuss

No terceiro andar do Museu Nacional de Design Cooper-Hewitt › 120 está uma série de 70.000 livros, periódicos, catálogos e literatura da profissão datando do século XV até o XX, incluindo o trabalho de designers como Ladislav Sutnar › 150 e Paula Scher › 182 e da empresa de design M&Co. › 183. Para aqueles que procuram por algo mais aprofundado, há também uma coleção de 750 livros com dobraduras e partes móveis.

Coleção de Livros de Artes de Yale

Parte do sistema de bibliotecas na universidade de Yale, a Coleção de Artes em Livros contém quase um milhão de ilustrações para selos "ex-libri", uma grande coleção de efêmeros de design, cartões de propaganda e volvelles (rodas gráficas), entre outros materiais. Também permite desde 1952 o acesso aos estudantes de mestrado em artes gráficas. Além da doação feita por Marion Rand, do trabalho de seu falecido marido, para o Departamento de Manuscritos e Arquivos na Sterling Memorial Library, a Coleção também abriga quase 200 livros da biblioteca pessoal de Paul Rand › 159.

Antique, Clarendon
068
Belgian
06 line & 10 line
Book 263
Folio 46 & 80 06 line—Uppercase & figures 10 line—Uppercase & figures

Caixas de arquivo usadas para guardar cada fonte individualmente

LIEU VINYARD SINCE 1900
IOIR
EU VINYARD was founded in 1900 by
ng winemaker Georges de Latour, in
ord, the heart of the Napa Valley. Our Napa
inot Noir is grown in premium vinyards,
of for BV's famous Pinot Noir for decades
ALLEY is one of the most well recognized
erse wine regions of ther world. One of the
andowners in the Napa Valley, BV is known
ucing bold, classic wines that reflect the
he appellation.
BV OVER 100 YEARS
OF PASSIONATE WINEMAKING.
CED & BOTTLED BY BEAULIEU VINYARD.
RFORD, CA / CONTAINS SULFITES. 750ML
MENT WARNING: (1) ACCORDING TO THE
GENERAL, WOMEN SHOULD NOT DRINK
NCY BECAUSE OF THE RISK OF BIRTH
. (2) CONSUMTION OF ALCOHOLIC BEVERAGES
YOUR ABILITY TO DRIVE A CAR OR OPERATE
ERY, AND MAY CAUSE HEATH PROBLEMS.
Alc. 13.5% vol. 750ml
BV
+
X 2004
CHARDONNAY
BV
+
X 2004
BLANC

CONHECIMENTO

Nas Salas de Aula

128

Enquanto estudantes podem, e devem, fazer o melhor uso das oportunidades de educação superior, é difícil negar que algumas instituições de ensino produzem consistentes resultados ao oferecerem acesso a um grupo eficiente de docentes e instalações, bem como continuamente formar graduados competentes. E, de um modo que só o design gráfico pode mostrar de infinitas maneiras – em oposição a, digamos, contabilidade em que há uma resposta certa ou errada –, uma educação em design gráfico é variada e peculiar, com cada curso assumindo sua própria personalidade e as crenças dos seus dirigentes e professores, dando aos estudantes uma ampla gama de escolhas em teorias e métodos que melhor os auxiliarão em sua formação acadêmica.

BV (BEAULIEU VINEYARD) WINE / Jin Young Lee; professores, Bryony Gomez-Palacio, Armin Vit / EUA, 2007

Escola de Design da Basileia

Em 1942, Emil Ruder foi contratado pela Allgemeine Gewerbeschule (Escola Vocacional Geral) para lecionar tipografia para os aprendizes de composição e impressão e, em 1946, Armin Hofmann › 152 juntou-se ao corpo docente para auxiliar na fundação do curso de design gráfico, a Schule für Gestaltung Basel (Escola de Design da Basileia) que seria uma influência para estudantes como Steff Geissbuhler › 157, Karl Gerstner, Hans-Rudolf Lutz, Yves Zimmerman e muitos outros designers. A abordagem de Hoffman – com fundamentos básicos explorados em exercícios de "repetição, intensificação, contraste e dispersão" – foi documentada no Graphic Design Manual – Principles and Practice (Manual de Design Gráfico – Princípios e Prática), publicado em 1965 e muitos desses exercícios podem ser encontrados em numerosas escolas.

Em 1968, após mais de uma década de liderança informal de Ruder na pós-graduação em tipografia com dois ou três estudantes por ano, o curso avançado em design gráfico (Weiterbildungsklasse für Graphik) foi criado como um curso internacional de pós-graduação com sete novos estudantes. Esse curso apresentou Wolfgang Weingart › 178, um ex-estudante, como novo professor, que levou o programa a outras direções à medida que questionava princípios estabelecidos da tipografia e as regras que a governavam. Sua abordagem inovadora para o ensino de tipografia atraiu uma nova geração de designers, como o americano Dan Friedman e April Greiman › 179, que importou esse ímpeto tipográfico. Em 2000, uma divisão criou duas escolas de design na Basileia, uma afiliada na Universidade de Ciências Aplicadas do noroeste da Suíça, na forma de curso oficialmente reconhecido, e a outra permaneceu como escola vocacional. Esta última também abrigou desde 2005 o curso de verão em design e tipografia, com Weingert no corpo docente e com o intuito de manter vivo o legado da *Weiterbildungsklasse*.

LEITURA RECOMENDADA › 390

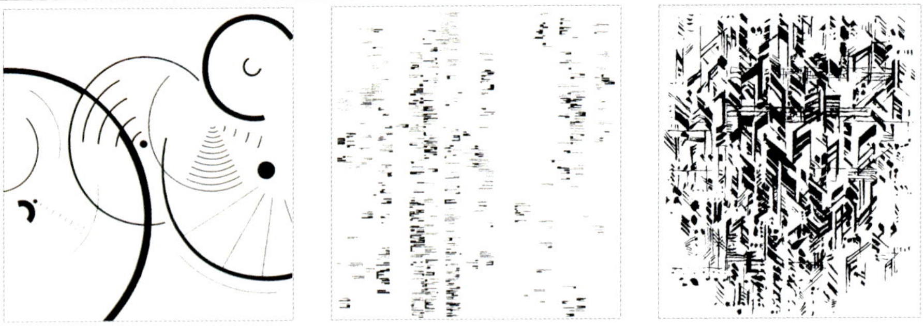

EXERCÍCIOS EM BRANCO E PRETO EXPRESSANDO UMA SÉRIE DE TEMAS: TRÁFEGO DE BICICLETAS, ÁRVORES, MÚSICA / Steff Geissbuhler; professores, Armin Hofmann, Verlag Arthur, Niggli AG / Suíça, 1958–1964

HORNUSSEN
80
HELVETIA
STEINSTOSSEN
70
HELVETIA
SCHWINGEN
40
HELVETIA

SELOS POSTAIS SUÍÇOS MOSTRANDO OS ESPORTES POPULARES HORNUSSEN (BASICAMENTE UMA MISTURA DE GOLFE COM BASEBALL), STEINSTOSSEN (LANÇAMENTO DE PEDRAS) E SCHWINGEN (LUTA) / Joachim Müller-Lancé; professor, Max Schmid / Suíça, 1982–1986

Kein Alkohol am Steuer

SEM ÁLCOOL AO VOLANTE - CARTAZ PARA A CIDADE DE BASILEIA / Joachim Müller-Lancé; professor, Armin Hofmann / Suíça, 1982–1986

MARCA MUNDIAL DO RITMO NO JAZZ E NA NEW WAVE / Joachim Müller-Lancé; professor, Christian Mengelt / Suíça, 1982–1986

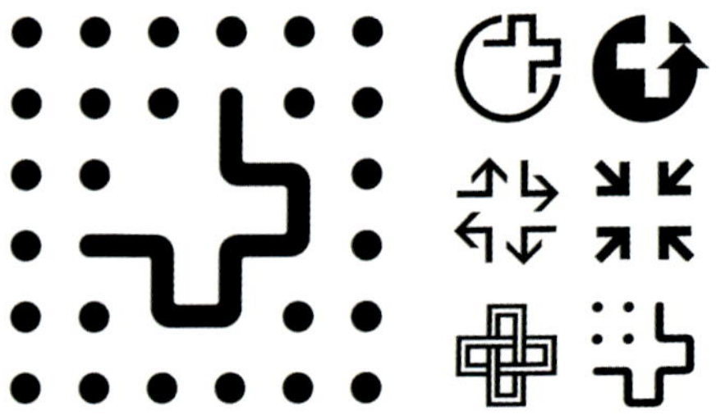

SOCIEDADE SUÍÇA PARA COOPERAÇÃO INTER-REGIONAL / Joachim Müller-Lancé; professor, Armin Hofmann / Suíça, 1982–1986

Escola de Artes de Yale

Como designer de livros e tipógrafo, Alvin Eisenman recebeu uma proposta para ocupar um posto na Yale University Press, além de uma posição no corpo docente na escola de artes da universidade, o que levou à criação do primeiro programa de pós-graduação em design gráfico (artes gráficas, como foi inicialmente denominado), nos Estados Unidos em 1950, em New Haven, Connecticut. Sob Eisennman, que manteve o posto de diretor até 1990, o curso de pós-graduação atraiu alguns dos profissionais líderes da época, incluindo Armin Hofmann (que lecionou por 30 anos e auxiliou a criar laços fortes com a escola de design da Basileia › 128), Alexey Brodovitch › 143, Alvin Lustig › 144. Herbert Matter, Bradbury Thompson e, obviamente, Paul Rand › 159, que começou como crítico visitante, em 1956, mas logo depois se tornou docente e assim permaneceu até 1993.

Enquanto o programa tinha somente alguns professores em tempo integral, o afluxo constante de designers e críticos visitantes de grande importância enriquecia a experiência dos estudantes e é um modelo que permanece até hoje. Em 1990, Sheila Levrant de Bretteville, uma graduada de 1964, foi indicada sucessora de Eisenman – infelizmente, com alguma dose de controvérsia, pois Rand e outros docentes renunciaram em protesto contra a decisão. Ela tem incentivado uma nova geração de designers e críticos visitantes incluindo Michael Bierut › 203, Matthew Carter › 221, Jessica Helfand, Allen Hori e Scott Stowell, e também estrangeiros como Irma Boom › 193, Armand Mevis e Linda van Deursen. Com uma abordagem inquisitiva, favorecida por Bretteville, os estudantes exploram assuntos de interesse particular e suas ideias passam a ser parte do trabalho – de fato, um distanciamento radical em relação aos fundamentos funcionais e modernistas da geração anterior. A despeito da época, o curso de pós-graduação de Yale prepara os seus estudantes para a excelência no clima mutável do design gráfico.

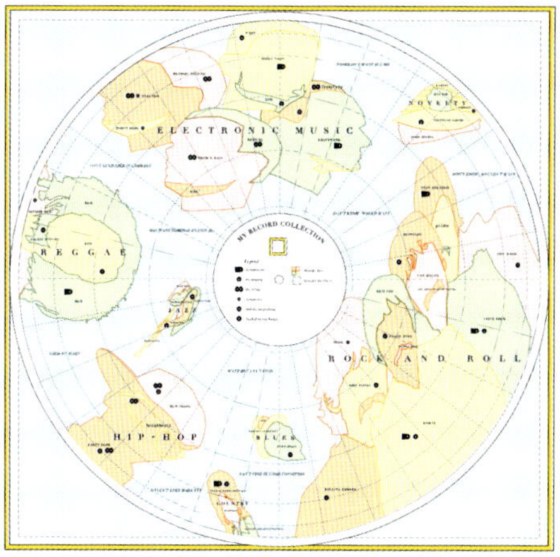
ELECTRONIC MUSIC
REGGAE
MY RECORD COLLECTION
ROCK AND ROLL
HIP-HOP
BLUES

MAPA DA COLEÇÃO DE DISCOS / Dmitri Siegel; professor; Barbara Glauber / EUA, 2002

PETER EISENMAN'S "TERRAGNI" AND THE (MIS)READING OF ARCHITECTURAL HISTORY
ADAM FRANKLIN
THE LONG
OF SWERVEDRIVER
ROY OWENS, JR
AND SATURDAY LOOKS GOOD TO ME
THURSDAY NOVEMBER 20, 2003
YALE SCHOOL OF ARCHITECTURE
180 YORK ST. NEW HAVEN, CT
PETER EISENMAN WITH ROBERT STERN
VINCENT SCULLY HAROLD BLOOM

CARTAZ PARA EVENTO SIMULTÂNEO DA SWERVERDRIVER BAND E DA UNIVERSIDADE DE YALE / Dmitri Siegel; professor; Armand Mevis / EUA, 2002

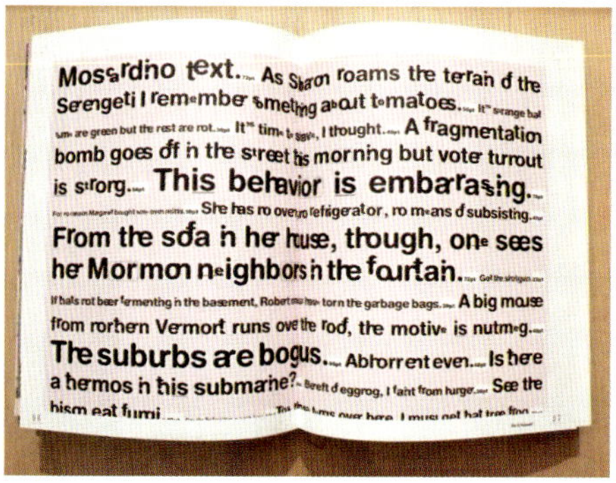

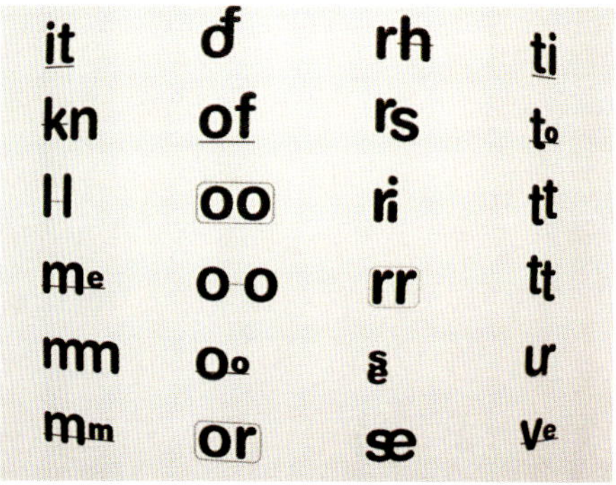

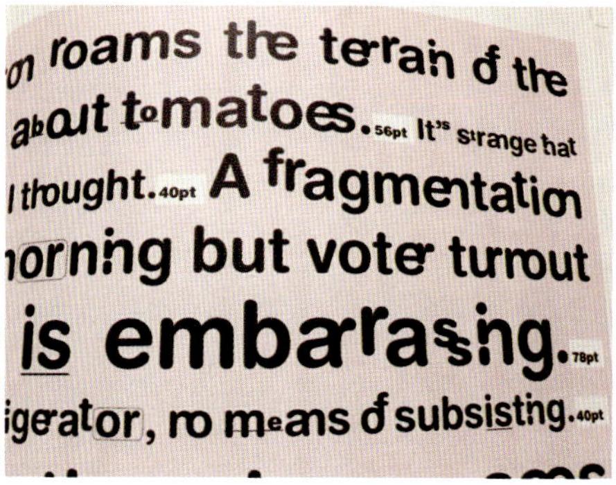
roams the terain of the
about tomatoes.
A fragmentation
morning but vote turnout
is embarrasing.
igerator, no means of subsisting.

INSPIRADO PELA SPORK ITALIANA E BASEADO NA HELVETICA ARREDONDADA, A LETRA MOSCARDINO EXPLORA AS LIGAÇÕES BEM ALÉM DO ESPERADO / Tracy Jenkins; professores, Sheila Levrant de Bretteville, Susan Sellers / EUA, 2003

Academia de Artes Cranbrook

Sem aulas, sem professores, sem projetos. Esse é o *modus operandi* do programa de pós-graduação em design bi-dimensional na Academia de Artes Cranbrook, em Michigan, onde os estudantes definem seus próprios projetos, baseiam-se nas críticas mútuas e trabalham com o artista-residente para concretizar os seus projetos. Esse modelo e o trabalho resultante dos estudante de design gráfico têm atraído, desde os anos 1980, a atenção da atração tanto do lado positivo quanto do negativo. Em 1971, Michael e Katherine McCoy › 185 foram contratados para gerir um curso conjunto de design bidimensional e tridimensional: sua linha de trabalho foi derivada das experiências com o design suíço e com o modernismo.

Entretanto, no final dos anos 1970, as noções do pós-modernismo e do vernacular na arquitetura começaram a surgir como influência de pessoas como Robert Venturi e, durante os anos 1980, pela teoria da crítica e os escritos de Roland Barthes e Jacques Derrida. Isso levou à exploração da desconstrução e de ideias pós-estruturalistas nas estratégias de design por estudantes como Andrew Blauvet, Ed Fella › 185, Jeffrey Keedy e Allen Hori. Muito da produção foi enquadrada como estética pós-modernistas, sem muita atenção nessa avaliação, entretanto, há uma textura flutuante, mas discernível, no trabalho desses estudantes.

Em 1995, dois graduados de Cranbrook, P. Scott e Laurie Haycock Makela, foram nomeados designers residentes em sucessão aos McCoy. Eles deram sequência ao legado de investigação, agora acentuado pelo design digital online e pelos gráficos em movimento, tudo isso amalgamado por uma energia própria, atraindo designers de todo o mundo. Infelizmente, pela primeira vez, a academia teve suas atividades interrompidas pela morte de Scott, em 1999, embora tenha continuado até 2001. Elliot Earls, outro ex-aluno, assumiu, então, a direção, levando a exploração para um campo onde as fronteiras em meios e disciplinas eram mais fáceis de cruzar. Novamente, não havia limites.

Acima e à direita **PROJETO DE TESE *TO THE LOSS OF OUR PRINCESS*** / Tumba da Cinderela, escrita à mão e construída com resina usinada sob precisão / Catelijne van Middelkoop / EUA, 2001–2002 / Fotos: Ryan Pescatore Frisk

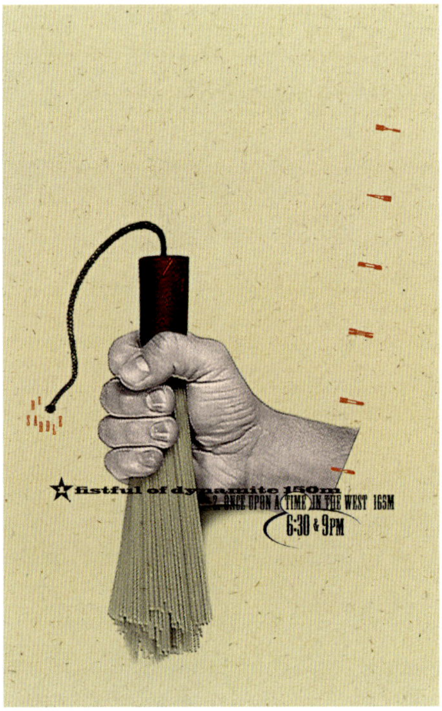
fistful of dynamite 150m
ONCE UPON A TIME IN THE WEST 165M
6:30 & 9PM

CARTAZ PARA A SÉRIE DE FILMES ESTUDANTIS CRANBROOK'S SPAGHETTI WESTERN / Doug Bartow; professor, Katherine McCoy / EUA, 1994

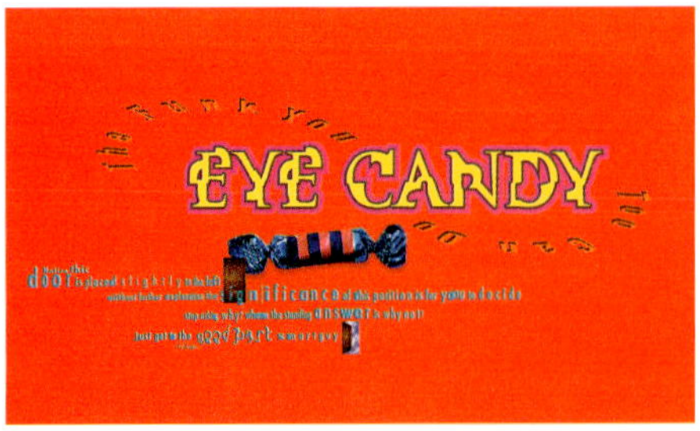
EYE CANDY

CARTAZ *EYECANDY* / Doug Bartow; professor, Katherine McCoy / EUA, 1995

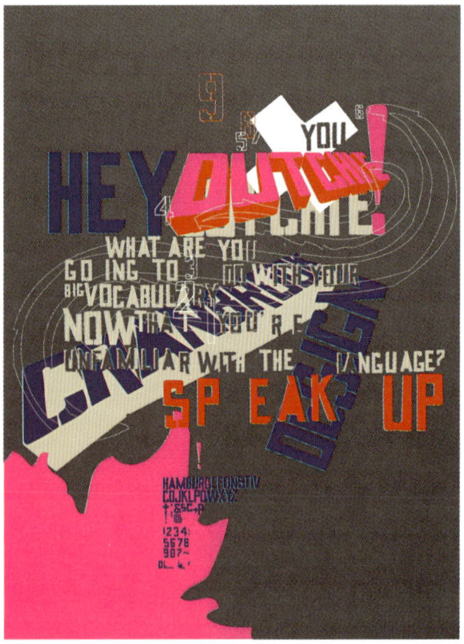
YOU
HEY DUTCHIE!
WHAT ARE YOU
GOING TO DO WITH YOUR
BIG VOCABULARY
NOW THAT YOU'RE
UNFAMILIAR WITH THE LANGUAGE?
SPEAK UP

***HEY DUTCHIE!* TYPE SPECIMEN POSTER** / Catelijne van Middelkoop / EUA, 2001–2002

Instituto de Artes da Califórnia

Com títulos da Academia de Artes Cranbrook › 130 em 1975, e do programa de pós-graduação em design gráfico de Yale › 129, em 1982, uma passagem breve pela Vignelli Associates › 160, um cargo como docente nos departamentos de arquitetura e design gráfico da Universidade de Houston e um grande interesse na história do design e em educação, Lorraine Wild trouxe uma base abrangente para renovar o curso de design gráfico no Instituto de Artes da Califórnia (CalArts), em Valencia, onde foi nomeada diretora, em 1985. Logo depois, os graduados em Cranbrook, Jeffrey Keedy e Ed Fella › 185 foram admitidos no corpo docente, trazendo sua perspectiva investigativa para um programa estruturado pela história e teoria. A CalArts se beneficiou durante anos de um corpo docente composto, parcialmente, por profissionais atuantes – como designers gráficos, escritores, curadores – tais como Caryn Aono, Anne Burdick, Geoff Kaplan (um graduado de Cranbrook), Michael Worthington, além de Lousie Sandhaus e Gail Swanlundo, que também foram diretoras do curso.

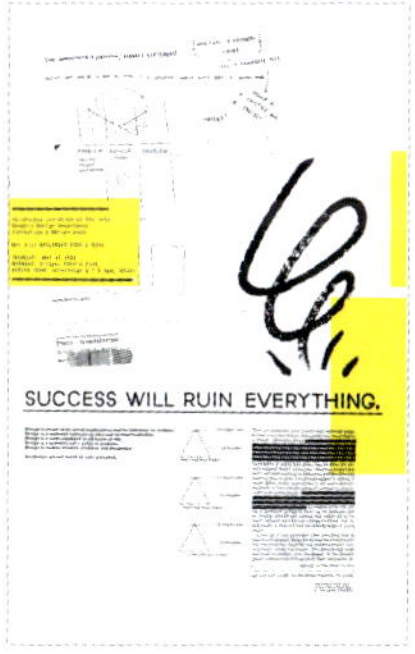
SUCCESS WILL RUIN EVERYTHING.

EXPOSIÇÃO DE FINAL DE ANO DO DEPARTAMENTO DE DESIGN GRÁFICO DO INSTITUTO DE ARTES DA CALIFÓRNIA / Ryan Corey, Lucas Quigley; professor, Gail Swanlund / EUA, 2005

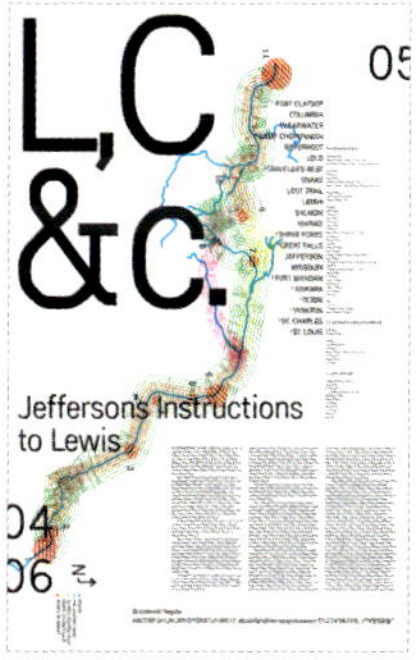
L,C
&c.
Jefferson's Instructions to Lewis
05
04
06

CARTAZ PROTÓTIPO PARA O TIPO DE LETRA OCCIDENTAL / Ryan Corey; professor, Greg Lindy / EUA, 2005

A
Work
of
Some
Aesthetic
and
Spiritual
Value

CARTAZ *A WORK OF SOME AESTHETIC AND SPIRITUAL VALUE* / Ryan Corey; professor, Gail Swanlund / EUA, 2005

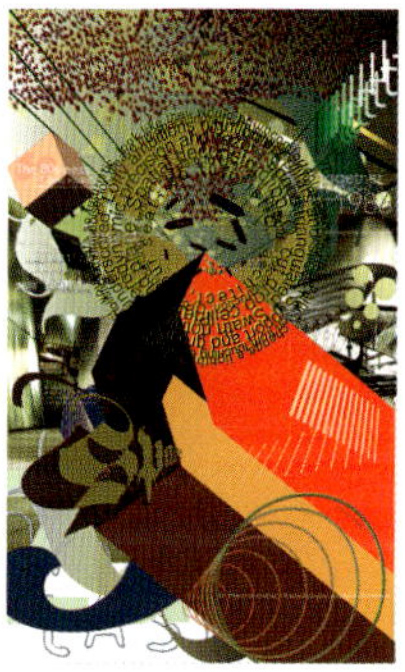

PROJETO DE HIERARQUIA TIPOGRÁFICA .1-10: ZAHA HADID LISTEN TO THE MAGNETIC FIELDS / Ian Lynam; professor, Jeffery Keedy / EUA, 2003

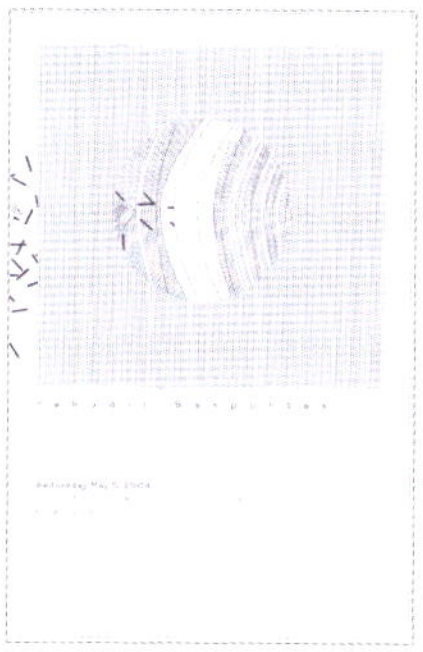

CONJUNTO DE CARTAZES DA AULA DO ARTISTA, YEHUDIT SASPORTAS / Ian Lynam; professor, Ed Fella / EUA, 2004

Cooper Union

A Cooper Union é uma das três escolas de artes que compõem a Cooper Union for the Advancement of Science and Art, prestigiada instituição de Nova York, que admite um grupo seleto de alunos e oferece uma bolsa de estudos total para um período de quatro anos em que ficam na escola. O rigoroso processo de admissão inclui um "teste domético", que sempre se modifica e no qual os alunos são desafiados numa série de exercícios, assegurando a seriedade dos candidatos, e que dão à escola a honra de ter uma das mais baixas taxas de admissão no país. Assim, não é surpresa que a Cooper Union tenha se mostrado um terreno fértil para a área. Alguns dos profissionais mais relevantes saíram de suas salas de aula, incluindo os criadores dos estúdios Push Pin › 168, Seymour Chwast, Reynold Ruffins, Edward Sorel e Milton Glaser, bem como Herb Lubalin › 167, Lou Dorfsman › 173, Ellen Lupton › 240, Abbott Miller e Stephen Doyle, entre outros.

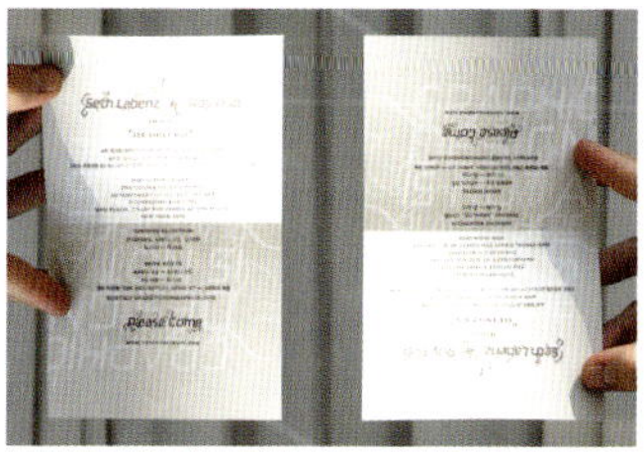

***SEE EMILY ROZ* – EXPOSIÇÃO DO CENTRO DE ESTUDOS HERB LUBALIN NA COOPER UNION SCHOOL OF ART** / Seth Labenz and Roy Rub; professor, Mike Essl / EUA, 2006

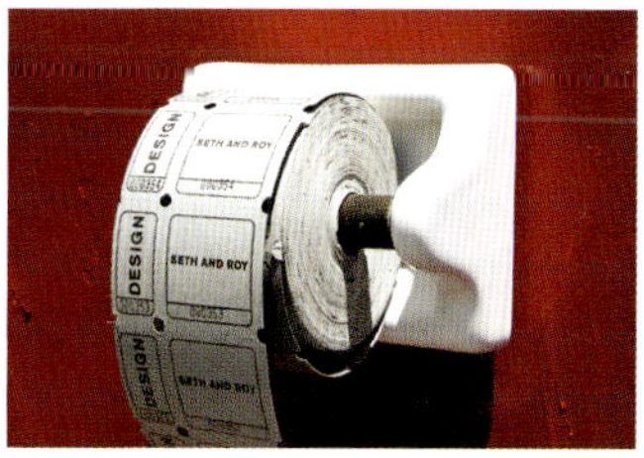

TICKET TO DESIGN PRELIMINARY BUSINESS CARDS FOR SETH LABENZ E ROY RUB / Seth Labenz, Roy Rub; professor, Mike Essl / EUA, 2006

Uniting

UNITING – PRESENTE RECEBIDO POR TODOS OS MEMBROS DO CONGRESSO AMERICANO EM APOIO À LEI DE UNIÃO DAS FAMÍLIAS AMERICANAS – LEI S.1278 / Seth Labenz, Roy Rub; professor, Stefan Sagmeister / EUA, 2006

Escola de Artes Visuais

Fundada em 1947 como a Escola dos Cartunistas e Ilustradores, por Burne Hogwarth e Silas H. Rhodes, a Escola de Artes Visuais (como foi rebatizada em 1955) foi, desde o início, formada de modo que o corpo docente fosse composto somente de designers com atuação profissional. Hogwarth saiu em 1970, mas Rhodes permaneceu envolvido com a escola – como presidente por seis anos na década de 1970 e como chairman e diretor de criatividade, também da Visual Arts Press LTd., e autor dos cartazes de recrutamento colados no sistema de metro da cidade por mais de 55 anos – até sua morte, em 2007. A maioria dos mais de 3.000 alunos de graduação estão matriculados no curso de design gráfico, no qual são ensinados por mais de 100 designers profissionais incluindo, Paula Scher › 182, Carin Goldberg, James Victore, Paul Sahre, Louise Fili › 197 e Debbie Millman.

The Tin Can

REVISTA *QUALITY* / Julia Hoffmann; professor, Carin Goldberg / EUA, 2001–2002

in. on. it.

***IN ON IT* – CARTAZ PARA P.S. 122** / Julia Hoffmann; professor, Carin Goldberg / EUA, 2001–2002

PARCO
café

BRANDING DO CAFÉ PARCO / Jin Young Lee; professores, Bryony Gomez-Palacio, Armin Vit / EUA, 2007

Curso de Pós-Graduação "Designer Enquanto Autor" da Escola de Artes Visuais

Em 1997, o curso "Designer Enquanto Autor", da Escola de Artes Visuais foi criado por Steven Heller › 238 e Lita Talarico, os dois ainda chefiam o curso. Como curso de pós-graduação, designers profissionais e escritores – como Brian Collins › 204, Milton Glaser › 170, Stefan Sagmeister › 202 e Véronique Vienne – compõem o corpo docente que se reúne às tardes com uma dúzia ou mais de alunos para desenvolver um conceito viável, usando quaisquer meios necessários e levá-lo a um ponto onde pudesse ser comercialmente produzido e comercializado, ou acessível publicamente. Por conta dessa premissa bem focada, muitos dos estudantes do curso têm a capacidade de provocar um impacto instantâneo com projetos prontos para consumo, como a embalagem ClearRX › 318, de Deborah Adler, para a Target e as belas tigelas graduadas de Jennifer Panepinto.

LOVE

PUBLICIDADE, COLATERAL E IDENTIDADE DA IGREJA BATISTA ABISSÍNICA DO HARLEN / projeto tese concretizado e financiado pelo fundo Sappi Ideas That Matter / Bobby C. Martin Jr.; orientador da tese Paula Scher, professores Steven Heller, Brian Collins, Dorothy Globus, Martin KAce / EUA, 2003

THE AMAZING PROJECT
He's cleaning up and creating jobs in Bolivia.

O PROJETO INCRÍVEL, ONDE PESSOAS INCRÍVEIS FAZEM COISAS INCRÍVEIS PARA MUDAR O MUNDO / Randy J. Hunt; consultores da tese, Brian Collins, Gail Anderson; orientador, Mark Randall / EUA, 2006 / Foto: Adam Krause

Cartazes de Metrô da Escola de Artes Visuais

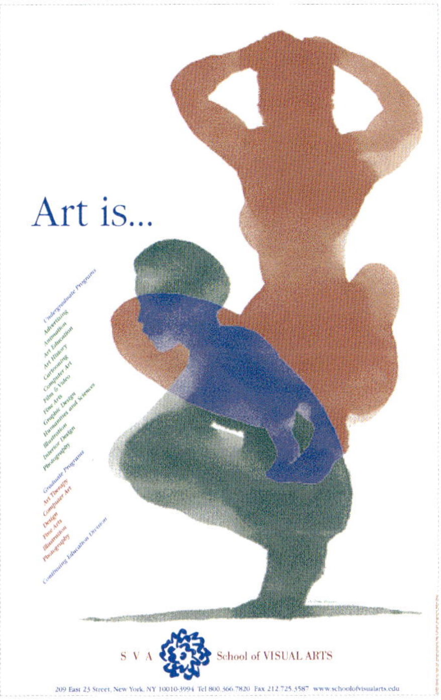
Art is...
S V A
School of VISUAL ARTS

Direção de arte, Silas H. Rhodes; design, Milton Glaser / EUA, 2000

School of VISUAL ARTS

Direção de arte, Silas H. Rhodes; design, Adrienne Leban / EUA, 2002

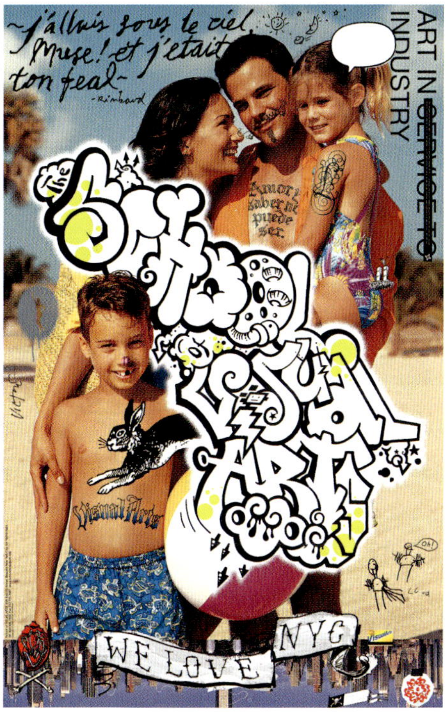
ART IN SERVICE TO INDUSTRY
WE LOVE
NYC

Direção de arte, Silas H. Rhodes; design, James Victore / EUA, 2003

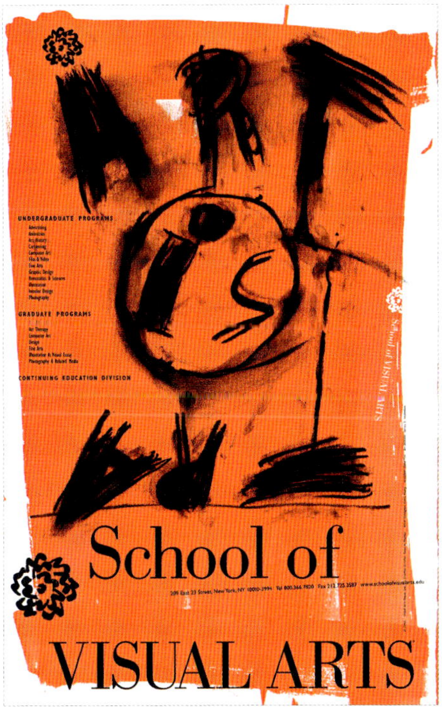
ART IS
UNDERGRADUATE PROGRAMS
GRADUATE PROGRAMS
CONTINUING EDUCATION DIVISION
School of
VISUAL ARTS

Direção de arte, Silas H. Rhodes; design, Frank Young / EUA, 2003

THINKING LIFE WILL BE BETTER in the FUTURE IS STUPID I HAVE TO LIVE NOW
SCHOOL OF VISUAL ARTS
CONTINUING EDUCATION DIVISION
UNDERGRADUATE PROGRAMS
GRADUATE PROGRAMS

Direção de arte, Silas H. Rhodes; design, Stefan Sagmeister / EUA, 2004

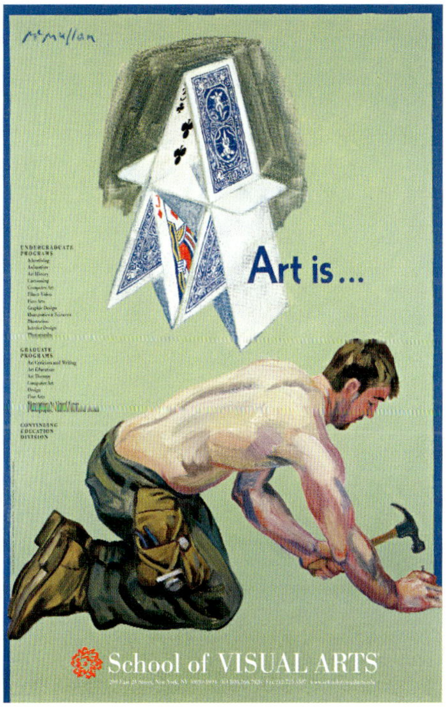
McMullan
Art is...
School of VISUAL ARTS

Direção de arte, Silas H. Rhodes; design, James McMullan / EUA, 2004

Escolda de Design de Rhode Island

BRAZIL

CARTAZ DO FILME BRAZIL / Kai Salmela; professor, Dietmar Winkler / EUA, 2006

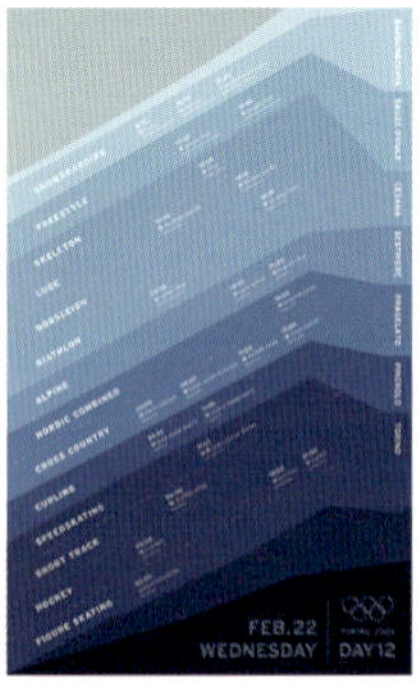
FEB.22
WEDNESDAY
DAY12

CARTAZ COM O CALENDÁRIO DOS JOGOS OLÍMPICOS DE INVERNO EM TURIM / Kai Salmela; professor, Doug Scott / EUA, 2007

OHIO
BIRTHDAY PARTY
1803
2003
MONDAY 19 MAY

IDENTIDADE DAS COMEMORAÇÕES DO BICENTENÁRIO DE OHIO / Joe Marianek; professores, Douglass Scott, Lucinda Hitchcock / EUA, 2003

ADESIVOS DO ANUÁRIO DE 2003 / Joe Marianek, Adriana Deléo, Wyeth Hansen, Ryan Waller, Lily Williams; professores, Douglass Scott, Lucinda Hitchcock / EUA, 2003

Faculdade de Artes de Maryland Institute

LIVRO DO ARTISTA *BLACKS IN WAX* / Silkscreen em papel encerado / Bruce Willen; professor; Jennifer Cole Philips / EUA, 2001

EMBALAGEM DE ALIMENTOS / Bruce Willen; professor; Jennifer Cole Philips / EUA, 2001

small roar

PROJETO DE CONCLUSÃO DE CURSO – SMALL ROAR / Após o nascimento de sua filha, Mike e Stephanie iniciaram o negócio / Mike Weikert / EUA, 2005

Portfolio Center

FUSILLI
SPAGHETTI
VERMICELLI
BIZANTINA
PESTO

REBRANDING E EMBALAGENS PARA A DECECCO / Sam Potts; professor, George Gall / EUA, 2000 / Foto: Lisa Devlin

EXODUS, PEÇA PROMOCIONAL PARA O JOANA DA ADOBE / Sam Potts; professor, Hank Richardson / EUA, 1999 / Foto: Lisa Devlin

CATÁLOGO DA EXPOSIÇÃO *CAUSE + EFFECT* / Sam Potts; professor, Melissa Kupermine / EUA, 2000 / Foto: Lisa Devlin

CADEIRA IMPACT, REFLETINDO UMA EXPERIÊNCIA PESSOAL DO 11/SET / Dave Werner; professor, Hank Richardson / EUA, 2006

EMBALAGEM DO VINHO MONDAVI / Dave Werner; professor, Hank Richardson / EUA, 2006

CONJUNTO PROMOCIONAL PARA O CENTRO KENNEDY / Dave Werner; professor, Nicole Riekki / EUA, 2006

Faculdade Royal de Arte

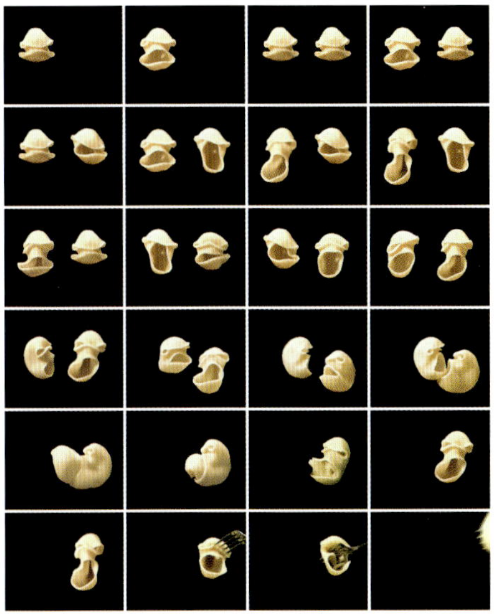

***EAT OR BE EATEN* – ANIMAÇÃO COM MÚSICA** / Tomi Vollauschek / Reino Unido, 2000

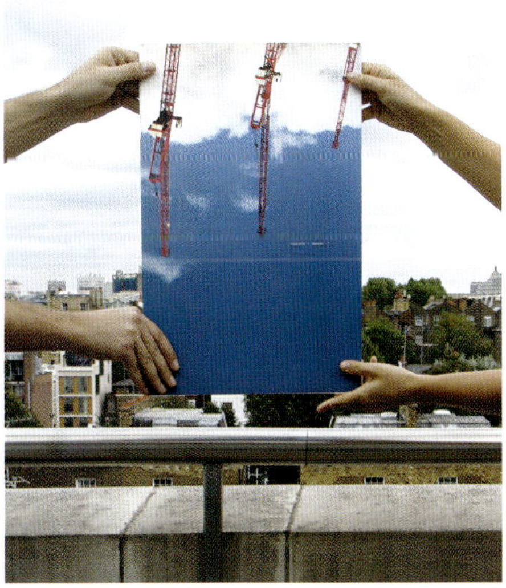

REVISTA *TRANS-FORM* / FL@33: Agathe Jacquillat, Tomi Vollauschek; orientadores, Gert Dumbar, Russell Warren-Fisher / Reino Unido, 2001

Faculdade Central Saint Martins de Arte e Design

***A EVOLUÇÃO DA IMPRESSÃO*, UMA INSTALAÇÃO MOSTRANDO A EXPLOSÃO DO CONHECIMENTO DO INÍCIO DA IMPRESSÃO ATÉ O SÉCULO XXI** / Diego Ulrich; professor, Max Ackermann / EUA, 2008

LETRAS TRIDIMENSIONAIS AILERON PARA USO EM ESPAÇOS ABERTOS / Diego Ulrich; professor, Max Ackermann / EUA,

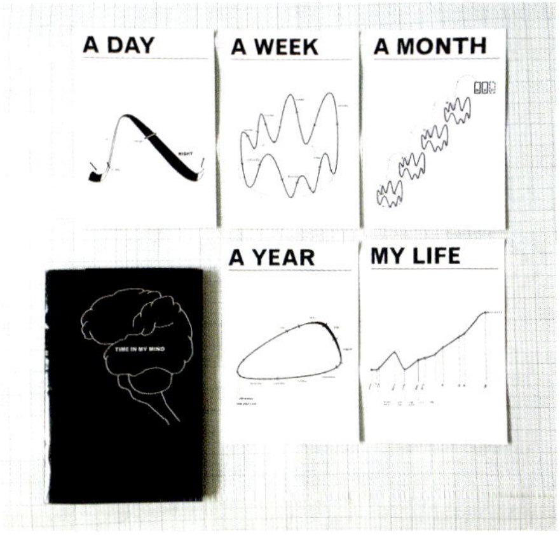
A DAY
A WEEK
A MONTH
A YEAR
MY LIFE

GRÁFICOS INFORMATIVOS REPRESENTANDO A PASSAGEM DO TEMPO / Clara Brizard; professor, Sara De Bondt / Reino Unido, 2008

***ALÉM DA MINHA JANELA, DIE FENSTER* – SÉRIE DE CARTAZES IMPRESSOS E ESTAMPADOS** / Clara Brizard; professor, Sara De Bondt / Reino Unido, 2008

Universidade de Reading, Mestrado em Design de Letras

Aufmerksamkeit
Trzecia Sesja Ogólnego Zgromadzenia
Buchgewerbe
Inspirován prací českých typografů
DISCLOSURE
книгопечатание
δημιουργός
N16LE *LOUGHBOROUGH* JUNCTION
Dynamically
The Society of Typographic Aficionados 2005

MAIOLA / Lançada pela FontFont in 2005 / Veronika Burian; professores, Gerry Leonidas, Gerard Unger / EUA, 2003

abcdefghijklmnop
qrstuvwxyz:;.,
ABCDEFGHIJKLMN
OPQRSTUVWXYZ&
1234567890

abcdefghijklmnop
qrstuvwxyz:;.,
ABCDEFGHIJKLMN
OPQRSTUVWXYZ&
1234567890

Gaoming Beresford Rd — *Bibliothéque Trains*
Jiangmen Wellington — *Arrondissement*
Zongsan Hammersmith — *Embankment South*
Information Rupert — *Tsimshatsui Trafalga*
Quarry Bay Heathrow — *Departures Internati*
Schriftgrößen Eas — *Guangzhou Bebingto*
København Denmark — *Kowloon Tong 7695*
Ellesmere Port 59 — *Espergærde Garden*
Blackpool Harrowgate — *Spadina Domestic Fligh*
Shamshuipo Canad — *République Richmond*
Bromborough→ — *Birkenhead Hamilton*
Wanchai Spring Garden — *Expo Line N Vancouver*

FONTE ARRIVAL PARA A UNIVERSIDADE DE READING / Lançada em 2005 / Keith Chi-hang Tam; professores, Gerry Leonidas, Gerard Unger / Reino Unido 2001–2002

REPRESENTANTES

À medida que o design gráfico evoluiu no decorrer do século XX e no início do XXI de um ofício voltado para os aspectos mais refinados da impressão e composição para uma profissão multifacetada, vicejando na comunicação de mensagens através de uma série de meios, numerosos indivíduos e grupos ajudaram não apenas a definir cada marco, mas também propelir o passo seguinte através de trabalhos inovadores e extraordinários sobre o qual as gerações futuras possam se basear. Essas pessoas são representantes de um período específico na história do design gráfico, mas, ao mesmo tempo, transcendem qualquer período ou estilos por serem modelos exemplares de como o design gráfico pode ser praticado e que tipo de trabalho pode ser produzido em qualquer contexto tecnológico, econômico, político e cultural.

KUNSTHALLE
BASEL
KUNSTKREDIT
1976/77
Wettbewerbe, Aufträge und Ankäufe des
Staatlichen Kunstkredits
ffnungszeiten:
ntag bis Samstag
-12 und 14–18 Uhr
nntag
-12 und 14–17 Uhr
Ausstellung
7. bis 30. Mai 1977

REPRESENTANTES
De Design

É difícil estabelecer linhas divisórias claras nos anos nos quais os designers causaram impacto, em parte porque muitos desses indivíduos e grupos destacados neste capítulo tiveram influência em muitas décadas. Entretanto, certos desenvolvimentos ajudam a estabelecer linhas do tempo mais amplas quando eles foram mais produtivos ou causaram maior impacto.

140

1920–1960

Estimulados pelas inovações gráficas e novas linguagens visuais desenvolvidas pelo construtivismo na Rússia, de Stij na Holanda e Bauhaus na Alemanha, é possível ver a gênesis do design gráfico, como conhecemos hoje, com imagens e tipografias unidas mais claramente e com propósitos mais definidos, seja para propósitos comerciais, seja para protesto. Nos anos 1950, a ascensão do estilo tipográfico internacional fez da Suíça o centro das atenções; essa época permanece como uma das mais influentes. Ao mesmo tempo, nos Estados Unidos, o fluxo de imigrantes europeus e russos e um número crescente de americanos deram forma às indústrias editoriais e publicitárias dos anos 1930 em diante. O que esses designers compartilhavam, mais do que a localização geográfica ou abordagem estilística, era um espírito de pioneirismo que estabeleceu o potencial do design gráfico.

155

Durante finais dos anos 1950 e anos 1960 houve um rápido crescimento na disciplina de identidade corporativa, uma vez que muitas das maiores corporações do mundo iniciaram um período de crescimento vigoroso movido pelos processos altamente industrializados, comunicações e meios de transportes mais viáveis. Naqueles anos iniciais, designers individuais ou pequenas empresas de design foram capazes de encarar esses projetos e sua produção definiu a aparência dos negócios. Ao final dos anos 1960 e na década seguinte, o mundo foi varrido por mudanças culturais, e o design gráfico desempenhou um papel de destaque ao dar forma visual aos assuntos em debate na época, ilustrando o potencial comunicativo do design gráfico além dos limites da comunicação corporativa. Em paralelo, os ramos de design de revistas, capas de discos e publicidade refletiam a evolução nas mãos dos diretores de arte.

176

1980s–2000s

Mesmo antes da revolução digital sinalizar uma nova era no design gráfico, o final dos anos 1970 e início dos 1980 deram espaço à reavaliação dos fundamentos do design gráfico e da tipografia, à medida que a New Wave e o pós-modernismo exploravam novas teorias e práticas. Mas, certamente, a introdução do computador Macintosh, em 1984. foi um divisor de águas na história do design gráfico e catalisou uma série de possibilidades que alguns adotaram e outros rejeitaram. No início dos anos 1990, a assimilação do computador foi inquestionável, e essa geração de designers – seja na prática individual, em empresas pequenas ou grandes escritórios – fez a profissão avançar em quase todas as áreas. Esses designers agora estão no limiar de um novo marco.

Detalhe do ***WORLDFORMAT KUNSTKREDIT BASEL 1976-1977* – CARTAZ PARA O ORGANISMO DE APOIO ÀS ARTES NA BASILEIA** / Wolfgang Weingart / Suíça, 1977

Jan Tschichold

1902 (Leipzig, Alemanha) - 1974

Em 1923, após se formar na academia de Artes Gráficas e Produção de Livros em Leipzig, Jan Tschichold começou sua abrangente carreira como designer de letras e livros trabalhando como autônomo para várias editoras. Uma exposição da Bauhaus em 1923, em Weimar, o expôs à Tipografia Nova, uma abordagem que tornou-se sinônimo de sua obra inicial, manifestada na publicação, dois anos mais tarde, de *Elementare Typographie*, um encarte no periódico de Leipzig, *Typographische Mitteilungen* (Notícias Tipográficas). Essa obra explicava e ilustrava os princípios na Tipografia Nova. Em 1928, Tschihold publicou o primeiro de muitos livros e manuais, *Die Neue Typographie* (A Tipografia Nova), carregado de exemplos que demonstravam suas crenças à medida que ele rejeitava a decoração e advogava um design funcional e eficiente.

Após sete anos ensinando em Munique, Tschihold emigrou da Alemanha para a Basileia, na Suíça, em 1933, fugindo do regime nazista. Voltou a trabalhar como designer de livros e começou a distanciar-se da Tipografia Nova à medida que ele adotava as letras serifadas e os arranjos clássicos, entendendo que a tipografia tinha mais nuances e que há mais de um modo de fazer um design de sucesso. Em 1947, mudou-se para Londres, quando aceitou o convite para padronizar os populares livros da Penguin Books › 274. Com pouca consistência em centenas de livros, Tschihold estabeleceu preceitos — consolidados nas regras de composição da Penguin — para assegurar a qualidade de uma capa a outra e criando uma marca indelével na indústria editorial. Retornou à Basileia em 1949 para continuar seu trabalho com editores de livros e, em 1958, tornou-se consultor da empresa farmacêutica F. Hoffmann-La Roche, criando os materiais de apoio durante os 12 anos seguintes. Saindo dos limites entre a tipografia clássica, centrada, e a tipografia moderna, assimétrica, o trabalho de Jan Tschichold permanece como um exemplo vibrante das duas abordagens.

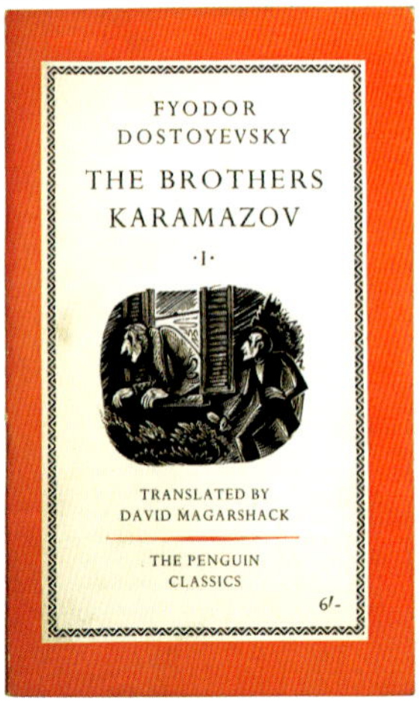
FYODOR DOSTOYEVSKY
THE BROTHERS KARAMAZOV
·I·
TRANSLATED BY DAVID MAGARSHACK
THE PENGUIN CLASSICS
6/-

***OS IRMÃOS KARAMAZOV*, Fyodor Dostoevsky, traduzido por David Magarshack / Jan Tschichold; arte central, Cecil Keeling / Reino Unido, 1958**

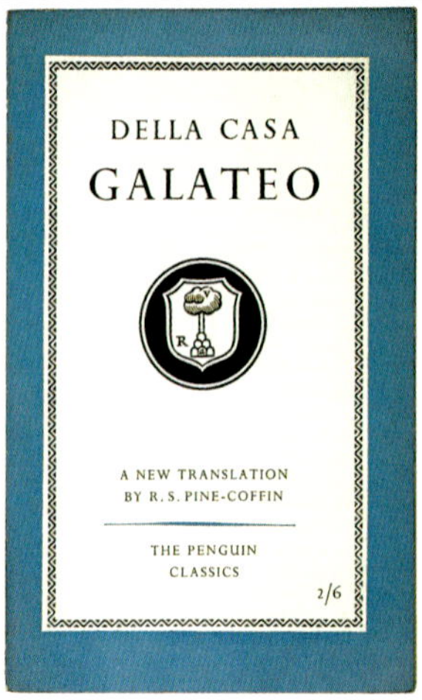
DELLA CASA
GALATEO
A NEW TRANSLATION BY R. S. PINE-COFFIN
THE PENGUIN CLASSICS
2/6

***DELLA CASA GALATEO*, trazuzido por R.S. Pine-Coffin / Jan Tschichold; arte central, Cecil Keeling / Reino Unido, 1959**

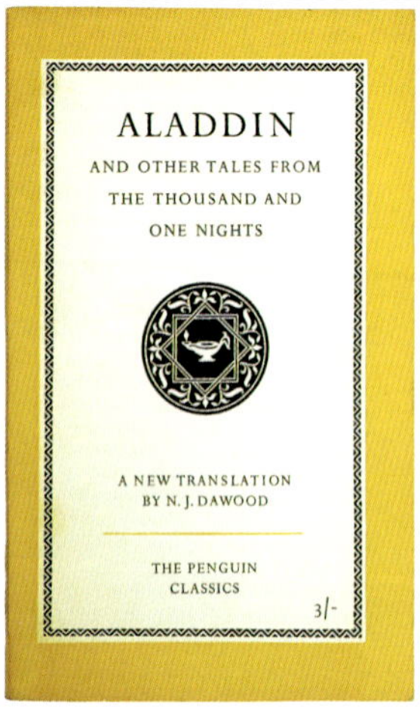
ALADDIN
AND OTHER TALES FROM THE THOUSAND AND ONE NIGHTS
A NEW TRANSLATION BY N. J. DAWOOD
THE PENGUIN CLASSICS
3/-

***ALADDIN E OUTRAS ESTÓRIAS DAS MIL E UMA NOITES*, traduzido por N.J. Dawood / Jan Tschichold / Reino Unido, 1960**

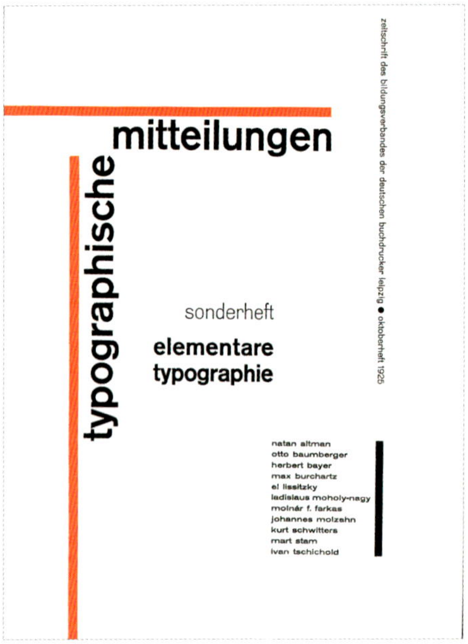
typographische
mitteilungen
zeitschrift des bildungsverbandes der deutschen buchdrucker leipzig ● oktoberheft 1925
sonderheft
elementare typographie
natan altman
otto baumberger
herbert bayer
max burchartz
el lissitzky
ladislaus moholy-nagy
molnár f. farkas
johannes molzahn
kurt schwitters
mart stam
ivan tschichold

TYPO-PHOTO
ВЛАДИМИР МАЯКОВСКИЙ
ДЛЯ ГОЛОСА

ELEMENTARE GESICHTSPUNKTE
1000000
REKLAME
BAUHAUS AUSSTELLUNG

***TYPOGRAPHICHE MITTEILUNGEN*, Jan Tschichold / Alemanha, Outubro 1925 / Imagens: cortesia do Arquivo Internacional do Dadaísmo, Bibliotecas da Universidade de Iowa**

Sabon

A pedido dos gráficos alemãs que procuravam uma letra na linha da Garamond, que desempenhasse igualmente bem em todos os modelos de composição, Tschihold criou a Sabon em 1964 para que fosse produzida simultaneamente por três fábricas: D. Stempel AG, Linotype e Monotype. Baseada na Roma de corpo 14, atribuída a Claude Garamond a partir de uma folha de testes de 1592, emitida pela fábrica Egenolff-Berner, a Sabon foi batizada em homenagem a Jakob Sabon, um aprendiz de Claude Garamond e dono de uma fábrica de tipos na Alemanha que, posteriormente, ficou conhecida como Egenolff-Berner. Desde seu lançamento, a Sabon tem sido o esteio do design de livros, tida como uma letra altamente legível e agradável.

William Addison Dwiggins

1880 (MARTINSVILLE, OHIO, EUA) - 1956

Após estudar sob a supervisão de Frederic W. Goudy na Escola e Ilustração Frank Holme em Chicago e trabalhar brevemente na sua Village Press em Massachusetts, em 1904, Wiliam Addison Dwiggins estabeleceu-se em 1905 como um artista comercial autônomo, tornando-se um prolífico criador de letras, calígrafo e ilustrador na indústria da propaganda. Entretanto, em 1923, quando foi diagnosticado como diabético, ele mudou de atividade e passou ao design de livros, um campo no qual ele já tinha experimentado, ainda que de forma não positiva. Em 1919, após uma pouco inspirada e passagem breve pela Harvard University Press, ele escreveu "Extratos de uma Investigação a Respeito das Propriedades Físicas dos Livros da Forma em que São Publicados Hoje", uma crítica simulada (mas não menos mordaz) à atividade, publicada pela sociedade dos calígrafos, um clube imaginário administrado por Hermann Püterschein, um dos muitos pseudônimos e alter egos de Dwiggins. Mwano Masassi, um designer Africano era outro e também Kobodaishi, o santo padroeiro budista das artes de criação de letras, que Dwiggins "visitou" em 1935 e a quem deu inspiração para a letra Electra.

Textos mais oficiais incluíam "Um Novo Tipo de Impressão Requer Um Novo Design", publicado em 1922 no *Boston Evening Transcript*, no qual ele cunhou o termo *design gráfico* e, em 1928, *Layout em Propaganda*, um livro que compilava seu conhecimento bruto. Desenhando capas e interiores, Dwiggins deixou sua marca mais indelével na sua longa colaboração com a editora Alfred Knopf, Inc., onde ele produziu mais de 300 trabalhos, por mais de três décadas, desde finais dos anos 1920. Após os 45 anos de idade, Dwiggins iniciou uma carreira de criador de tipos quando a Mergenthaler Linotype solicitou que ele desenvolvesse uma letra não serifada; esta, um ano depois, resultou na Metroblack. Nessa longa associação, ele criou outras quatros letras comerciais – Electra, Caledonia, Eldorado e Falcon –, juntamente com dúzias de letras bem catalogadas que inspiraram muitos designers contemporâneos. Tangencialmente, Dwinggins era fanático por um hobby: projetar e construir marionetes, com os cenários e peças que ele encenava para amigos. Dwigging morreu em 1956, em Hingham, Massachusetts.

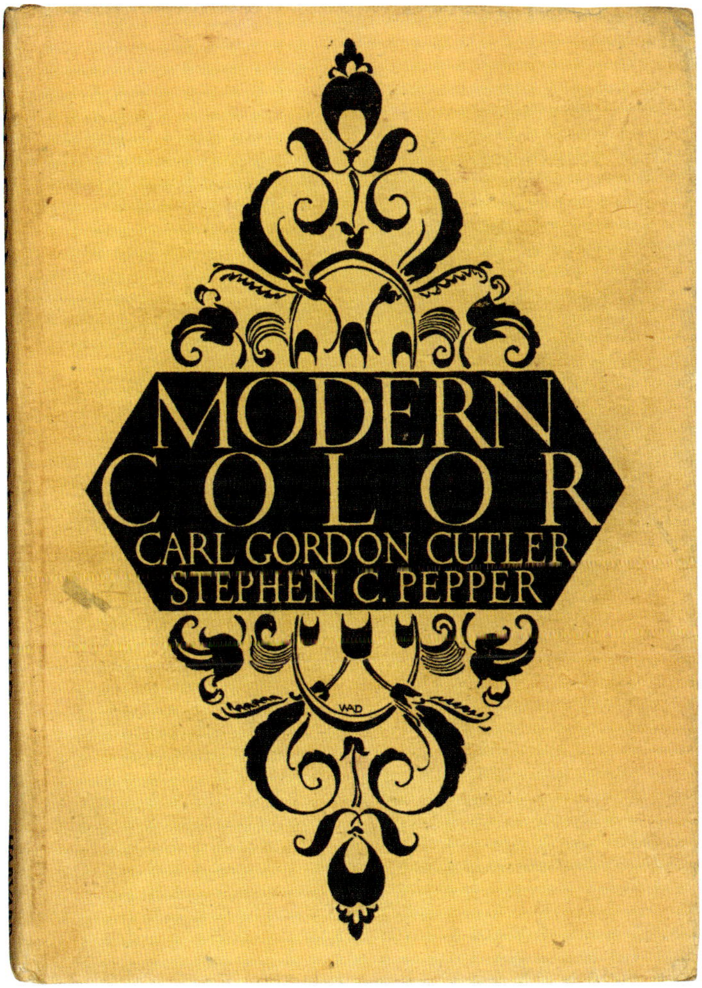
MODERN
COLOR
CARL GORDON CUTLER
STEPHEN C. PEPPER

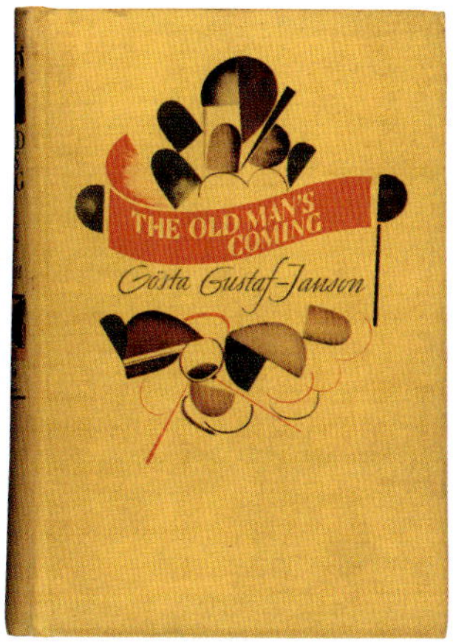
THE OLD MAN'S COMING
Gösta Gustaf-Janson

THE ANNUAL OF BOOKMAKING
1938
THE COLOPHON

The Gift of the Magic Staff
Fannie E Ostrander

Sentido horário ***THE OLD MAN'S COMING***, Gosta Gustaf-Janson / W.A. Dwiggins / EUA, 1936

THE ANNUAL OF BOOKMAKING / W.A. Dwiggins / EUA, 1938

THE GIFT OF THE MAGIC STAFF, Fannie E. Ostrander / W.A. Dwiggins / EUA, 1902

MODERN COLOR, Carl Gordon Cutler, Stephen C. Pepper / W.A. Dwiggins / EUA, 1923

Alex Steinweiss

N. 1917 (BROOKLYN, NOVA YORK, EUA)
ATUALMENTE EM SARASOTA, FLÓRIDA, EUA

Alexander Steinweiss frequentou a escola Abraham Lincoln, no Brooklyn, onde foi membro da Esquadra de Artes, um time de estudantes que incluía Gene Federico, Seymour Chwast › 171 e William Taubin, entre outros talentos jovens. Guiados por seu professor de artes visuais, Leon Friend, trabalhavam nas publicações da escola, cartazes e sinais dando-lhes um sentido do que seria o design quando eles se tornassem profissionais. Em 1934, Steinweiss frequentou a Parsons School of Art e, após a formatura em 1937, encontrou trabalho com Joseph Binder, um designer de cartazes vienense emigrado para Nova York. Steinweiss passou aproximadamente três anos com Binder e depois foi montar seu próprio estúdio. Essa aventura durou apenas poucos meses, pois a recentemente reorganizada Columbia Records › 300 precisava um diretor de arte e seu presidente, William Paley, ofereceu o emprego para Steinweiss, então com 23 anos.

Inicialmente, suas responsabilidades incluíam o design dos rótulos dos catálogos, cartazes, logotipos e propagandas. Mas, após poucos meses no cargo ele revolucionou o ramo: os discos de 78rpm eram guardados tradicionalmente em capas protetoras, sem descrição, com apenas o nome do artista e do disco estampados e, a despeito das preocupações com o custo, Steinweiss pegou uma tela em branco e desenhou a primeira capa de disco com arte e design originais. Com o sucesso comprovado – incluindo um aumento de 894% nas vendas da reedição da Nona Sinfonia de Beethoven –, Steinweiss seguiu com o desenvolvimento de capas para Columbia como seu diretor de arte até 1944, quando ele se juntou à marinha americana, criando cartazes e livretos, num trabalho regular e como freelancer para a Columbia, trabalhando à noite. As capas de Steinweiss são, em si mesmas, tão influentes quanto o inovador fato de sua própria existência.

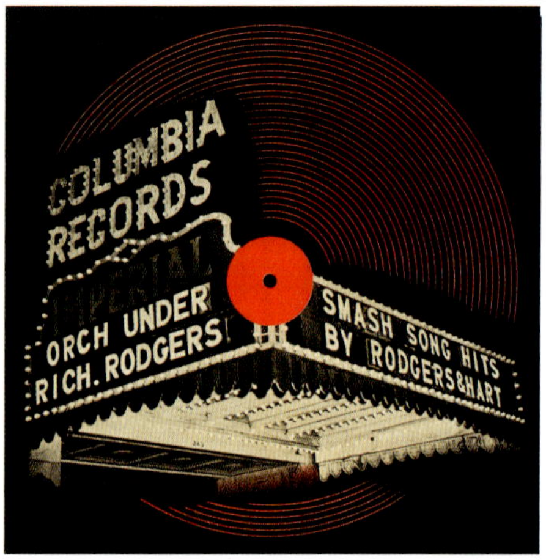
COLUMBIA RECORDS
ORCH UNDER RICH. RODGERS
SMASH SONG HITS BY RODGERS & HART

SMASH SONG HITS, **Rodgers & Hart / Após anos com os discos sendo embalados em capas genéricas, este foi o primneiro disco conscientemente embalado numa capa devidamente projetada / Columbia Records / 1939**

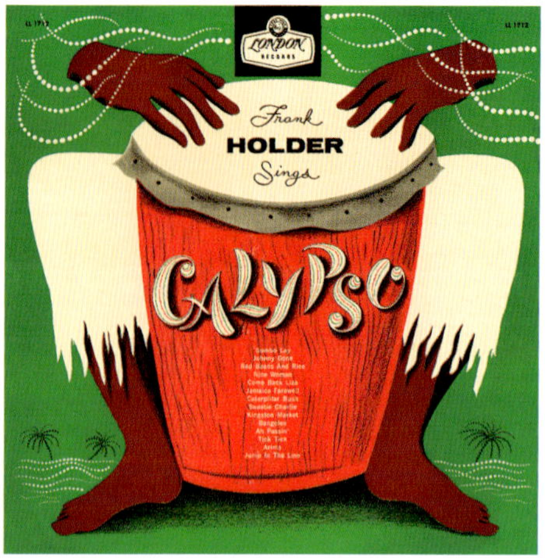
Frank
HOLDER
Sings
CALYPSO

CALYPSO, **Frank Holder / London Records / 1957**

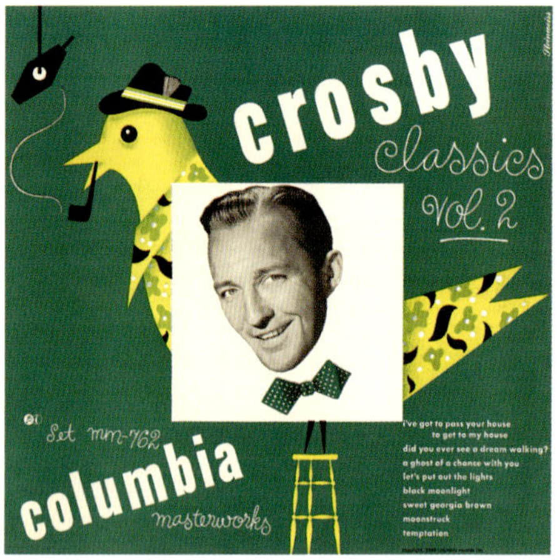
crosby
classics
vol. 2
Set MM-762
columbia
masterworks

CROSBY CLASSICS VOL. 2 **/ Columbia Records / 1948**

COLUMBIA PRESENTS
Frankie
CARLE
ENCORES
SET C-70

ENCORES, **Frankie Carle / Columbia Records / 1947**

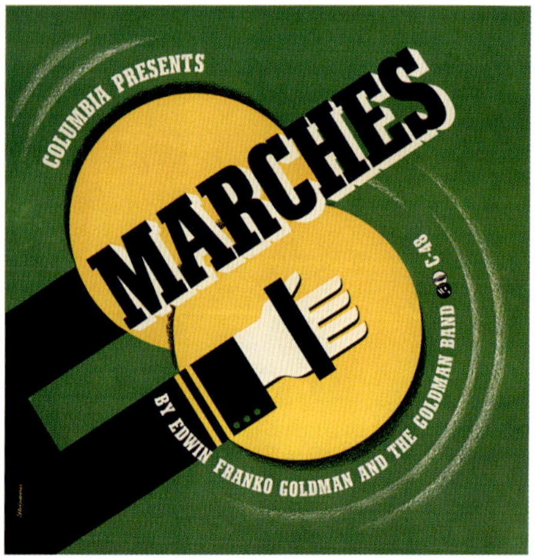
COLUMBIA PRESENTS
MARCHES
BY EDWIN FRANKO GOLDMAN AND THE GOLDMAN BAND
C-48

MARCHES, **Edwin Franko Goldman and the Goldman Band / Columbia Records / 1941**

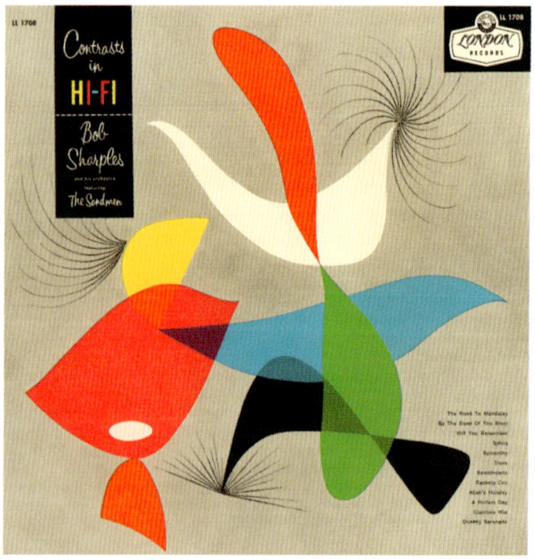
Contrasts in
HI-FI
Bob Sharples
The Sandmen

CONTRASTS IN HI-FI, **Bob Sharples and His Orchestra, featuring the Sandmen / London Records / 1958**

Alex Steinweiss / EUA

Alexey Brodovitch

1898 (OGOLITCHI, RUSSIA) - 1971

Chegando em Paris em 1920, após a revolução russa, Alexey Brodovitch iniciou sua carreira pintando cenários para o Ballet Russes e foi gradualmente mergulhando no design, obtendo o reconhecimento na Exposição Internacional de Artes Decorativas e Industriais Modernas e ao ganhar uma competição de cartazes para a Bal Banal, um espetáculo de dança beneficente para artistas russos. Procurado para iniciar um departamento de arte em propaganda na Escola e Museu de Arte Industrial da Filadélfia (atualmente Universidade das Artes), ele se mudou para os Estados Unidos em 1930, o que deu uma base para que seus ensinamentos fossem muito influentes – no seu primeiro grupo de estudantes, estava o fotógrafo Irving Penn. Brodovitch trabalhou com design e publicidade em Filadélfia e Nova York, o ponto alto de sua carreira deu-se em 1934, quando Carmel Snow, na editoria principal de *Harper's Bazaar* › 327, viu uma exposição de propagandas no Art Directors Club › 245 em Nova York, sob a curadoria de Brodovitch e imediatamente o convidou para o posto de diretor de arte.

Com incomparáveis sensibilidade e abordagem fotográfica, layout e tipografia, Brodovitch determinou a aparência de *Harper´s Bazaar* durante os 24 anos seguintes. Encomendou obras de artistas europeus como Man Ray, Salvador Dali e A. M. Cassandre e de fotógrafos americanos como Richard Avedon, Lisette Model e Diane Arbus – muitos dos quais foram alunos de Brodovitch no seu curso de Laboratório de Design na New School of Social Research, em Nova York, de 1941 a 1959. Brodovitch colaborou com o diretor de arte, Frank Zachary, para criar a efêmera *Portfolio*, uma deliciosa revista de artes visuais com somente três números publicados. Brodovitch publicou *Ballet* em 1945, uma coleção de suas próprias fotografias – embaçadas e cheias de movimento – do Ballet Russes de Monte Carlo, feitas entre 1935 e 1937. Ele saiu de *Harper´s Bazaar* em 1958 e voltou para a França em 1966, onde faleceu em Le Thor, em 1971.

PORTFOLIO

PORTFOLIO / Zebra Press / coedição, Alexey Brodovitch, Frank Zachary; direção de arte, Alexey Brodovitch / EUA, 1950–1951

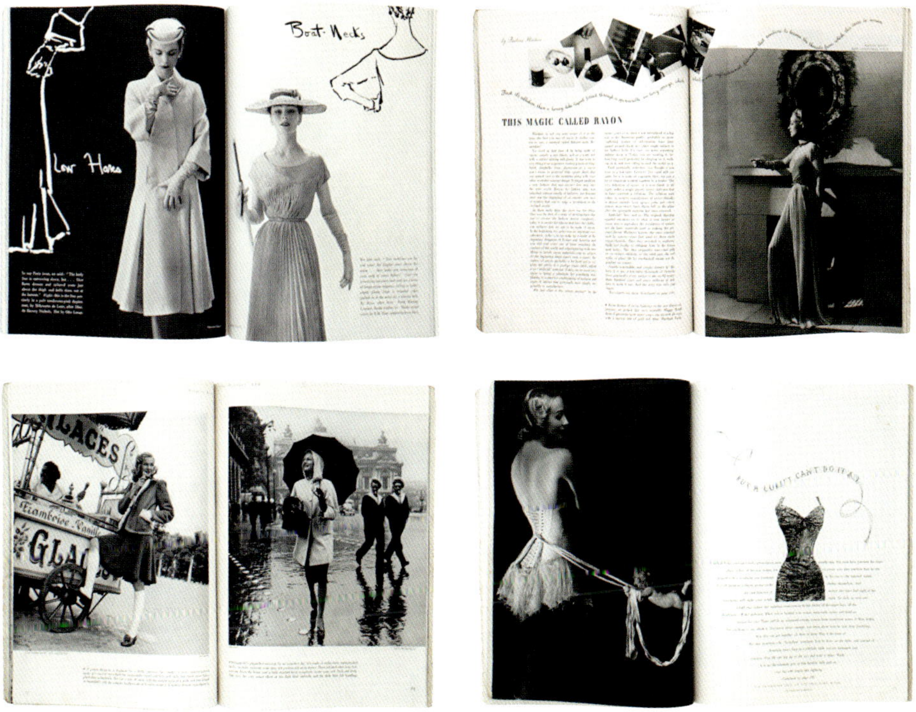
Boat Necks
Low Hems
THIS MAGIC CALLED RAYON

REVISTA *HARPER'S BAZAAR* / Alexey Brodovitch / EUA, 1939, 1952

LEITURA RECOMENDADA › 390

Alvin Lustig

1915 (DENVER, COLORADO, EUA) - 1955

Investindo sua energia na prática da magia ao invés de se concentrar nos estudos, os interesses de Alvin Lustig mudaram rapidamente quando ele foi apresentado à arte moderna e aos cartazes franceses na escola secundária – em breve, os cartazes para suas apresentações passaram a ganhar todas as atenções. A educação superior de Lustig ocorreu no Los Angeles Community College e na Art Center School da mesma cidade, complementada por cursos independentes com o aclamado arquiteto, Frank Lloyd Wright, e o pintor francês, Jean Charlot. Lustig abriu sua primeira empresa de design em 1937, em Los Angeles, e, a despeito de um início fraco, dava sinais de uma obra prolífica que se espalhou por diferentes meios e isciplinas – desde capas de livros, propagandas e entidade até design de interior, tecidos, iluminação e mobiliário.

Em 1944, Lustig mudou-se para Nova York como diretor de pesquisa visual da revista *Look*, um posto que ele manteve por dois anos antes de retornar para a Califórnia. Durante os anos 1940 e 1950, ele criou muitas capas de livros, incluindo a série New Classics para a New Directions › 278 (1945-1952), na qual suas soluções abstratas representavam a direção criativa do autor, ao invés de um elemento icônico da estória em si. Seu trabalho para a Noonday Press (1951-1955) pode ser identificado por seu caráter puramente tipográfico.

Lustig voltou para Nova York em 1950 à medida que sua luta contra o diabetes, que acabou por cegá-lo, piorava. Durante esse período ele continuou a trabalhar – mais notavelmente na sinalização do Edifício Seagram de Philip Johnsoni, em Nova York, e na nova revista *Industrial Design* › 96 –, auxiliado por sua esposa, Elaine Lustig Cohen, e pela equipe de seu estúdio. Ele sucumbiu ao diabetes com somente 40 anos de idade.

ELEMENTS OF TYPOGRAPHY
a summer course with ALVIN LUSTIG

FOLHETO PARA O *CURSO DE ELEMENTOS DE TIPOGRAFIA: UM CURSO DE VERÃO COM ALVIN LUSTIG* / 1939

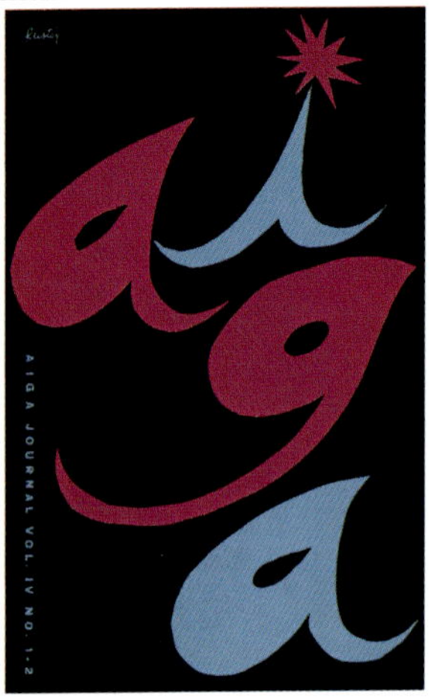
aiga
AIGA JOURNAL VOL. IV NO. 1-2

AIGA JOURNAL / 1952

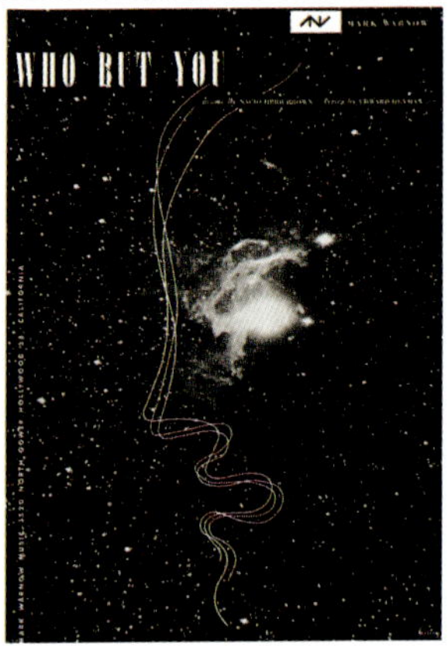
WHO BUT YOU

CAPA DE PARTITURA DA MÚSICA *WHO BUT YOU* PARA MARK WARNOW / 1945

arts & architecture
JUNE 1948

RECRIAÇÃO DO LOGOTIPO E DA REVISTA *ARTS AND ARCHITECTURE* / 1948

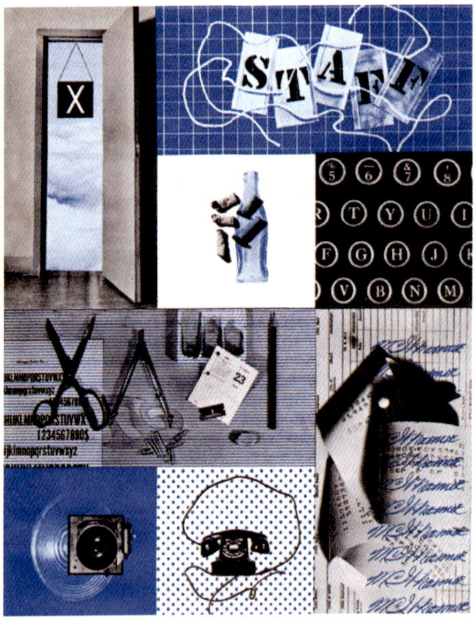
STAFF

STAFF*, PUBLICAÇÃO INTERNA PARA A REVISTA *LOOK / 1944

Anatomy
for Interior
Designers
plus: How to
Talk to a Client

ANATOMY FOR INTERIOR DESIGNERS / Whitney Publications / 1946

Alvin Lustig / EUA

Cipe Pineles

1908 (VIENNA, AUSTRIA) - 1991

Em 1926, três anos após chegar de Viena, Cipe Pineles matriculou-se no Pratt Institute do Brooklyn. Após batalhar para encontrar emprego depois da formatura – seu portfólio lhe garantia as entrevistas, mas o desapontamento dos empregadores ao se depararem com uma mulher fez com que ela não conseguisse um emprego –, finalmente ela encontrou trabalho na Contempora, uma empresa pequena de design, onde um projeto lançou sua carreira: para o cotonifício Everfast, Pineles criou uma série de pequenas caixas como manequins vestidos com combinações de tecidos de sua escolha. Numa festa oferecida pela colega de trabalho, Leslie Foster Nast, esposa do editor de Condé Nast, a série chamou a atenção dele que a recomendou para um cargo sob a tutoria do Dr. M. F. Agha, diretor de arte das revistas *Vogue, Vanity Fair* e *House and Garden*. Pineles passou 15 anos na Condé Nast, recebendo uma carga crescente de responsabilidades, tornado-se diretora de arte da *Glamour* em 1942 e sendo reconhecida numa indústria dominada por homens.

Começando em 1947, ela foi capaz de inspirar duas publicações com sua abordagem e sensibilidade pessoal. Ela foi diretora de arte da revista *seventeen*, voltada às adolescentes e sob a edição de Helen Valentine, até 1950, e depois da revista *Charm*, "A revista para a mulher que trabalha", também chefiada por Valentine, até 1959. Após um período breve na *Mademoiselle*, Pineles foi para a empresa de design de seu segundo marido, Will Burtin – seu primeiro esposo, William Golden, da CBS, faleceu inesperadamente em 1959 – além de começar a ensinar design na Parsons School of Design em 1962, onde permaneceu até 1987, também foi diretora de publicações. Pineles rompeu barreiras no design editorial e, talvez de modo mais importante, rompeu barreiras também na profissão, tornando-se a primeira mulher a ser aceita como membro do Art Directors Club (Clube dos Diretores de Arte) › 245 e também a ser citada no Hall of Fame da mesma instituição. Ela faleceu em Suffern, Nova York, em 1991.

LEITURA RECOMENDADA › 390

CAR POOLS CARRY
SMART WOMEN TO WORK
IN THE NEWEST, SLEEKEST AUTOMOBILES
ON THE ROAD

REVISTA *CHARM* / direção de arte, Cipe Pineles; foto: William Helburn / EUA, Abril 1956

REVISTA *CHARM* / direção de arte, Cipe Pineles; foto: Carmen Schiavone / EUA, Abril 1956

CHARM

REVISTA *CHARM* / direção de arte, Cipe Pineles; foto: William Helburn / EUA, Abril 1956

It's raining

REVISTA *SEVENTEEN* / direção de arte, Cipe Pineles; foto: James Viles / EUA, Abril 1949

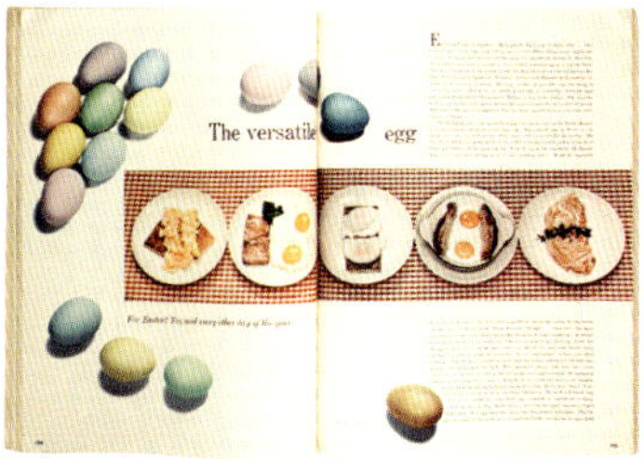

REVISTA *SEVENTEEN* / direção de arte, Cipe Pineles; foto: Francesco Scavullo / EUA, Abril 1949

seventeen
GIRL MEETS BOY

REVISTA *SEVENTEEN* / direção de arte, Cipe Pineles; foto: Francesco Scavullo / EUA, Abril 1949

seventeen

REVISTA *SEVENTEEN* / A fotografia do fundo mostra os cartões de boas festas recebidos por Pineles em 1947 / direção de arte, Cipe Pineles; foto: Ray Solowinsky / EUA, Dezembro 1948

Vogue

REVISTA *VOGUE* / direção de arte, Mehemed Fehmy Agha, Cipe Pineles; foto: Horst P. Horst / EUA, Abril 1939

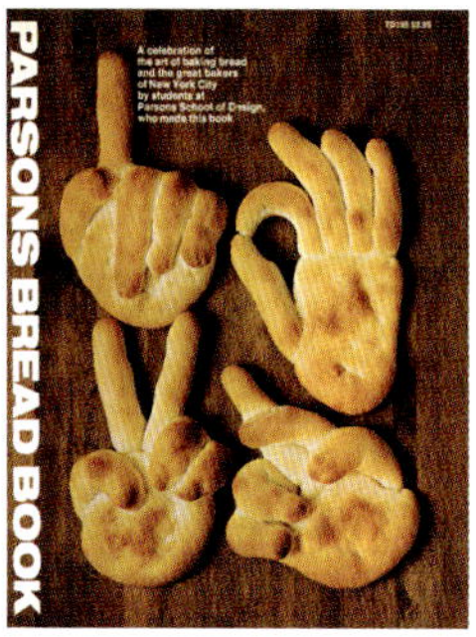
PARSONS BREAD BOOK

PARSONS BREAD BOOK / Por meio de seu curso de design editorial na Parsons School of Design, Cipe Pineles e seus alunos produziram o anuário da escola durante vários anos, com a edição de 1974 publicada na forma de livro comercial / Parsons School of Design: professor, Cipe Pineles Burtin; estudantes: turma de formandos em Design Editorial / Harper & Row, Publishers / EUA, 1974

Lester Beall

1903 (Kansas City, Missouri, EUA) - 1969

Formado em história da Arte pela Universidade de Chicago e tendo assistido aulas de pintura no Art Institute da mesma cidade, onde encontrou refúgio na biblioteca e coleção de revistas de arte europeias, Lester Beall inicia sua carreira como autônomo em 1927, fazendo trabalho publicitário para clientes como o *Chicago Tribune*, Pabst Corporation e Marshall Field´s. Em 1935, Beall mudou-se para Nova York, onde mantinha um pequeno escritório além de uma casa e um estúdio em Wilton, Connecticut, iniciados em 1936. Um dos trabalhos que atraíram atenção substancial pela capacidade do autor em mesclar o modernismo europeu e o construtivismo russo com a sensibilidade americana foi a série de cartazes, feita entre 1937 e 1941, para a Administração de Eletrificação Rural. Essa agência, hoje extinta, do departamento de agricultura dos EUA tinha como objetivo levar eletricidade para a zona rural e os cartazes incônicos em vermelho e azul, feitos por Beall, explicavam de maneira simples a solução (setas saindo de uma torneira) e mostravam o resultado (crianças e donas de casa felizes).

Em 1955, após anos dividindo seu tempo entre o escritório de Nova York e o estúdio em Connecticut, Beall consolidou suas operações em Connecticut, na fazenda Dumbarton, que ele adquirira em 1950 e havia transformado em escritório plenamente funcional. Naqueles anos, Beall contratou mais empregados e trabalhou em projetos mais abrangentes e complexos no crescente ramo da identidade corporativa, criando não apenas logotipos, mas manuais detalhados, explicando o seu uso e normas para clientes como a International Paper, Caterpillar Tractor Company e Martin Marietta. Esses manuais são hoje prática corrente, mas foram introduzidos por designers tais como Beal, Paul Rand › 159 e empresas como Chermayeff & Geismar › 156. A obra de Beall evoluiu por indústrias e disciplinas até sua morte em 1969.

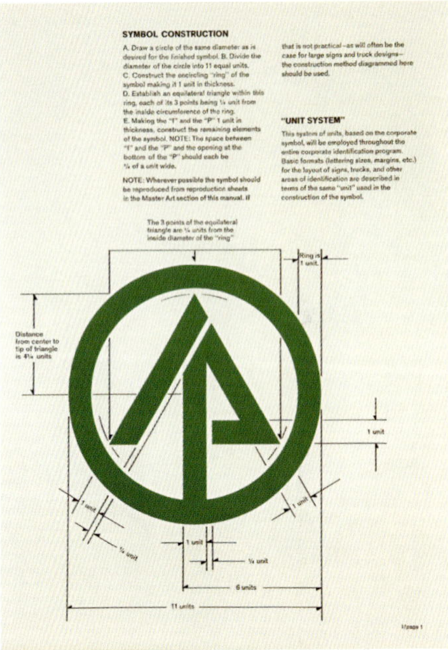
SYMBOL CONSTRUCTION
"UNIT SYSTEM"

MANUAL DE IDENTIDADE CORPORATIVA PARA A INTERNATIONAL PAPER / 1967 / Imagem: cortesia da International Paper

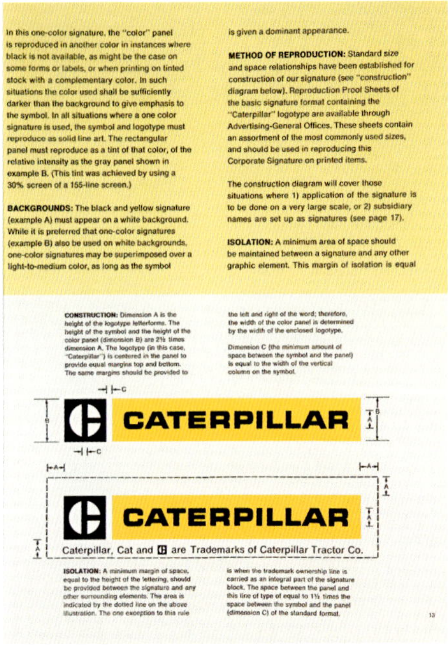
CATERPILLAR
CATERPILLAR
Caterpillar, Cat and are Trademarks of Caterpillar Tractor Co.

MANUAL DE IDENTIDADE CORPORATIVA PARA A CATERPILLAR TRACTOR COMPANY / 1967 / Imagem: Reimpressão em cortesia da Caterpillar, Inc.

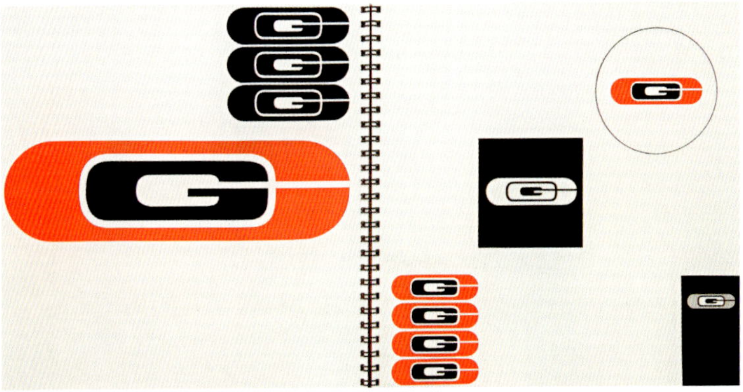

MANUAL DE IDENTIDADE CORPORATIVA PARA A CONNECTICUT GENERAL LIFE INSURANCE CO. / 1959

RURAL ELECTRIFICATION ADMINISTRATION

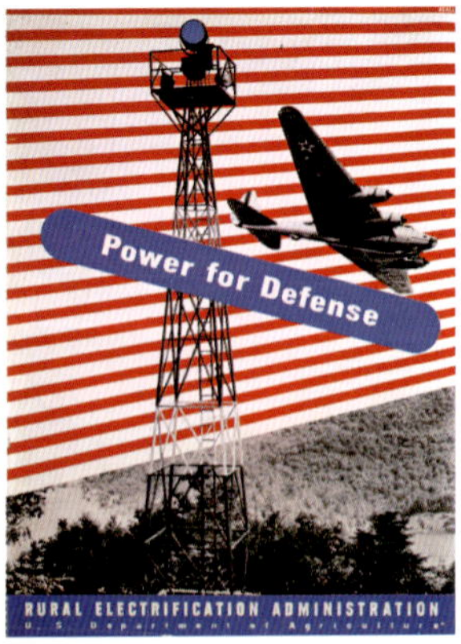
Power for Defense
RURAL ELECTRIFICATION ADMINISTRATION
U. S. Department of Agriculture

CARTAZES PARA A ADMISTRAÇÃO DE ELETRIFICAÇÃO RURAL DO DEPARTAMENTO DE AGRICULTURA / 1937–1941 / Imagens: cortesia da Biblioteca do Congresso, Washington, D.C.

DRAGON CEMENT COMPANY
SOUTHERN DYESTUFF COMPANY
MARTIN MARIETTA
ROCKY MOUNTAIN CEMENT COMPANY
MADISON SILOS
A DIVISION OF MARTIN MARIETTA
MARTIN MARIETTA CORPORATION
NUCLEAR DIVISION
SINCLAIR AND VALENTINE COMPANY

MARTIN MARIETTA CORPORATION CORPORATE IDENTITY MANUAL / 1968

Lester Beall / EUA / Imagens: cortesia da Coleção Lester Beall, Coleção de Artes Gráficas Cary, Bibliotecas do RIT

Bradbury Thompson

1911 (TOPEKA, KANSAS, EUA) - 1995

Enquanto se graduava em economia no Washburn College em Topeka, Kansas, Bradbury Thompson começava humildemente no campo de design editorial como editor e designer do anuário da faculdade. Após a graduação em 1934, Thompson trabalhou inicialmente para a Capper Publications fazendo o design de livros e revistas; quatro anos mais tarde, mudou-se para Nova York, onde foi diretor de arte para a gráfica Rogers-Kellog-Stillson até 1941. Em 1938, tornou-se editor e designer da *Westvaco Inspirations for Printers*, uma publicação iniciada em 1925 pela Westvaco corporation (anteriormente, West Virginia Pulp and Paper Company, hoje MeadWestvaco) para mostrar o desempenho da tipografia, fotografia, arte e técnicas de impressão nos papéis da companhia. Por 61 edições, até o término da publicação em 1962, Thompson demonstrou não somente as capacidades do papel, mas também a variedade e possibilidades do design gráfico.

Em paralelo com *Inspirations*, Thompson mantinha uma prática ativa atuando como diretor de arte para a divisão de publicações do Office of War Information (1942-1945), diretor de arte da revista *Mademoiselle* (1945-1959) e diretor de design da *Art News e Art News Annual* (1945-1972). No geral, ele criou o formato para mais de 30 revistas. Também foi consultor de design para a Pitney Bowles e McGraw-Hill Publications, além de membro do corpo docente da Yale School of Art › 129, começando em 1956. Em uma escala mais reduzida, Thompson tornou-se membro do Comitê Consultivo para Selos dos Correios Norte-Americanos em 1969 e, ao longo de sua carreira, criou mais de 100 selos. Thompson também tinha interesse em tipografia e, em 1950, apresentou a Alphabet 26, uma letra clássica com serifa, que não possuía distinção entre maiúsculas e minúsculas. Ele faleceu em 1995, em Nova York.

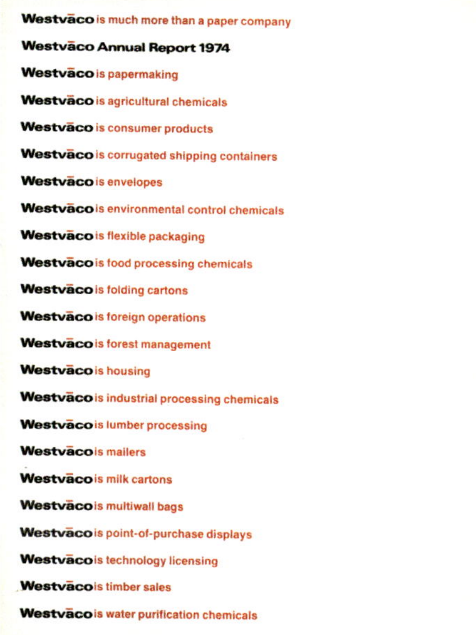
Westvāco is much more than a paper company
Westvāco Annual Report 1974
Westvāco is papermaking
Westvāco is agricultural chemicals
Westvāco is consumer products
Westvāco is corrugated shipping containers
Westvāco is envelopes
Westvāco is environmental control chemicals
Westvāco is flexible packaging
Westvāco is food processing chemicals
Westvāco is folding cartons
Westvāco is foreign operations
Westvāco is forest management
Westvāco is housing
Westvāco is industrial processing chemicals
Westvāco is lumber processing
Westvāco is mailers
Westvāco is milk cartons
Westvāco is multiwall bags
Westvāco is point-of-purchase displays
Westvāco is technology licensing
Westvāco is timber sales
Westvāco is water purification chemicals

RELATÓRIO ANUAL DE 1974 DA WESTVACO CORPORATION / 1975

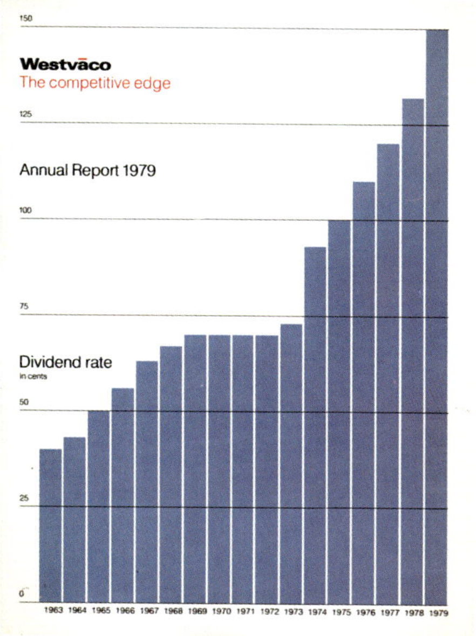
Westvāco
The competitive edge
Annual Report 1979
Dividend rate
in cents
150
125
100
75
50
25
0
1963 1964 1965 1966 1967 1968 1969 1970 1971 1972 1973 1974 1975 1976 1977 1978 1979

RELATÓRIO ANUAL DE 1979 DA WESTVACO CORPORATION / 1980

U. S. A.
Restricted

LIVRETOS DE PROPAGANDA *AMÉRICA* E *USA* USADOS NA SEGUNDA GUERRA MUNDIAL / 1944

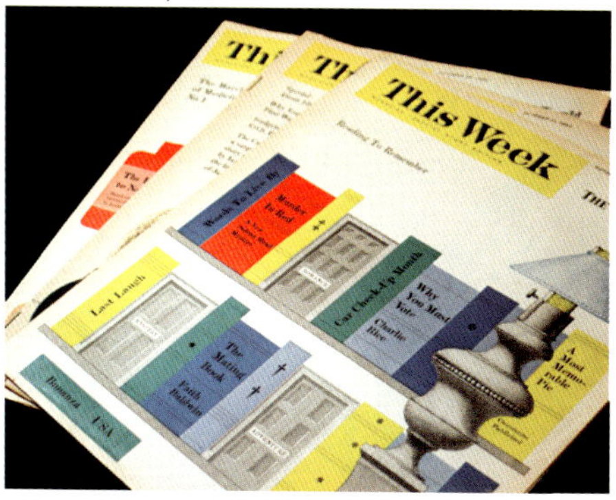
This Week

REVISTA *THIS WEEK*, EDIÇÃO ESPECIAL PARA O *MIAMI NEWS* / Outubro 1964

Bradbury Thompson / EUA

I Kings

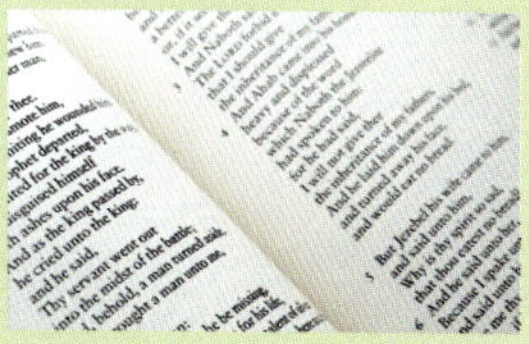

A Bíblia alinhada à esquerda e com sobras na direita

Em 1969, Thompson recebeu a encomenda da Field Enterprises, uma empresa de comunicações de Chicago gerida por Marshall Field IV, para fazer o design de uma Bíblia. O projeto seguiu até 1979, sobrevivendo à recessão do início dos anos 1970 que interrompeu os trabalhos até que um benemérito do Washburn College adquiriu os direitos de publicação. Thompson colaborou com J. Carter Brown, diretor da National Gallery of Art, que ajudou a selecionar as obras de arte que acompanham cada um dos 66 livros da Bíblia, e com seu colega de Yale, Josef Albers, que criou os frontispícios para cada um dos três volumes nos quais a Bíblia do Washburn College foi publicada, numa edição limitada de 400 exemplares. Tipograficamente, a bíblia de Thompson era bastante astuta: ao invés da composição convencional, justificada, o arranjo com alinhamento à esquerda e à direita foi usado para realçar as quebras de linha não convencionais, onde o leitor normalmente faria uma pausa ou parada, de modo a refletir como o texto deveria ser lido em voz alta.

Erik Nitsche

1908 (Lausanne, Suíça) - 1998

Após sua formatura na Kunstgewrbschule (Escola de Artes e Ofícios) de Munique, o suíço Erik Nitsche começou sua carreira, que passou por várias disciplinas e se desenvolveu em vários países, em Colônia, na Alemanha, em 1928 quando se associou ao Prof. Fritz Helmut Ehmecke, que estava encarregado do design e publicidade da *Pressa*, uma exposição internacional de seis meses sobre a imprensa moderna. Logo depois, por volta de 1930, ele seguiu para Paris, onde trabalhou inicialmente para a gráfica Draeger Frères e depois para Maximilien Vox, que chefiava Le Service Typographique, um negócio lateral da fabricante de tipos Deberny et Peignot. Durante sua estada em Paris, Nitsche recebeu encomendas para numerosas ilustrações destinadas a revistas francesas e alemãs.

Prevendo tempos difíceis, Nitsche mudou-se para Los Angeles em 1934 e depois foi para Nova York, em 1936. Ele, então, começou a fazer ilustrações editoriais para revistas como a *Harper's Bazaar* › 327 e *Town and Country*, além de capas para *Fortune e Vanity* Fair. Em 1938, foi contratado como diretor de arte da Saks Fifth Avenue › 319, e durante os anos 1940 fez uma série de trabalhos autônomos, bem como passou um curto período como diretor de arte da revisat *Mademoiselle* e do escritório novaiorquino da agência de publicidade Dorland International.

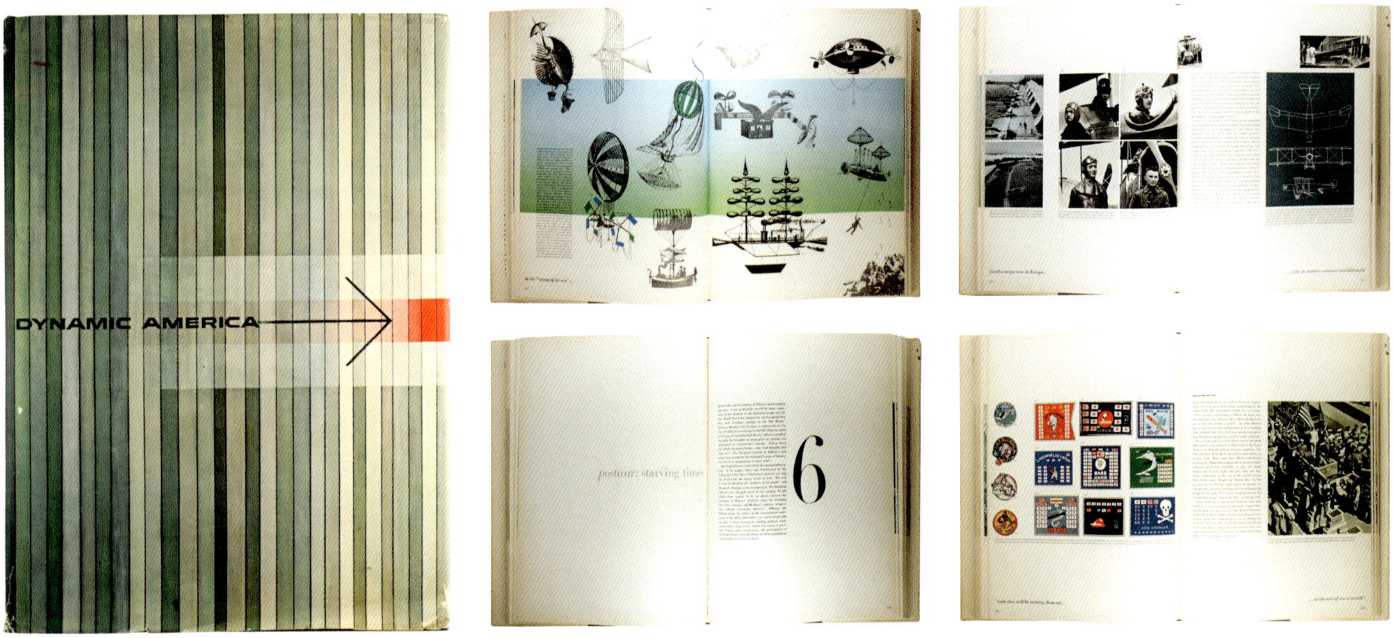
DYNAMIC AMERICA
6

DYNAMIC AMERICA: UMA HISTÓRIA DA GENERAL DYNAMICS CORPORATION E DAS COMPANHIAS QUE A PRECEDERAM, **Editado por John Niven, Courlandt Canby, Vernon Welsh / Doubleday and General Dynamics / Erik Nitsche / EUA, 1960**

DECCA
Haydn
Symphony No. 94 in G major
"surprise"
Symphony No. 101 in D major
"clock"

HAYDN, SINFONIA N. 94 EM SOL MAIOR E SINFONIA N. 101 EM RÉ MAIOR / Decca Records / Erik Nitsche / EUA, 1952

LENINGRAD PHILHARMONIC ORCHESTRA
Rachmaninoff Symphony No. 2
DECCA
KURT SANDERLING–Conductor Recorded in Berlin

ORQUESTRA FILARMÔNICA DE LENINGRADO, SINFONIO N. 2 DE RACHMANINOFF / Decca Records / Erik Nitsche / EUA, 1954

No início dos anos 1950, já vivendo em Connecticut, Nitsche fez cartazes para filmes como *No Way Out* (O Ódio é Cego) e *All Abou Eve* (A Malvada) e também criou numerosas capas de discos para a gravadora Decca. Nessa época, ele iniciou um relacionamento com a General Dynamics (GD), empresa do setor militar, primeiramente por meio da agência Gotham, que detinha a conta e o contratou para fazer alguns anúncios impressos e posteriormente, de modo direto, quando seu trabalho chamou a atenção do presidente e CEO, John Jay Hopkins, que deixou a identidade da GD nas mãos de Nitsche. De 1955 ao início dos anos 1960, Nitsche criou um amplo programa de identidade – incluindo cartazes, anúncios, relatórios anuais e outros itens – para a GD, baseado numa combinação de imagens abstratas e figurativas, com um sabor científico misturado com uma tipografia e layout elegantes e simples. Uma abertura que foi concluída no monumental *Dynamic America*, um livro de 420 páginas documentando a história da companhia. Após isso, Nitsche ficou entre Connecticut e a Europa: no início dos anos 1960, mudou-se para Genebra, Suíça, onde criou a Erik Nitsche International S.A., e fez o design de inúmeros livros ilustrados; nos anos 1970, retornou a Connecticut, onde trabalhou em livros infantis e outros projetos; no início dos anos 1980, partiu para Munique, Alemanha, onde criou selos postais para o ministério das comunicações da Alemanha Ocidental; e, em 1986, retorna a Connecticut por razões de saúde. Faleceu em 1998.

Power for Peace. *For the United States Navy:* the world's first atomic-powered submarine, USS Nautilus • the world's second atomic-powered submarine, "Seawolf" • the world's third, fourth and fifth atomic-powered submarines, "Skate", "Skipjack" and "Triton" • and the guided missile "Terrier" *For the United States Air Force:* the B-36 intercontinental bomber • the B-58 supersonic bomber • the F-102A delta-wing supersonic interceptor • the world's first airborne atomic research reactor • the world's first atomic-powered aircraft • and "Atlas", the intercontinental ballistic missile
E.N.
GD
C-L
EB
GA
ED
CV
S-C
GENERAL DYNAMICS
GENERAL DYNAMICS CORPORATION • 445 PARK AVENUE, NEW YORK 22, N. Y.

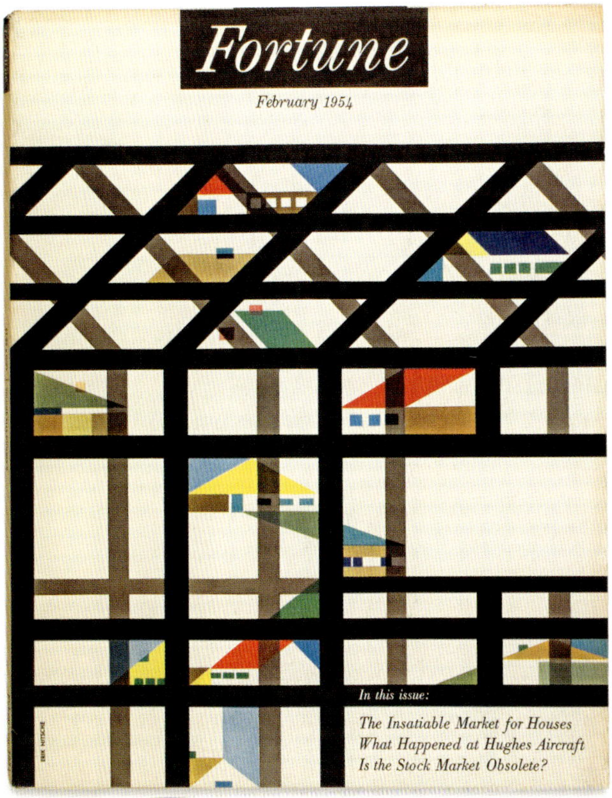
Fortune
February 1954
In this issue:
The Insatiable Market for Houses
What Happened at Hughes Aircraft
Is the Stock Market Obsolete?

CAPA DA REVISTA *FORTUNE* / Erik Nitsche / EUA, 1954

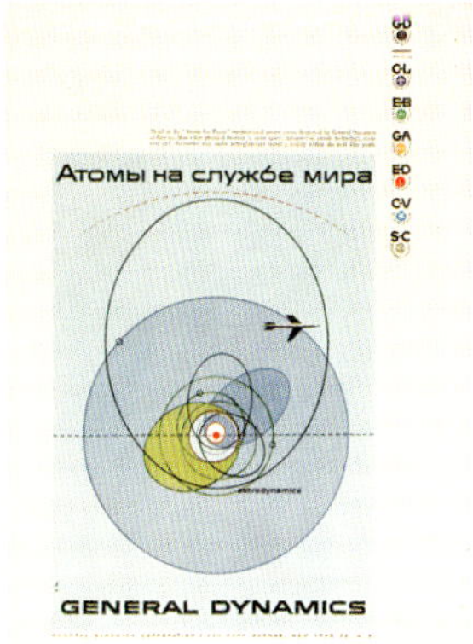
Атомы на службе мира
GENERAL DYNAMICS

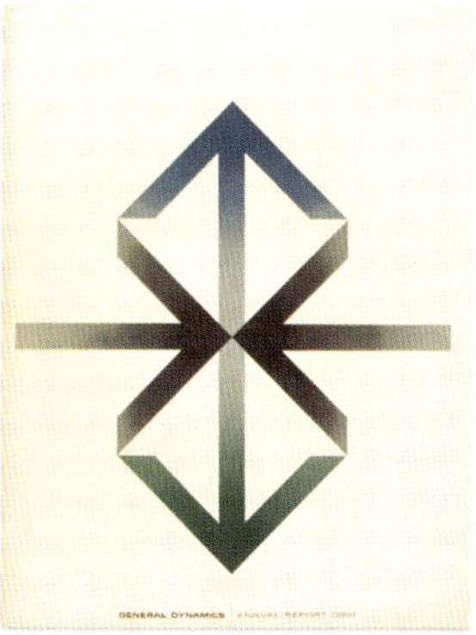

Acima e à direita **CAMPANHA PUBLICITÁRIA NACIONAL DA GENERAL DYNAMICS E RELATÓRIO ANUAL DE 1958** / Erik Nitsche / EUA, 1959

Ladislav Sutnar

1897 (Plzeň, Tchecoslováquia) - 1976

Com uma carreira prolífica em várias disciplinas e que removeu as barreiras entre elas, a vida de Ladislav Sutnar pode ser contada em dois capítulos: Praga e Nova York. Sutnar estudou na Escola de Artes Aplicadas de Praga, na Charles University e na Universidade Técnica Checa, aprendendo pintura, arquitetura e matemática, respectivamente. Após a formatura, Sutnar começou a trabalhar com brinquedos em madeira, bonecos e cenários de teatro de marionetes, vestimentas e direção cênica, uma paixão que persistia enquanto ele também trabalhava em design de exposições, revistas, livros, ensino, produtos de porcelana e tecidos. Com algumas feiras mundiais em seu portfólio, Sutnar recebeu a encomenda para criar o Pavilhão Nacional da Tchecoslováquia na Feira Mundial de Nova York, em 1939 – com o início da guerra, a exposição foi cancelada e Sutnar, que fora enviado para receber os materiais, acabou ficando definitivamente.

Enquanto buscava trabalho juntamente com outros designers exilados, Sutnar tornou-se diretor de arte do Sweet´s Catalog Service em 1941, um posto que manteve por quase duas décadas. Em 1944, junto como o arquiteto Karl Löndberg-Holm, Sutnar publicou *New Patterns in Product Information*. A parceria, nascida na Sweet´s, iniciou o que hoje é conhecido como design de informação. Sutnar trabalhou para vários clientes tais como *Fortune*, Nações Unidas, Golden Grissin Books, Knoll e a Bell Telephone Co. – onde, ainda que sem os créditos, ele criou a convenção de separar os códigos de áreas usando parênteses. Em 1961, a exibição *Visual Design in Action*, uma restrospectiva intinerante de seu trabalho e também título de um livro financiado por ele mesmo, uniu os dois capítulos da obra de Sutnar, mostrando a carreira prolífica que precedeu seus anos como pintor.

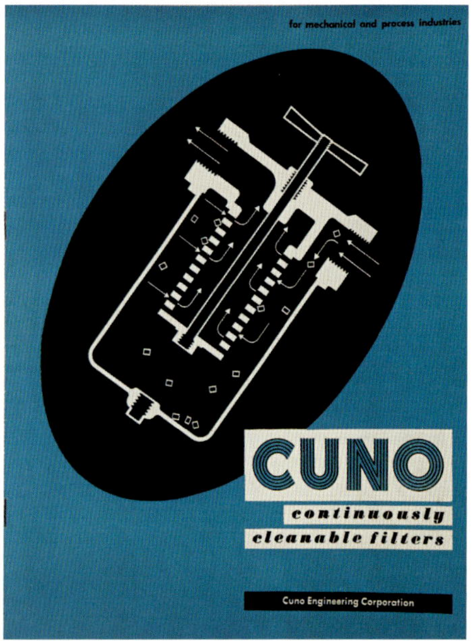
for mechanical and process industries
CUNO
continuously
cleanable filters
Cuno Engineering Corporation

CATÁLOGO DA CUNO ENGINEERING CORPORATION / Ladislav Sutnar / EUA, c. 1946

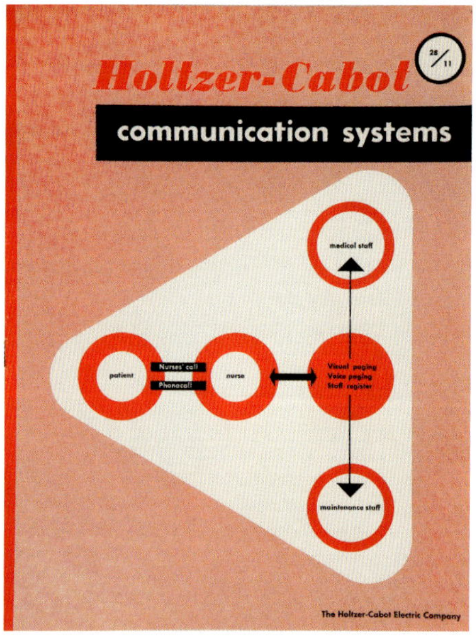
Holtzer-Cabot
communication systems
medical staff
patient
Nurses' call
Phonocall
nurse
Visual paging
Voice paging
Staff register
maintenance staff
The Holtzer-Cabot Electric Company

CATÁLOGO DA HOLTZER-CABOT ELECTRIC COMPANY / Ladislav Sutnar / EUA, c. 1944

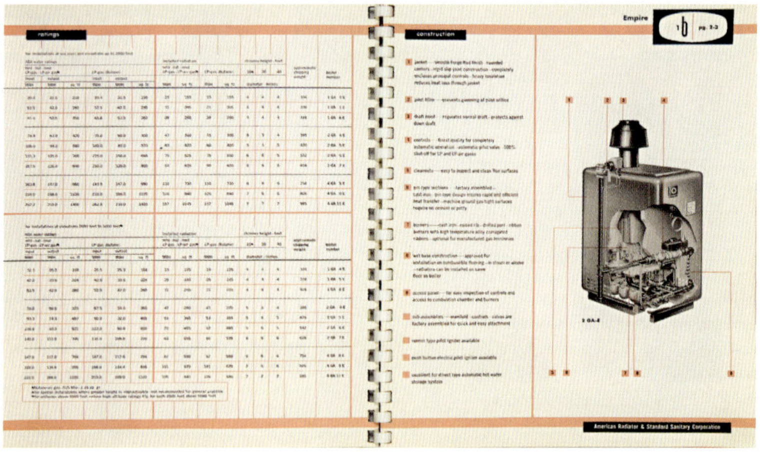
ratings
construction
Empire
American Radiator & Standard Sanitary Corporation

CATÁLOGO DA AMERICAN RADIATOR AND STANDARD SANITARY COMPANY / Ladislav Sutnar / EUA, c. 1950

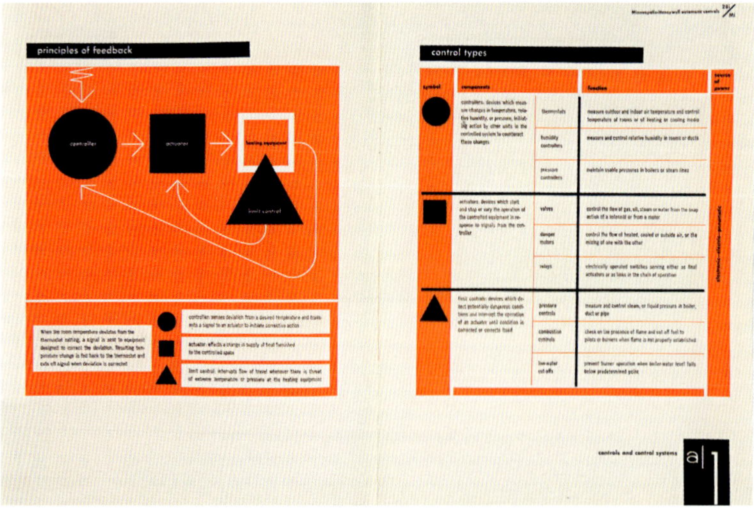
principles of feedback
control types
controls and control systems

CATÁLOGO DE CONTROLES AUTOMÁTICOS DA MINNEAPOLIS-HONEYWELL REGULATOR CO. / Ladislav Sutnar / EUA, s. d.

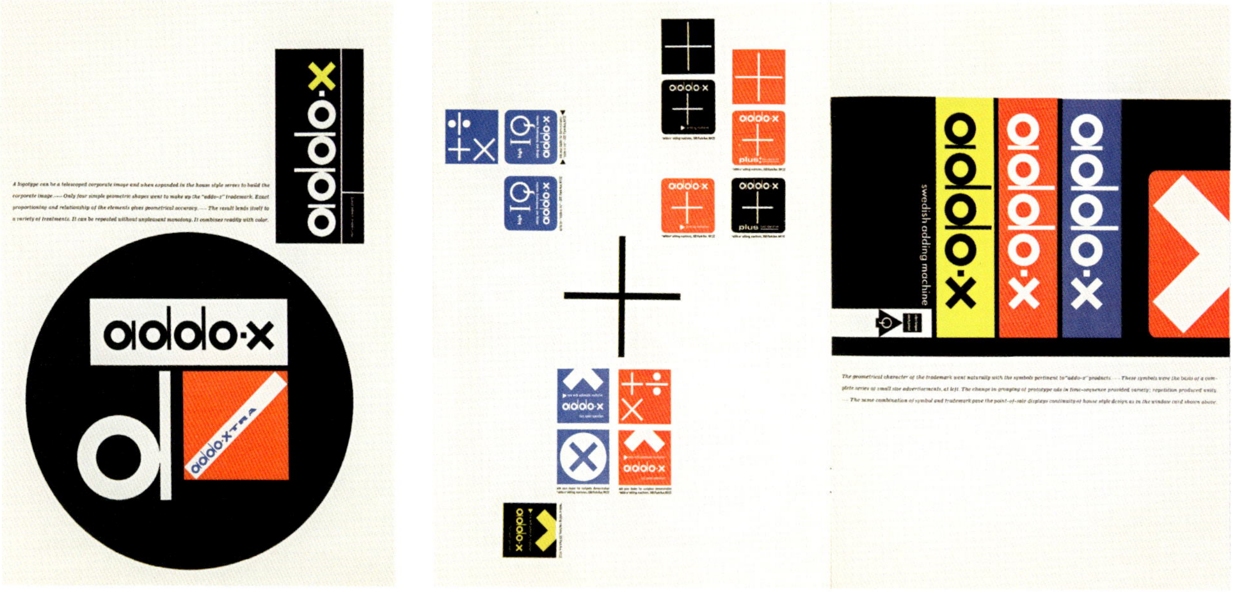
addo·x
swedish adding machine

***AVENTURAS COM UM LOGOTIPO* – CATÁLOGO DA ADDO-X BUSINESS MACHINES** / Ladislav Sutnar / EUA, c. 1956–1959

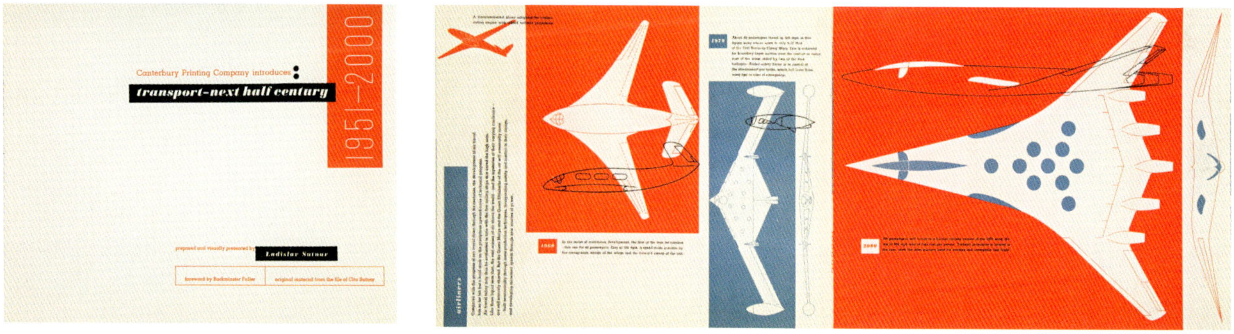
Canterbury Printing Company introduces:
transport–next half century
1951–2000
Ladislav Sutnar

***TRANSPORTE – O PRÓXIMO MEIO-SÉCULO* – LIVRO PARA A CANTERBURY PRINTING CO.** / Ladislav Sutnar / EUA, 1950

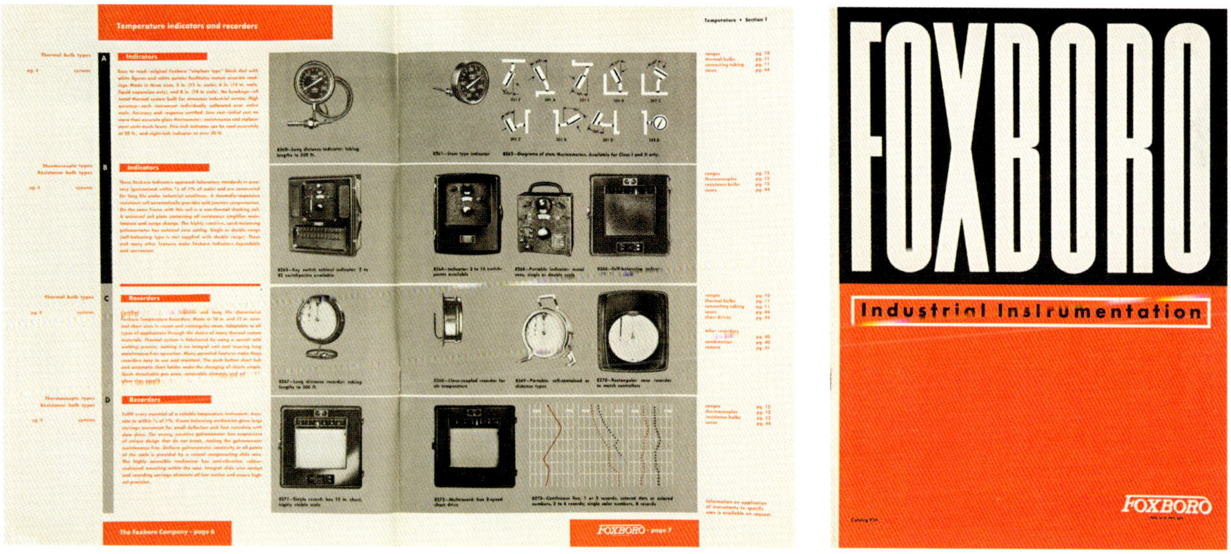
Temperature indicators and recorders
FOXBORO
Industrial Instrumentation

CATÁLOGO DA FOXBORO INDUSTRIAL INSTRUMENTATION / Ladislav Sutnar / EUA, 1943

Armin Hofmann

1920 (WINTERTHUR, SUÍÇA)

Após se formar na Kunstgewerbeschule (Escola de Artes e Ofícios) de Zurique no final dos anos 1930, de um estágio como aprendiz de litografia em Winterthur e de ter trabalhado para uma série de estúdios desde 1943, Armin Hoffman mudou-se para Basileia em 1946, para criar o seu próprio estúdio e começar a sua longa influência como membro do corpo docente na Schule für Gestaltung Basel (Escola de Design da Basileia). Em 1968, ele criou, com Emil Ruder, o curso avançado de design gráfico, em que lecionou até a aposentadoria, em 1986. Em 1955, Hofmann ensinou por um período breve na Philadelphia Musuem School of Industrial Art e longamente na Yale School of Art › 129, onde permaneceu como professor visitante durante toda a sua carreira; seus métodos de ensino estão bem documentados em *Graphic Design Manual: Principles and Practice*, publicado em 1965. Como design gráfico, Hofmann criou cartazes, identidades e anúncios para instituições culturais e corporações como a J. R. Geigy Pharmaceutical Company.

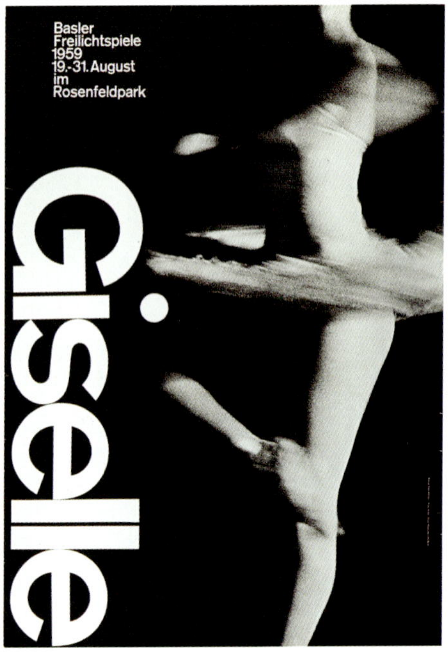
Basler
Freilichtspiele
1959
19.-31. August
im
Rosenfeldpark
Giselle

***GISELLE* CARTAZ PARA O TEATRO DA BASILÉIA** / Armin Hoffman / Suíça, 1959

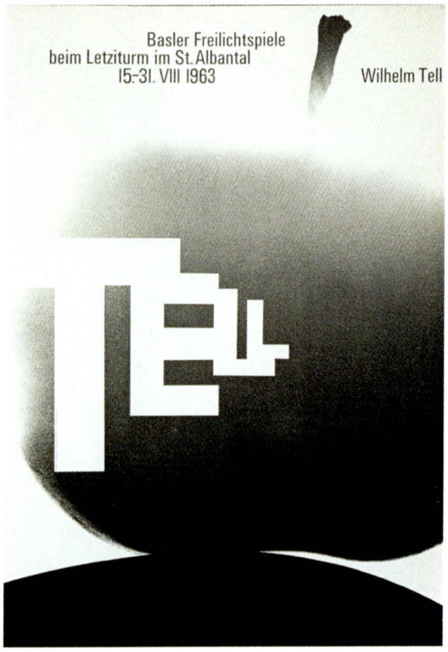
Basler Freilichtspiele
beim Letziturm im St. Albantal
15-31. VIII 1963
Wilhelm Tell

CARTAZ *WILLIAM TELL* / Armin Hoffman / Suíça, 1963

Fotos: Cortesia do Museum für Gestaltung Zürich, coleção de cartazes; Franz Xaver Jaggy

Joseph Müller-Brockmann

1914 (RAPPERSWIL, SUÍÇA) **- 1996**

Após seus estudos na Universidade de Zurique e na Kunstgewerbeschule (Escola de Artes e Ofícios), Josef Müller-Brockmann foi aprendiz sob a supervisão do designer Walter Diggelmann antes de abrir o seu próprio estúdio em Zurique, em 1936. Durante a carreira, ele desenvolveu inúmeros projetos em ramos distintos, incluindo seus cartazes famosos para a Tonhalle Gesellschaft Zürich, o sistema de sinalização do aeroporto de Zurique e como consultor de Design da IBM › 341 – em todos esses sempre seguiu rigorosamente o estilo tipográfico internacional. Müller-Brackman foi também um ávido educador, ensinando na Kunstgewerbeschule e na Hochscule für Gestaltung em Ulm, Alemanha. Junto com Richard Paul Lohse, Hans Neuburg e Carlo L. Vivarelli, ele criou o periódico *Neue Grafik* › 97, no qual foi coeditor por sete anos.

beethoven

CARTAZ *BEETHOVEN* / Joseph Müller-Brockmann / Suíça, 1955

Kunstgewerbemuseum Zürich
Ausstellung
der Film
10. Januar bis 30. April 1960
Offen: Montag 14-18, 20-22
Dienstag-Freitag 10-12, 14-18, 20-22
Samstag-Sonntag 10-12, 14-17

CARTAZ DA EXPOSIÇÃO *DER FILM* / Joseph Müller-Brockmann / Suíça, 1960

Fotos: Cortesia do Museum für Gestaltung Zürich, Coleção de Cartazes; Franz Xaver Jaggy

Wim Crouwel

n. 1928 (GRONINGEN, HOLANDA)
ATUALMENTE EM GRONINGEN, HOLANDA

Win Crouwel frequentou a Academia Minerva, Escola de Belas-Artes e Design em Groningen (1947-1949) e o Instituto de Artes e Ofícios em Amsterdã (1951-1952). Criou a sua própria empresa após a formatura e, em 1955, iniciou uma colaboração duradoura com o Van Abbemuseum, onde criou alguns dos seus cartazes mais importantes. Com sua experiência de trabalho como designer gráfico e de exposições, fundou a Total Design, em 1963, juntamente com Ben Bos, Friso Kramer, Dick e Paul Schwarz e Benno Wissing – uma parceria multidisciplinar que buscava abarcar todas as especialidades do design numa única empresa, unificando todos os campos. Em 1964, o diretor do Van Abbemuseum deixou a instituição para gerir o Stedelijk Museum em Amsterdã, e encomendou cartazes a Crouwel, que respondeu adotando uma abordagem sistemática em que todo o trabalho foi realizado com o mesmo grid › 50. Essa e outras adoções do sistema de grids deram a ele o apelido de "Gridnik".

Prevalente no trabalho de Crouwel é o uso de letras customizadas, uma prática que levou ao New Alphabet, um exercício teórico, feito em finais dos anos 1960, com uma família de tipos monoface com vários pesos e estilos, compostos somente por ângulos de 90 graus e um corte a 45 graus nas junções. Considerado inutilizável por Crouwel, o New Alphabet foi reapresentado na famosa capa do disco do Joy Division, lançado em 1988, e criada por Peter Saville › 180. Em 1981, Crouwel foi o último dos sócios fundadores a deixar a Total Design quando tornou-se professor em tempo integral na Delft University. Ele se aposentou oficialmente em 1993, mas ainda continua a criar, adotando totalmente as novas tecnologias que seu Macintosh oferece.

LEITURA RECOMENDADA › 390

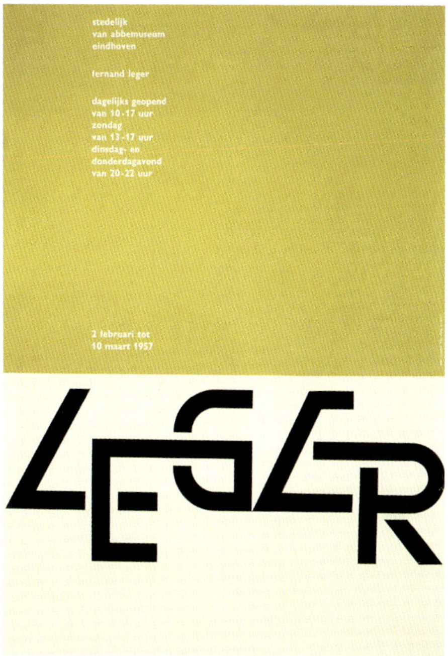
stedelijk
van abbemuseum
eindhoven
fernand leger
dagelijks geopend
van 10-17 uur
zondag
van 13-17 uur
dinsdag- en
donderdagavond
van 20-22 uur
2 februari tot
10 maart 1957
LEGER

CARTAZ *FERNAND LEGER* PARA O VAN ABBEMUSEUM / 1957

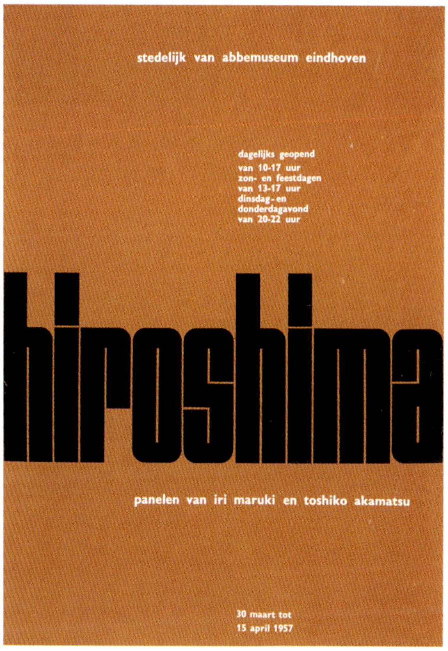
stedelijk van abbemuseum eindhoven
dagelijks geopend
van 10-17 uur
zon- en feestdagen
van 13-17 uur
dinsdag- en
donderdagavond
van 20-22 uur
hiroshima
panelen van iri maruki en toshiko akamatsu
30 maart tot
15 april 1957

CARTAZ *HIROSHIMA* PARA O VAN ABBEMUSEUM / 1957

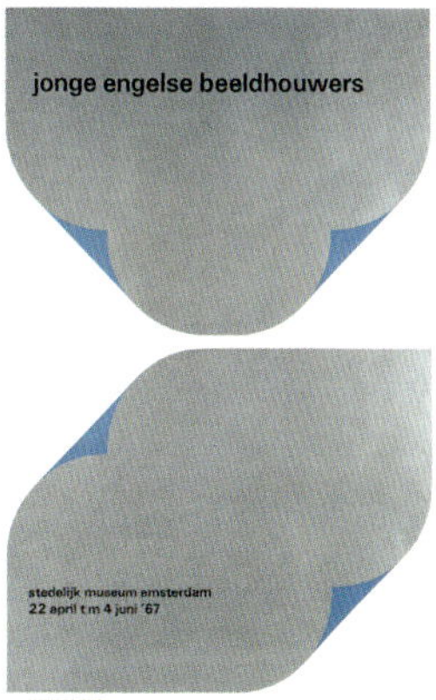
jonge engelse beeldhouwers
stedelijk museum amsterdam
22 april t m 4 juni '67

Extrema esquerda **CARTAZ *VISUELE COMMUNICATIE NEDERLAND* PARA O STEDELIJK MUSEUM EM AMSTERDÃ** / 1968

Esquerda **CARTAZ *JONGE ENGELSE BEELDHOUWERS* PARA O STEDELIJK MUSEUM EM AMSTERDÃ** / 1967

van abbemuseum eindhoven
edgar fernhout
van 9 maart tot 8 april 1963
dagelijks geopend van 10-17 uur
zondag van 14-18 uur
dinsdag- en
donderdagavond van 20-22 uur

het nederlandse affiche 1890-1968
museum fodor amsterdam
keizersgracht 609
12 oktober t m 10 november 1968
zonnehof amersfoort
16 november t m 15 december 1968

Extrema esquerda **CARTAZ *EDGAR FERNHOUT* PARA O STEDELIJK MUSEUM EM AMSTERDÃ** / 1963

Esquerda **CARTAZ *HET NEDERLANDSE AFFICHE 1890-1968* PARA O MUSEUM FODOR AMSTERDÃ** / 1968

Wim Crouwel / Holanda

Robert Massin

n. 1925 (LA BOURDINIÈRE, FRANCE)

Robert Massin iniciou em 1928 sua carreira em design quando se filiou a um dos mais prestigiosos clube de livros da França "que suplantara editoras tradicionais e a rede de bibliotecas após o declínio na Segunda Guerra Mundial." – Club Français du Livre, como editor de Liens, o respectivo boletim mensal. Teve a oportunidade de criar seu primeiro layout e capa de livro, uma habilidade na qual logo se especializaria e revolucionaria. Em seguida, trabalhou como assessor artístico de outro clube de livros, o Club du Meilleur Livre, de 1952 a 1958, que ajudou a transformar em um dos mais prestigiosos, por meio de design e produção sofisticados e provocativos. Massin foi então contratado pela Gallimard, uma editora francesa, onde passou 20 anos criando e como diretor de arte responsável pelas capas e layouts de seus 10.000 títulos.

Com a Gallimard, Massin publicou dois dos seus livros mais reconhecidos: *La Cantatrice Chauve,* em 1964 (mais tarde publicado como *The Bald Soprano* (A Soprano Careca), nos EUA; e *The Bald Prima Donna* (A Prima Dona Careca), no Reino Unido; uma peça de Eugéne Ionesco, na qual manipulava a tipografia como um modo de trazer a entonação e o tempo da peça para o papel; e *La Lettre et L'image* (Carta e Imagem) em 1970, um livro que mostrava sua vasta e excêntrica coleção de imagens que refletiam a relação entre letras, imagens e as culturas em que estão inseridas. Em 1979, Massin deixou a Gallimard e ligou-se aos livros de um outro modo: como editor da Gallimard e outras editoras; de 1980 a 1982 como editor associado do Atelier Hachette/Massin, uma subsidiária da editora Hachette; e como escritor, publicando romances e ensaios. Desde 1984, Massin tem trabalhado como designer independente.

Massin
La lettre
et l'image
Gallimard
LETTER
AND
IMAGE
by Massin
STUDIO VISTA
Buchstaben-bilder und Bild-alphabete
massin
la lettre
et
l'image

LA LETTRE ET L'IMAGE, Massin / Publicada inicialmente pela Gallimard, traduzida posteriormente para várias línguas / Massin / França, 1970 (1. ed.)

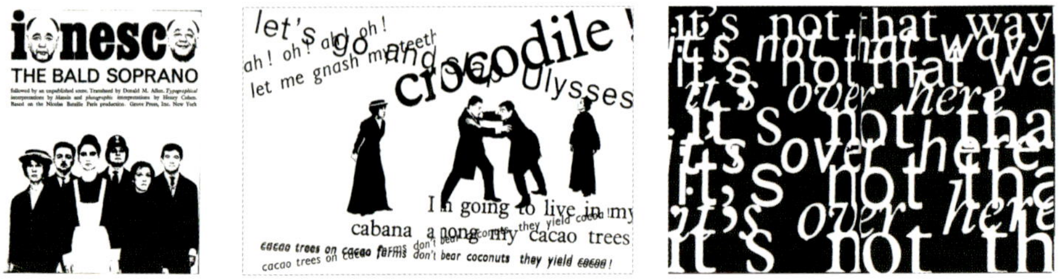
ionesco
THE BALD SOPRANO
crocodile !
it's not that way
it's over here

CAPA E PÁGINAS CENTRAIS DE *THE BOLD SOPRANO*, Eugène Ionesco / Massin / França, 1965

L'OR.
La merveilleuse histoire
du Général Johann August
Suter, par Blaise Cendrars.

L'OR: LA MERVEILLEUSE HISTOIRE DU GÉNÉRAL JOHANN AUGUST SUTER, Blaise Cendrars, Club du Meilleur Livre / Massin / França, 1956

je crie de douleur de fureur

LAYOUT FINAL *LA FOULE* / Grove Press / Massin; letras, Édith Piaf; interpretação fotográfica: Emil Cadoo / EUA, 1965

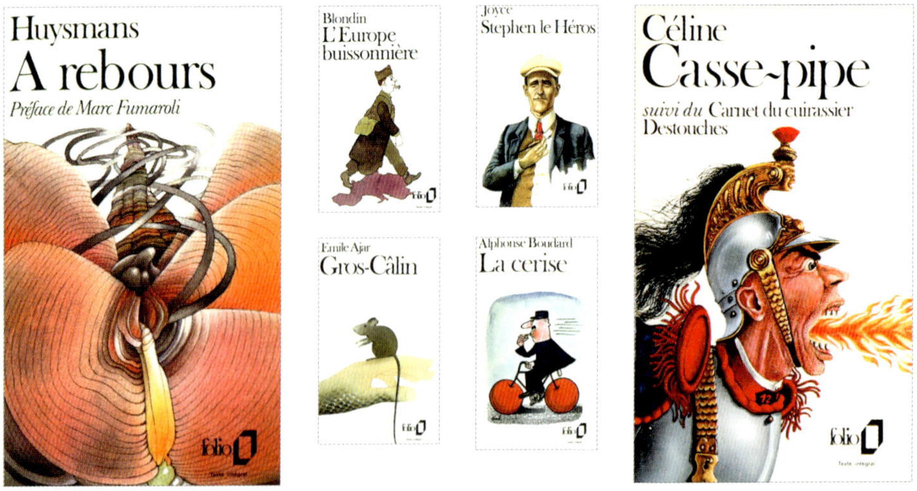
Huysmans
A rebours
Préface de Marc Fumaroli
Blondin
L'Europe buissonnière
Joyce
Stephen le Héros
Céline
Casse-pipe
suivi du Carnet du cuirassier Destouches
Emile Ajar
Gros-Câlin
Alphonse Boudard
La cerise
folio

CAPA DE LIVRO DA SÉRIR FOLIO / Gallimard / Massin / França, 1972–1974

LEITURA RECOMENDADA › 390

Robert Brownjohn

N. 1925 (NEWARK, NOVA JERSEY, EUA) - 1970

Após um ano no Pratt Institute, no Brooklyn, Robert Brownjohn passou a frequentar o Institute of Design de Chicago, em 1944, onde o renomado Lazló Moholy-Nagy o adotou como protegido e, após sua morte, o sucessor, o arquiteto Serge Chermayeff, também adotou Brownjohn como assistente de ensino. Foi durante essa época que sua luta contra a heroína e vício em outras drogas, que durou toda sua vida, começou. Em 1951, mudou-se para Nova York e batalhou tanto como autônomo quanto na vida noturna e, em 1956, iniciou uma colaboração com Ivan Chermayeff (filho de Serge), iniciando o que depois seria a Brownjohn, Chermayeff, & Geismar › 156, com a inclusão de Tom Geismar. Inicialmente criando letras, capas de livros e outros projetos menores, suas encomendas logo passaram a vir de clientes maiores como a Pepsi-Cola e o Chase Manhattan Bank, mas o vício de Brownjohn e seu comportamento errático sempre vinham à tona e, em 1960, mudou-se para Londres.

Brownjohn foi inicialmente empregado pela J. Walter Thompson e depois pela McCann-Erickson, em 1962, como um diretor de arte; esse não foi o período mais prolífico dele, uma vez que boa parte de seu trabalho não foi produzida, mas conseguiu a reputação como um dos melhores de Londres e foi capaz de prová-la isto quando criou os créditos iniciais do filme *From Russia with Love*, em que os créditos eram projetados sobre uma dançarina – um feito que ele superou no filme seguinte de James Bond, *Goldfinger*, no qual sequências de ação são projetadas numa dançarina pintada de dourado. Com um interesse mais aprofundado em filmes, ele deixou a publicidade e associou-se com os realizadores David Cammell e Hugh Hudson, em 1965. Ele continuou a trabalhar nesse ramo bem como em design, mas, em 1970, faleceu vítima de um ataque cardíaco, na tenra idade de 44 anos.

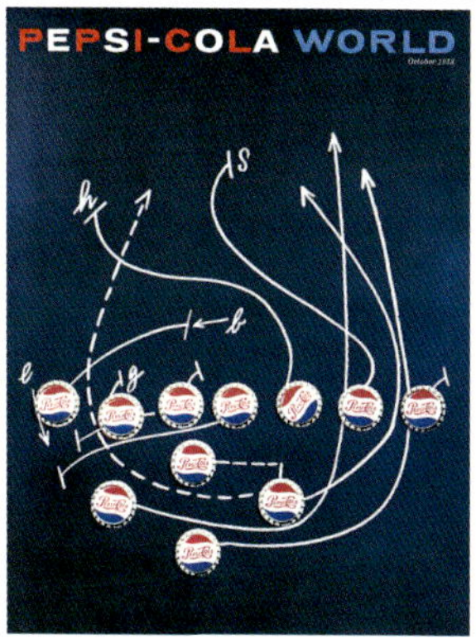
PEPSI-COLA WORLD

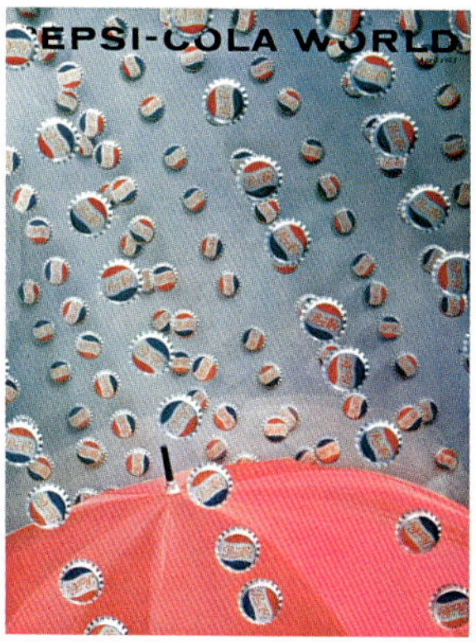

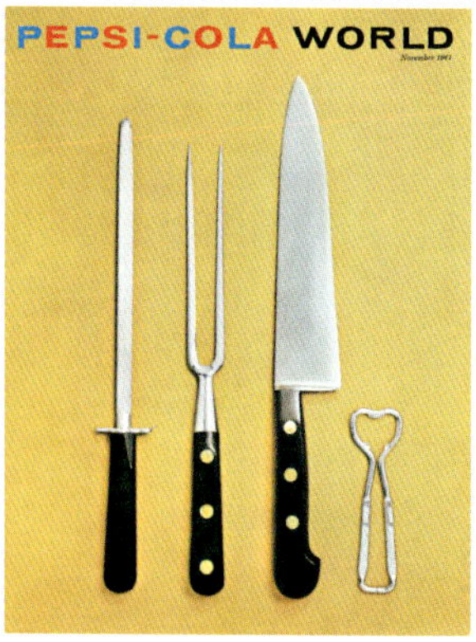
PEPSI-COLA WORLD

***PEPSI-COLA WORLD* REVISTA INTERNA PARA PEPSI-COLA COMPANY** / Brownjohn, Chermayeff & Geismar: Robert Brownjohn / EUA, 1958–1961

INSTALAÇÃO FITA DE NATAL PARA O LOBBY DO PRÉDIO DA PEPSI-COLA / Brownjohn, Chermayeff & Geismar: Robert Brownjohn / EUA, 1958

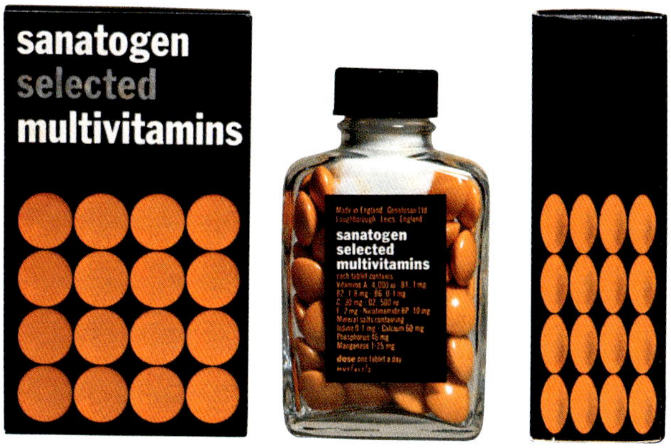
sanatogen
selected
multivitamins

EMBALAGEM DE COMPRIMIDOS DE VITAMINAS / Robert Brownjohn / EUA, início dos anos 1960

ROLLING STONES LET IT BLEED
DECCA

LET IT BLEED, The Rolling Stones / Decca Records / Robert Brownjohn / EUA, 1969

Robert Brownjohn
designed this letterheading
for Michael Cooper of
4 Chelsea Manor Studios
Flood Street London SW3
FLAxman 9762

Robert Brownjohn
designed this Label
for Michael Cooper of
4 Chelsea Manor Studios
Flood Street London SW3
FLAxman 9762

Robert Brownjohn
designed this Business Card
for Michael Cooper of
4 Chelsea Manor Studios
Flood Street London SW3
FLAxman 9762

ARTIGOS DE PAPELARIA PARA MICHAEL COOPER / Robert Brownjohn / EUA, 1967

LEITURA RECOMENDADA › 390

Chermayeff & Geismar

criada em 1957 (NOVA YORK, NY, EUA)

Durante os anos 1960, a prática da identidade corporativa estava firmemente estabelecida nos Estados Unidos, e uma das precursoras dessa atividade foi a Chermayeff & Geismar, uma empresa de design fundada em 1957 por Ivan Chermayeff, Tom Geismar e Robert Brownjohn, que saiu da sociedade em 1960. Chermayeff e Geismar encontraram-se quando estavam no curso de pós-graduação da Escola de Artes e Arquitetura de Yales › 129. Cada um seguiu um rumo diferente – Chermayeff trabalhou para Alvin Lustig › 144 e para a CBS Records › 300, enquanto Geismar foi para a unidade de exposições do exército, onde criou exposições e materiais gráficos – até que se reencontraram. Inicialmente, o negócio era relativamente pequeno, produzindo cartões de visita e papéis timbrados para clientes pequenos, mas passaram a receber grandes encomendas – da Pepsi-Cola em 1958, com a criação da revista de circulação interna *Pepsi-Cola World*, e do banco Chase Manhattan em 1960, com a criação da identidade gráfica – o resultado, um ícone abstrato foi um dos primeiros a renunciar interpretações figurativas ou uma solução alfabética.

Nos 50 anos seguintes, a empresa Chermayeff & Geismar criou mais de 100 programas de identidade, incluindo Mobil, Xerox, PBS, NBC › 344, Univision, Viacom, TimeWarner, o Smithsonian e a *National Geographic*. Além da produção de identidades, Chermayeff e Geismar foram prolíficos no domínio do design de exposições e gráficos de ambientação, criando projetos de grande escala como os pavilhões americanos nas feiras mundiais de 1958 e 1970 e exposições para o Museu da Imigração na Ilha Ellis, Museu da Estátua da Liberdade e para a Biblioteca Presidencial Truman, entre outros. Cartazes, literatura corporativa, sinalização e livros complementaram o trabalho deles numa incontável lista de estilos. Em 2005, Chermayeff e Geismar separaram-se de seus sócios – entre eles Steff Geissbuhler › 157, que esteve na empresa por 30 anos – e criaram um estúdio menor.

Exit
Transfer

Exit
53
Straight ahead

MURAIS E SISTEMA DE ORIENTAÇÃO DA ESTAÇÃO DO METRÔ DA AVENIDA LEXINGTON COM A RUA 53 / Arquitetura, Edward Larrabee Barnes Architects / 1986

MUSEU DA IMIGRAÇÃO NA ILHA ELLIS / MetaForm, Inc. / 1990

LOGO / 1997
LOGO UNIVISION / 1988

9 WEST RUA 57 / arquitetura, Skidmore, Owings & Merrill / 1972

EMBALAGEM DE NATAL PARA A SAKS FIFTH AVENUE / 1976

LOGOTIPO DA BARNEYS NEW YORK / 1981

LOGOTIPO DA MOBIL / 1964

LOGOTIPO DA NATIONAL GEOGRAPHIC / 2001

LOGOTIPO DA PUBLIC BROADCASTING SERVICE / 1983

LOGOTIPO DO SMITHSONIAN INSTITUTION

LOGOTIPO DO CHASE MANHATTAN BANK / 1960

Chermayeff & Geismar / EUA

Steff Geissbuhler

n. 1942 (ZOFINGEN, SUÍÇA)
atualmente em NOVA YORK, NY, EUA

Com capacidade para ilustrar e com formação da Escola de Design da Basileia › 128, na Suíça, Steff Geissbuhler desenvolveu um rico portfólio de identidades, cartazes, literatura corporativa, sinalização e gráficos de ambientação que são tanto expressivos de maneira livre como formalmente estruturados. Após a formatura na Basileia, em 1964, Geissbuhler trabalhou inicialmente na J. R. Geigy Pharmaceutical Company (hoje Novartis), conhecida por ter um forte departamento de artes liderado por Max Schmid. Após três anos, ele mudou-se para os Estados Unidos para auxiliar seu colega de escola, Ken Hiebert, a criar um curso de design gráfico na faculdade de artes da Filadélfia (hoje Universidade das Artes); trabalhou lá como professor associado até 1973. Ao mesmo tempo, fez trabalhos autônomos para Murphy Levy, Wurman, Architects and Urban Planners, na Filadélfia.

Interessado em retornar ao trabalho em tempo integral, Geissbuhler passou um ano na Anspach Grossman Portugal, em Nova York, antes de se juntar a Chermayeff & Geismar › 156 em 1974, inicialmente como associado e, apenas dois anos depois, como sócio. Ele passou os 30 anos seguintes na empresa. Entre seus projetos mais visíveis estavam as identidades da NBC › 344, TimeWarner, Telemundo e Merck, além de outros trabalhos de grande porte como a sinalização para a universidade da Pennsylvania e gráficos arquitetônicos para o edifício da IBM em Nova York. Estas foram aumentadas por uma variedade de trabalhos para instituições culturais e educacionais por todo o país. Em 2005, Chermayeff e Geismar decidiram constituir um estúdio menor, e Geissbuhler criou a C&G Partners – um nome derivado diretamente de Chermayeff & Geismar – com os sócios Keith Helmtag, Jonathan Alger e Emanuela Frigerio, empresa esta criada sobre o legado de seus antigos sócios.

QUESTIONMARK **CARTAZ PARA EXIBIÇÃO** ***PUNCT'D*** **EXHIBIT** / 2003

NEW YORK IS DANCE

CARTAZ ***NEW YORK IS DANCE*** / Um dos nove cartazes promovendo instituições culturais em New York City /1987

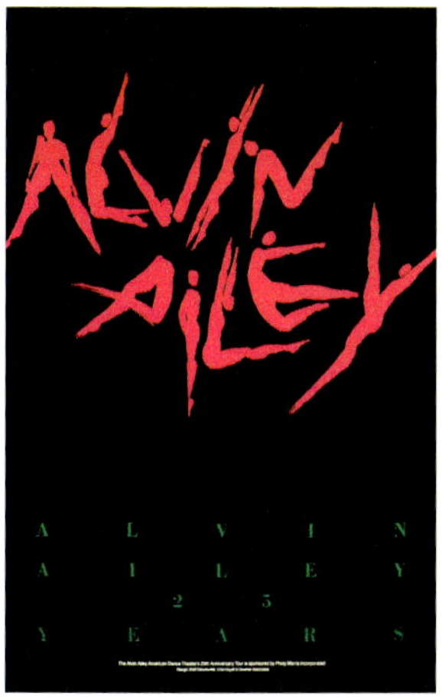
ALVIN AILEY

CARTAZ E IDENTIDADE DA TOURNEE DE 30° ANIVERSÁRIO DO ALVIN AILEY DANCE / 1981

BERLIN

CARTAZ DO CONGRESSO E EXPOSIÇÃO AGI / 2005

FASTER
HIGHER
STRONGER
1988 SEOUL
1984 LOS ANGELES
BARCELONA

SPORTS ILLUSTRATED AT THE OLYMPICS**, EXPOSIÇÃO DE FOTOGRAFIAS NO TIMEWARNER CENTER** / 2004

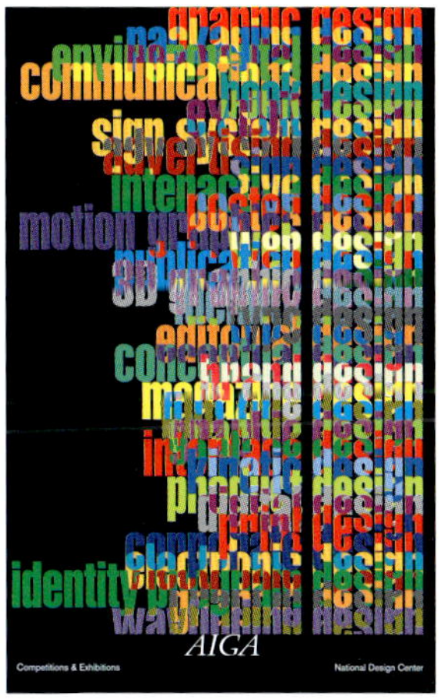
AIGA
Competitions & Exhibitions
National Design Center

CARTAZ DAS COMPETIÇÕES E EXPOSIÇÕES AIGA / 2000

Toledo
Museum
of
Art

GRÁFICOS DE AMBIENTAÇÃO E IDENTIDADE PARA O MUSEU DE ARTES DE TOLEDO / 1999

IDENTIDADE TIME WARNER E TIME WARNER CABLE / 1990

C&G Partners; Steff Geissbuhler / EUA

Saul Bass

1920 (NOVA YORK, NY, EUA) - 1996

Numa carreira que foi dos anos 1950 aos 1990, Saul Bass conquistou ramos da indústria – identidade corporativa, marketing e títulos de filme, embalagem e produção de filmes – que hoje são domínios de agências especializadas com dúzias de empregados. Ele frequentou a liga dos estudantes de arte de Nova York, em 1936, e o Brooklyn College, em 1944, trabalhando brevemente em Nova York antes de ir para Los Angeles, em 1946, onde trabalhou para agências até 1952, quando criou a Saul Bass & Associates. Sua primeira passagem na indústria cinematográfica foi em 1954 com a imagem dos anúncios para *Carmen Jones*, uma produção de Otto Preminger. Esta foi seguida pelos créditos inovadores para o filme de Preminger, *Man with the Golden Arm* (O Homem do Braço de Ouro). Bass continuou a trabalhar com Preminger e também com Alfred Hitchcock e Stanley Kubric em colaborações que floresceram na forma não só de cartazes e títulos de filmes, mas também como designer de algumas sequências dos filmes.

O interesse de Bass em produção de filmes o levou a fazer curta-metragens por companhias como a Kodak, United Airlines e, com a Kaiser Aluminium, o documentário *Why Man Creates* (Por que o Homem Cria), que ganhou o Oscar da categoria em 1968. Além da indústria cinematográfica, Bass teve também muito sucesso como criador de imagens corporativas, criação de logotipos icônicos, em todos os mercados concebíveis, de produtos de consumo a companhias aéreas, de entidades sem fins lucrativos a empresas de produtos eletrônicos. Algumas das maiores encomendas de identidades incluíam a Exxon e AT&T, que vieram depois de Bass ter se associado a Herb Yager, que tinha uma empresa estabelecida e perspicácia em marketing, e formaram a Saul Bass/Herb Yager & Associados, em 1978. Após uma pausa na elaboração de títulos de filmes nos anos 1970 e 1980, Bass trabalhou com Martin Scorsese nos anos 1990, sendo *Casino*, de 1995, seu último filme. Faleceu em Los Angeles, em 1996.

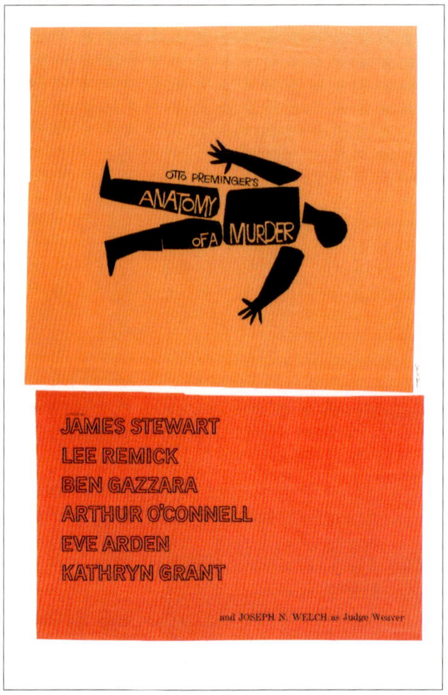
OTTO PREMINGER'S
ANATOMY
OF A MURDER
JAMES STEWART
LEE REMICK
BEN GAZZARA
ARTHUR O'CONNELL
EVE ARDEN
KATHRYN GRANT
and JOSEPH N. WELCH as Judge Weaver

CARTAZ PARA A *ANATOMY OF A MURDER* (AUTONOMIA DE UM CRIME) / Columbia / 1959

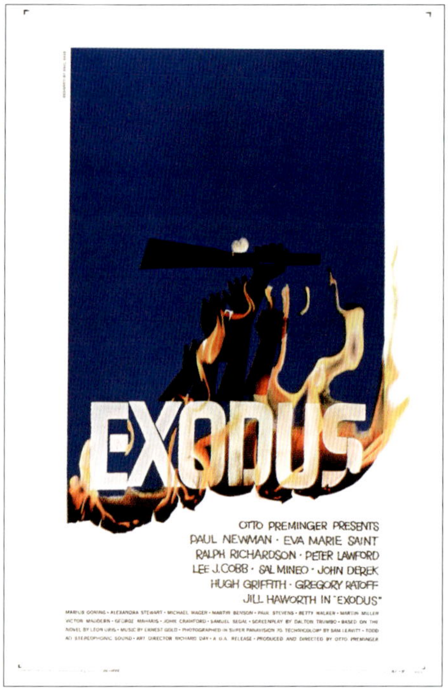
EXODUS
OTTO PREMINGER PRESENTS
PAUL NEWMAN · EVA MARIE SAINT
RALPH RICHARDSON · PETER LAWFORD
LEE J. COBB · SAL MINEO · JOHN DEREK
HUGH GRIFFITH · GREGORY RATOFF
JILL HAWORTH IN "EXODUS"

CARTAZ DO *FILME EXODUS* / United Artists / 1960

Imagens: Cortesia da Academia de Artes e Ciências Cinematográficas

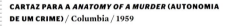

LOGOTIPO DA CONTINENTAL AIRLINES / 1965

LOGOTIPO DA UNITED AIRLINES / 1965

RECRIAÇÃO DO LOGOTIPO DA BELL SYSTEM / 1969

LOGOTIPO DA DIXIE / 1969

LOGOTIPO DOS CEREAIS QUAKER / 1969

LOGOTIPO DO WARNER MUSIC GROUP / 1974

GIRL SCOUTS / 1978

LOGOTIPO DA AT&T / 1984

LOGOTIPO DA YWCA / 1988

Saul Bass / EUA

Paul Rand

1914 (BROOKLYN, NOVA YORK, EUA) - 1996

Durante uma carreira que durou mais de 60 anos, Paul Rand manteve uma prática inimitável que abarcou várias disciplinas sem sacrificar seu comprometimento com o design usando o máximo de cuidado e alta qualidade. Foi um autodidata com um apetite voraz para a leitura e as aulas de arte e desenho, no início dos anos 1930 no Pratt Institute, Liga dos estudantes de Arte e Escola Parsons de Design, não eram necessariamente catárticas. Rand fez o seu nome – primeiramente, por mudar o seu nome de batismo de Peretz Rosembaum, em 1935 – como diretor de arte da agência de publicidade William H. Weintraub & Co., onde trabalhou de 1941 até o fechamento da empresa em 1955. Durante esses anos e os seguintes, criou numerosas capas de livros, revistas e ilustrou quatro livros infantis escritos por sua segunda esposa, Ann Rand.

Talvez seja melhor conhecida a colaboração de Rand à crescente disciplina da identidade corporativa, e seu trabalho mais notável foi para a IBM › 341. Começou em 1956, quando Eliot Noyes o contratou como consultor de design e durante três décadas Rand supervisionou cada aspecto da identidade da IBM, estabelecendo padrões inamovíveis para que outros designers implementassem bem como criando várias publicações e cartazes ele mesmo. Outros programas abrangentes e significativos foram para a Westinghouse e Cummins, logotipos para a ABC › 344, Enron, UPS › 342, e a NeXT de Steve Jobs. A busca resoluta por comprometimento também foi aplicada à sua prática de ensino na Yale School of Art › 129, onde ele era preciso e brutalmente honesto em suas críticas – estudantes formados durante mais de 30 anos podem atestar isso. Foi um escritor ávido e respeitado, publicando livros e dezenas de artigos ao longo de sua carreira. Rand faleceu em 1996 em Norwalk, Connecticut.

Cummins
73

ANUÁRIO DE 1973 DA CUMMINS ENGINE COMPANY, INC. / Paul Rand / EUA, 1974

***JOURNAL OF THE AMERICAN INSTITUTE OF GRAPHIC ARTS*, N. 6** / design de capa, Paul Rand / EUA, 1968 / Imagem: Cortesia do arquivo AdamsMorioka, AIGA

IBM
Tech III Ribbon
Ruban Tech III
Tech III Großkassette
Cinta Tech III

EMBALAGEM DA FITA IBM TECH III / Paul Rand / EUA, 1971

CORONET V.S.Q. BRANDY
...delicious with soda

ANÚNCIO DA CORONET BRANDY – CRIADO EM 1941, MOSTRANDO O HOMEM DO CORONET BRANDY E FUNDO DE BOLHAS, ELEMENTOS QUE IDENTIFICAM A CAMPANHA / Paul Rand / EUA, c. 1945–1948

LOGOTIPO DA WESTINGHOUSE / Paul Rand / EUA, 1960

Sparkle and Spin
A book about words
by Ann & Paul Rand

SPARKLE AND SPIN: A BOOK ABOUT WORDS, por Ann e Paul Rand / Harcourt, Brace & World / EUA, 1957

LEITURA RECOMENDADA › 390

Massimo Vignelli

N. 1931 (MILÃO, ITÁLIA)
ATUALMENTE NY, EUA

Após estudar arquitetura em Milão e Veneza, Massimo Vignelli recebeu, em 1957, a oferta de uma sociedade na Towle Silversmiths, em Massachusetts, uma companhia de prataria. Ele casou-se com Lella Vignelli, com quem estabeleceu uma parceria por toda a vida e foram para os Estados Unidos. Vignelli então, assumiu um cargo de professor em tempo parcial no Instituto de Design de Chicago, parte do Instituto de Tecnologia de Illinois (IIT), onde passou dois anos também trabalhando no Centro de Pesquisa Avançada em Design, na Container Corporation of America. Em 1960, os Vignelli voltaram para Milão, onde criaram o Escritório Vignelli de Design e Arquitetura e desenvolveram projetos de identidade, embalagem, interiores e mobiliário.

Em janeiro de 1965, junto com Ralph Eckerstrom, de Chicago, Vignelli criou a Unimark International, uma empresa de design com sede em Chicago e escritórios em Nova York, Palo Alto e Milão. Vignelli chefiou o escritório de Milão por um curto período e foi para Nova York, pensando ficar por dois anos – mas os Vignelli nunca retornaram. Em 1971, Vignelli deixou a Unimark e mais uma vez criou um vibrante escritório, o Vignelli Associates, com a sua esposa. De 1980 até 2000, a empresa cresceu exponencialmente até que seus fundadores decidiram diminuí-la, reduzir o ritmo, e criar um escritório em sua própria casa.

O trabalho de design gráfico produzido por Vignelli em mais de cinco décadas pautou-se constantemente pelos princípios estritos de layout e tipografia – manifestados pela devotada adoção do grid › 50 e um pendor pela seleção de letras clássicas – que atuam numa estética dominante definindo identidade corporativa, embalagem, design de ambientes e editorial nos anos 1960, 1970 e 1980 – sem mencionar uma influência duradora nessa primeira década do século XXI.

PROGRAMA DE PUBLICAÇÕES DO NATIONAL PARK SERVICE / 1977

SINALIZAÇÃO E GRÁFICO DE AMBIENTAÇÃO DO MUSEU DE BELAS ARTES DE HOUSTON / 1999

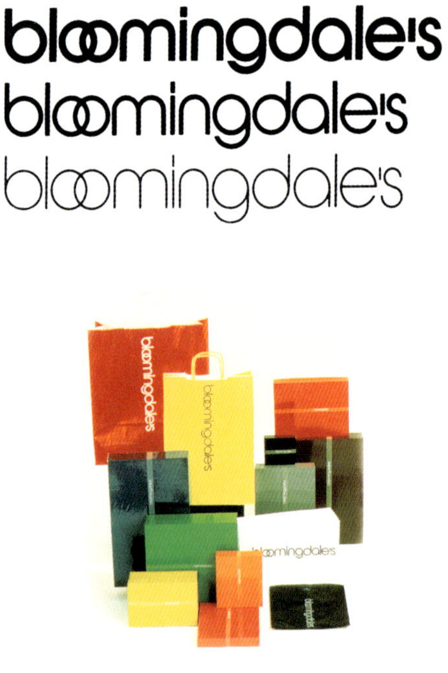
bloomingdale's
bloomingdale's
bloomingdale's

EMBALAGENS E LOGOTIPO DA BLOOMINGDALE'S / 1972

CARTAZ *BICENTENNIAL* / 1976

IDENTIDADE DA AMERICAN AIRLINES / 1967

Downtown & Brooklyn
Broadway Nassau
Uptown & The Bronx

SISTEMAS DE SINAIS DO METRÔ DE NOVA YORK / 1966

IDENTIDADE CORPORATIVA DA BENETTON / EUA e Itália, 1995

Vignelli Associates / EUA

Fletcher / Forbes / Gill

CRIADA em. 1962 (LONDRES, INGLATERRA, REINO UNIDO)

Considerando as travessias transatlânticas de seus fundadores, foi por sorte ou acaso que Alan Fletcher, Colin Forbes e Rob Gill foram capazes de se juntar em 1962 para formar a Fletcher/Forbes/Gill. Começando em 1949, Fletecher inicialmente frequentou a Hammersmith School of Art, depois se transferindo para a Central School (onde conheceria Forbes), posteriormente matriculou-se no Royal College of Art e, mais tarde, ganhou uma bolsa de estudos para a Yale School of Art › 129, nos Estados Unidos, retornando a Londres em 1959. Trabalhando como designer e ilustrador autônomo desde os anos 50 em Nova York, Gill mudou-se para Londres em 1960 para trabalhar na agência de publicidade Charles Hobson – ele tinha o número de telefone de Fletcher e o chamou assim que chegou. Após concluir a Central School, Forbes atuou como autônomo e depois trabalhou para uma agência de publicidade antes de retornar à sua *alma mater* como chefe do design gráfico de 1956 a 1960, quando abriu o seu próprio escritório. Fletcher alugou um estúdio e eles começaram a trabalhar juntos, com Gill unindo-se a eles à medida que se desencantava com seu antigo emprego.

Fletcher/Forbes/Gill tornou-se rapidamente uma das mais procuradas empresas em Londres, uma vez que os talentos combinados ofereciam aos clientes tipografia impecável, conceitos inovadores, execuções bem feitas e, para uma pequena empresa de design, um tino sem paralelo para os negócios (principalmente da parte de Forbes). A empresa mudou um pouco em 1965, quando o arquiteto Theo Crosby se juntou à sociedade e Gill saiu, o que deu início à era Crosby/Fletcher/Forbes, que viu projetos mais ambiciosos e complexos para clientes como a BP, Penguin, Pirelli e Reuters. Na virada da década, dois outros sócios vieram: o designer gráfico Mervyn Kurlansky e o designer do produto Kenneth Grange. Entendendo que a constante mudança de nomes não era o ideal, Fletcher teve uma ideia enquanto lia um livro sobre feitiçaria e daí surgiu o nome Pentagram (pentagrama) Pentagram › 162, a estrela de cinco pontas, uma para cada sócio – a famosa empresa foi criada em 1972.

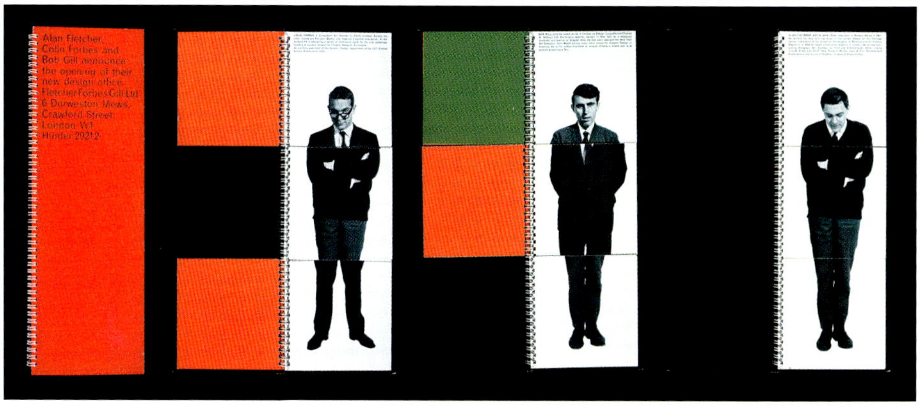

LIVRO DE ANÚNCIOS DA FLETCHER FORBES GILL LTDA. / Alan Fletcher, Colin Forbes, Bob Gill / Reino Unido, 1962–1963

cable review
PIRELLI
cable review
PIRELLI

***PIRELLI CABLE REVIEW* 1 E 2** / Theo Crosby, Alan Fletcher, Colin Forbes / Reino Unido, 1970

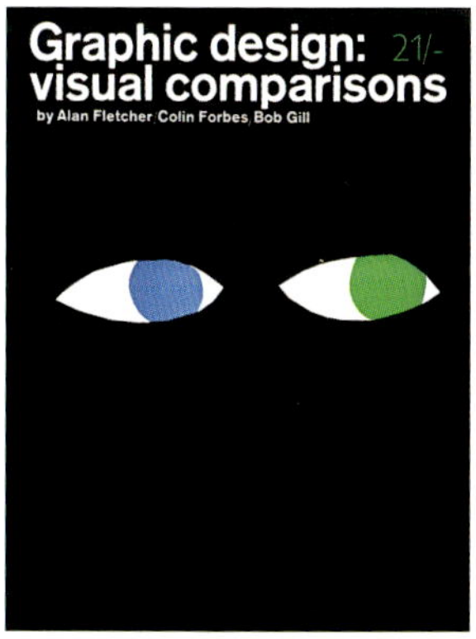
Graphic design: 21/-
visual comparisons
by Alan Fletcher Colin Forbes Bob Gill

GRAPHIC DESIGN: VISUAL COMPARISONS, Alan Fletcher, Colin Forbes, Bob Gill / Studio Books Londres / Alan Fletcher, Colin Forbes, Bob Gill / Reino Unido, 1962–1963

YES / Atlantic Records / Alan Fletcher / Reino Unido, 1968–1969

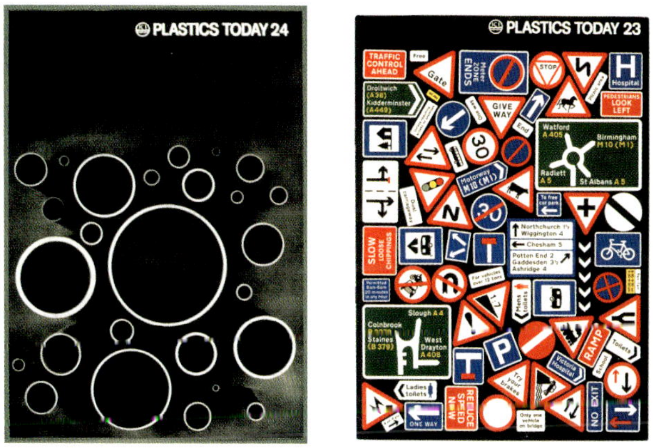
PLASTICS TODAY 24
PLASTICS TODAY 23

***PLASTICS TODAY* 23 E 24 PARA A ICI** / Colin Forbes / Reino Unido, 1969

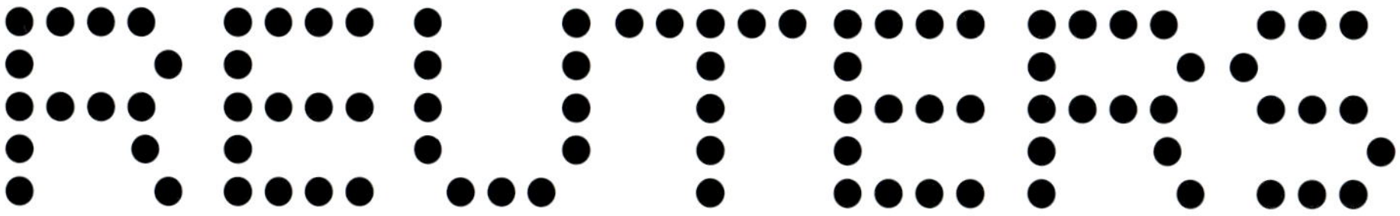
REUTERS

LOGOTIPO DA REUTERS / Alan Fletcher, Colin Forbes, Bob Gill / Reino Unido, 1968

LEITURA RECOMENDADA › 390

Pentagram

CRIADA EM 1972 (LONDRES, INGLATERRA, REINO NIDO)
ESCRITÓRIOS AUSTIN, BERLIN, LONDRES, NOVA YORK, SÃO FRANCISCO

Criada em 1972 quando a Crosby / Fletcher / Forbes (anteriormente Fletcher / Forbes / Gill › 161), uma parceria entre o arquiteto Theo Crosby e os designers gráficos Alan Fletcher e Colin Forbes foi ampliada para incluir o designer gráfico Mervyn Kurlansky e o designer de produto Kenneth Grange, adotando o nome Pentagrama, a estrela de cinco pontas, uma inspiração da magia negra. Essa parceria e o padrão que estabeleceu para o crescimento foi singular em muitos aspectos: era multidisciplinar, permitindo que uma única empresa oferecesse uma vasta gama de especialidades; dava a cada sócio o mesmo salário, participação e divisão nos lucros; centralizava os recursos administrativos enquanto permitia que cada sócio atuasse com relativa independência como designers ativos cuidando de suas próprias equipes e responsáveis por seus clientes; e estabeleceu um precedente de modo que as personalidades acumuladas com o passar dos anos pudesse competir com grandes empresas e agências corporativas e tradicionais. Forbes, em grande parte, foi capaz de criar essa estrutura não convencional, uma vez que foi ele que assumiu a responsabilidade de definir os parâmetros para o crescimento da Pentagram, bem como por apresentar e chefiar nos 18 anos seguintes os encontros semestrais de sócios – uma tarefa que foi ficando cada vez mais complexa à medida que sócios de todo mundo se uniam à empresa.

Como designers passam a ser sócios na empresa é uma fonte constante de discussão na área, mas um conjunto de critérios, definidos em comum acordo, orienta o processo de seleção, que ficou definido de maneira mais clara em 1991, quando Forbes decidiu delegar a chefia: "Um sócio deve ser capaz de gerar negócios, um sócio deve ter uma reputação nacional como profissional numa dada disciplina, um sócio deve ser capaz de controlar projetos e contribuir para os lucros da empresa e um sócio deve ser um membro proativo do grupo e se importar com a Pentagram e demais sócios". Os critérios enfatizam a necessidade de cada novo sócio ser capaz de desempenhar não apenas como designer,

BRITISH GENIUS

EXPOSIÇÃO BRITISH GENIUOUS PARA A CARLTON CLEEVE / Pentagram: Alan Fletcher, Theo Crosby / Reino Unido, 1977

Nouveau Polaroid Impulse
Polaroid
Nouveau Film Polaroid 600 Plus
Polaroid

CAMPANHA PUBLICITÁRIA DA POLAROID / Pentagram: John Rushworth / Reino Unido, 1988

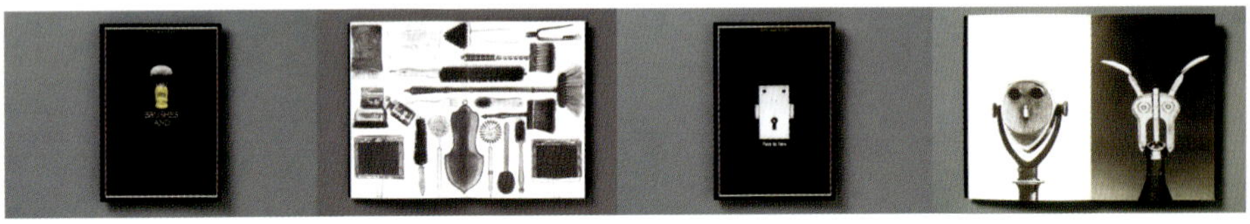

PENTAGRAM PAPERS 3: BRUSHES AND BROOMS* E *PENTAGRAM PAPERS 4: FACE TO FACE / Pentagram: John McConnell / Reino Unido, 1976, 1977

The Guardian

Alliance woe helps Labour poll surge

Vorsprung durch strike

Thatcher in new confrontation

'No' for Clough

Bus Stop top just the ticket

JORNAL *THE GUARDIAN* / Pentagram: David Hillman / Reino Unido, 1988

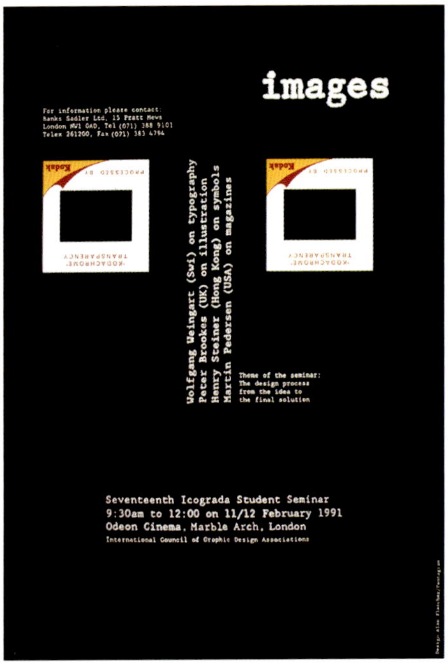
images
Wolfgang Weingart (Swi) on typography
Peter Brookes (UK) on illustration
Henry Steiner (Hong Kong) on symbols
Martin Pedersen (USA) on magazines
Theme of the seminar:
The design process
from the idea to
the final solution
Seventeenth Icograda Student Seminar
9:30am to 12:00 on 11/12 February 1991
Odeon Cinema, Marble Arch, London
International Council of Graphic Design Associations

CARTAZ PARA O 17º SEMINÁRIO ESTUDANTIL DA ICOGRADA / Pentagram: Alan Fletcher / Reino Unido, 1991

LEITURA RECOMENDADA › 390

START
FALSE

***FALSE START* PARA A FUNDAÇÃO 2WICE** / Pentagram: Abbott Miller; foto: Joachim Ladefoged / EUA, 2008

green world
merce cunningham

***GREEN WORLD: MERCE CUNNINGHAM* PARA FUNDAÇÃO 2WICE** / Pentagram: Abbott Miller; foto: Katherine Wolkoff / EUA, 2007

MUSEUM FÜR FILM UND FERNSEHEN
2007

IDENTIDADE E MATERIAL DE APOIO PARA A DEUTSCHE KINEMATHEK: MUSEUM FÜR FILM UND FERNSEHEN / Pentagram: Justus Oehler / Alemanha, 2007 / Foto: Justus Oehler

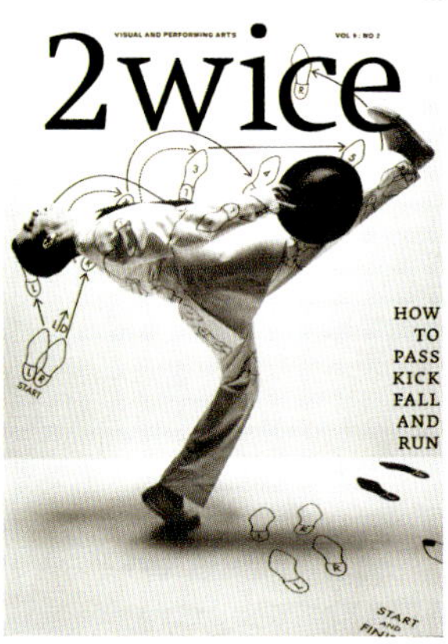
2wice
HOW
TO
PASS
KICK
FALL
AND
RUN

***2WICE 9:2: HOW TO PASS, KICK, FALL, AND RUN* PARA AS ARTES 2WICE** / Pentagram: Abbott Miller; foto: Jens Umbach, Katherine Wolkoff / EUA, 2006

8
9
12
6ix
7even
8ight
9ine
10en
Cir
cul
ar
13

***CIRCULAR* PARA O TYPOGRAPHIC CIRCLE** / Pentagram: Domenick Lippa / Reino Unido, 2007 / Foto: John Ross

W

GRÁFICOS DE AMBIENTAÇÃO DO ESTÁDIO DO ARIZONA CARDINALS / Pentagram: Michael Gericke / EUA, 2006 / Foto: Peter Mauss / Esto

IDENTIDADE E MATERIAIS DE APOIO PARA A DESIGN WITHIN REACH / Pentagram: Kit Hinrichs / EUA, 2002–2003 / Foto: Barry Robinson

GOOD, FRESH
FOOD FROM
THE KITCHENS
OF EAT.
EAT.
SOUP
EAT.
IN THE SPRING
SOUP
EAT.
IN THE SPRING
EAT.

IDENTIDADE E EMBALAGEM DA EAT / Pentagram: Angus Hyland / Reino Unido, 2002 / Foto: Nick Turner

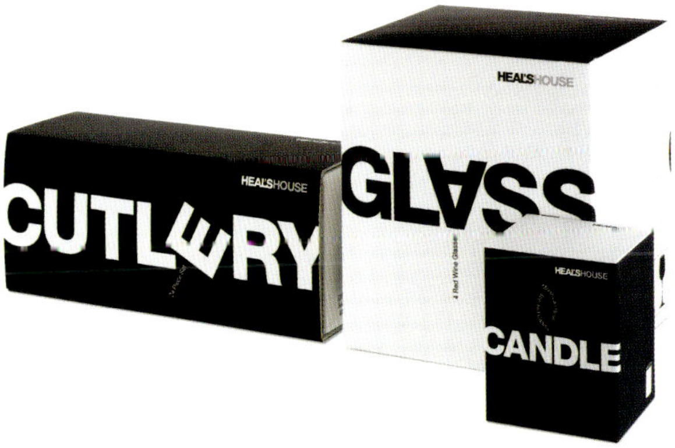
HEALSHOUSE
CUTLERY
GLASS
CANDLE

IDENTIDADE E EMBALAGEM PARA A HEAL / Pentagram: Domenick Lippa / Reino Unido, 2006 / Foto: John Ross mas também como pessoa de negócios – uma simbiose que nem sempre deu certo. Em quatro décadas, mais de 35 indivíduos foram sócios ou tiveram a oportunidade de sê-lo durante um período probatório de dois anos, o que deu à empresa um fluxo consistente de sócios.

A Pentagram cresceu rapidamente; John McConnell entrou em 1974 e, em 1978, Forbes lançou o escritório de Nova York. A empresa tem crescido de maneira contínua, adicionando sócios não para aumentar o lucro ou faturamento, mas quando a pessoa certa é encontrada, e abre escritórios em determinados lugares não para explorar áreas ou mercados, mas para fundir-se com a localização original do sócio. Nem todas as incorporações deram certo; Peter Saville > 180 e April Greiman > 179, dois dos mais celebrados designers dos anos 1980, não duraram mais do que dois anos e o escritório de Hong-Kong, comandado de Londres por David Hillman, operou por apenas três anos.

Tem sido consistente, na história da Pentagram, a sua prática nitidamente multidisciplinar – primeiro, entre disciplinas, desde identidade corporativa à embalagem, design editorial, cartazes e design de exposições; segundo, entre os tipos de clientes, desde organizações sem fins lucrativos a marcas de consumo, da moda à cultura e hotelaria – tudo sem uma adesão implícita a um estilo específico, resultando num portifólio muito diversificado. Na sua forma mais recente, o rol de sócios inclui principalmente elementos da terceira e quarta gerações – Kit Hinrichs, de São Francisco, que entrou em 1986, é o que está por mais tempo e, ainda assim, os princípios se mantêm os mesmos por mais de 35 anos.

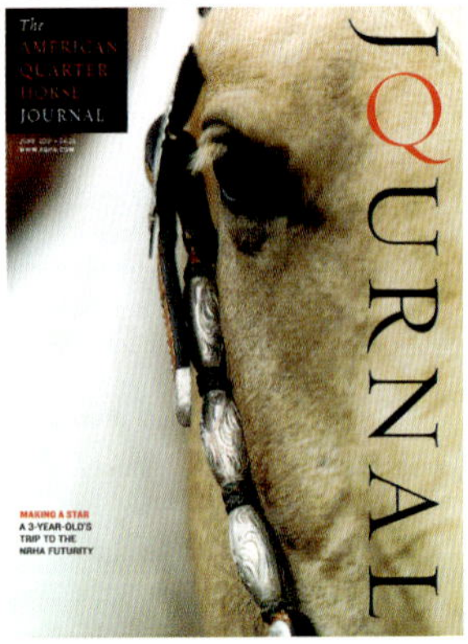
The American Quarter Horse Journal
JOURNAL

AMERICAN QUARTER HORSE JOURNAL / Pentagram: DJ Stout / EUA, 2001

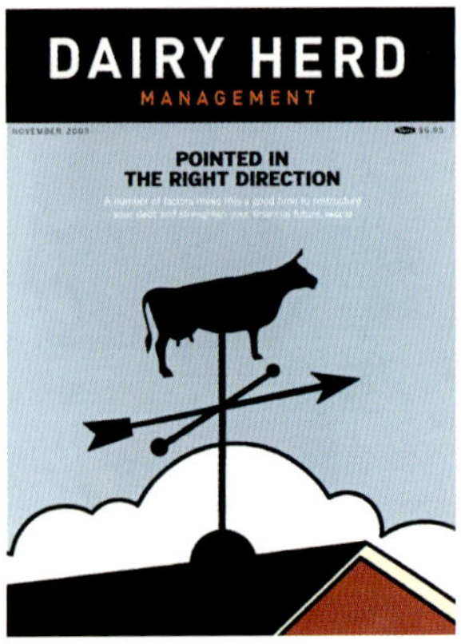
DAIRY HERD
MANAGEMENT
POINTED IN THE RIGHT DIRECTION

DAIRY HERD
MANAGEMENT
SHOOT FOR THE MOON

REVISTA *DAIRY HERD MANAGEMENT* / Pentagram: DJ Stout / EUA, 2003

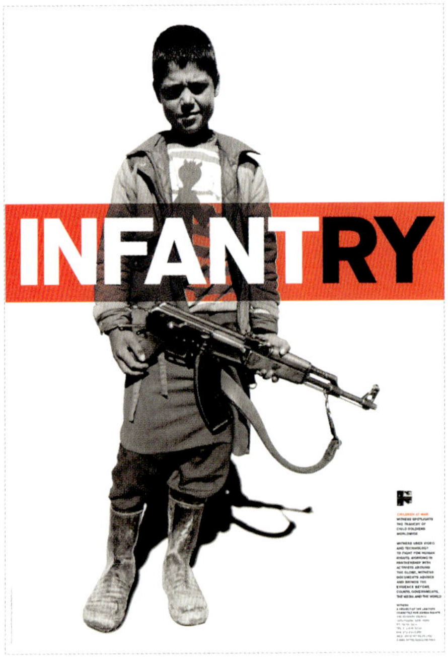
INFANTRY

***INFANTRY*, CARTAZ PARA A WITNESS** / Pentagram: Harry Pearce / Reino Unido, 1994

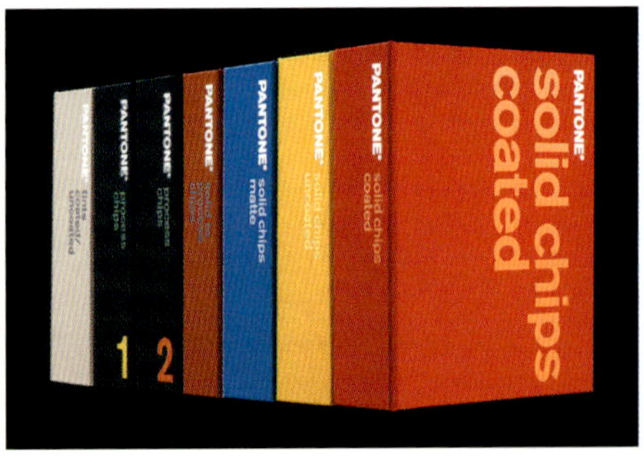
PANTONE solid chips coated

SISTEMAS DE CORES PANTONE / Pentagram: John Rushworth / Reino Unido, 2000 / Foto: Nick Turner

ilā

IDENTIDADE E EMBALAGEM PARA ILA NAMING / Pentagram: John Rushworth / Reino Unido, 2006 / Foto: Peter Wood

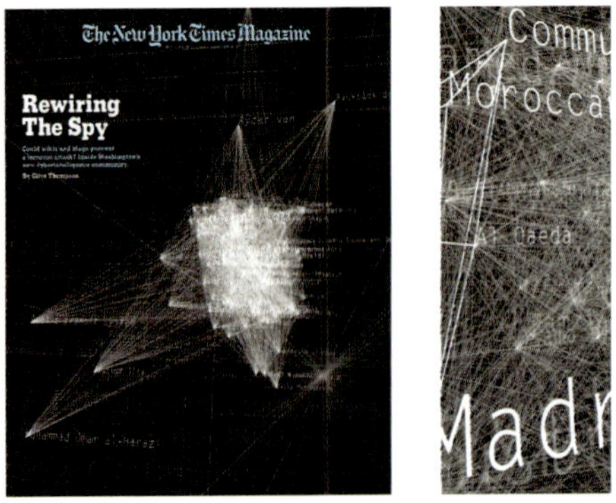
The New York Times Magazine
Rewiring The Spy
Madr

VISUALIZAÇÃO PARA A REVISTA *NEW YORK TIMES* / Pentagram: Lisa Strausfeld / EUA, 2006

EMBALAGEM PARA A SOCIEDADE DO MALT WHISKEY ESCOCÊS / Pentagram: Harry Pearce / Reino Unido, 2004 / Foto: Richard Foster

IN2007
50%
5TH
SPEED

EXPOSIÇÃO GLOBAL CITIES NA TATE MODERN / Pentagram: Angus Hyland, William Russell / Reino Unido, 2007

Casualties of an Outsourced War
TIME
How The Right Went Wrong
Life
Hoya Happening.
Arts
The End of the Soprano Administration.

RENOVAÇÃO DA REVISTA *TIME* / Pentagram: Luke Hayman, Paula Scher; *Time*: Richard Stengel, Arthur Hochstein / EUA, 2007

EXPOSIÇÃO INTINERANTE HARLEY-DAVIDSON OPEN ROAD / Pentagram: Abbott Miller / EUA, 2002–2003 / Foto: Timothy Hursley

DESIGN DA INTERFACE SUGAR DO LAPTO XO PARA A FUNDAÇÃO ONE LAPTOP PER CHILD / Pentagram: Lisa Strausfeld / EUA, 2007 / Foto: Cortesia da Fundação One Laptop per Child

1

IDENTIDADE DA FUNDAÇÃO ONE LAPTOP PER CHILD / Pentagram: Michael Gericke / EUA, 2007

Sócios ao longo dos anos, 1972-2008

Legenda
A Austin | **B** Berlin | **LA** Los Angeles
L Londres | **NY** Nova York | **SF** San Francisco
* Falecido

ADMITIDO	ESCRITÓRIO	SÓCIO	SAIU
1972	L	**Theo Crosby***	1994
	L	**Alan Fletcher**	1991
	L	**Colin Forbes**	1993
	L	**Kenneth Grange**	1998
	L	**Mervyn Kurlansky**	1993
1974	L	**John McConnell**	2005
1977	L	**Ron Herron**	1981
1978	L	**Howard Brown**	1988
	NY	**Peter Harrison**	1994
1982	L	**David Pelham**	1986
1986	SF	**Kit Hinrichs**	–
	SF	**Linda Hinrichs**	1990
	SF	**Neil Shakery**	1994
1987	L	**Howard Brown**	1988
	NY	**Etan Manasse***	1990
1988	NY	**Woody Pirtle**	2005
1989	L	**John Rushworth**	–
1990	L	**Peter Saville**	1992
	NY	**Michael Bierut**	–
1991	L	**David Pocknell**	1995
	NY	**James Biber**	–
	NY	**Paula Scher**	–
	SF	**Lowell Williams**	2007
1992	L	**Daniel Weil**	–
1993	NY	**Michael Gericke**	–
1995	L / B	**Justus Oehler**	–
1996	SF	**Bob Brunner**	2007
1998	L	**Angus Hyland**	–
	L	**Lorenzo Apicella**	–
1999	NY	**Abbott Miller**	–
2000	L	**Fernando Gutierrez**	2006
	A	**DJ Stout**	–
	LA	**April Greiman**	2001
2002	NY	**Lisa Strausfeld**	–
2005	L	**William Russell**	–
2006	L	**Harry Pearce**	–
	L	**Domenic Lippa**	–
	NY	**Luke Hayman**	–

Otl Aicher

1922 (ULM-SÖFLINGEN, ALEMANHA) - 1991

Foi só com mais de vinte anos que Otl Aicher fez a sua primeira incursão na prática do design gráfico, criando cartazes para uma série de reuniões, as Aulas de Terça, realizadas por uma organização de sua cidade natal, Ulm, em fins da Segunda Guerra Mundial, em 1945. As aulas levaram à criação da Ulmer Volkshochschule, uma escola de educação de adultos e um dos primeiros clientes de Aicher quando ele abriu sua primeira empresa de design, a Büro Aicher, em 1947.

Em 1953, com o designer suíço Max Bill, Aicher criou a Hochschulle für Gestaltung (HfG) em Ulm, uma escola de design para arquitetos e designers gráficos e de produto. Além de ensinar e ser o diretor de 1962 a 1964, Aicher desenvolveu inúmeros projetos de identidade – incluindo uma abrangente identidade corporativa para a Lufthansa – através do E5 (Entwicklungsgruppe 5), uma das equipes de desenvolvimento com estudantes criadas na HfG para trabalhar com clientes fora da academia. A HfG fechou em 1968 e Aicher reabriu o Büro Aicher realizando um dos seus trabalhos mais importantes, a identidade, sinalização e iconografia dos Jogos Olímpicos de 1972, em Munique > 327.

Em 1972, Aicher e sua família compraram uma propriedade, já chamada Rotis, onde ele construiu dois novos estúdios e passou a residir e ter seu escritório. Por mais de duas décadas, Aicher manteve uma constante atividade desenvolvendo identidades, cartazes, anúncios e materiais de apoio para uma série de clientes, de indústrias a pequenas cidades. O nome da nova casa de Aicher também batizou quatro famílias de tipos – Rotis Grotesk (sem serifa), Semigrotesk, Semiantiqua e Antiqua (serifada). Em 1991, tragicamente, um carro atingiu Aicher quando ele atravessava, em seu cortador de grama, a estrada que corta a sua propriedade.

LEITURA RECOMENDADA > 390

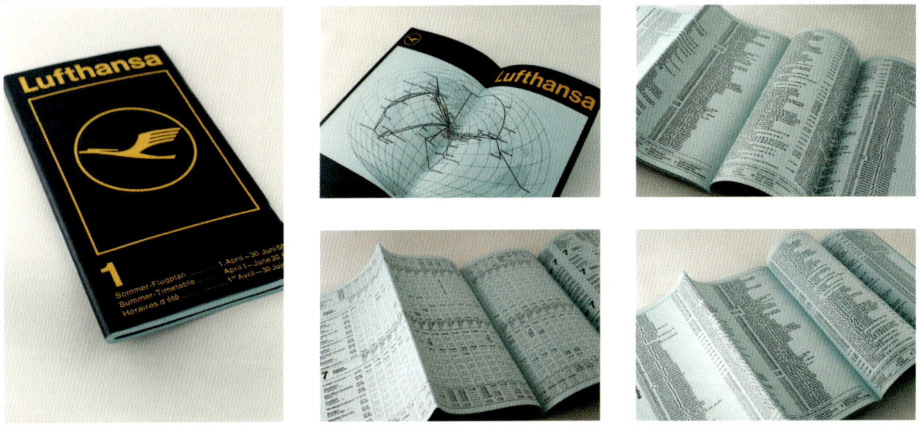
Lufthansa
Lufthansa

HORÁRIOS DE VERÃO DA LUFTHANSA / Otl Aicher / Alemanha, 1968

Offizielle Programm-schrift
Kiel 1972 Olympische Segel-wettbewerbe
München 1972
T
FD
D
München 1972 26.8.-10.9.
München
26.8.1972 15.00 h
14
15

MATERIAIS DOS JOGOS OLÍMPICOS DE 1972 EM MUNIQUE / Otl Aicher / Alemanha, 1966–1972

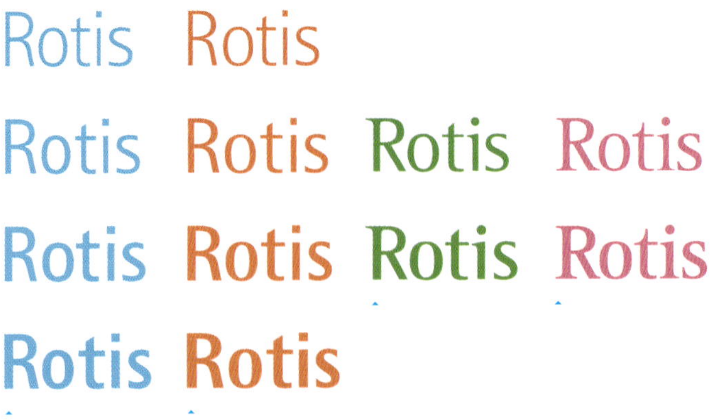
Rotis Rotis
Rotis Rotis Rotis Rotis
Rotis Rotis Rotis Rotis
Rotis Rotis

FAMÍLIA DE TIPOS ROTIS / Otl Aicher / Alemanha, 1988

BRAUN

IDENTIDADE BRAUN / Otl Aicher / Alemanha, 1954

Herb Lubalin

1918 (NOVA YORK, NY, EUA) - 1981

Em retrospecto, a obra de Lubalin não é apenas abrangente, mas consistentemente influente em termos de sua exposição na profissão de design gráfico. Como criador de logotipos, Lubalin introduziu metáforas visuais na tipografia, bem como criou palavras marcas astutamente elaboradas que desafiavam o espaçamento tradicional entre letras. Embora estes sejam normalmente deixados de lado, Lubalin criou vários designs para embalagens de cosméticos e bronzeadores. No domínio editorial, ele fez o design e a direção de arte de três revistas influentes › 322 juntamente com o provocador Ralph Ginzburg: *Eros* em 1962, com apenas quatro edições publicadas, *Fact*: de 1964 a 1967 e *Avant Garde*, de 1968 a 1971, que apresentava o texto escrito com as letras de mesmo nome › 374, com complexos elementos de ligação que foram posteriormente lançados pela International Typeface Corporation (ITC) › 220. Criada em 1970 por Lubalin, Edward Rondthaler e Aaron Burns, a ITC abraçou a emergente tecnologia de fotocomposição e buscava recompensar de maneira adequada os criadores de tipos de letras, à medida que a pirataria estava ficando cada vez mais fácil — a ITC, é claro, trazia as letras criadas por Lubalin. Por meio da ITC, Lubalin editou *U&lc* › 98, um periódico de design que oferecia um acervo interminável de letras e que rapidamente se estabeleceu como uma publicação fundamental para a área. Herb Lubalin tinha uma habilidade fantástica para visualizar os elementos tipográficos em soluções singulares que, com sua engenhosidade, ferramentas diárias e jogo com as tecnologias emergentes o colocaram à parte dos seus pares.

THE
BIBLE

LOGOTIPO THE BIBLE / Herb Lubalin / EUA, 1966

U&lc.
1776
1976

REVISTA *U&LC* 3, N. 2 / ITC / EUA, Julho 1976

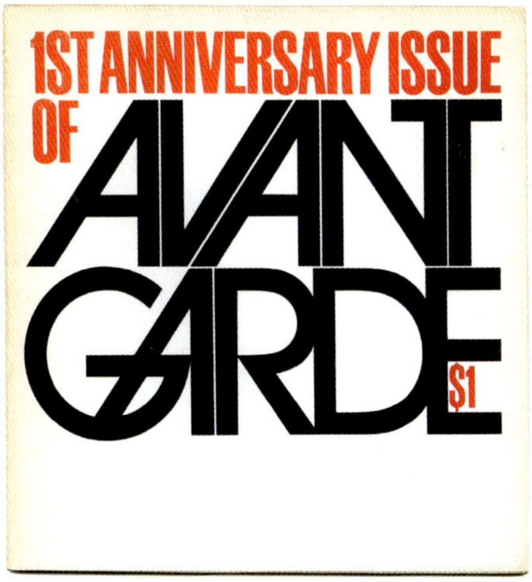
1ST ANNIVERSARY ISSUE
OF
AVANT
GARDE
$1

***AVANT GARDE N. 6: FIRST ANNIVERSARY ISSUE* (CAPA ALTERNATIVA)** / Herb Lubalin / EUA, Janeiro 1969

oh! ah!

PAPEL DE CARTA OH! PARA LI-LIAN OH / Herb Lubalin; letras, Tom Carnase / EUA, 1964
PAPEL DE CARTA AH! PARA ANTHONY HYDE, JR. / Herb Lubalin; letras, Tom Carnase / EUA, 1964

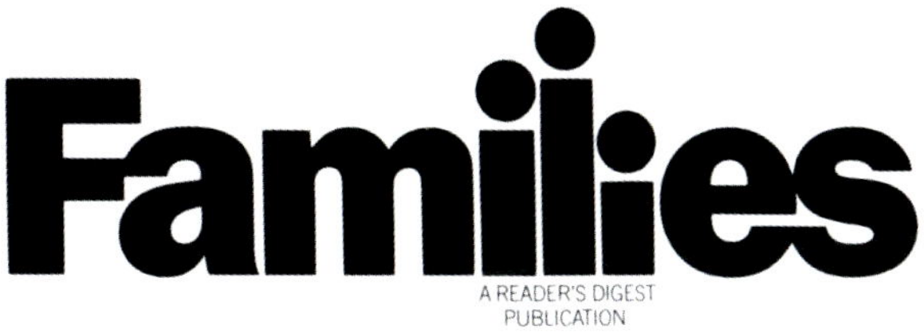
Families
A READER'S DIGEST
PUBLICATION

LOGOTIPO FAMILIES / Herb Lubalin / EUA, 1980

FIRST
PLACE

LOGOTIPO FIRST PLACE / Herb Lubalin / EUA, s. d.

Steelograph
Co.

LOGOTIPO DA STEELOGRAPH COMPANY / Herb Lubalin / EUA, s. d.

MOTHER
CHILD

PROPOSTA DE LOGOTIPO PARA A REVISTA *MOTHER AND CHILD* / Herb Lubalin; Letras, Tom Carnase / EUA, 1967

Imagens: Cortesia do Centro de Estudos de Design e Tipografia Herb Lubalin Study na Cooper Union School of Art

Push Pin Studios

CRIADA EM 1954 (NOVA YORK, NY, EUA)

Quando eram estudantes na Cooper Union › 131, Seymour Chwast › 171, Milton Glaser › 170, Reynold Ruffins e Edward Sorel trabalharam nas horas extras como o grupo Design Plus, fazendo alguns trabalhos por encomenda e em silkscreen sem muito sucesso financeiro, e, após a formatura em 1951, cada um seguiu seu próprio caminho: Chwast foi trabalhar no *New York Times, Glaser,* inicialmente, foi para a *Vogue* e, depois; foi estudar gravação na Itália; Sorel e Ruffins, em estúdios independentes. Entretanto, Chwast, Sorel e Ruffins, insatisfeitos com seus empregos, começaram a produzir uma publicação promocional, o *Push Pin Almanack* (inspirado no *Farmer's Almanack* com muitos fatos ilustrados, citações e mesmo horóscopos), com o objetivo de ganhar alguns projetos. De volta da Itália, Glaser uniu-se a eles em 1952 e, em 1954 criaram o Push Pin Studios (Ruffins não foi um dos fundadores, mas juntou-se ao grupo em 1955).

O *Almanack* foi publicado até 1956; deu lugar em 1957 ao *Push Pin Monthly Graphic*, mas o *Monthly* foi retirado do título em 1961, quando ficou evidente que a periodicidade da publicação não tinha relação com o título. O *Push Pin Graphic*, apresentando a notável e sem precedentes diversidade estilística de seus membros, atraía trabalhos e elogios para o Push Pin Studios. Sorel e Ruffins saíram em 1956 e 1960, respectivamente, mas o Push Pin Studios não teve problemas em atrair talentos para satisfazer a demanda; Paul Davis, James McMullan e Isadore Seltzer fizeram parte do grupo durante os anos 1960 e também contribuíram com o *Push Pin Graphic*. No início dos anos 1970, Glaser deixou o grupo para fundar o seu próprio estúdio, Chwast ficou no comando (e ainda está), aumentando o grupo de ilustradores representados no *Push Pin Graphic*, que continuou a apresentar conteúdo original até 1980, com 86 influentes edições publicadas.

COUPLES
Push Pin Graphic.

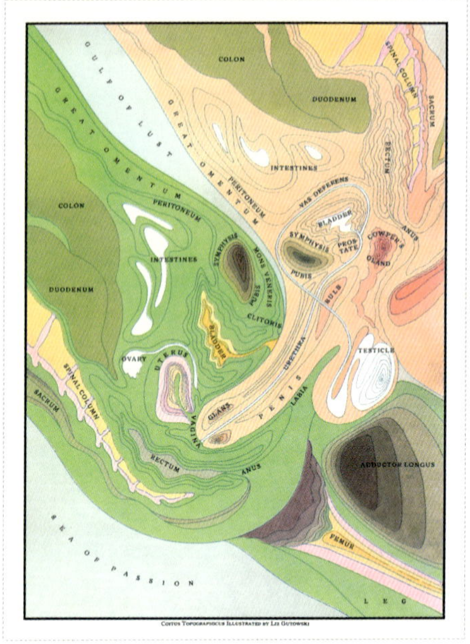

GULF OF LUST
GREAT OMENTUM
COLON
DUODENUM
SACRUM
INTESTINES
PERITONEUM
BLADDER
PUBIS
TESTICLE
PENIS
ANUS
RECTUM
ADDUCTOR LONGUS
FEMUR
SEA OF PASSION
LEG

PUSH PIN GRAPHIC* N. 83: *COUPLES / Push Pin Studios / EUA, 1980

Visit Dante's
Inferno.
The End Place.

***PUSH PIN GRAPHIC* N. 52** / Este número consistia de três cartazes de anúncios falsos / Push Pin Studios / EUA, 1967

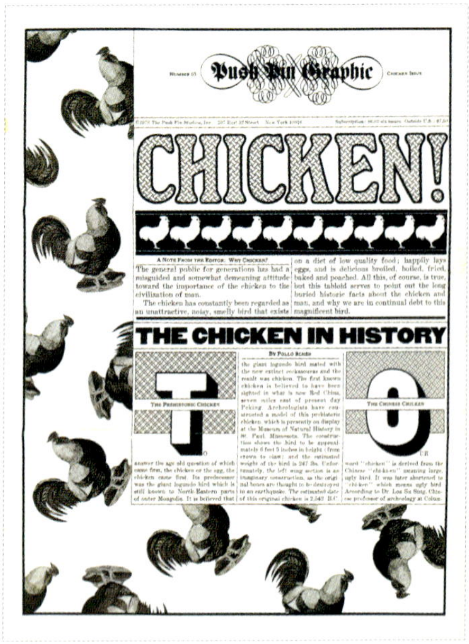

Push Pin Graphic
CHICKEN!
THE CHICKEN IN HISTORY

PUSH PIN GRAPHIC* N. 63: *ALL ABOUT CHICKENS / A inclusão de um padrão com um galo neste número levou ao uso da ave em todos os títulos seguintes / Push Pin Studios / EUA, 1976

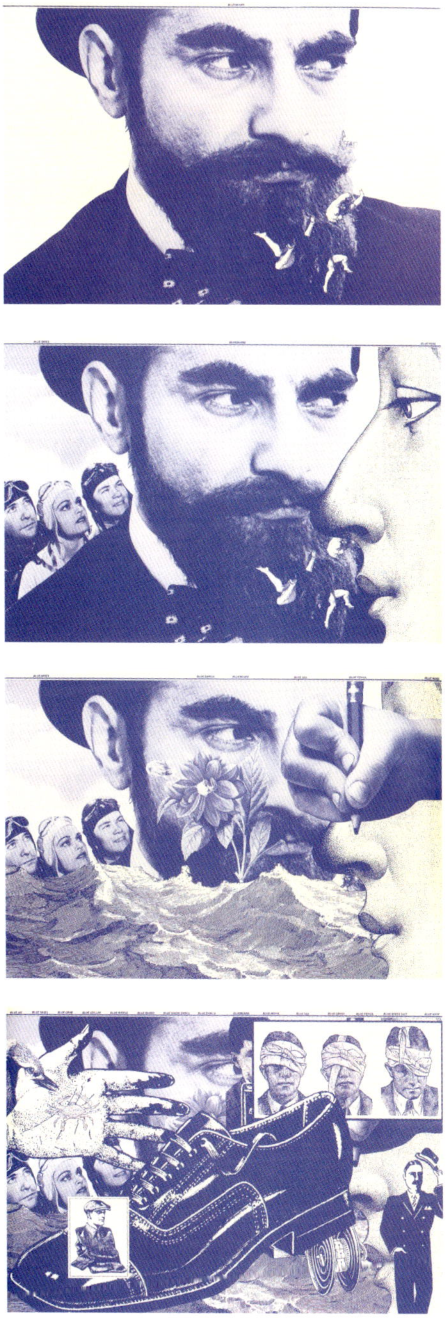

PUSH PIN GRAPHIC* N. 01: *OLD BLUE / Push Pin Studios / EUA, Novembro-Dezembro 1979

PUSH PIN GRAPHIC* N. 53: *CHEW, CHEW, BABY / Push Pin Studios / EUA, 1967

PUSH PIN GRAPHIC* N. 56: *GOOD & BAD / Push Pin Studios / EUA, 1971

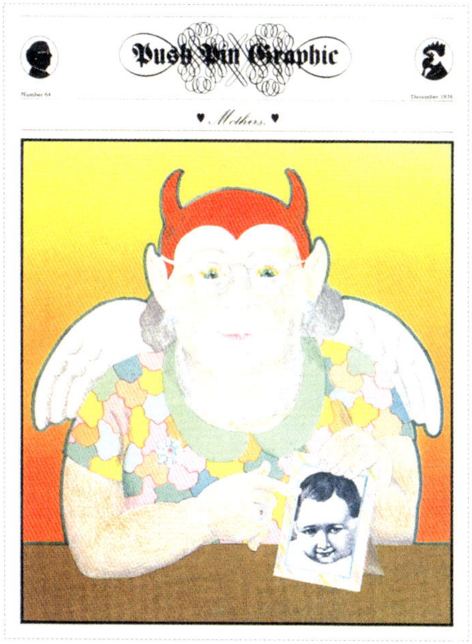
Push Pin Graphic
Mothers

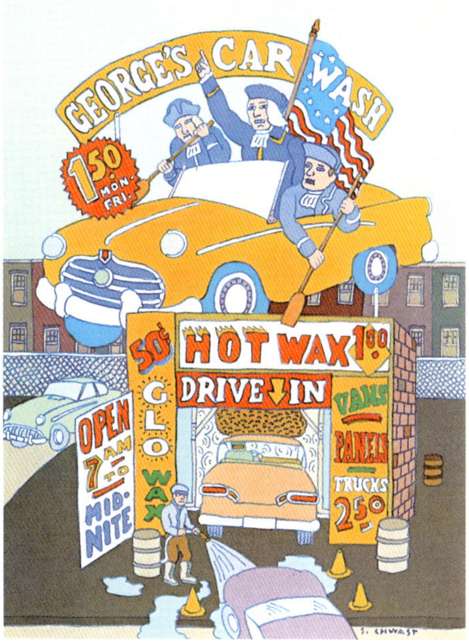
GEORGE'S CAR WASH
1.50 MON FRI
HOT WAX 1.00
50¢
DRIVE IN
OPEN 7 AM TO MID-NITE
GLO WAX
VANS
PANELS
TRUCKS 2.50

PUSH PIN GRAPHIC* N. 72: *EXPLORING NEW JERSEY / Push Pin Studios / EUA, Abril 1978

THE MOTHER MAFIA
M O R

PUSH PIN GRAPHIC* N. 64: *MOTHERS / Última edição de Milton Glaser / Push Pin Studios / EUA, 1976

Milton Glaser

n. 1929 (NOVA YORK, NY, EUA)
ATUALMENTE EM NOVA YORK, NY, EUA

Milton Glaser — o homem por trás do icônico logotipo I ♥ NY › 344, onipresente em Nova York (e com inúmeras imitações) desde 1975 — frequentou a High School of Music and Art e formou-se na Cooper Union › 131 em Manhattan, em 1951, antes de ir estudar na Itália com Giorgio Morandi, na Academia de Belas-Artes, em Bolonha, com uma bolsa Fullbright. Logo após a sua volta, em 1954, Glaser e os colegas da Cooper Union, Seymour Chwast, Reynold Ruffins e Edward Sorel, criaram o Push Pin Studios › 168 onde suas ilustrações e design ajudaram a definir um dos grupos mais influentes na profissão. Glaser deixou o Push Pin após 20 anos.

Consolidando a qualidade de nova-iorquino verdadeiro, Glaser criou a revista *New York* › 336 juntamente com Clay Felker em 1968, sendo o diretor de arte até 1977. Ampliando seu trabalho para a indústria editorial, criou a WBMG com o diretor de arte, Walter Bernard, em 1983; fazendo o design de mais de 50 revistas, jornais e periódicos até o fechamento da empresa em 2003. A maior parte de seu trabalho, é claro, foi desenvolvida na sua própria empresa, a Milton Glaser, Inc., criada em 1974, pela qual ele elaborou centenas de cartazes, identidades, publicações, embalagens, anúncios, interiores para uma gama variada de clientes — inúmeros e muito significativos para caberem num só parágrafo. Glaser ainda contribui com a comunidade do design com seus textos evocativos e ponderados, aulas desafiadoras e aliviadoras e por seu constante comprometimento com a educação. Seus cursos de verão, com uma semana de duração, onde o segredo do que acontece é igual ao do filme "clube da luta", são lotados ano após ano.

The Case Against F. Lee Bailey, by Barry Farrell
I Left My Heartburn in San Francisco, by Gael Greene
The School Principal Who Said No, by Ken Auletta
75 CENTS
MAY 3, 1976
NEW YORK
Why Everybody's Talking About
GOSSIP
By Alexander Cockburn

REVISTA *NEW YORK* / Milton Glaser / EUA, 3 de Maio, 1976

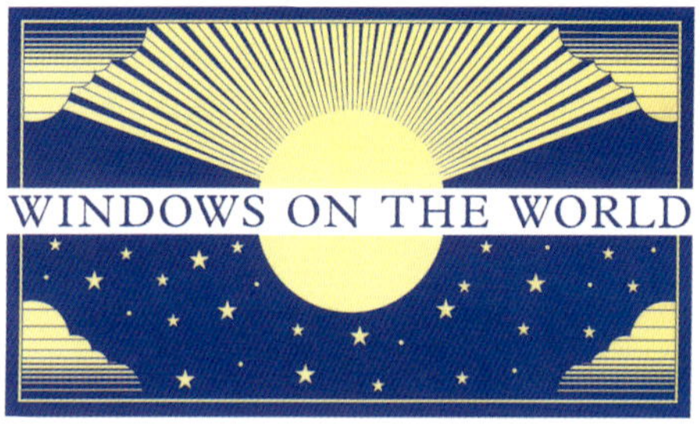
WINDOWS ON THE WORLD

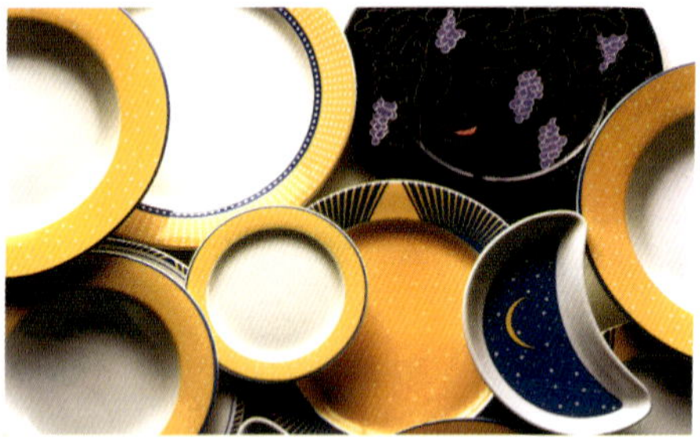

LOUÇA E IDENTIDADE DO RESTAURANTE WINDOWS OF THE WORLD / Milton Glaser / EUA, 1995

GRAND UNION
SUPERSTORE

IDENTIDADE E DESIGN DE AMBIENTE PARA A GRAND UNION / Milton Glaser / EUA, 1976–1996

The Secret of Art
SVA School of VISUAL ARTS
212.592.2050 WWW.SVA.EDU

CARTAZ PARA A ESCOLA DE ARTES VISUAIS / direção de arte, Silas H. Rhodes; design, Milton Glaser; foto: Matthew Klein / EUA, 2007

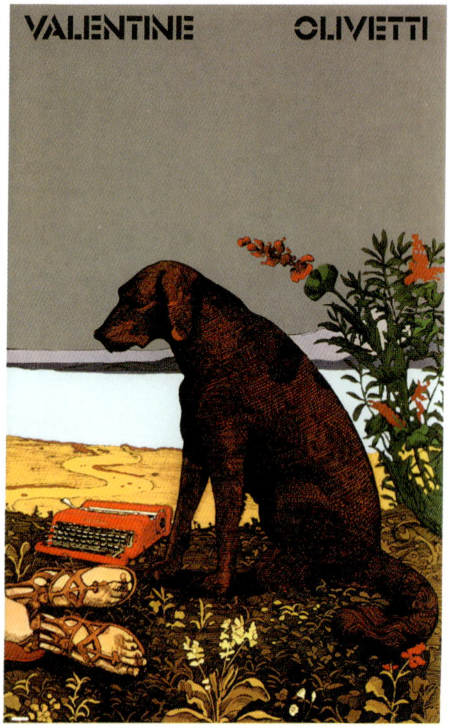
VALENTINE
OLIVETTI

CARTAZ OLIVETTI VALENTINE / Milton Glaser / EUA, 1968

Seymour Chwast

n. 1931 (BRONX, NOVA YORK, EUA)
ATUALMENTE EM NOVA YORK, NY, EUA

Quando era membro do grupo de artes da Abraham Lincoln High School, juntamente com outros jovens promissores como Gene Federico, Alex Steinweiss › 142 e William Taubin e sob a orientação do professor Leon Friend, Seymour Chwast, cedo experimentou o gostinho de ser artista comercial. Incentivado por Friend a participar de concursos, publicou seu primeiro trabalho aos 16 anos, na revista *Seventeen*, sob a direção de arte de Cipe Pineles › 145. Em seguida, Chwast frequentou a Cooper Union, onde encontraria seus futuros sócios, Reynold Ruffins, Edward Sorel e Milton Glaser › 170, com os quais formaria, quando ainda eram estudantes, a Design Plus, uma empresa pequena com uma impressora silkscreen, num loft quente de Nova York e, mais tarde, é claro, criaram o Push Pin Studios › 168 em 1954, embora o caminho não tenha sido direto.

Após a formatura em 1951, Chwast trabalhou como designer júnior no departamento de promoções do *New York Times* e depois teve uma sequência de empregos antes de se reunir com Ruffins e Sorel, em 1953, para conceber uma publicação de autopromoção chamada *Push Pin Almanack*, que apresentava o talento dos três como ilustradores. Quando Glaser retornou de seus estudos na Itália uniu-se ao grupo em 1954, criando o Push Pin Studios, servindo de plataforma para que Chwast apresentasse suas ilustrações pungentes e cheias de humor. Com o passar dos anos — enquanto membro do Push Pin Studios e depois como o detentor do nome Push Pin quando foi rebatizado de Pushpin Group, em 1981 — Chwast criou e ilustrou cartazes, embalagens, livros infantis e logotipos, e ele continua com a tradição de *self-publishing* com *The Nose*, uma publicação de 24 páginas "criada para chamar a atenção para assuntos sociais relevantes e para os triviais". Socialmente relevantes ou triviais, os assuntos são alegremente ilustrados.

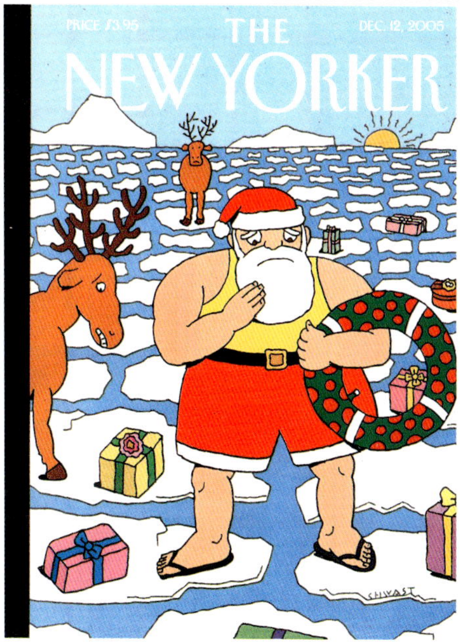
THE NEW YORKER
DEC. 12, 2005

CAPA DA *NEW YORKER* / 12 de Dezembro, 2005

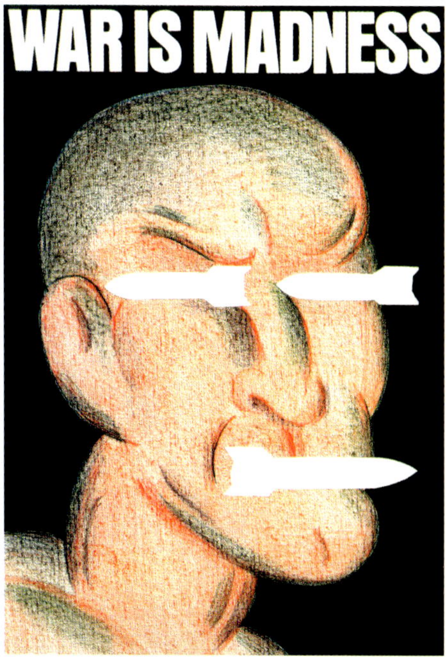
WAR IS MADNESS

CARTAZ *WAR IS MADNESS* PARA SHOSHIN SOCIETY / 1986

NOSE

THE NOSE*, N. 6: *EXPLORING THE FOOD WE JUST CAN'T GET ENOUGH OF / 2001

ILUSTRAÇÃO NA *THE NOSE* / 2000

ILUSTRAÇÃO DE CAPA NA REVISTA *FRANKFURTER ALLGEMEINE* / 2000

Artone Studio India Ink

EMBALAGEM DA ARTONE / 1964

End Bad Breath.

CARTAZ *END BAD BREATH* / 1968

Seymour Chwast / EUA

LEITURA RECOMENDADA › 390

Irmã Mary Corita Kent

FRANCES ELIZABETH KENT

1918 (FORT DODGE, IOWA, EUA) - 1986

Criada em Hollywood, a Irmã Mary Corita Kent entrou para a Comunidade Religiosa do Imaculado Coração de Maria aos 18 anos. Irmã Corita continuou sua educação até obter um título de bacharel no Immaculate Heart College (IHC) e um mestrado em história da arte pela University of Southern California.

Seu trabalho inicial pode ser identificado pelo uso de imagens religiosas; foi em 1955 que ela introduziu pela primeira vez palavras em sua obra, logo após encontrar Charles Eames, que ela considerava uma fonte de inspiração. À medida que sua obra evoluía, seu uso de tipografia clássica mudou para sua caligrafia pessoal e, à medida que as imagens passaram a ser um item do passado, cultura popular, branding e o meio ambiente ficaram no cerne de seu trabalho. Professora por mais de 20 anos e chefe do departamento de artes no IHC durate quatro anos, Irmã Corita saiu de Los Angeles e da Ordem e foi para Boston em 1968. Precisando ganhar dinheiro para viver, ela começou a desenvolver trabalhos voltados para a clientela, tais como capas de livros e revistas, propagandas, cartões, logotipos e até mesmo um selo postal americano – que, com mais de 700 milhões de unidades vendidas, é considerado o mais popular até hoje.

Irmã Corita sempre disse o que pensava através de sua arte, algo a que ela se sentia compelida a fazer quando tratava da Guerra do Vietnam, justiça social, racismo e pobreza entre outros assuntos importantes. Enquanto seu estilo artístico variou de uma década a outra e de obra pública para privada, sua experimentação é notável e à frente de seu tempo – especialmente para alguém oriundo de um ambiente supostamente conservador. Ainda que o trabalho da Irmã Corita seja uma clara influência na obra de designers e artistas, ela não recebeu o reconhecimento histórico conferido a muitos de seus pares.

LEITURA RECOMENDADA › 390

POWER UP

POWER UP / Uma série de quatro serigrafias / Imã Corita / EUA, 1965

SOMEDAY IS NOW / Serigrafia / Irmã Corita / EUA, 1964

people
like us
yes
workpower

PEOPLE LIKE US YES / Serigrafia / Irmã Corita / EUA, 1965

THE
BIG
STANDS
FOR
GOODN

FOR ELEANOR / Serigrafia / Irmã Corita / EUA, 1964

you can make it

COME ALIVE / Serigrafia / Irmã Corita / EUA, 1967

IMMACULATE HEART COLLEGE ART DEPARTMENT RULES

Rule 1 FIND A PLACE YOU TRUST AND THEN TRY TRUSTING IT FOR A WHILE.

Rule 2 GENERAL DUTIES OF A STUDENT: PULL EVERYTHING OUT OF YOUR TEACHER. PULL EVERYTHING OUT OF YOUR FELLOW STUDENTS.

Rule 3 GENERAL DUTIES OF A TEACHER: PULL EVERYTHING OUT OF YOUR STUDENTS.

Rule 4 CONSIDER EVERYTHING AN EXPERIMENT.

Rule 5 BE SELF DISCIPLINED. THIS MEANS FINDING SOMEONE WISE OR SMART AND CHOOSING TO FOLLOW THEM. TO BE DISCIPLINED IS TO FOLLOW IN A GOOD WAY. TO BE SELF DISCIPLINED IS TO FOLLOW IN A BETTER WAY.

Rule 6 NOTHING IS A MISTAKE. THERE'S NO WIN AND NO FAIL. THERE'S ONLY MAKE.

Rule 7 The only rule is work. IF YOU WORK IT WILL LEAD TO SOMETHING. IT'S THE PEOPLE WHO DO ALL OF THE WORK ALL THE TIME WHO EVENTUALLY CATCH ON TO THINGS.

Rule 8 DON'T TRY TO CREATE AND ANALYSE AT THE SAME TIME. THEY'RE DIFFERENT PROCESSES.

Rule 9 BE HAPPY WHENEVER YOU CAN MANAGE IT. ENJOY YOURSELF. IT'S LIGHTER THAN YOU THINK.

Rule 10 "WE'RE BREAKING ALL OF THE RULES. EVEN OUR OWN RULES. AND HOW DO WE DO THAT? BY LEAVING PLENTY OF ROOM FOR X QUANTITIES." JOHN CAGE

HELPFUL HINTS: ALWAYS BE AROUND. COME OR GO TO EVERYTHING. ALWAYS GO TO CLASSES. READ ANYTHING YOU CAN GET YOUR HANDS ON. LOOK AT MOVIES CAREFULLY OFTEN. SAVE EVERYTHING-IT MIGHT COME IN HANDY LATER.

THERE SHOULD BE NEW RULES NEXT WEEK.

David Mekelburg. Corita Kent's Rules & Hints for Students & Teachers

REGRAS DO DEPARTAMENTO DE ARTES DO IMMACULATE HEART COLLEGE / estampado por David Mekelburg / EUA, 1968

INSTALAÇÃO NA CANTINA DO IMMACULATE HEART COLLEGE / Irmã Corita e estudantes / EUA, c. 1966

Fotos da serigrafia: Joshua White / Imagens: Reimpressas com a permissão do Corita Art Center Immaculate Heart Community, Los Angeles

Lou Dorfsman

1918 (NOVA YORK, NY, EUA) - 2008

Inclinado inicialmente a estudar, bacteriologia na New York University, mas dissuadido por conta do elevado custo da mensalidade, Lou Dorfsman foi aceito em 1934 na Cooper Union > 131, que cobre o valor das suas mensalidades, e se formou em 1939. Durante e após seus estudos, ele teve muitos empregos em design; em 1943 foi para o exército americano, onde uma perfuração no tímpano o afastou do serviço ativo. Ele serviu como designer de exposição no exército até 1946, quando foi para a Columbia Broadcasting Company (CBS) sob a orientação de William Golding, diretor artístico da organização e criador do emblemático logotipo em forma de olho > 344. Em cinco anos, do que seria uma carreira de 45 na CBS, Dorfsman foi nomeado diretor artístico da Rádio CBS. Golden administrou a emergente rede de televisão CBS até 1959, quando faleceu de maneira inesperada aos 48 anos. Dorfman foi indicado para sucessor.

Ascendendo à vice-presidência e direção de criação do grupo de emissoras CBS no ano de 1964, Dorfsman era a força motriz não apenas dos anúncios impressos, mas de todo o espectro da identidade, dos gráficos que apareciam na TV ao design dos cenários e até mesmo da sinalização e gráficos no edifício sede em Nova York (projetado por Eero Saarinen) e a espantosa parede tipográfica com mais de 10 metros de largura no refeitório > 174. Dorfsman esteve envolvido profundamente com o sucesso da companhia e sua programação. Quando a audiência do âncora de notícias, Walter Cronkite, caiu, foi sua a ideia de fazer com que Cronkite aparecesse no Mary Tyler Moore Show, programa de grande audiência, o que aumentou os índices de ambos os programas; e quando a CBS estava pronta para cancelar os Waltons, Dorfsman imaginou uma campanha publicitária impressa e na televisão com o objetivo explícito de salvar o programa, que terminaria em primeiro lugar naquela temporada. Dorfsman aposentou-se da CBS em 1991 e faleceu em 2008, em Roslyn, Nova York.

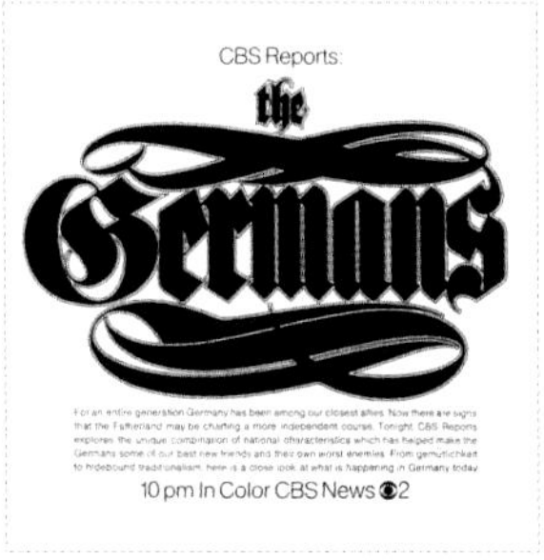
CBS Reports:
the Germans
10 pm In Color CBS News 2

CBS REPORTS: THE GERMANS / 26 de Setembro, 1967

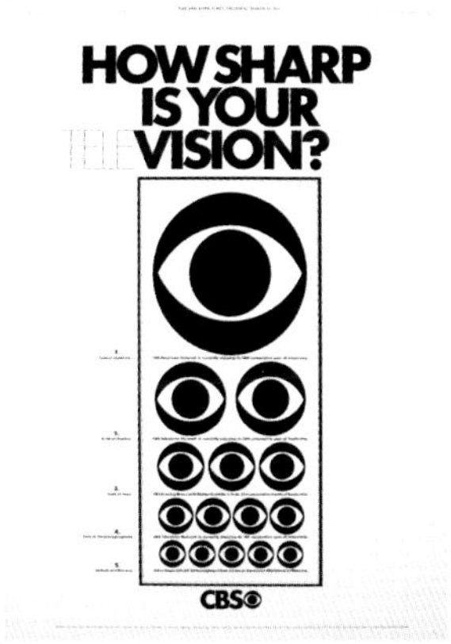
HOW SHARP IS YOUR VISION?
CBS

HOW SHARP IS YOUR VISION?, NO NEW YORK TIMES / 16 de Março, 1969

Worth Repeating
CBS News

WORTH REPEATING / 5 de Novembro, 1964

BIG 3 PRESENT WORLD PLA
President Roosevelt Is Dead
CONVOKE UNITED NATIONS IN U.S.
REDS CUT OFF BERLIN
MARINES STORM ASHORE ON IWO
Today Is V-E Day
ATOMIC BOMB SPELLS
JAPS' RUIN
JAPAN SURRE
END OF WAR!
"1945"
It all happened in 1945–a year history may well judge the year of this century. Tonight CBS News presents a provocative examination of the momentous events and decisions which twenty years later exert a continuing influence upon our lives. CBS News Correspondent Eric Sevareid is the reporter for "1945," written and produced by Perry Wolff.
CBS News Special 10 to 11 Tonight 2

_1945_ / 1965

IN THE PAY OF THE CIA:
AN AMERICAN DILEMMA

IN THE PAY OF THE CIA: AN AMERICAN DILEMMA / 1967

If you're appalled at my Texas I'm bewildered by your England
10pm in color CBS News 2

IF YOU'RE APPALLED AT MY TEXAS, I'M BEWILDERED BY YOUR ENGLAND / 1967

ha ha ha
CBS Television Network

HA...HA...HA..., IN VARIETY / 19 de Março, 1961

ANÚNCIOS DA REDE DE TV CBS / Lou Dorfsman / EUA

MONTAGEM GASTROGRÁFICA

Em 1965, a Columbia Broadcasting System (CBS) mudou-se para a sua nova sede em Nova York, um prédio de 38 andares em granito negro, projetado por Eero Saarinen, com interiores de Florence Knoll. A sinalização e gráficos de orientação foram criados por Lou Dorfsman › 173, vice-presidente e diretor de criação da CBS, com consistência resoluta. Os tipos de letras próprios criados por Freeman Craw, CBS Didot e CBS Sans, foram aplicados em tudo, de botões de elevador aos relógios de parede. Uma exceção a esta uniformidade foi feita numa parede de 10 X 2,4 metros numa das extremidades do refeitório. Numa entrevista à rádio CBS, Dorfman relembra discutir as opções para a parede com Knoll e o presidente da CBS, Frank Stanton. Knoll sugeriu colocar mapas antigos de Nova York e, quando Dorfsman não aprovou, Stanton, de modo ousado, perguntou, "OK, espertinho, e o que você faria?" Anteriormente, como presente de aniversário, Dorfsman dera a Stanton um California Job Case — um estojo com dúzias de compartimentos para separar tipos metálicos por letras — com amostras de tipos metálicos e de madeira. Dorfsman lembrou Stanton sobre isso e propôs que uma ideia similar fosse usada na parede, com palavras relacionadas à comida,

ESBOÇOS / Herb Lubalin / EUA, por volta de 1965

LOU DORFSMAN INSPECIONA A PAREDE / EUA, 1966

escritas com diferentes tipos de letras e com objetos relacionados à comida também expostos. Stanton aprovou a ideia.

Dorfsman fez um esboço inicial, encomendou a criação de um painel único e solicitou que seu amigo Herb Lubalin > 167, juntamente com Tom Carnase, produzissem uma versão completa da parede. Mais de 1.450 letras foram feitas artesanalmente em pinho e lentamente foram montadas na parede para criar uma composição monocromática de tipos. Os únicos bolsões de cor vinham dos alimentos dispersos estrategicamente na parede. As pessoas que lembram da parede não têm nada além de admiração por seu impacto, que deu as boas vindas aos funcionários e visitantes por mais de 20 anos até finais da década de 1980 ao ser desfeita sem a menor cerimônia quando uma nova administração assumiu. Dorfsman conseguiu que os painéis fossem retirados pelo designer Nick Fasciano e armazenados no seu porão, onde permaneceram por outros 20 anos, em lenta deterioração.

Em 2007, a revista I.D. > 96 fez uma reportagem sobre o estado da parede, chamando a atenção de uma nova organização sem fins lucrativos de Atlanta, o Centro de Estudos do Design, chefiada por Richard R. Anwyl. O centro tornou-se um embaixador da restauração da parede, que saíra do porão de Fasciano para o seu estúdio, onde cada letra e escultura de alimento foram diligentemente separadas, lixadas, consertadas, vedadas e repintadas. Se alguém tiver uma parede grande e vazia em casa, esse painel seria uma belo objeto para adorná-la.

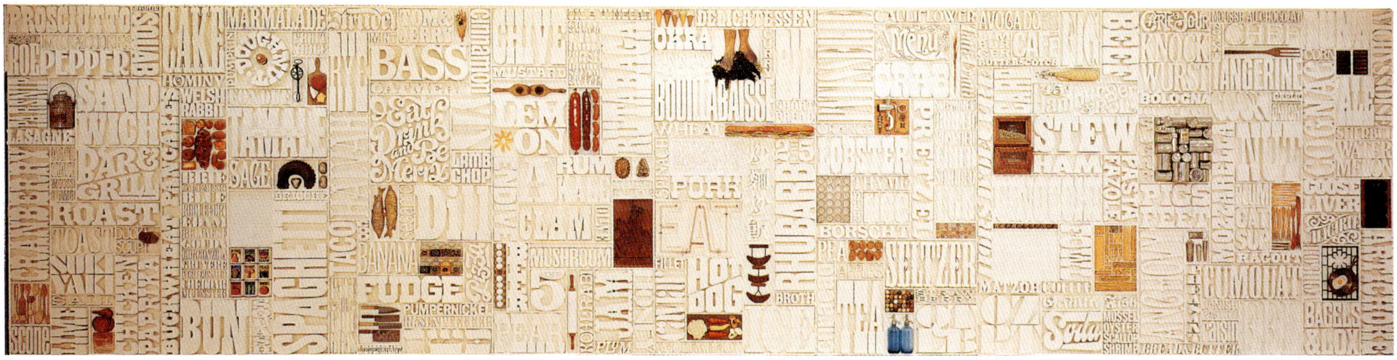

PAREDE ACABADA / EUA, 1966

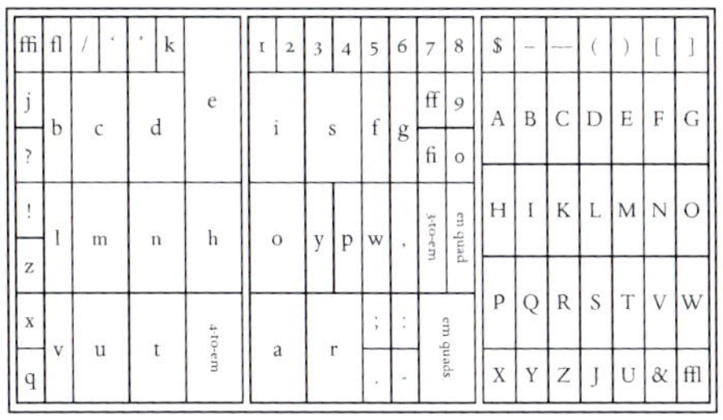

A B C D E F G
H I K L M N O
P Q R S T V W
X Y Z J U & ffl

Direita **PAREDE DESMONTADA NO PORÃO DE NICK FASCIANO** / EUA, 2007

PROCESSO DE RESTAURAÇÃO DE MAIS DE 1.450 LETRAS NO ESTÚDIO DE NICK FASCIANO / EUA, 2007

Studio Dumbar

CRIADO EM 1977 (ROTERDÃ, HOLANDA)

Antes de criar o Studio Dumbar em 1977, Gert Dumbar frequentou a Academia Real de Belas-Artes, em Haia, e o Royal College of Art, em Londres — para onde retornou em 1985 como professor visitante e chefiou o departamento de design gráfico até 1987 — e trabalhou por quase dez anos para a empresa holandesa Tel Design. Studio Dumbar começou com Dumbar e um estagiário, Michel de Boer, que trabalhou como autônomo para o estúdio após sua formatura, tornando-se empregado, em 1980, e, hoje, é diretor de criação. Atualmente, o Studio Dumbar emprega por volta de 30 pessoas e construiu uma abrangente prática em branding com contribuições do estrategista Tom Dorresteijn e a abertura da Dumbar Branding na China, em 2005. Mas essa é apenas a manifestação mais recente da experiência do Studio Dumbar, que tem criado e desenvolvido programas de marcas para instituições complexas como a Força Policial Holandesa e o Correio Dinamarquês, entre outros clientes governamentais e corporativos, desde o início dos anos 1980.

Outro aspecto do Studio Dumbar é seu trabalho para instituições culturais. Dumbar e sua equipe têm criado uma coleção de designs visualmente impactantes — ou "projetos de espírito livre", como eles os chamam, nos quais a ênfase é "em puro, 100% design força". Esse projetos, com o passar dos anos, receberam críticas, principalmente em forma de queixas por serem demasiado decorativos ou alegres, mas também atraíram atenção positiva e talento. Após Dumbar ter sido convidado a lecionar na Academia de Artes Cranbrook > 130, em 1985, muitos de seus alunos — como Allen Hori e Martin Venezky — foram estagiários em seu estúdio, forjando um senso de influência recíproca. Designer de todo o mundo vão para o Studio Dumbar, contribuindo ainda mais para sua singularidade e habilidade em trabalhar internacionalmente.

lyrische suite
Amsterdam Sinfonietta speelt werken van
Verbey
Schubert
Berg

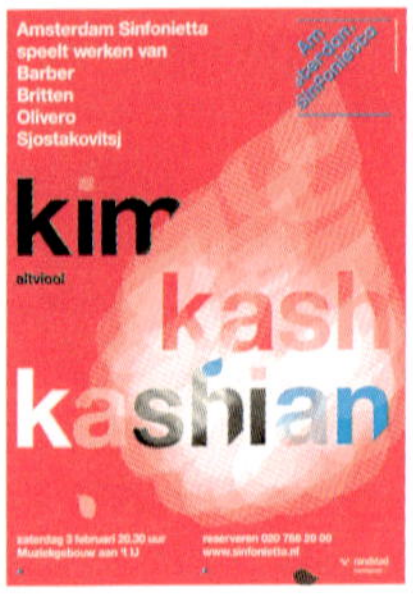
Amsterdam Sinfonietta speelt werken van
Barber
Britten
Olivero
Sjostakovitsj
kim kashkashian
altviool

IDENTIDADE DA AMSTERDAM SINFONIETTA E CARTAZES PARA A ORQUESTRA HOLANDESA / Studio Dumbar / Holanda, 2006–2007

HOLLAND DANCE FESTIVAL

HOLLAND DANCE FESTIVAL

CARTAZES DO FESTIVAL DE DANÇA DA HOLANDA / Studio Dumbar; foto: Lex van Pieterson / Holanda, 1986, 1989

POLITIE

Nederlands Kamerkoor

Concert gebouw serie 2007 2008

IDENTIDADE DO NEDERLANDS KAMERKOOR (CORO DE CÂMARA DA HOLANDA) / Studio Dumbar / Holanda, 2007 – até o presente

POLITIE

POLITIE

POLITIE

IDENTIDADE DA FORÇA POLICIAL HOLANDESA – PARA O MINISTÉRIO DO INTERIOR E MINISTÉRIO DA JUSTIÇA DO REINO DA HOLANDA / Studio Dumbar / Holanda, 1993 / Fotos: Lex van Pieterson

POST

POST
Østerbro P
Mandag-fredag
Lørdag

IDENTIDADE DO CORREIO DINAMARQUÊS PARA A POST DANMARK / Studio Dumbar / Holanda, 1994 / Foto: Pjotr og Co.

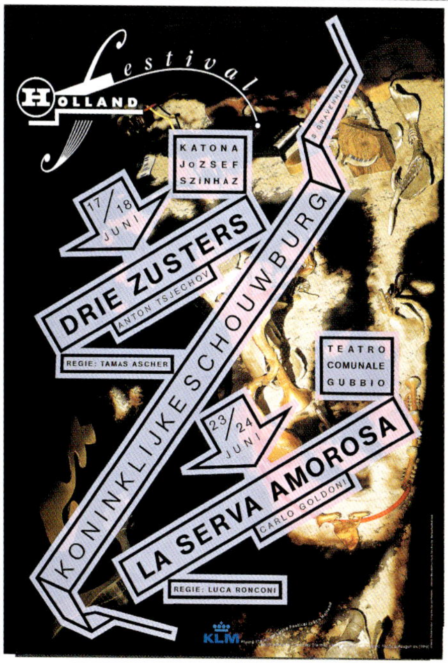
Holland Festival
KATONA JOZSEF SZINHAZ
17/18 JUNI
DRIE ZUSTERS
ANTON TSJECHOV
REGIE: TAMAS ASCHER
KONINKLIJKE SCHOUWBURG
TEATRO COMUNALE GUBBIO
23/24 JUNI
LA SERVA AMOROSA
CARLO GOLDONI
REGIE: LUCA RONCONI
KLM

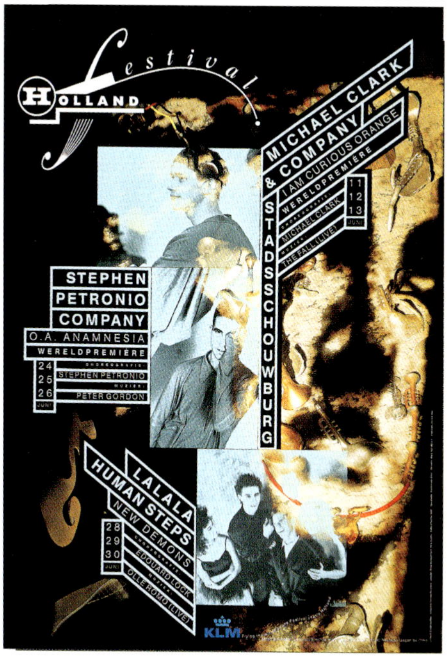
Holland Festival
MICHAEL CLARK & COMPANY
I AM CURIOUS ORANGE
WERELDPREMIERE
11 12 13 JUNI
STADSSCHOUWBURG
STEPHEN PETRONIO COMPANY
O.A. ANAMNESIA
WERELDPREMIERE
24 25 26 JUNI
LALALA HUMAN STEPS
NEW DEMONS
28 29 30 JUNI
KLM

CARTAZES DO FESTIVAL DE DANÇA DA HOLANDA / Studio Dumbar; Foto: Deen van Meer / Holanda, 1995

omroep voor kunst en cultuur

Champalimaud Foundation

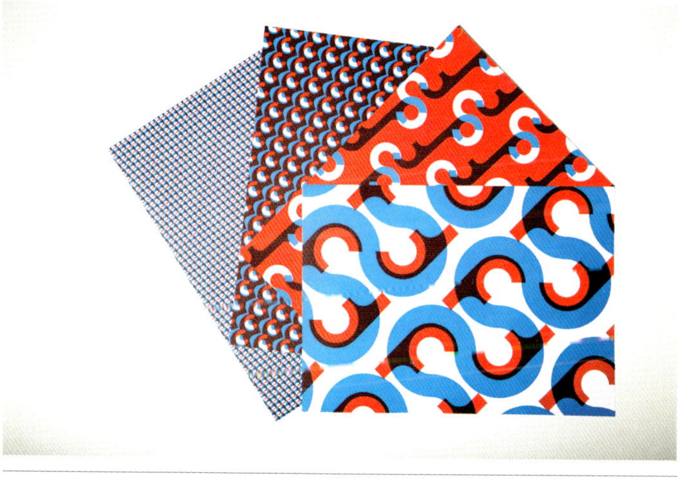

IDENTIDADE DA FUNDAÇÃO CHAMPALIMAUD / Studio Dumbar / Holanda, 2005 – até o presente / Fotos: Dieter Schütte

BRANDING E NOME DA C, ORGANIZAÇÃO HOLANDESA DE DIFUSÃO DE ART E CULTURA / Studio Dumbar / Holanda, 2006–presente

Wolfgang Weingart

n. 1941 (SUL DA ALEMANHA)
ATUALMENTE EM BASILEIA, SUÍÇA

Após demonstrar interesse e aptidão para a pintura, Wolfgang Weingart entrou para a Merz Academy em Stuttgart, Alemanha, em 1958. Lá, ele foi exposto pela primeira vez ao design gráfico, tipografia e métodos de impressão e, no seu tempo livre, foi capaz de trabalhar na impressora da escola, onde teve o primeiro contato com os tipos metálicos e potencial deles. Após a formatura em 1960, Weingart iniciou um período de três anos como aprendiz na gráfica Ruwe em Stuttgart, onde encontrou o designer Karl-August Hanke, um antigo aluno de Armin Hofmann › 152 na Escola de Design da Basileia › 128, na Suíça. Hanke o encorajou a largar o posto de aprendiz e matricular-se na escola da Basileia, uma idéia que seus pais rejeitaram. Na Ruwe, Weingart aprendeu o ofício da composição e apaixonou-se pelo processo.

Com o interesse mantido pela escola da Basileia, um anos após terminar o período como aprendiz, ele matriculou-se como aluno independente em 1964. A reação inicial de Weingart ao método de ensino na Basileia foi negativa, considerando-o "impenetrável, como uma fortaleza enclausurada", e, embora ele posteriormente tenha reconhecido a eficácia do método, sua inquietação terminou por cansar a Hofmann e Roger, que sugeriram-lhe que se comprometesse ou saísse. Com a decisão correta, sua estadia na Basileia durou dois anos mais. Em 1968, tornou-se professor no recém-criado Curso Avançado de Design Gráfico, no qual sua intenção era "desenvolver um currículo em tipografia que desafiasse as reverenciadas convenções e, ainda assim, respeitasse as tradições e filosofia [da escola da Basileia]", um esforço que Hoffman depois denominaria como um "modelo para a nova tipografia". Weingart leciona na Basileia desde então — atraindo estudantes de todo o mundo e transmitindo-lhes um sentido vigoroso de exploração tipográfica — e ele é hoje parte do Programa de Verão da Escola de Design da Basileia.

No curso de sua carreira, Weingart tem mantido um modesto escritório onde suas abordagens do design tomam forma. Por mais de 30 anos, começando em 1967, ele colaborou regularmente com Rudolf Hostettler, editor-em-chefe da *Typographische Monatsblätter*, uma publicação do ramo da impressão, e produziu uma série de capas relacionadas ao longo do ano. Ele criou designs de livros e catálogos e, desde 1958, tem sido regularmente contratado para criar cartazes para instituições culturais e educacionais. Seu trabalho com cartazes no final dos anos 1970 e início dos anos 1980 permitiu que ele explorasse, com a mesma energia que trouxe aos tipos metálicos, as possibilidades de composição de layout em filme; esse trabalho cinético em camadas teve um papel influente no mundo do design durante os anos 1980.

Das
Schweizer Plakat
1900–1984

CARTAZ DA EXPOSIÇÃO *THE SWISS POSTER, 1900-1984* PARA A BIRKHÄUSER / Wolfgang Weingart / Suíça, 1983

24.–28.3.1981
Basel/Schweiz
18.
Internationale Lehrmittelmesse
18.
DIDACTA
EURODIDAC

CARTAZ *18TH DIDACTA / EURODIDAC* PARA A CONVENÇÃO SOBRE FERRAMENTAS DE ENSINO / Wolfgang Weingart / Suíça, 1980–1981

UCLA Extension
Spring Quarter begins
April 1, 2000

CATÁLOGO DA UNIVERSIDADE DA CALIFORNIA EM LOS ANGELES / Wolfgang Weingart / Suíça, 1998

LEITURA RECOMENDADA › 390

April Greiman

n. 1948 (NOVA YORK, NY, EUA)
ATUALMENTE EM LOS ANGELES, CALIFÓRNIA, EUA

April Greiman formou-se no Instituto de Artes de Kansas City em 1970, onde professores que haviam frequentado a Allgemeine Kunstgewerbeschule na Basileia, Suíça, a apresentaram ao modernismo. Inspirada, ela seguiu com seus estudos de pós-graduação sob a orientação de Armin Hofmann › 152 e Wolfgang Weingart › 178, na Basileia › 128. Enquanto o Estilo Internacional era o principal movimento daquela época, ela teve a oportunidade de praticar, juntamente com Weingart, num trabalho rotulado de New Wave quando retornou aos Estados Unidos, que desviava do caminho modernista, numa estética mais intuitiva e tipograficamente versátil. Após um curto período em Nova York, Greiman abriu o seu estúdio, Made in Space, em Los Angeles, em 1976. Desde o início, ela definiu-se como generalista, abrindo-se a oportunidades em muitos campos e meios, incluído design para ambientes construídos e trabalhando com arquitetos para definir a identidade de edifícios.

Começando em 1982, ela dirigiu o departamento de design gráfico do Instituto de Artes da Califórnia › 131. Lá, teve sua primeira oportunidade séria de explorar as novas ferramentas digitais que viriam a ser fundamentais em seu trabalho — algo que ela escolheu trabalhar em tempo integral em 1984, reorientando para o seu estúdio e no recentemente disponível Macintosh. Dois anos mais tarde, sua contribuição para o Design Quarterly do Walker Art Center › 260 ecoou por toda a indústria do design quando ela estampou uma reprodução em tamanho real de seu corpo nu com tudo a que tinha direito — diferente de qualquer coisa jamais vista na profissão. Desde então, seu trabalho continuou a unir a exploração das ferramentas digitais com suas sensibilidades singulares, gerando uma obra que mantém esses princípios, seja num logotipo para um restaurante, seja num mural com mais de 20 metros.

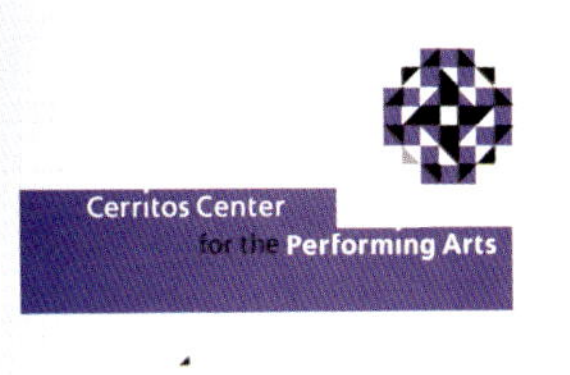
Cerritos Center
for the Performing Arts

IDENTIDADE E MOTIVOS PARA OS AZULEJOS NO CERRITOS CENTER FOR PERFORMING ARTS / April Greiman; arquitetura, Barton Myers / EUA, 1993

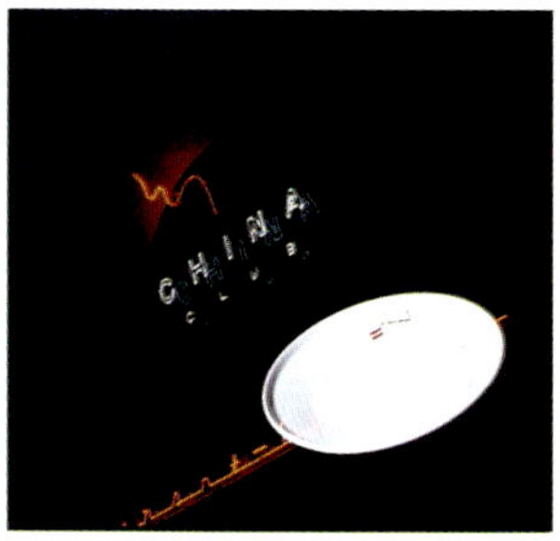

COMING SOON
CHINA
Los Angeles

IDENTIDADE DE MARCA DO CHINA CLUB RESTAURANT AND LOUNGE / April Greiman / EUA, 1979–1980 / Foto: Jayme Odgers

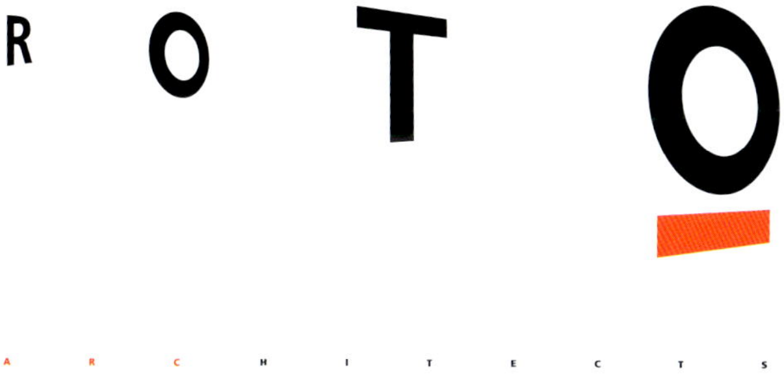
ROTO
ARCHITECTS

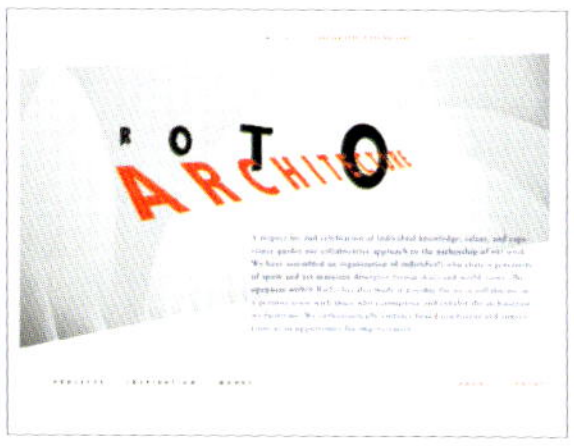
ROTO
ARCHITECTS

IDENTIDADE DA MARCA E WEBSITE DA ROTO ARCHITECTURE / April Greiman / EUA, 1999

EQUALITY
FREEDOM
PROGRESS
USA 32
19TH AMENDMENT 1920 1995

SELO COMEMORATIVA DA 19ª EMENDA À CONSTITUIÇÃO AMERICANA QUE DEU O DIREITO A VOTO PARA AS MULHERES / April Greiman / EUA, 1995

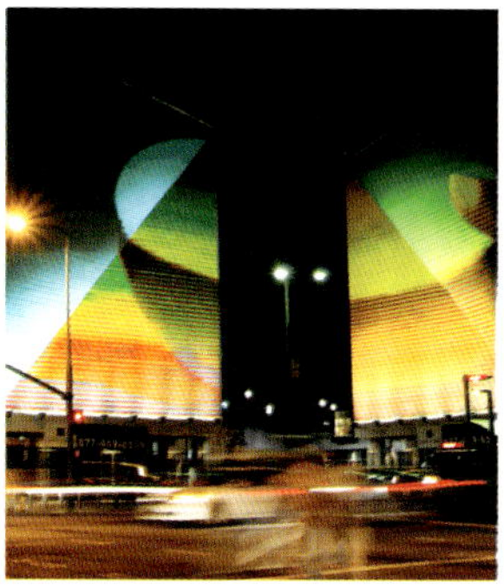

MURAL PÚBLICO NA ESTAÇÃO DE METRÔ DE USO MISTO WILSHIRE / April Greiman / EUA, 2007

Peter Saville

n. 1955 (MANCHESTER, INGLATERRA, REINO UNIDO)
ATUALMENTE EM LONDRES, INGLATERRA, REINO

Em 1978, após sua formatura no Manchester Polytechnic, Peter Saville viu-se folheando *Pioneers of Modern Typography* (Pioneiros da Tipografia Moderna), de Herbert Spencer, compartilhando o trabalho de designers como Jan Tschichold › 140 e Armin Hofmann › 152, ao invés do seu próprio, com Tony Wilson, que havia inaugurado recentemente um clube noturno chamado Factory. Isso valeu a Saville seu primeiro trabalho para o Factory, a criação de um cartaz. Um ano depois, Wilson e Alan Erasmus fizeram uma compilação com bandas locais e, com Saville como diretor de arte, criaram a Factory Records. A produção de Saville nesse selo seguiu até 1985 e foi uma de suas mais influentes, incluindo trabalhos para o Joy Division — rebatizado como New Order após o suicídio do vocalista, Ian Curtis, em 1980 — onde teve uma liberdade criativa sem precedentes. Em meados dos anos 1980, à medida que diminuía seu interesse pela indústria fonográfica, Saville iniciou uma trajetória cheia de meandros com o seu estúdio, criado em 1983, o Peter Saville and Associates (PSA), juntamente com Brett Wickens.

Embora ele trabalhasse no mundo da moda e fizesse capas de disco no final dos anos 1980, o lado empresarial da PSA sofria, e, à beira da falência, Saville tornou-se sócio da Pentagram › 162, em 1990. A despeito da excitação devido ao potencial conferido pela renomada companhia e a respectiva estrutura de patrocínio, Saville, junto com Wickens, deixaram-na logo após o período probatório de dois anos. Em 1993 os dois mudaram-se para Los Angeles para explorar uma colaboração com Frankfurt Balkind; entretanto, enquanto Wickens prosperava e permanecia em Los Angeles, Saville tinha problemas e rapidamente volta a Londres. Lá, em 1995, em parceria com a agência de publicidade alemã, Meiré and Meiré, Saville cria um posto avançado sob o nome The Apartment, um nome inspirado no local onde Saville trabalhava e vivia. Menos de um ano depois, a Meiré and Meiré terminou a sociedade. Saville continua a trabalhar comercialmente e atua como consultor de design para várias entidades, incluindo Stella McCartney e a cidade de Manchester.

FAC-2
A FACTORY SAMPLE

A FACTORY SAMPLE, **vários artistas / Factory EP / Peter Saville / Reino Unido, 1978**

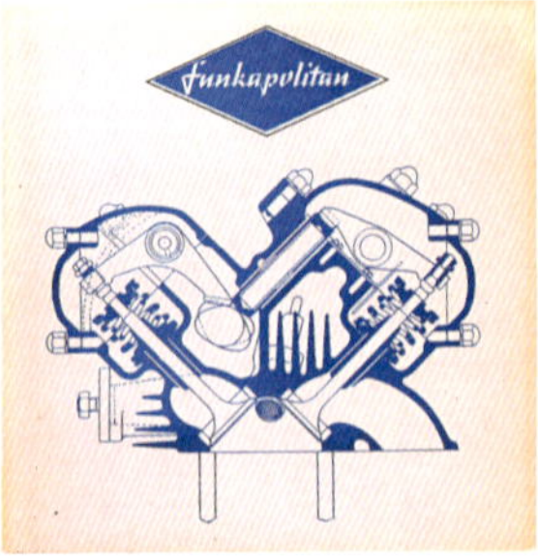
Funkapolitan

FUNKAPOLITAN **/ Decca Records / design, Peter Saville, Funkapolitan; ilustração, Phil Irving; logotipo, Geoff Halpin; arte, Brel Wik / Reino Unido, 1982**

CONFUSION SINGLE, **New Order / Factory / PSA / Reino Unido, 1983**

NEW ORDER
FACT. 50 1981
MOVEMENT

MOVEMENT, **New Order / Factory / design, Peter Saville, Grafica Industria / Reino Unido, 1981**

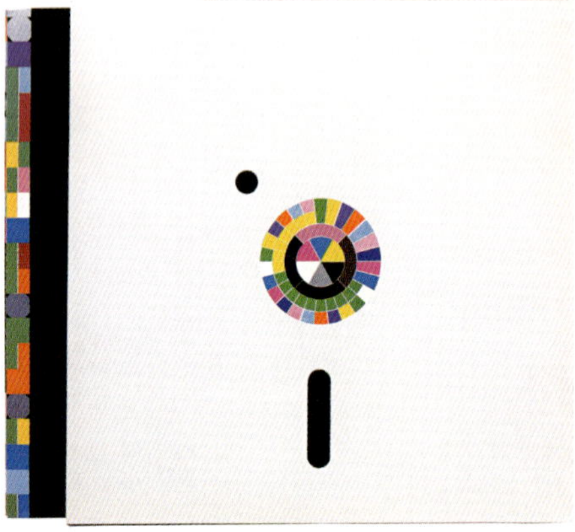

POWER, CORRUPTION E LIES, **New Order / Factory / PSA / Reino Unido, 1983**

TALKING
LOUD and CLEAR

COMPACTO TALKING LOUD AND CLEAR, ***MANOBRAS ORQUESTRAIS NO ESCURO*** **/ Virgin / PSA; tecido fornecido por Monkwell Fabrics CR 4015/ Reino Unido, 1984**

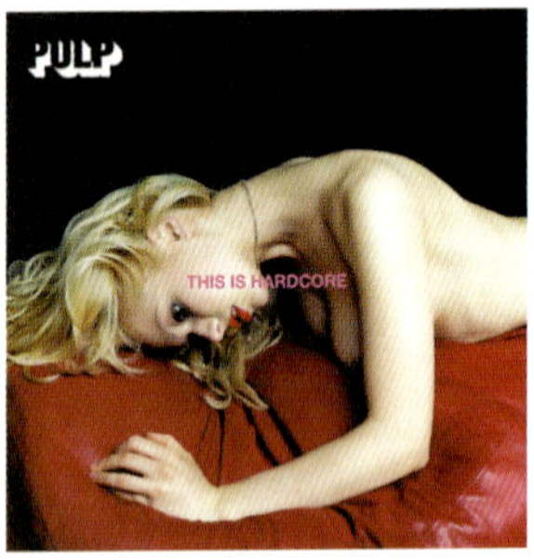
PULP
THIS IS HARDCORE

THIS IS HARDCORE, Pulp / Island / direção de arte, Peter Saville, John Currin; design, Howard Wakefield, Paul Hetherington; foto: Horst Diekgerdes; elenco, Sascha Behrendt; estilo, Camille Bidault-Waddington / Reino Unido, 1998

A NEW ORDER RELEASE
REGRET

COMPACTO REGRET, New Order / London / Pentagram: Peter Saville; manipulação de imagem, Brett Wickens / Reino Unido, 1993

LEITURA RECOMENDADA › 390

Barney Bubbles

1942 (LONDRES, INGLATERRA, REINO UNIDO) - 1983

Após frequentar a Twickenham College of Arts em Londres, Colin Fulcher (nome de batismo de Barney Bubbles) foi contratado pelo Conran Design Group em 1965, para trabalhar nos materiais para as elegantes lojas Habitat de Terence Conran e em exposições para a D&AD › 249. Em 1967, ele deixou o emprego, mudou seu nome para Barney Bubbles —"dos shows de caleidoscópios com líquidos", como explicou Julia Thrift no seu artigo de 1992 para a *Eye*, "usando óleo e anilina para criar fundos borbulhantes, muito coloridos, para o submundo hippie da música psicodélica" — e mudou-se para o prédio ocupado pela companhia de música Famepushers. Em troca de espaço, Bubles criava qualquer coisa; isso gradualmente o levou para a cena da música underground, trabalhando inicialmente em revistas como *Friends* (mais tarde, *Frendz*) e *Oz* e, depois, na criação de capas de discos.

No início dos anos 1970 ele iniciou uma relação com o Hawkwind, um grupo psicodélico inspirado pela ficção científica (vagamente definido como hippies), criando a capa dos seus discos, bem como toda a identidade; inclusive, pintando a bateria e os amplificadores. Em 1976, um conhecido de Bubbles, Jake Riviera, criou a Stiff Records com Dave Robinson, representando artistas punks e da new wave, e Bubbles passou a ser seu designer em tempo integral. Para desapontamento dos dois públicos, Bubbles era capaz de trabalhar com os dois conflituosos gêneros musicais, hippies e punks, e construiu uma obra que alegremente se apropriava de partes do Art Nouveau, Art Deco, construtivismo e de artistas como Wassily Kandinsky. A despeito do parco reconhecimento pela história do design gráfico das contribuições de Bubbles, o apoio de artistas por ele influenciados, tais como Malcolm Garret e Neville Brody, assegurou o seu lugar no cânone do design. Bubbles teve uma vida conturbada fora do trabalho que finalmente culminou em seu suicídio em 1983.

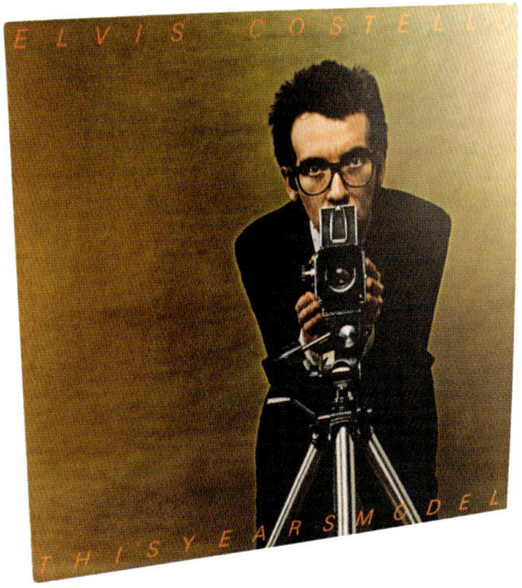
E L V I S C O S T E L L O
T H I S Y E A R S M O D E L

THIS YEAR'S MODEL, **Elvis Costello / Columbia Records / Barney Bubbles / EUA, 1978**

ELVIS COSTELLO and the ATTRACTIONS

IMPERIAL BEDROOM, **Elvis Costello and the Attractions / Columbia Records / Barney Bubbles / EUA, 1982**

MUSIC FOR PLEASURE, **The Damned / Stiff Records / Barney Bubbles / Reino Unido, 1977**

IN SEARCH OF SPACE
HAWKWIND

IN SEARCH OF SPACE, **Hawkwind / United Artists / Barney Bubbles / Reino Unido, 1971**

2 CD
SPACE RITUAL
HAWKWIND

SPACE RITUAL, **Hawkwind / United Artists / Barney Bubbles / Reino Unido, 1973**

CLOVER
CLOVER
U N A V A I L A B L E

UNAVAILABLE, **Clover / Vertigo / Barney Bubbles / Reino Unido, 1977**

LEITURA RECOMENDADA › 390

Paula Scher

n. 1948 (WASHINGTON, D.C., EUA)
ATUALMENTE EM NOVA YORK, NY, EUA

Em quase 40 anos, Paula Scher desenvolveu uma obra bastante diversificada e eclética. Após se graduar na Tyler School of Art, na Filadélfia, ela foi para o departamento de publicidade e promoções da Gravadora CBS › 300, em 1972, um posto que ela deixou no outono de 1973 para buscar uma empreitada mais criativa na gravadora concorrente, Atlantic Records, onde criou suas primeiras capas de disco. Após um ano, Scher voltou para a CBS como diretora de arte do departamento de capas, onde supervisionava mais de 100 capas por ano. Após oito anos, saiu da CBS para trabalhar na sua própria empresa e, em 1984, criou a Koppel & Scher, juntamente com o designer editorial e colega de curso, Terry Koppel. Durante os seis anos de vida da empresa, ela produziu identidades, embalagens, capas de livro e mesmo anúncios, incluindo o famoso cartaz para a Swatch, baseado em trabalho anterior do designer suíço Herbert Matter.

Em 1991, após o estúdio ter sofrido com a recessão e Koppel ter assumido um posto na revista *Esquire* › 326, Scher foi para a Pentagram › 162 como sócia do escritório de Nova York. Nos anos seguintes, produziu uma invejável quantidade de trabalho numa vasta gama de disciplinas, de design de ambiente a capas de livros, para um grupo diverso de clientes, desde organizações sem fins lucrativos a conglomerados multinacionais. Mais notáveis nessas dicotomias, são as identidades do Public Theater › 254 e do Citibank › 345, gráficos de ambiente e sinalização para o New Jersey Performing Arts Center e para a sede da Bloomberg L.P. Juntamente com sua atividade como designer, Scher tem lecionado na School of Visual Arts › 132, desde 1982, e tem escrito uma série de artigos sobre design.

FRANZ KAFKA

PROMOÇÃO GREAT BEGINNINGS PARA A KOPPEL & SCHER / Paula Scher / EUA, 1984

CHARLES MINGUS
CHANGES
ONE

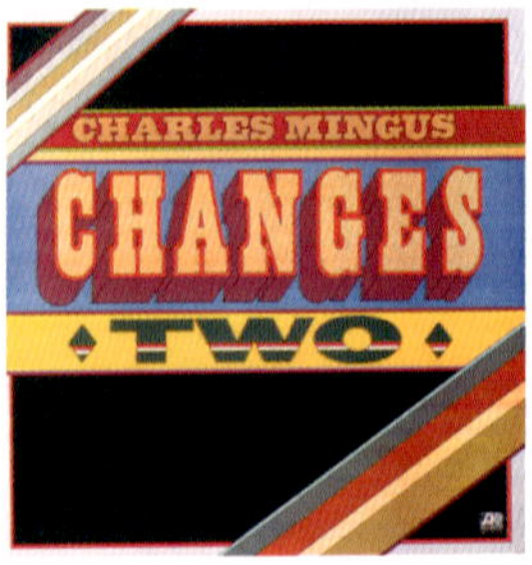
CHARLES MINGUS
CHANGES
TWO

CAPAS DOS DISCOS *CHANGES* ONE E *CHANGES TWO* / Atlantic Records / Paula Scher / EUA, 1974

The Metropolitan Opera
The Met
ropolitan
Opera

IDENTIDADE E MATERIAL DE APOIO PARA A METROPOLITAN OPERA / Pentagram: Paula Scher; design, Julia Hoffman / EUA, 2006

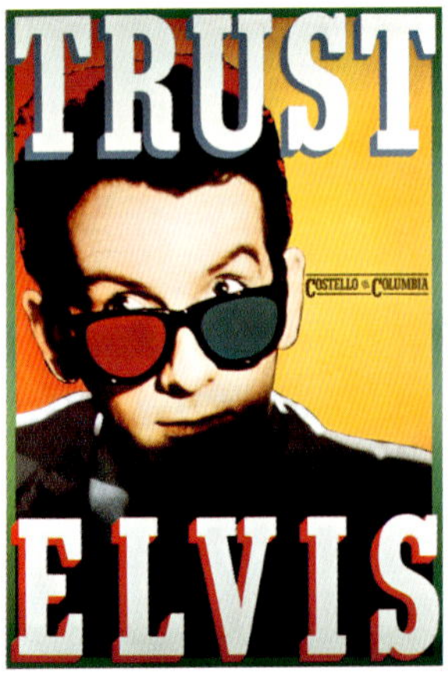
TRUST
ELVIS

***TRUST ELVIS* POSTER FOR COLUMBIA RECORDS** / Paula Scher / EUA, 1974

Floor 7

GRÁFICOS DE AMBIENTE PARA A SEDE CORPORATIVA DA BLOOMBER L.P. / Pentagram: Paula Scher / EUA, 2005 / Foto: Peter Mauss / Esto

GRÁFICOS DE AMBIENTE PARA O NEW JERSEY PERFORMING ARTS CENTER LUCENT TECHNOLOGIES CENTER FOR ARTS EDUCATION / Pentagram: Paula Scher / EUA, 2001 / Foto: Peter Mauss / Esto

CARTAZ *THE BEST OF JAZZ* PARA A CBS RECORDS / Paula Scher / EUA, 1979

JAZZ AT LINCOLN CENTER IDENTITY AND ENVIRONMENTAL GRAPHICS / Pentagram: Paula Scher / EUA, 2004 / Foto: Peter Mauss / Esto

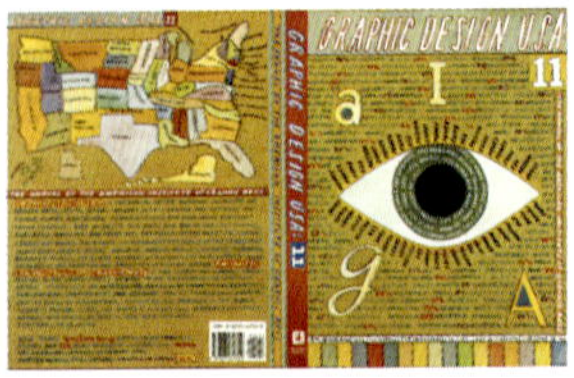

***GRAPHIC DESIGN USA: 11*, AIGA** / Pentagram: Paula Scher / EUA, 1990

LEITURA RECOMENDADA › 390

M&Co.

CRIADA EM 1979 (NOVA YORK, NY, EUA)

O húngaro de nascimento, Tibor Kalman, iniciou sua carreira no Student Book Exchange na Nova York University (que frequentou por um período breve); ele organizava os livros em ordem alfabética até o dia em que a pessoa responsável pelas vitrines não veio trabalhar e Kalman convenceu a todos que podia fazer o design delas. Após uma curta aventura em Cuba, Kalman retornou para a livraria — que mais tarde se transformaria na Barnes & Noble — em 1971 como diretor artístico pelos próximos oito anos, desenhando as sacolas de compras, anúncios e logotipos. Em 1979, criou M&Co. (o M vinha de sua esposa, Maira) com duas antigas designers da B&N, Carol Bokuniewicz e Liz Trovato.O impacto da M&Co. como um campo fértil para trabalhos que misturavam perspicácia, humor e consciência social numa abordagem que variava do inexpressivo ao expressivo, não foi imediato e passaram alguns anos fazendo um trabalho descrito, por eles mesmos, como "feio".

Entretanto, em meados dos anos 1980, com uma combinação de clientes corporativos como The Limited e outros em moda, culturalmente relevantes, como os Talking Heads, além de trabalharem em diferentes campos, de material de apoio a design do produto e créditos de filmes, a M&Co. atraiu a atenção do público, clientes importantes e empregados talentosos que hoje possuem empresas de sucesso próprias — Stephen Doyle, Alexander Isley, Emily Oberman, Stefan Sagmeister › 202 e Scott Stowell, entre outros. Com clientes lucrativos, a M&Co. foi capaz de expressar a preocupação de Kalman com a responsabilidade social por meio de promoções durante o período de festas; para o brinde de 1990, por exemplo, a M&Co. embalou o mesmo conteúdo das refeições distribuídas no dia de Natal pela Coalizão em prol dos Sem-Teto, juntamente com uma cédula de 20 dólares e um bilhete impresso desafiando o destinatário a doá-los ou gastá-los com um hambúrguer. Em 1991, a M&Co. foi desafiada a criar a revista da Benetton, *Colors* › 331. Enquanto esta foi produzida inicialmente no estúdio, Kalman fechou a M&Co. em 1993 e mudou-se para a Itália como editor. Quatro anos depois, com câncer, ele voltou a Nova York e reabriu brevemente a sua velha empresa antes de falecendo em 1999, em Porto Rico.

LEITURA RECOMENDADA › 390

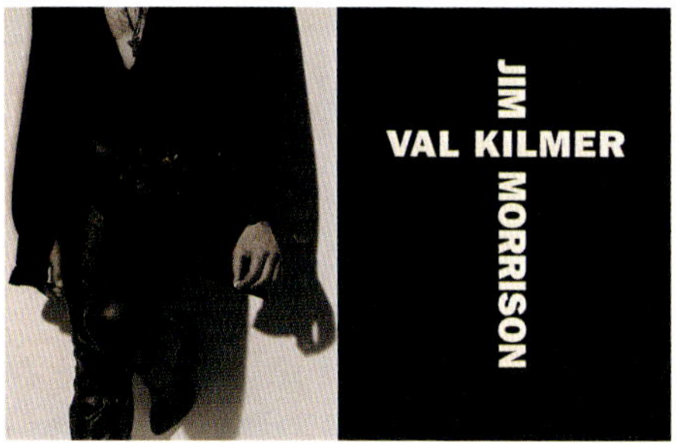
JIM MORRISON
VAL KILMER

REVISTA *INTERVIEW* / Brant Publications / M&Co.: encrenqueiro criativo, Tibor Kalman; design, Kristin Johnson; foto: Michel Comte / EUA, Novembro 1990

MEET
AT FLORENT 24 HOURS

CARTÕES POSTAIS DO RESTAURANTE FLORENT / M&Co.: Tibor Kalman, Alexander Isley / EUA, 1986

ANUÁRIO DE 1986 DA THE LIMITED / M&Co.: Tibor Kalman, Alexander Brebner; writing, Danny Abelson / EUA, 1987

AIGA
HUMO
SHOW

CARTAZ PARA O SHOW HUMORÍSTICO DO AIGA / M&Co.: Tibor Kalman, Alexander Isley / EUA, 1986

MAKE IT
SMART
FUNNY
DIGNIFIED
INNOVATIVE
ELEGANT
SNAPPY
COOL
HOT
SELL
SWEET
SING
MAKE IT
M&Co.

ANÚNCIO DA M&CO *MAKE IT* / M&Co.: Tibor Kalman, Carol Bokuniewicz, John Shoptaugh / EUA, c. 1979

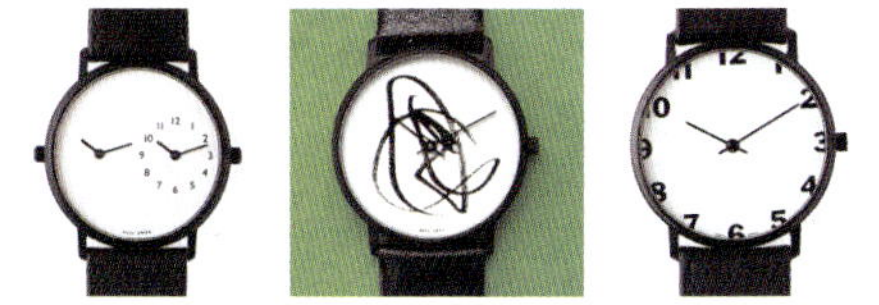

SECONDHAND WATCH / M&Co.: Tibor Kalman, Scott Stowell / EUA, 1991
RELÓGIO LULU / M&Co.: Tibor Kalman, Alexander Isley / EUA, 1987
RELÓGIO BANG / M&Co.: Tibor Kalman, Emily Oberman / EUA, 1985

SOMETHING WILD
CHARLES NAPIER
ROBERT RIDGELY
SISTER CAROL
THE FEELIES

CRÉDITOS DO FILME *SOMETHING WILD* (TOTALMENTE SELVAGEM) PARA A RELIGIOSO PRIMITIVA / M&Co.: Tibor Kalman, Alexander Isley; direção, Jonathan Demme, Caitlin Adams / EUA, 1987

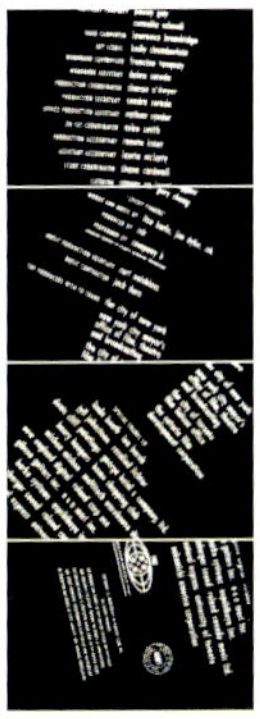

CRÉDITOS DO FILME *STICKY FINGERS* / M&Co.: Tibor Kalman, Alexander Brebner / EUA, 1987

Interview
(October)
IN
WAR & PEACE
MIKE TYSON

REVISTA *INTERVIEW* / Brant Publications / M&Co.: encrenqueiro criativo, Tibor Kalman; design, Kristin Johnson; foto: Michel Comte / EUA, Outubro 1990.

Art Chantry

n. 1954 (SEATTLE, WASHINGTON, EUA)
ATUALMENTE EM TACOMA, WASHINGTON, EUA

The Rocket, um jornal quinzenal documentando a cena musical de Seattle, foi publicado inicialmente em 1979 como um suplemento do jornal *Seattle Sun* e, menos de um ano depois, tornou-se uma publicação independente. *The Rocket* foi o bastião da ascendente cena musical de Seattle dos anos 1980 aos anos 1990 com a explosão do grunge, fazendo a cobertura inicial de bandas como o Soundgarden e Nirvana. Em 1984, Art Chantry foi contratado no posto de diretor artístico, posição que manteve com idas e vindas até 1993, trabalhando com fotógrafos e ilustradores da forma ao estilo rústico que ficou associado à cena musical de Seattle. Chantry, muitas vezes, aceitou trabalhos esporádicos e trabalhou com clientes corporativos, como a Nordstrom e a seguradora Safeco; organizações marginais, como os teatros New York e Empty Space; e instituições culturais, como o Centro de Arte Contemporânea de Seattle.

Chantry é mais admirado por seu cartazes. Extraindo pistas visuais de fontes variadas, como a arte pop, o punk, a psicodelia e as histórias em quadrinhos, além de reciclarem material gráfico de catálogos industriais, das décadas de 1940 e 1950 e imagens recuperadas, os cartazes de Chantry formam uma coleção eclética em que os itens não são agrupados pelo seu estilo, mas pelo seu processo de criação. Trabalhando com orçamentos limitados, Chantry compõe os seus cartazes cortando e colando manualmente materiais diversos e usa métodos de impressão baratos e inventivos para produzir cartazes singulares. Em 2000, Chantry deixou Seattle, pois a cidade tornara-se cara e o mercado de design que ele ajudou a criar estava repleto de profissionais e, então, muda-se para St.Louis, Missouri. Mas, em 2006, retorna a Tacoma para frequentar a School of Visual Concepts — onde ensinou por 18 anos — para aprender o básico para criar design gráfico no computador, um método que havia rejeitado fazia tempo, mas que agora era o único método de se produzir.

"Hell, yes, we're innocent men!"
BENT PAGES
by The MONO MEN

BENT PAGES, **Mono Men / Estrus Records / 1995**

FLAMING LIPS
DRUG
MACHINE
SUB POP

FLAMING
STRYCHNINE
PEACE, LOVE AND UNDERSTANDING
LIPS/SP28

DRUG MACHINE, **Flaming Lips / Sub Pop Records / 1988**

TERRIFIC!
THE FABULOUS
MONO MEN
also
THE MAKERS
Starring the REETZ TWINS
COVER • NO MINIMUM
CONTINUOUS SHOW
(Thur AUG 8th, 3B TAVERN)

CARTAZ *MONO MEN WITH THE MAKERS* PARA A ESTRUS RECORDS / 1995

JUNE 28 AND 29, 1986
SATURDAY 2PM TO SUNDAY 2PM
A 24-HOUR DANCE MARATHON
GIVE PEACE A DANCE
SEATTLE CENTER HOUSE
Art Chantry

CARTAZ *GIVE PEACE A DANCE* PARA A LEGS AGAINST ARMS / 1986

Art Chantry / EUA

LEITURA RECOMENDADA › 390

Katherine McCoy

n. 1945 (DECATUR, ILLINOIS, EUA)
ATUALMENTE EM BUENA VISTA E DENVER, COLORADO, EUA

Uma designer industrial da Michigan State University (1967) Katherine McCoy iniciou sua carreira nos escritórios de Detroit da Unimark International, uma das primeiras grandes empresas de identidade corporativa, cuja filosofia modernista e padrões tipográficos ela adotou. McCoy trabalhou em muitos estúdios antes de criar a McCoy & McCoy com seu marido, Michael McCoy, em 1971. No mesmo ano, o casal foi chamado para chefiar o departamento de design na Academia de Artes Cranbrook › 130; eles, então, reinventaram o curso, orientando os estudantes em projetos que uniram os departamentos 2D e 3D durante mais de duas décadas. Começando com uma abordagem modernista, experimentação e pesquisa levaram McCoy e seus alunos na Cranbrook ao pós-modernismo e as influências vernaculares que desenvolveram em uma voz única, tornando-se uma influência polarizadora durante os anos 1980 e 1990. McCoy tem mantido um relacionamento próximo entre prática profissional e educação, unindo teoria, experimentação e pesquisa em seus muitos projetos — gerindo um estúdio, organizando conferências, preparando oficinas, ensinando e escrevendo.

radical
graphics
radicals

RADICAL GRAPHICS / GRAPHIC RADICALS / Chronicle Books / Katherine McCoy; design, Erin Smith, Janice Page / EUA, 1999

CATÁLOGO DA MCCOY & MCCOY / McCoy & McCoy Associates / EUA, 1977

CRANBROOK DESIGN

CRANBROOK DESIGN: THE NEW DISCOURSE / Rizzoli International / Katherine McCoy; assistente de design, P. Scott Makela, Mary Lou Brous, Allen Hori / EUA, 1991

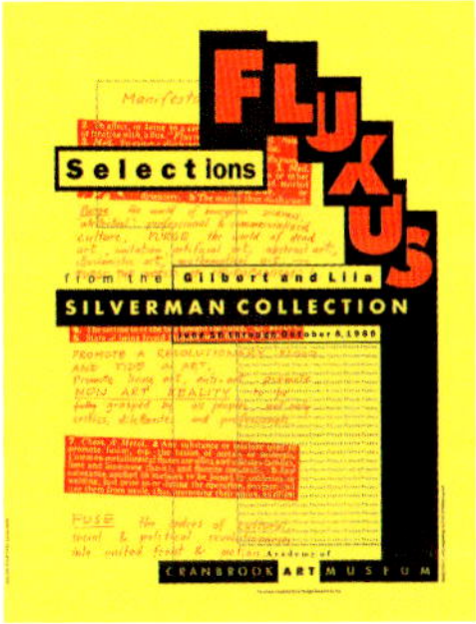
FLUXUS
Selections
from the Gilbert and Lila
SILVERMAN COLLECTION
CRANBROOK ART MUSEUM

CARTAZ FLUXUS SELECTIONS PARA O CRANBROOL ART MUSEUM / Katherine McCoy / EUA, 1989

Ed Fella

n. 1938 (DETROIT, MICHIGAN, EUA)
ATUALMENTE LOS ANGELES, CALIFÓRNIA, EUA

Ed Fella foi apresentado ao design pela primeira vez na Cass Technical High School em Detroit, onde aprendeu sobre letras, ilustração e produção com base no modelo Bauhaus. Passou os 30 anos seguintes trabalhando como artista comercial em design e propaganda e ficou cada vez mais interessado em canais mais artísticos e culturais, que buscava em seus trabalhos feitos fora do expediente. Ele finalmente revelou-se em 1985, quando matriculou-se como aluno de pós-graduação na Academia de Artes Cranbrook, aos 47 anos. Suas composições tipográficas e interpretações livres de estilos conhecidos, tais como o arte nouveau, ou menos conhecidos, como o vernacular, aparecem em centenas de cartazes que cria e produz sozinho. Auto-intitulado design de saída, Fella continua a lecionar na CalArts › 131 onde está desde 1987.

ILUSTRAÇÃO PARA A REVISTA JAPONESA *RELAX: 96* / Lápis Prismacolor / Ed Fella / EUA, 2004

THAT
WHAT?
ANSWER
The Opposite of
WHAT
PREROGATIVE
TO ROLL...

PÁGINA DE CADERNO DE RASCUNHO / Caneta com ponta de quatro cores / Ed Fella / EUA, 2000

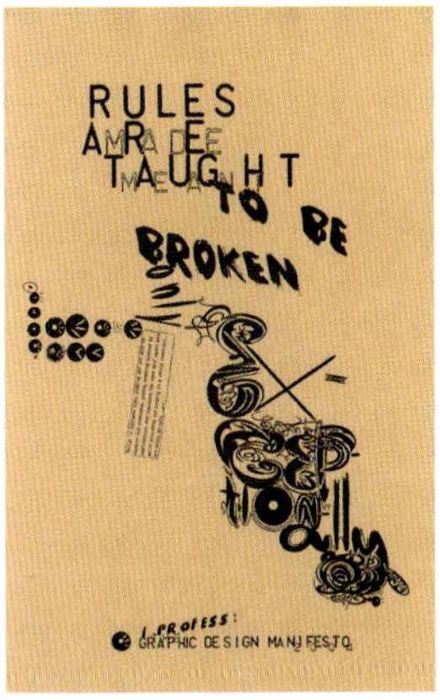
RULES
TAUGHT
TO BE
BROKEN
GRAPHIC DESIGN MANIFESTO

FOLHETO DO DEIGN MANIFESTO PROJECT / Impressão offset / Ed Fella / EUA, 2001

ESTUDO EM COLAGEM / Ed Fella / EUA, 2005

PROMOÇÃO PARA O ESTÚDIO DE ILUSTRAÇÃO EM ARTE COMERCIAL / Impressão offset / Ed Fella / EUA, final de 1960

David Carson

n. 1956 (CORPUS CHRISTI, TEXAS, EUA)
ATUALMENTE EM CHARLESTON, SOUTH CAROLINA,

No auge de sua carreira de surfista, que começou de modo não oficial quando ele tinha mais ou menos dez anos, David Carson ocupou oitavo lugar no Ranking mundial. Em paralelo ao surfe, Carson formou-se em sociologia na San Diego State University (SDSU) em 1977 e trabalhou com professor de ensino médio em Grand Pass, Oregon. No início dos anos 1980, próximo do seu 26º aniversário – um veterano nos padrões surfe –, Carson começou a descobrir o design gráfico; primeiramente, numa oficina de duas semanas na Universidade do Arizona, em 1980; depois, ao matricular-se no curso de design gráfico da SDSU, transferindo-se um mês depois para a Escola de Artes do Oregon e abandonando antes da formatura para fazer um estágio na Surfer Publications. Quando a revista onde trabalhava fechou, Carson voltou a ensinar na Califórnia e, em 1983, teve sua primeira oportunidade de criar o design de uma revista do início ao fim, *Transworld Skateboarding*, com 200 páginas, na qual ele trabalhou por horas a fio durante os quatro anos seguintes. Uma oficina de três semanas em design gráfico na Suíça, em 1983, onde Hans-Rudolph Lutz era um dos professores, mudou ainda mais o interesse de Carson na área.

Após um ano em Boston trabalhando na revista *Musician*, Carson voltou para a Califórnia para ajudar a lançar uma nova revista da Surfer Publications, *Beach Culture*, em 1989. Embora tenha tido vida curta, suas seis edições deram a Carson um grande espaço para empregar sua tipografia pioneira – a menos que uma página de índice, feita com a letra Hobo, não seja considerada pioneira. Com uma passagem rápida como editor de arte da revista *Surfer*, Carson recebeu a plataforma de onde lançaria sua carreira em 1992, quando foi chamado para ser o diretor artístico de *Ray Gun* › 330, uma revista nova destinada ao público jovem e denominada a "bíblia da música e do estilo". Nos três anos e 30 edições, Carson empregou uma incrível quantidade de truques tipográficos que desafiavam toda regra possível, enfurecendo uma parte dos profissionais do design e revigorando outra. Desde 1995, quando criou sua própria empresa de design, Carson tem trabalhado para marcas do *mainstream* como Levi's, Lucent, Microsoft e Pepsi, e diversificou suas atividades ao incluir identidade, movimento, anúncios e design de livros. Ele também leciona e realiza oficinas ao redor do mundo.

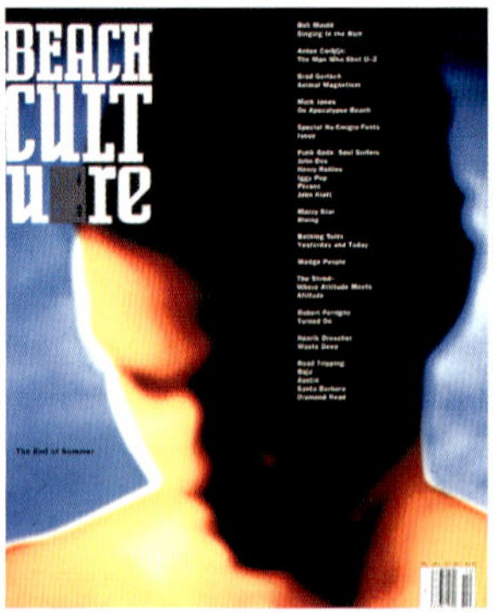
BEACH
CULT
ure

BEACH
CULT
ure
Water
david lynch
sinéad o'connor
art.music style-attitude
the endless summer

REVISTA *BEACH CULTURE* / David Carson / EUA, Agosto / Setembro; Outubro-Novembro 1990

specialCONVENTIONissue
Chicago
The Real Chicago
Celebrating
the people,
places, triumphs,
scourges, and
traditions that define
our city

REVISTA *CHICAGO* / direção de arte, Kerry Robertson; design e foto: David Carson / EUA, Setembro 1996

STABILITY.
IT HAS A SCULPTED MIDSOLE FOR
STABILITY.
IT IS THE MOST
STABLE SHOE NIKE
HAS EVER MADE
IT'S
STABLE,
OK?
NOW WILL
YOU
RELAX?

ANÚNCIO DA NIKE NA EUROPA / Reproduzido em 12 línguas / Wieden + Kennedy (Amsterdã): direção de criação, Susan Hoffman; design, David Carson / EUA, 1994

a view from
the tenth
pole
the wedg
people

REVISTA *BEACH CULTURE* / David Carson / EUA, 1991

Bush
sixteen stone

***SIXTEEN STONE*, BUSH** / Kirtland Records / David Carson / EUA, 1994

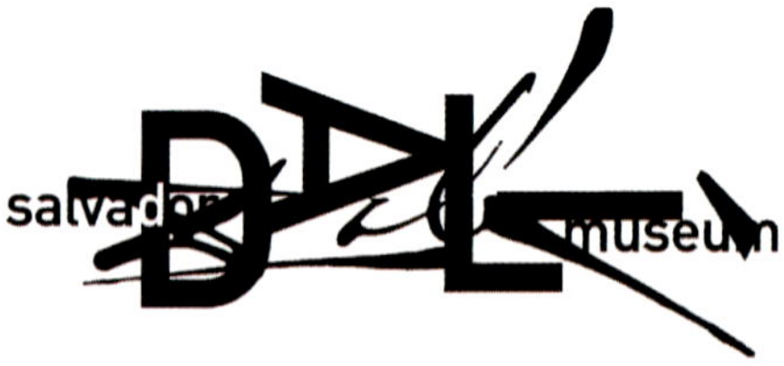
salvador
museum

LOGOTIPO DO MUSEU SALVADOR DALI / David Carson / EUA, 2008

9.21.99

***FRAGILE*, Nine Inch Nails, anúncio da data de lançamento nas lojas** / David Carson / EUA, 1999

Susan Kare

n. 1954 (ITHACA, NOVA YORK, EUA)
ATUALMENTE EM SÃO FRANCISCO, CALIFORNIA, EUA

Com graduação Artes no Mount Hollyoke College (1975) além dos mestrado e doutorado na New York University (1978), Susan Kare chegou em San Francisco para trabalhar como curadora dos museus de belas artes de San Francisco. Em 1982, um telefonema do colega de escola Andy Hertzfeld, programador na Apple Computer Inc., trouxe Kare para o design da interface gráfica do sistema operacional do Macintosh para o qual ela desenvolveu ícones e tipos de letras bitmap. Seguindo Steve Jobs que saíra da Apple, Kare tornou-se diretora de criação da NeXT, Inc., em 1986 e três anos depois criou a Susan Kare LLP, aperfeiçoando e adaptando ainda mais o seu trabalho de criação de ícones enquanto se aventurava em criação de fontes, identidades e design do produto, sempre colaborando com organizações tão diversas quanto o Museu de Arte Moderna de Nova York › 121 e Facebook, para quem ela criou "presentes" digitais virtuais.

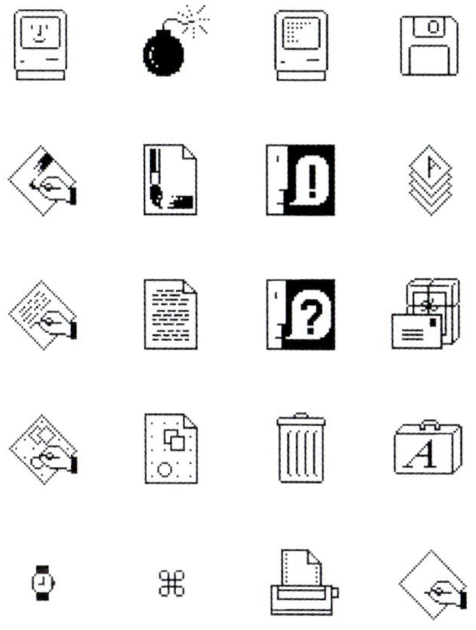

ÍCONES DO SISTEMA OPERACIONAL MACINTOSH PARA A APPLE COMPUTER / Susan Kare / EUA, 1984

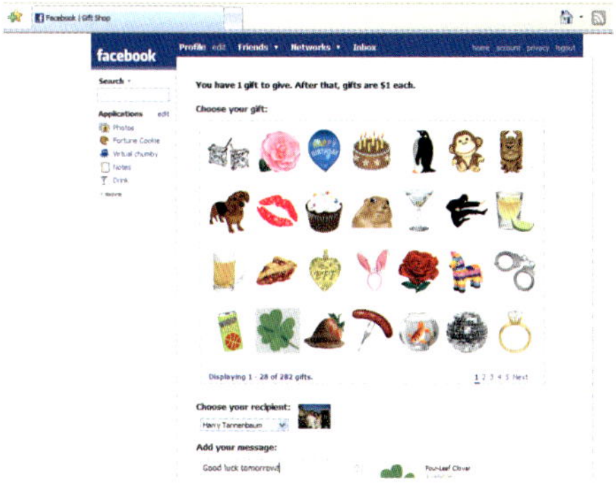
facebook
You have 1 gift to give. After that, gifts are $1 each.
Choose your gift:

ÍCONES PRESENTES DO FACEBOOK / Susan Kare / EUA, 2007

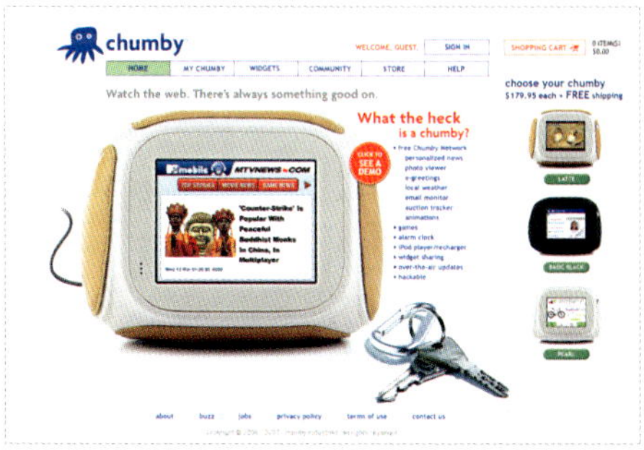
chumby
Watch the web. There's always something good on.
What the heck is a chumby?

IDENTIDADE E WEBSITE DA CHUMBY INDUSTRIES, INC. / Susan Kare / EUA, 2007

Margo Chase

n. 1958 (SAN GABRIEL, CALIFORNIA, EUA)
ATUALMENTE EM LOS ANGELES, CALIFÓRNIA, EUA

Formada em biologia e com dois anos de estudos em ilustrações médicas, Margo Chase oferece aos seus clientes uma sensibilidade detalhada e multifacetada que se tornaram totalmente vinculadas ao seu nome. Tendo criado o Chase Design Group em 1986, ela traduziu seu interesse em arquitetura gótica, textos medievais, tecnologias e tipos de letras num negócio vicejante que engloba identidade, embalagem, movimento, design editorial, exposições e design de interiores. Durante o final dos anos 1990, Chase criou quase doze tipos de letras para a ativa fábrica digital de letras[T-26] › 229, algumas das quais eram extensões de logomarcas criadas para seus clientes. Talvez mais conhecida por sua atuação na indústria do entretenimento, onde trabalhou para clientes como Madonna e a série popular de TV, *Buffy a Caça-Vampiros*, a tipografia customizada de Chase evoluiu, com o tempo, de um trabalho manual para aquele desenvolvido em computador, permitindo que ela tivesse mais tempo para outras atividades, como competições de acrobacia aérea, das quais participa como piloto.

IDENTIDADE DE *BUFFY A CAÇADORA DE VAMPIROS* / Margo Chase / EUA, 1997

IDENTIDADE DE *CHARMED* / Margo Chase / EUA, 1998

IDENTIDADE DE *DRÁCULA BRAM STOKER'S* / Margo Chase / EUA, 1992

IDENTIDADE, EMBALAGENS E PINTURA DA FROTA DA CHINESE LAUNDRY / Margo Chase / EUA, 2007

Muriel Cooper

n. 1925 (BROOKLINE, MASSACHUSETTS, EUA) - 1994

Com títulos da Ohio State em Artes e em Design e educação pelo Massachusetts College of Art, Muriel Cooper chegou ao Massachusetts Institute of Technology (MIT) em 1952. Lá, trabalhou no recém-criado escritório de publicações até 1958, quando foi para Milão após receber uma bolsa Fullbright. Ao retornar, montou a própria empresa de design. Entre seus projetos no início dos anos 1960, estava a criação do novo logotipo icônico para a MIT Press, do qual, em 1967, passou a ser diretora artística, responsável não apenas por criar centenas de capas de livros, mas também cuidar da produção de muitos títulos publicados a cada ano – incluindo títulos fundamentais como *Learning from Las Vegas*, de Robert Venturi e *File Under Architecture,* de Herbert Muschamp.

Em 1974, Cooper também passou a lecionar na Faculdade de Arquitetura do MIT. Lá ministrava um curso de Meios e Mensagem em parceria com Ron MacNeil, que havia conseguido e instalado duas impressoras offset de uma cor com alimentador de papel, o que colocou os estudantes num ciclo completo de experiência de aprendizado. O curso foi logo rebatizado de Oficina de Linguagem Visual (OLV) e, nos anos 1980, como parte do MIT Media Lab, criado por Nicholas Negroponte em 1985, evoluiu de impressão para programação de computadores, design de interface e explorações na tridimensionalidade conforme tecnologias novas, hardware e ideias permeavam a oficina e a organização. Embora Cooper não fosse uma programadora, ela entendia não só o potencial do computador, mas também a capacidade que estudantes tinham de explorar esse meio no ambiente correto de aprendizado. Os esforços da OLV encontraram um público fiel numa apresentação de Cooper, em 1994, na influente conferência TED (Tecnologia, Entretenimento e Design). Cooper recebeu uma avalanche de mensagens mostrando interesse. Infelizmente, ela faleceu de modo inesperado no final daquele ano em Boston, Massachusetts.

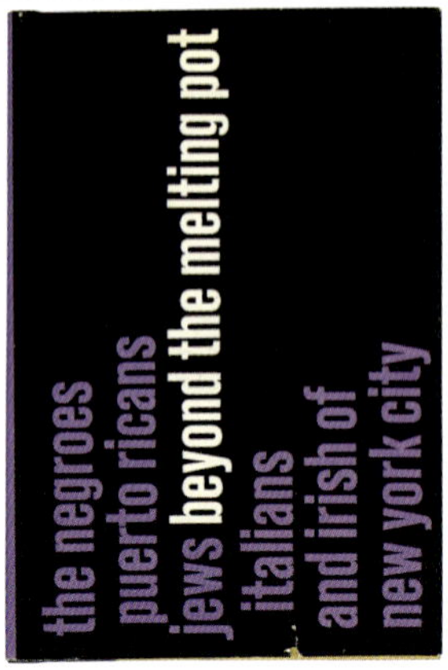
beyond the melting pot
the negroes
puerto ricans
jews
italians
and irish of
new york city

BEYOND THE MELTING POT, **Nathan Glazer, Daniel P. Moynihan / Harvard University Press / 1963**

Ebenezer Howard
GARDEN CITIES of To-Morrow
edited with a preface by F. J. OSBORN
Introductory essay by LEWIS MUMFORD

GARDEN CITIES OF TO-MORROW, **Ebenezer Howard / MIT Press / 1965**

generalized thermodynamics Tisza

GENERALIZED THERMODYNAMICS, **Laszlo Tisza / MIT Press / 1978**

WALTER GROPIUS
the new architecture and the bauhaus

THE NEW ARCHITECTURE AND THE BAUHAUS, **Walter Gropius / MIT Press / EUA, 1965**

BAUHAUS

BAUHAUS, **Hans Wingler / MIT Press / 1978**

The Portable Dragon
R.G.H.Siu
The Western Man's Guide to the I Ching

THE PORTABLE DRAGON: THE WESTERN MAN'S GUIDE TO THE I CHING, **R.G.H. Siu / MIT Press / 1971**

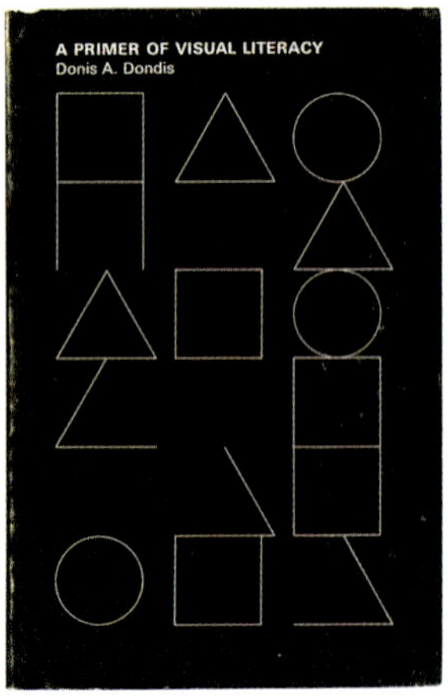
A PRIMER OF VISUAL LITERACY
Donis A. Dondis

A PRIMER OF VISUAL LITERACY, **Donis A. Dondis / MIT Press / 1973**

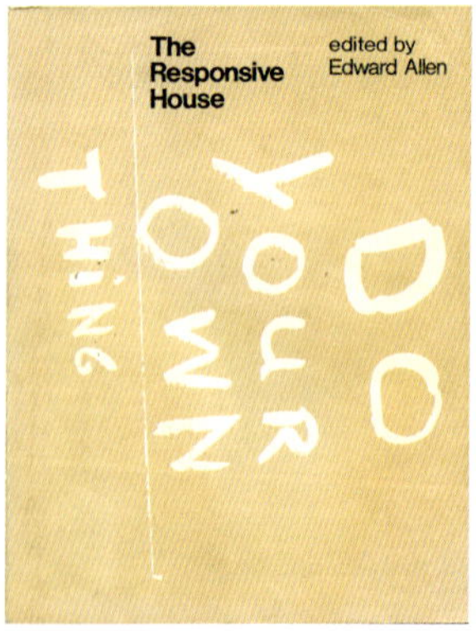
The Responsive House
edited by Edward Allen
DO YOUR OWN THING

THE RESPONSIVE HOUSE, **Editado por Edward Allen / MIT Press / 1975**

Images: Cortesia da Biblioteca Morton R. Godine, Massachusetts College of Art and Design

Edward R. Tufte

n. 1942 (KANSAS CITY, MISSOURI, EUA)
ATUALMENTE EM CHESHIRE, CONNECTICUT, EUA

Edward R. Tufte primeiro estabeleceu uma contínua relação com as instituições de ensino onde se graduou e fez o mestrado em estatística, na Universidade de Stanford e um doutorado, em 1968, em ciências políticas pela Universidade de Yale e, finalmente, passou a ser membro do corpo docente de Woodrow Wilson School, na Universidade de Princeton. Enquanto Tufte estava lecionando economia política e análise de dados, o diretor Donald Stokes pediu que ele preparasse um curso de estatística para um grupo de jornalistas visitantes; o material do curso mais tarde tornou-se a base de seu livro *Visual Display of Quantitantive Information*. Após trabalhar de maneira muito próxima com o pioneiro da estatística, John Turkey, numa série de seminários, Tufte mudou para Yale, onde, em 1982, completou o texto do seu primeiro livro de design. Não satisfeito com as opções de publicação e determinado a trabalhar ele mesmo no design do livro em parceria com o designer Howard Gralla – Tufte fez uma segunda hipoteca e criou a Graphics Press para poder publicar o livro dos seus sonhos.

Com mais de 30 anos de sala de aula e 15 de cursos rápidos de um dia, lecionados em todo o país, Tufte tem ensinado estudantes, o público dos cursos e também leitores a respeito da arte da visualização dos dados – da análise ao entendimento de sua melhor forma de apresentação. Chamado de "Leonardo da Vinci dos dados" pelo *New York Times*, Tufte reuniu muitos conhecimentos com as qualidades de design que não tinham limites de templo, local e profissão. Um ferrenho defensor de não usar o PowerPoint como meio de apresentar informação, Tufte usa exemplos de seus quatro livros publicados – cada um finalizando em sete anos – para dar aos seguidores alternativas visuais. Entre seus cursos populares e atividades como escritor, Tufte também dedica tempo às belas-artes e à escultura.

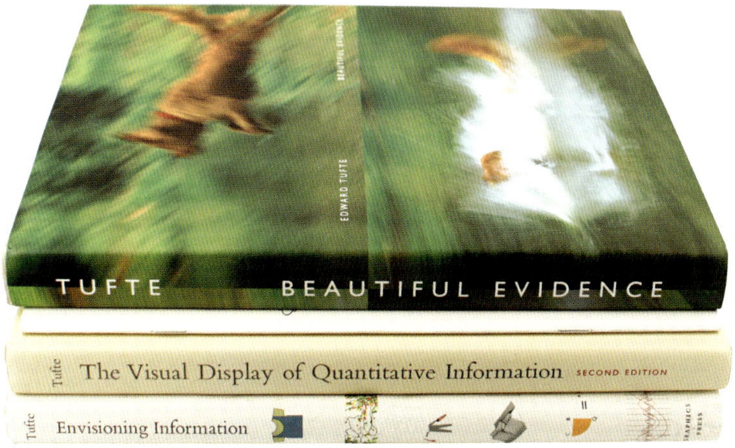
EDWARD TUFTE
TUFTE BEAUTIFUL EVIDENCE
Tufte The Visual Display of Quantitative Information SECOND EDITION
Tufte Envisioning Information

LIVROS DE ED TUFTE / Ed Tufte / EUA, 1983–2006

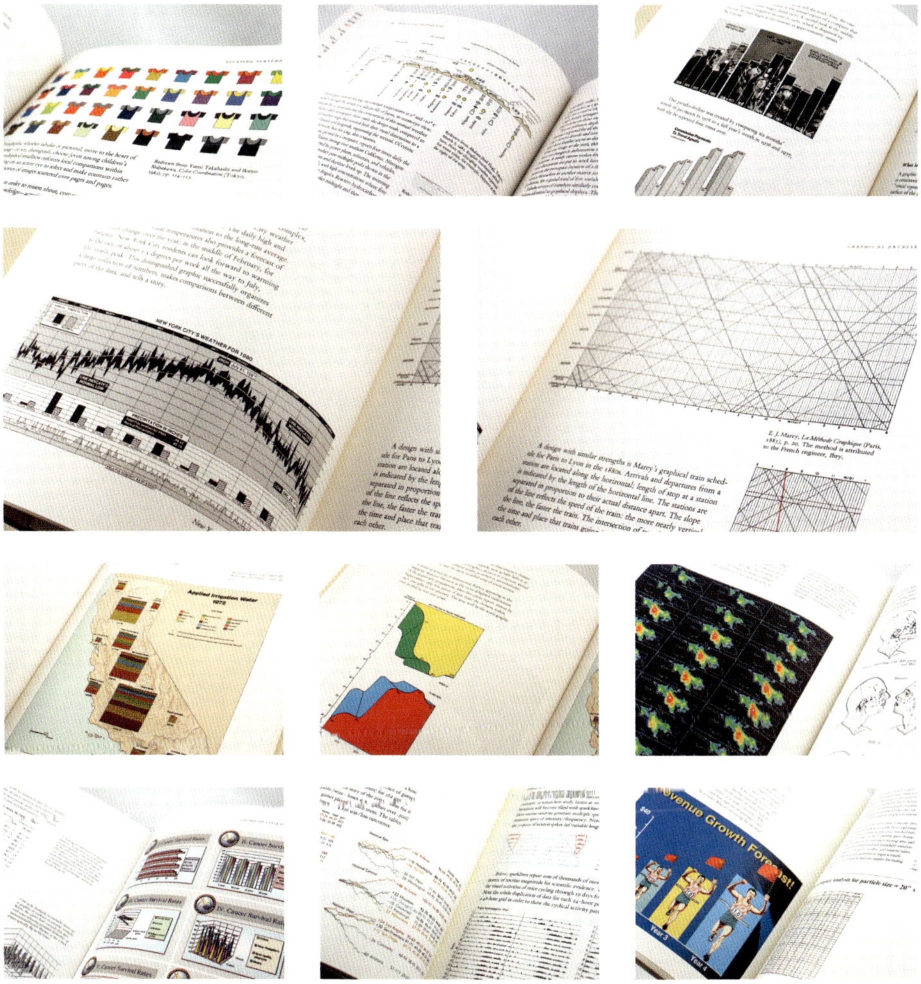

EXEMPLOS DE PÁGINAS DE VÁRIOS LIVROS DE ED TUFTE / Ed Tufte / EUA, 1983–2006

Attik

CRIADA EM 1986 (HUDDERSFIELD, INGLATERRA, REINO UNIDO)
ESCRITÓRIOS EM LEEDS, NOVA YORK, SÃO FRANCISCO, LOS ANGELES

Numa história real de saída da pobreza para a riqueza, Simon Needham e James Sommerville, formados na Batley School of Art and Design, criaram seu próprio negócio com uma doação de mil libras do Prince´s Trust (um organismo que dá dinheiro para negócios iniciantes) no porão da avó de Sommerville – daí o nome da empresa, derivado da palavra inglesa "attic". Durante um período difícil em finais dos anos 1980, a Attik transferiu suas operações para Londres e o negócio decolou – mas não necessariamente nas indústrias que seus fundadores desejavam. Assim, em 1995 eles publicaram *Noise*, um livro não comercial temperado com layouts multifacetados e abstratos para atrair clientes nas indústrias da música e do entretenimento; os livros *Noise* (quatro até hoje e mais um em produção) tornaram-se objetos de desejo entre designers. Em 1997, William Travis, um funcionário da Attik desde 1992, foi para Nova York inaugurar a primeira filial americana e, com a crescente cena das empresas "ponto com" na costa oeste, abriu um escritório em São Francisco em 1999, mesmo ano em que Needham abriu um escritório em Sydney.

Após alguns anos difíceis depois do estouro da bolha da internet e os eventos do 11 de setembro de 2001, a Attik voltou-se para a integração de marcas e, em 2004, iniciou um relacionamento com a Toyota Motor Corporation, ajudando-os a lançar o automóvel Scion, cujo pacote subversivo de identidade é diferente de tudo o que já fora visto ou feito na indústria automotiva. Na mesma linha, a Attik continuou a trabalhar para uma próspera geração de consumidores, que se importam com marcas tais como Virgin, America Online e Nike. Em 2007, a Attik foi adquirida pela agência global de publicidade Dentsu, dando à empresa um palco ainda maior para atuar. Desnecessário dizer que a doação de mil libras compensou.

The
Amazing
Attik
New
SPLENDID
Design
HUDDERSFIELD

CARTAZ DE AUTO-PROMOÇÃO / Attik / EUA, 1990

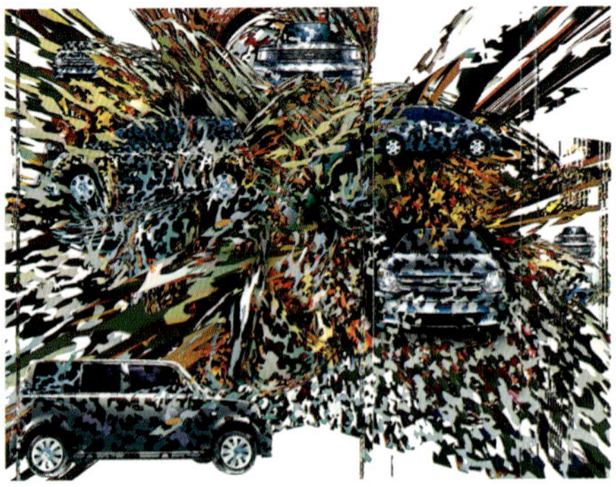

IMAGEM DA CAMPANHA DA SCION / Attik / EUA, 2003

Mestrado na Attik

EM 2003, a primeira turma de estudantes – vindos dos Estados Unidos, Canadá, Cingapura, Espanha, Irlanda e Inglaterra – chegou na Huddersfield University para inaugurar o curso de mestrado em Imagens criativas, um esforço conjunto da Attik e da universidade. O programa de dois anos consiste em cursos acadêmicos e trabalhos práticos, a partir de propostas de clientes, nos estúdios da Attik de modo a diminuir o espaço entre teoria e prática e possibilitar que os formandos possam contribuir com uma empresa de design ou possam iniciar seu próprio negócio.

[welcome]
explored
[noise]3
new technology
the articles
our work
into the realms
this is [noise]3 listen carefully

NOISE 3 / **Apresentando 17 técnicas de impressão de 15 fornecedores / Attik / EUA, 1990**

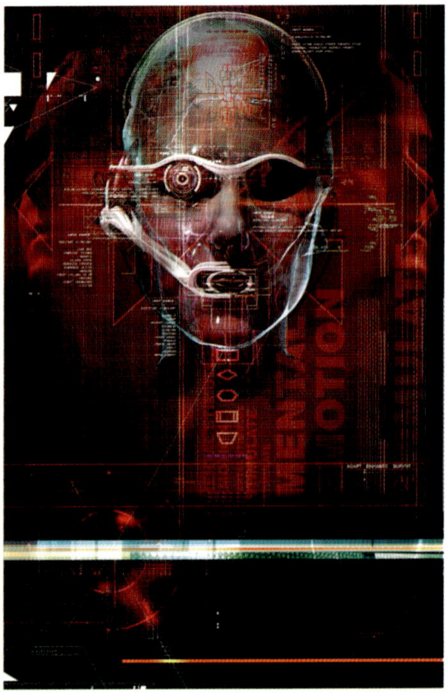

NOISE 3.5 / Attik / EUA, 1997

The Designers Republic

CRIADA EM 1986 (SHEFFIELD, INGLATERRA, REINO UNIDO)

Originalmente atraído de Londres para Sheffield por conta da cena musical em 1979, Ian Anderson estudou filosofia na universidade de Sheffield e foi aos poucos se envolvendo com a indústria da música. Como empresário da banda Person to Person, ele criou os folhetos de divulgação e as capas dos discos, chamando a atenção de outras bandas que queriam os seus serviços. Anderson criou inicialmente sua empresa como ISA-Vision; mas, à medida que mais trabalho aparecia, ele formou uma sociedade com Nick Phillips e, em 1986, justamente no dia das comemorações da Queda da Bastilha (14 de julho) eles criaram oficialmente a The Designers Republic (República dos Designers) – TDR. Seu trabalho inicial foi na indústria da música, criando capas de discos, mas passaram a trabalhar em projetos mais ambiciosos, a despeito do pequeno mercado de Sheffield, trabalhando para clientes globais como a Coca-Cola, Nickelodeon e Pringles, numa série de campos – entre outras notáveis aventuras estão todos os gráficos do videogame *Wip3out* para o Playstation.

Paralelamente ao seu trabalho com os clientes, a TDR tem ativamente trabalhado com devoção a sua própria marca, definida tanto por estilo visual – uma combinação de camadas de cores, iconografia, cooptação de símbolos culturais e reinterpretação de ideogramas japoneses, para citar apenas alguns dos ingredientes – quanto por uma filosofia que desafia o consumismo por meio de slogans como "Trabalhe, Compre, Consuma, Morra" e "Compre Nada, Pague Agora". A despeito dos slogans, a TDR criou o Peoples Bureau for Consumer Information, uma loja online que vende cartazes, camisetas e outros produtos com a marca TDR, tendo aberto uma loja física em Tóquio em 2003. A TDR tem mostrado o seu trabalho ao mundo, produzindo cartazes e faixas sobre temas específicos e reciclando a maior parte do seu próprio trabalho, conferindo a ele um novo significado. Embora liderada firmemente por Anderson, a TDR incentivava as contribuições dos funcionários, muitos tendo as próprias empresas com sucesso, como a Build de Michael Place e a Universal Everything de Matt Pyke. Em 2009, devido à crise econômica, a TDR fechou.

3D→2D
THE DESIGNERS REPUBLIC'S
ADVENTURES IN AND OUT OF ARCHITECTURE
WITH SADAR VUGA ARHITEKTI AND SPELA MLAKAR

3D-2D—THE DESIGNERS REPUBLIC'S ADVENTURES IN AND OUT OF ARCHITECTURE WITH SADAR VUGA ARHITEKTI AND SPELA MLAKAR / Laurence King / TDR™ SoYo™ North of Nowhere™ vs SVA Ljubljana / The Designers Republic Ltda. / Reino Unido, 2000

APHEXTWIN WINDOWLICKER

WINDOWLICKER, Aphex Twin / Warp Records Ltda. / The Designers Republic Ltda. / Reino Unido, 1999

work
buy
consume
die

"PHO-KU CORPORATION™—TRABALHE, COMPRE, CONSUMA, MORRA™" COSTUMISED TERROR, SHOW NO ARTISTS SPACE NYC SOB A CURADORIA DE RONALDO JONES / EUA, 1995; conceito original, 1993

Sissy

DR SISSY™—DR DETH-TOY™ / TDR™ SoYo™ North of Nowhere™ vs The Peoples Bureau for Consumer Information / Shop33 Tokyo, 2004 / DR Sissy™ © 1993 The Designers Republic Ltda.

LOVEBEING
LOVEBEING
Coca-Cola

EDIÇÃO LIMITADA OPTIMIST THEORY™ DO PROJETO M5 GLOBAL DE GARRAFA DE ALUMÍNIO "LOVE BEING" DA COCA-COLA / The Designers Republic Ltda. / Reino Unido, 2004

NYSUSHI

FOLHETO DO NYUSHI SUPERFASHIONDISCOCLUB / Wildstyle Sheffield / Reino Unido, 1999

IDENTIDADE WARP / The Designers Republic Ltda. / Reino Unido, 1989–para sempre

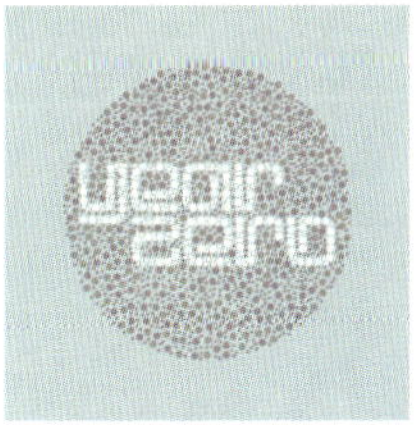
year zero

OVAL PROJECT #5 "YEAR ZERO" FOR ISSEY MIYAKE / The Designers Republic Ltda. / Japão, 1999

Chip Kidd

n. 1964 (READING, PENNSYLVANIA, EUA)
ATUALMENTE EM NOVA YORK, NY, EUA

Numa carreira que começou em 1986, após sua formatura em design gráfico na Pennsylvania State University, Chip Kidd criou, até meados de 2008, mais de mil capas de livros. A maioria delas no seu primeiro e até agora único emprego como diretor de arte associado no Knopf Publishing Group, uma empresa da Random House, Inc., historicamente reconhecida pelo pequeno e célebre grupo próprio de designers – incluindo Barbara deWilde, Carol Devine Carson e Archie Ferguson, juntamente com o editor Sonny Mehta – que revigorou o ramo de criação de capas de livro em meados dos anos 1980. Kidd também produziu capas para a HarperCollins, Doubleday e Scribner, complementando a sua produção prodigiosa. Livros de destaque nos meios de autores como David Sedaris, Michael Crichton, Dean Koontz, John Updike e muitos outros de destaque têm consolidado a popularidade e onipresença de Kidd.

Um grande fã dos quadrinhos, seus personagens e memorabilia, Kidd foi coautor e fez o design de *Batman Animated* em 1998; publicou em 2001 *Bataman Collected*, um livro mostrando a sua coleção sobre o assunto; fez o design, editou e comentou o *Peanuts: The Art of Charles M. Schulz* de 2001; e é o editor da *Pantheon Graphic Novels*. Kidd escreveu dois romances – e, sob uma identidade falsa, criou as capas – *The Cheese Monkeys* › 108 (Scribner, 2001), sobre as aventuras de Happy, um estudante de artes numa universidade estadual nos anos 1950, que teve sequência em *The Learners* (Scribner, 2008), que vê Happy recém-formado, trabalhando como assistente numa agência de publicidade nos anos 1960. Para complementar seu texto e design, Kidd é o vocalista, percussionista, letrista e parceiro de composição na banda artbreak.

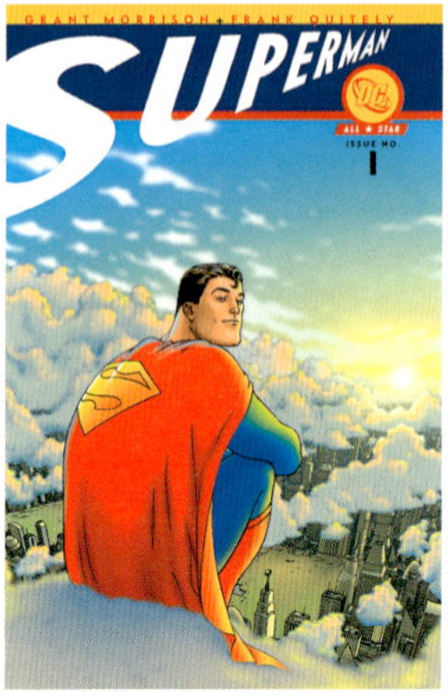
GRANT MORRISON + FRANK QUITELY
SUPERMAN
ALL STAR
ISSUE NO
1

ALL-STAR SUPERMAN #1, **Grant Morrison, Frank Quitely / DC Comics / Chip Kidd / EUA, 2005**

BUDDHA
OSAMU TEZUKA
VOLUME
4:
The Forest of Uruvela

BUDDHA, VOLUME 4: THE FOREST OF URUVELA, **Osamu Tezuka / Vertical / Chip Kidd / EUA, 2006**

CHIP KIDD
WORK 1986 - 2006
BOOK ONE

CHIP KIDD: BOOK ONE, **Chip Kidd / Rizzoli / Chip Kidd / EUA, 2005**

THE WIND-UP BIRD CHRONICLE
HARUKI MURAKAMI

THE WIND-UP BIRD CHRONICLE, **Haruki Murakami / Knopf Publishing Group, Random House, Inc. / Chip Kidd; foto: Geoff Spear; ilustração, Chris Ware / EUA, 1997**

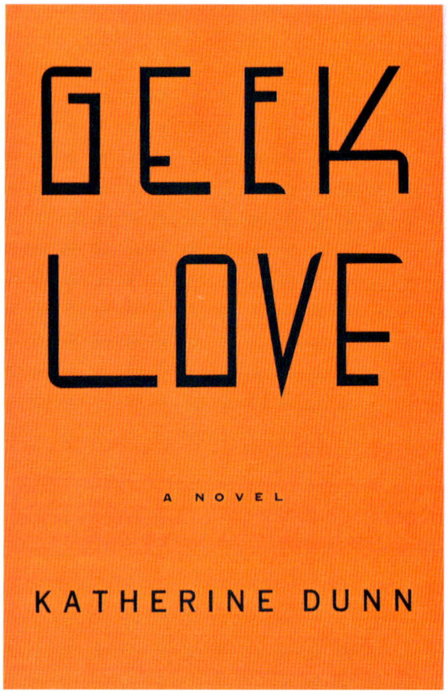
GEEK
LOVE
A NOVEL
KATHERINE DUNN

GEEK LOVE, **Katherine Dunn / Knopf Publishing Group, Random House, Inc. / Chip Kidd / EUA, 1989**

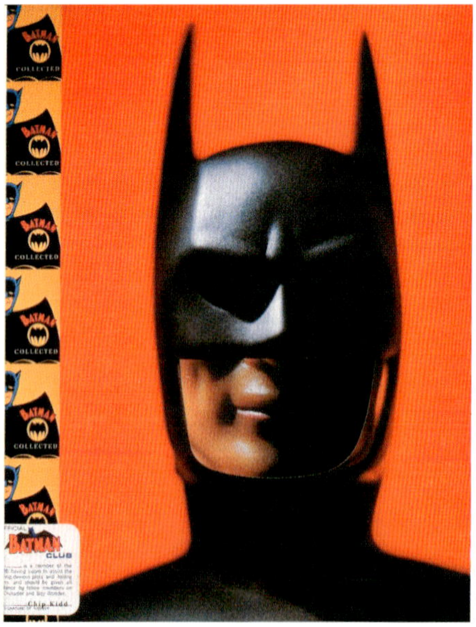
BATMAN COLLECTED
BATMAN CLUB

BATMAN COLLECTED, **Chip Kidd / Bullfinch | D.C. Comics archives / Chip Kidd; foto: Geoff Spear / EUA, 1996**

HARUKI MURAKAMI
Kafka on the Shore

KAFKA ON THE SHORE, **Haruki Murakami / Knopf Publishing Group, Random House, Inc. / Chip Kidd; fotomontagem, Geoff Spear; escultura de cabeça, Eishi Takaoka / EUA, 2005**

Irma Boom

n. 1960 (LOCHEM, HOLANDA)
ATUALMENTE EM AMSTERDÃ, HOLANDA

Após sua formatura na Escola de Belas-Artes AKI em Enschede, Holanda, em 1985, Irma Boom trabalhou para a editora e gráfica do governo holandês em Haia por cinco anos antes de abrir o seu próprio estúdio de design em 1991, sendo a sua principal atividade o design de capas de livros. Trabalhando com instituições culturais, editoras e empresas o trabalho com livros de Boom é complexo, inovador e com fama de surpreendente; ela faz o design dos livros que usam mais de 80 cores ou que tenham mais do que 2.000 páginas, ou ainda, precisem de seu próprio estoque de papel. Boom tem recebido bastante reconhecimento por seus livros, tendo recebido o prestigiado prêmio "O Mais Belo Livro do Mundo" na feira do livro de Leipzig por *Sheila Hicks: Weaving as Metaphor*, e o prêmio Gutenberg, oferecido pela cidade de Leipzig a um designer de destaque, em 2001. Isto foi somente dez anos depois de ter aberto sua empresa, tornando-a mais jovem designer a receber o prêmio. Boom é crítica sênior na Yale University School of Art › 129 e na Van Eyck Akademie em Maastricht.

1993
NEDERLAND 70 c
15 SOORTEN NEDERLANDSE DAGVLINDERS
UITGESTORVEN ZILVERVLEK
1993
NEDERLAND 80 c
16 SOORTEN NEDERLANDSE DAGVLINDERS
BEDREIGD EN KWETSBAAR GROTE VOS
1993
NEDERLAND 90 c
34 SOORTEN NEDERLANDSE DAGVLINDERS
OVERAL WAARNEEMBAAR KOOLWITJE

SELOS POSTAIS DO CORREIO HOLANDÊS / Irma Boom / Netherlands, 1993

muziek
letterkunde
f
federatie
architectuur
toneel
dans

OTTO TREUMANN GRAPHIC DESIGN IN THE NETHERLANDS, Kees Broos, Tom Brandenbarg / 010 Publishers / Irma Boom / Netherlands, 2001

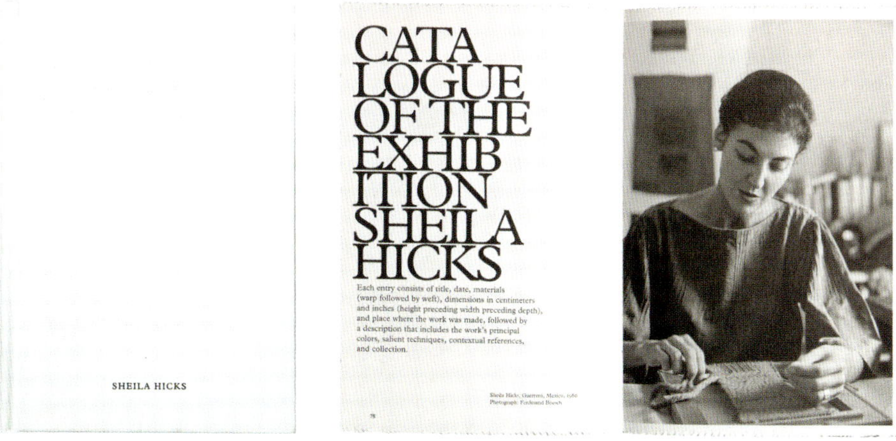
SHEILA HICKS
CATA LOGUE OF THE EXHIB ITION SHEILA HICKS
Each entry consists of title, date, materials (warp followed by weft), dimensions in centimeters and inches (height preceding width preceding depth), and place where the work was made, followed by a description that includes the work's principal colors, salient techniques, contextual references, and collection.

SHEILA HICKS: WEAVING AS METAPHOR, Nina Stritzler-Levine / Yale University Press / Irma Boom / Holanda, 2006

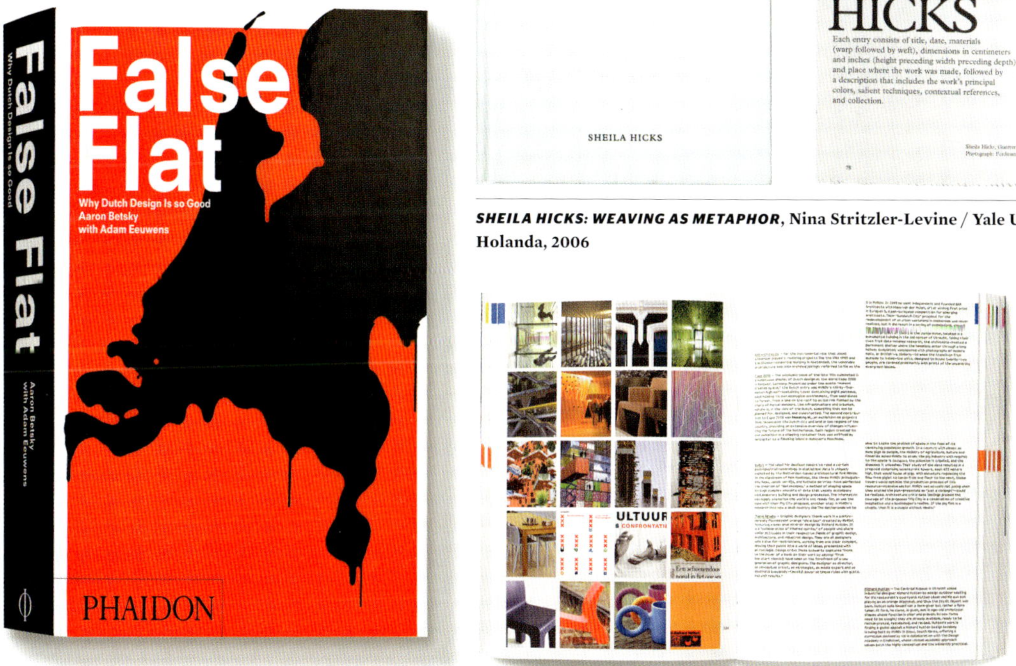
False Flat
Why Dutch Design Is so Good
Aaron Betsky
with Adam Eeuwens
PHAIDON
ULTUUR

FALSE FLAT: WHY DUTCH DESIGN IS SO GOOD, Aaron Betsky, Adam Eeuwens / Phaidon / Irma Boom / Holanda, 2004

VSA Partners

CRIADA EM 1985 (CHICAGO, ILLINOIS, EUA)
ESCRITÓRIOS CHICAGO, NOVA YORK, ST. LOUIS, MINNEAPOLIS

Após muitos anos como chefe de uma empresa de identidade corporativa, Robert Vogele criou a Communication Design Group Inc., em 1982 no Printers Row de Chicago. Três anos mais tarde, os talentos emergentes, Ted Stoik e Dana Arnett, uniram-se a Vogele numa sociedade corretamente denominada VSA Partners. Com o equilíbrio de um profissional experiente e avidez dos mais jovens, a pequena empresa começou a crescer, ganhando clientes tais como a Harley-Davidson – que 20 anos mais tarde permanece como cliente principal – e o Chicago Board of Trade, entre outros. Logo um escritório maior seria necessário para acomodar uma empresa maior e um novo local foi encontrado no outro lado da rua, seguindo-se uma mudança para uma velha loja de automóveis, dez anos mais tarde. À medida que os números da empresa cresciam, também aumentava a sua reputação de trabalho consistente e tipografia inventiva, mais notadamente nos anuários > 294; a edição de 2.000 para a IBM é ainda um marco nesta disciplina.

Em fins dos anos 1990, a VSA decidiu equilibrar seu trabalho impresso com um recém-criado grupo interativo, uma escolha que manteve a empresa à tona após o rompimento da bolha da internet e permitiu que escritórios fossem abertos em Nova York (1998), St. Louis (2003) e Minneapolis (2005). Com a liderança firme e equipes dedicadas, a VSA Partners tem trabalhado em mais de 33 setores da indústria que vão de clientes pequenos a grandes empresas. Ele revigoraram a marca Harley-Davidson nos anos 1980; apresentaram a nova identidade da Cingular, sustentados por uma campanha midiática de 300 milhões de dólares que inundou a nação com a amigável figura laranja em 2.000; e, mais recentemente, criou a identidade – não uma, mas duas vezes – para a proposta da cidade de Chicago para sediar os Jogos Olímpicos de 2016.

"Sell it at 4"
"Sell it at 4"
"Sell it at
4"
buy buy
buy
buy
buy
buy
sell
sell
sell
sell
sell
sell
sell

CHICAGO BOARD OF TRADE 1993 ANNUAL REPORT / VSA Partners: direção de arte e design, Dana Arnett, Curt Schreiber / EUA, 1994

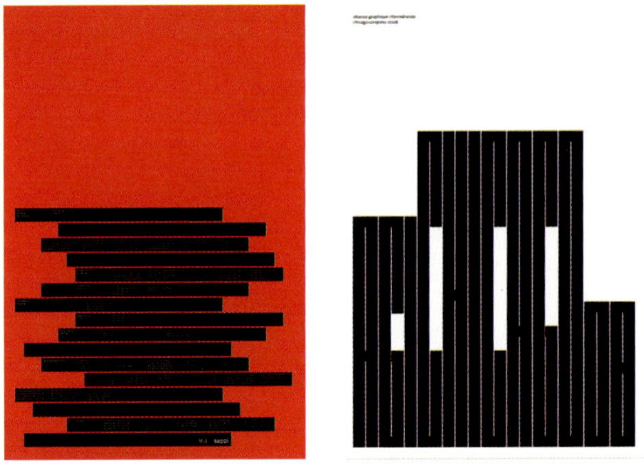

CONGRESSO DO AGI DE 2008 EM CHICAGO / VSA Partners: direção de arte, Dana Arnett; design, Jackson Cavanaugh / EUA, 2008

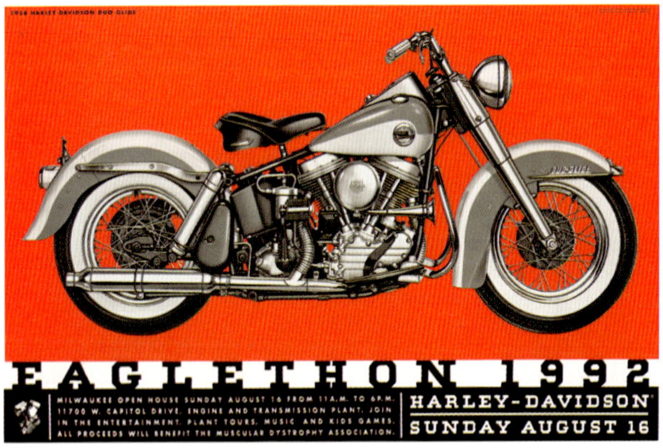
EAGLETHON 1992
HARLEY-DAVIDSON
SUNDAY AUGUST 16

CARTAZ DO RELATÓRIO DA HARLEY-DAVIDSON EAGLETHON / VSA Partners: direção de arte, Dana Arnett, Curt Schreiber; design, Curt Schreiber / EUA, 1992

MATERIAL DE APOIO DA MOHAWK OPTIONS / VSA Partners: direção de arte, Jamie Koval; design, Dan Knuckey / EUA, 2004

cingular SM

IDENTIDADE DA CINGULAR / VSA Partners: direção de arte, Jamie Koval; design, Dan Knuckey, Ashley Lippard, Thom Wolfe, Greg Sylvester / EUA, 2000

CHICAGO 2016
APPLICANT CITY

IDENTIDADE DA CIDADE DE CHICAGO COMO CIDADE CANDIDATA AOS JOGOS OLÍMPICOS DE 2016 / VSA Partners: direção de arte, Dana Arnett e Jamie Koval; design, Dan Knuckey, Luke Galambos, Kyle Poff / EUA, 2006

Charles S. Anderson

n. 1958 (MINNEAPOLIS, MINNESOTA, EUA)
ATUALMENTE EM MINNEAPOLIS, MINNESOTA, EUA

A partir de uma única cidade dos Estados Unidos, Charles S. Anderson construiu uma carreira admirável. Ele obteve um título em design gráfico do Minneapolis College of Art and Design (MCAD) em 1981 e seu primeiro emprego na Seitz Graphic Directions com o célebre professor da MCAD, Peter Seitz; passou dois anos lá, seguidos de mais dois no Design Center. Em 1985, foi para o Duffy Design Group, uma empresa líder nos ramos de branding e embalagem, onde passou quatro anos, finalmente, tornando-se sócio em 1987 quando a empresa passou a ser o braço de design da agência de publicidade Fallon McElligott. Anderson saiu da empresa em 1989 para criar sua própria empresa de design, a Charles S. Anderson Design Company (CSA) e começou a dar vida ao design moderno com um revival de materiais dos anos 1930 e 1940 e do estilo kitsch americano de meados do século passado. Nas mãos erradas, esses elementos poderiam ter resultado numa horrenda nostalgia, mas nas de Anderson eles criam uma linguagem visual confortadora.

Os efeitos são mais evidentes na atual relação da empresa com a indústria de papel French Paper, que a transformou de um competidor menor, quando buscou a Duff Design Group em fins dos anos 1990, em queridinha da indústria do design gráfico por meio de promoções exuberantes e livros criados pela CSA. Enquanto a estética serve ao deleite de designers, a CSA tem capitalizado a partir de sua abordagem com trabalhos para clientes nacionais como a Coca-Cola, Urban Outfitters e Target. A paixão de Anderson por elementos de arte efêmera americana tornou-se um negócio complementar, a CSA Images, que tem rejuvenescido de modo incansável centenas de imagens, bordas, ícones e logomarcas para consumo digital. E uma coleção de brinquedos plásticos, que tiraria o fôlego de qualquer criança, foi restaurada, fotografada e retocada para dar forma a uma suntuosa coleção de imagens. Anderson permanece em Minneapolis.

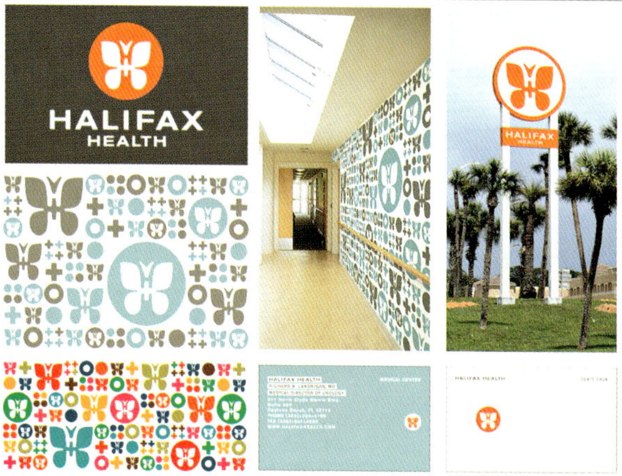
HALIFAX
HEALTH

IDENTIDADE DO HALIFAX HELTH MEDICAL CENTER / direção de arte, Erik Johnson; design, Erik Johnson, Sheraton Green / EUA, 2007

CARTAZ PARA O ACAMPAMENTO DE DESIGN DO AIGA EM MINNESOTA / direção de arte, Erik Johnson; design, Sheraton Green / EUA, 2003

FRENCH PAPER COMPANY
GO FRENCH

"GO FRENCH" JOGO DE CARTAS PARA A FRENCH PAPER / direção de arte, Erik Johnson; design, Erik Johnson, Sheraton Green, Jovaney Hollingsworth, Kyle Hames / EUA, 2005

double JOINTED
JERRY

PROMOÇÃO PARA A FRENCH PAPER – MUSCLETONE PAPÉIS PESO PESADO "BONECO BIARTICULADO JERRY" / design, Jason Schulte / EUA, 1998

ÍCONES DA NIKE / direção de arte e design, Erik Johnson / EUA, 1996

LOGOTIPO DE BETTY CROCKER PARA A *NEWSWEEK* / direção de arte e design, Erik Johnson / EUA, 1993

NOW MORE addictive
RIP OPEN A PACK
rip
RIP YOURSELF

PAPEIS DE EMBALAGEM *PESO-PESADO* – CARTAZ PARA A FRENCH PAPERS / design, Jason Schulte / EUA, 1999

SABÃO BRID BATH PARA A POP INK / direção de arte, Erik Johnson; design, Sheraton Green, Jovaney Hollingsworth / EUA, 2006

TURNER
CLASSIC
TCM
MOVIES

IDENTIDADE DA TURNER CLASSIC MOVIES / Um dos 50 ícones intercambiáveis / design, Paul Howalt / EUA, 1993

Todos são trabalhos da Charles S. Anderson Design Company; direção de arte e design, Charles S. Anderson; créditos adicionais devidamente indicados individualmente

Luba Lukova

n. (PLOVDIV, BULGÁRIA)
ATUALMENTE EM NOVA YORK, NY, EUA

Por mais de duas décadas, a búlgara Luba Lukova estabeleceu uma voz forte e teimosa por meio de suas ilustrações metafóricas. Ela trabalhou para o teatro em seu país natal após a formatura na estimada e exigente Academia de Belas-Artes em Sófia, Bulgária, em 1986. Em 1991; viajou para os Estados Unidos para ver seu trabalho na exposição internacional de cartazes do Colorado e planejava passar algumas semanas em Nova York antes de voltar, ela tornou-se uma habitante permanente de Nova York quando foi contratada pelo *New York Times's Book Review* depois de ter deixado dez slides e uma cópia do anuário Graphis que mostrava o seu trabalho sem que ela soubesse. Trabalhando de modo independente, Lukova tem feito ilustrações e trabalhos de design em vários projetos culturais, educacionais e sociais usando o seu estilo singular de cores ricas e sólicas e economia de linhas que continuamente desafiam e convidam o observador.

social justice 2008
12 posters by Luba Lukova
clay & gold

SOCIAL JUSTICE 2008, Luba Lukova / Clay & Gold / 2008

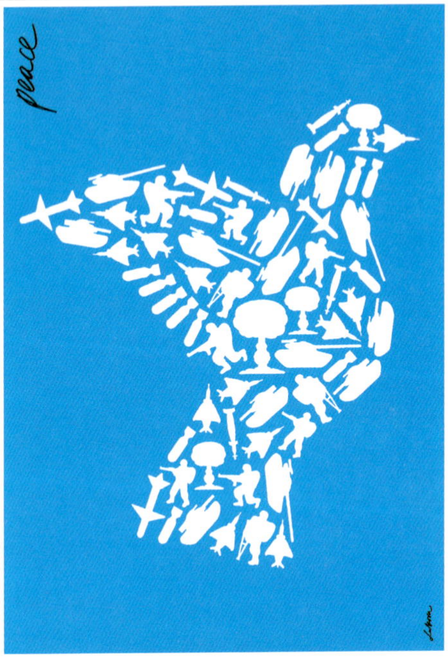
peace

CARTAZ *PEACE* PARA A WAR RESISTERS LEAGUE / 1999

October 22 November 8 1998
Shakespeare's
The Taming of the
Shrew
Andrei
directed by
Serban
Center for Theatre Studies at Columbia University
La MaMa E.T.C.

CARTAZ *THE TAMING OF THE SHREW* PARA O TEATRO LA MAMA, COLUMBIA UNIVERSITY / 1998

social justice 2008
censorship

CARTAZ *CENSORSHIP* PARA A AMERICAN FRIENDS SERVICE COMMITTE / 2003

SUDAN

CARTAZ *SUDAN* PARA O INTERNATIONAL ANTI-POVERTY LAW CENTER / 1998

Louise Fili

n. 1951 (ORANGE, NEW JERSEY, EUA)
ATUALMENTE EM NOVA YORK, NY, EUA

Filha de imigrantes italianos, a primeira viagem de Louise Fili aconteceu quando ela tinha 16 anos e sua fascinação com embalagens e fotografia despertou, uma vez que colecionava embalagens de massas, embrulhos e rótulos – algo que continua a fazer sempre que percorre mercados de pulga ao redor do mundo e fotografa sinais e fachadas tipográficas. Após a formatura no Skidmore College, Fili trabalhou por pouco tempo na editora Alfred A Knopf, em 1975, e depois para Herb Lubalin › 167 de 1976 a 1978. Ela, então, foi para a Pantheon Books como diretora de arte, onde criou mais de 2.000 capas de livros, entre elas a de*The Lover* › 291 – em um pouco mais de uma década. Em 1989, ela cria a Louise Fili Ltd., onde buscava diversificar seu trabalho; sua paixão por cozinhar e seu amor pelo design misturavam-se à medida que ela trabalhava na identidade de um restaurante ou embalagem de alimento. Fili tem uma habilidade singular para reinterpretar influências históricas em produtos modernos, no seu trabalho editorial e nos livros de que foi autora.

SFIDA
NEGROAMARO 40%
PRIMITIVO 30%
AGLIANICO 30%
PUGLIA
ROSSO

RÓTULOS DOS VINHOS SFIDA PARA MATT BROTHERS / 2000

The Mer-Maid Inn

IDENTIDADE DO RESTAURANTE MERMAID INN / 2004

CALIFORNIA GRAPESEED OIL
CALIFORNIA GRAPESEED OIL
HERBS DE PROVENCE
CALIFORNIA GRAPESEED OIL
ITALIAN HERBS

EMBALAGEM DO ÓLEO DE SEMENTE DE UVA DA CALIFÓRNIA PARA A WILLIAMS-SONOMA / 1999

IDENTIDADE DA TIFFANY & CO / 2007

The
P·I·N·K
Door

IDENTIDADE DO RESTAURANTE THE PINK DOOR / 1999

SFOGLIA

IDENTIDADE DO RESTAURANTE SFOGLIA / 2006

LATE JULY
ORGANIC
ROUND SALTINE
CRACKERS

EMBALAGEM DAS BOLACHAS ORGÂNICAS LATE JULY / 2005

MARGARITA SALT
MARGARITA SALT

EMBALAGEM DA MISTURA MARGARITA PARA A EMPRESA EL PASO, CHILE / 1999

LE MONDE

IDENTIDADE DO RESTAURANTE LE MONDE / 1998

EMBALAGEM DA BELLA CUCINA / 1999–2002

Louise Fili Ltda. / EUA

Modern Dog

CRIADA EM 1987 (SEATTLE, WASHINGTON, EUA)

Sem emprego após a formatura na Western Washington University e após uma mudança para Seattle, Robynne Raye e Michael Strassburger criaram a Modern Dog em 1987 com pouca intenção de torná-la um negócio formal. Entretanto, por mais de 20 anos a Modern Dog tem feito sucesso, desenvolvendo inúmeros cartazes para as indústrias da música e do teatro, bem como anúncios, embalagens e produtos para uma clientela diversa. Seus primeiros anos foram uma antecipação da abordagem e modelo de negócio atuais mesmo que seus donos não os chamem assim.

Trabalhando com orçamentos pequenos e, por conseguinte, pequenas remunerações, a Modern Dof fez cartazes para teatros marginais, atuando como fotógrafo, ilustradores, letristas e artistas de produção de cada projeto, expressando a estética e atitude extemporâneas do "faça-você-mesmo" que permeia muito de sua obra. Para complementar suas encomendas de cartazes, Raye procurou o fabricante de esquis, K2, como cliente em 1989, no início, criando anúncios para eles. A relação frutificou em 10 anos com a K2 passando a ser uma das marcas líderes no snowboard.

Desde 1998, a Modern Dog tem trabalhado com a Blue Q, um disseminador de produtos ecléticos – sabão, moedeiros, purificadores de ar – para quem eles desenvolvem produtos como ímãs, sprays para hálito e goma de mascar, recebendo um pouco pelo design, mas colhendo os benefícios em royalties. Por todo esse tempo, Raye e Strassburger continuam a produzir cartazes com humor perspicaz anunciando suas aulas ao redor do país, alguns deles desaparecem das paredes logo após serem fixados. Os dois lecionam no Cornish College of Arts em Seattle – e, sim, os dois têm seus próprios cães.

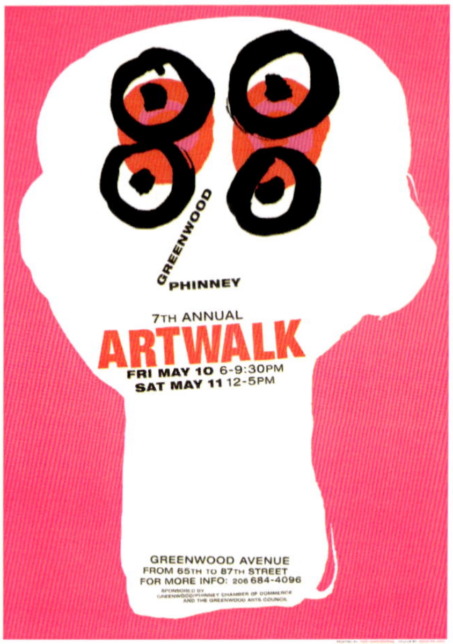
GREENWOOD
PHINNEY
7TH ANNUAL
ARTWALK
FRI MAY 10 6-9:30PM
SAT MAY 11 12-5PM
GREENWOOD AVENUE
FROM 65TH TO 87TH STREET
FOR MORE INFO: 206 684-4096

CARTAZ PAR AO GREENWOOD ARTS COUNCIL ARTWALK / Modern Dog: design, Robynne Raye / EUA, 2002

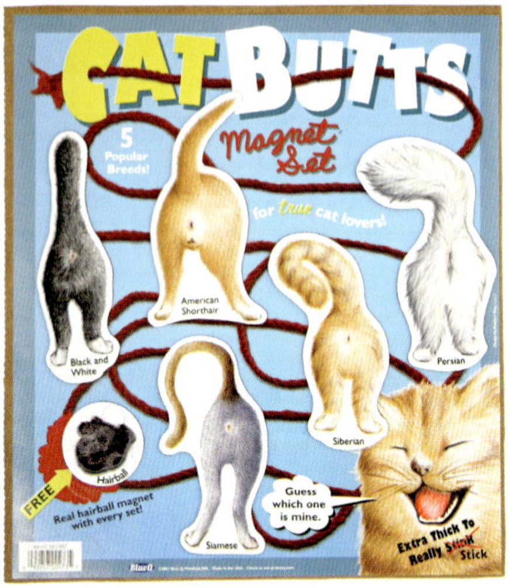
CAT BUTTS
Magnet Set
5 Popular Breeds!
for true cat lovers!
American Shorthair
Black and White
Persian
Siberian
Hairball
FREE
Real hairball magnet with every set!
Siamese
Guess which one is mine.
Extra Thick To Really Stick

ÍMÃS BLUE Q CAT / Modern Dog / EUA, 2001

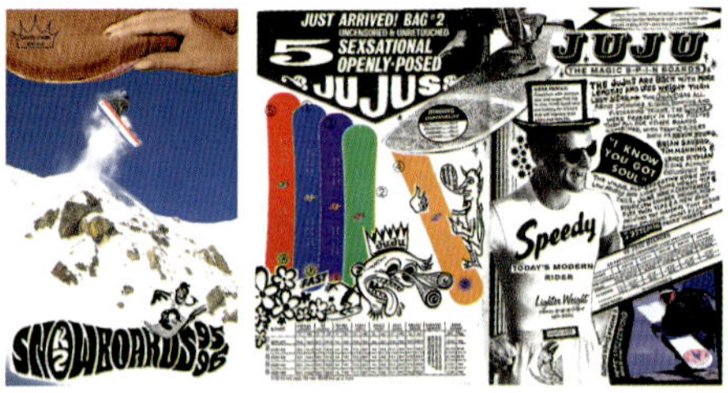
JUST ARRIVED! BAG 2
5 SEXSATIONAL OPENLY-POSED
JUJUS
JUJU
Speedy

CATÁLOGO DE PRODUTOS DA K2 SNOWBOARDS / Modern Dog / EUA, 1995

SOAP LUMP
BUBBLE+SQUEAK
HERBAL DOG SHAMPOO
FUR SPRITZER

EMBALAGEM DOS PRODUTOS OLIVE DOG / Modern Dog / EUA, 2007

SEATTLE REPERTORY THEATRE PRESENTS
HEARTBREAK HOUSE
BY G.B. SHAW
MARCH 17
THROUGH
APRIL 10

CARTAZ DA PEÇA *HEARTBREAK HOUSE* DO TEATRO DE REPERTÓRIO DE SEATTLE / Modern Dog: design, Vittorio Costarella / EUA, 1993

Best of AMPHETAZINE
Number 20

CAPAS DO *AMPHETAZINE* / Modern Dog / EUA, 1991–2001

Blondie

CARTAZ DA BANDA *BLONDIE* PARA O HOUSE OF BLUES / Modern Dog: design, Michael Strassburger / EUA, 2004

Aesthetic Apparatus

CRIADA EM 2002 (MINNEAPOLIS, MINNESOTA, EUA)

Dan Ibarra e Michael Byzewski encontraram-se em 1998, quando trabalhavam na Planet Propaganda em Madison, Wisconsin. A amizade logo desabrochou, enquanto o amor compartilhado entre a impressão e a música levou à confecção doméstica de séries limitadas de cartazes para concertos. À medida que seu trabalho recebia atenção do público, a dupla ganhava coragem e a Aesthetic Apparatus foi criada em 2002, como parte de uma geração nova de designers de cartazes de eventos; o trabalho deles tem sido uma fonte de atração constante. O uso de justaposições abruptas, imagens recuperadas e tipografia interessante identifica a maioria de seus trabalhos, bem como a confecção; eles fazem os cartazes em silkscreen pessoalmente no estúdio – os cartazes são vendidos online ou nos concertos, a suplementando a renda da dupla e mantendo um fluxo constante de tinta. Aesthetic Apparatus desenvolveu um estilo singular e moldável aplicado habilmente em diversos projetos como identidade, embalagem, ilustração, trabalho editorial e mesmos os seus populares vídeos no YouTube – incluindo um em que eles gritam alegremente, apontando para o processo ao invés de falarem.

The
SWELL
SEASON

NEW YEAR'S EVE
CAKE
MILWAUKEE
MARITIME
MARCUS MONROE!

THE GO! TEAM

WE ARE SCIENTISTS ART BRUT THE SPINTO BAND

Esquerda para direita **CARTAZ DE *THE SWELL SEASON* PARA AEG LIVE** / 2008

***CAKE* POSTER** / 2006

CARTAZ *FIRST AVENUE* / 2005

CARTAZ *WE ARE SCIENTISTS* / 2006

Aesthetic Apparatus / EUA

Small Stakes

CRIADAS EM 2003 (OAKLAND, CALIFORNIA, EUA)

Após doar suas habilidades em design para a Ramp – o porão de igreja que servia de local para apresentações musicais em Bekerley, Califórnia – em 2003, Jason Munn criou o Small Stakes, batizando o estúdio com o título de uma música do Spoon sobre correr riscos. O trabalho de Munn com cartazes para banda independentes locais começou a ser notado – primeiro, usando arte recuperada e, depois, amadurecendo a sua própria ilustração. À medida que o design, produção e infraestrutura para seus cartazes cresciam, também aumentava sua popularidade. Seus designs alegres e simples em matéria de ilustrações e tipografia, quase sempre apresentados em cores suaves, levaram a uma série de encomendas de cliente tais como Chronicle Books, Patagonia e Capitol Records. Assim, a pequena Stake pôde se expandir para áreas novas do design como vestuário, bolsas, embalagem de CD e ilustração editorial.

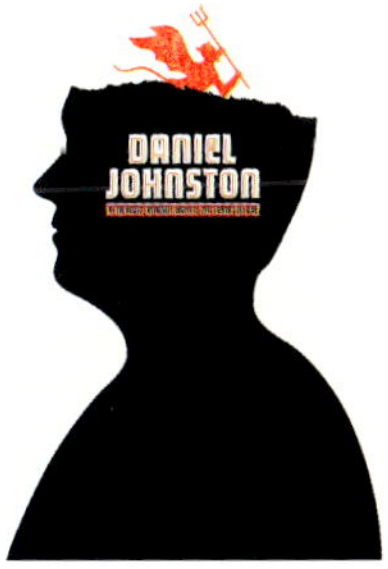
DANIEL JOHNSTON

PRESENTS COLLEGE NIGHT WITH NOISE POP

THE BOOKS

TREASURE ISLAND MUSIC FESTIVAL

Esquerda para direita **CARTAZ DO CONCERTO DE *DANIEL JOHNSON*** / 2007

CARTAZ *SFMOMA COLLEGE NIGHT WITH NOISE POP* / 2006

CARTAZ DO SHOW DO *THE BOOKS* / 2006

CARTAZ DO *TREASURE ISLAND MUSIC FESTIVAL* / 2007

The Small Stakes / EUA

Rick Valicenti

n. 1951 (PITTSBURGH, PENNSYLVANIA, EUA)
ATUALMENTE EM CHICAGO, ILLINOIS, EUA

Após receber o título de Bacharel em Belas-Artes da Bowling Green State University, de Ohio, em 1973, as perspectivas de emprego para Rick Valicenti eram escassas. Sem querer continuar desempregado, trabalhou numa siderúrgica, com capacete e tudo mais. Ele desenvolveu um interesse por fotografia e matriculou-se na University of Iowa, obtendo dois títulos de mestre em fotografia, em 1975. Valicenti, então, foi para Chicago, onde achou que a fotografia comercial era pouco inspiradora. Curioso a respeito do design gráfico, conseguiu um emprego como artista de produção de montagens até 1978, quando começou a trabalhar para Bruce Beck, que vinha gerindo uma empresa de design de boa reputação. Quando Beck aposentou-se, Valicenti começou o próprio negócio, R. Valicenti Design, em 1981, que fazia material de apoio corporativo e editorial. Foi em 1988 que dois dos mais fiéis clientes de Valicenti, a Gilbert Paper e a Ópera Lírica de Chicago, inicialmente o procuraram e forneceram uma vitrine para que pudesse desenvolver o seu estilo singular de design, fotografia, letreiros, ilustração e mensagem.

Em 1989, Valicenti rebatizou a sua empresa de Thrist. Ele passou a ser mais seletivo com seus clientes e colaboradores e, em 1985, buscando por um melhor equilíbrio entre vida e trabalho, mudou o escritório para Barrington, um subúrbio de Chicago. Dos anos 1990 aos 2000, Valicenti e a Thirst – à medida que esta é continuamente conformada por seus empregados e pontos fortes e interesses únicos deles – desenvolveram uma inimitável amálgama entre trabalhos próprios e para os clientes. Valicenti também demonstrou uma veia empresarial, iniciando negócios como a fábrica de tipos Thirstype (hoje Village › 233), o derivado interativo 3st2 e o estúdio de imagens digitais, Real Eyes. Em 2007, Valicenti transferiu a Thirst para Chicago.

LEITURA RECOMENDADA › 390

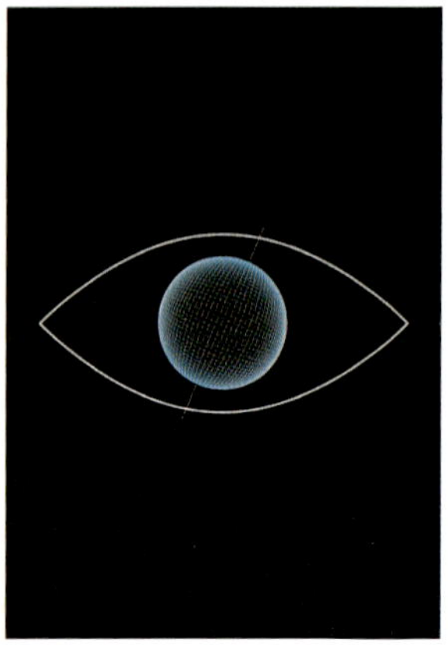

365: AIGA YEAR IN DESIGN 29 / 3ST: design e ilustração, Rick Valicenti, John Pobojewski / EUA, 2007

CARTAZ *PRINT THIS MOMENT* PARA A GILBERT PAPER, ENCARTADO NA REVISTA WIRED / 3ST: Rick Valicenti, William Valicenti / EUA, 1994

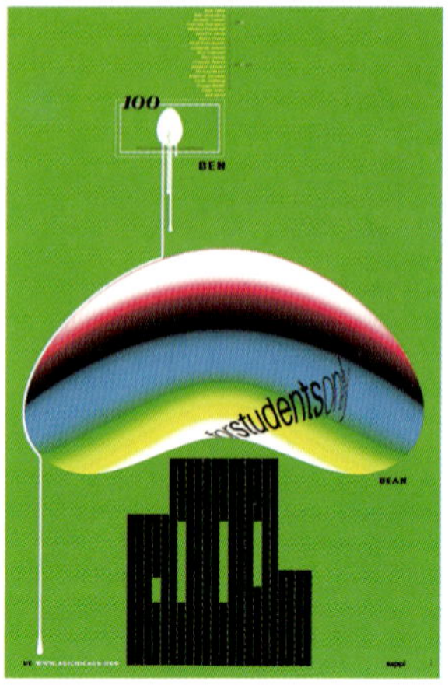

CARTAZ DA CONFERÊNCIA ESTUDANTIL DE DESIGN DE CHICAGO EM 2008 PARA A ALLIANCE GRAPHIQUE INTERNATIONALE / 3ST: Rick Valicenti; tipografia, Rick Valicenti, Dana Arnett; ilustração, Rick Valicenti, Matt Daly / EUA, 2008

INTELLIGENT DESIGN

"SO FIVE MINUTES AGO" ILUSTRAÇÃO EDITORIAL PARA A REVISTA *I4DESIGN* / 3ST: Rick Valicenti; 3D ilustração, Rick Valicenti, Matt Daly / EUA, 2008

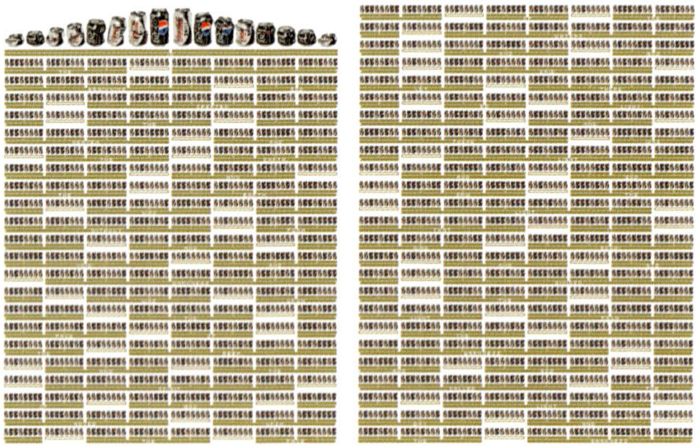

INTELLIGENT DESIGN: THE RED AND BLUE STATE OF MIND / O livro do Gênesis foi convertido para código binário e reproduzido usando latas de Pepsi One como 1s e de Coca Zero como os 0s / 3ST: Rick Valicenti; ilustração, Rick Valicenti, Gina Garza; tipografia, Rick Valicenti, John Pobojewski; programação, John Pobojewski, Robb Irrgang / EUA, 2005

O que há num nome?

Em 1988, enquanto revia layouts para um catálogo de Phillippe Starck que fora enviado pelo fax, Starck referiu-se ao terceiro item numa série não como o 3rd (abreviação de terceiro em Inglês), mas sim como 3st, que Valicenti adotou para seus próprios propósitos. Ele hoje emprega as duas formas, Thisrt e 3st.

Bruce Mau

n. 1959 (SUDBURY, ONTÁRIO, CANADÁ)
ATUALMENTE EM TORONTO, ONTÁRIO, CANADÁ

Bruce Mau abandonou a Ontario College of Art and Design antes da formatura, optando em ir para a empresa Fifty Fingers em 1980. Dois anos mais tarde, ele trabalhava para a Pentagram › 162, em Londres, imerso num ambiente multidisciplinar que se tornaria um traço pessoal quando de seu retorno a Toronto, onde foi um dos fundadores da empresa Public Good and Communications. Em 1985, a Bruce Mau Design abriu suas portas. A empresa tem permitido a Mau trabalhar em vários campos, incluindo branding, identidade, editorial, desenvolvimento do produto e design ambiental — geralmente, em parceria com arquitetos em projetos como a sala de concertos Walt Disney em Los Angeles (com Frank Gehry) e o livro *S, M, L, XL* › 283 (com Rem Koolhaas). O próprio livro de Mau, *Life Style*, com 600 páginas, publicado em 2.000 e produzido com oito diferentes capas em tecido, reflete as origens multidisciplinares, a clientela e o modo de pensar que o identificam — fornecer informação pertinente e pistas visuais para projetos passados e futuros.

Em 2003, Mau criou o Institute Without Boundaries (Instituto sem Fronteiras), um curso de pós-graduação com base em estúdio, feito em conjunto com a escola de design no George Brown College em Toronto, onde um grupo seleto de estudantes colabora durante um ano com um projeto público em mente. *Massive Change*, um estudo "não sobre o mundo do design, mas sobre o design do mundo", feito em 11 economias — urbana, movimento, energia, informação, imagem, mercado, materiais, militar, manufatura, vida, riqueza e política — resultou num livro e apresentação itinerante que expunha o primeiro ano de descobertas e conclusões. O segundo projeto, *World House*, é centrado em habitação do futuro, onde a sustentabilidade, equilíbrio ecológico e universalidade têm papéis chave.

AGO

IDENTIDADE DA GALERIA DE ARTE DE ONTÁRIO / Bruce Mau Design / Canadá, 2008

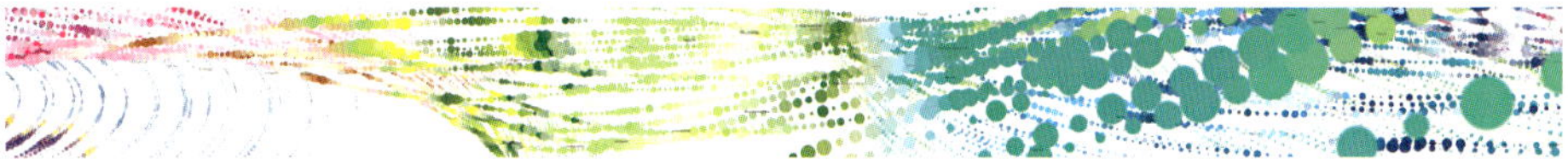

SEDE DA INTERACTIVE CORP / Bruce Mau Design / Canadá, 2007

¡GUATE
¡AMALA!

GUATEMALA! IDENTIDADE PARA A FUNDACION PROYECTO DE VIDA / Bruce Mau Design / Canadá, 2004

MASSIVE
CHANGE
Now that we can do anything, what will we do?

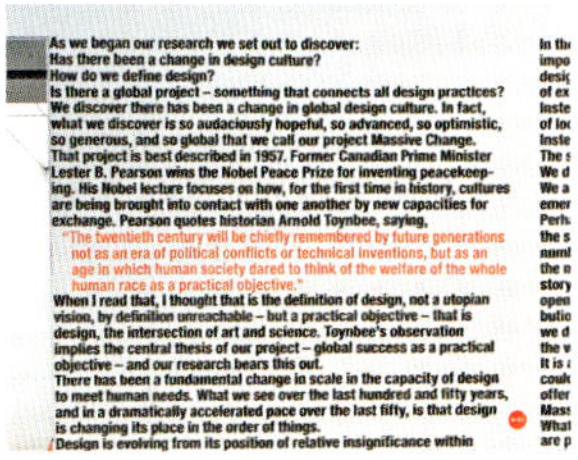
As we began our research we set out to discover:
Has there been a change in design culture?
How do we define design?
Is there a global project – something that connects all design practices?
We discover there has been a change in global design culture. In fact, what we discover is so audaciously hopeful, so advanced, so optimistic, so generous, and so global that we call our project Massive Change.
That project is best described in 1957. Former Canadian Prime Minister Lester B. Pearson wins the Nobel Peace Prize for inventing peacekeeping. His Nobel lecture focuses on how, for the first time in history, cultures are being brought into contact with one another by new capacities for exchange. Pearson quotes historian Arnold Toynbee, saying,
"The twentieth century will be chiefly remembered by future generations not as an era of political conflicts or technical inventions, but as an age in which human society dared to think of the welfare of the whole human race as a practical objective."
When I read that, I thought that is the definition of design, not a utopian vision, by definition unreachable – but a practical objective – that is design, the intersection of art and science. Toynbee's observation implies the central thesis of our project – global success as a practical objective – and our research bears this out.
There has been a fundamental change in scale in the capacity of design to meet human needs. What we see over the last hundred and fifty years, and in a dramatically accelerated pace over the last fifty, is that design is changing its place in the order of things.
Design is evolving from its position of relative insignificance within

EXPOSIÇÃO *MASSIVE CHANGE* / Bruce Mau Design / Canadá, 2004–2006

Em 1998, Bruce Mau desenvolveu um manifesto incompleto com 43 itens, baseado em sua experiência, que é aplicada a todo projeto:

Permita que os eventos mudem você / Esqueça do bom. Bom é uma quantidade conhecida / Processo é mais importante que resultado / Ame seus experimentos / Alegria é o motor do crescimento / Aprofunde-se / Capture acidentes / Estud e/ Vagueie/ Comece em algum lugar / Todo mundo é líder / Crescimento acontec e/ Colha ideias / Mantenha-se em movimento / Desacelere / Não seja legal / Faça perguntas estúpidas / Colabore /----------- / Durma tarde / Trabalhe a metáfora / Seja cuidadoso ao correr riscos / Repita-se / Faça suas próprias ferramentas / Apoie-se nos ombros de alguém / Evite o software / Não limpe sua mesa / Crie novas palavras / Pense com sua mente / Organização = liberdade / Não pegue dinheiro emprestado / Ouça cuidadosamente / Faça passeios no campo / Erre mais rápido / Imite / Dê foras / Quebre, estique, dobre, amasse, rache / Dobre / Explore a outra extremidade / Coffee Breaks, corridas de taxi, green rooms / Evite campos / Gargalhe / Lembre / Poder ao povo

LEITURA RECOMENDADA › 390

Stefan Sagmeister

n. 1962 (BREGENZ, AUSTRIA)
ATUALMENTE EM NOVA YORK, NY, EUA

Stefan Sagmeister estava a caminho de se tornar um engenheiro quando seu envolvimento com a *Alphorn*, uma revista de esquerda in Bregenz, Austria, mudou o seu rumo — ele mudou-se para Viena e foi aceito na Universidade de Artes Aplicadas na sua segunda tentativa. Em 1987, com uma bolsa Fullbright, Sagmeister continuou seus estudos no Pratt Institute, em Nova York. Três anos mais tarde, cumpriu suas obrigações militares em serviço comunitário e trabalhou como designer gráfico antes de se juntar à agência de publicidade Leo Burnett, em Hong Kong, em 1991. De volta a Nova York, Sagmeister trabalhou na M&Co. › 183, um sonho dele, durante seis meses antes de Tibor Kalman anunciar que estava fechando o estúdio.

Isso levou à criação da Sagmeister Inc., em 1993, que começou com a família e amigos como clientes e produziu projetos que abriram portas nas indústrias da música, editorial e da moda. Um designer e um estagiário quase sempre ajudam Sagmeister a manter um estúdio pequeno e gerenciável que possibilita estar atento aos detalhes e à experimentação que ele deseja. O ano 2.000 foi tranquilo para a comunidade do design. Sagmeister tirou folga durante o ano para repensar, reavaliar e redefinir seus objetivos, pois estava sentindo-se repetitivo e de algum modo banal no seu trabalho. Na reabertura de sua empresa, em 2001, Sagmeister publicou *Made You Look*, onde compilava seus projetos, bons e maus, até aquela data. Ele continua a impressionar e inspirar por meio de seu trabalho, aulas, e suas persistentes meditações tipográficas, com o título *Things I Have Learned So Far*.

RELATÓRIO DA ZUMTOBEL AG / **Sagmeister, Inc.: direção de arte, Stefan Sagmeister; design, Stefan Sagmeister, Matthias Ernstberger; foto: Bela Borsodi; protótipo, Joe Stone / EUA, 2002**

EDITED BY
ALEX STEFFEN
DESIGN BY
SAGMEISTER INC.
WORLDCHANGING
A USER'S GUIDE FOR THE 21ST CENTURY
ABRAMS

WORLDCHANGING: A USER'S GUIDE FOR THE 21ST CENTURY, **Alex Steffen / Abrams / Stefan Sagmeister, Inc.: direção de arte, Stefan Sagmeister; design, Matthias Ernstberger, Roy Rub / EUA, 2006**

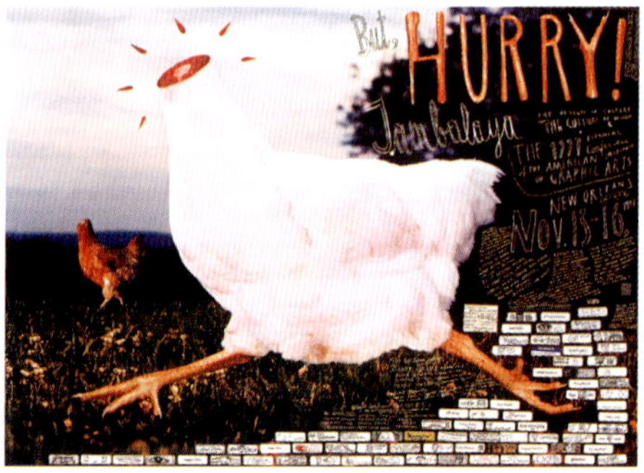
But, HURRY!
Jambalaya

CARTAZ AIGA NEW ORLEANS / **Sagmeister, Inc.: ilustração, Stefan Sagmeister, Peggy Chuang, Kazumi Matsumoto, Raphael Rüdisser; foto: Bela Borsodi; paint box, Dalton Portella / EUA, 1997**

BRIDGES TO BABYLON

BRIDGES TO BABYLON, **Rolling Stones / Virgin Records / Sagmeister, Inc.: direção de arte, Stefan Sagmeister; design, Stefan Sagmeister, Hjalti Karlsson; foto: Max Vadukul; ilustração, Kevin Murphy, Gerard Howland, Alan Ayers / EUA, 1997**

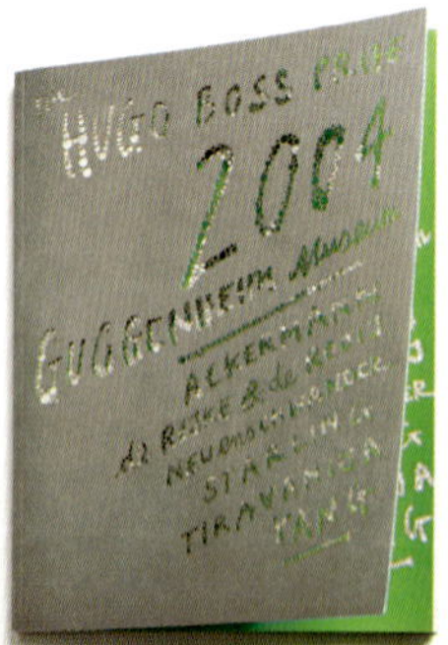
HUGO BOSS PRIZE
2004
GUGGENHEIM MUSEUM

CAPA DO CATÁLOGO DO PRÊMIO HUGO BOSS PARA O MUSEU GUGGENHEIM / **Sagmeister, Inc.: direção de arte, Stefan Sagmeister; design, Sarah Noellenheidt, Matthias Ernstberger; produção, Lara Fieldbinder, Melissa Secundino / EUA, 2004**

ANNI KUAN
NEW York
COTERIE
CITY
KUAN

CATÁLOGO DE DESIGN DE MODA PARA ANNI KUAN / **Sagmeister, Inc.: design, Stefan Sagmeister, Hjalti Karlsson; foto: Tom Schierlitz; ilustração, Martin Woodtli / EUA, 1999**

Michael Bierut

n. 1957 (CLEVELAND, OHIO, EUA)
ATUALMENTE EM NOVA YORK, NY, EUA

Ao contrário de muitos designers que tropeçam na profissão ou não são interessados por ela até o final da adolescência, a determinação de Michael Bierut em se tornar um designer gráfico começou quando ele tinha 15 anos e se deparou, na biblioteca da escola, com o livro de 1968, *Aim for a Job in Graphic Design/Art*, escrito pelo diretor de arte da Columbia Records › 300, S. Neil Fujita. Depois de outros dois livros — *Graphic Design Manual*, de Armin Hoffman, e *Graphic Design*, de Milton Glaser › 170 — Bierut estava viciado. Formado pela College of Design, Architecture, Art and Planning da University of Cincinati e depois de um estágio com Chris Pullman no canal de TV pública WGBH, em Boston, o primeiro emprego de Bierut, em 1980, foi com um dos designers mais importantes da época, Massimo Vignelli › 160.

Depois de dez anos e já no posto de vice-presidente de design na Vignelli Associates, Bierut foi para a Pentagram › 162, em 1990, como sócio do escritório de Nova York e, desde então, se tornou uma das personalidades mais visíveis da empresa. Ele faz trabalhos importantes para organizações como a Harley-Davidson, o time New York Jets, Saks Fifth Avenue › 319, United Ailines e para instituições culturais e educacionais, como a Brooklyn Music Academy, Museu de Arte e Design e Yale School of Architecture. Esteve envolvido com as questões profissionais quando foi presidente do capítulo nova-iorquino do AIGA › 244 (1988-1990) e posteriormente da entidade nacional (1998-2001). É popularmente conhecido por ser um dos fundadores do blog Design Observer › 113, onde seu conjunto sem fim de tópicos tem feito com que ele tenha um grupo devoto de seguidores. Seu interesse por tudo ligado ao design gráfico é tão legendário que uma alternativa a este livro seria um audio-livro em que Bierut conta tudo o que sabe.

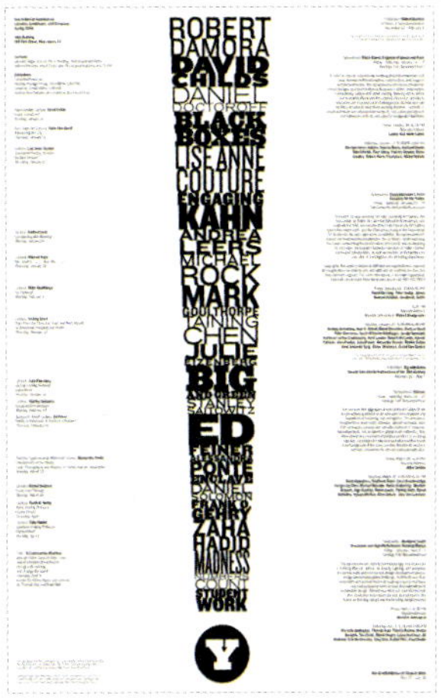

CARTAZ PARA AS AULAS, EXPOSIÇÕES E SIMPÓSIOS DA PRIMAVERA DE 2004 NA YALE SCHOOL OF ARCHITECTURE / Pentagram: Michael Bierut / EUA, 2004

museumofsex

MUSEU DO SEXO / Pentagram: Michael Bierut; design, Brett Traylor / EUA, 2002

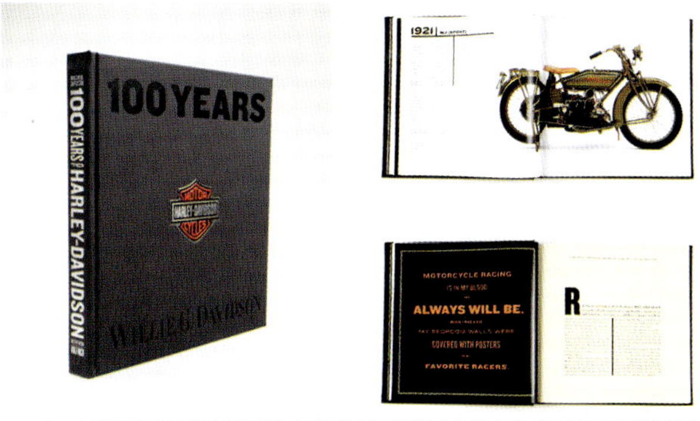
100 YEARS
100 YEARS OF HARLEY-DAVIDSON
ALWAYS WILL BE.

100 YEARS OF HARLEY-DAVIDSON / Pentagram: Michael Bierut; design, Elizabeth Ellis / EUA, 2002

PINTURA DAS AERONAVES E IDENTIDADE DE MARCA DA UNITED AIRLINES / Pentagram: Michael Bierut, Daniel Weil; design, Brett Traylor, David Gibbs / EUA, 2003–2004

ted

IDENTIDADE DA MARCA TED / Pentagram: Michael Bierut, Daniel Weil; design, Brett Traylor, David Gibbs / EUA, 2003–2004

The New York Times

GRÁFICOS DE AMBIENTAÇÃO DO EDIFÍCIO DO NEW YORK TIMES / Pentagram: Michael Bierut / EUA, 2007

L!BRARY

THE L!BRARY INITIATIVE / Pentagram: Michael Bierut; design, Rion Byrd; ilustração, topo Lynn Pauley, embaixo Peter Arkle; arquitetura, Richard Lewis / EUA, 2001 / Foto: Peter Mauss/ Esto, Kevin Chu/KCJP

Brian Collins

n. 1961 (LEXINGTON, MASSACHUSETTS, EUA)
ATUALMENTE EM NOVA YORK, NY, EUA

O nível de energia e agitação sem paralelos de Brian Collins moldam continuamente a sua trajetória profissional. Após cursar a Parsons School of Design e o Massachusetts College of Art, gerir alguns estúdios independentes em Boston e de ter passado um tempo em Londres entre uma coisa e outra, Collins foi para o Duffy Design Group em 1990. Seguiu-se o seu terceiro estúdio em Minneapolis, antes de ir para a Foote Cone& Belding, de São Francisco, para trabalhar com a Levi Strauss & Co, MTV › 352 e Amazon. com em 1995. Três anos depois, mudou-se para Nova York e iniciou seu período no grupo interno de design da Ogilvy & Mather, o Brand Integration Group (BIG) › 205, onde sua paixão e dedicação se traduziram em clientes bem conhecidos, projetos mundiais e uma longa lista de reconhecimentos e prêmios. Primeiro dsigner a participar no Fórum Econômico de Davos, na Suíça, em 2005, Collins foi nomeado Peak Performer em design pela fast Company; um ano antes o Massachusetts College of Art o nomeou ex-aluno notável.

Mais recentemente, Collins tem dividido seus esforços ao trabalhar em causas públicas, como o fórum anual "Designism: Design for Social Change" realizado no Art Directors Club › 245, em Nova York, ensinar no curso de pós-graduação em design na School of Visual Arts › 132 e também em sua recém-criada empresa COLLINS:, que ele fundou após deixar a BIG, em 2007. Seus últimos projetos incluem a campanha "we" para a Aliança para a Proteção do Clima e o cenário da CNN nas convenções nacionais dos partidos democrata e republicano. Um viajante contumaz, Collins também pode ser encontrado palestrando em muitas conferências de design e negócios, onde continuamente motiva e inspira o público de modo pessoal e profissional.

BP HELIOS HOUSE / direção de criação, Brian Collins; design, Chuck Rudy, Mark Aver, Christian Cervantes, Jung Ha, David Harlan, Allbriton Robbins, Noah Venezia; arquitetura, Office DA: Monica Ponce de Leon, Nader Tehrani; JohnstonMarkLee / EUA, 2007

PROGRAMA DE IDENTIDADAE KODAK / direção de criação, Brian Collins; design, Allen Hori, Weston Bingham, Christian Cervantes, Peter Kaplan / EUA, 2005–2006

CAMPANHA "WE" PARA A ALIANÇA PARA A PROTEÇÃO DO CLIMA / COLLINS:: Brian Collins, John Moon, Mickey Pangilinan; The Martin Agency: Ty Harper, Raymond McKinney, Sean Riley, Mike Hughes; Village Type & Design: Chester Jenkins / EUA, 2008

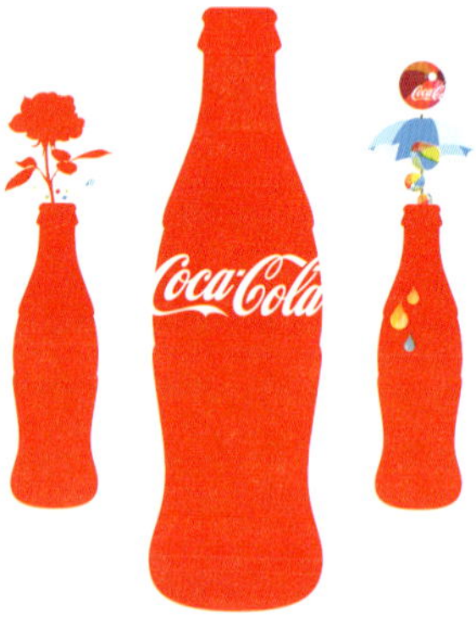
Coca-Cola

IDENTIDADE GLOBAL DA COCA-COLA / direção de criação, Brian Collins; design, Richard Bates, Barry Deck, Mark Aver, Christian Cervantes, Arden de Brun, Apirat Infahsaeng, Tracy Jenkins, Peter Kaplan, Ali Madad, Charles Watlington / EUA, 2006

LOJA DA HERSHEY NA TIMES SQUARE / Ogilvy & Mather: direção de criação, Brian Collins; design, Weston Bingham, Edward Chiquitucto, Roman Luba / EUA, 2003

CH
O S
E

THE DESIGN ECOLOGY / design, Brian Collins, Sarah Nelson; participantes do projeto, R.O. Blechman, Paul Davis, Joe Duffy, Vivienne Flesher, Brad Holland, Edward Sorel, Gary Panter, Helene Silverman, Paul Rand, Mark Wald, Sharon Werner / EUA, 1996

"O QUE É O SEU ANTIDROGAS?" CAMPANHA DO ESCRITÓRIO NACIONAL DE POLÍTICA DE CONTROLE DAS DROGAS / Ogilvy & Mather: direção de criação, Brian Collins, Charles Hall; design, Patrik Bolocek / EUA, 2000

BIG

BRAND INTEGRATION GROUP, OGILVY & MATHER MUNDIAL
CRIADO EM 1996 (NOVA YORK, NY, EUA)

O grupo interno de integração de marca da Ogylvy & Mather, mais conhecido como BIG, foi criado em 1996 pelo então chefe de criação, Rick Boyko. O grupo tinha como tarefa encontrar novos modos de conectar marcas e consumidores. Dois anos depois, a nova liderança de Brian Collins › 204 fez com que a empresa erradicasse as linhas divisórias entre propaganda e design, na medida em que Collins e outros pretendiam criar uma empresa que funcionasse mais como um laboratório, mantendo a natureza energética e experimental de uma escola superior, do que como um escritório — para tanto, forneceram múltiplos locais para sentar e conversar, grandes paredes onde era possível rabiscar com giz e se divertir — enquanto se trabalharia em projetos normais. A elevada energia da empresa era palpável para os visitantes e novatos conforme caminhavam nos salões pintados com linhas vermelhas, temperados com quadros de mais de dois metros mostrando cada iteração e ideia em todos os projetos.

O BIG distinguiu-se pela abordagem não convencional, guiada pela experimentação, para as necessidades do cliente: em 2002, uma encomenda de um painel da Hershey › 309, tornou-se uma fábrica de chocolates de 12 andares na Times Square, em Nova York; três anos depois, a exposição internacional itinerante de fotografias da Dove, *Campaign For Real Buity* (campanha pela Beleza Real), tornou-se uma memorável e singular campanha publicitária; em 2005, Nova York foi coberta pela campanha da cidade como sede dos Jogos Olímpicos de 2012 › 206; e, em 2007, deu vida a Helios House da BP, o primeiro posto de gasolina com certificação ambiental, entre muitos outros projetos. Em 2007, Collins partiu e Richard Bates assumiu a liderança, continuando a tradição de desafiar as espectativas. Com o passar dos anos, BIG tem sido excepcional em atrair designers talentosos e experientes como Barry Deck, Rebeca Méndez e Allen Hori, bem como uma geração mais jovem que incluía Luke Hayman, hoje sócio na Pentagram; Alan Dye, hoje na Apple e Bobby C. Martin Jr., hoje na Nokia.

IDENTIDADE DO BRAND INTEGRATION GROUP / BIG: Brian Collins, Alan Dye / EUA, 2003

EXPOSIÇÃO "REAL BEATY" DA DOVE PARA LANÇAMENTO DE SUA CAMPANHA NORTE-AMERICANA / BIG: Brian Collins, David Israel, Leigh Okies, Satian Pengsathapon / EUA, 2005

OBEY YOUR
THIRST
Sprite

PROGRAMA DE DESIGN GLOBAL DO SPRITE / BIG: Brian Collins, Weston Bingham, Iwona Waluk, Jason Ring / EUA, 2005

Coca-Cola

DESIGN DAS LATAS DE COCA-COLA PARA O NATAL / BIG: Brian Collins, Hee Chun, Barry Deck / EUA, 2005

CONTENT
JonBenét, Inc.

RENOVAÇÃO DO DESIGN DA REVISTA *BRILL'S CONTENT* / BIG: Brian Collins, Luke Hayman / EUA, 1999

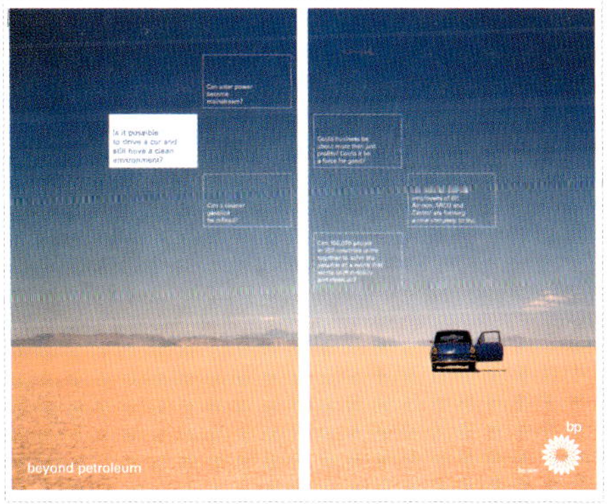
beyond petroleum

LANÇAMENTO DA CAMPANHA "BEYOND PETROLEUM" (ALÉM DO PETRÓLEO) DA BP / BIG: Brian Collins, Michael Kaye, Rebeca Méndez, David Fowler / EUA, 2000

TRIBECA
FILM
FESTIVAL

IDENTIDADE DO FESTIVAL DE CINEMA DE TRIBECA / BIG: Brian Collins, David Israel, Nathalie Hennequin / EUA, 2004

Wolff Olins

CRIADA 1965 (LONDRES, INGLATERRA, REINO UNIDO)
ESCRITÓRIOS EM LONDRES, NOVA YORK, TÓQUIO

Desde sua fundação em 1965, em Camden Town, Londres, a Wolff Olins tem desenvolvido identidades de marca e corporativas que desafiam as regras estabelecidas. Isso não é um elogio gratuito, mas uma avaliação objetiva de seu histórico. Como nesta biblioteca resumida de exemplos: em 1971, eles usaram um beija-flor para identificar a construtora Bovis, sendo esse pássaro de origem tropical, não nativo do Reino Unido e sem ligação com a indústria da construção; em 2003, eles usaram a frase "We are MacMillan. Cancer Support" para funcionar como logotipo do Macmillan Cancer Suppor; e, é claro, criaram o logotipo publicamente contraditório e alegadamente indutor de síncopes para as Olimpíadas de 2012 › 359 em Londres.

Nos seus mais de 40 anos, a Wolff Olins modificou e adaptou seu negócio e estrutura de criação enquanto manteve a equidade de seus sócios fundadores, Michael Wolff e Wally Olins. Wolff saiu em 1983 para associar-se a Addison. Olins, hoje chefe da consultoria de marcas Safron, saiu em 2001, tendo se afastado gradualmente da condução dos negócios desde 1997, quando assumiu o controle um grupo de gerentes chefiados por Brian Boylan, um membro da Wolff Olins desde fins dos anos 1960 e hoje chefe. A empresa começou a crescer no início dos anos 1990, abrindo escritórios em Madri e Barcelona (1991-2007), Nova York (1998 — até o presente), São Francisco (2001-2006) e Tóquio (2001 — até o presente, por meio da agência de publicidade Hakuhodo), e foi comprada pela Omnicom em 2001. Em 2007, os escritórios de Londres e Nova York passaram a ser os dois únicos centros da Wolff Olins, com um intercâmbio ativo de funcionários entre ambos. O atual líder de criação e diretor executivo de criação é Patrick Cox, que ficou de 1987 a 1995 na Wolff Olins e retornou em 2002 para expandir a tradição de trabalho que desafia os dogmas do branding e da identidade.

MODERN
St IVES
TATE
BRITAIN
LIVERPOOL
Francis Bacon
COFFEE
MODERN

IDENTIDADE DA TATE / Wolff Olins / Reino Unido, 2000

WE ARE MACMILLAN. CANCER SUPPORT
LIVING AT HOME WHEN CANCER IS ADVANCED
WE FUND NURSES
WE FIGHT INEQUALITY
WE MAKE COFFEE
WE RUN MARATHONS
WE SUPPORT FAMILIES
WE PROVIDE GRANTS
WE GIVE OUR TIME
WE CHANGE LIVES

REINVENÇÃO DA MARCA DO MACMILLAN CANCER SUPPORT / Wolff Olins / Reino Unido, 2006

JOIN!
NEW ART NEW IDEAS
LIBRARY
NEW
NEW OPENING DECEMBER 1 235 BOWERY MUSEUM

IDENTIDADE DO NEW MUSEUM / Wolff Olins / EUA, 2007

LEITURA RECOMENDADA › 390

orange
the Orange shop
orange
top dog
Free
entry

IDENTIDADE DA ORANGE / Wolff Olins / Reino Unido, 1994

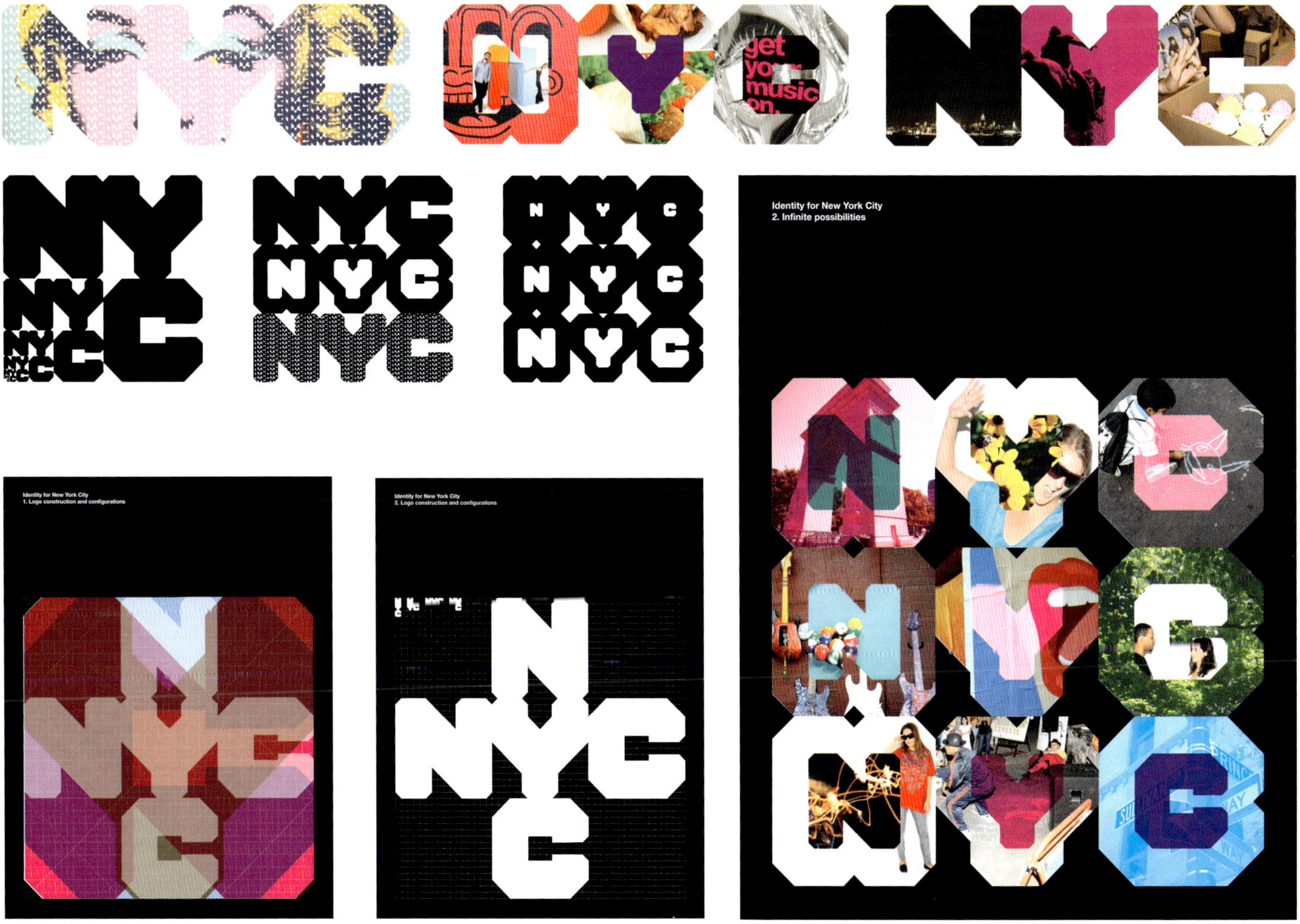
NYC
Identity for New York City
2. Infinite possibilities
Identity for New York City
1. Logo construction and configurations
Identity for New York City
2. Logo construction and configurations

IDENTIDADE DA CIDADE DE NOVA YORK / Wolff Olins / EUA, 2007

Cato Partners

CRIADA EM 1971 (SYDNEY, AUSTRÁLIA)

Antes de criar sua própria empresa, Ken Cato formou-se pelo Royal Melbourne Institute of Technology, em 1966; trabalhou em vários ambientes, incluindo uma casa de correio direto, um estúdio de design e brevemente em publicidade até 1971, quando fundou a Cato Hibberd Design na Austrália, juntamente com Terry Hiberd. Desse início modesto, a trajetória ascendente da Cato tem tido a sua parcela de sócios e iterações. Em meados dos anos 1970, passou a se chamar Cato Hibberd Hornblow Hawksbury Design; Hornblow e Hawksbury saíram no final dos anos 1970, deixando Cato e Hibberd como únicos sócios até 1982, quando Hibberd aposentou-se. O negócio, então, passou a se chamar Ken Cato Design Company, depois apenas Cato Design e, em 2003, Cato Purnell Partners. Essa lista não é para confundir, mas para destacar a atitude empresarial e colaborativa que tem definido a empresa hoje; uma rede global de escritórios com quase 100 funcionários na Austrália, Nova Zelândia, Espanha, México, Dubai, Indonésia e Cingapura.

Cada escritório opera sob a égide da Cato Partners, mas funciona idependentemente e é quase sempre definido por parcerias locais, como Cato Saca Partners, no México, e Consulus Cato Partners, em Cingapura. Por meio de seu escopo internacional, a Cato Partners tem trabalhado com um notável número de marcas globais, produzindo trabalho de identidade, gráficos de ambiente e embalagens que aparentam ser um trabalho de uma empresa que trabalha sob medida, ao invés de um conglomerado dedicado ao design. Como chefe de uma das empresas mais visíveis da Austrália, a Cato tem desempenhado um papel significativo ao chamar atenção para a comunidade do design, de modo ainda mais notável por ter criado a primeira AGIdeas, a conferência estudantil sediada pela Alliance Graphique Internationale (AGI) › 247, em 1991, quando o congresso mundial da entidade realizou-se na Austrália; ele também foi presidente da AGI de 1997 a 2002.

LEITURA RECOMENDADA › 390

IDENTIDADE E SINALIZAÇÃO PARA O CENTRO AQUÁTICO E DE ESPORTES DE MELBOURNE / 1996

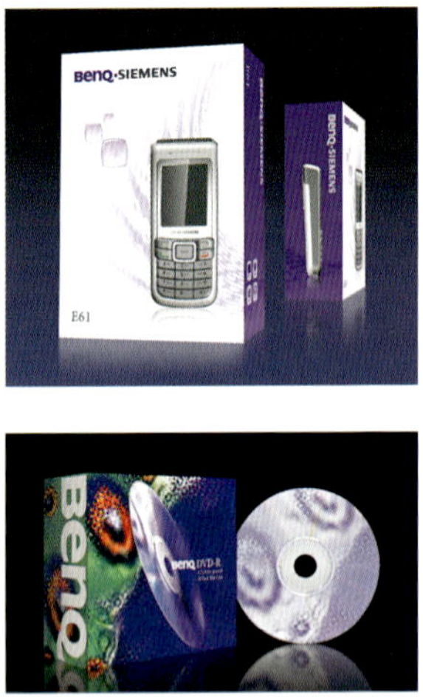
BenQ·SIEMENS

EMBALAGEM EM LINGUAGEM VISUAL DA BENQ / Taiwan, 2008

SINALIZAÇÃO DA SEVEN NETWORK / 2000

PROGRAMA DA SEMANA INTERNACIONAL DE DESIGN AGIDEAS 2008 / 2008

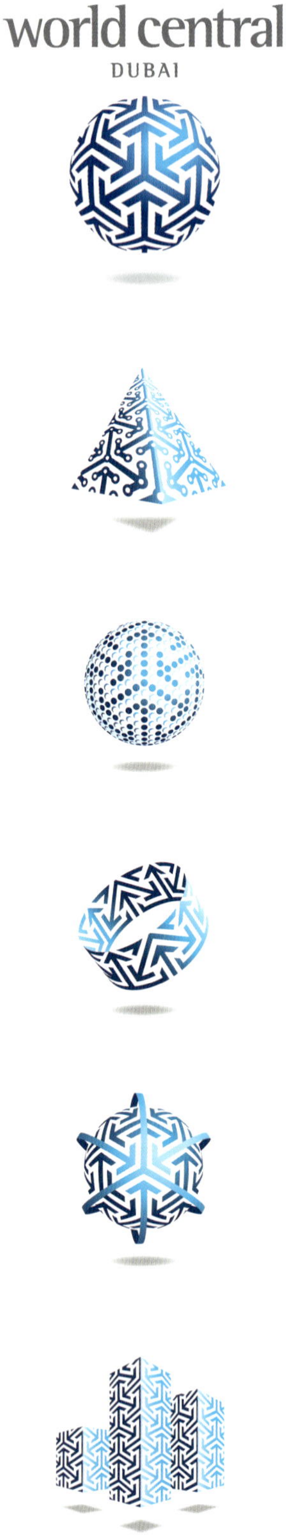
world central
DUBAI

IDENTIDADE DO DUBAI WORLD CENTRAL / Cada cidade é representada por um símbolo expressivo do seu tipo de atividade / 2006

Cato Partners / Austrália (exceto para BenQ)

Michael Johnson

n. 1964 (DERBYSHIRE, INGLATERRA, REINO UNIDO)
ATUALMENTE EM LONDRES, INGLATERRA, REINO

Para Michel Johnson criar sua própria empresa de design, a Johson Banks, aos 28 anos em 1992, foi o auge após um período de oito anos, oito empregos, duas demissões e residência em quatro das principais cidades do mundo. Após a formatura na faculdade, Johnson passou dois anos na Wolff Olins › 206, em meados dos anos 1980, onde ganhou a pecha de "executivo capaz desenhar" e não foi capaz de encontrar seu espaço seja como designer, seja como consultor. Ele, então, foi trabalhar para vários estúdios em Sydney e Melbourne, pontuado por seis meses em Tóquio; voltou a Londres para trabalhar na Sedley Place e fez uma parada final, de três anos, na Smith & Milton, onde finalmente encontrou e desenvolveu sua personalidade como designer.

Com o início modesto no design impresso e apenas dois funcionários, Johnson Banks cresceu até se tornar uma empresa de design completa com seis ou sete empregados em tempo integral, trabalhando em projetos de identidade significativamente grandes e abrangentes para instituições culturais e agências do governo. A empresa hoje atende clientes em Paris, Tóquio e nos Estados Unidos.

Representativos da estética de design de Johnson e de um processo que evita as soluções típicas, e que favorece ideias, são dois selos criados para o Correio Real. A série de selos Fruit 'n'Veg, lançada em 2003, apresenta imagens diretas de frutas e vegetais, mas é acompanhada por 76 adesivos com os quais é possível personalizar os selos. Em 2007, Johnson criou uma série comemorativa dos Beatles, usando as capas de discos da banda e empregando um recorte desafiador do que fazia as vezes de uma pilha de discos dos Beatles. Johnson tem sido bastante ativo no grupo de Design e Direção de Arte (D&AD) › 249, incluindo um ano atuando como o mais jovem presidente na história dessa organização.

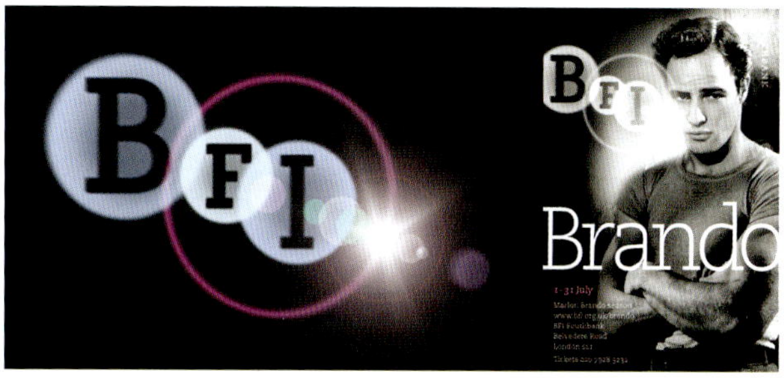
BFI
Brando

BFI

IDENTIDADE E BRANDING PARA O BRITISH FILM INSTITUTE (BFI) / johnson banks: Michael Johnson, Pali Palavathanan / Reino Unido, 2006

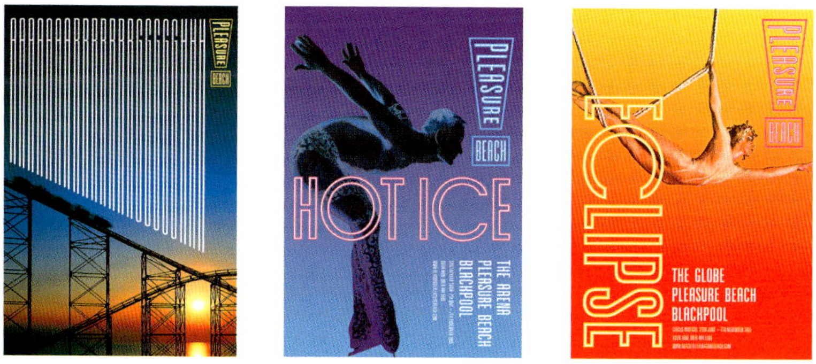
PLEASURE BEACH
HOT ICE
THE ARENA PLEASURE BEACH BLACKPOOL
ECLIPSE
THE GLOBE PLEASURE BEACH BLACKPOOL

PRAZER, PRAIA, BLACKPOOL, RENOVAÇÃO DE BRANDING DE PARQUE TEMÁTICO / johnson banks: Michael Johnson, Kath Tudball, Julia Woollams / Reino Unido, 2005

SELOS COMEMORATIVOS DOS BEATLES DO CINQUENTENÁRIO DO ENCONTRO DE LENNON E MCCARTNEY / johnson banks: Michael Johnson / Reino Unido, 2007

THINK LONDON

LOGOTIPO THINK LONDON / johnson banks: Michael Johnson, Julia Woollams / Reino Unido, 2004

SELOS FRUIT 'N' VEG / johnson banks: Michael Johnson, Andrew Ross, Sarah Fullerton / Reino Unido, 2003

"SEND A LETTER" (ENVIE UMA CARTA) DO CORREIO JOHNSON BANKS INAUGURADO NO MUSEU V&A / johnson banks: Michael Johnson, Kath Tudball, Julia Woollams / Reino Unido, 2005

LOGOTIPO E TROFÉU DO MOUSE AWARDS / johnson banks: Michael Johnson, Kath Tudball / Reino Unido, 2008

LEITURA RECOMENDADA › 390

Vince Frost

n. 1964 (BRIGHTON, INGLATERRA, REINO UNIDO)
ATUALMENTE EM SYDNEY, AUSTRÁLIA

Trabalhando inicialmente como autônomo após a formatura no West Sussex College of Design, Vince Frost foi contratado pelo escritório londrino da Pentagram › 162 em 1989 e, após um curto período de três anos, foi promovido, tonando-se o mais jovem parceiro associado (uma posição abaixo do sócio) até aquele aquela data, aos 27 anos. Em 1997, Frost iniciou a sua própria Frost Design, iniciando uma grande quantidade de projetos de revistas como a *Big* e a *Saturday* para o jornal *The Independent*. Além disso, mudou-se para Tóquio para trabalhar como diretor de arte para o lançamento, em 1998, da *Vogue* no Japão, mas saiu apenas depois de oito meses, uma vez que a publicação enfrentava dificuldades. Também colaborou com o editor Dan Crowe no lançamento da revista literária *Zembla*, o que desenvolveu ainda mais a proficiência de Frost em design editorial.

Em 2003, sob as ordens gentis de sua esposa australiana, que queria estar em seu país natal, Frost encontrou a correta oportunidade profissional ao formar uma sociedade com Garry Emery, um estabelecido designer australiano, e, juntos criaram a emeryfrost, com escritórios em Melbourne e Sydney. A parceria levou a colaborações e projetos mais significativos, mas, ao final de 2005, cada designer seguiu o seu próprio caminho, com Frost mantendo o seu escritório em Sydney; ele também tinha uma filial em Londres, pois mantinha clientes lá, incluindo a *Zembla*, mas que faliu em 2005. A Frost Design hoje possui 30 funcionários e sua galeria de trabalhos e clientes é numerosa, diversa e eclética, graças em parte à abertura da empresa ao potencial de qualquer projeto, seja a identidade do selo musical Mushroom Records, uma capa de disco para as Spice Girls, ou o relatório anual de uma companhia chamada Supercheap Auto (Automóveis Superbaratos).

SYDANCEY COMPANY

IDENTIDADE DA COMPANHIA DE DANÇA DE SYDNEY / Frost Design: Vince Frost / Austrália, 2005

welcome

REVISTA *AMPERSAND* DA D&AD / Frost Design: Vince Frost / Austrália, 2006

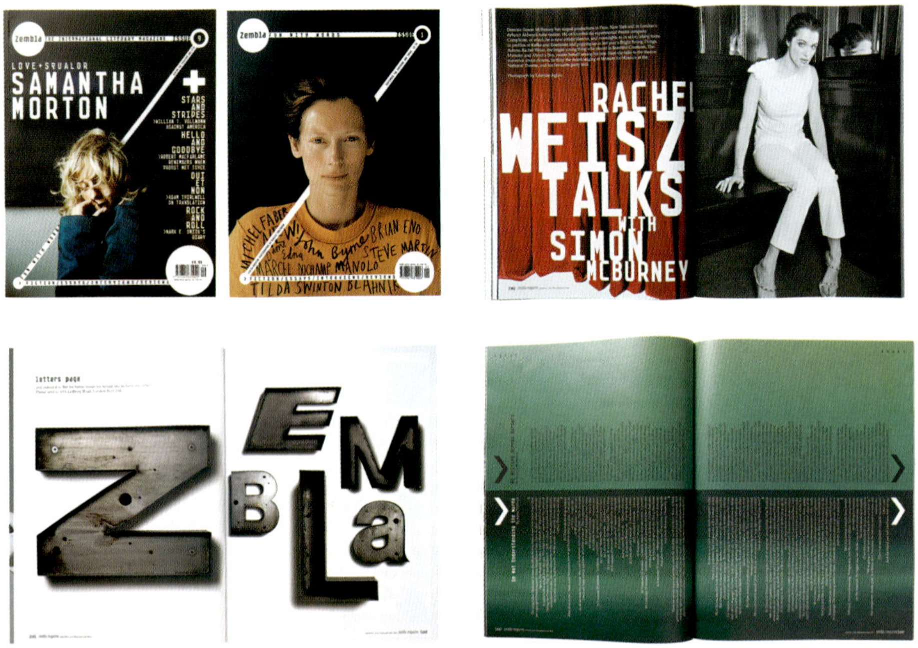
Zembla
SAMANTHA MORTON
RACHEL WEISZ TALKS WITH SIMON MCBURNEY
ZEMBLa

REVISTA *ZEMBLA* / Frost Design: Vince Frost / Austrália, 2003

OXYGEN
STRETCH

REVISTA *POL OXYGEN STRETCH* / Frost Design: Vince Frost / Austrália, 2006

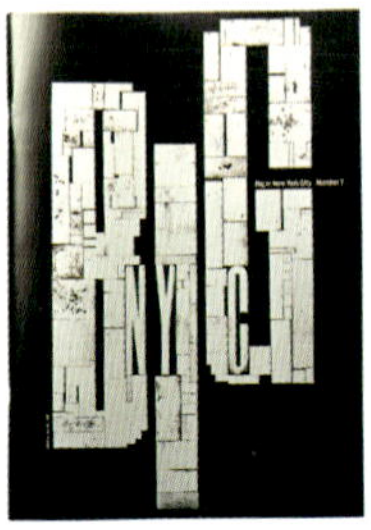
BIG

REVISTA *BIG* / Frost Design: Vince Frost / Austrália, 2005

Daniel Eatock

n. 1975 (BOLTON, INGLATERRA, REINO UNIDO)
ATUALMENTE EM LONDRES, INGLATERRA, REINO

Após estudar design de comunicações no Ravensbourne College, em Londres, Daniel Eatock obteve um título de mestre do Royal College of Art › 135, em 1998, e assegurou uma cobiçada posição no exterior, no programa de intercâmbio do departamento de design do Walker Art Center's › 354. Lá encontrou Sam Solhaug, um arquiteto que trabalhava no grupo de exposições, com quem colaborou na fabricação de um protótipo de uma mesa em compensado para exposição na Feira de Móveis de Milão; primeiro na oficina de carpintaria no Walker e; depois, quando Eatock voltou a Londres e Solhaug o visitou por algumas semanas em 2000, na própria oficina de carpintaria da Pentagram's › 162. Eles chamaram sua colaboração informal de Foundation 33, que logo se tornaria um negócio formal quando o representante para a promoção de sua mesa os apresentou a Katie Hayes, gerente de marketing da TV inglesa Channel 4, que deu a eles a oportunidade de criar a identidade para uma nova produção na linha de reality shows, o *Big Brother*. Essa identidade é o hoje o olho reconhecido mundialmente e que é capaz de se modificar conforme infinitos estilos visuais.

Com a Foundation 33 crescendo, em 2004 foram procurados pela também emergente agência de publicidade Boymeetsgirl e passaram a ser o seu braço em design, mas a parceria durou apenas um ano. Em 2005, Eatock tornou-se independente e criou a Eatock Ltda. Desde então, ele tem mantido uma prática que equilibra trabalhos sob encomenda com um incessante fluxo de exercícios criativos e ideias meticulosamente catalogadas no seu site que está em constante crescimento, feito usando o seu próprio aplicativo, Indexhibit™, criado juntamente com Jeffrey Vaska. Diferente de outros websites de designers, que são normalmente bem acabados e editados, o de Eatock serve como um arquivo simples de não somente projetos, mas de ideias soltas ou inacabadas e também de coleções feitas em colaboração com usuários; sem que exista uma razão em particular, há ao menos quatro vídeos de Eatock dançando ao som de alarmes de carros.

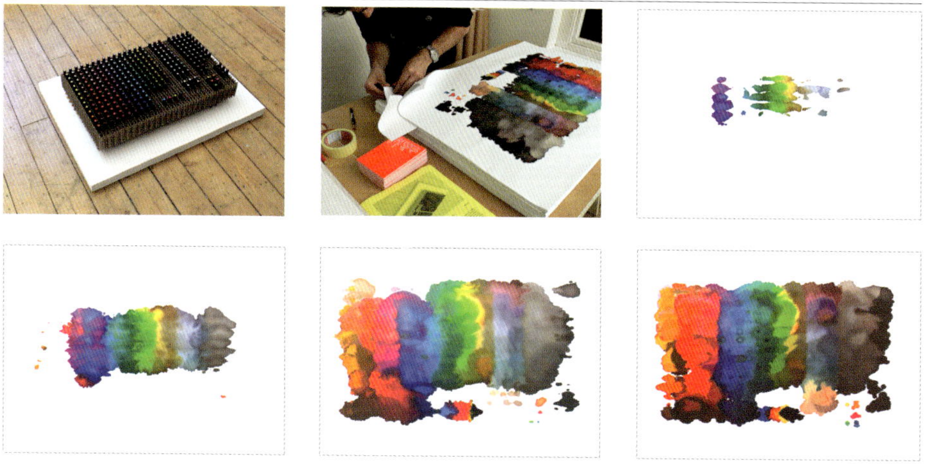

SÉRIE *PANTONE PEN PRINT* / Um conjunto completo de marcadores Pantone Letraset TRIA, arrumado por cor, foi colocado sob uma resma de 500 folhas durante um mês; a série é determinada pelo número de páginas impressas, em que a folha mais distante da tinta recebeu o primeiro número, que também corresponde ao preço individual de cada impressão / Daniel Eatock / Reino Unido, 2006

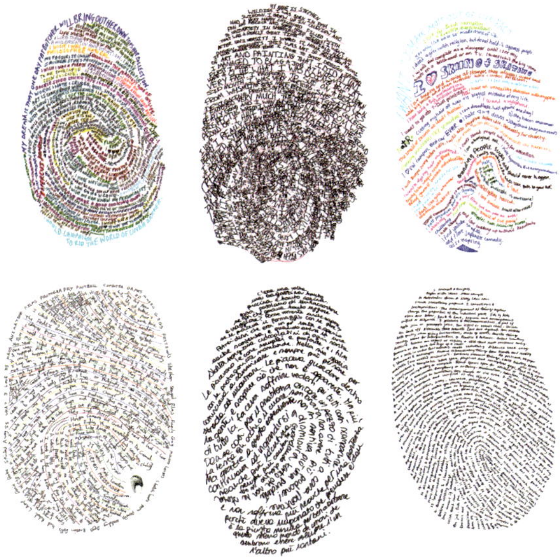

COMO TAREFA DE CLASSE NO RAVENSBOURNE COLLEGE, os alunos eram solicitados a criar um autorretrato tipográfico. Richard Holley, um dos colegas de Eatock, escreveu um texto curto sobre si mesmo e o colocou nos contornos de sua impressão digital, com sua própria caligrafia. Muitos anos depois, Eatock, inspirado por esta solução, criou um desafio contínuo em seu website para que as pessoas elaborem os seus próprios "retratos Holley" / Daniel Eatock, vários / Reino Unido, 2007 – até o presente

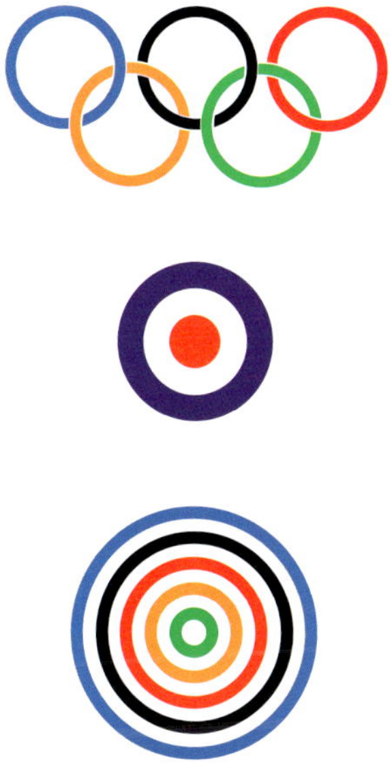

PROPOSTA DE LOGOTIPO PARA OS JOGOS OLÍMPICOS DE 2012 / Combinação dos anéis olímpicos e a insígnia da RAF popular nos anos 1960 / Daniel Eatock / Reino Unido, 2007

RECRIAÇÃO DE OBJETO DESCARTADO, RETRATO DO DEPTFORD THRIFT MARKET, PARA O DESAFIO DE DESIGN DEPTFORD / Daniel Eatock / Reino Unido, 2007

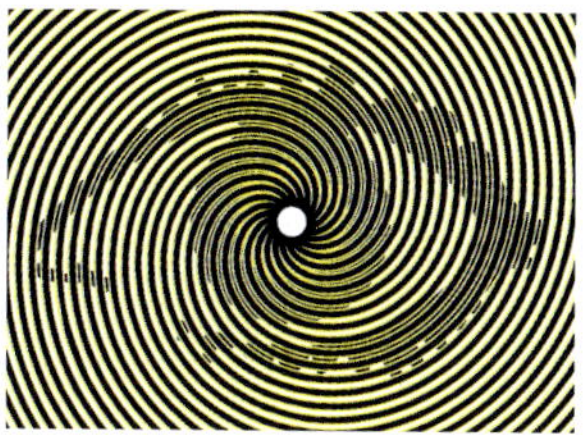

IDENTIDADE DO BIG BROTHER 7 / Daniel Eatock / Reino Unido, 2006

LEITURA RECOMENDADA › 390

NEW FROM ITC

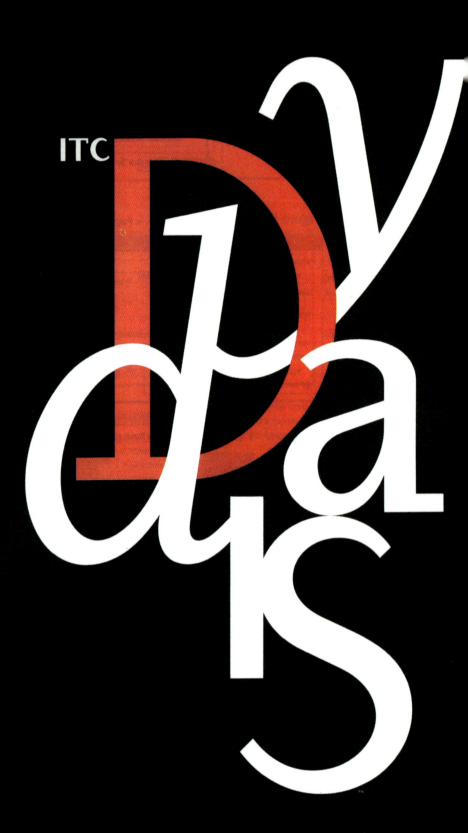

ITC Dyadis™

REPRESENTANTES
De Tipos de Letras

214
Origens

Estabelecendo meados do século XV – quando Johannes Gutenberg imprimiu com sucesso sua Bíblia com 42 linhas usando uma letra gótica em tipos fundidos em metal – como ponto de partida para a história da evolução e desenvolvimento do design de letras, destacando seus artífices mais significativos, eventos e avanços tecnológicos, o resumo das seis páginas seguintes cobre mais de seiscentos anos. Cada século mereceria facilmente seu próprio livro; assim, o propósito deste resumo é meramente ajudar a estabelecer os desenvolvimentos principais e as fontes de referência que formaram as bases do design de letras e destaca os designers na segunda metade do século XX, quando os tipos metálicos cederam o espaço na produção de material impresso para a fotocomposição, que deu lugar à revolução digital.

Um aviso sobre as figuras neste capítulo: todas as ilustrações são interpretações em cor única do design original e não são réplicas perfeitas.

221
Pós-1984

As ondas geradas pelo aparecimento do computador Macintosh em 1984 – e os avanços que provocou na reprodução e digitalização da tipografia – não foram sentidas de imediato. Sua tecnologia era relativamente primitiva, mas no início dos anos 1990, a Apple e outros desenvolvedores de software avançaram ainda mais as ferramentas para criar, produzir e distribuir letras digitais que os designers e empreendedores há muito procuravam. O público adotou a internet como modo de distribuição e comercialização em finais dos anos 1990 e início dos anos 2000, acelerando incrivelmente o crescimento e o impacto da indústria de design de letras.

Detalhe do **MOSTRUÁRIO DA INTERNATIONAL TYPEFACE CORPORATION** / EUA, 1998

1440 - 1450 / ALEMANHA

Johannes Gutenberg › 288 inova o método de criar tipos fundidos em metal: um punção de aço, contendo a forma matriz de uma letra, é estampado numa matriz mais macia em bronze, criando um "positivo" que é, então, colocado num molde / MOSTRADO gravura do século XIX mostrando (da esquerda para a direita) o punção, a matriz e o molde de tipo criados por Gutenberg

(1447 - 1528)

Erhard Ratdolt

ALEMANHA, ITÁLIA

/ Mudou-se da Alemanha para Veneza em 1475, onde montou um negócio de impressão

/ Criou e imprimiu talvez o primeiro registro de um mostruário de letras em 1486, mostrando seus designs para letras góticas, Romana e Grega

(1480 - 1561)

Claude Garamond

FRANÇA

/ Foi um dos primeiros a estampar cortadores para trabalhar independentemente e vender suas fontes para gráficas

/ Sua primeira letra Romana apareceu em 1530 no livro *Paraphrasis in Elegantiarum Libros Laurentii Vallae,* de Erasmo

(1420 - 1480)

Nicolas Jenson

FRANÇA, ALEMANHA, ITÁLIA

/ Enviado a Mogúncia (Mainz) em 1458, pelo rei Carlos VII da França, para aprender a respeito das inovações na impressão e sobre os tipos móveis

/ Vai para Veneza no final da década de 60 do século XV e atua como gráfico e editor

/ Criou algumas das primeiras serifas romanas da renascença, distanciando-se da letra gótica e da escrita caligráfica

/ O travessão inclinado na "e" minúscula é a assinatura do estilo das romanas de Jenson, que também vieram a ser conhecidas como serifas Venezianas

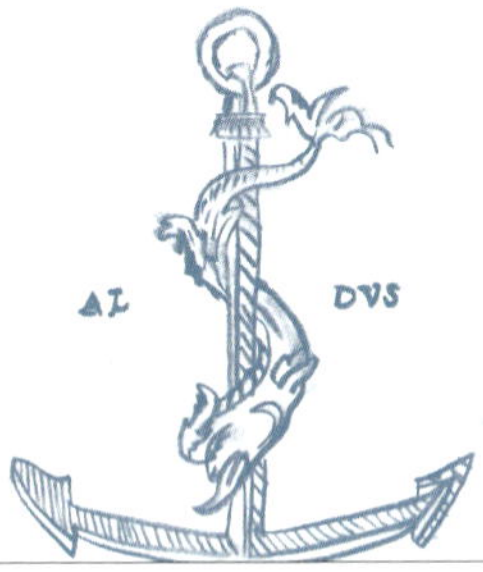
AL
DVS

1494 / ITÁLIA

Aldus Manutius cria a gráfica Aldine em Veneza, tornando-se um dos mais importantes editores e gráficos da renascença / MOSTRADO Cólofon com Delfin e âncora da gráfica Aldine

(1450 - 1518)

Francesco Griffo da Bologna

ITÁLIA

/ Trabalhou com o pintor Aldus Manutius em Veneza

/ Desenhou as letras para *De Aetna,* de Pietro Bembo – em 1929, Stanley Morison baseou a letra Bembo no que viu nesse livro

/ Criou a primeira letra em itálico em 1499

FONTES RELACIONADAS

Adobe Jenson

Robert Slimbach

ADOBE / 1996 / EUA

Stempel Garamond

D. Stempel AG (Foundry)

LINOTYPE / 1925 / ALEMANHA

1555 / HOLANDA

Christophe Plantin cria a gráfica Plantin em Antuérpia

(1513 - 1589)

Robert Granjon

FRANÇA, Holanda, ITÁLIA

/ Trabalhou como cortador de punções, gráfico e designer em várias cidades da Europa

/ Criou a Civilité, uma letra gótica em finais dos anos 1550, foi muito usada na França

(1580 - 1658)

Jean Jannon

FRANÇA

/ Trabalhou na gráfica da Academia Calvinista, em Sedan, desde 1610

/ Derivadas das fontes de Claude Garamond, Jannon criou uma fonte romana e outra itálica em 1621 para seu próprio uso – entretanto, por conta da similaridade, as fontes de Jannon foram confundidas com as de Garamond

(1692 - 1766)

William Caslon I

REINO UNIDO

/ Primeiro designer de tipos britânicos e cortador de punções a ter uma empresa de sucesso

/ Fez os alfabetos hebraico e árabe antes de suas primeiras romanas, no início de 1720

/ Sua obra também foi popular nos Estados Unidos

(1712 - 1768)

Pierre-Simon Fournier

FRANÇA

/ Criador prolífico de tipos e fabricante de punções em sua própria fundição

/ Foi um dos primeiros a criar e agrupar letras em famílias › 63

/ Num mostruário de 1738, Fournier apresentou suas fontes baseadas num sistema de medidas de 12 corpos que ele havia criado um ano antes

(1706 - 1775)

John Baskerville

REINO UNIDO

/ Criou uma gráfica e fábrica de tipos em 1750

/ Com John Handy como seu fabricante de punções, Baskerville criou várias Romanas originais

/ Como Gráfico, testou tintas especiais, produzindo pretos mais ricos e também testou outros tipos de papel obtendo superfícies altamente brilhantes

/ Casou com sua amante e ex-criada, Sarah Eaves, em 1764 – o trabalho de recriação da obra dele feito por Zuzana Licko foi batizado com em homenagem a ela › 381

1743 / HOLANDA

A gráfica Joh. Enchedé en Zonen adquire a fábrica de tipos de Handrik Wetstein

(1764 - 1836)

Firmin Didot

FRANÇA

/ Representante da terceira geração da família Didot, com raízes nos ramos de edição e impressão que remontam a meados do século XVIII

/ Criou a primeira Romana moderna em 1784, com pequenas serifas e elevado contraste nos traços – todas as fontes Didot contemporâneas são baseadas em seu trabalho

(1740 - 1813)

Giambattista Bodoni

ITÁLIA

/ Foi diretor da Stamperia Reale, a imprensa oficial de Ferdinando, Duke de Parma por 45 anos

/ Com base na Romana de Baskerville, mas com contraste mais elevado, e nas serifas planas de Didot, Bodoni criou sua própria fonte Moderna em finais de 1790

/ Após sua morte em 1813, sua viúva, Paola Margherita, terminou o *Manuale Tipografico* de Bodoni, um enorme catálogo de letras da coleção de Bodoni e das suas próprias criações

1742 Civilité

Gilles Le Corre

GLC / 2008 / FRANÇA

Jannon

Frantisek Storm

STORM / 1997 / REPÚBLICA CHECA

New Baskerville

George William Jones

LINOTYPE / 1930 / REINO UNIDO

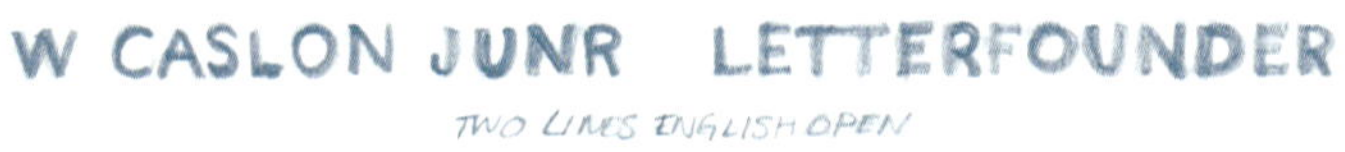
W CASLON JUNR LETTERFOUNDER
TWO LINES ENGLISH OPEN

1816 / REINO UNIDO

William Caslon IV, por meio da Fundição Caslon, de sua família, oferece a primeira letra comercial sem serifas, denominada Egípcia Inglesa de Duas Linhas / MOSTRADO Detalhe do mostruário de 1816 da Caslon Foundry

1817 / REINO UNIDO

A primeira fonte chata com serifa, chamada Antique, aparece num mostruário publicado por Vincent Figgins

1827 / EUA

Darius Wells inventa um desbastador lateral que, combinado com uma máquina pantográfica, torna possível a produção em massa de tipos em madeira

1837 / ALEMANHA

Johann Christian Bauer cria a Fundição Bauer – que fecha em 1972

1859 / EUA

William Hamilton Page cria a William Page & Company, produzindo tipos de madeira cuidadosamente cortados e deliciosos mostruários – depois que se tornou uma das maiores fabricantes de tipos de madeira, foi adquirida pela Hamilton Company, em 1891

1880 / EUA

Edward J. Hamilton cria a Hamilton Company em Two Rivers, Wisconsin, e torna-se o maior produtor de tipos de madeira

1884 / EUA

Linn Boyd Benton inventa uma máquina pantográfica que grava em punções de aço, eliminando a função de cortador de punções

1885 / ESPANHA

Jacob de Neufville cria a Fundición Tipográfica Neufville, que depois foi a filial espanhola da Fundição Bauer.

1886 / EUA

Ottmar Mergenthaler inventa a primeira máquina de composição, o Linotipo.

1887 / EUA

Tolbert Lanston inventa a máquina de composição Monotipo

1890, 1896 / REINO UNIDO, EUA, ALEMANHA

Mergenthaler cria a Mergenthaler Linotype Company, no Brooklyn, Nova York; e a Mergenthaler Linotype & Machinery, Ltda., em Manchester, Inglaterra em 1890; seguidas pela Mergentheler Casting Machines, em Berlin, em 1896 (mais tarde conhecida como Linotype GmbH)

1887, 1897 / EUA, REINO UNIDO

Lanston cria a Lanston Monotype Machine Company, em Washington D. C., em 1887, e a Lanston Monotype Corporation, Ltda. em Londres, Inglaterra, em 1897 – mais tarde, as duas se tornariam entidades independentes.

(1834 - 1896)

William Morris

EUA

/ Morris fundou a Kelmscott Press em 1891, usando seus próprios tipos, papel e prensas

/ Ele desenhou dois tipos: Golden Type, um Veneziano Serifado, influenciado pelo trabalho de Nicolas Jenson; e um black letter em dois tamanhos, Troy (18 pt.) e Chaucer (12 pt.)

1892 / EUA

Liderada por Linn Boyd Benton, a American Type Founders nasceu da fusão de 23 fundições independentes, tornando-se a maior fundição dos Estados Unidos, fechada em 1993

(1872 - 1948)

Morris Fuller Benton

EUA

/ Começou a trabalhar em 1896, na American Type Founders (ATF), empresa fundada por seu pai, Linn Boyd Benton, em 1892

/ Desenhou mais de 200 tipos, incluindo extensões de tipos para criar uma família abrangente de tipos como Cheltenham (1902)

/ Alguns dos tipos que desenhou incluem Franklin Gothic (1904), Engravers Old English (1907), Hobo (1910), Broadway (1928), e Bank Gothic (1930)

/ Aposentou-se na ATF em 1937

FONTES RELACIONADAS

P22 Morris Troy

P22 Morris Golden

Richard Kegler

P22 / 2001 / EUA

BANK GOTHIC

Morris Fuller Benton

ATF / 1930 / EUA

A American Type Founders publica dois catálogos atraentes e abrangentes, em 1912, o *American Specimen Book of Type Styles* (MOSTRADO), com 1.300 páginas e, em 1923 o *Specimen Book and Catalog* com 1.148 páginas

1912, 1923 / EUA

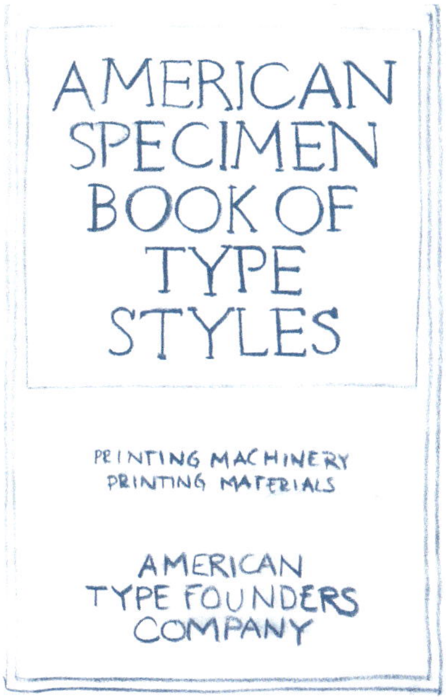
AMERICAN SPECIMEN BOOK OF TYPE STYLES
PRINTING MACHINERY
PRINTING MATERIALS
AMERICAN TYPE FOUNDERS COMPANY

1925 / HUNGRIA

Edmund Uher desenvolve uma das primeiras máquinas de fotocomposição batizada Uhertype

1926 / REINO UNIDO

Escrevendo sob o pseudônimo de Paul Beaujon, Beatrice Warde demonstra no periódico *The Fleuron* que algumas fontes atribuídas a Claude Garamond são obra de Jean Jannon

Alphabet Thesaurus Nine Thousand
PHOTO-LETTERING
INC.

1936 / EUA

Edward Rondthaler e Harold Horman — que em 1928 começou a desenvolver a máquina de composição Rutheford Photo-Letter – Criaram a Photo-Lettering, Inc., em Nova York, popularizando a fotocomposição e oferecendo centenas de tipos de letras / MOSTRADO Capa do catálogo *Alphabet Thesaurus Nine Thousand*, 1960

(1889 - 1967)

Stanley Morison

REINO UNIDO

/ Criou com Francis Meynell, Holbrook Jackson, Bernard Newdigate e Oliver Simon a Fleurion Society em 1922 –pela qual ele publicou e editou *The Fleurion*, um periódico sobre tipografia

/ Foi para a Monotype Corporation em 1923, como consultor em tipografia, onde supervisionou o ressurgimento de um número significativo de fontes

/ Em 1931, recebeu uma encomenda do *The Times* para criar um novo tipo de letra para o jornal, o que levou ao controverso design da Times New Roman › 385

(1865 - 1947)

Frederic W. Goudy

EUA

/ Um dos mais prolíficos e versáteis designers de tipos, criou mais de 100 fontes, de sem serifas a letras góticas

/ Suas criações mais notórias são: Copperplate Gothic (1901), Goudy Old Style (1916) e Goudy Text (1928)

/ Entre seus estudantes na Escola de Ilustração Frank Holme, estavam W. A. Dwiggins e Oswald Bruce Cooper

(1879 - 1940)

Oswald Bruce Cooper

EUA

/ Criou a Bertsch & Cooper, um estúdio de letras, com o sócio Fred Bertsch, em 1904

/ Criou a família de tipos Cooper para a fabricante de tipos, Barnhart Brothers & Spindler (BB&S), entre 1918 e 1924, incluindo as populares Cooper Black e sua contraparte em itálico › 388

Goudy Heavyface

Frederic W. Goudy

MONOTYPE / 1925 / EUA

Cooper Old Style

Oswald Bruce Cooper

BB&S / 1918 / EUA

(1885 - 1972)
Lucian Bernhard
EUA

/ Antes de mudar para os EUA, em 1922, foi um renomado criador de cartazes na Alemanha, criando o estilo Sachplakat (Cartaz Objeto)

/ Sua primeira fonte, Bernhard Antiqua, foi lançada pela Flinsch Foundry em Frankfurt, em 1913

/ Iniciando em 1928, colaborou com a American Type Founders em vários tipos de letra, incluindo a popular Bernhard Gothic (1929)

(1880 - 1956)
W. A. Dwiggins
EUA

/ Após uma longa carreira como artista comercial, letrista e designer de livros, começou a criar fontes no final dos anos 1920 para a Mergenthaler Linotype

/ Lançados cinco tipos comerciais — Metroblack (1927), Electra (1935), Caledonia (1939), Eldorado (1953) e Falcon (1961) — e geradas dúzias de designs incompletos catalogados por Mergenthaler Linotype

(1872 - 1944)
Edward Johnston
REINO UNIDO

/ Criou uma das primeiras itálicas da Chancery Moderna com o fabricante de punções, Edward Prince, para a gráfica Cranach, de Harry Kessler no início dos anos 1900

/ Em 1906, publicou um dos livros mais significativos sobre caligrafia, *Writing & Iluminating & Lettering*

/ Foi um dos editores que criaram em 1913 o Imprint, que, embora tenha tido vida curta, foi muito influente

/ Contratado por Frank Pick, oficial de publicidade do metrô londrino, Johnston criou a Johnston Sans em 1916

(1882 - 1940)
Eric Gill
REINO UNIDO

/ Foi um prolífico escultor, gravador e escultor de letras, além de criador de fontes

/ Seu primeiro tipo de letra, Perpetua, uma serifada, foi encomendada por Stanley Morison em 1925

/ Baseado na Johnson Sans, criou a Gill Sans para a Monotype Corporation em 1927

1878 - 1956
Paul Renner
ALEMANHA

/ Designer, educador e escritor, é mais conhecido por sua letra geométrica sem serifas, a Futura, lançada em 1928

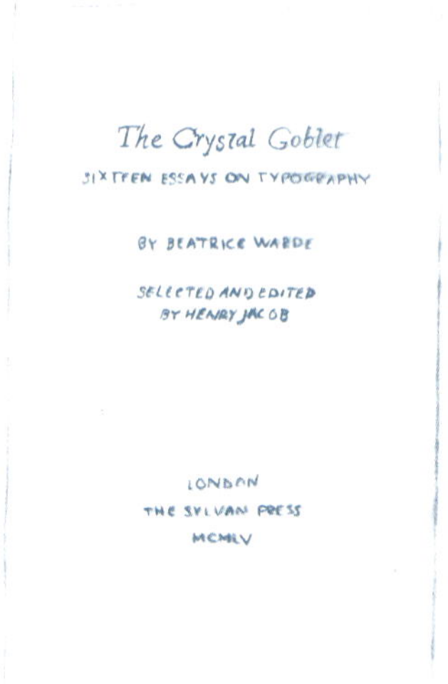
The Crystal Goblet
SIXTEEN ESSAYS ON TYPOGRAPHY
BY BEATRICE WARDE
SELECTED AND EDITED BY HENRY JACOB
LONDON
THE SYLVAN PRESS
MCMLV

1955 / REINO UNIDO

Beatrice Warde escreve o ensaio muitas vezes citado "The Crystal Goblet, or Printing Should be Invisible" / MOSTRADO página de título de *The Crystal Goblet: Sixteen Essays on Typography, The Sylvan Press*, 1955

1957 / FRANÇA

Charles Pignot cria a Associação Tipográfica Internacional (ATypI) e permanece na presidência por 16 anos

1972 / ESPANHA

Quando a Bauer Foundry, com sede em Frankfurt, Alemanha, fechou em 1972, a Fundición Tipográfica Neufville adquiriu os materiais e mudou seu nome para Fundición Tipográfica Bauer

FONTES RELACIONADAS

Metroblack

W.A. Dwiggins
LINOTYPE / 1927 / EUA

ITC Johnston

Richard Dawson, Dave Farey
ITC / 1999 / EUA

(n. 1928)
Adrian Frutiger
FRANÇA

/ Juntou-se a Deberny & Peignot em 1952, após mudar, de Zurique para Paris

/ Além da Univers › 372, criou um bom número de fontes bastante usadas, entre elas, a Serifa (1967), Frutiger (1975) e Avenir (1988)

(n. 1927)
Ed Benguiat
EUA

/ Após trabalhar para a revista *Esquire* e ter o seu próprio estúdio, Benguiat foi para a Photo-Lettering Inc. em 1962, tornando-se o chefe do seu departamento de publicação e criando literalmente centenas de fontes para exibição

/ Fez parte da ascensão da International Typeface Corporation › 220 em 1970 e ajudou Herb Lubalin a lançar sua publicação, *U&lc* › 98

/ A ele são atribuídos mais de 600 tipos de letras, entre elas, a ITC Souvenir (1970), ITC Tiffany (1974) e ITC Bauhaus (1975)

(1910 - 1983)
Roger Excoffon
FRANÇA

/ Paralelamente a uma atividade de sucesso em design gráfico, Roger Excoffon criou alguns dos mais audaciosos tipos de letra dos anos 1950 em uma pequena fábrica de Marselha, a Fondrie Olive

/ Banco (1951), Mistral (1953), Choc (1955) e Calypso (1958) são notáveis tanto por seu ludismo como por terem sido produzidas em metal, uma vez que esses tipos de letras só seriam mais populares 20 anos mais tarde, com a fotocomposção

/ A família mais abrangente de Excoffon foi a Antique Olive, lançada com pesos e larguras diferentes entre 1962 e 1966

(n. 1918)
Hermann Zapf
ALEMANHA

/ Aprendeu sozinho caligrafia e a fazer letreiros lendo os livros *Das Schreiben als kunstfertigkeit* ("A Arte da Escrita"), de Rudolf Koch e *Writing & Illuminating & Lettering*, de Edward Johnson

/ Criou sua primeira fonte, a letra gótica Fraktur, chamada Gilgengart, para a fábrica de tipos D. Stempel AG e a Linotype GmbH em 1938

/ Serviu na unidade cartográfica do exército alemão na Segunda Guerra Mundial

/ Para a D. Stempel AG, Zapf criou a Palatino (1950) e a Optima (1952)

/ Trabalhando com David Siegel, criou a Zapfino em 1998 para a Linotype, uma fonte do tipo escrita com várias alternativas para cada caractere – cinco anos mais tarde, com Akira Kobayashi, a Linotype lançou a Zapfino Extra para aproveitar o OpenType

/ Zapf foi um dos pouco designers a produzir letras para tipos metálicos, fotocomposição e computador

1985 / EUA

Jim Von Ehr e Kevin Crowder criam a Altsys e lançam o FONTastic, um editor de fontes bitmap – um ano depois, eles lançam Fontographer, o primeiro editor Bézier compatível com o PostScript

1993 / RÚSSIA, EUA

Em S. Petersburgo, Yuri Yarmola chefia o desenvolvimento do FontLab 2.0, um poderoso software de edição de fontes, lançado nos Estados Unidos pela Pyrus North America Ltda.

BANCO

Roger Excoffon
FONDERIE OLIVE / 1951 / FRANÇA

ITC Benguiat

Ed Benguiat
ITC / 1977 / EUA

Optima

Hermann Zapf
D. STEMPEL AG / 1952 / ALEMANHA

ITC

CRIAÇÃO EM 1970 (NOVA YORK, NY, EUA)

Após séculos de composição em metal, a fotocomposição tornou-se o método dominante para desenvolver, distribuir e reproduzir tipos de letras nos anos 1970. Consolidando a viabilidade e popularidade do processo estava a International Typeface Corporation (ITC), fundada em 1970 pelos designers Herb Lubalin › 167 e Aaron Burns, sócios da Lubalin, Burns & Co. – e Ed Rondthaler, dono da Photo-Lettering, Inc., uma empresa de composição convencional e fotocomposição, criada em 1936, que formou uma biblioteca de mais de 7.000 tipos de fontes e era uma das vendedoras de maior sucesso de letras usadas em anúncios, para as agências de publicidade. A ITC também iniciou uma mudança no modo como as fontes eram distribuídas e em como eram remunerados os designers. Com a composição usando tipos metálicos, os fabricantes como a Linotype e a Monotype, forneciam o equipamento necessário para produzir os tipos e também vendiam os tipos próprios, criados para funcionarem em seus equipamentos; A ITC, por outro lado, fornecia o material de base para reproduzir suas fontes em qualquer máquina de fotocomposição e pagava aos designers royaltyies baseada na quantidade de pedidos de suas criações. Infelizmente, a grande disponibilidade do material aumentou o risco de pirataria.

A ITC formou uma biblioteca de fontes significativamente grande com colaborações de designers como Ed Benguiat, Tom Carnase e Tony DiSpigna, entre outros, oferecendo uma escolha otimista de fontes para anúncios, divulgadas pesadamente e de modo atrativo pela ITC, usando a sua popular publicação *U&lc* (*Upper & lowercase)* – (Maiúsculas e Minúsculas) › 98, que mostrava a biblioteca ao mesmo tempo em que oferecia um conteúdo singular e atrativo para uma lista crescente de assinantes. Nos anos 1990, após a aquisição pela holding Esselte em 1986, a ITC adaptou-se ao design e distribuição de fontes por meios digitais ao estabelecer um site de e-commerce que mudou o seu antigo método de venda direta aos usuários finais. Em 1999, a Esselte fechou a ITC e vendeu a biblioteca e o nome para a Agfa Monotype Imaging.

ITC GOUDY SANS

1986

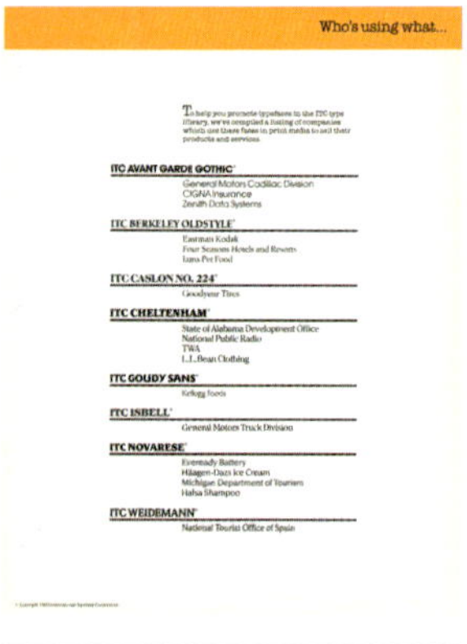
Who's using what...

1988

Fall 1989
The ITC Typeface Collection

1989

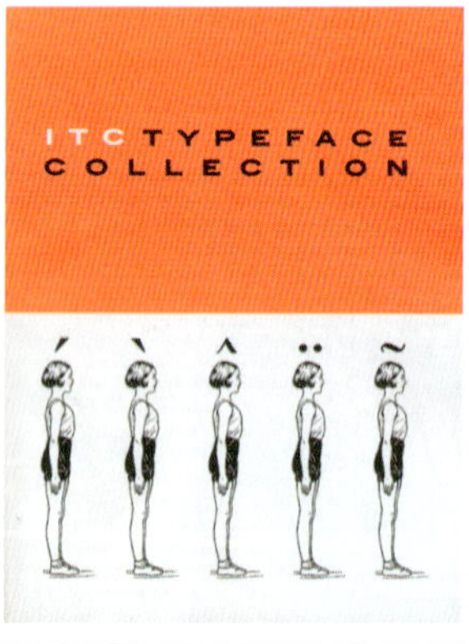
ITC TYPEFACE COLLECTION

1998

Fourth Designer Series: Typeface Treasures from an Award-Winning Japanese Designer
Akira Kobayashi
"Jewels from Japan"
Tokyo-based Akira Kobayashi is an accomplished type designer who has created numerous typefaces for Sha-Ken, Dainippon Screen, and TypeBank as well as for ITC. Kobayashi studied at the Musashino Art College in Tokyo and the London College of Printing. A freelance type designer since 1997, he also teaches lettering at a polytechnic school in Tokyo.
In its fourth release in its Designer Series, ITC is offering a collection of 3 typeface packages featuring the work of Akira Kobayashi. The collection will be available from June 15 to September 1, 1999.
ITC Woodland
Light
Medium
Demi
Heavy
ITC Japanese Garden
Package 1 $99.00
ITC Scarborough
Regular
Bold
ITC Vineyard
Regular w/swash
Bold w/swash
ITC MAGNIFICO DAYTIME & NIGHTIME
Package 2 $129.00
ITC Luna
Regular
Bold
ITC Silvermoon
Regular
Bold
SKID ROW
ITC Seven Treasures
Package 3 $129.00
Designer Package (All 17 Fonts): $219.00
www.itcfonts.com/itc/promos.html 1 800 634-9325 x131

1999

PROPAGANDA E MOSTRUÁRIO DE TIPOS DA ITC / EUA

Matthew Carter

n. 1937 (LONDRES, INGLATERRA, REINO UNIDO)
ATUALMENTE EM CAMBRIDGE, MASSACHUSETTS, EUA

Com experiência em tipos metálicos, fototipos e tipos digitais, Matthew Carter tem demonstrado excelência no design de uma série de tipos de letras nas várias tecnologias; suas letras e famílias de tipos, clássicas, experimentais, funcionais e decorativas têm influenciado designers em todo o mundo por mais de 40 anos. Após um estágio de um ano cortando tipos e punções na gráfica Ensechedé em Haarlen, Holanda, Carter trabalhou como autônomo por seis anos em Londres; primeiro como fabricante de tipos e, posteriormente, como designer. Em 1965, foi para Nova York como designer residente da Mergenthaler Linitype, onde passou os seis anos seguintes. De volta a Londres em 1971, Carter continuou fazendo trabalhos como autônomo para a Linotype, produzindo muitas fontes, incluindo a tecnologicamente criativa Bell Centennial › 382.

Reconhecendo o potencial na venda dos tipos, Carter e três outros colegas da Linotype, Mike Parker, Cherie Cone e Rob Friedman, criaram a Bitstream, uma fábrica de tipos digitais, em 1981, em Cambridge, Massachusetts. Com a proliferação dos computadores pessoais e de editoração eletrônica, a empresa teve grande sucesso durante os anos 1980 – mas com o crescimento da companhia, as obrigações financeiras e administrativas deixaram Carter com pouco tempo para o design. Em 1991, juntamente com Cone, ele abriu a Carte & Cone Type, Inc., onde tem criado algumas das fontes mais elogiadas, incluindo as hoje onipresentes Verdana para a Microsoft, e família de tipos maleáveis para o Walker Art Center › 354, além de uma sofisticada serifada exclusiva para a Yale University. Além de cuidar de sua própria obra, Carte é comprometido em ajudar os outros com suas críticas dos tipos, ele é abordado nas salas das muitas conferências que frequenta para dar a sua opinião a quem solicitar polidamente.

Big Caslon Roman
ABCDEFGHIJKLMN
OPQRSTQUVWXYZ&
ÆŒ&abcdefghijklmnop
qrstuvwxyzfiflßæœctst

Big Caslon Italic & Swash
ABCDEFGHIJKLMNOP
QRSTQUVWXYZ&ÆŒ
&ABCDEFGJKMN
PQRTYkvwz abcdefghijklm
nopqrstuvwxyzfiflßææctspst

BIG CASLON / 2000

ITC Galliard Roman
ABCDEFGHIJKLMNOPQRSTUVWXYZ&ÆŒ
abcdefghijklmnopqrstuvwxyzæœffififlffiffl ß &
1234567890$¢£€¥ƒ 1234567890 ⅛⅜⅝⅞⅓⅔¼½¾
$¢1234567890,.-/$¢1234567890,.- 1234567890 (abdehilmnorstv)
& Q a ct d e h m n r R st t z

ITC GALLIARD SMALL CAPS
ABCDEFGHIJKLMNOPQRSTUVWXYZ&ÆŒÇĐŁŠŽÞQ

ITC Galliard Italic
ABCDEFGHIJKLMNOPQRSTUVWXYZ&ÆŒ
abcdefghijklmnopqrstuvwxyzæœffififlffiffl frßij
1234567890$¢£€¥ƒ 1234567890 ⅛⅜⅝⅞⅓⅔¼½¾
$¢1234567890,.-/$¢1234567890,.- (abdehilmnorstv)
& Q a ct d e é g k m n nt sp st st t v z

Galliard was designed as a four-weight family for Mergenthaler Linotype in 1978. Three years later it was acquired by the International Typeface Corporation and re-released as ITC Galliard. The Carter & Cone digitization of the regular weight of Roman and Italic, done in 1992, includes the flourished final letters and other peculiars that were part of the original photocomposition fonts.

ITC GALLIARD / ITC / 2000

Yale Design Roman & *Italic*
ABCDEFGHIJKLMNOPQRSTUVWXYZ&
1234567890 abcdefghijklmnopqrstuvwxyzæœfifl
ABCDEFGHIJKLMNOPQRSTUVWXYZ&
1234567890 abcdefghijklmnopqrstuvwxyzæœfifl

Yale Admin Roman & *Italic*
ABCDEFGHIJKLMNOPQRSTUVWXYZ&
1234567890 abcdefghijklmnopqrstuvwxyzææ
ABCDEFGHIJKLMNOPQRSTUVWXYZ&
1234567890 abcdefghijklmnopqrstuvwxyzææ

YALE SMALL CAPS
ABCDEFGHIJKLMNOPQRSTUVWXYZ&
1234567890

Yale Street (for campus signs)
ABCDEFGHIJKLMNOPQRSTUVWXYZ&
1234567890 1234567890
abcdefghijklmnopqrstuvwxyzæœfifl

YALE / 2004

Big Figgins Roman
ABCDEFGHIJKLMN
OPQRSTUVWXYZ&
abcdefghijklmnopqrstu
vwxyz 1234567890
Big Figgins Italic
ABCDEFGHIJKLM
NOPQRSTUVWXYZ
&abcdefghijklmnopqrs
tuvwxyz 1234567890

BIG FIGGINS / Chamado originalmente de Elephant (1992) / 1998

MANTINIA · MCMXCIII
CAPS AABBCCDDEEFFGGHH
AND IIJJKKLLMMNNOOPPQQ
SUPERIOR RRSSTTUUVV
CAPS WWXXYY&&ZZÆÆŒŒ
FIGURES 1234567890
SMALL·CAPS ACEHIORSTUWYZ
LIGATURES TH VCT HE UP LA
TT CT TU TW TY ME MP MD MB TE
ALTERNATIVES T&YRRQQ
TALL·CAPITALS ITLY
INTERPOINTS · · ·

MANTINIA / 1993

Miller Display Roman
¶ABCDEFGHIJKLMNOPQRS
TUVWXYZ&ÆŒ&ÁÀÂÄÃÅÇÉ
ÈÊËÍÌÎÏÑÓÒÔÖØŠÚÙÛÜÝŸŽ
ĐŁÞABCDEFGHIJKLMNOPQRSTU
VWXYZ&ÆŒ&AAAAAAÇÉÈÊËÍÌÎÏÑ
ÓÒÔÖÕØŠÚÙÛÜÝŸŽĐŁÞªºabcdefg
hijklmnopqrstuvwxyzæœfffifjflffi
fflßáàâäãåçéèêëíìîïñóòôöõøšúùû
üýÿžðłþµ1234567890¼½¾12345
67890ªºe@$¢£¥ƒ€¤%‰•§*†‡®
©℗™.,:;-¡!¿?‘“”„‚'"°()[]{}/|¦\‹›«
»–—…_#+=÷−×¬~<>·´`^¨˜¯˘˙˚

MILLER DISPLAY / 1997

Shelley Volante
ABCDEFG
HIJKLMN
OPQRSTU
VWXYZ
&
abcdefghijklmnopqrs
tuvwxyz
1972

SHELLEY SCRIPT / 1972

Verdana
Latin ABCDEFGHIJKLMNO
PQRSTUVWXYZ&abcdefghi
jklmnopqrstuvwxyzæœfifl
1234567890$¢£ƒ¥@%#+
Greek ΑΒΓΔΕΖΗΘΙΚΛΜΝΞ
ΟΠΡΣΤΥΦΧΨΩαβγδεζηθικλ
μνξοπρσςτυφχψω
Cyrillic АБВГДЕЖЗИЙКЛМ
НОПРСТУФХЦЧШЩЪЫЬЭ
ЮЯабвгдежзийклмнопрст

VERDANA / 1994

Matthew Carter / **EUA**

LEITURA RECOMENDADA › 390

The Font Bureau, Inc.

CRIADA EM 1989 (BOSTON, MASSACHUSETTS, EUA)

Unindo dois passados profissionais complementares, o designer de publicações Roger Black e o designer de tipos David Berlow, criaram a The Font Bureau, Inc., em 1989. Desenhando letras à mão no início de sua carreira no escritório nova-iorquino da Linotype, em 1978, o interesse e aptidão de Berlow para a tipografia digital aumentaram quando ele foi para a Bitstream › 221, em Boston, no ano de 1981, e adaptou-se às tecnologias do Adobe Postscript e, posteriormente, ao concorrente oferecido pela Apple, o TrueType, em finais dos anos 1980. Também tirando vantagens do Macintosh estava Black, um experiente diretor de arte de revistas como a *Rolling Stone* › 328, *New York* › 336 e Newsweek. Ele começou o seu próprio negócio voltado para o design de jornais e revistas em 1989, o mesmo ano em que ele e Berlow criaram a Font Bureau. Com Black participando de numerosos projetos de publicações e a Font Bureau criando as suas próprias famílias de tipos, a produção da empresa subiu para as mais de 1.500 fontes de hoje e mais e mais publicações voltam-se a eles para fontes de trabalho que tenham o seu próprio gosto.

No lado do varejo, a Font Bureau possui uma extensa e completa coleção de fontes e famílias de tipos das tradicionais serifadas aos símbolos; trabalhos exclusivos são adicionados à lista crescente quando termina o período de exclusividade.

SLOOP
Request the Pleasure of Your Company
Prospero's Books
the Marriage of their Daughter on Saturday the 20th of October
The 1876 Herreshoff Sloop
Calligraphy & Design
Too frequent does the Delight Exclude
Annual Meeting of the Ohio Bird Watching Society
Love & Victory
Pleasure's a toil when constantly pursued
An Atlantic Passion

SLOOP / **Inspirado no trabalho caligráfico de Raphael Boguslav / Richard Lipton / EUA, 1994–2002**

MILLER
CARDBOARD
Boxes in strange dimensions
63 Cubits
ROLL OF CLEAR PACKING TAPE
POINTED KNIVES
LITTLE STYROFOAM PEANUTS WERE SO ADORABLE
NEW ACQUAINTANCES
They became my most trusted confidantes
Late Practices
I taught them some dance routines
Let me tell you, getting them to listen carefully was difficult
SYNCHRONIZE
PACKING MATERIAL ON ICE OPENS ON BROADWAY
Ecstatic Reviews

MILLER / **Matthew Carter / EUA, 1997–2000**

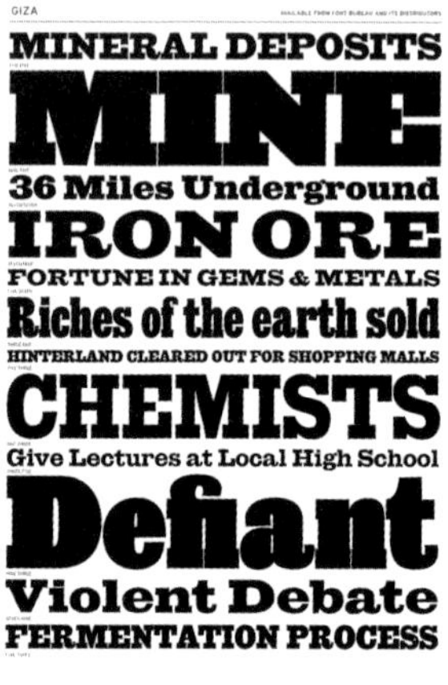
GIZA
MINERAL DEPOSITS
MINE
36 Miles Underground
IRON ORE
FORTUNE IN GEMS & METALS
Riches of the earth sold
HINTERLAND CLEARED OUT FOR SHOPPING MALLS
CHEMISTS
Give Lectures at Local High School
Defiant
Violent Debate
FERMENTATION PROCESS

GIZA / **Baseada no mostruário de 1954 de Vincent Figgins / David Berlow / EUA, 1994**

FB TITLING GOTHIC
AVAILABLE FROM FONT BUREAU AND ITS DISTRIBUTORS
INTRIGUE REACHING TO THE CORNERS OF THE GLOBE
Rendezvous
TRAFFICKING IN ILLICIT INFORMATION
INGREDIENT
If I told you, it would no longer be a secret
81 UNIQUE HERBS & SPICES
SAUCE
Industrial espionage suspected
Labels switched on thyme and oregano
Chives
BALSAMIC VINEGAR & EXTRA VIRGIN OLIVE OIL
PROSCIUTTO

FB TITLING GÓTICA / Ideal para títulos ou manchetes de jornais por suas mais de 50 variedades / David Berlow / EUA, 2005

QUIOSCO
Hn1n1
ABCDEFGHIJKLMNOPQRSTUVWXYZ
abcdefghijklmnopqrstuvwxyz
Hn1n1
ABCDEFGHIJKLMNOPQRSTUVWXYZ
abcdefghijklmnopqrstuvwxyz
Hn1n1
ABCDEFGHIJKLMNOPQRSTUVWXYZ
abcdefghijklmnopqrstuvwxyz
Hn1n1
ABCDEFGHIJKLMNOPQRSTUVWXYZ
abcdefghijklmnopqrstuvwxyz

QUIOSCO / **Que pode ser compacta sem comprometer a legibilidade / Cyrus Highsmith / EUA, 2006**

FB MODERNO
FLATTERING JACKETS
Soundtrack sewn into 873 garments
REGGAE
Sound system formulas
EMITS 1,425 WATTS
SPEAKER WIRE STITCHING ALONG SIDE VENT
MP3-streaming cuffs
Volume
POLKA DOT PATTERN A SHAME

MODERNO FB / **Evoluindo para vários clientes começando com a Esquire Gentleman e terminando com o *Montreal Gazette* / David Berlow / EUA, 1994–2008**

POYNTER GOTHIC TEXT
LIGHT WITH BOLD AND ITALICS 7.5 point
GRUMPY WIZARDS MAKE TOXIC BREW FOR THE EVIL QUEENS & JACKS. LAZY movers quit hardpacking papier-mâché jewelry boxes. Back in my quaint garden: jaunty zinnias vie with flaunting phlox. Hark! 4,872 toxic jungle watering vipers quietly drop onto zebras for meals! New farm hands (picking under six quinces) prove strong but lazy. For only $65, jolly housewives made inexpensive meals using quick-frozen vegetables. Jaded zombies acted so quaintly, but kept driving their oxen forward. My grandfather spent his day quickly carving wax buzzards, mostly from junk. The juke box music 'puzzled' a gentle visitor from a quaint valley town. Just work for improved technique to maximize your 24 typing skills. When we go back to Juarez, Mexico, will we fly over picture sque Arizona? Murky haze enveloped a city as jarring quakes broke forty six win dows. Pack my box with 5 dozen liquor jugs. Wolves will be seen to exit quickly as the unholy fanged zoo chimps jabber.

POYNTER GOTHIC TEXT
AVAILABLE EXCLUSIVELY FROM FONT BUREAU

POYNTER / **Concebida para funcionar do corpo quatro aos tamanhos usados em cartazes / Tobias Frere-Jones, David Berlow / EUA, 1997-2000**

Adobe Fonts

CRIADA EM 1984 (MOUNTAIN VIEW, CALIFÓRNIA, EUA)

Desde 1982, a Adobe Systems tem tido uma posição importante no manuseio e processamento da tipografia feita em computador. Eles começaram com a revolucionária linguagem PostScrit que, na definição mais abrangente, permitia que fosse feita uma impressão mais lisa e com curvas bem definidas; ela foi melhorada com o Adobe Type Manager (ATM) em 1989, que também exibia na tela uma tipografia lisa. o ATM Deluxe foi apresentado em 1997 como um sistema de gerenciamento de fontes. Durante o final dos anos 1990, num esforço conjunto com a Microsoft, a Adobe apresentou o formato OpenType, que permite flexibilidade infinita. E, é claro, dúzias de famílias de tipos que vêm junto com todos os aplicativos da Adobe, colocando centenas de fontes da Adobe nas mãos de designers ao longo dos anos.

No início, a biblioteca da Adobe consistia de tipos já existentes colhidos das bibliotecas da ITC e da Linotype sob a direção de Summer Stone, que ocupou a diretoria de tipografia de 1984 a 1991. Em 1989, a Adobe começou a criar suas próprias fontes sob o rótulo Adobe Originals, com Robert Slimbach e Carol Twombly liderando o esforço. Designs iniciais eram revitalizações da Garamond e Calson e, pouco depois, os novos designs incluíam a Trajan › 368, Lithos e Chaparral de Twombly e Minion, Utopia e Poetica de Slimbach e num esforço comum, a hoje onipresente Myriad, criada em colaboração com Fred Brady e Cristopher Slye e rapidamente tornaram-se parte do léxico dos designers. Com a introdução do OpenType e sua implementação no produto popular da empresa, os aplicativos da Creative Suite › 317, a Adobe converteu todas as suas fontes para esse formato com os conjuntos expandidos de apoio para línguas diferentes, envolvendo-o ainda mais com o design em geral e aplicações de tipografia.

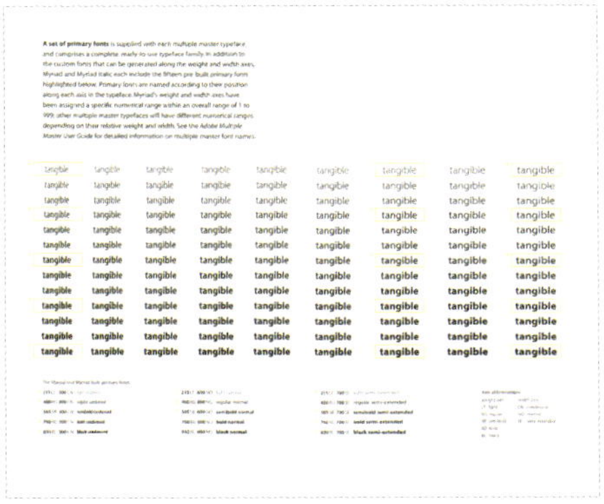

LIVRO DE EXEMPLOS DA MYRIAD / Fred Brady; direção de arte, Laurie Szujewska; design, Margery Cantor, James Young; design da fonte, Robert Slimbach, Carol Twombly / 1992

TRAJAN
B
R
S

LIVRO DE EXEMPLOS DA TRAJAN / Fred Brady; direção de arte e design, Laurie Szujewska; design da fonte, Carol Twombly / 1993

LIVRO DE EXEMPLOS DA TEKTON / Fred Brady; direção de arte, Laurie Szujewska; direção de tipografia, Sumner Stone; design, Min Wang; design da fonte, David Siegel / 1990

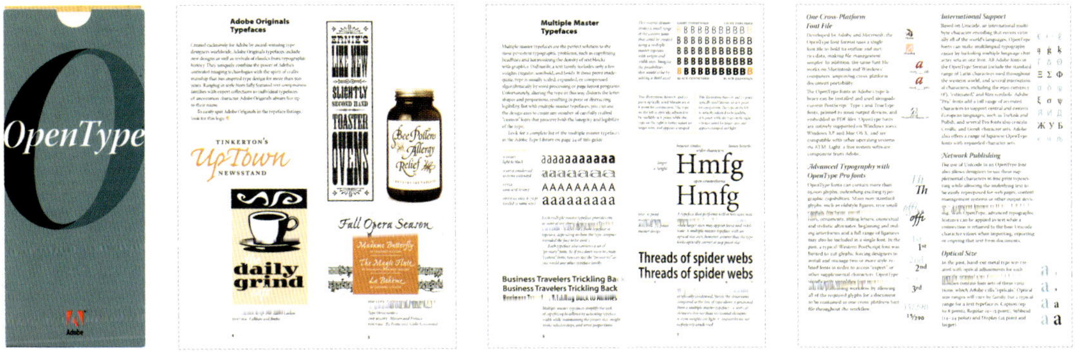
OpenType
Adobe Originals Typefaces
Multiple Master Typefaces
Hmfg
Hmfg
Threads of spider webs
Threads of spider webs

OPEN TYPE: GUIA DA BIBLIOTECA DE TIPOS DA ADOBE / 2000

ADOBE® TYPE LIBRARY
Type Guide
Vast Selection
World-Class Quality
Web Delivery
Adobe

CATÁLOGO DO OPEN TYPE / 2002

Adobe
Type Manager Deluxe 4.1
atm

ADOBE TYPE MANAGER DELUXE 4.1 / 1999

ABC
wxyz
Designed to be seen on-screen
Adobe WebType 1.0

ADOBE WEBTYPE 1.0 / 1997

Adobe Systems Incorporated / EUA

Emigre Fonts

CRIADA EM 1986 (BERKELEY, CALIFÓRNIA, EUA)

A terceira edição, em 1985, da revista *Emigre* › 100 de Rudy VanderLans, foi completamente composta com fontes bitmap brutas criadas por sua esposa, Zuzana Licko 225, que estava desbravando o terreno na nova tecnologia de design digital e desenvolvimento de fontes usando o Macintosh. À medida que a revista ganhava proeminência e a Emigre Fonts foi criada em 1986, designers começaram a usar suas fontes e, como a maioria deles ainda não usava o computador, Licko compunha o texto pedido no computador, imprimia, reduzia com uma câmera Photostat e enviava ao designer a arte para composição final. Somente após o final dos anos 1980 e início dos 1990, a Emigre passou a distribuir suas fontes em disquetes. Em 1994, Tim Starback, o "faz tudo" na equipe da Emigre, ajudou a lançar Now Serving, um tipo de portal on-line onde os usuários podiam comprar e baixar fontes – um primeiro exemplo do que hoje é corriqueiro.

Ainda que Licko tenha desenvolvido uma biblioteca enorme, com quase 30 famílias de tipos de sua criação – incluindo a imensamente popular Mrs. Eaves › 381 – a Emigre Fonts se beneficiou de uma grande rede de designers que tem contribuído para a evolução da experimentação com fontes que define a fábrica de tipos. As primeiras fontes vieram de Jeffrey Keedy (Keedy Sans, 1989), P. Scott Makela (Dead History, 1990) e Barry Deck (Template Gothic › 382, 1990); curiosamente, nenhum deles era designer de tipos. Emigre continua a encorajar ilustradores, como Mark Andresen, e letristas, como Ed Fella › 185, para aplicarem sua estética ao alfabeto. Além disso, a fábrica atraiu designers de fontes como Jonathan Barnbrook, Conor Mangat, Claudio Piccinini e Christian Schwartz › 231. Durante a vida da Emigre, as fontes de sua fábrica estiveram continuamente à mostra e desempenharam um papel tão significativo quanto o conteúdo.

Eidetic Neo
Filosofia
fistfight
flight
Ivestigationes
Demonstraverunt
LIGHT BROWN
CHARTREUSE
TOBAC
DIGATALE AND LOBELIA
Caspienne
Forest Green mixed with Cobalt
Light Sea Green
Dark Magenta
Orange
DARK PAPAYA WHIP
SIENNA
TARZANA
Tribute
TRIPLEX

CATÁLOGOS EMIGRE / Emigre: Rudy VanderLans / EUA

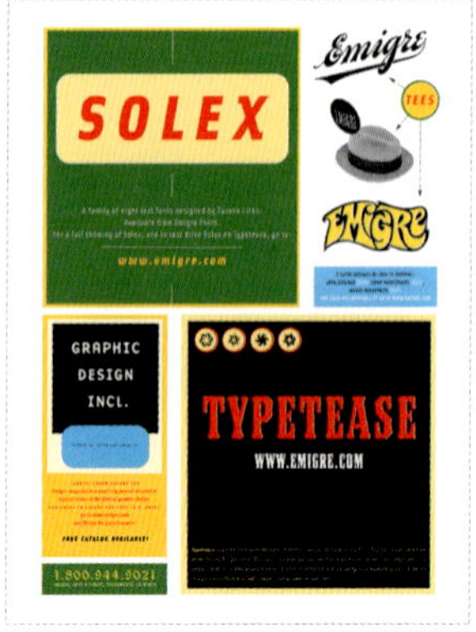
SOLEX
Emigre
GRAPHIC DESIGN INCL.
TYPETEASE
WWW.EMIGRE.COM

PROPAGANDA EMIGRE / Emigre: Rudy VanderLans / EUA

99.01

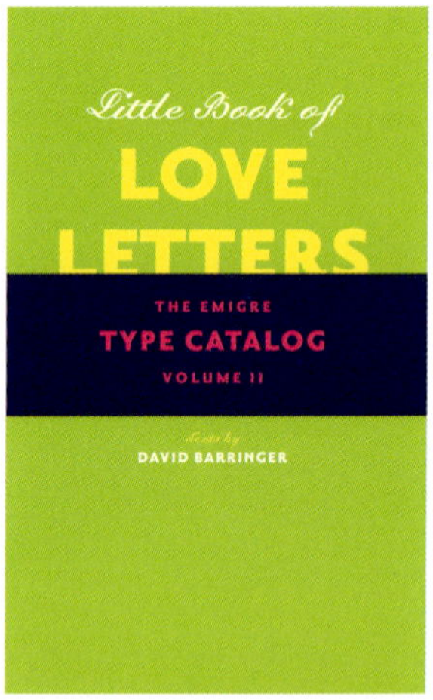
Little Book of
LOVE
LETTERS
THE EMIGRE
TYPE CATALOG
VOLUME II
DAVID BARRINGER

Next:

Zuzana Licko

n. 1961 (BRATISLAVA, CHECOSLOVÁQUIA)
ATUALMENTE EM BERKELEY, CALIFÓRNIA, EUA

Formada em comunicações gráficas pela Universidade da Califórnia, em Berkeley, mas sem treinamento formal em design de fontes e nenhum conhecimento sobre fontes criadas e mostradas digitalmente, além de não ter preconceitos ou restrições por contas das normas do ramo, Zuzana Licko foi pioneira na criação de fontes bitmap em paralelo com a introdução do computador Macintosh, em 1984, e a publicação de *Emigre* › 100, editada por seu marido, Rudy VanderLans. Nas limitações da impressão e de resolução dos monitores, Licko desenvolveu designs notavelmente inovadores como a Emigre, Emperor, Oakland e Universal (hoje agrupadas e refeitas como Lo-Res › 383) que gradualmente abriram caminho – especialmente à medida que o desenvolvimento dos tipos e a tecnologia de renderização melhoravam – para designs lisos e mais tradicionais como Citzen, Triplex, Matrix e Senator, que são todos descendentes e re-interpretações de seus designs iniciais.

No início dos anos 1990 os designs de fontes de Licko tornaram-se menos restritos pela tecnologia e, ao mesmo tempo, exploravam a maleabilidade e escalabilidade que ela permitia. São exemplos a Narly, que usava um esqueleto básico que podia ser executado de vários modos; e a Variex, uma família de tipos que continha traços continuamente mais grossos articulados no centro, conforme determinado pelo computador. Enquanto provavelmente teria sido mais fácil se impor e manter um *status quo* com designs experimentais, Licko aventurou-se no design de fontes para texto que eram recriações ou interpretações modernas de dois designs clássicos, Baskerville e Bodoni, com a Mrs. Eaves › 381 e Filosofia como os respectivos resultados, em 1996, sendo que a primeira tornou-se a fonte de maior sucesso comercial na biblioteca de fonte da Emigre. Com fontes sem serifas, como a Solex e Tarzana; letras góticas como a Totally Gothic e Totally Gliphic além dos padrões retorcidos Hypnopedia, a produção de Licko, com mais de 30 famílias de tipos representa uma obra ousadamente diversa.

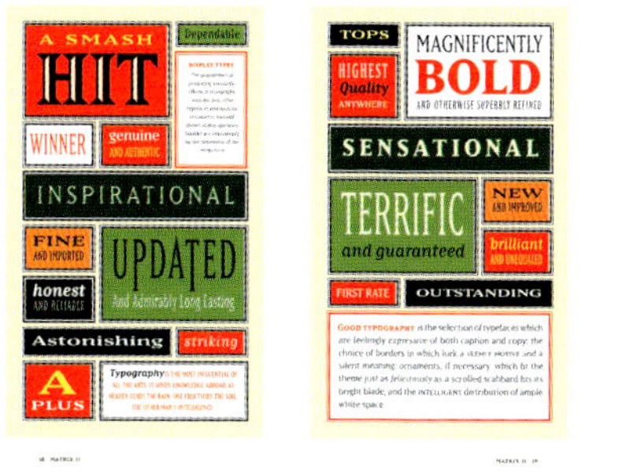
A SMASH
HIT
WINNER
INSPIRATIONAL
UPDATED
Astonishing
striking
TOPS
MAGNIFICENTLY
BOLD
SENSATIONAL
TERRIFIC
and guaranteed
OUTSTANDING

MATRIX / 2007

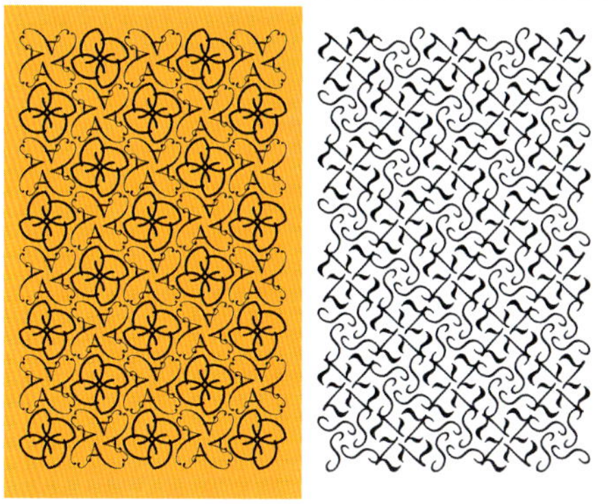

ILUSTRAÇÕES HYPNOPAEDIA / 1997

SOLEX
GROTESQUE (SANS SERIF) TYPES HAVE A CHECKERED PAST. THEY ARE AMONG BOTH THE MOST IMAGINATIVE AND THE MOST IMITATIVE FACES CUT FOR EITHER TEXT OR DISPLAY TYPOGRAPHY.
Unlike the first roman types, which were made specifically for book printing, grotesque faces were made for use in advertising. Judging from old type specimen books, the range of deviation from prior typographic forms was far greater than the range of outright mimicry. It is important to remember that in the first part of the 19th century, grotesques constituted a new category of types: a veritable frontier for adventurous type designers. It was a field day for the peddlers of printed publicity. Referring to, and often copying, the early successful models was common practice, but there was still plenty of ground for new ideas to be tried.

SOLEX / 2000

COLD WATER CANYON
Indigenous Shrubs of Santa Monica
chromolithography
PRESIDENT
sliding aluminum doors
MINUTE
Bakersfield, California
ENVIRONMENTALLY SOUND RECYCLED PAPER
Antecedents
JUAN BAUTISTA de ANZA

FILOSOFIA / 1996

TARZANA

PROPAGANDA E ESBOÇO DA TARZANA / 1998

DETROIT EGYPTIAN
and other typographic curiosities
SOOTHING
SERIFS
CHROMOLITHOGRAPHY
Subconscious Assimilation
ARMATURE
typeface manufacture
FINE TYPE SPECIMEN
Americana
WINK
flames
COLD WATER CANYON
Indigenous shrubs of Santa Monica
PLANOGRAPHIC
PRINTING
sliding aluminum doors
QUALITY
agri business
BAKERSFIELD, CALIF.
Light Sweet Crude
FANDANGO
YUMMY YUCCA CALCULATOR

FAIRPLEX / 2002

Emigre: Zuzana Licko / EUA

Erik Spiekermann

n. 1947 (STADTHAGEN, ALEMANHA)
ATUALMENTE EM BERLIN, ALEMANHA E SÃO FRANCISCO, CALIFÓRNIA, EUA

Nascido em 1947, o tipógrafo, designer, escritor e criador de fontes alemão mostrou seus dons empresariais cedo ao gerir uma gráfica de porão para custear seus estudos na Universidade Livre de Berlin. Após sete anos como consultor em Londres, retornou a Berlin em 1979 para fundar a MetaDesign – expandindo posteriormente para São Francisco (1992) e Londres (1995) e formar a maior empresa independente de design naquele período. Em 2001, Erik deixa a MetaDesign e junto com Susanna Dulkinys, de São Francisco, constitui a United Designers Network, rebatizada SpiekermannPartners em 2007, com escritórios em Berlin, Londres e São Francisco. Ele viaja bastante.

Como se já não bastasse administrar empresas multinacionais de design, Spiekermann criou a FontShop International › 227, uma distibuidora de fontes por correio, juntamente com sua sócia (e na época, esposa), Joan Spiekermann, em 1989. Então, em 1990, os Spiekemanns formaram uma sociedade com Neville Brody para o lançamento da FontFont, uma biblioteca de fontes ímpares, incluindo a FF Meta › 376, uma sem serifa bastante usada, criada pelo próprio Erik. Outras fontes de sua autoria incluem ITC Officina, FF Info e FF Unit, complementadas por uma série de fontes particulares para vários clientes, incluindo Nokia, Bosch e Deutsche Bahn (ferrovia Alemã). O livro de sua autoria, Stop Selling Sheep and Find Out how type works, publicado inicialmente em 1993, é leitura obrigatória para todos os designers.

Stop Stealing Sheep
& find out how
type works
Erik Spiekermann
& E.M. Ginger
Second Edition
0-2-1508-1
WHOLE FOODS
a
a
A A
font
typography

STOP STEALING SHEEP AND FIND OUT HOW TYPE WORKS, **Erik Spiekermann, E.M Ginger / Adobe Press / EUA, 1993 (1. edição), 2003 (2. edição)**

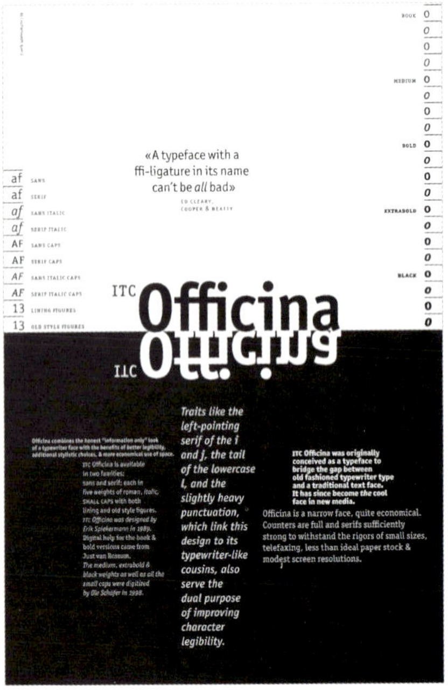
«A typeface with a
ffi-ligature in its name
can't be all bad»
ITC Officina
ITC Officina

ITC OFFICINA / Erik Spiekermann / Alemanha, 1990

"It feels like Meta to me."
„Fühlt sich wie Meta an."
Meta → Serif Book | Italic
Meta → Serif Medium | Italic
Meta → Serif Bold | Italic
Meta → Serif Black | Italic

FF META E META SERIFADA / Erik Spiekermann (FF Meta Serif, Christian Schwartz, Kris Sowersby) / Alemanha, 1991, 2007

DB Sans stands for Sans Serif typefaces.
Condensed are the narrower cuts,
while Compressed explains itself.
DB Head is the version
for big headlines
and short messages.
The Antiqua typefaces
are DB Serif & DB News.

DB TYPE / Encomendada pela Deutsche Bahn / Erik Spiekermann, Christian Schwartz / Alemanha, 2005

FontShop International

CRIADA EM 1989 (BERLIN, ALEMANHA)

Criada em 1989 por Joan e Erik Spiekermann › 226 (na época, marido e mulher), a FontShop International (FSI) foi a primeira distribuidora por correio de fontes digitais. Desde sua criação, uma série de franquias da FontShop foram abertas ao redor do mundo. Embora um dos seus objetivos principais fosse suprir e aumentar a fábrica da FontFont – criada em 1990 por Spiekermann e Neveille Brody –, a FontShop comercializa fontes de mais de 50 fábricas ao redor do mundo. Além disso a FSI produz uma série de publicações para designers: em 1991, a FontShop publicou a primeira edição do *FontBook*, um enorme mostruário e guia de referência de fontes digitais; em 2001, começou a editar *Font*, uma publicação impressa sobre tipografia e design; e de 1990 a 2000, publicou a revista experimental *Fuse*, juntamente com as fontes que eram usadas e patrocinando as conferências com o mesmo nome em 1995 e 1998.

FONTSHOP LOGO / FontShop International / EUA, 1990

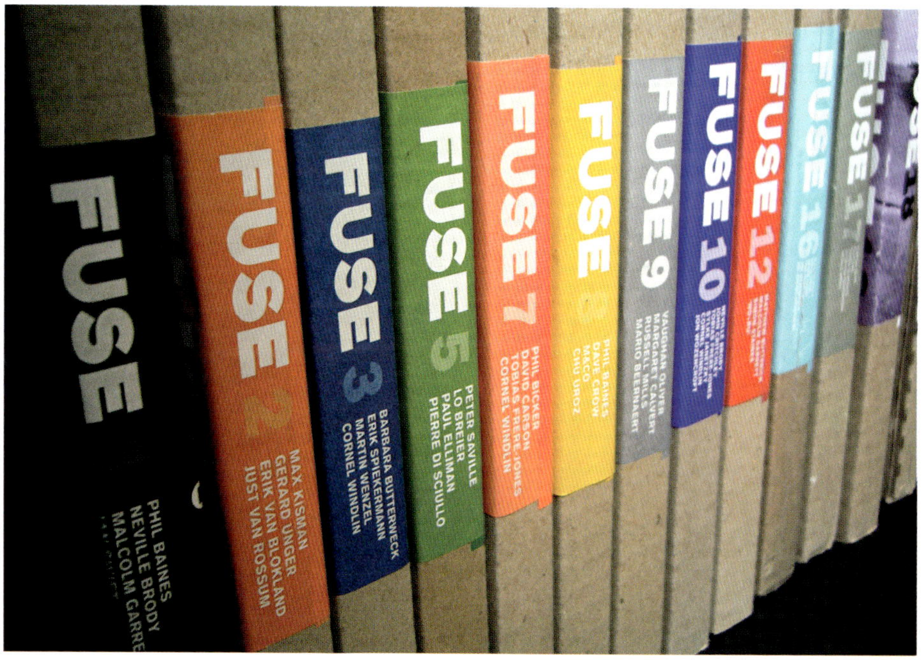
FUSE
FUSE 2
FUSE 3
FUSE 5
FUSE 7
FUSE 9
FUSE 10
FUSE 12
FUSE 16

FUSE / **FontShop International e Neville Brody / Reino Unido, 1990–2000 / Foto: Stephen Coles**

006
006
006
FONT

FONT 006 / **FontShop International: design, Conor Mangat; edição, Amos Klausner, Stephen Coles / EUA, 2007 / Foto: Stephen Coles**

FONTBOOK / **FontShop International / EUA, 2006 (4. edição)**

Font Book

FONTBOOK / **Desgastado pelo intenso uso por parte do sócio da Pentagram Michel Bierut e equipe durante dez anos / EUA, 1998**

House Industries

CRIADA EM 1993 (WILMINGTON, DELAWARE, EUA)

Andy Cruz e Rich Roat, que começaram uma empresa de design, Brand Design Co., criaram um pouco mais cedo, em 1993, a House Industries. Com um pouco de trabalho e instigados pelo terceiro sócio, Alan Mercer, eles decidiram que precisavam de um produto para vender, não de um serviço. Baseada em projetos existentes de letreiros e designs originais de Mercer, a House Industries produziu a sua primeira mala direta anunciando o lançamento de dez fontes. Esse lote inicial, e outros produziu durante 1997, foram letras para cartazes criadas com quase todos os truques visuais imagináveis – rabiscadas, gelatinosas, corrugadas, em bolhas – e entregues via disquetes, eram trabalhosamente criadas pelos sócios diariamente. Essa relação íntima com a embalagem das fontes mais tarde evoluiu como um traço definidor de lançamentos futuros, agrupados em coleções temáticas, eram distibuídas em kits altamente elaborados e caros de serem produzidos.

Dentro do apelo de marketing desses pacotes estão fontes cuidadosamente construídas especificamente para uma época e cultura (às vezes, subcultura) que a House Industries revitalizava em colaborações ou por pesquisar o seu vasto arquivo de materiais de base, que continha artistas de letreitos, como Ed "Big Daddy" Roth e Chris Cooper, até revisões da obra de Ed Benguiat, dos salões de boliche dos anos 1950, filmes de terror dos anos 1960, a arquitetura modernista de Nichard Neutra, entre outras. À medida que a House Industries cresceu – com a inclusão do mestre dos letreiros, Ken Barber, em 1996, o mago da tecnologia, Tal Leming em, 2001 (ele saiu em 2005) e colaborações com Christian Schwartz › 231 – também cresceram sua biblioteca e versatilidade, com fontes populares sem serifas, como a Neutraface e Chalet, bem como famílias do OpenType, como a Studio Lettering e as fontes Ed Benguiat. A House Industries também desenvolve mercadorias originais indo de modestas camisetas a travesseiros, além de reproduções ambiciosas da cadeira Boomerang, de Richard Neutra.

LEITURA RECOMENDADA › 390

PLACA DA LOJA HOUSE33 NO NÚMERO 33 DA RUA MARSHALL EM LONDRES / House Industries / Reino Unido, 2004 / Foto: Mark Lebon

MALA DIRETA DA COLEÇÃO DE FONTES SCRAWL / House Industries / EUA, 1995 / Foto: Carlos Alejandro

ACCESSORIES CATALOG
Customizing Kit

CUSTOM PAPERS GROUP SWATCHBOOKS / House Industries / EUA, 1996 / Foto: Carlos Alejandro

Pé Grande, Monstro do lago Ness e René Albert Chalet

Nos materiais de promoção para a Chalet lançados em 2000, a House Industries prestou uma grande homenagem ao esquecido designer modernista suíço, Albert Chalet, responsável por estas fontes. Pesos-pesados como Michael Bierut, Jonathan Hoefler, Matthew Carter e Erik Spiekermann deram testemunhos deplorando a falta de reconhecimento para Chalet e elogiando a importância de seu trabalho. Logo depois, a indústria tentou recuperar o tempo perdido e dar o reconhecimento devido ao homem. Infelizmente ele nunca existiu. Ken Barber engendrou esse personagem fictício e fez uma biografia com partes das biografias de designers reais como W. A. Dwiggins, Adrian Frutiger e Jan Tschichold. A despeito do trote ter sido revelado, não é raro encontrar um blogueiro contando hoje a história de Chalet.

EMBALAGEM STREET VAN / House Industries / EUA, 1996 / Foto: Carlos Alejandro

Ed "BIG DADDY" ROTH
Drops In On...
HOUSE
INDUSTRIES

CARTAZ DA FESTA BIG DADDY ROTH NA HOUSE INDUSTRIES / House Industries / EUA, 1997

CADEIRA NEUTRA BOOMERANG CHAIR COMPLEMENTANDO O LANÇAMENTO DA NEUTRAFACE / House Industries / EUA, 2002 / Foto: Carlos Alejandro

[T-26]

CRIADA EM 1994 (CHICAGO, ILLINOIS, EUA)

Criada pela Segura, Inc., de Chicago, em 1994, a fábrica digital de fontes [T-26] foi representativa de uma mudança significativa na indústria dos tipos: uma multidão de designers que agora podiam criar novas fontes sem treinamento ou experiência de seus predecessores. Isso não quer dizer que eles não fossem talentosos; mas que de repente qualquer um podia ser um designer de tipos. [T-26] objetivava licenciar e distribuir letras de designers iniciantes ou estudantes – mesmo incluindo trabalhos de designers tradicionais, como Michael Strassburger, Greg Samata, Paul Sahre, Margo Chase › 187, e o (futuro) diretor da *Helvetica* › 373, Gary Hustwit. A biblioteca da [T-26] abrigava uma vasta gama de letras de cartazes com as estéticas Grunge, Tecnho, Retrô, orgânica e uma miríade de outras difíceis de enquadrar em categorias. As fontes eram embaladas em sacos de juta, novos designs eram promovidos em catálogos ricamente produzidos e anúncios em revistas do ramo fizeram as fontes invejáveis.

TWENTY 6
T-26
CHISISSUPPL
EMENTNUMB
ER21FROMTH
ECHICAGOTY
PEFOUNDRY
[T-26] USA

[T-26] CATÁLOGOS E MOSTRUÁRIOS DE FONTES / EUA

P22 Type Foundry

CRIADA EM 1994 (BUFFALO, NOVA YORK, EUA)

O que começou como um projeto de tese de Richard Kegler sobre Marcel Duchamp que, em parte, incluía a digitalização da caligrafia do artista, transformou-se na primeira fonte oficial da P.22. Criada em 1994 por Kegler e sua esposa, Carima El-Behairy, a fábrica tem, desde então – trabalhando com museus e inventários –, revivido a caligrafia de Paul Cézanne, Paul Gauguin e Leonardo da Vinci, bem como as fontes de períodos específicos da história da arte, como Art Deco, Art Nouveau, Artes e ofícios, Futurismo e Pop Art. Seus produtos vendidos em lojas de museus, geralmente acompanhados de itens promocionais como canecas, descansos de copos, ou baralhos. Uma colaboração recente com o Museu Londrino dos Transportes cedeu o elegante Underground Pro Set, baseado nos designs de Edward Johnston. A P22 Type Foundry tem as coleções da Lanston Type Company, Rimmer Type Foundry and the Sherwood Type Collection e serve como uma cobertura para a International House of Fonts, iniciada em 2001, que licencia designs originais de tipos.

PACOTE COM UMA COLEÇÃO DE TIPOS SORTIDOS / P22: Richard Kegler / EUA, 1995-1998

Matador
Running of the Bulls
Torero: Bullfighter

MATADOR / P22: Arthur Baker / EUA, 2007

TERRACOTTA
REGULAR ALTERNATE

TERRACOTTA / Baseada em designs iniciais de Frank Lloyd Wrigh / P22: Christina Torre / EUA, 2001

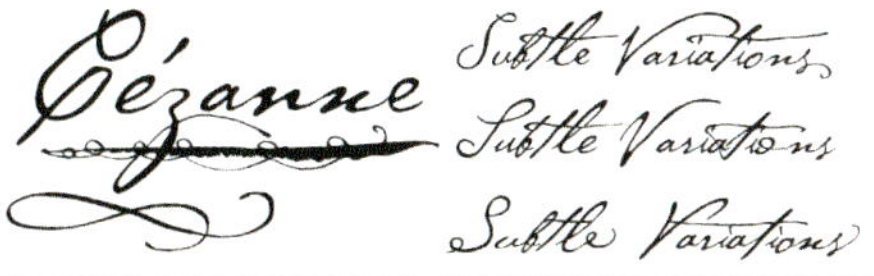
Cézanne
Subtle Variations
Subtle Variations
Subtle Variations

CÉZANNE / Encomendada pelo Philadelphia Museum of Art / P22: Michael Want, James Grieshaber / EUA, 1996-2005

CONSTRUCTIVIST
BETTER COFFEE FOR BETTER WORKERS

EMBALAGEM CONSTRUTIVISTA E CANECA PROMOCIONAL / P22: Richard Kegler / EUA, 1995

ROUGH HEWN
EXPRESSIONISTIC
WOOD
CUT
WORMS 50¢ PER 100

FONTE WOODCUT E ORNAMENTOS / P22: Richard Kegler / EUA, 2004

Hoefler & Frere-Jones

CRIADA EM 1989 (NOVA YORK, NY, EUA)

Em 2004, os designers de tipos, Jonathan Hoefler e Tobias Frere-Jones, formaram uma sociedade e criaram em Nova York a fábrica Hoefler & Frere-Jones, mas a inevitável simbiose tipográfica entre eles já estava sendo feita há décadas. Quase como num conto de fadas, os dois designers nasceram em 1970 com seis dias de diferença; ambos desenvolveram precocemente o gosto pelos tipos, já na adolescência, e haviam criado letras antes dos 20 anos. Hoefler, um designer autodidata, começou sua carreira trabalhando com o designer editorial, Roger Black, em 1989, o que deu a Hoefler uma exposição inicial no ramo e suas primeiras encomendas de tipos. Hoefler criou a Hoefler Type Foundry naquele mesmo ano. Frere-Jones formou-se na Rhode Island School of Design › 134 em 1992 e foi para a Font Bureau, onde passou sete anos e criou letras muito populares, como a Interstate, baseada na sinalização das estradas da Administração Federal das Rodovias Americanas. Em 1999 juntou-se a Hoefler e, cinco anos depois criaram a sociedade.

A Hoefle & Frere-Jones é continuamente solicitada por organizações e empresas de design para desenvolver famílias de tipos personalizadas para estabelecer linguagens tipográficas únicas de publicação e branding. Felizmente para o restante da profissão, muitas destas vão para o varejo depois que os contratos de exclusividade expiram – revistas como *Sports illustrated, GQ* e *Martha Stewart Living* › 335 cederam a Champion (mais tarde, Knockout › 379), Gotham › 378 e Archer respectivamente. Como aficcionados pela história dos tipos e donos de uma invejável biblioteca de material de referência histórica, Hoefler e Frere-Jones estão firmemente arraigados à tradição, ainda que seu trabalho seja consistentemente contemporâneo na execução e desempenho, além de ser apoiado por exaustiva pesquisa e desenvolvimento.

HOEFLER & FRERE-JONES
WWW.TYPOGRAPHY.COM
PRIX FIXE
MARQU
302
DELANCEY ST.

Hoefler & Frere-Jones / EUA

Sentido horário **AMOSTRA DE TIPOS** / 2006

VERLAG / 1996–2005

CHRONICLE / 2002–2007

COLEÇÃO DE NÚMEROS / 1998–2007

REPRESENTANTES — de tipos de letras — pós-1984

Christian Schwartz
n. 1977 (CONCORD, NEW HAMPSHIRE, EUA)
ATUALMENTE EM NOVA YORK, NY, EUA

A FontHaus lançou o primeiro design de fonte de Christin Schwartz em 1992, quando ele tinha somente 14 anos.

Graduado em design pela Carnegie Mellon University, Schwartz trabalhou por um breve período na MetaDesign, em Berlin, e na Font Bureau ⟩ 222, em Boston, Massachusetts, antes de se aventurar como designer autônomo de fontes em 2001. Prosperando no trabalho colaborativo, Schwartz então fez uma parceria com Roger Black para criar famílias de tipos para o *Houston Chronicle* (2003) e com Paul Barnes para o *The Guardian* (2005), bem como com seu antigo patrão, Erik Spiekermann ⟩ 226, em letras corporativas para a Bosch (2004) e Deutsche Bahn (2005). Enquanto trabalhava nessas famílias particulares de letras, Schwartz também trabalhava independentemente nos tipos que ele lançou via FontFont, Village ⟩ 233, Emigre ⟩ 224, e House Industries ⟩ 228. Em 2006, criou a Schwartzco, Inc., um estúdio e fábrica, onde sua reputação por velocidade e atenção ao detalhe continua a vicejar no seu trabalho pessoal ou envolvendo parceiros.

WEALTHY SOCIALITE
Bohemian Neighbor
Brick
VERY UNUSUAL ARCHITECTURE
$9,532/month is almost worth it for the location
Cocktail Hour
TONIC SPILLED ALL OVER THE SOFABED

FARNHAM / 2003

protégez l'enfant
tanzfest
8–18 OCTOBE
der film

GRAPHIK / Encomendada por Robert Priest e Grace Lee da Condé Nast *Portfolio* e Meirion Pritchard na *Wallpaper** / 2007–2008

Christian Schwartz / EUA

JOB CUTS ANNOUNCED
Westminster
Sea Levels Rising
Paradise
BRING ON THE SPRING
Modernism

GUARDIAN EGÍPCIA / Encomendada por Mark Porter do *The Guardian* / design, Paul Barnes / 2004–2005

¡Las Cabezas Grandes!
Believer
AMAZING COINCIDENCES ON VERMONT AVE.
MAINTENANCE
Estimado Sr. Patata
Mañana

LOS FELIZ / Emigre / 2001

Joshua Darden
n. 1979 (NORTHRIDGE, CALIFÓRNIA, EUA)
ATUALMENTE EM NOVA YORK, NY, EUA

Aos 13 anos, em 1993, Joshua Darden criou sua primeira empresa de design, ScanJam,

junto com Tim Glaser e, aos 15, publiou a sua primeira fonte, a Diva. Após fazer o design de numerosas fontes para a Garagefonts, Darden foi para a Hoefler & Frere-Jones ⟩ 230 em 2000 (primeiro como autônomo e depois como funcionário); e depois criou a sua própria fábrica de tipos no Brooklyn, Darden Studio, em 2004, que se voltava ao design de letras personalizadas enquanto suas biblioteca ganhava amplos elogios. Com mais de 120 estilos – nas interações, Grande, Cartaz, Micro, Sans e Texto – a família Freight de Darden, lançada em 2005, é seu mais abrangente e bem-sucedido projeto. Omnes, uma sem serifa arredondada criada originalmente como uma fonte personalizada para uma cadeia nacional de varejo, vem em nove pesos de uma delicada linha fina e ao incômodo preto, todos com itálicos altamente acabados. A Corundum Text, uma revitalização do trabalho de Pierre-Simon Fournier, foi ganhadora da competição anual TDC2 em 2007.

GEM
DRIVE
MUSICIAN
SWEET-SHOPS
Gruyere & bacon

BIRRA STOUT / 2008

SOMBRE
La Mer & L'Isle
Four Valses oubliées, *No. 21*
Poète **Jewel** **Fixes**

With his passion for knowledge / And take the chances of them / Praying for a ticket-of-leave
And the singer lends us his pain / And opened the gates of horn / How horrid of you to smile!
Or stirring a fresh train of ideas / What an antinomian you are! / Of pleasure and of suffering

CORUNDUM / Assistência de produção, Thomas Jockin / 2006

Joshua Darden / EUA

Village Saints
Maker Horns
Wildly Songs
Fields Bridal
Roots Await
Monk **Curls**

OMNES / Encomendada por Landor Associates / design e assistência de produção, Jesse Ragan / 2005

STRESS **VIRTUE**
DECALITER GRAND
OBLIQUED IRVING
HÜSKER ATHENAEUM

ARGENT / 2007

Underware

CRIADA EM 1999 (HAIA, HELSINKI E AMSTERDÃ)

Akiem Helmling, Bas Jacobs e Sami Kortemäki encontraram-se quando eram estudantes na Academia Real de Artes em Haia, Holanda, e, em 1999, estenderam a amizade para um estúdio em diferentes cidades, devotado à tipografia, e batizaram o empreendimento de Underware. O elegante sarcasmo da fábrica atraiu rapidamente fãs de todas as partes à medida que suas criações tipográficas feitas colaborativamente eram lançadas e eles usavam a imaginação em outros projetos – incluindo um mostruário de tipos que só podia ser lido no conforto de uma sauna devido ao material e tinta usados – além de realizarem oficinas que duravam de algumas horas a dezenas de dias. Underware desfruta completamente dos resultados de se formar um grupo de pessoas, do amor pela tipografia e dado um problema, sempre levando a uma solução tridimensional. Além disso, eles apresentam o talk-show itinerante *TypeRadio* › 117, em que realizam entrevistas individuais.

Drive yourself italic
cruise the linguistic
highway
open the throttle
FOR AN UNEXPLORED
typographic
PALETTE OF 3 ITALICS
A FLAT TIRE
IS OUT OF THE QUESTION

AUTO / 2004

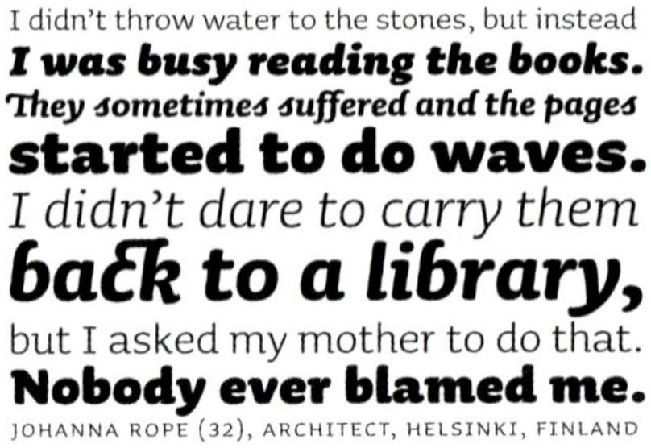
I didn't throw water to the stones, but instead
I was busy reading the books.
They sometimes suffered and the pages
started to do waves.
I didn't dare to carry them
back to a library,
but I asked my mother to do that.
Nobody ever blamed me.
JOHANNA ROPE (32), ARCHITECT, HELSINKI, FINLAND

DOLLY / 2000

ABCDEFGHIJKLMNOP
QRSTUVWXYZŒÆÇ &
abcdefghijklmnopqr
stuvwxyzœæç (fiflß)
[¶] {0123456789};:?!*
ABCDEFGHIJKLMNOP
QRSTUVWXYZŒÆÇ &
ABCDEFGHIJKLMNOPQR
STUVWXYZŒÆÇ (FIFLSS)
[¶] {0123456789};:?!*

FAKIR / 2006

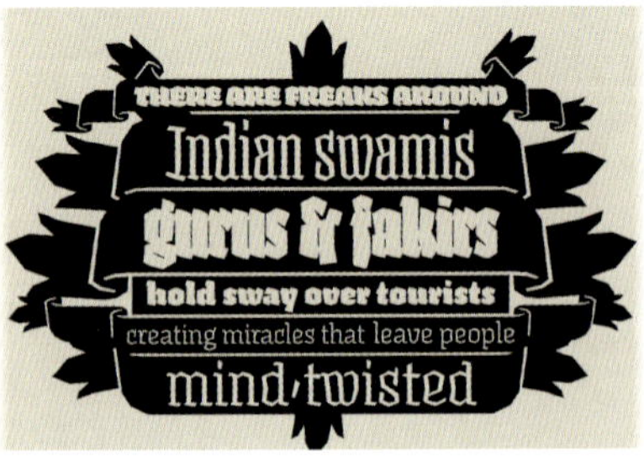
THERE ARE FREAKS AROUND
Indian swamis
gurus & fakirs
hold sway over tourists
creating miracles that leave people
mind twisted

SAUNA / 2000

UNDERWARE / Holanda

Oded Ezer

n. 1972 (TEL AVIV, ISRAEL)
ATUALMENTE EM GIVATAYIM, ISRAEL

Oded Ezer é um designer e também artista, dividindo por igualmente o seu tempo para a criação de logotipos e fontes, além de arte tipográfica experimental. Ezer é formado em design de comunicação visual pela Bezalel Academy of Arts and Design de Jerusalém, em 1998; dois anos depois, criou o seu estúdio, Oded Ezer Typography. Atraído pelo significado cultural e consequente conotação das letras, além do interesse por sua história, a maior parte do trabalho de Ezer é em hebraico, embora ele lentamente vá se aventurando em projetos baseados nas letras latinas e em como os alfabetos podem se relacionar. Somando aos seus diversos interesses na natureza, ciência e arquitetura, seu trabalho experimental é realizado mais à mão do que por computador, uma vez que a legibilidade é secundária em relação à emoção. Em 2002, criou a Ha'Gilda, a primeira fábrica do tipo cooperativo de designers israelense da qual foi membro até 2006. Ele hoje vende de maneira independente sua biblioteca versátil e de estilos variados de aproximadamente 20 famílias.

OE SQUARE / Oded Ezer / Israel, 2003

OE TA'AGID / Oded Ezer / Israel, 2005–2006

OE FRANKRÜHLYA / Oded Ezer / Israel, 2002

CATÁLOGO EM LEQUE DE LETRAS HEBRAICAS DE ODED EZER / Oded Ezer / Israel, 2006

Veer
CRIADA EM 2002 (BERLIN, CALGARY, NOVA YORK)

Entrando no mercado saturado da fotografia no início dos anos 2000, a Veer, com sede em Calgary, Canadá, destacou-se dos concorrentes por (entre outras coisas) oferecer fontes no seu website, inicialmente da enorme biblioteca da Adobe › 223 e também de bibliotecas menores da Alias e Device. Em 2003, como exclusividade, Veer adicionou a coleção Jukebox de Jason Walcott, uma cornucópia de fontes escritas e de exibições, com inspiração dos meados do século XX e que se beneficiaram da capacidade de marketing da Veer, o que normalmente é o calcanhar de Aquiles de empresas pequenas e independentes. Em 2004, Veer criou a Umbrela, entre outras ofertas exclusivas, escolhidas por Grant Hutchinson, que selecionava uma vasta gama de fontes de pequenas fábricas e designers independentes. No mesmo espírito, a Cabinet foi estabelecida em 2006 como uma coleção de famílias de fontes para texto. Embora a Veer não seja uma usina de fontes, deu uma ampla exposição ao trabalho de designers de letras de todo o mundo.

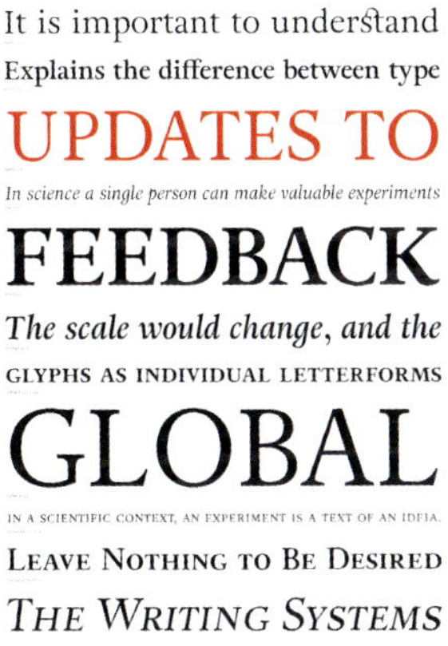
It is important to understand
Explains the difference between type
UPDATES TO
In science a single person can make valuable experiments
FEEDBACK
The scale would change, and the
GLYPHS AS INDIVIDUAL LETTERFORMS
GLOBAL
IN A SCIENTIFIC CONTEXT, AN EXPERIMENT IS A TEST OF AN IDEA
Leave Nothing to Be Desired
The Writing Systems

ADRIANE TEXT / Typefolio: Marconi Lima / Brasil, 2007

HE WAS TIRED OF BEING FUNNY
LICENSE TO KILL
THERE AIN'T NO SUCH THING AS TRUE LOVE
EXCLUSIVE CHAMPAGNE
AND CAVIAR
THE LONGEST GOODBYE
10 GREAT & FRESH ISSUES FOR JUST $7.99
DON'T MISS THE PREMIERE!
NICE HOLIDAY GIFTS YOU WON'T WANT TO GIVE BACK – EVER
CRISP AND CLEAR
DECEMBER 2003 | VOLUME 17 | ISSUE 06

BRASSERIE / Veer: Stefan Hattenbach / Canadá, 2007

Ritmo
More classical alternate letters available
Upright Italic
Wyświetlacz
Sleek Sans
Que
Branding trend

BREE / TypeTogether: Veronika Burian, José Scaglione / EUA, 2008

Curicó Briançon
Nufenenpass Farellones
Finestre Angliru Luz
La Línea Gramond
Quebrantahuesos El Peral Duitama
Tourmalet Peyresourde
Madeleine
Lagos de Kitzbuheler Horn
Covadonga Manizales
Alpe d'Huez
Huy La Grita Chile
Grimselpass
Mortirolo Navacerrada
Letras San Pellegrino
Stelvio Valle Nevado

COMALLE / Letritas: Juan Pablo de Gregorio / Chile, 2007

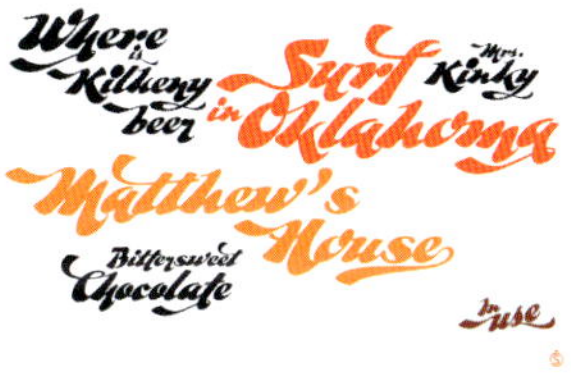
Where is Kilkenny beer
Surf in Oklahoma
Mrs. Kinky
Matthew's House
Bittersweet Chocolate

WHOMP / Alejandro Paul / Argentina, 2006

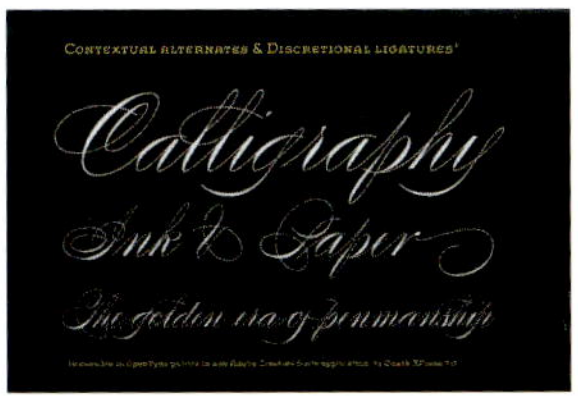
CONTEXTUAL ALTERNATES & DISCRETIONAL LIGATURES
Calligraphy
Ink & Paper

COMPENDIUM / Alejandro Paul / Argentina, 2008

Village
CRIADA EM 2004 (BROOKLYN, NOVA YORK, EUA)

Em 1993, Rick Valicenti › 200 lançou Thirstype, uma fábrica de tipos digitais apresentando um manancial de letras idiossincráticas de designers de todo o mundo, incluindo suas próprias e aquelas de Chester Jenkins, que trabalhou na empresa de design de Valicenti, a 3st, durante oito anos e foi sócio da Thristype durante os últimos três. Em 2004, Jenkins adquiriu a Thristype de Valicenti e criou a Village, uma autodefinida cooperativa de fábricas de letras independentes, agrupadas num único canal de vendas e distribuição. Foi lançada com nove fábricas e designers incluindo Underware › 232, LUX Typographics, Christian Schwartz › 231, Joshua Darden › 231 e a própria Village Type and Design – gerida paralelamente também por sua esposa, a designer Tracy Jenkins – que produziu a popular Galaxie Polaris. A Village permite que designers estabeleçam seus próprios preços e mecanismos de licenciamento, além de um maior retorno em lucros do que se consegue em média com um contrato de royalties feito com distribuidoras maiores. Sua última iniciativa, Incubator, incentiva o desenvolvimento de designers jovens de tipos.

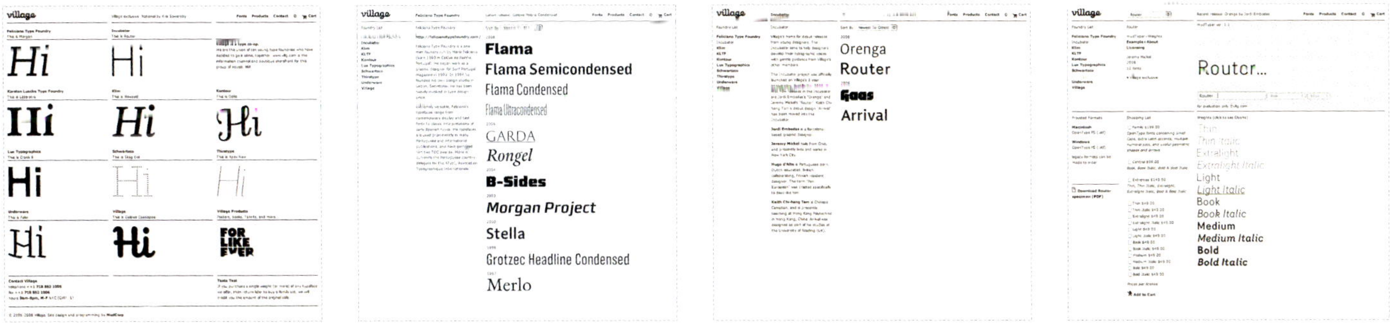
village
Hi
Flama
Flama Semicondensed
Flama Condensed
Flama Ultracondensed
GARDA
Rongel
B-Sides
Morgan Project
Stella
Grotzec Headline Condensed
Merlo
Orenga
Router
Arrival
Router...
Thin
Thin Italic
Extralight
Extralight Italic
Light
Light Italic
Book
Book Italic
Medium
Medium Italic
Bold
Bold Italic

WEBSITE DA VILLAGE / MudCorp / EUA, 2005

TYPOGRAPHY

ENCAPSULATES

the spirit of an era

MORE CONCISELY THAN

ANY OTHER FORM OF DESIGN

ITS MUTATION IN THE NINETIES REFLECTS

A TIME OF ACCELERATING CHANGE

TYPOGRAPHY NOW TWO

IMPLOSION

EDITED BY RICK POYNOR

REPRESENTANTES

Do Texto Escrito

236

O passado, presente e futuro do design gráfico poderiam ser facilmente contados de uma maneira puramente visual, com uma série sem fim de projetos finamente acabados e rapidamente etiquetados com o nome do designer, ano e cliente. Fim da história. Felizmente, o design gráfico tem muitas estórias para contar, com um passado rico, um presente flutuante e um futuro imprevisível fomatado pelos profissionais, tecnologia e eventos mundiais. Beneficia-se da considerada interpretação de um grupo em constante crescimento de artífices das palavras que formam um referencial crítico, analítico e conceitual com o qual relatar a história de profissão e avançar seu entendimento dentro e fora da área.

Detalhe de ***TYPOGRAPHY NOW TWO: IMPLOSION*****, Rick Poynor / Booth-Clibborn Editions / design, Jonathan Barnbrook / Reino Unido, 1996**

Philip B. Meggs

1942 (FLORENCE, CAROLINA DO SUL, EUA) **- 2002**

Mais conhecido por seus textos e ensinamentos, Philip B. Meggs foi primeiramente um designer realizado, tendo trabalhado nos anos 1960 como designer sênior para a Reynolds Aluminium e depois como diretor de arte da A. H. Robbins Pharmaceuticals, onde fazia o design de cartazes, catálogos, embalagens e anuários. Em 1968, juntou-se ao corpo docente do departamento de Artes da Comunicação e Design da Virginia Commonwelth University (VCU); ele foi nomeado chefe do curso em 1974 e permaneceu na função, supervisionando o crescimento em matrículas e prestígio do curso, até 1987. Em 1983 – a partir de pesquisas para suas aulas, incluindo um curso sobre a história das comunicações visuais – publicou *A history of Graphic Design*, que abriu caminho para a história do design. Meggs tornou-se um escritor prolífico, publicando uma dúzia de livros e mais de 150 artigos; também escreveu o abrangente verbete "Graphic Design" para a *Encyclopaedia Britannica*. Meggs faleceu em 2002.

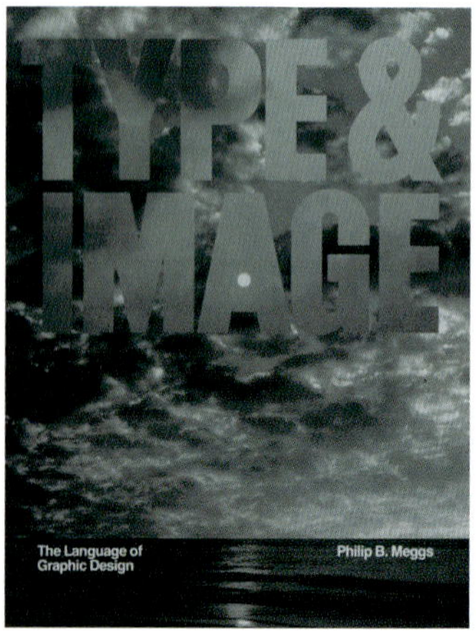
TYPE & IMAGE
The Language of Graphic Design
Philip B. Meggs

TYPE AND IMAGE: THE LANGUAGE OF GRAPHIC DESIGN, **Philip B. Meggs / John Wiley & Sons / EUA, 1992**

Typographic Specimens:
The Great Typefaces
Philip Meggs
Rob Carter

TYPOGRAPHIC SPECIMENS: THE GREAT TYPEFACES, **Philip B. Meggs, Rob Carter / John Wiley & Sons / EUA, 1993**

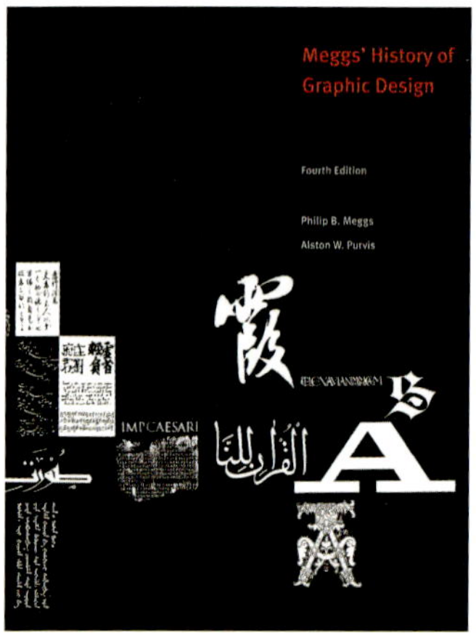
Meggs' History of
Graphic Design
Fourth Edition
Philip B. Meggs
Alston W. Purvis

A HISTORY OF GRAPHIC DESIGN, **Philip B. Meggs, Alston W. Purvis / John Wiley & Sons / EUA, 2006 (4. ed.)**

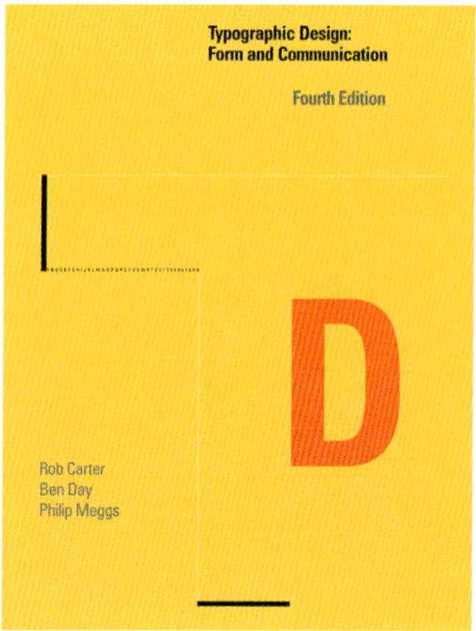
Typographic Design:
Form and Communication
Fourth Edition
Rob Carter
Ben Day
Philip Meggs

TYPOGRAPHIC DESIGN: FORM AND COMMUNICATION, **Rob Carter, Ben Day, Philip B. Meggs / John Wiley & Sons / EUA, 2007 (4. ed.)**

LEITURA RECOMENDADA › 390

Richard Hollis

n. 1934 (LONDRES, INGLATERRA, REINO UNIDO)
ATUALMENTE EM LONDRES, INGLATERRA, REINO UNIDO

Como educador, Richard Hollis lecionou litografia e design no London College of Printing e na Chelsea School of Art no início dos anos 1960 e fundou, juntamente com Norman Potter, uma nova escola de design no West of England College of Art, onde chefiou o departamento de 1964 a 1967 e ainda está lecionando regularmente. Como designer gráfico, Hollis produziu uma obra substancial que no início refletia seu interesse nos designers suíços. E como escritor, ele fez – incluindo o design, mostrando as vantagens de ser um designer-autor – dois livros fundamentais: *Graphic Design: A Concise History*, que relata os eventos e personagens que deram forma ao design no século XX, e *Swiss Graphic Design: The Origins and Growth of an International School*, 1920-1965, um dos livros mais completos sobre esse influente grupo de designers, que se beneficiou das experiências pessoais e interações de Hollis com o grupo.

Richard Hollis
Graphic Design
A Concise History
Thames & Hudson world of art

GRAPHIC DESIGN: A CONCISE HISTORY, **Richard Hollis / Thames & Hudson / design, Richard Hollis / Reino Unido, 2001 (2. ed.)**

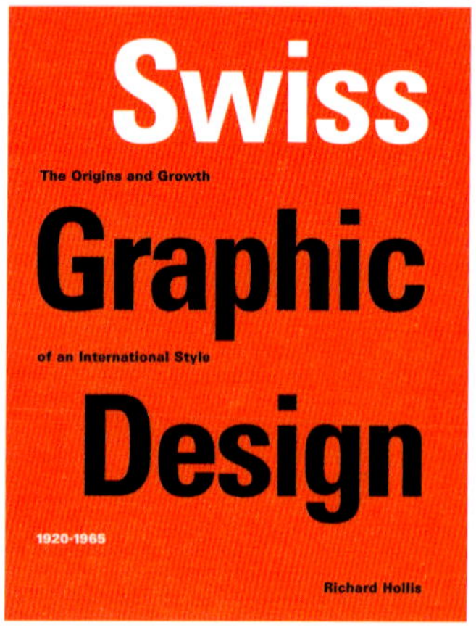
Swiss
The Origins and Growth
Graphic
of an International Style
Design
1920-1965
Richard Hollis

SWISS GRAPHIC DESIGN: THE ORIGINS AND GROWTH OF AN INTERNATIONAL STYLE, 1920-1965, **Richard Hollis / Laurence King Publishing; Yale University Press / Reino Unido, 2006**

Rick Poynor

n. 1957 (HORLEY, INGLATERRA, REINO UNIDO)
ATUALMENTE EM LONDRES, INGLATERRA, REINO UNIDO

Tendo estudado história da arte na universidade de Manchester e um título de mestre em história do design no Royal College of Art › 135, Rick Poynor tornou-se um dos mais ardentes críticos do design gráfico. Seus textos têm tido grande circulação nas páginas de *Eye* › 103, a revista que criou em 1990 e editou até 1997, bem como na sua coluna regular "Observer" em *Print* › 94 além de seus ensaios no Design Observer › 113, o Blog que ele ajudou a criar em 2003. Poynor publicou uma selecionada série de livros que se destacam em assuntos pouco explorados como No *More Rules: Graphic Design and Postmodernism*, uma monografia sobre o designer holandês, Jan Van Toorn, e um relato completo sobre a revista *Typographica* › 95, de Herbert Spencer. Fora da escrita, Poynor foi organizador do manifesto "First Things First 2000" › 48, em 1999 e curador da exposição *Communicate: Independent British Graphic Design Since the Sixties,* na Barbican Art Gallery de Londres, em 2004.

DESIGN WITHOUT
BOUNDARIES
VISUAL COMMUNICATION IN TRANSITION
RICK POYNOR

DESIGN WITHOUT BOUNDARIES: VISUAL COMMUNICATION IN TRANSITION, **Rick Poynor / Booth-Clibborn Editions / design, Stephen Coates; imagem, Richard J. Burbridge / Reino Unido, 1998**

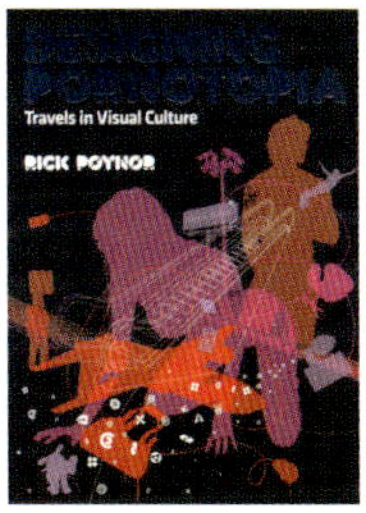
Travels in Visual Culture
RICK POYNOR

DESIGNING PORNOTOPIA: TRAVELS IN VISUAL CULTURE, **Rick Poynor / Laurence King Publishing; Princeton Architectural Press / design, Nick Bell; imagem, Ken Leung / Reino Unido; EUA, 2006**

1 2 3 4 5 6
JAN VAN TOORN
CRITICAL PRACTICE
RICK POYNOR
010 PUBLISHERS

JAN VAN TOORN: CRITICAL PRACTICE, **Rick Poynor / 010 Publishers / design, Simon Davies; baseado num design de Jan van Toorn / Holanda, 2008**

NO MORE
RULES
GRAPHIC
DESIGN AND
POSTMODERNI
SM
RICK POYNOR

NO MORE RULES: GRAPHIC DESIGN AND POSTMODERNISM, **Rick Poynor / Laurence King Publishing; Yale University Press / design, Chip Kidd / Reino Unido; EUA, 2003**

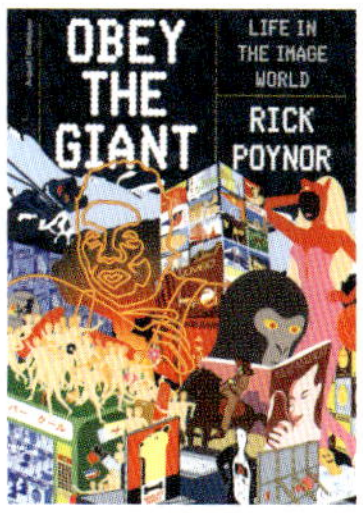
OBEY
THE
GIANT
LIFE IN
THE IMAGE
WORLD
RICK
POYNOR

OBEY THE GIANT: LIFE IN THE IMAGE WORLD, **Rick Poynor / August Media; Birkhäuser / design, Stephen Coates; image, Kam Tang / Reino Unido; Switzerland, 2001**

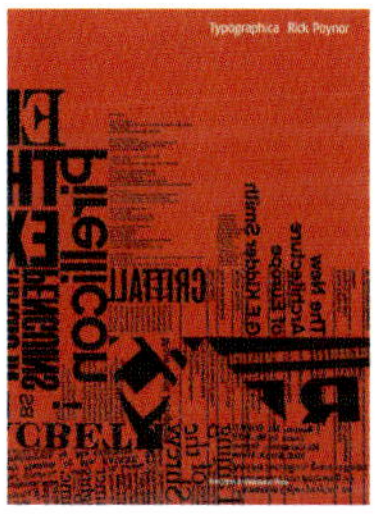
Typographica Rick Poynor

TYPOGRAPHICA, **Rick Poynor / Laurence King Publishing; Princeton Architectural Press / design, Stephen Coates; baseado num design de Herbert Spencer / Reino Unido; EUA, 2001**

Max Bruinsma

n. 1956 (HOLANDA)
ATUALMENTE EM AMSTERDÃ, HOLANDA

Desde 1985, Max Bruinsma, um crítico de design, editor, curador e designer editorial – e embora não seja um praticante do design, ele trabalha com a convergência de design e texto, notando que "nosso trabalho comum é organizar interfaces entre conteúdo e forma" – tem escrito sobre design e cultura para publicações holandesas e internacionais. De 1997 a 1999, foi o sucessor de Rick Poynor como editor-chefe da revista *Eye* › 103, onde explorou seu interesse no novo campo de meios baseados em telas. Por cinco anos antes da *Eye*, ele foi editor-chefe de *Items*, a resenha holandesa de design, hoje ele mais uma vez detém essa posição. Em 2005, Bruinsma criou um programa em design editorial na Escola de Pós-Graduação em Artes Visuais e Design de Utrecht. Ele tem lecionado e liderado oficinas desde o início dos anos 1990.

maxb | cv | texts | contact | maze | back

(e) texts originally in english.
(nl) teksten oorspronkelijk in het nederlands.

(e) english translation available.
(nl) nederlandse vertaling beschikbaar.
(fr) traduction Française disponible
(de) Deutsche Übersetzung verfügbar

title	date	publication	theme	kind	language	updated
The applied art of art Design criteria govern art in Venice and Kassel	2007/11	Items	visual culture	essay	e/nl	
Nouveau Dutch Design How Dutch are the young Dutch designers?	2007/04	émergence	graphic design	essay	e/fr	
"Je ne cherche pas, je trouve" Jan van Toorn designs with found footage	2007/03	étappes	graphic design	essay	e/fr	
"Smart, meaningful, fresh" 10 years of KesselsKramer in Rotterdam's Kunsthal	2007/02	Form	visual culture	review	e	
De Beverd, visie of marketing pitch? een nieuwe vormgever voor hèt grafisch ontwerpmuseum?	2007/01	Items	graphic design	column	nl	-
Middelmatige communicatie vormgeving voor musea	2006/12	Kunst in de Provincie K&V Noord Holland	graphic design	essay	nl	-
In discussie met de openbare mening Martijn Engelbregts Dienstcatalogus	2006/11	Open	art in public space	review	nl/e	-
De letterbouwer de materiële typografie van René Knip	2006/11	Addmagazine	designers' profiles	profile	nl/fr	-
Grootgruttersvormgeving [illegible]	2006/11	[illegible] GroenLinks	graphic design	essay	nl	-
Mooie bloemen, geen tuin recent Frans grafisch ontwerp voor het publieke domein	2006/07	Items	graphic design	essay	nl	-
Het primaat van de zichtbaarheid recensie boek Camiel van Winkel	2006/05	Metropolis M	visual culture	review	nl	-
Revenge of the symbols [illegible] its own codes. Outside of these, it explodes, with considerable collateral damage	2006/05	[illegible]	art in public space	essay	e/nl	-
Form = Function Interpretatie is het centrale begrip in een visuele cultuur als de onze, waarin beeld steeds vaker syntactisch wordt ingezet.	2006/05	Jaarboek ABK Groningen	visual culture	essay	nl	-
If it ain't broke, upgrade! launch van 'the upgrade' in Amsterdam	2006/05	-	design general	lecture	e	-
Annelys de Vet: "De BNO is er voor de biotoop" interview in Vormberichten, april 2006	2006/04	BNO Vormberichten	design general	interview	nl	-
Strange Attractors Intro to the work of two 'decorationalists'	2006/01	I.D. magazine	graphic design	review	e	2006/10
Sensitive Modernism modernist values and contemporary design	2005/11	Yearbook Duch Design	design general	essay	e/nl	-
Catalysts! The cultural force of communication design essays accompanying my exhibition in Lisbon, sept / nov	2005/09	EXD05	graphic design	essays	e	2005/11
Bruce Mau's Discovery Channel bespreking van het boek bij de tentoonstelling	2005/05	Items	design general	review	nl	2006/01
What about it? review of Jeroen Boomgaard's report on public art at Amsterdam's Zuidas	2005/04	Open	art in public space	review	e/nl	2006/01
John Maeda : Creative code seven years of experimentation in digital interactive media at MIT	2005/03	Form	interface and webdesign	review	e	-
Joes Koppers profiel van een interfaceontwerper	2005/01	Items	designers' profiles	profile	nl	-
Wim Crouwel : de vormvoorbereider oeuvreprijs Fonds BKVB	2004/11	Fonds BKVB	designers' profiles	essay	nl	-
Massive Change Q&A with Bruce Mau on his exhibition in Vancouver (extended version)	2004/10	ID	design general	interview	e	-
Chris Keulemans Interview met Chris Keulemans over boek en website 'De Amerikaan die ik nooit geweest	2004/10	Items	interface and webdesign	interview	nl	-

ARQUIVO ONLINE DE TEXTOS DE MAX BRUINSMA / Holanda, 2008

Steven Heller

n. 1950 (NOVA YORK, NY, EUA)
ATUALMENTE EM NOVA YORK, NY, EUA

Você piscou e Steven Heller publicou outro livro sobre design – essa é a piada que corre entre designers. Heller é o autor, coautor ou editor de mais de 100 livros sobre temas relacionados ao design. Ele nasceu em 1950 e sua vida profissional começou cedo, aos 17 anos tornou-se diretor de arte da New York Free Press, e, nos sete anos seguintes, teve cargos em publicações rebeldes como *Interview, Rock* e *Screw*. Em 1974, iniciou um período de 33 anos no *New York Times*, iniciando como diretor artístico da seção de Op-Ed (página de opiniões) e até finalmente tornar-se editor sênior de artes do *New York Times Book Review*.

ARTISTS' CHRISTMAS CARDS
MAN BITES MAN
JULES FEIFFER'S AMERICA
THE ART OF NEW YORK
ART AGAINST WAR
THE ART OF SATIRE
INNOVATORS OF AMERICAN ILLUSTRATION
DESIGN CAREER
GRAPHIC STYLE
SOURCEBOOK OF VISUAL IDEAS
TRYLON AND PERISPHERE: THE 1939 NEW YORK WORLD'S FAIR
LOW BUDGET HIGH QUALITY DESIGN
DESIGNING WITH ILLUSTRATION
GRAPHIC WIT
THE SAVAGE MIRROR
ANGRY GRAPHICS
BORROWED DESIGN
COVERS & JACKETS!
Designing for children
TYPEPLAY
LOOKING CLOSER
JACKETS REQUIRED
THE BUSINESS OF ILLUSTRATION
STREAMLINE
That's Entertainment
MAGAZINES INSIDE & OUT
FOOD WRAP
NEWSLETTERS NOW
FACES ON THE EDGE
THE DIGITAL DESIGNER
DECO TYPE
DESIGN LITERACY
TEENAGE CONFIDENTIAL
BARSON HELLER
BRITISH MODERN
GERMAN MODERN
Design Dialogues
The Education of a Graphic Designer
Paul Rand
Less is More
Becoming a Graphic Designer
TYPOLOGY
Design Literacy (continued)
Graphic Design Time Line

Ralph Caplan

n. 1925 (AMBRIDGE, PENNSYLVANIA, EUA)
ATUALMENTE EM NOVA YORK, NY, EUA

Envolvido com design desde fins dos anos 1950, quando foi o editor-chefe da revista *I.D.* › 96 tem sido um escritor e professor visivelmente divertido, envolvente e informado. Além disso, foi membro do corpo de diretores da Conferência Internacional de Design em Aspen, de 1968 a 1997, além de codiretor de outras conferências. Caplan escreveu, entre outras publicações, para *Communication Arts* › 96, *Design Quartely*, *Graphis*, *Print* › 94 e *U&lc* › 98, bem como para periódicos comuns como *Consumer Reports, House Beautiful*, o *New York Times* e a *New Yorker*. Em 1982, ele publicou *By Design: Why There Are No Locks on The Bathroom Doors of the Hotel Louis XIV and Other Object Lessons*, uma discussão adorada pela indústria sobre a intersecção de design e sociedade. Uma antologia dos textos de Caplan, *Cracking the Whip*, foi publicada em 2005 e inclui 60 ensaios dos anos 1960; textos novos podem ser encontrados em sua coluna online, "Noah's Archive" para VOICE: VOICE: AIGA Journal of Design › 113.

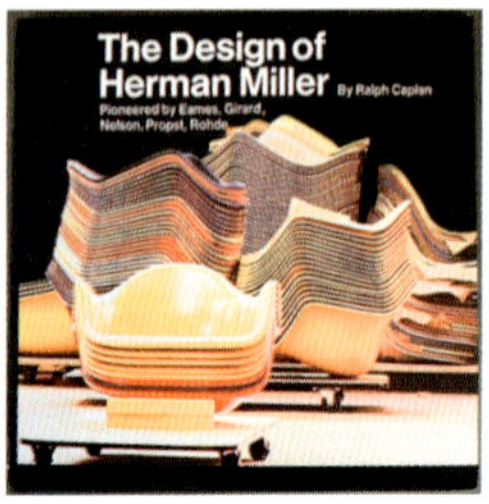
The Design of Herman Miller
By Ralph Caplan

***THE DESIGN OF HERMAN MILLER*, Ralph Caplan / Watson-Guptill / EUA, 1976**

INDUSTRIAL DESIGN

TEXTOS DE RALPH CAPLAN PARA A REVISTA *INDUSTRIAL DESIGN/I.D.*

attention

***ATTENTION, CONNECTION, TENSION,* AND *OMISSION*, PUBLICAÇÕES INTERNAS DA HERMAN MILLER INCORPORATED / texto, Ralph Caplan; design, John Massey / EUA, 1978**

by design
cracking the whip
The Design of Herman Miller

AMOSTRAS EDITORIAIS DO TRABALHO DE RALPH CAPLAN / Fotos: Lee Iley, 2008

Em 1998, criou com Lita Talarico o curso de Mestrado Designer Enquanto Autor › 132 na School of Visual Arts em Nova York, e até hoje é o chefe. Heler também foi, juntamente com Alice Twemlow › 241, o criador do Mestrado em Crítica na mesma instituição. E ele é um incansável escritor e editor de design. Colaborador constante das revistas *Print, Eye, Baseline e I. D.*, foi o editor do *AIGA Journal of Graphic Design* › 105 de 1988-2000, e hoje é editor da edição online, *VOICE: AIGA Journal of Design* › 113; além de, algumas vezes, escrever obituários para o *New York Times*. Ele também arruma tempo para ser curador de exposições e conferências, além de lecionar ao redor do mundo. Ele tem a fama de que seus dias começam antes de amanhecer.

IMPRESSIONANTE OBRA DE HELLER DURANTE ANOS / Foto: Davies e Starr

GENIUS MOVES
Icons of Graphic Design
GRAPHIC DESIGN HISTORY
RED SCARED!
Texts on Type
Design Humor
TEACHING GRAPHIC DESIGN
EASTSIDE WESTSIDE
¡Hola Cuba!
BANDIT LOVE
HANDWRITTEN
Handwritten
Inside the Business of Illustration
THE PUSH PIN GRAPHIC
EURODECO
Design Literacy
The Education of a Comics Artist
Teaching Illustration
STYLEPEDIA
CRITICAL WRITINGS ON GRAPHIC DESIGN
the anatomy of design
Stop America

Lewis Blackwell

n. 1958 (LONDRES, INGLATERRA, REINO UNIDO)
ATUALMENTE EM LONDRES, INGLATERRA, REINO

Colaborando com designers, como David Carson › 186, Neville Brody, Jeremy Leslie, Ed Fella › 185, Laurie Haycock Makela e P. Scott Makela, Lewis Blackwell gerou uma coleção de livros um tanto diversa – *The End of Print, G1: New Dimensions in Graphic Design, Issues: New Magazine Design, Edward Fella: Letters on America* e *Whereishere*. *Twentieth-Century Type*, a narrativa abrangente de Blackwell sobre o desenvolvimento da tipografia, teve sete edições desde que foi publicada em 1992; permanece como uma fonte de referência. Além de escrever livros, Blackwell foi editor-chefe de *Creative Review* › 99 de 1995 a 1999 e, nos oito anos seguintes trabalhou como diretor de criação da Getty Images, avançando até ser vice-presidente sênior enquanto ajudava a companhia de imagem a consolidar a sua própria. Blackwell hoje está engajado em papéis de consultoria estratégica, enquanto se concentra em novos e criativos trabalhos escritos.

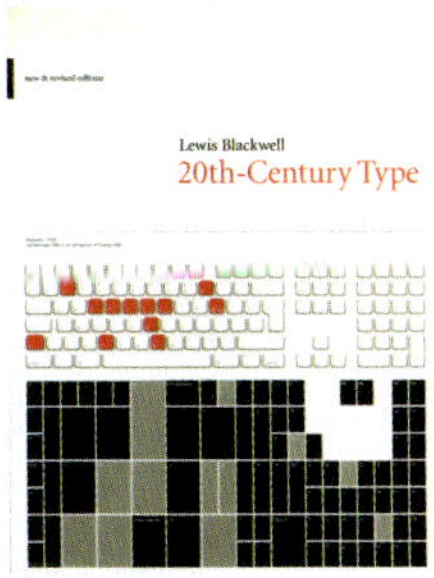
Lewis Blackwell
20th-Century Type

20TH CENTURY TYPE, Lewis Blackwell / Laurence King Publishing / Pentagram; Angus Hyland / Reino Unido, 1998 (2. ed.)

G1

G1: NEW DIMENSIONS IN GRAPHIC DESIGN, Lewis Blackwell, Neville Brody / Rizzoli International Publications, Laurence King Publishing / 1997

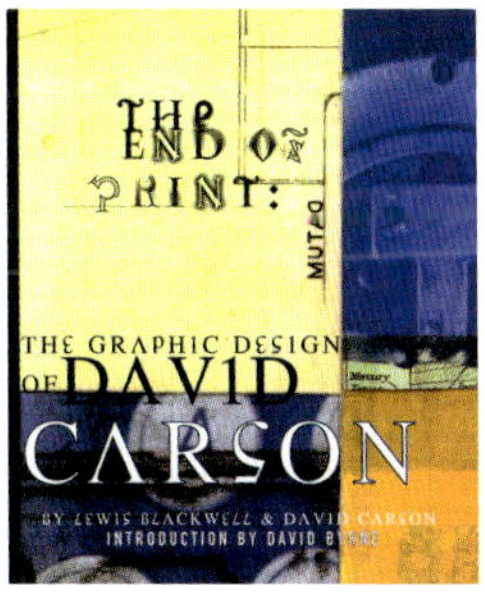
THE END OF PRINT:
THE GRAPHIC DESIGN OF DAVID CARSON

THE END OF PRINT: THE GRAPHIC DESIGN OF DAVID CARSON, Lewis Blackwell, David Carson / Chronicle Books, Laurence King Publishing / EUA, 1995

tipografía
del siglo XX

TIPOGRAFÍA DEL SIGLO XX: REMIX, Lewis Blackwell / Gustavo Gili / Carlos Sáez de Valicourt baseado no design de Angus Hyland / Espanha, 1998

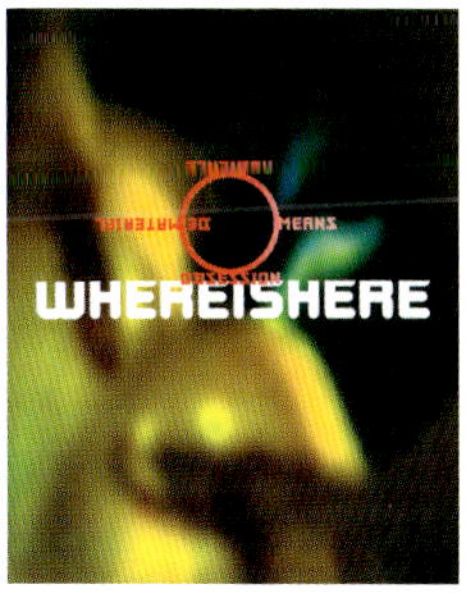
WHEREISHERE

WHEREISHERE, Lewis Blackwell, P. Scott Makela, Laurie Haycock Makela / Gynko Press Inc. / P. Scott Makela, Laurie Haycock Makela; Warren Corbit, Kurt Miller / EUA, 1998

Ellen Lupton

n. 1963 (FILADÉLFIA, PENNSYLVANIA, EUA)
ATUALMENTE EM BALTIMORE, MARYLAND, USA

Após a formatura na Cooper Union › 131 em 1985, Ellen Lupton criou – com Abbott Miller (os dois depois se casariam) – um estúdio de design chamado Design Writing Research. Esse é um nome atraente, certamente, e o título de seu livro, também escrito em conjunto em 1996; de modo mais significativo, indica a simbiose desses elementos na carreira de Lupton. De 1985 a 1992, ela foi curadora do Centro de Estudos de Design e Tipografia Herb Lubalin › 124, na Cooper Union, onde organizou exposições e escreveu os respectivos catálogos e publicações e, desde 1992, ela tem sido a curadora de design contemporâneo no Cooper-Hewitt National Design Museum › 120, onde exposições como *Mechanical Brides: Women and Machines, from Home to Office, Mimixing Messages: Graphic Design in Contemporary Culture, Skin: Surface, Substance and Design* e a série Trienal Nacional de Design resultaram em livros obrigatórios.

Os livros mais recentes de Lupton são mais abrangentes em termos de assunto e destinados a terem um maior apelo e acessibilidade do design: *Thinking with Type* é uma livro de referência em tipografia; *DIY: Design it Yourself*, escrito juntamente com seus alunos no programa de pós-graduação no Maryland Institute College of Art › 134 em Baltimore, adota a atitude "faça você mesmo" que permeia a cultura; e seu derivado *D.I.Y.: Kids*, escrito com sua irmã gêmea, Julia Lupton, encoraja a adoção o mais cedo possível dessa abordagem. Desde o final dos anos 1980, Lupton tem escrito ensaios e feito entrevistas para quase todas as publicações concebíveis de design: *Print, AIGA Journal of Graphic Design, I.D., Eye, Graphic Design USA, Graphis, Dwell* e *Metropolis*. Esse cânone de textos forma uma visão crítica e cativante tanto da história quando do presente da profissão, assim como de sua teoria e prática.

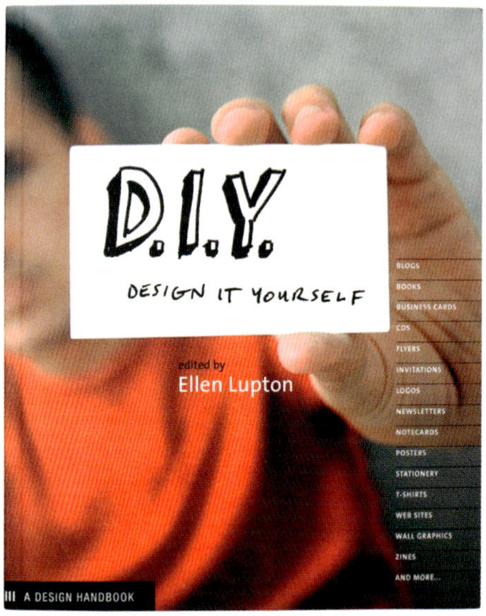
D.I.Y.
DESIGN IT YOURSELF
edited by
Ellen Lupton
BLOGS
BOOKS
BUSINESS CARDS
CDS
FLYERS
INVITATIONS
LOGOS
NEWSLETTERS
NOTECARDS
POSTERS
STATIONERY
T-SHIRTS
WEB SITES
WALL GRAPHICS
ZINES
AND MORE...
A DESIGN HANDBOOK

D.I.Y.: DESIGN IT YOURSELF, **editado por Ellen Lupton / Princeton Architectural Press / Maryland Institute College of Art: design de capa, Mike Weikert, Nancy Froehlich, Kristen Spilman; capas internas, Kristen Spilman; foto: Nancy Froehlich, Dan Meyers / EUA, 2006**

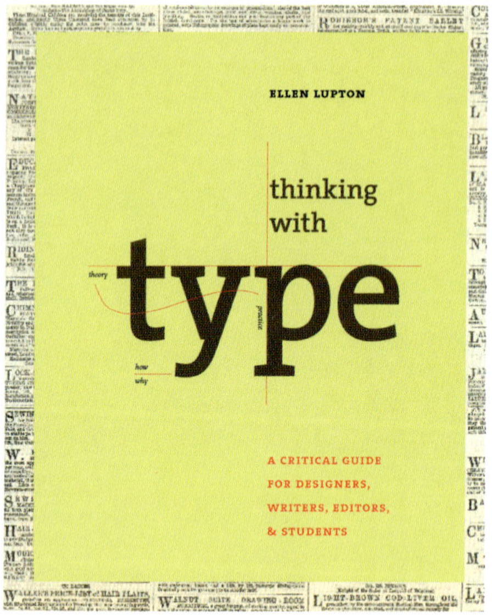
ELLEN LUPTON
thinking
with
type
A CRITICAL GUIDE
FOR DESIGNERS,
WRITERS, EDITORS,
& STUDENTS

THINKING WITH TYPE: A CRITICAL GUIDE FOR DESIGNERS, WRITERS, EDITORS, AND STUDENTS, **Ellen Lupton / Princeton Architectural Press / design de capa, Ellen Lupton, Jennifer Tobias; assistente de design, Eric Karnes, Elke Gasselseder; foto: Dan Meyers / EUA, 2004**

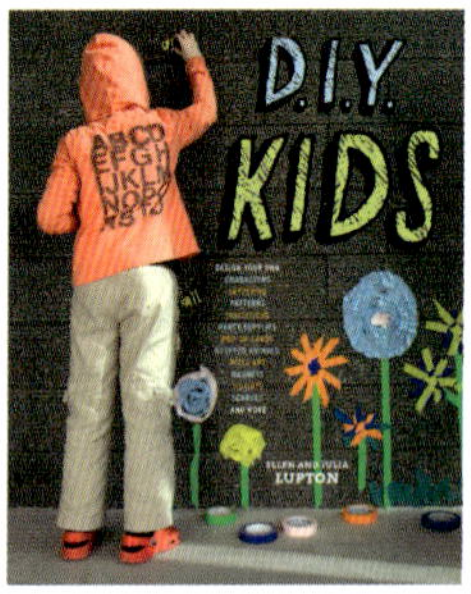
D.I.Y.
KIDS

D.I.Y.: KIDS, **Ellen Lupton, Julia Lupton / Princeton Architectural Press / EUA, 2007**

The Bathroom
the Kitchen
and the Aesthetics of Waste
(A Process of Elimination)

THE BATHROOM, THE KITCHEN, AND THE AESTHETICS OF WASTE, **Ellen Lupton, Abbott Miller / Princeton Architectural Press / EUA, 1996**

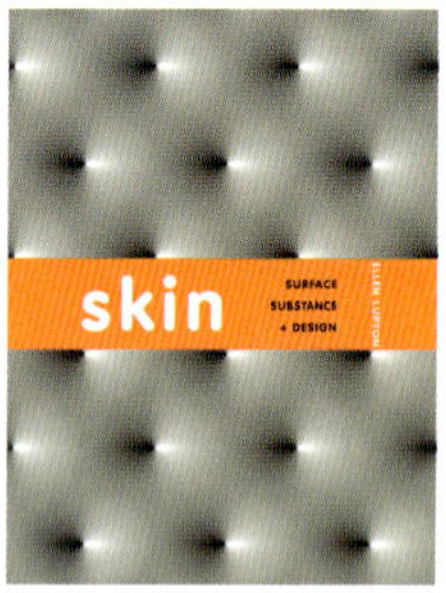
skin
SURFACE
SUBSTANCE
+ DESIGN

SKIN: SURFACE, SUBSTANCE, AND DESIGN, **Ellen Lupton / Princeton Architectural Press, Cooper-Hewitt National Design Museum / Ellen Lupton / EUA, 2007**

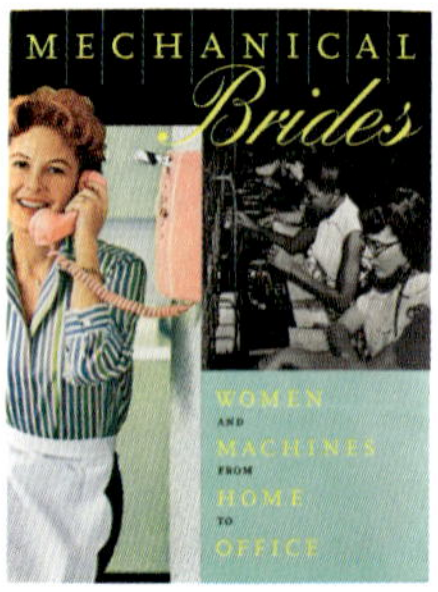
MECHANICAL
Brides
WOMEN
AND
MACHINES
FROM
HOME
TO
OFFICE

MECHANICAL BRIDES: WOMEN AND MACHINES FROM HOME TO OFFICE, **Ellen Lupton / Princeton Architectural Press, Cooper-Hewitt National Design Museum / Ellen Lupton, Hall Smyth; design de capa, Abbott Miller, Hall Smyth / EUA, 1996**

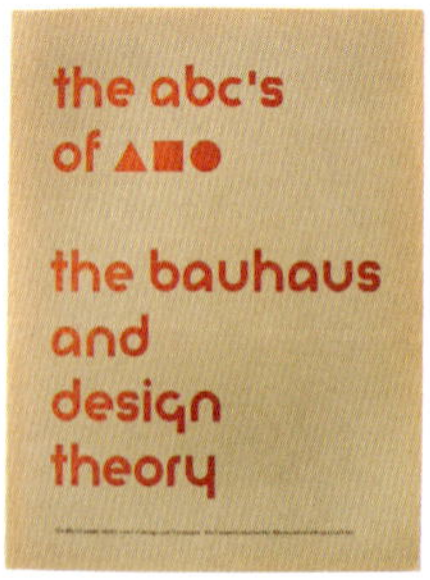
the abc's
of
the bauhaus
and
design
theory

THE ABCS OF BAUHAUS: THE BAUHAUS AND DESIGN THEORY, **Ellen Lupton, Abbott Miller / Princeton Architectural Press / EUA, 2000**

DESIGN
WRITING
RESEARCH
WRITING ON GRAPHIC DESIGN
ELLEN LUPTON
J. ABBOTT MILLER

DESIGN WRITING RESEARCH, **Ellen Lupton / Kiosk / EUA, 1996**

Alice Rawsthorn

n. 1958 (MANCHESTER, INGLATERRA, REINO UNIDO)
ATUALMENTE EM LONDRES, INGLATERRA, REINO UNIDO

Formada em Arte e Arquitetura, Alice Rawsthorn foi uma jornalista do *Financial Times* por 16 anos, trabalhando como correspondente estrangeira em Paris, fazendo a cobertura das indústrias de criação. Em 2001, foi nomeada diretora do London Design Museum › 122, onde, no curso de cinco anos, ela organizou, entre outras coisas, exposições significativas sobre a obra de Peter Saville › 180, Saul Bass › 158 e Robert Brownjohn › 155. Em 2006, o *International Herald Tribune* (IHT) apresentou uma coluna semanal intitulada simplesmente "Design", escrita por sua nova crítica de design, Rawsthorn. Numa coluna de 2008, ela fazia uma pergunta enganosamente simples: o que é bom design? Aos leitores deste livro e a outros profissionais do design, a resposta pode ser evidente, mas para os leitores dos 240.000 exemplares circulantes do IHT e os 4,6 milhões de usuários individuais que visitam seu website, a eloquência e lucidez da resposta de Rawsthorn são vitais. Como complemento, Rawsthorn publicou uma biografia de Yves Saint-Laurent e uma monografia sobre Marc Newton.

DESIGN
An odd couple takes a bite from the same apple
Navigating a badly informed world of information
What defies defining, but exists everywhere?
IHT Classifieds
Arts & Antiques

***COLUNA SEMANAL DE DESIGN* DE ALICE RAWSTHORN** / *International Herald Tribune* / Reino Unido, 2008

The Peter Saville Show

***THE PETER SAVILLE SHOW* CARTAZ DE EXPOSIÇÃO PARA O DESIGN MUSEUM** / Graphic Thought Facility / Reino Unido, 2004

DESIGN MUSEUM

IDENTIDADE DO DESIGN MUSEUM / Graphic Thought Facility / Reino Unido, 2003

Alice Twemlow

n. 1973 (LONDRES, INGLATERRA, REINO UNIDO)
ATUALMENTE EM BROOKLYN, NOVA YORK, EUA

Como crítica devota do design cujos textos entretêm, são acessíveis, informativos, Alice Twemlow tem escrito para muitas das publicações da área, incluindo *Eye, Print, STEP Inside Design, I. D.* e *Baseline* e é escritora colaboradora do design observer. Twemlow tem um mestrado em história do design, obtido em um programa conjunto entre o Museu Victoria & Albert › 122 e o Royal College of Art em Londres, onde desenvolveu o doutorado em crítica de design. De 1998 a 2002, foi diretora do programa para a AIGA › 244, onde dirigiu conferências como "Voice", Conferência Nacional de Design de 2002 do AIGA, e "Looking Closer", uma conferência sobre história e crítica. Em 2008, ela começou a chefiar o inovador departamento de crítica de design – mais conhecido como D-Crit-na Escola de Artes Visuais › 132, criada em conjunto com Steven Heller › 238.

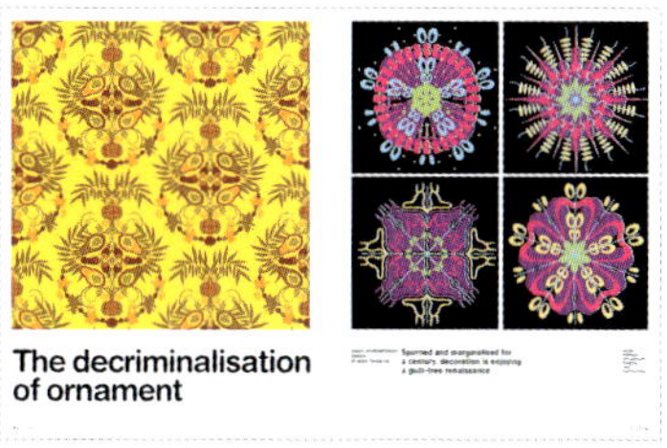
The decriminalisation of ornament

THE DECRIMINALIZATION OF ORNAMENT / *Eye* / design, Esterson Associates / Reino Unido, April 2004

voice2
more than ever

LOGOTIPO DA CONFERÊNCIA AIGA VOICE / design, AdamsMorioka / EUA, 2001

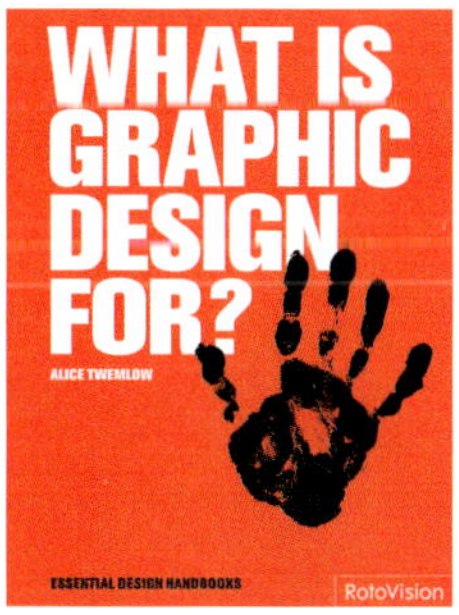
WHAT IS GRAPHIC DESIGN FOR?
ALICE TWEMLOW
ESSENTIAL DESIGN HANDBOOKS
RotoVision

WHAT IS GRAPHIC DESIGN FOR? Alice Twemlow / RotoVision / direção de |arte, Tony Seddon; de arte, Jane Waterhouse / Reino Unido, 2006

D CRIT
D CRIT

ANÚNCIO DO MESTRADO EM CRÍTICA DE DESIGN NA ESCOLA DE ARTES VISUAIS / design, Walker Art Center / EUA, 2007

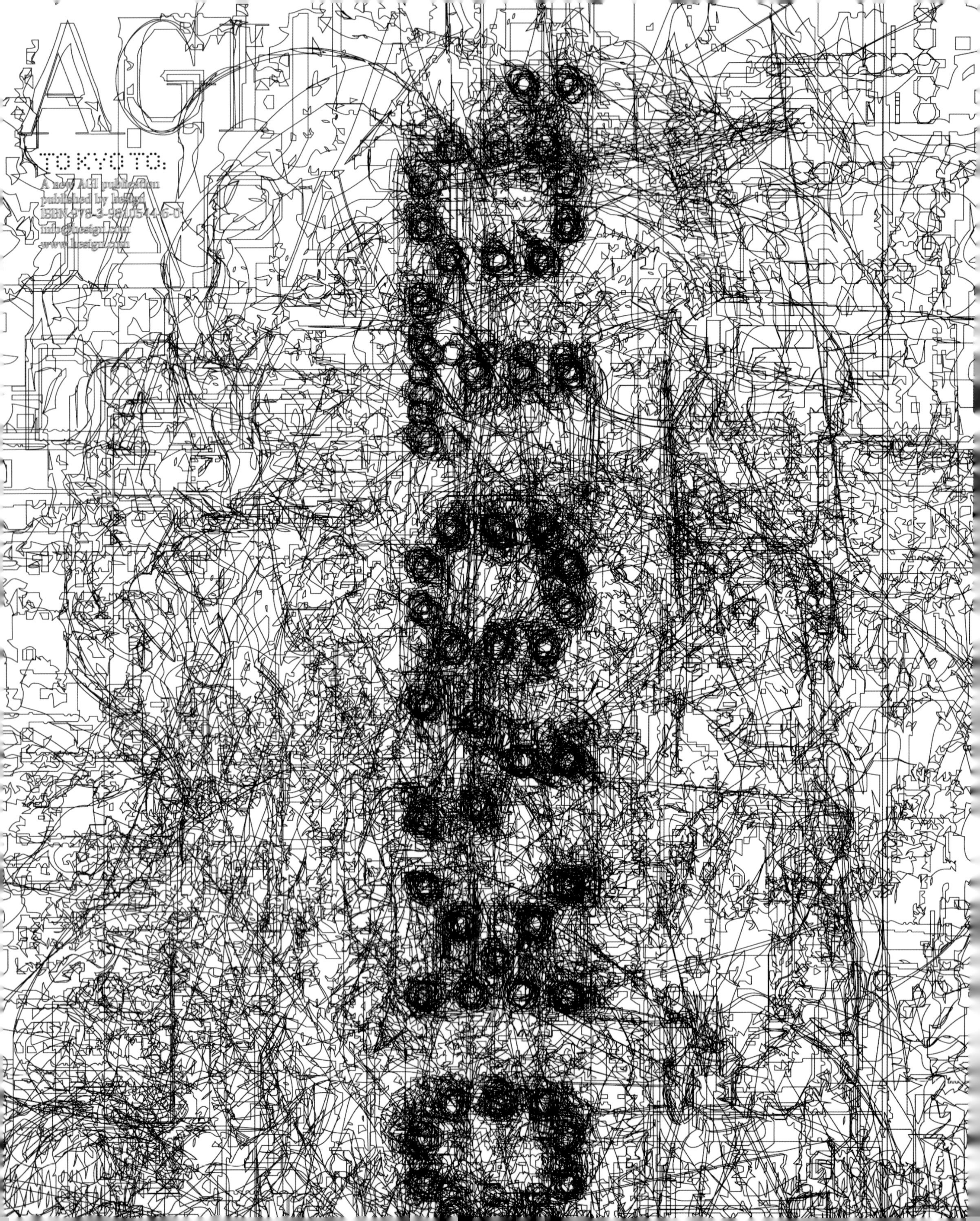
AGI
TOKYOTO:
A new AGI publication
published by hesign
ISBN 978-3-9810544-6-0
info@hesign.com
www.hesign.com

REPRESENTANTES
De Designers

244

Numa profissão que é difícil definir sucintamente e cujos efeitos são ainda mais difíceis de quantificar, não importa quem seja o cliente, os designers gráficos podem encontrar solidariedade em organizações que servem como ponto focal para a indústria. A abrangência, o escopo e agenda desses grupos variam, e os benefícios aos membros são recompensadores na proporção aos níveis individuais de comprometimento e envolvimento. Seja para criar padrões, defender a profissão, celebrar as boas práticas ou simplesmente gerar oportunidades de networking, essas organizações solidificam a prática do design gráfico.

Detalhe do **CARTAZ PROMOCIONAL PARO O LIVRO DO AGI *TO KYO TO*** / **Hesign International / Alemanha, 2007**

American Institute of Graphic Arts

CRIADO EM 1914 (NOVA YORK, NY, EUA)

Com ênfase inicial em impressão comercial, o American Institute of Graphic Arts (AIGA) foi criado em 1914, em Nova York por, um grupo de aproximadamente 40 pessoas. Em 1923, tinha 500 membros em 15 estados e 1.000 membros em finais dos anos 1940. Após a Segunda Guerra e nos anos 1950 e 1960, à medida que o design passou a ser moldado por projetos mais amplos de identidade corporativa, comunicação editorial e design de embalagens, o AIGA e seus membros passaram a refletir essa mudança. Em 1981, foi proposto que o AIGA criasse sucursais, com a Filadélfia servindo como modelo, seguida por Boston, São Francisco, Nova York, Los Angeles e Texas criadas em 1983; hoje há 23 sucursais representando 22.000 membros. Cada sucursal é gerida de modo independente e é responsável pela programação e pelos recursos oferecidos aos seus membros locais. No nível nacional, o AIGA organiza conferencias e competições além de servir como advogado para a profissão por meio de uma variedade de iniciativas. Em 2005, para refletir o maior escopo de atividades de seus membros, a organização foi rebatizada AIGA *The Professional Association for Design*, distanciando-se do termo limitado, ainda que não desatualizado, *artes gráficas*.

LOGOTIPO DO AIGA / EUA

A MEDALHA DO AIGA / EUA

365
AIGA YEAR IN DESIGN 26
AIGA

365: AIGA YEAR IN DESIGN 26 / **C&G Partners; Emanuela Frigerio / EUA, 2005**

365
50/50
AIGA
365 50/50
365: AIGA Year in Design 27
AIGA

365: THE AIGA IN DESIGN 27 / **Two: Deborah Littlejohn, Santiago Piedrafita / EUA, 2006**

365: THE AIGA IN DESIGN 28 / **Foto: Jennifer Krogh**

Art Directors Club

CRIADO EM 1920 (NOVA YORK, NY, EUA)

Com ilustradores como Norman Rockwell eliminando os limites entre arte e propaganda durante os anos 1920, o Art Directors Club (ADC), iniciado por Louis Pedlar em 1920, reuniu um grupo de artista de layout, gerentes de departamentos de arte e compradores de arte para explorarem o papel que a arte poderia desempenhar na propaganda. Não mais do que um ano depois, Earnest Elmo Calkins organizou a primeira exposição competitiva; esse esforço sobrevive, quase 90 anos depois, na competição dos ADC Annual Awards, que hoje recebem até 11.000 propostas de mais de 50 países. Seu prêmio Young Guns, oferecido aos mais criativos talentos com menos de 30 anos, tem ficado mais popular e competitivo desde sua criação em 1996. Com uma notável localização em Manhattan, o ADC é sede de eventos que vão de exposições a resenhas de portfólios e programas controverso como a *Designism* de 2006 e sua sequência de 2007.

LOGOTIPO ART DIRECTORS CLUB

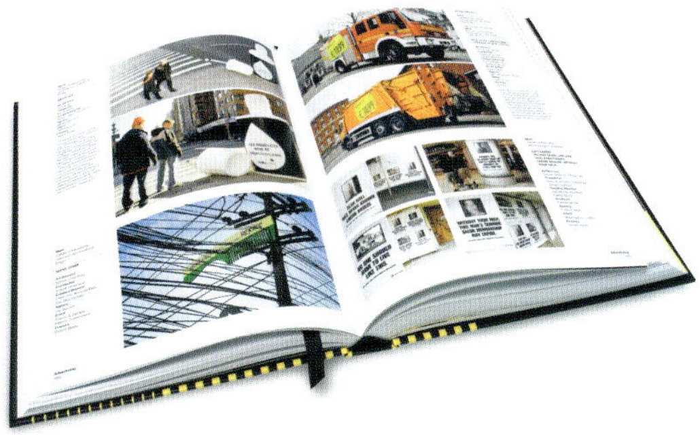

ART DIRECTORS ANNUAL 85 / ADC Young Guns: Rob Giampietro, Kevin Smith / EUA, 2006

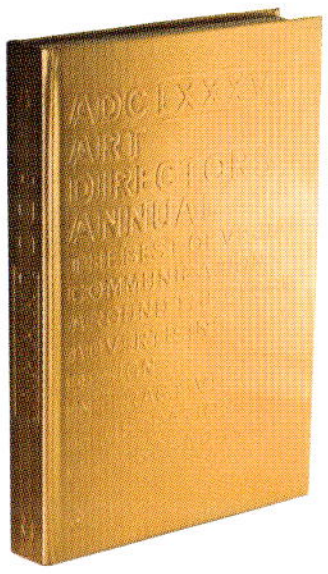

ART DIRECTORS ANNUAL 86 / ADC Young Guns: Rob Giampietro, Kevin Smith / EUA, 2007

YOUNG GUNS 5

ADC YOUNG GUNS 5 ANNUAL / Alan Dye, Joanna Maher / EUA, 2006

Art Directors Club

SINALIZAÇÃO ORIGINAL ADC

CUBO ADC GOLD

Society of Typographic Arts

CRIADA EM 1927 (CHICAGO, ILLINOIS, EUA)

Desde sua criação em Chicago em 1927, a Society of Typographical Arts tem sido uma participante vital na comunidade do design em Chicago, patrocinando seminários, conferências e desenvolvendo publicações, incluindo *Trademarks USA* (1964), *Fifth Years of Graphic Design in Chicago* (1977), *Hermann Zapf and his Philosophy* (1987) e *ZYX: 26 Poetic Portraits* (1989). Por um período breve, nos finais dos anos 1980, a STA tornou-se o American Center for Design. Em 1990, a STA reorganizou-se com um compromisso renovado com o design de Chicago. Hoje, a STA apresenta uma programação diversa de eventos, patrocina a competição anual Archive, uma coleção de trabalhos significativos da cidade.

STA Society of Typographic Arts

LOGOTIPO STA / Uma das 12 iterações / Essex Two / EUA, 2004

32
STA
GALLERY 11
ART INSTITUTE OF CHICAGO
MAY 1 THROUGH JUNE 5

CARTAZ DA 32. EXPOSIÇÃO ANUAL GRÁFICA DE CHICAGO / Sua edição inaugural, em 1927, foi uma das primeiras exposições dedicadas ao design e à impressão no país / Larry Klein / EUA, 1959

STA DESIGN JOURNAL
TM
SPECIAL ISSUE—CORPORATE IDENTITY—FEBRUARY 1985

DESIGN JOURNAL, STA / Ron Kovach / EUA, 1986

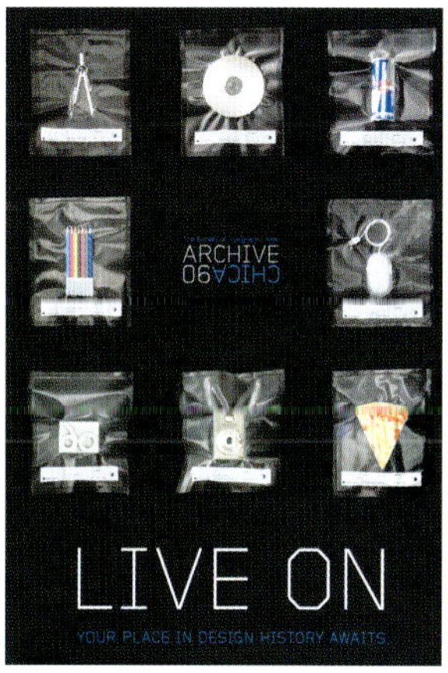
ARCHIVE
LIVE ON
YOUR PLACE IN DESIGN HISTORY AWAITS

CARTAZ DE CHAMADA PARA TRABALHOS DA ARCHIVE06 / Hartford Design / EUA, 2006

Design Council

CRIADO EM 1940 (LONDRES, INGLATERRA, REINO

Criado originalmente em 1944 como Council of Industrial Design para promover o design nos produtos da indústria britânica, o Design Council (assim rebatizado nos anos 1970), mantido por fundos governamentais, deu importantes passos para a melhoria da educação em design industrial e avançou a causa do design entre os fabricantes e comerciantes. Em meados dos anos 1980, à medida que o mercado britânico ficou mais consciente da importância do design e depois experimentou uma perceptível perda de relevância nos anos 1990, o Design Council teve que se ajustar. Em 1994, John Sorrell, um membro do Design Council e design gráfico por formação, propôs reiniciar a organização. Seu propósito novo seria demonstrar o papel do design na melhoria da economia e da sociedade por meio de uma série de iniciativas incisivas. Hoje, mais de 50 estudos de caso revelam a influência do design, o relatório *Design Index*® mostra que os preços de ações de empresas que fazem uso efetivo do design superam a média do mercado, o *Value of Design Factfinder* fornece fatos e números convincentes e uma gama de publicações adicionais defendem ainda mais a adoção do design.

Design Council Magazine
Issue 1 Winter 2006
£8.00
'You stink! Get your feet off my desk, we're not going to buy your product'
The joys of innovation, page 40
Inside this magazine
04 The secret ingredient that could transform British industry
12 Re-enter the dragon: China, the world's first superpower, is back
36 'Spend less on chairs and more on design': the business debate
52 Thirteen small ways to design a better world
62 How creativity transformed nanotechnology, banking and chocolate
DC
M

REVISTA *DESIGN COUNCIL*, PRIMEIRA EDIÇÃO / Reino Unido, Inverno 2006

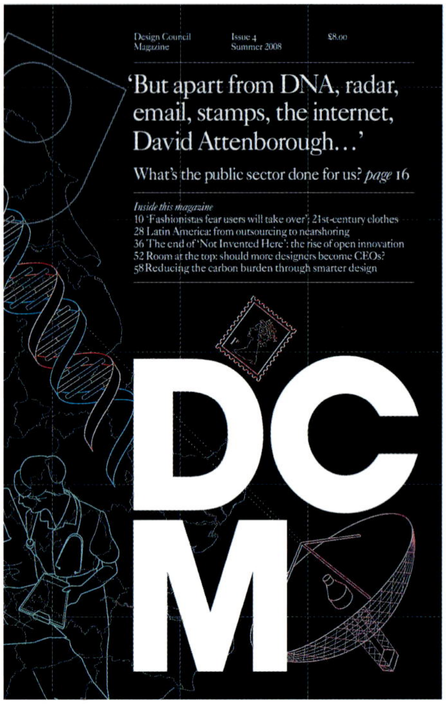
Design Council Magazine
Issue 4 Summer 2008
£8.00
'But apart from DNA, radar, email, stamps, the internet, David Attenborough…'
What's the public sector done for us? page 16
Inside this magazine
10 'Fashionistas fear users will take over': 21st-century clothes
28 Latin America: from outsourcing to nearshoring
36 The end of 'Not Invented Here': the rise of open innovation
52 Room at the top: should more designers become CEOs?
58 Reducing the carbon burden through smarter design
DC
M

REVISTA *DESIGN COUNCIL*, QUARTA EDIÇÃO / Reino Unido, Verão 2008

5 Stories of global competitiveness
Design Council Annual 2005/06
12345 Design Policy
12345 Design Innovation
12345 Design for Business
12345 Design for the Public
12345 Design Knowledge
We drive a biennial national design promotion
12345 Design for the Public
dott 07
12345 Design for the Public
A Tale of Two Revolutions
Engaging people and changing lives

5 HISTÓRIAS DE COMPETITIVIDADE; DESIGN COUNCIL ANNUAL 2005-2006 / Design Council / Bibliothèque / Reino Unido, 2006

Design Council
The Good Design Plan
National design strategy and Design Council delivery plan
2008-11

THE GOOD DESIGN PLAN / Design Council / Reino Unido, 2008

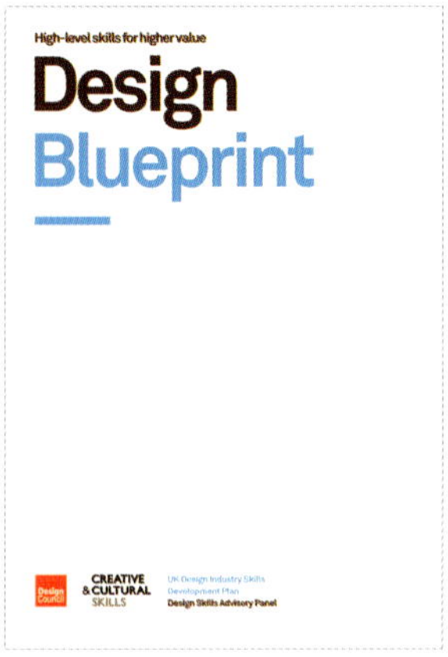
High-level skills for higher value
Design Blueprint
CREATIVE & CULTURAL SKILLS
Design Skills Advisory Panel

DESIGN BLUEPRINT / Design Council / NB: Studio / Reino Unido, 2008

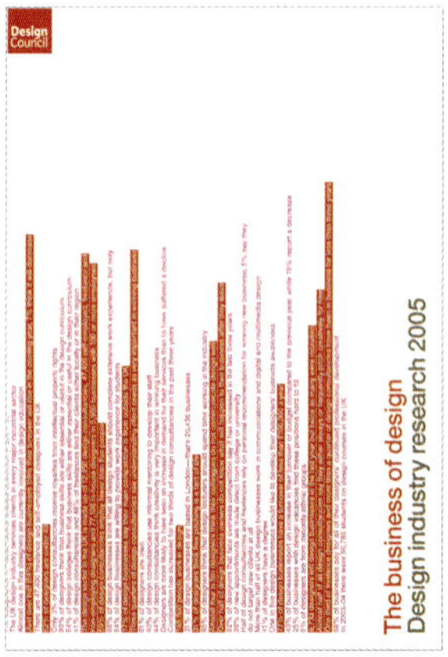
Design Council
The business of design
Design industry research 2005

THE BUSINESS OF DESIGN: DESIGN INDUSTRY RESEARCH 2005 / Design Council / Cartlidge Levene; ilustração, Russell Bell / Reino Unido, 2005

FACTS
AND FIGURES ON
DESIGN IN BRITAIN 2002-03
EDUCATION

FACTS AND FIGURES ON DESIGN IN BRITAIN 2002-2003 / Design Council / johnson banks / Reino Unido, 2002

Type Directors Club

CRIADO EM 1946 (NOVA YORK, NY, EUA)

Criado em 1946, o Type Directors Club (TDC) é dedicado a todas as coisas referentes à tipografia. Dá inspiração, educação e informação a todos os que batem às suas portas. Localizado em Nova York, num espaço do centro da cidade, lotado de livros raros e com um tesouro em matéria de exemplos tipográficos, a organização abriga aulas e oficinas durante todo o ano. Seu boletim, *Letterspace*, é publicado três vezes por ano e apresenta o renomado *Typography Annuals* (HarperCollins), anualmente que compila o melhor da tipografia mundial e design de tipos.

LOGOTIPO DO TDC / Gerard Huerta / EUA, 1994

letterspace
letterspace
letterspace

***LETTERSPACE*, O BOLETIM DO TDC AO LONGO DOS ANOS** / Diego Vainesman / EUA

TYPOGRAPHY 27
TYPOGRAPHY 25
TYPOGRAPHY 22
TYPOGRAPHY 19

***TYPOGRAPHY* 1-27, OS ANUÁRIOS DO TDC** / vários designers / EUA, 2007

Alliance Graphique Internationale

CRIADA EM 1951 (PARIS, FRANÇA)

Em 1951, cinco designers – Jean Picart le Doux, Jacques Nathan Garamond, Jean Colin, da França; e Fritz Bühler e Donald Brun, da Suíça – criaram a Alliance Graphique Internationale (AGI) em Paris. Em 1952, mais de 50 designers da Europa foram convidados a fazer parte e, ao final, da década, foram admitidos designers americanos, incluindo Herbert Bayer, Lester Beall › 146, Saul Bass › 158 e Paul Rand › 159. Diferente de outras organizações profissionais, a AGI não aceita membros; ao contrário, membros novos são recomendados pelos membros atuais, e são selecionados com base no mérito e na obra, com um comitê que determina se pretendentes serão ou não vetados. O comitê delibera quando os membros da AGI se reúnem no congresso anual. A AGI não advoga em favor dos designers ou suas causas, não protege os interesses dos profissionais, simplesmente lidera ao reunir os designers mais influente e celebrados (mais de 600 desde sua criação), que, por sua vez, representam os ideais da organização nas suas atividades e contribuições.

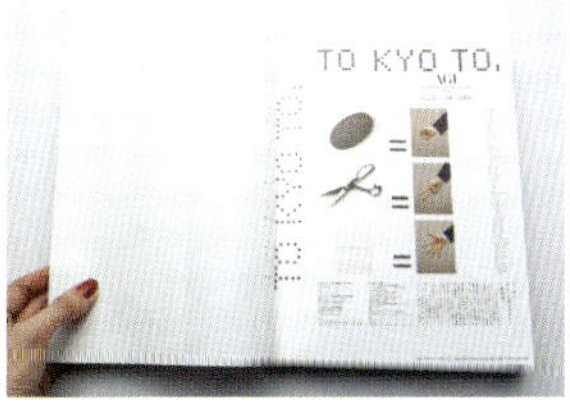
TO KYO TO.

LIVRO *TO KYO TO* DA AGI, editado por Jianping He / Hesign (Berlin / Shanghai) / Hesign International: design, Jianping He; Annika Wolfzettel / Alemanha, 2007 / Fotos: Phillip Birau

LIVRO *NEW VOICE* BOOK DA AGI, editado por Jianping He / Hesign Publishing Berlin / Hesign International: design, Jianping He; Hongbiao Zhao, Tim Feßner / Alemanha, 2006 / Foto: Phillip Birau

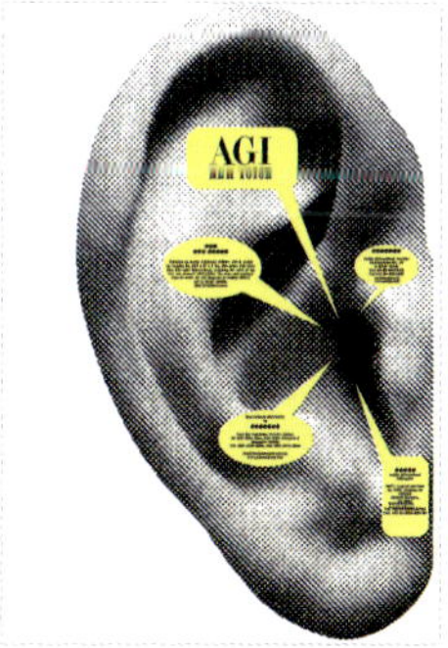
AGI

CARTAZ DA AGI-NEW VOICE POSTER PARA WHAT MAKES BERLIN ADDICTIVE. E.V. / Hesign International: design, Jianping He / Alemanha, 2006

Icograda

CRIADO EM 1963 (LONDRES, INGLATERRA, REINO UNIDO)

Criado em 1963 por Willy de Majo, o Icograda (Conselho Internacional das Associações de Design Gráfico) é – em suas próprias palavras e por falta de uma descrição que melhor capture sua magnitude e influência –, "o organismo mundial para comunicação profissional do design". É um conglomerado voluntário de organizações internacionais, organizações de membros profissionais, instituições educacionais, corporações e indivíduos de todo o mundo que apoiam sua ampla missão de representar os interesses da profissão, aumentar a consciência a respeito desta e, sem nenhum sarcasmo, fazer do mundo um lugar melhor por meio do design. Icograda é a voz dos designers ouvida por meio de afiliação a organismos internacionais, como a ISO e Unesco. Apoia eventos de design, significando que tais eventos foram feitos de acordo com padrões e diretrizes internacionais. A cada dois anos, o Icograda realiza o Congresso Mundial de Design em cidades ao redor do mundo, conectando a prática e a expressão internacional com as culturas locais de design. Em 1995, o Icograda declarou 27 de abril, data de fundação da entidade, o dia internacional do design.

International Council
of Graphic Design Associations
A Partner of the International
Design Alliance

icograda
IDA

leading creatively

IDENTIDADE DO ICOGRADA / Pentagram: Fernando Gutierrez / Reino Unido, 2006

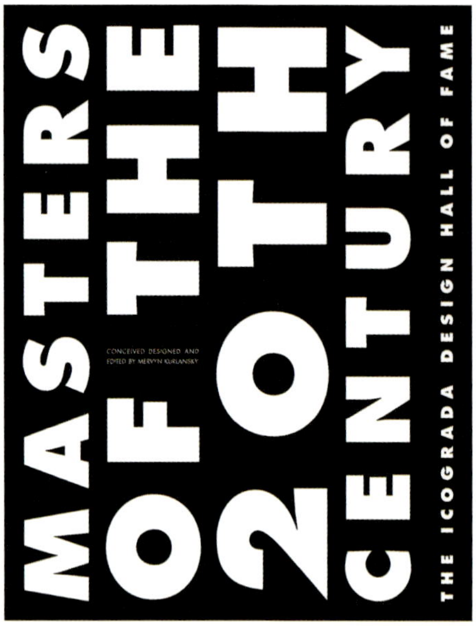
MASTERS OF THE 20TH CENTURY
THE ICOGRADA DESIGN HALL OF FAME
CONCEIVED DESIGNED AND EDITED BY MERVYN KURLANSKY

MASTERS OF THE TWENTIETH CENTURY: ICOGRADA'S HALL OF FAME, editado por Mervyn Kurlansky / Graphis Press / design, Mervyn Kurlansky / Reino Unido, 2001

CARTAZ DO VIGÉSIMO ANIVERSÁRIO DOS SEMINÁRIOS DE DESIGN DO ICOGRADA EM LONDRES / Alan Fletcher / Reino Unido, 1994

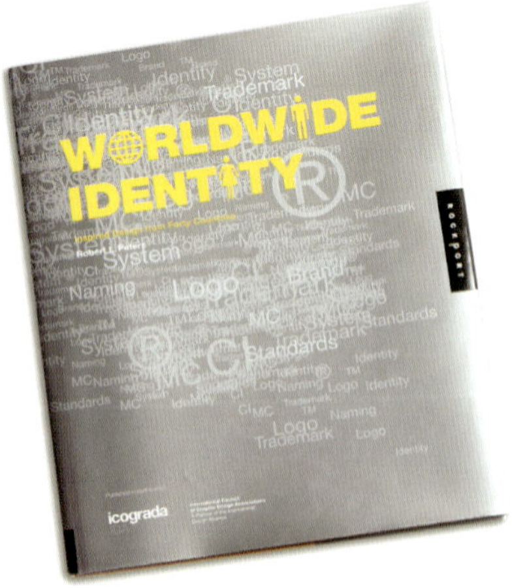
WORLDWIDE IDENTITY
icograda

WORLDWIDE IDENTITY, Robert L. Peters / Rockport Publishers in partnership with Icograda / EUA, 2005

CONGRESSO MUNDIAL DO ICOGRADA EM HAVANA / CUBA, 2007 / Foto: Stuart Alden

MEMBROS DA EXECUTIVA DO ICOGRADA NO HISTÓRICO PRIMEIRO ENCONTRO COM OS MEMBROS CHINESES / China, 2002

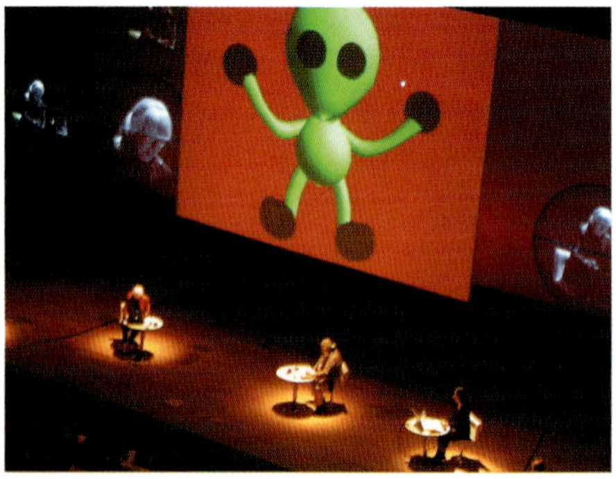

***VISUALOGUE*, CONGRESSO MUNDIAL DE DESIGN DO ICOGRADA EM NAGOYA** / Japão, 2003 / Foto: JAGDA

D&AD
CRIADO EM 1962 (LONDRES, INGLATERRA, REINO UNIDO)

Fundado como British Design and Art Direction em 1962 por diretores artísticos e designers londrinos, incluindo Alan Fletcher, Colin Forbes e Bob Gill › 161, o D&AD foi criado para celebrar os pares e sua obra e para elevar os padrões da indústria. Comprometido por um longo tempo com a formação dos jovens designers, devotando bastante energia e recursos em programas de desenvolvimento em colaboração com instituições de ensino, bem como competições celebrando sua obra inicial, o D&AD é mais conhecido por seu prêmio anual inacreditavelmente seletivo de design e propaganda, iniciado em 1963, quando 25 juízes avaliaram 2.500 propostas. Hoje, até 300 juízes podem passar uma semana examinando as 25.000 propostas de mais de 60 países. Ainda que centenas cheguem à final anual, a competição real assume a forma de lápis Amarelo (Prata) e Preto (Ouro), conferidos a um número incrivelmente baixo de vencedores; em 2003, nenhum Lápis Preto foi ganho em qualquer categoria e, em 2008, nenhuma proposta na categoria design gráfico ganhou sequer um Lápis Amarelo.

LOGOTIPO DO D&AD / Criado por Colin Forbes em 1962, o hexágono foi introduzido em 2006 por Rose / Reino Unido

PRÊMIOS D&AD / design original, Lou Klein / Reino Unido, 1966

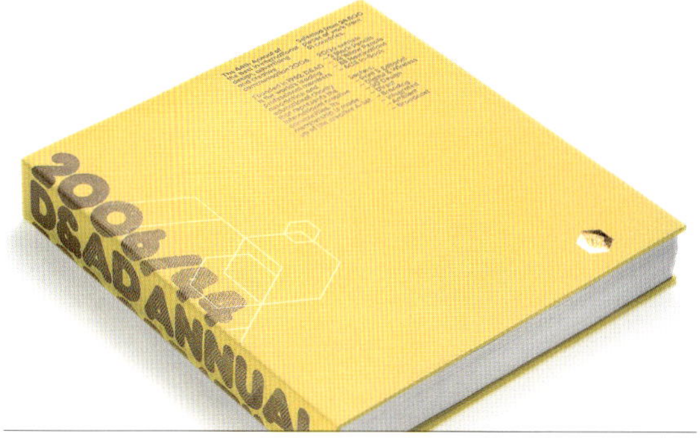
2006/44
D&AD ANNUAL

2006/44 ANUÁRIO E CATÁLOGO DA D&AD / Design Project / Reino Unido, 2006

Fotos: Courtesy of D&AD

The Society of Typographic Aficionados
CRIADA EM 1998 (WESTBOROUGH, MASSACHUSSETTS, EUA)

Criada pelo entusiasta de tipos, Bob Colby, como uma organização de apoio para a primeira edição da TypeCon em 1998, a missão da SoTA é "aumentar a consciência pública e apreciação pela arte e história da tipografia e sua função na criação de comunicações belas e de sucesso". Sem fins lucrativos e conduzida por voluntários, a SoTA tem apoiado a TypeCon, uma conferencia anual para os aficionados pela tipografia, de baixo custo e altamente recompensadora, e trabalha em conjunto com outras organizações sua variedade de publicações e projetos educacionais. Uma ou duas vezes ao ano, a SoTA publica a revista *Interrobang*. Por meio do Font Aid, uma maratona de criação coletiva de fontes a respeito de um tema específico, a SoTA é capaz de obter fundos para uma variedade de causas filantrópicas.

S{o}TA

LOGOTIPO DA SOTA / Typeco: design, James Grieshaber / EUA, 2001

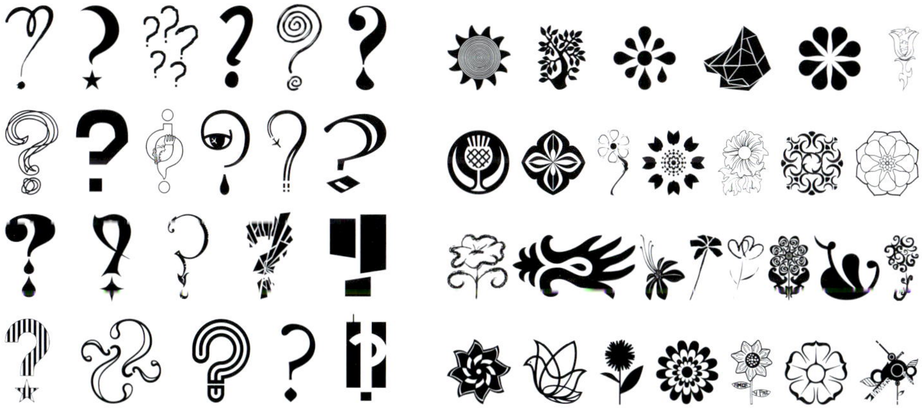

EXEMPLOS DE GLIFOS DO FONT AID II (11 DE SETEMBRO) E III (FLORES DE ESPERANÇA) que, até o momento, obtiveram US$5,300 para a Cruz Vermelha e US$21,000 para os esforços de recuperação dos países afetados pelo Tsumani de 2004 no Oceano Índico, respectivamente / vários designers / EUA, 2001, 2006

PRÁTICA

Inegavelmente, o aspecto mais cativante do design gráfico é o trabalho produzido: cartazes, livros, capas de discos, embalagens, logotipos e identidades, entre outros. Enquanto a totalidade do trabalho excelente – aquele que atende as demandas do cliente, ressoa no público-alvo e é visualmente inovador – seja provavelmente não quantificável e impossível de catalogar nas numerosas revistas, compêndios, apanhados históricos e prêmios do setor nos últimos 50 ou 60 anos, exemplos numerosos são tidos consistentemente como padrões de melhores práticas ou como indicativos de pontes de inflexão à época de sua disseminação. A observação dessa obra revela não só a evolução do design gráfico mas também o desenrolar paralelo de mudanças nas esferas culturais, políticas, econômicas, tecnológicas e comerciais em que ele opera e reage.

OLEMA
VALLEY

PRÁTICA

Nas Paredes

254

Mais que outros artefatos do design gráfico, os cartazes servem como uma crônica dos maneirismos e movimentos artísticos que deram forma à história do design gráfico, das faixas impressas com tipos de madeira de fins do século XIX aos cartazes em Art Nouveau na abertura do século XX, dos cartazes de propaganda das duas guerras mundiais aos cartazes New Wave e Pós-Modernistas do final dos anos 1980 e depois. Por esse legado e por seu potencial de criatividade sem barreiras, os cartazes mantêm uma posição idealizada na profissão de design e de objetos de referência constante e admiração.

Detalhe do **CARTAZ DO *THE GOLDEN GATE NATIONAL PARKS*** / **direção de criação, Rich Silverstein; direção de arte, Jami Spittler; design e ilustração, Michael Schwab / EUA, 1996**

Public Theater

(1994-2001, 2002 – ATÉ O PRESENTE)

O primeiro design que Paula Scher › 182 produziu para o Public Theater em 1994 – a campanha de marketing para a temporada daquele verão da série Shakespeare no Parque – foi desenvolvido em menos de duas semanas, mas criou as bases para uma identidade e linguagem visual completamente novas que vieram para definir o Public Theater a partir da década seguinte. A abordagem de Scher – baseada no desafio de aumentar a consciência pública e audiência do Public Theater e também atingir um público maior – foi se diferenciar, ousadamente, de suas origens ao se afastar do trabalho baseado em ilustração de Paul Davies, que fora usado nos 19 anos anteriores, e passar para um estilo tipográfico.

Começando com a identidade do Teatro – inspirada por amostras encontradas nos *Tipos Americanos em Madeira* de Rob Roy Kelly › 72 e cartazes de teatro do período vitoriano –, Scher criou uma personalidade inigualável que permeava todos os materiais de marketing da temporada e que culminou com os designs para a série de verão Shakespeare no Parque, que foram aplicados em ônibus, metrôs, quiosques, letreiros – basicamente por toda a Nova York. No curso dos anos seguintes, Scher criou cartazes que se tornaram emblemáticos da sua carreira: os explosivos *Bring in 'da Noise, Bring in 'da Funk*, o uso do penteado de Elvis no cartaz de *Him* e as interpretações altamente adaptáveis da tipografia com tipos de madeira.

BRING IN 'DA NOISE
BRING IN 'DA FUNK
A TAP RAP DISCOURSE ON THE STAYING POWER OF THE BEAT
STARTS NOVEMBER 3RD
PUBLIC THEATER

THE PUBLIC THEATER
BRING IN 'DA NOISE BRING IN 'DA FUNK
WASP AND OTHER PLAYS
2 WOMEN
CHANG
KING LEAR
FRAGMENTS
DANCING ON HER KNEES
VENUS
THE SKRIKER
MEMBERSHIP IS EASY! CALL 212-260-2400
NO STANDING 7AM - 2PM EXCEPT SUNDAY
NO STANDING OTHER TIMES EXCEPT TRUCKS LOADING & UNLOADING
SOUTHERN CULTURE

CARTAZES DO PUBLIC THEATER *BRING IN 'DA NOISE, BRING IN 'DA FUNK* / Pentagram: Paula Scher / EUA, 1995

THE PUBLIC THEATER/NEW YORK SHAKESPEARE FESTIVAL PRESENTS
BRING IN 'DA NOISE BRING IN 'DA FUNK
"STUNNING!"
"HEROIC!"
"A JOYOUS CELEBRATION! THE CAST IS SUPERB!"
"A JOYOUS MEDITATION ON TAP."
"EPIC THEATER."
CALL TELE-CHARGE IN NY 212-239-6200
THE AMBASSADOR THEATRE 219 WEST 49TH STREET
BEGINS APRIL 9TH

CARTAZES DA BROADWAY *BRING IN 'DA NOISE, BRING IN 'DA FUNK ON* / Pentagram: Paula Scher / EUA, 1996

TEMPORADA FINAL DE *BRING IN 'DA NOISE, BRING IN 'DA FUNK* / Pentagram: Paula Scher / EUA, 1997

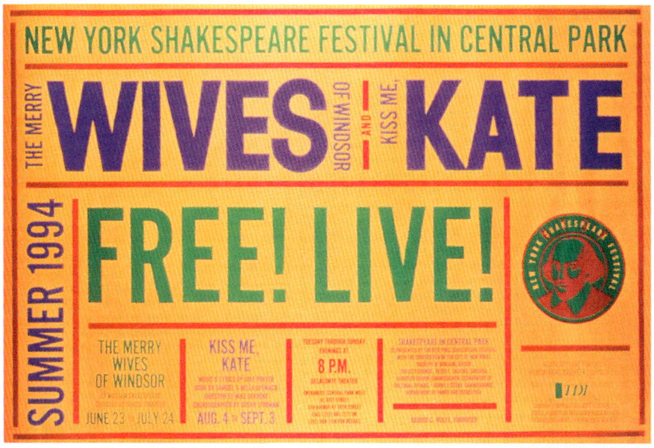
NEW YORK SHAKESPEARE FESTIVAL IN CENTRAL PARK
THE MERRY
WIVES
OF WINDSOR
AND
KISS ME,
KATE
SUMMER 1994
FREE! LIVE!
THE MERRY WIVES OF WINDSOR
JUNE 23 – JULY 24
KISS ME, KATE
AUG. 4 – SEPT. 3
8 P.M.

FESTIVAL SHAKESPEARE NO CENTRAL PARK / O primeiro projeto que Scher fez para o Public Teather / Pentagram: Paula Scher / EUA, 1994

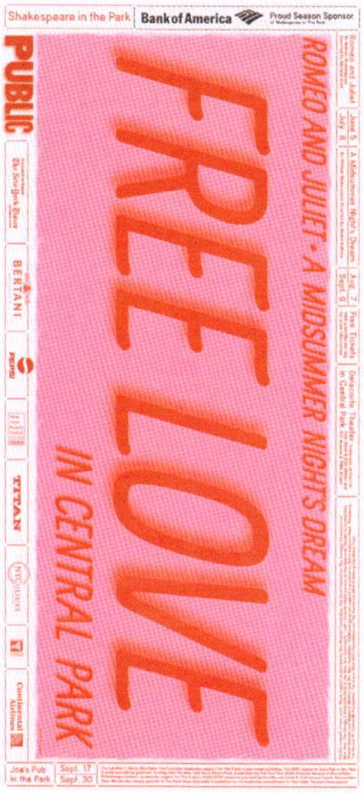
Shakespeare in the Park
Bank of America
Proud Season Sponsor
PUBLIC
FREE LOVE
IN CENTRAL PARK
ROMEO AND JULIET • A MIDSUMMER NIGHT'S DREAM

CARTAZ DO FESTIVAL SHAKESPEARE NO CENTRAL PARK / Pentagram: Paula Scher / EUA, 2007

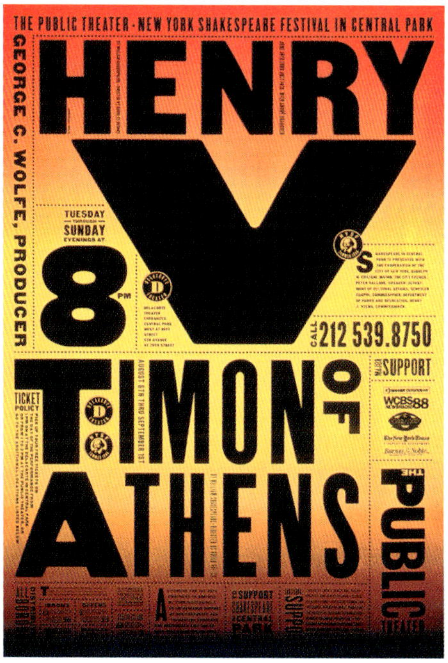
THE PUBLIC THEATER • NEW YORK SHAKESPEARE FESTIVAL IN CENTRAL PARK
HENRY
V
GEORGE C. WOLFE, PRODUCER
TUESDAY
SUNDAY
8
PM
CALL 212 539.8750
TIMON OF ATHENS
SUPPORT
TICKET POLICY
PUBLIC
THEATER

CARTAZ DO FESTIVAL SHAKESPEARE NO CENTRAL PARK / Pentagram: Paula Scher / EUA, 1996

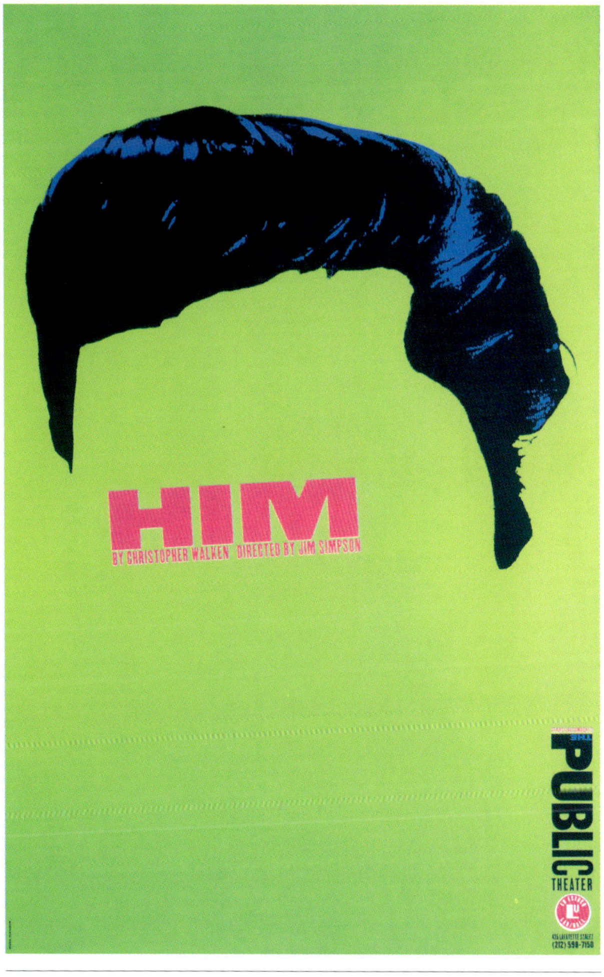
HIM
BY CHRISTOPHER WALKEN DIRECTED BY JIM SIMPSON
THE
PUBLIC
THEATER

CARTAZ *HIM* / Pentagram: Paula Scher / EUA, 1994

SHAKESPEARE IN THE PARK
FREE
WILL
THE
TEMPEST
TROILUS & CRESSIDA
MAJOR SUPPORTERS:
TDI
NYNEX
THE
PUBLIC
THEATER
LIVE
ADDITIONAL SUPPORT:
8
PM
TICKET POLICY

CARTAZ DO FESTIVAL SHAKESPEARE NO CENTRAL PARK / Pentagram: Paula Scher / EUA, 1995

BLADE TO THE HEAT
THE SEASON BEGINS OCTOBER 18
THE
PEOPLE
DIVA IS DISMISSED
SIMPATICO
THE PETRIFIED PRINCE
HIM
MERCHANT OF VENICE
LANGUAGE OF THEIR OWN
SILENCE, CUNNING, EXILE
DANCING ON MOONLIGHT
DOG OPERA
JOIN
PUBLIC
THEATER
HOW TO ORDER

CARTAZ DO FESTIVAL SHAKESPEARE NO CENTRAL PARK / Pentagram: Paula Scher / EUA, 1994

Dylan

Em 1967 a Columbia Records › 300 lançou *Bob Dylan's Greatest Hits* e Milton Glaser › 170 foi contratado para criar um cartaz para acompanhar o disco. Inspirado por um autorretrato em silhueta de Marcel Duchamp e pinturas islâmicas, Glaser criou um perfil em claro contraste de Dylan em branco e preto com o cabelo em formas livres e psicodélicas, infinitamente memorável. As letras Baby Theeth, também criadas por Glaser, pontuam o cartaz com seu estilo singular. As seis milhões de cópias que foram impressas ajudaram a fazer deste o pôster mais conhecido – e parodiado – de Glaser.

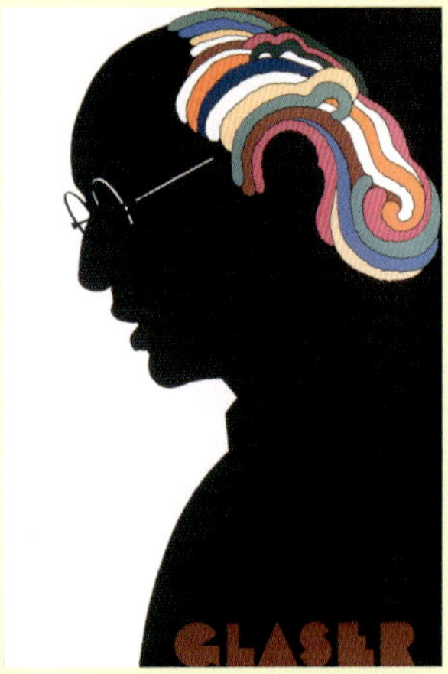
GLASER

INSPIRATION, INFLUENCE, AND PLAGIARISM **CARTAZ DA AULA NA DALLAS SOCIETY OF VISUAL COMMUNICATIONS** / Woody Pirtle / EUA, 1985

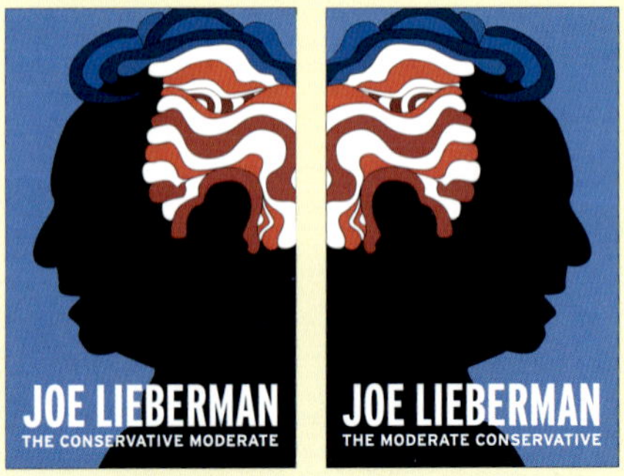
JOE LIEBERMAN
THE CONSERVATIVE MODERATE
JOE LIEBERMAN
THE MODERATE CONSERVATIVE

CONTRIBUIÇÃO PARA "VOTE GETTERS" ("PEGA VOTOS") UM ARQUIVO DE 2003 DA REVISTA *NEW YORK TIMES* NO QUAL VÁRIOS DESIGNERS IMAGINARAM CAMPANHAS PARA OS CANDIDATOS DEMOCRATAS NA ELEIÇÃO PRESIDENCIAL AMERICANA DE 2004 / Number 17 / EUA, 2003

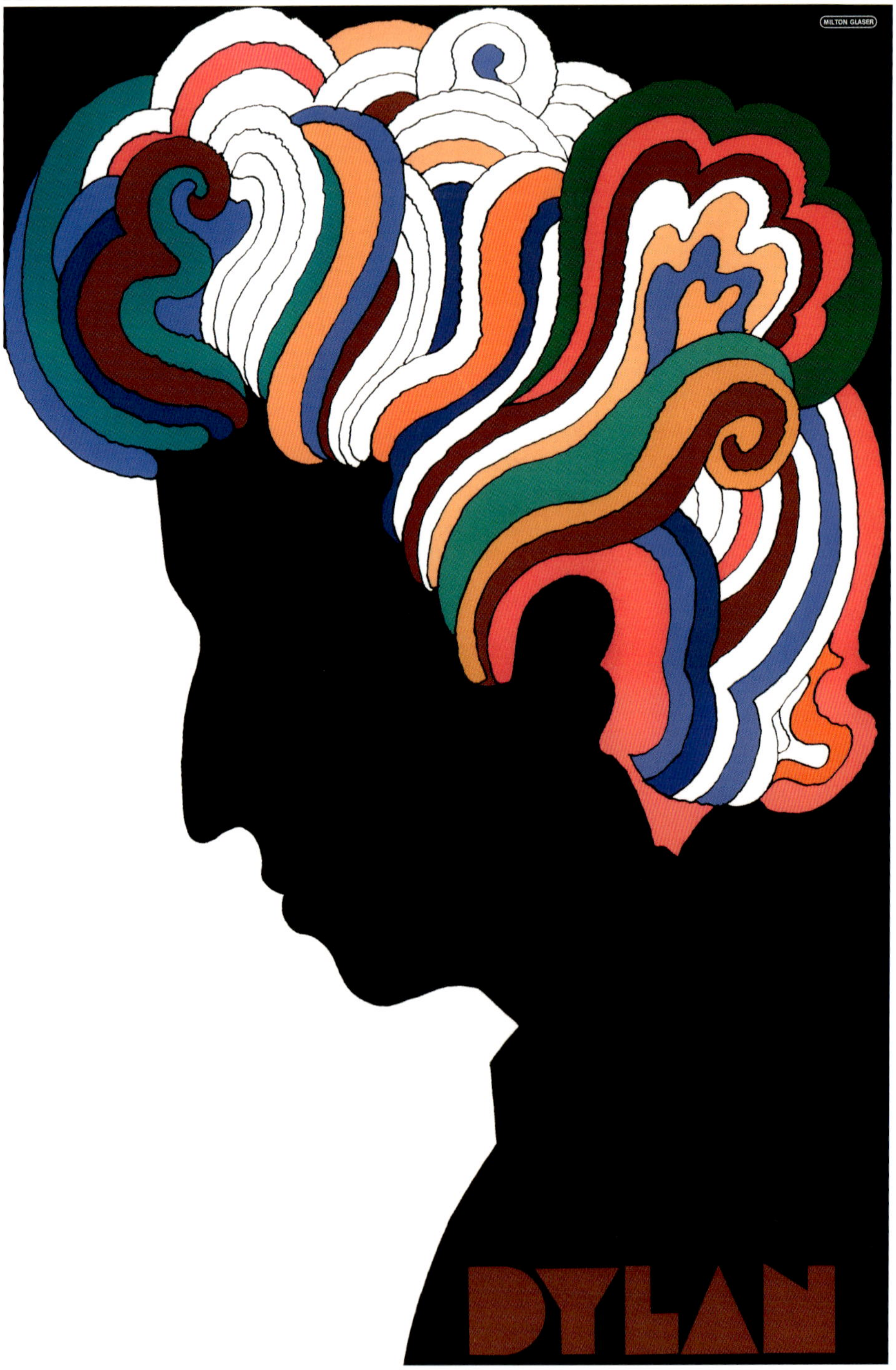
MILTON GLASER
DYLAN

CARTAZ *BOB DYLAN* / Milton Glaser / EUA, 1966

GSAPP Lecture Series

(1984-2003)

Por duas décadas, o suíço Willi Kunz criou cartazes para a Columbia University Graduate School of Architecture, Planning and Preservation (GSAPP – Escola de Pós-Graduação em Arquitetura, Planejamento e Preservação). Iniciadas pelo deão, James Stewart Polshek, para expressar uma nova identidade para a escola, os cartazes anunciam as aulas e exposições que se realizavam durante os semestres do outono e primavera, de cada ano acadêmico. Trabalhando com um conjunto de parâmetros – incluindo um formato de 30 X 60 cm (dois quadrados), impressão em duas cores, família de tipos Univers › 372 e materiais visuais, como linhas e sólidos geométricos –, Kunz usou os 38 cartazes como campo de testes para suas ideias tipográficas.

O design dos cartazes é baseado em dois princípios básicos: primeiro, o uso de tipos, linhas e elementos geométricos para estimular formas estruturais ou como análoga a conceitos arquitetônicos; segundo, o posicionamento dinâmico da informação tipográfica. Em 1989, sob a direção de Bernard Tschumi, novo deão da escola, a ênfase dos cartazes mudou para a escalação dos renomados palestrantes internacionais. Em 2003, o número de cartazes impressos a cada semestre aumentou para 10.000, de 2.000 em 1984. Durante a era Tschumi, o curso de gráfica da escola foi ampliado para incluir mais de 100 simpósios em arquitetura, planejamento urbano, preservação histórica, programas especiais cujos cartazes Kunz também criou.

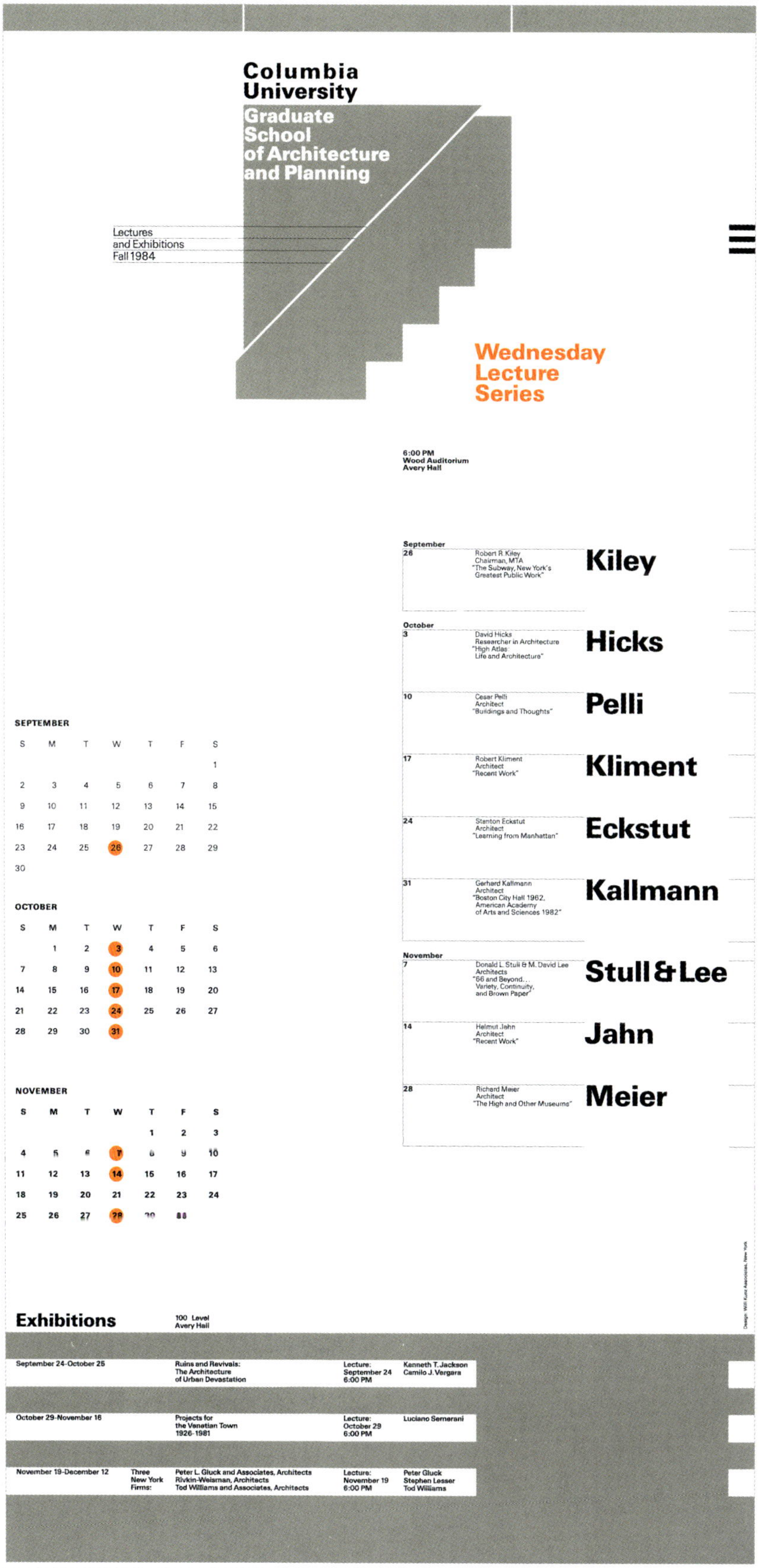
Columbia University
Graduate School of Architecture and Planning
Lectures and Exhibitions Fall 1984
Wednesday Lecture Series
6:00 PM
Wood Auditorium
Avery Hall
September
26
Robert R. Kiley
Chairman, MTA
"The Subway, New York's Greatest Public Work"
Kiley
October
3
David Hicks
Researcher in Architecture
"High Atlas: Life and Architecture"
Hicks
10
Cesar Pelli
Architect
"Buildings and Thoughts"
Pelli
17
Robert Kliment
Architect
"Recent Work"
Kliment
24
Stanton Eckstut
Architect
"Learning from Manhattan"
Eckstut
31
Gerhard Kallmann
Architect
"Boston City Hall 1962, American Academy of Arts and Sciences 1982"
Kallmann
November
7
Donald L. Stull & M. David Lee
Architects
"66 and Beyond... Variety, Continuity, and Brown Paper"
Stull & Lee
14
Helmut Jahn
Architect
"Recent Work"
Jahn
28
Richard Meier
Architect
"The High and Other Museums"
Meier
SEPTEMBER
OCTOBER
NOVEMBER
Exhibitions
100 Level
Avery Hall
September 24-October 25
Ruins and Revivals: The Architecture of Urban Devastation
Lecture: September 24 6:00 PM
Kenneth T. Jackson
Camilo J. Vergara
October 29-November 16
Projects for the Venetian Town 1926-1981
Lecture: October 29 6:00 PM
Luciano Semerani
November 19-December 12
Three New York Firms:
Peter L. Gluck and Associates, Architects
Rivkin-Weisman, Architects
Tod Williams and Associates, Architects
Lecture: November 19 6:00 PM
Peter Gluck
Stephen Lesser
Tod Williams

Nesta página e nas duas seguintes **CARTAZES DA ESCOLA DE PÓS-GRADUAÇÃO EM ARQUITETURA, PLANEJAMENTO E PRESERVAÇÃO DA UNIVERSIDADE COLUMBIA** / Willi Kunz / EUA, 1984–2003

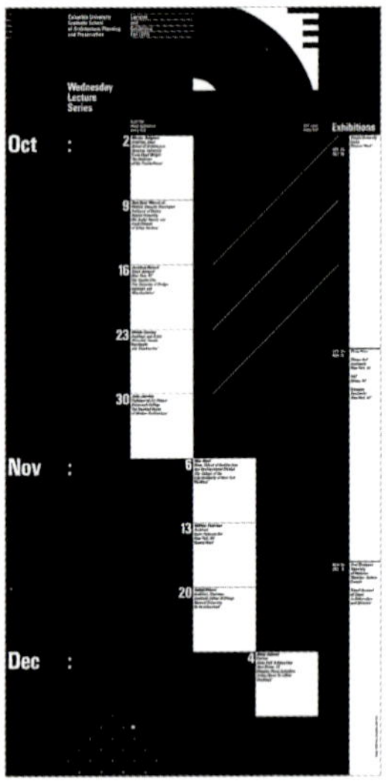
Wednesday
Lecture
Series
Oct
Nov
Dec
Exhibitions

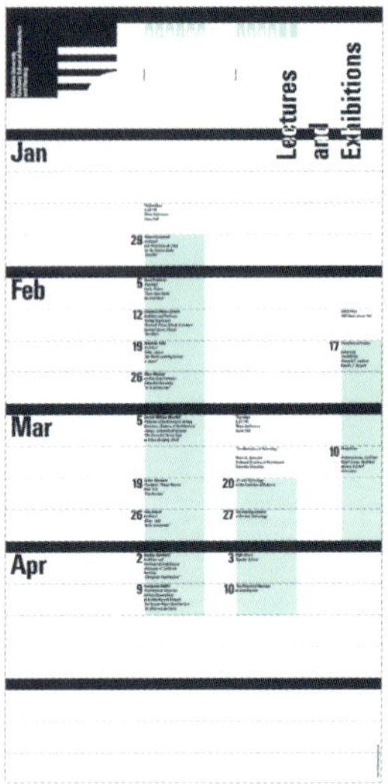
Lectures
and
Exhibitions
Jan
Feb
Mar
Apr

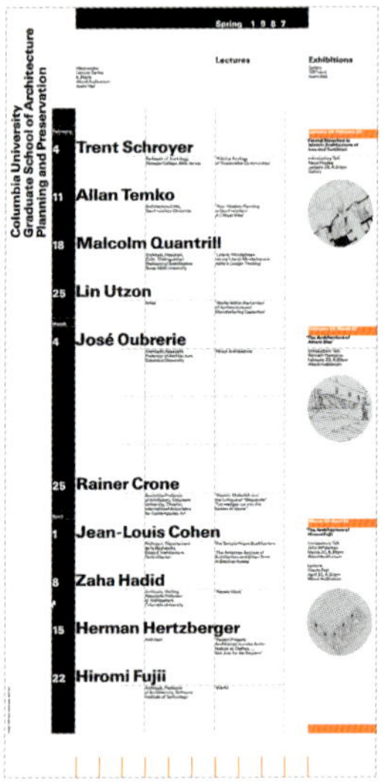
Spring 1987
Columbia University
Graduate School of Architecture
Planning and Preservation
Lectures
Exhibitions
Trent Schroyer
Allan Temko
Malcolm Quantrill
Lin Utzon
José Oubrerie
Rainer Crone
Jean-Louis Cohen
Zaha Hadid
Herman Hertzberger
Hiromi Fujii

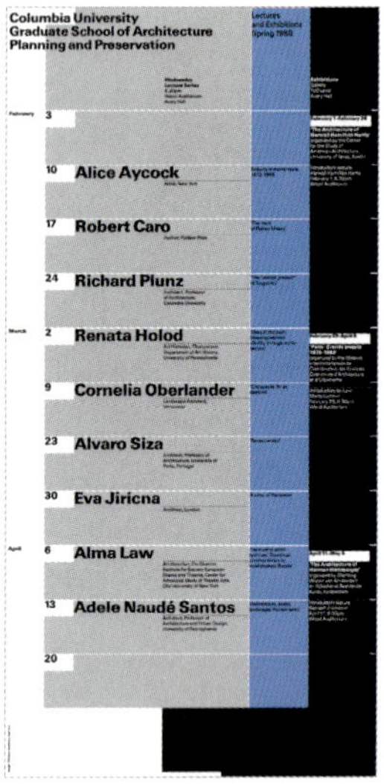
Columbia University
Graduate School of Architecture
Planning and Preservation
Lectures
and Exhibitions
Spring 1988
Alice Aycock
Robert Caro
Richard Plunz
Renata Holod
Cornelia Oberlander
Alvaro Siza
Eva Jiricna
Alma Law
Adele Naudé Santos

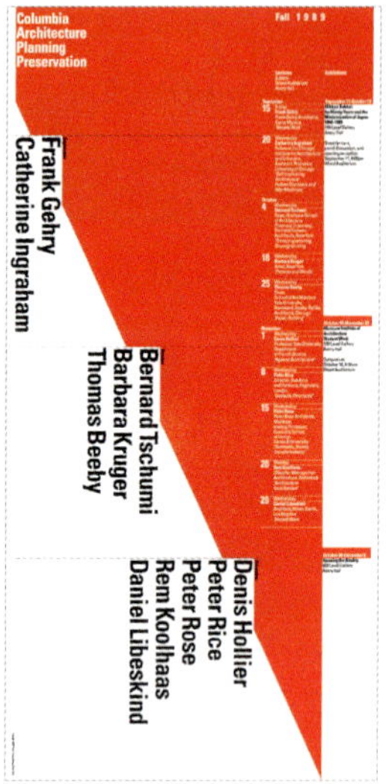
Columbia
Architecture
Planning
Preservation
Fall 1989
Frank Gehry
Catherine Ingraham
Bernard Tschumi
Barbara Kruger
Thomas Beeby
Denis Hollier
Peter Rice
Peter Rose
Rem Koolhaas
Daniel Libeskind

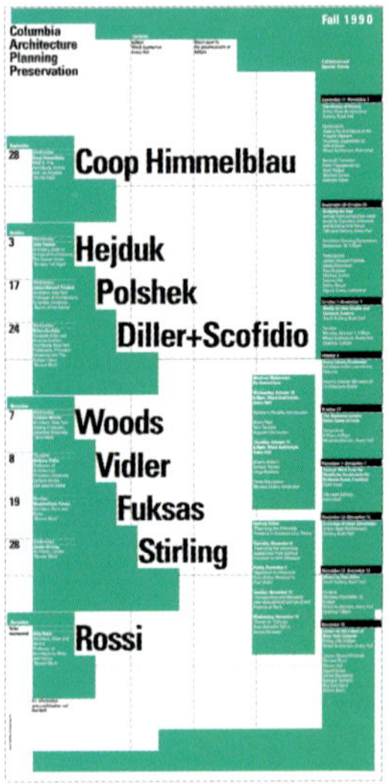
Columbia
Architecture
Planning
Preservation
Fall 1990
Coop Himmelblau
Hejduk
Polshek
Diller+Scofidio
Woods
Vidler
Fuksas
Stirling
Rossi

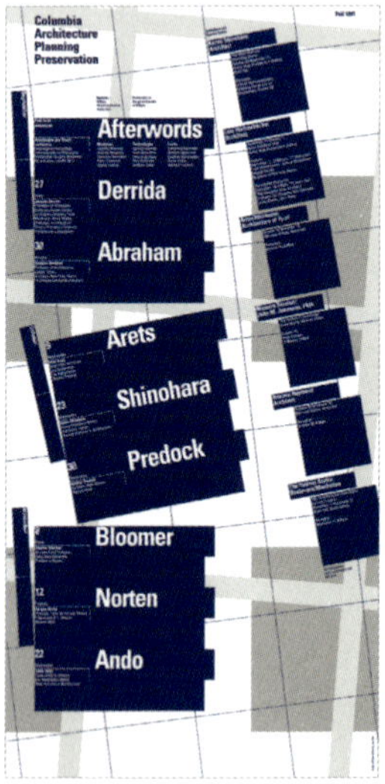
Columbia
Architecture
Planning
Preservation
Afterwords
Derrida
Abraham
Arets
Shinohara
Predock
Bloomer
Norten
Ando

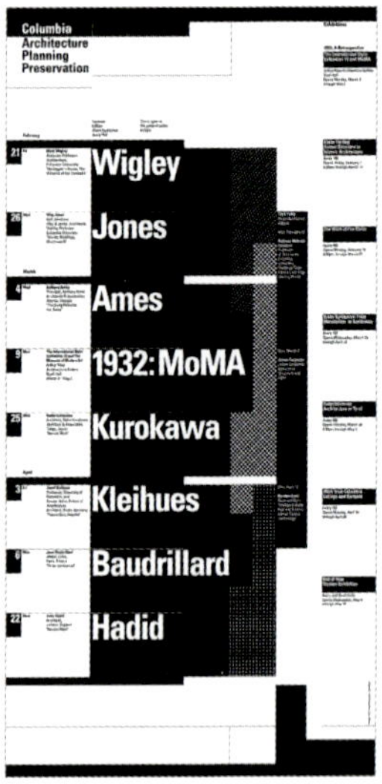
Columbia
Architecture
Planning
Preservation
Wigley
Jones
Ames
1932: MoMA
Kurokawa
Kleihues
Baudrillard
Hadid

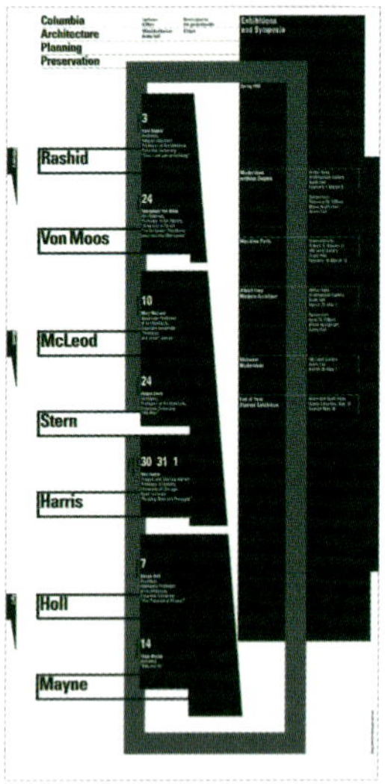
Columbia
Architecture
Planning
Preservation
Rashid
Von Moos
McLeod
Stern
Harris
Holl
Mayne

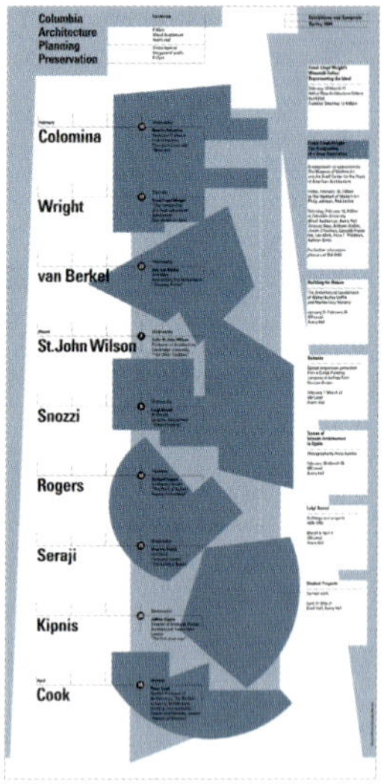
Columbia
Architecture
Planning
Preservation
Colomina
Wright
van Berkel
St.John Wilson
Snozzi
Rogers
Seraji
Kipnis
Cook

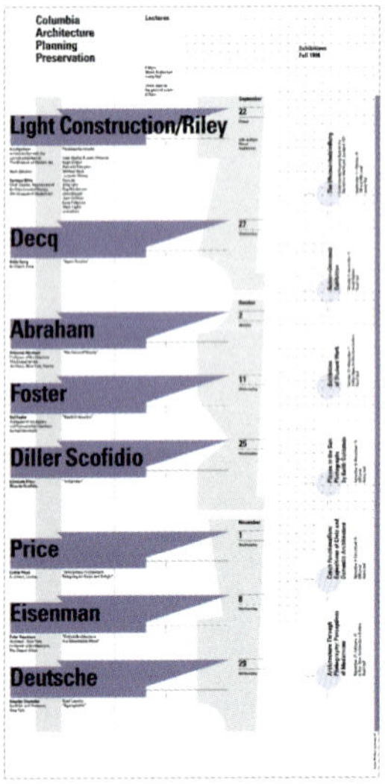
Columbia
Architecture
Planning
Preservation
Lectures
Light Construction/Riley
Decq
Abraham
Foster
Diller Scofidio
Price
Eisenman
Deutsche

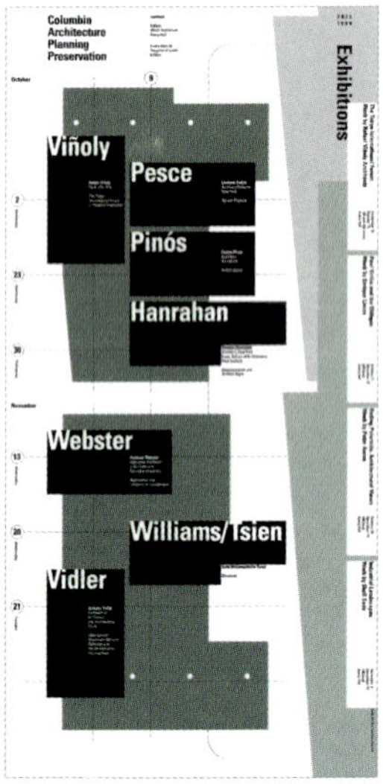
Columbia
Architecture
Planning
Preservation
Exhibitions
Viñoly
Pesce
Pinós
Hanrahan
Webster
Williams/Tsien
Vidler

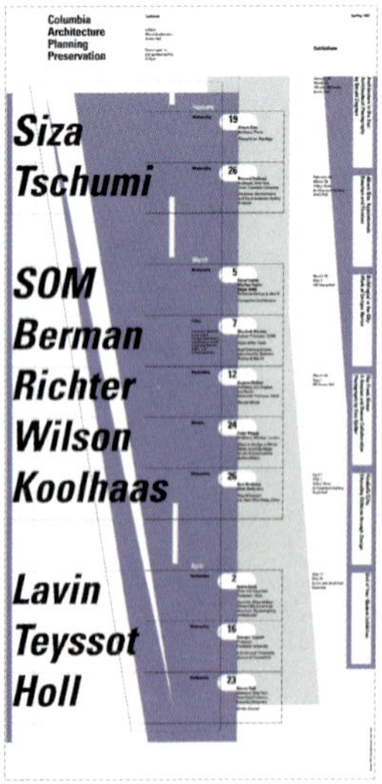
Columbia
Architecture
Planning
Preservation
Siza
Tschumi
SOM
Berman
Richter
Wilson
Koolhaas
Lavin
Teyssot
Holl

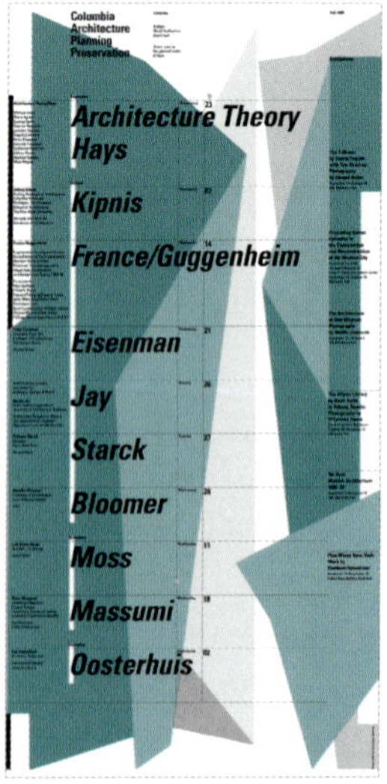
Columbia
Architecture
Planning
Preservation
Architecture Theory
Hays
Kipnis
France/Guggenheim
Eisenman
Jay
Starck
Bloomer
Moss
Massumi
Oosterhuis

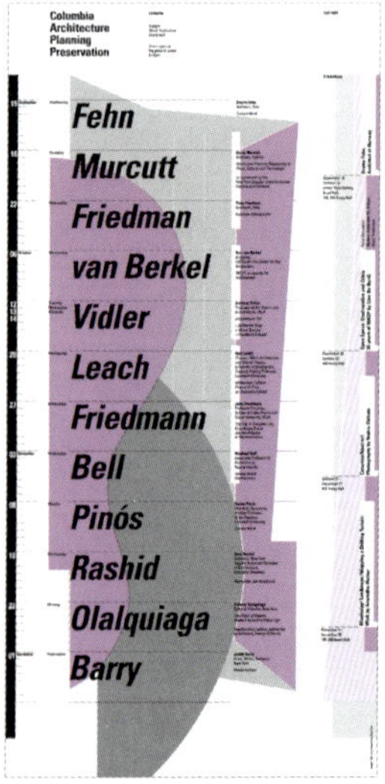
Columbia
Architecture
Planning
Preservation
Fehn
Murcutt
Friedman
van Berkel
Vidler
Leach
Friedmann
Bell
Pinós
Rashid
Olalquiaga
Barry

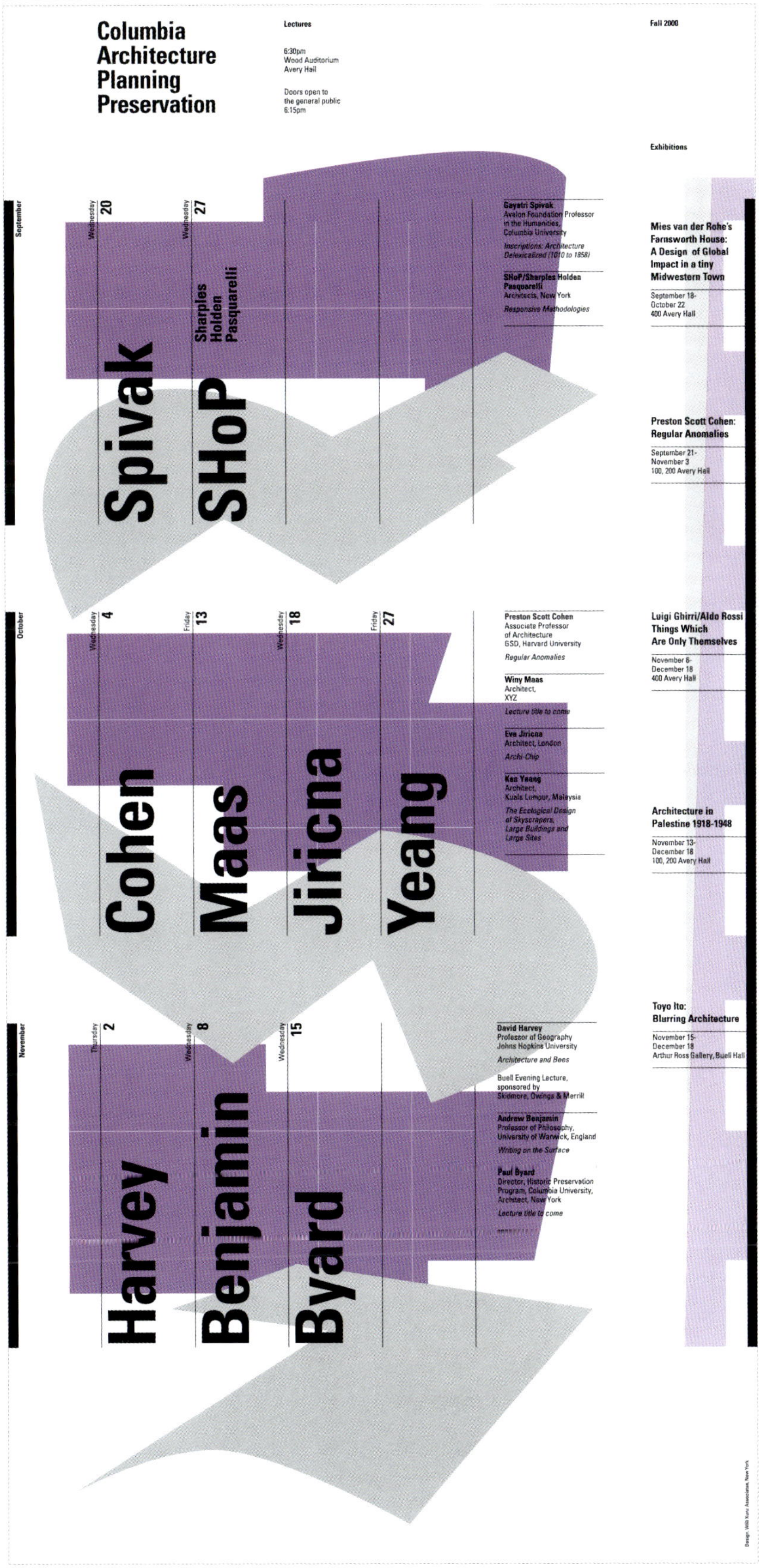
Columbia
Architecture
Planning
Preservation
Lectures
6:30pm
Wood Auditorium
Avery Hall
Doors open to
the general public
6:15pm
Fall 2000
Exhibitions
September
Wednesday 20
Wednesday 27
Spivak
SHoP
Sharples
Holden
Pasquarelli
Gayatri Spivak
Avalon Foundation Professor
in the Humanities,
Columbia University
Inscriptions: Architecture
Delexicalized (1010 to 1858)
SHoP/Sharples Holden
Pasquarelli
Architects, New York
Responsive Methodologies
Mies van der Rohe's
Farnsworth House:
A Design of Global
Impact in a tiny
Midwestern Town
September 18-
October 22
400 Avery Hall
Preston Scott Cohen:
Regular Anomalies
September 21-
November 3
100, 200 Avery Hall
October
Wednesday 4
Friday 13
Wednesday 18
Friday 27
Cohen
Maas
Jiricna
Yeang
Preston Scott Cohen
Associate Professor
of Architecture
GSD, Harvard University
Regular Anomalies
Winy Maas
Architect,
XYZ
Lecture title to come
Eva Jiricna
Architect, London
Archi-Chip
Ken Yeang
Architect,
Kuala Lumpur, Malaysia
The Ecological Design
of Skyscrapers,
Large Buildings and
Large Sites
Luigi Ghirri/Aldo Rossi
Things Which
Are Only Themselves
November 6-
December 18
400 Avery Hall
Architecture in
Palestine 1918-1948
November 13-
December 18
100, 200 Avery Hall
November
Thursday 2
Wednesday 8
Wednesday 15
Harvey
Benjamin
Byard
David Harvey
Professor of Geography
Johns Hopkins University
Architecture and Bees
Buell Evening Lecture,
sponsored by
Skidmore, Owings & Merrill
Andrew Benjamin
Professor of Philosophy,
University of Warwick, England
Writing on the Surface
Paul Byard
Director, Historic Preservation
Program, Columbia University,
Architect, New York
Lecture title to come
Toyo Ito:
Blurring Architecture
November 15-
December 18
Arthur Ross Gallery, Buell Hall
Design: Willi Kunz Associates, New York

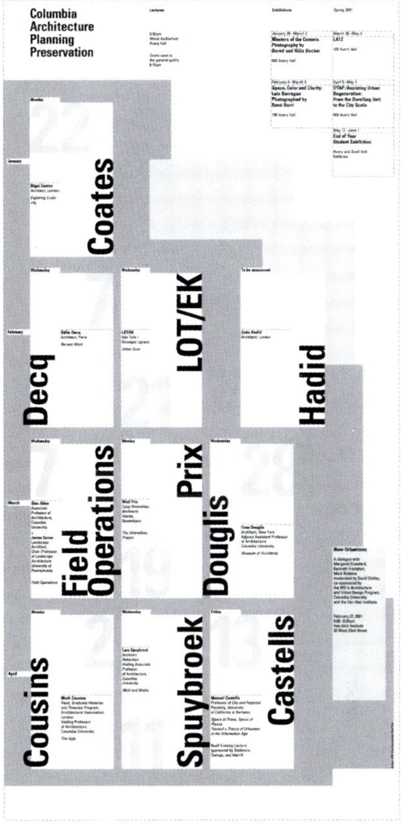
Columbia
Architecture
Planning
Preservation
Coates
Decq
LOT/EK
Hadid
Field
Operations
Prix
Douglis
Cousins
Spuybroek
Castells

Columbia
Architecture
Planning
Preservation
Martin
Bell
Dean
Pasquarelli (SHoP)
Marble.Fairbanks
Daniels.Bald (SUMO)
Gill
Abalos.Herreros
Kolatan.MacDonald
Chu

Light Years

O jantar de gala da liga de arquitetura de Nova York, conhecido como Baile das Belas-Artes, tem sido acompanhado por cartazes-convites criados por Michael Bierut › 203 desde 1991, mas foi a edição de 1999 que chamou a atenção dos designers. O tema, "Light Years" (Anos-Luz), permitiu o design translúcido (composto em Interstate, de Tobias Frere-Jones › 230) para criar um efeito de "persistência de design". As dez letras igualmente espaçadas interagem para formar uma interpretação visual simples do tema.

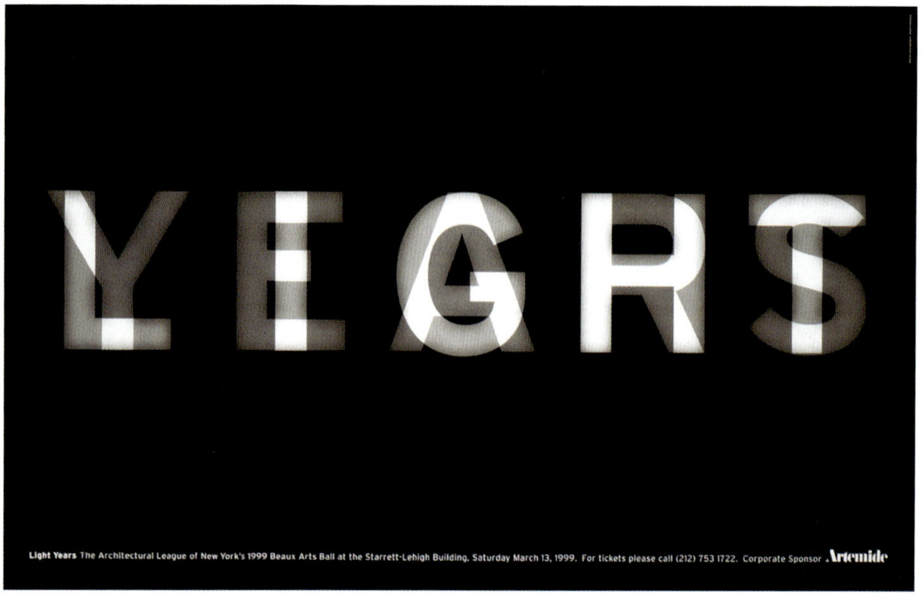
Light Years The Architectural League of New York's 1999 Beaux Arts Ball at the Starrett-Lehigh Building, Saturday March 13, 1999. For tickets please call (212) 753 1722. Corporate Sponsor Artemide

CARTAZ "*LIGHT YEARS*" PARA A LIGA DE ARQUITETURA DE NOVA YORK / Pentagram: Michael Bierut; design, Nicole Trice / EUA, 1999

The Spiritual Double

O assunto da edição n. 133 da *Design Quarterly* (1986) › 345 do Walker Art Center foi April Greiman › 179, que fora convidada para fazer o seu design. Como lembra Greiman, passou quase um ano entre o convite e o produto final – seis meses apenas para decidir o que fazer com a oportunidade. Optando por sair do formato normal da revista com 32 páginas, Greiman criou um cartaz único de 1,80 x 0,6 m que mostrava seu corpo nu, em tamanho real, coberto com imagens menores, uma linha do tempo, perguntas e citações – mesmo um segundo retrato foi adicionado na última hora para mostrar seu novo penteado. Greiman explorou e levou ao limite a tecnologia disponível no Macintosh: trabalhando com um digitalizador de vídeo Macvision, levando meses na composição no MacDraw e imprimindo o resultado numa LaserWriter, a primeira impressora laser compatível com o Macintosh. Excessivo na imagem, informações e distribuição dos elementos, esse cartaz representa uma antítese ao propósito do design de minimizar o congestionamento visual e sinalizou a transição para o design efervescente que depois caracterizou o pós-modernismo.

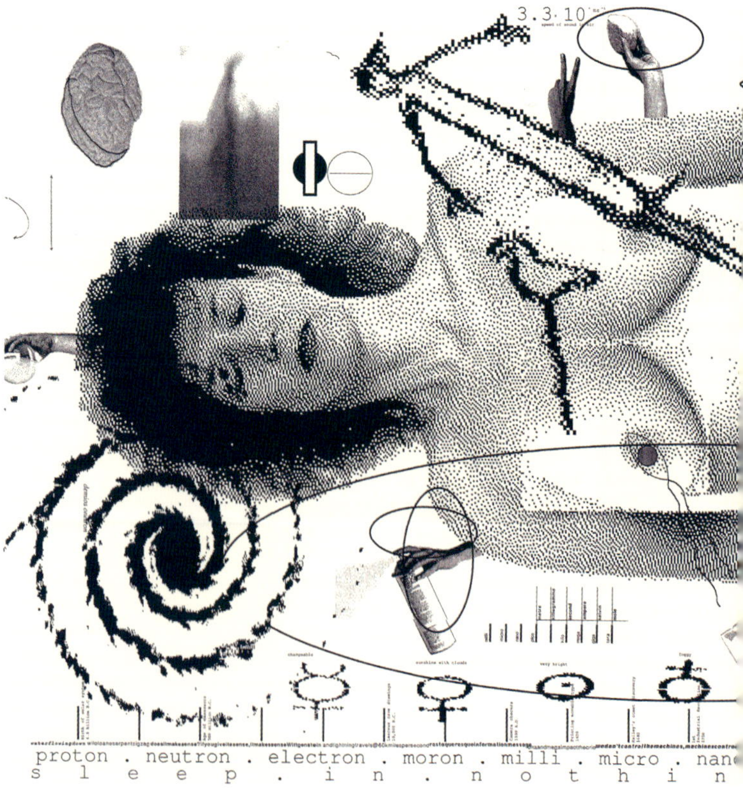
3.3.10
proton . neutron . electron . moron . milli . micro . nan
s l e e p . i n . n o t h i n

***DESIGN QUARTERLY* N. 133 PARA O WALKER ART CENTER** / April Greiman / EUA, 1986

King Kong and Godzilla

Em comemoração ao quadragésimo aniversário do bombardeio atômico de Hiroshima, designers foram chamados a desenvolver cartazes como parte de uma exposição itinerante, *Images for Survival*, um presente para o Museu de Arte Moderna de Hiroshima. Encorajando a reconciliação entre os Estados Unidos e o Japão, Steff Geissbuhler › 157 interpretou estes dois gigantes como Godzilla e King Kong de mãos dadas, passeando ao pôr-do-sol, que, de modo otimista, desenhado como uma bandeira japonesa.

P E A C E 平 和

CARTAZ *PEACE* / **Steff Geissbuhler** / **EUA, 1985**

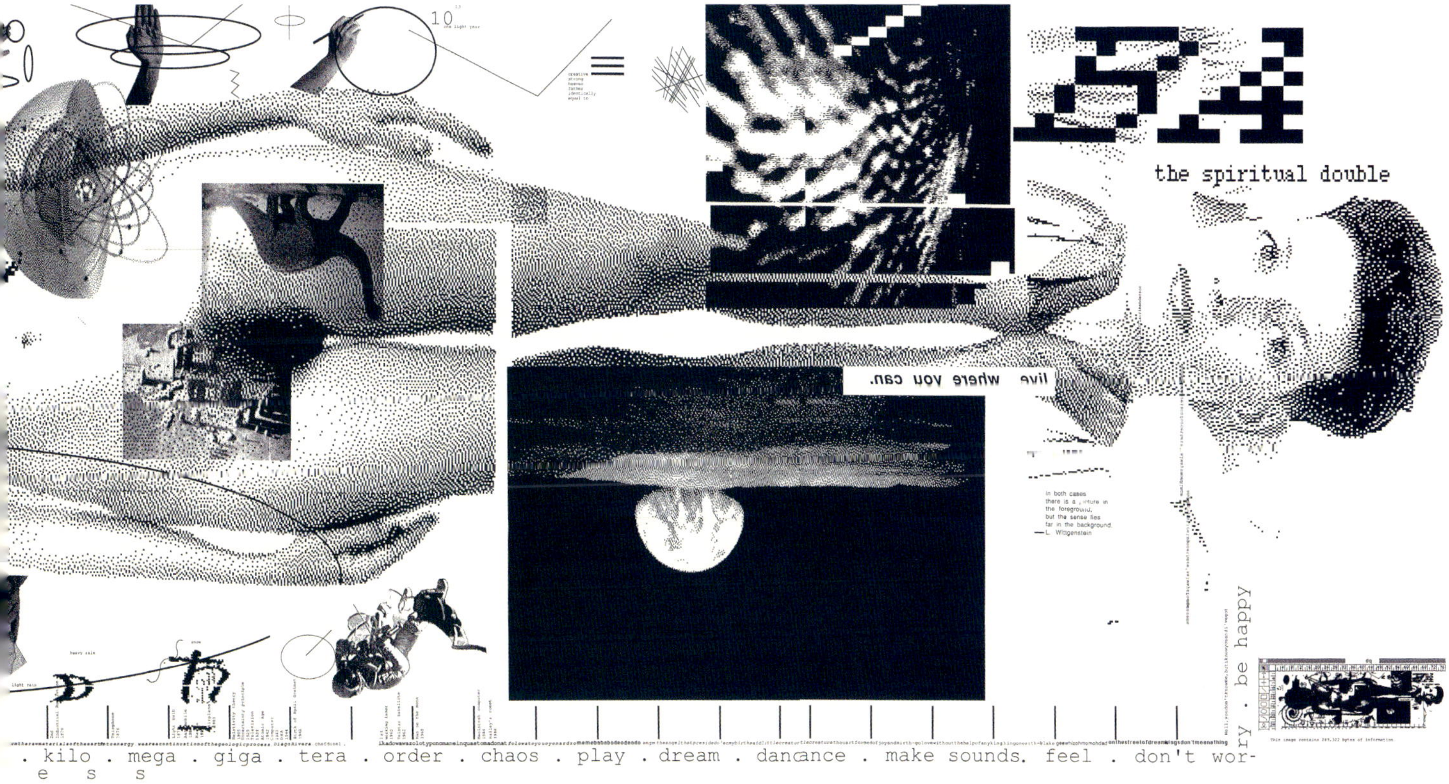
the spiritual double
live where you can.
. kilo . mega . giga . tera . order . chaos . play . dream . dancance . make sounds. feel . don't wor- ry . be happy

Chicago: The Musical

Como uma recriação da produção de 1975 da Broadway e precedente para o filme de 2002, *Chicago: The Musical* é a reprise com mais tempo em cartaz, com mais de 4.500 apresentações em Nova York e 15.000 ao redor do mundo desde sua estreia em novembro de 1996. Com cenário e figurinos firmes e minimalistas, Drew Hodges, fundador e diretor de criação da SpotCo, uma agência de publicidade especializada na indústria do entretenimento, imaginou uma campanha que apresentasse e enfatizasse essa estática minimalista, enquanto vendia a ideia de um show sexy, eletrizante e vibrante por meio da fotografia em branco e preto – feitas, pelo fotógrafo de moda, Max Vadukul – em layouts retalhados, pontuados pelo hoje bastante conhecido logo do *Chicago*, feito com amostras encontradas na coleção de *Tipos Americanos De Madeira* de Rob Roy Kelly > 72.

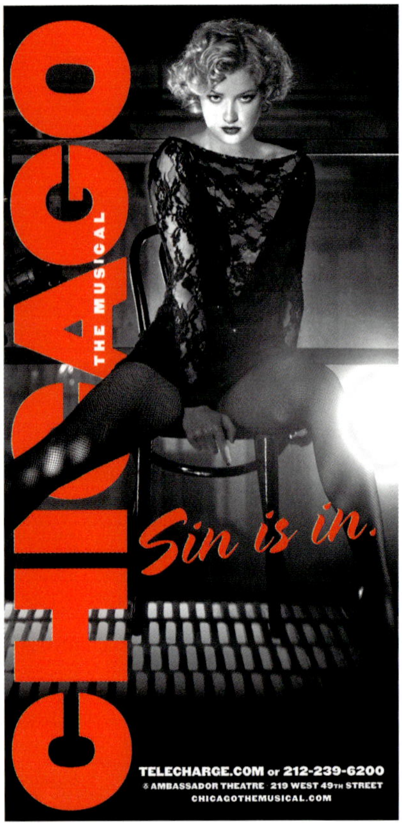
CHICAGO
THE MUSICAL
Sin is in.
TELECHARGE.COM or 212-239-6200
AMBASSADOR THEATRE 219 WEST 49TH STREET
CHICAGOTHEMUSICAL.COM

2006
TRUE CRIME
CHICAGO
THE MOST WANTED MUSICAL
Guilty?
Or Framed?
INSIDE:
Voluptuous Vixens who
KILL KILL KILL!
BUT CAN ONE
SILVER-TONGUED
LAWYER RIDE TO
THEIR RESCUE?

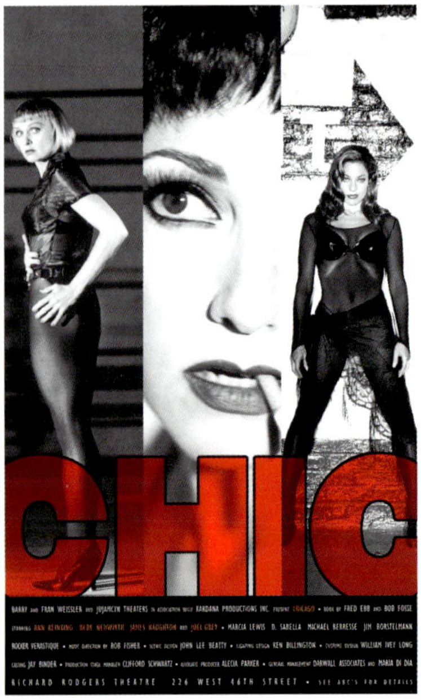
CHIC

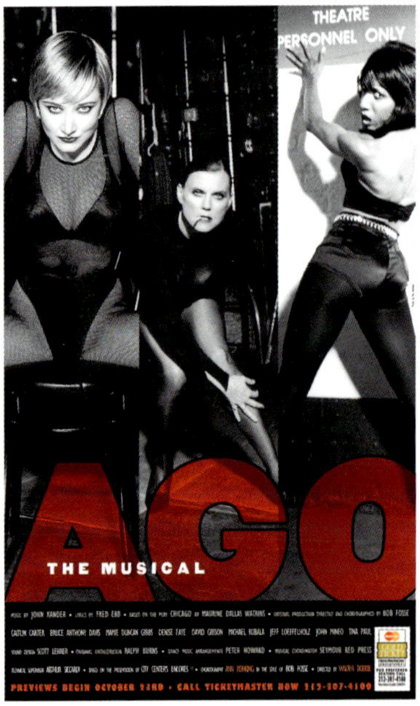
THEATRE
PERSONNEL ONLY
AGO
THE MUSICAL

maxell
RAZZLE
CHICAGO
THE MUSICAL
DAZZLE
Sprint
PERFECT CRIME
HOWARD JOHNSON'S
VISTAMEDIA
Surviving Christmas

BRANDING DE *CHICAGO: THE MUSICAL* / SpotCo: direção de arte, Drew Hodges, Vinny Sainato; design, Jay Cooper; foto: Max Vadukul, Len Prince, Richie Fahey; produtor, Mark Rheault / EUA, 1997–2008

OBEY
(1989-Presente)

Aparecendo espontânea e muito rapidamente, adesivos mostrando o rosto fotocopiado do enorme lutador (hoje morto) Andre, o Gigante, acompanhado pelos dizeres "Andre the Giant has a Posse" juntamente com sua assinatura e peso, apareceram nacionalmente durante o início dos anos 1990. O primeiro lote de adesivos foi criado por Shepard Fairey, então estudante na Rhode Island School of Design › 134; ele estava demonstrando a um colega skatista como fazer estampilhas de papel recortado quando topou com uma imagem do lutador num jornal e a adotou como mascote do seu grupo de skatistas. Seus adesivos pintados espalharam-se pelo mundo todo e se transformaram em imagem e linguagem reconhecida globalmente.

Em, 1993, a Titan Sports, Inc. (hoje World Wrestling Entertainment, Inc.) ameaçou a Fairey com um processo legal por usar o nome e a imagem de André, o Gigante, que pertenciam a eles, fazendo com que Fairey criasse a versão estilizada do rosto do lutador juntamente com a ordem – "OBEY" (Obedeça) – uma marca que hoje pertence a Fairey. Usando novo ícone, Fairey e milhares de coortes colaram cartazes "OBEY" ao redor do mundo. Tem servido como base para dúzias de derivados que Fairey desenvolveu na mesma estética dramática – para desgosto dos críticos, ao apropriar-se de imagens históricas de artistas russos, chineses, europeus e americanos. "Obey", como muitas marcas icônicas, feitas para zombar e desafiar, tornou-se um dos ícones mais reconhecíveis de tempos recentes.

ANDRE THE GIANT HAS A POSSE
7'4"
520LB

ADESIVO *ANDRE THE GIANT HAS A POSSE* / EUA / Foto: Kylie Johnson

OBEY

CARTAZ *OBEY* NUMA CAÇAMBA DE LIXO / Canadá / Foto: Tanja Niggendijker

ICED
PAR

CARTAZ *OBEY* NUMA PAREDE DE DEPÓSITO DE LIXO / EUA / Foto: Jeanne Lopez

Set the Twilight Reeling

Set the Twilight Reeling é um disco agudamente pessoal de Lou Reed, algo que Stefan Sagmeister › 202 foi capaz de transmitir por meio do design ao misturar as letras com o artista. A aflição do artista é prontamente visível no retrato em close recoberto com letras manuscritas, não diferentes de rabiscos e uma mente pensativa. Aqui as letras tomam o palco principal, enquanto as informações da gravação vão para o segundo plano.

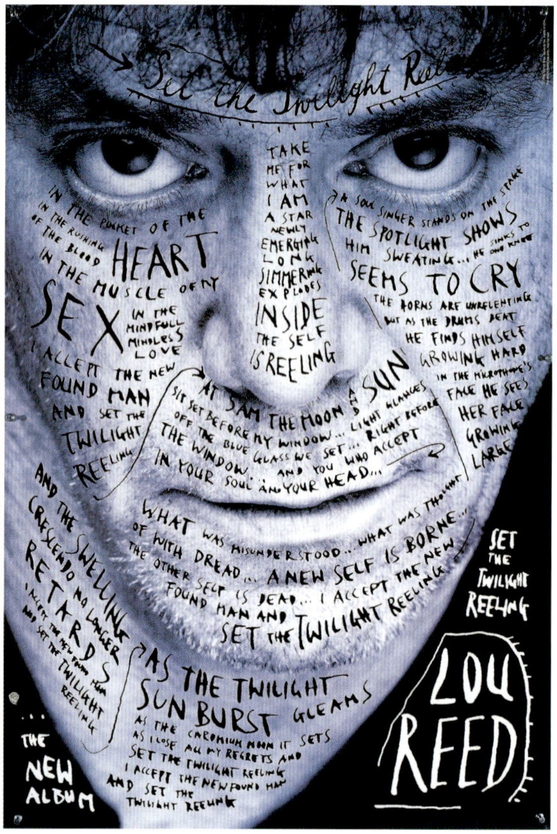
Set the Twilight Reeling
HEART
SEX
SEEMS TO CRY
INSIDE THE SELF IS REELING
SET THE TWILIGHT REELING
AS THE TWILIGHT SUN BURST GLEAMS
THE NEW ALBUM
LOU REED

***SET THE TWILIGHT REELING* CARTAZ PARA A WARNER BROS. MUSIC, INC.** / Sagmeister, Inc.: direção de arte, Stefan Sagmeister; foto: Timothy Greenfield Sanders / EUA, 1996

AIGA Detroit

Após oito horas de trabalho entediante de Martin Woodtli, o estagiário da vez, e dor crescente sofrida por Stefan Sagmeister › 202, um pôster icônico ficou para a história. Usado para a sucursal de Detroit do AIGA e Academia de Arte Cranbrook › 130, em 100% preto seu impacto rapidamente se expandiu para a além da comunidade do design. A audácia de seu design, a sensualidade do cartaz e seu posicionamento pessoal contribuíram para o choque causado pelo cartaz.

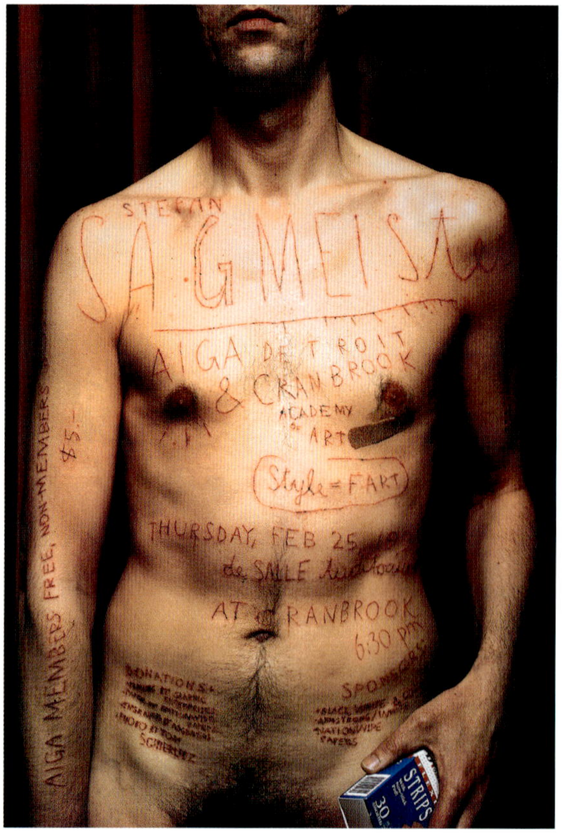
SAGMEIST
AIGA DETROIT
& CRANBROOK
ACADEMY OF ART
Style = FART
THURSDAY, FEB 25
AT CRANBROOK
6:30 pm
AIGA MEMBERS FREE, NON-MEMBERS $5

CARTAZ DO AIGA DETROIT / Sagmeister, inc.: direção de arte, Stefan Sagmeister; Foto: Tom Schierlitz; gravação na pele, Martin Woodtli / EUA, 1999

Apartheid / Racisme

Por mais de 40 anos a África do Sul sofreu sob a segregação racial do sistema de apartheid do Partido Nacional, que legalizava a discriminação contra os não brancos. Em 1986, o Recontre Nationale Contre L'apartheid (Encontro Nacional Contra o Apartheid) foi criado na França para apoiar a abolição do apartheid e mobilizar o público para agir – e o grupo usou o poder do cartaz para comunicar a mensagem. Pierre Bernard, um dos fundadores da Grapus – um coletivo fundado com François Miehe e Gérard Paris-Clavel, que enfatizava a criação de obras com consciência social, incluindo a notável coleção de cartazes de rua –, criou um cartaz para a causa. Desenhado com uma caneta Pentel e tinta na estrutura familiar de um mapa escolar, a imagem, que numa primeira observação parece com um crânio, foi feita para mostrar a África como um ser humano sem o queixo por conta de um câncer, que Bernard compara ao apartheid. Os espaços vazios nas palavras são preenchidos não como maneirismo estilístico, mas, em vez disso, eles são preenchidos com a "carne" faltante do rosto, da África.

Apartheid
le cancer du monde
Racisme
RENCONTRE NATIONALE CONTRE L'APARTHEID

CARTAZ *APARTHEID / RACISME* / Pierre Bernard / França, 1986

Racism

Em agosto de 1991, o bairro de Crown Heights, no Brooklin, em Nova York, foi sacudido por quatro dias de conflitos entre moradores negros e judeus, iniciados por um acidente de carro em que Yosef Lifsh atingiu um jovem da Guiana. Dois anos depois, na campanha para prefeito de Nova York, Rudolph Giuliani usou os conflitos como assunto principal contra seu competidor, o prefeito David Dinkins, questionando o modo como lidou com o problema. O noticiário foi inundado novamente por essa polêmica, o termo racismo foi usado todo tempo na mídia e o designer James Victore percebeu. Este cartaz foi sua resposta, esperando trazer a gravidade de volta ao termo. Em 26 de fevereiro de 1993, enquanto estava na gráfica da Ambassador Arts, Inc. para fazer o cartaz, Victore ouviu as notícias da bomba na garagem do World Trade Center e imediatamente ouviu as sirenes da polícia e bombeiros ecoando na 11. Avenida. O cartaz foi colocado no Brooklin pouco depois, dando a ele seu caráter perene.

RACISM

CARTAZ *RACISM* / James Victore / EUA, 1993

If You Can Say "CONDOM" in English...
You know how to say "CONDOM" in French, Italian AND Spanish!!
Note!
IT'S STILL A BLAST
Never Use A Condom With... Vaseline Crisco Cool Whip Sandpaper Hand Lotion Motor Oil Suntan Lotion Baby Oil Butter
Condoms protect against: AIDS Herpes Syphilis Gonorrhea Genital Warts Chlamydia
AVOID the CAVITY CREEPS!
CONDOMS ARE...
"I take one everywhere I take my PENIS!!"
The PLEASURE GRAPH
Sex Without A Condom
Sex With A Condom
Genital Wart Removal
DID YOU KNOW?
WARNING! OBJECTS IN CONDOMS MAY APPEAR LARGER THAN THEY ACTUALLY ARE!
CONDOMS
BELIEVE IT!!!...
250,000 TIMES CHEAPER!! ...Than the Average Child!

CARTAZ DO SERVIÇO PÚBLICO DA AIDS PARA A PROMOÇÃO DO USO DE PRESERVATIVOS / Art Chantry / EUA, 1997

poetry readings
every thursday at biblio's
starting at 8:30
317 church new york

CARTAZ DAS LEITURAS DE POESIA ÀS QUINTAS PARA A BIBLIOS DE NOVA YORK / Alexander Gelman / EUA, 1995

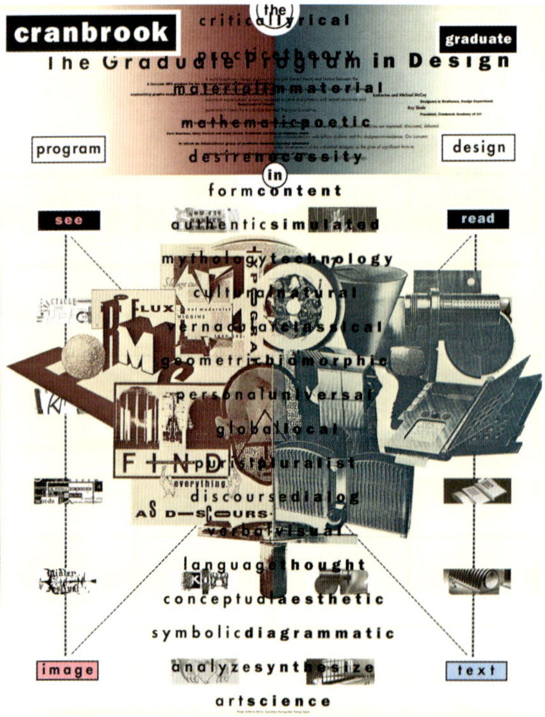
cranbrook
graduate
The Graduate Program in Design
program
design
formcontent
see
read
symbolicdiagrammatic
image
text
artscience

CARTAZ DA CRANBROOK DESIGN / Onde McCoy dispõe os projetos estudantis com um diagrama de teoria das comunicações e uma lista de oposições polêmicas / Katherine McCoy / EUA, 1989

Hot Seat
Knoll

CARTAZ *HOT SEAT* PARA A KNOLL / Este cartaz serviu a dois propósitos – como convite para um jantar com Chili e para apresentar uma nova coleção de assentos de Bill Stephens para a Knoll / Woody Pirtle / EUA, 1982

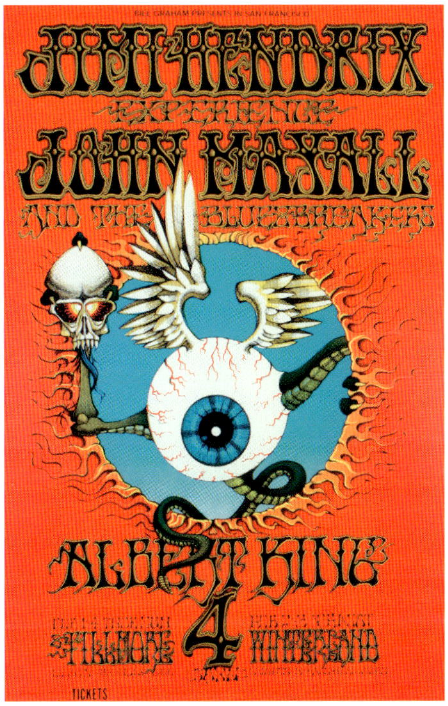
JIMI HENDRIX
JOHN MAYALL
ALBERT KING
4

PARA UM SHOW DE JIMI HENDRIX, JOHN MAYALL E ALBERT KING, AS MARCAS REGISTRADAS DO PSICODELISMO DE GRIFFIN – O CRÂNIO USANDO ÓCULOS ESCUROS E O GLOBO OCULAR – GANHAM UMA POSIÇÃO CENTRAL / Richard Griffin / EUA, 1968

ТОВАРИЩИ
ADIEU!
ТОВАРИЩИ
конец!

CARTAZ *COMRADES, IT'S OVER!* PARA O FÓRUM HÚNGARO DE DEMOCRACIA / Um ano depois, o cartaz foi traduzido para o russo / Istvan Orosz / Hungary, 1989

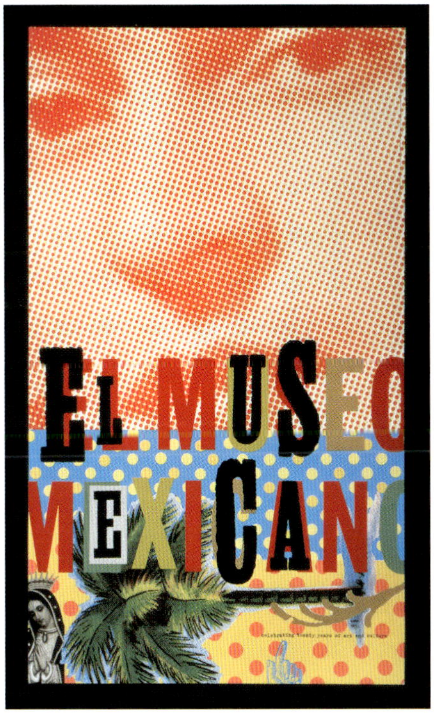
EL MUSEO
MEXICANO

CARTAZ DO VIGÉSIMO ANIVERSÁRIO DO MUSEU MEXICANO PARA A BACCHUS PRESS / Jennifer Morla, Craig Bailey / EUA, 1995

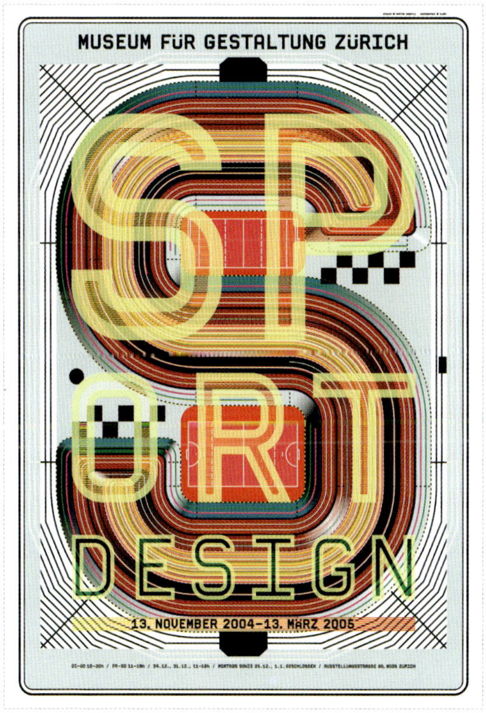
MUSEUM FÜR GESTALTUNG ZÜRICH
SPORT
DESIGN
13. NOVEMBER 2004–13. MÄRZ 2005

COM O INTERESSE CRESCENTE POR TODAS AS COISAS ATLÉTICAS, A EXPOSIÇÃO SPORTDESIGN, NO MUSEUM FÜR GESTALTUNG DE ZURIQUE, TRATA DOS ASPECTOS SOCIAIS, CULTURAIS E TÉCNICOS DO AMADOR INTERESSADO E ARENAS PROFISSIONAIS / Martin Woodtli / Switzerland, 2004

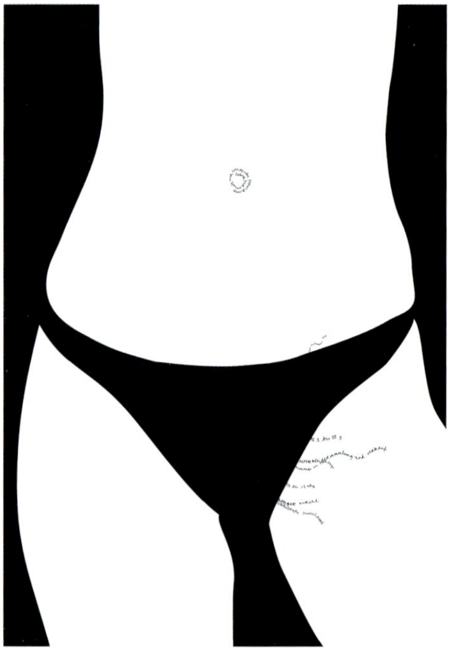

CARTAZ PARA COLEÇÃO DE ROUPAS PARA O LABORATÓRIO DE DESENVOLVIMENTO SOCIAL E ESTÉTICO / Fons Hickmann / Alemanha, 2002

CIUDAD JUÁREZ
300 MUJERES MUERTAS
500 MUJERES DESAPARECIDAS
PROCESIÓN DE LAS MUERTAS DE JUÁREZ: LUNES 25 DE NOV. 17:00 HRS

CARTAZ *CIUDAD JUÁREZ: 300 WOMEN KILLED, 500 WOMEN MISSING* / Alejandro Magallanes / México, 1997

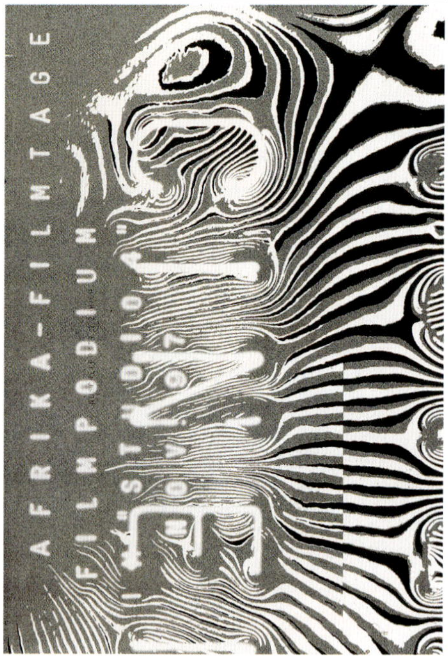
AFRIKA-FILMTAGE
FILMPODIUM

O FESTIVAL DE CINEMA CINEMAFRICA PROMOVE FILMES FEITOS POR AFRICANOS PARA CONSCIENTIZAR SOBRE A REALIDADE ATUAL DO CONTINENTE / Ralph Schraivogel / Suécia, 2007

SOUNDING

CARTAZ *SOUNDING: PAUL EARLS, COMPOSER, FELLOW, CENTER FOR ADVANCED VISUAL STUDIES* / Impresso em preto sobre papel metálico, a reprodução mostra as imperfeições do item original e os reflexos

Art and Environment

CARTAZ *ART AND ENVIRONMENT: THREE FORUMS SPONSORED BY THE CENTER FOR ADVANCED VISUAL STUDIES* POSTER, Kresge Little Theatre

Coffee Hour
Ashdown Dining Room
Mon-Fri 10-11 am

CARTAZ *COFFEE HOUR*

Cartazes de eventos no Massachusetts Institute of Technology / MIT Office of Design Services: diretor de design, Jacqueline Casey / EUA, 1972

MINNEAPOLIS
AUDITORIUM
SAT APR 22
SHOW 8:30 pm
BlockBuster Number 18
SMOKEY SMITH Presents
THE FABULOUS
JOHNNY
CASH
SHOW
JUNE CARTER
THE TENN. THREE
MOTHER MAYBELLE &
CARTER FAMILY
The STATLER BROS.
CARL PERKINS
TICKETS ON SALE
DOWNTOWN TICKET OFFICE - MINNEAPOLIS
FIELD SCHLICK TICKET OFFICE - ST. PAUL
EVERY SEAT RESERVED $1.50 - $3.00 - $2.50 - $2.00

CARTAZ *JOHNNY CASH SHOW* / Hatch Show Print: Jim Sherraden / EUA, 1967

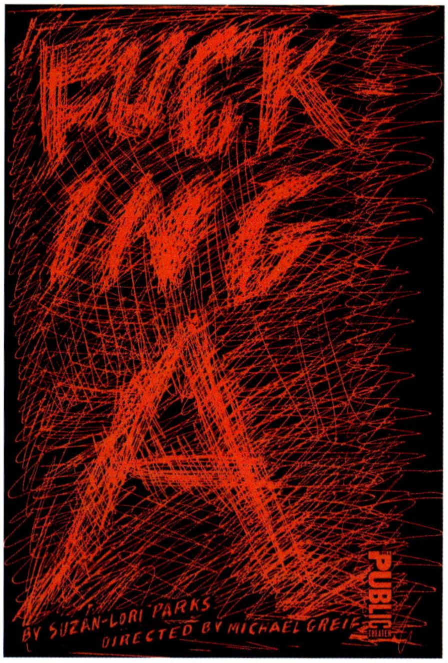
FUCK
ING
A
BY SUZAN-LORI PARKS
DIRECTED BY MICHAEL GREIF
PUBLIC

***FUCKING A*, UMA VISÃO CONTEMPORÂNEA PARA A *LETTER SCARLET*, CARTAZ** / Pentagram: Paula Scher / EUA, 2002

BIC
BIC Kugelschreiber

CARTAZ DE PROPAGANDA DAS CANETAS BIC / Ruedi Külling / Suíça, 1970

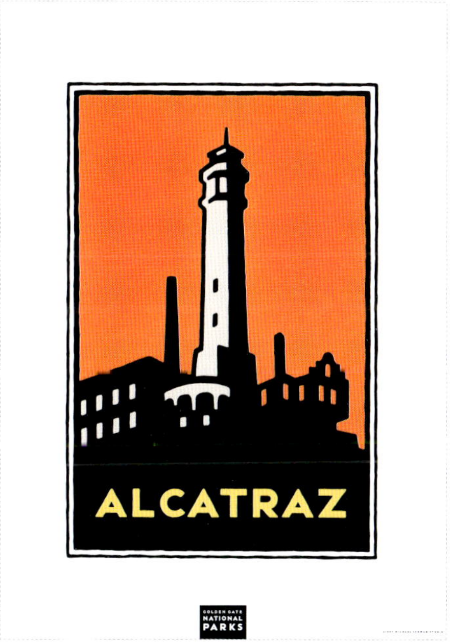
ALCATRAZ
GOLDEN GATE NATIONAL PARKS

MUIR
WOODS
GOLDEN GATE NATIONAL PARKS

THE
PRESIDIO
GOLDEN GATE NATIONAL PARKS

SÉRIE DE CARTAZES DOS *PARQUES NACIONAIS GOLDEN GATE* / direção de criação, Rich Silverstein; direção de arte, Jami Spittler; design e ilustração, Michael Schwab / EUA, 1996

MAPAS DO METRÔ

Mapas de metrô apresentam um difícil problema de design: criar a mais simples e acessível representação de design de um sistema complexo. Além disso, os mapas devem transmitir uma multidão de funções, das conexões à localização física das estações e precisam ser entendidos por milhares de passageiros diariamente. Por sorte, Harry Beck (nascido Henry C. Beck), um desenhista de engenharia empregado pela London Transport, resolveu o problema há mais de 70 anos e sua solução é a base de muitos dos mapas de metrô de hoje.

Em 1908, Frank Pick foi nomeado oficial de publicidade para o Metrô Londrino > 346 e, nas duas décadas seguintes, ele melhorou drasticamente as descoordenadas apresentações, comunicação e sinalização do sistema. Ele contratou alguns dos artistas mais influentes da época, como Man Ray, para criar trabalhos artísticos para a publicidade do metrô e o calígrafo, Edward Johnston, para desenvolver um tipo de letra unificador em 1916. A fonte resultante, Johnson Sans, foi usada por todo o sistema, nas propagandas e, é claro, passou a ser parte da paisagem londrina, visível ainda hoje. Johnson também redesenhou o famoso logotipo redondo do Metrô em 1918.

Em 1933, a London Undergroud foi fundida a outras companhias de ferrovias subterrâneas, de bondes e ônibus formando a London Passenger Transport Board (conhecida como London Transport) e Pick foi nomeado seu diretor gerente. Com um serviço subterrâneo cada vez mais complexo, Pick pediu a Beck para desenhar um mapa. Beck resolveu o problema ignorando a geografia da superfície e enfatizando a criação de relações entre estações; a única característica

Tube Map
Victoria line closes from 2200 on Monday to Thursday evenings until 20 November 2008
East London line is closed for major line extension work to become part of the London Overground network.
Improvement works may affect your journey, particularly at weekends. Check before you travel; look for publicity at stations, visit tfl.gov.uk/check or call 020 7222 1234
Key to lines
Check before you travel
MAYOR OF LONDON
Website tfl.gov.uk
24 hour travel information 020 7222 1234
Transport for London
UNDERGROUND

MAPAS DO METRÔ DE LONDRES / Harry C. Beck / Reino Unido, 1933 / Versão mostrada: 2008

de localização e escala incluída no mapa foi uma abstração do Rio Tamisa. Composto apenas por linhas em ângulos de 90 e 45 graus, o mapa mostrava as diferentes linhas, assinalando uma cor a cada uma delas, e as estações eram claramente marcadas por pequenos traços saindo das linhas. À medida que a cidade e o sistema subterrâneo cresciam, o mesmo ocorria com o mapa, mas o design original ainda está em uso.

Quase 40 anos depois, em 1970, no outro lado do Atlântico, Máximo Vignelli > 160 estava trabalhando num sistema abrangente de sinalização para o metrô de Nova York por meio da Metropolitana Transit Authority Vignelli; naquela época na Unimark International, recriou o mapa existente do metrô, criado por George Salomon em 1959. Como o mapa de Beck, o de Vignelli usava apenas linhas em ângulos de 90 e 45 graus, codificadas por cor e uma abstração geográfica da cidade acima do metrô – o Central Park, por exemplo, foi desenhado como um quadrado, ao invés da sua proporção real de 3-1 . Diferente do mapa de Beck, o de Vignelli não teve vida longa no seu serviço aos passageiros, principalmente por conta das liberdades com a geografia, e foi substituído em 1979 por um mapa anatomicamente correto, ainda em uso até hoje.

Como parte de um relacionamento de cinco anos com a Autoridade de Transporte de Berlin (BVG), Erik Spiekermann > 226, com a MetaDesign, em 1992, criou uma identidade corporativa completa e um projeto de sinalização que unificava todos os aspectos do sistema de transporte, metrô, bondes e ônibus e que incluía o design de todos os mapas relacionados. Enquanto os outros mapas necessitavam de abordagens ligeiramente diferentes, o mapa do metrô foi uma nova interpretação do design de Beck, usando os mesmos princípios de design e deixando de lado a precisão geográfica, sem reclamações dos usuários e do governo. Por esses exemplos, pode ser possível concluir que os europeus têm um entendimento mais agudo das relações espaciais do que os nova-iorquinos.

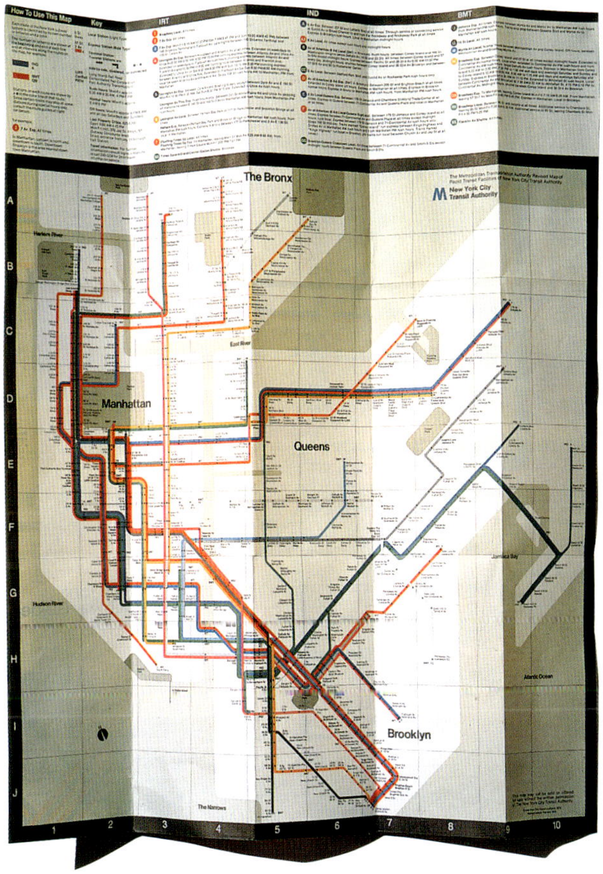
How To Use This Map
Key
INT
IND
BMT
The Bronx
New York City Transit Authority
Manhattan
Queens
Brooklyn
The Narrows

MAPA DO METRÔ DE NOVA YORK / **Unimark International: Massimo Vignelli / EUA, 1970**

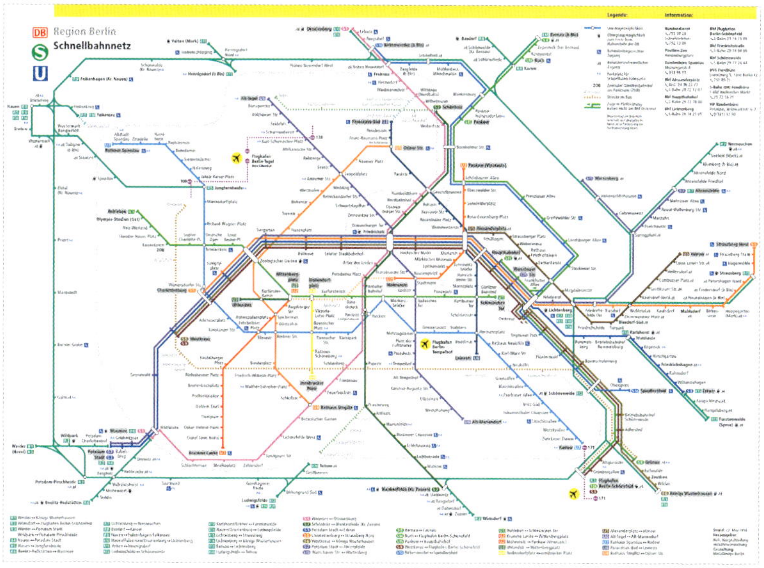
DB Region Berlin
Schnellbahnnetz

MAPA DO METRÔ DE BERLIN / **MetaDesign: Erik Spiekermann / Alemanha, 1992**

Uncomplicated products for a clean and happy pet
Mrs. MEYER'S
pet
CLEAN DAY
AROMATHERAPEUTIC Pet Products contain all natural essential oils which provide a special singular fragrance for your four-legged friends.
Herbs CLARY SAGE and CHAMOMILE are soothing and CALMING for your dear pet and have
a distinctively WARM and HERBAL fragrance. So very GENTLE & NICE for you and your pet.
CLARY SAGE CHAMOMILE SCENT
OATMEAL PET SHAMPOO
DIRECTIONS: Sparky may not like getting a bath but sometimes he needs one! Wet him down and lather him up, then rinse well. Oatmeal extract is gentle and soothing, while Vitamin E helps promote a shiny coat. Isn't that nice?
16 FLUID OUNCES 473 ML
MEYER'S
CLEAN DAY
CLARY SAGE CHAMOMILE SCENT
FRESHENING SPRAY
8 FLUID OUNCES
Mrs. MEYER'S
pet
CLEAN DAY
AROMATHERAPEUTIC Pet Products
All natural essential oils provide a special fragrance for your four-legged friends.
CLARY SAGE CHAMOMILE SCENT
ODOR REMOVING CARPET CLEANER
22 FLUID OUNCES

PRÁTICA

Nas Prateleiras

274

Livros

De edições simples com capa mole a robustos volumes com capa dura e opulentos exemplos decorativos, os livros permanecem como uma das fontes mais consistentes para ricas experiências intelectuais, visuais e tácteis – e um dos mais agradáveis desafios para os designers gráficos, seja o trabalho uma capa de livro ou o design completo. Como cartazes em miniatura, as capas de livro há muito fascinam designers pelo desafio de criar algo não apenas memorável e que chame a atenção, mas que também possa ser capaz de servir como um megafone visual a serviço do conteúdo, dando ao observador um sentido imediato do livro inteiro. E a perspectiva de criar uma estrutura interna para transmitir texto e imagem num ritmo adequado é ainda mais agradável quando a tarefa desafiadora de compor todo o material chega à sua forma final.

298

Música

Talvez esta não seja uma experiência universal, mas a maioria dos designers gráficos admitirá alegremente que as capas dos discos que fizeram parte de sua juventude tiveram algo a ver com seu desejo ou inclinação para o design e, embora nem todos tenham capas de discos de sua autoria, o zelo para dar forma visual a ideias foi provavelmente gerado nas longas horas ouvindo os discos. É justo reconhecer que as capas de disco não exercem mais a mesma influência de antes, uma vez que o trabalho sofreu uma transição – em tamanho e contexto social – dos LPs de 12 polegadas aos estojos de 5 polegadas, selecionados em lojas especializadas, juntamente com outros amantes da música, até as imagens de 72-dpi, selecionas online no computador. Assim, é com certo sentimento de nostalgia que a profissão lembra constantemente os designers ou grupos que trabalhavam para as diferentes gravadoras que deram forma à força cultural que a música pode ser.

Uma nota sobre a arte neste capítulo: *mesmo sendo seria ideal mostrar a arte como ela foi lançada originalmente, especificamente para LPs, a aquisição destas obras é, às vezes, proibitiva. Nesses casos, a versão CD do trabalho, que poder ser ligeiramente diferente do original, é a mostrada.*

306

Produtos de Consumo

Com literalmente dúzias de opções para cada tipo de produto, seja uma necessidade rudimentar ou um supérfluo de luxo e, às vezes, apenas poucos graus de diferença de qualidade separando-os, a maneira pela qual esses produtos são apresentados e embalados torna-se cada vez mais importante como fator de diferenciação; esse fenômeno dá aos designers gráficos a oportunidade de influenciar os consumidores no instante crítico da compra. Os atributos físicos de um produto – sua forma, seu rótulo, a caixa ou sacola que o contêm – podem ser tão importantes quanto o produto em si na construção de um elo com o consumidor e levando-o a ser a primeira ou a única opção entre os concorrentes.

IDENTIDADE E EMBALAGEM DA MRS. MEYER CLEAN DAY PARA A CLEAN & COMPANY LLC / Werner Design Werks, Inc.: design, Sharon Werner, Sarah Nelson / EUA, 2001

Penguin Books

Publicados inicialmente em 1935 sob a égide da editora britânica The Bodley Head, seu diretor gerente, Allen Lane, iniciou a Penguin Books como um modo de fornecer, a baixo custo, livros de qualidade com reimpressões de títulos de ficção e não ficção. Com dez títulos em sua oferta inicial, os livros saíram com capas enganosamente simples e hoje icônicas, criadas por Edward Young, aos 21 anos: três barras horizontais – as do topo e da base coloridas (laranja para ficção, verde para policiais e azul escuro para biografias) – comprimindo uma barra branca – uma barra continha o rótulo da Penguin Books; a seguinte, o título e o autor, compostos em Gill Sans › 370; e a última barra era o habitat do logotipo › 346, um pinguim, também criado por Young. Com seu sucesso inicial, a Penguin Books tornou-se independente em 1936 e, em 1937, a companhia havia vendido três milhões de exemplares – marcando apenas o começo de uma torrente de títulos de numerosas coleções e impressões que geraram um grande volume de capas de livros memoráveis e infinitamente variadas, divergindo da original.

As capas da Penguin Books evoluíram com a indicação de diferentes líderes criativos. O mais significativo foi o período de Jan Tschichold's › 140, depois da Segunda Guerra, de 1947 a 1949, quando foi trazido para consolidar a crescente biblioteca e seus decrescentes padrões de impressão e produção. Tschichold reformou todos os aspectos dos livros, da capa ao texto interno,

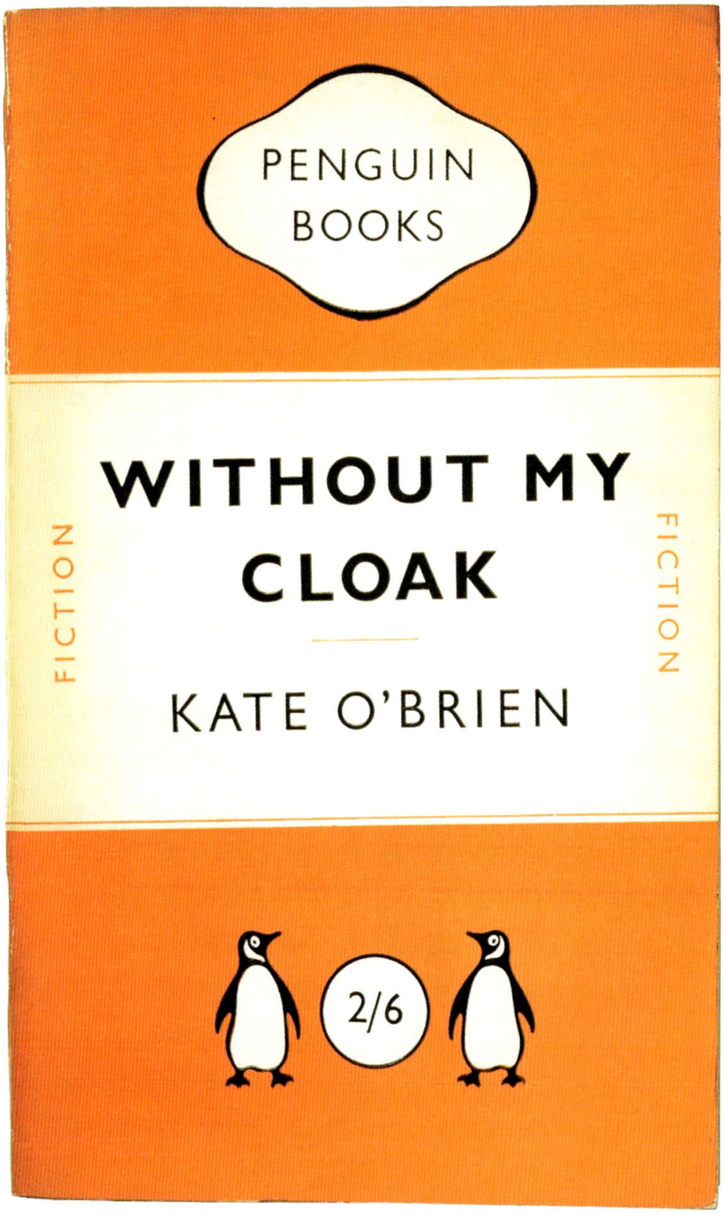
PENGUIN
BOOKS
WITHOUT MY
CLOAK
FICTION
FICTION
KATE O'BRIEN
2/6

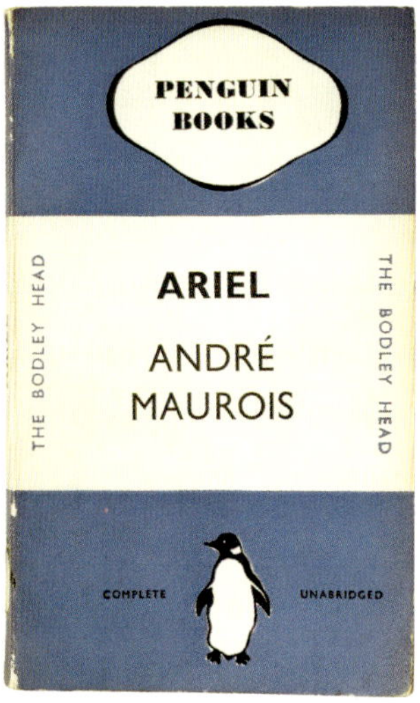
PENGUIN
BOOKS
ARIEL
ANDRÉ
MAUROIS
THE BODLEY HEAD
THE BODLEY HEAD
COMPLETE
UNABRIDGED

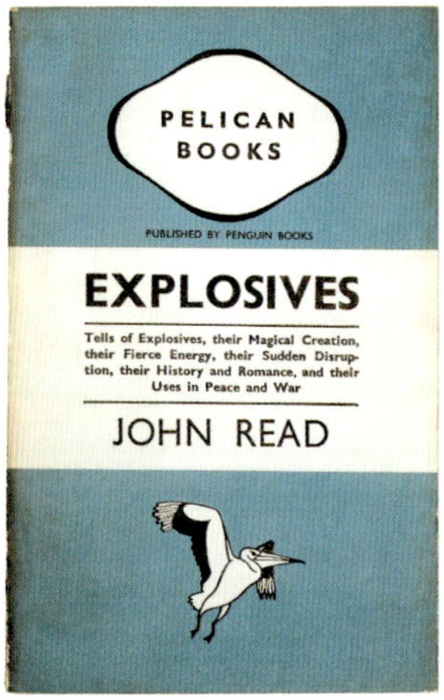
PELICAN
BOOKS
PUBLISHED BY PENGUIN BOOKS
EXPLOSIVES
Tells of Explosives, their Magical Creation, their Fierce Energy, their Sudden Disruption, their History and Romance, and their Uses in Peace and War
JOHN READ

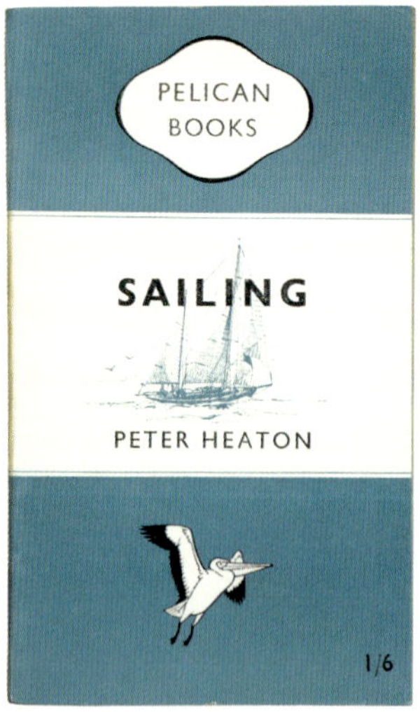
PELICAN
BOOKS
SAILING
PETER HEATON
1/6

Sentido horário

***WITHOUT MY CLOAK*, Kate O'Brien / Reino Unido, 1949**

***ARIEL*, André Maurois / Reino Unido, 1935**

***EXPLOSIVES*, John Read / Reino Unido, 1942**

***SAILING*, Peter Heaton / Reino Unido, 1949**

LEITURA RECOMENDADA › 390

PAUL BRICKHILL
THE GREAT ESCAPE
A. GAMES
PENGUIN BOOKS 2/6

THE GREAT ESCAPE, Paul Brickhill / ilustração, Abram Games / Reino Unido, 1957

ERLE STANLEY GARDNER
THE CASE OF
THE HAUNTED HUSBAND
PENGUIN BOOKS 2/6

THE CASE OF THE HAUNTED HUSBAND, Erle Stanley Gardner / ilustração, David Caplan / Reino Unido, 1957

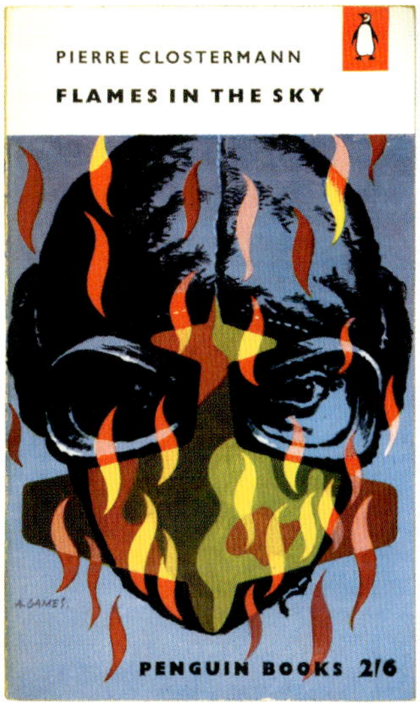
PIERRE CLOSTERMANN
FLAMES IN THE SKY
A. GAMES
PENGUIN BOOKS 2/6

FLAMES IN THE SKY, Pierre Clostermann / ilustração, Abram Games / Reino Unido, 1958

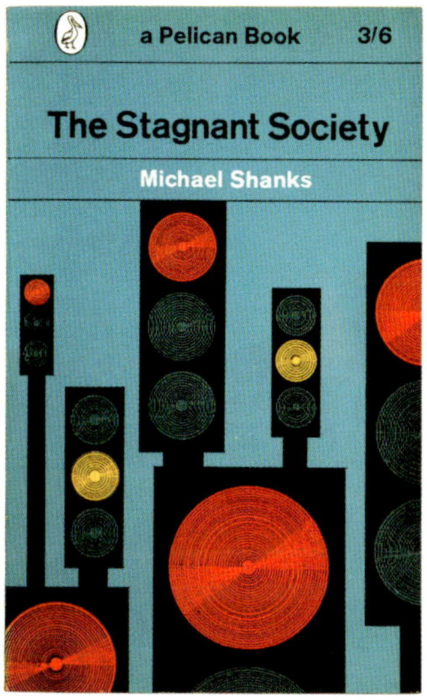
a Pelican Book 3/6
The Stagnant Society
Michael Shanks

THE STAGNANT SOCIETY, Michael Shanks / Germano Facetti / Reino Unido, 1964

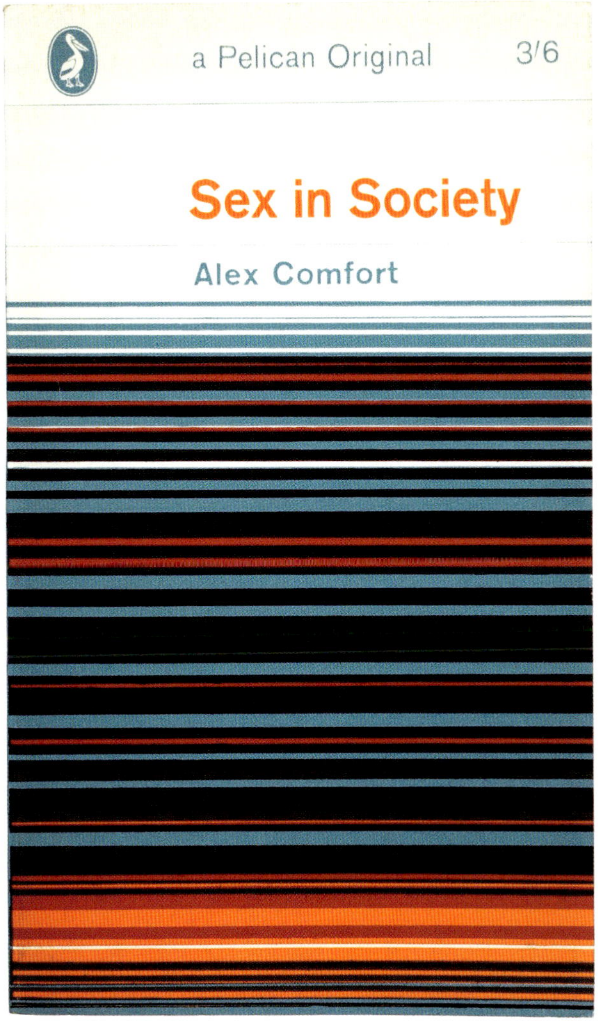
a Pelican Original 3/6
Sex in Society
Alex Comfort

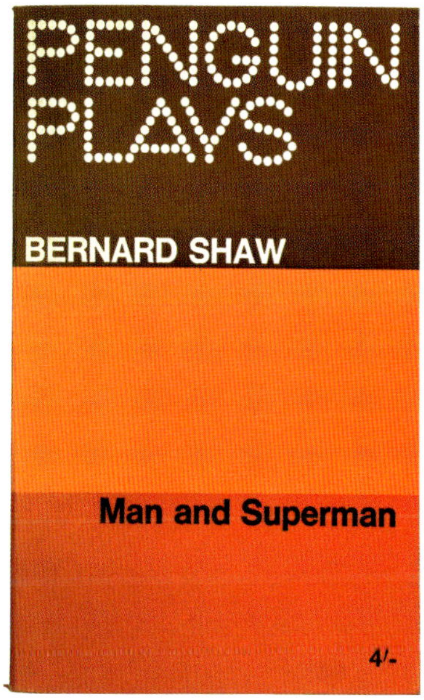
PENGUIN PLAYS
BERNARD SHAW
Man and Superman
4/-

MAN AND SUPERMAN, George Bernard Shaw / Denise York / Reino Unido, 1965

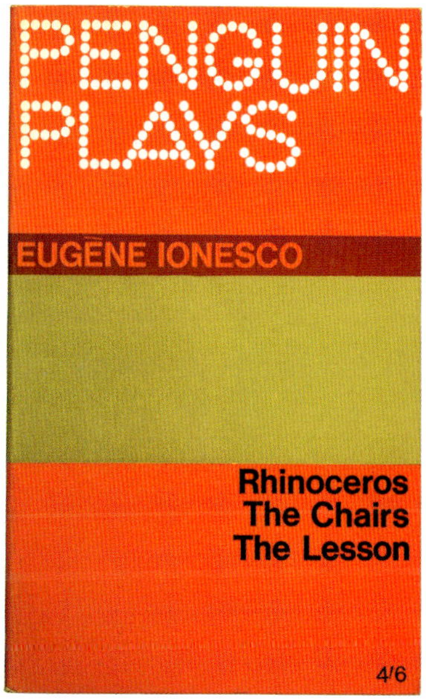
PENGUIN PLAYS
EUGÈNE IONESCO
Rhinoceros
The Chairs
The Lesson
4/6

RHINOCEROS, THE CHAIRS, THE LESSON, Eugène Ionesco / Denise York / Reino Unido, 1967

SEX IN SOCIETY, Alex Comfort / Jock Kinneir / Reino Unido, 1964 ao logotipo e, por meio do documento com as Regras de Composição da Penguin, assegurando que as gráficas e oficinas de composição seguiriam as novas regras. Outros levaram as capas em outras direções, às vezes, até no sentido literal. Hans Schmoller, que assumiu depois de Tschichold, supervisionou a implementação de um grid vertical para as capas em 1951. Em 1957, Schmoller convidou Abram Games para criar uma linha de capas totalmente coloridas com um layout novo. Em 1961, o diretor de arte Germano Facetti, com o novo grid para as capas criada por Romek Barber, recriou as séries de policiais e de clássicos e fez um uso mais amplo das fotografias e ilustrações encomendadas. Alan Aldridge, encarregado das capas dos livros de ficção em 1965, adotou uma abordagem excêntrica que desviou completamente da consistência prévia e tratava cada capa separadamente – embora suas capas para a série de ficção científica fossem unificadas por um fundo preto, tipografia púrpura e suas próprias ilustrações ousadas.

Aldridge saiu em 1967. Após um ano sem um diretor de arte para os livros de ficção, a Penguin Books contratou David Pelham, que trouxe uma camada versátil de consistência – principalmente, o logotipo nos cantos superiores do livro e designs padronizados para as lombadas e contracapas

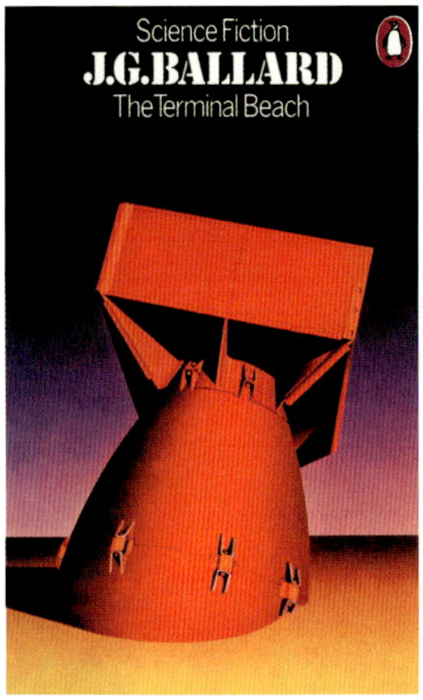
Science Fiction
J.G.BALLARD
The Terminal Beach

***TERMINAL BEACH*, J.G. Ballard / ilustração, David Pelham / Reino Unido, 1974**

Science Fiction
J.G.BALLARD
The Drowned World

***DROWNED WORLD*, J.G. Ballard / ilustração, David Pelham / Reino Unido, 1976**

THE NEW PENGUIN
Shakespeare
THE MERCHANT OF VENICE

***THE MERCHANT OF VENICE*, William Shakespeare / ilustração, Paul Hogarth / Reino Unido, 1980**

THE NEW PENGUIN
Shakespeare
PERICLES

***PERICLES*, William Shakespeare / ilustração, Paul Hogarth / Reino Unido, 1986**

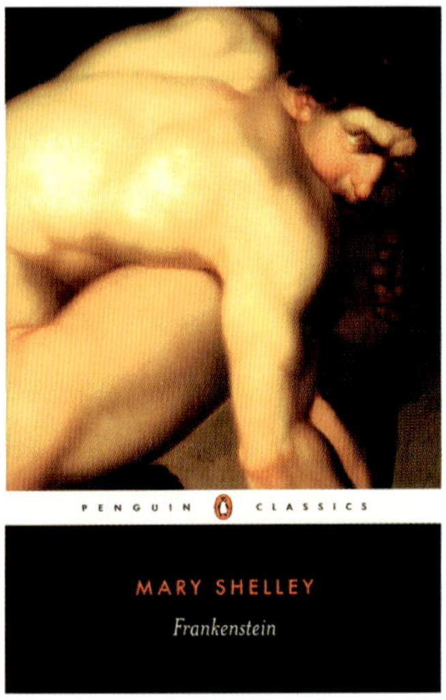
PENGUIN CLASSICS
MARY SHELLEY
Frankenstein

***FRANKENSTEIN*, Mary Shelley / Pentagram: Angus Hyland; foto: SMK Foto / Reino Unido, 2003**

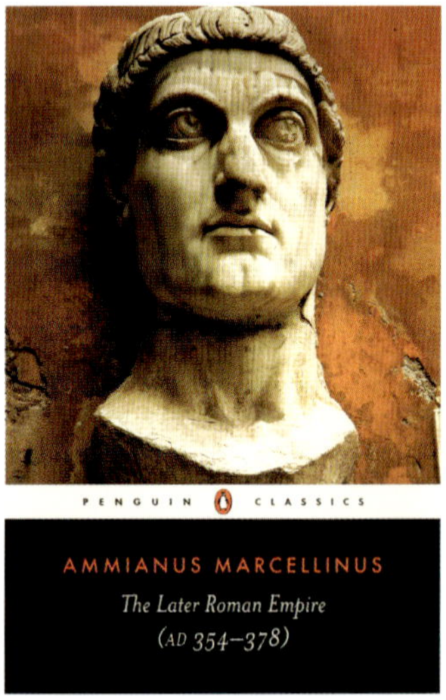
PENGUIN CLASSICS
AMMIANUS MARCELLINUS
The Later Roman Empire
(AD 354–378)

***LATER ROMAN EMPIRE*, Ammianus Marcellinus, selecionado e editado por Walter Hamilton / Pentagram: Angus Hyland; foto: Art Archive / Dagli Orti / Reino Unido, 2004**

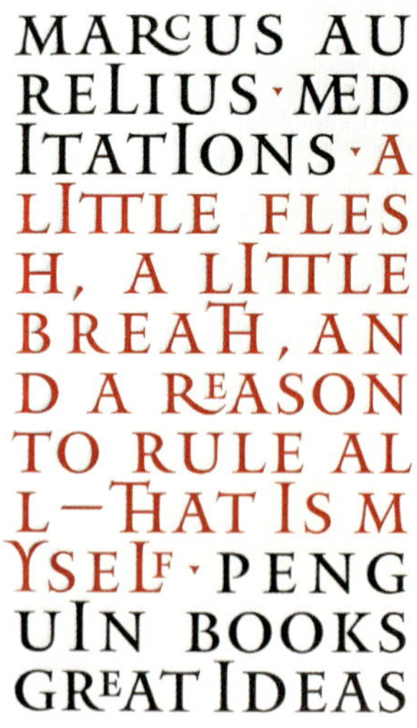
MARCUS AU
RELIUS · MED
ITATIONS · A
LITTLE FLES
H, A LITTLE
BREATH, AN
D A REASON
TO RULE AL
L – THAT IS M
YSELF · PENG
UIN BOOKS
GREAT IDEAS

***MEDITATIONS*, Marcus Aurelius, traduzido por Maxwell Staniforth / Phil Baines / Reino Unido, 2004**

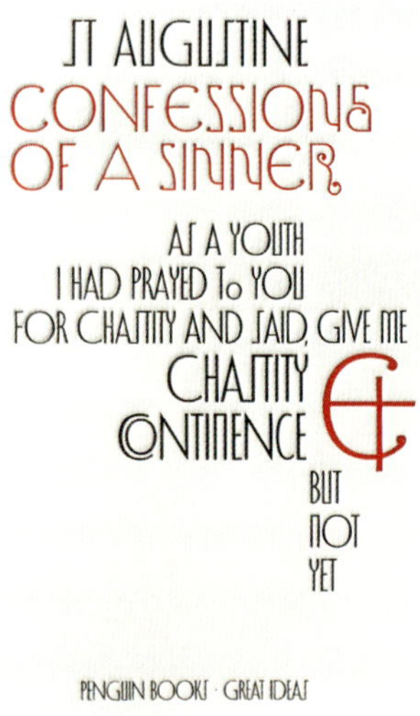
ST AUGUSTINE
CONFESSIONS OF A SINNER
AS A YOUTH
I HAD PRAYED TO YOU
FOR CHASTITY AND SAID, GIVE ME
CHASTITY &
CONTINENCE
BUT
NOT
YET
PENGUIN BOOKS · GREAT IDEAS

***CONFESSIONS OF A SINNER*, St. Augustine, traduzido por R.S. Pine-Coffin / Catherine Dixon / Reino Unido, 2004**

– que, então, permitiram interpretações para a arte da capa e tipografia. Embora a certos autores fossem conferidos um design específico, continuado em vários títulos, a consistência que havia distinguido a Penguin Books foi lentamente desaparecendo nos anos 1980 e 1990.

Como uma editora do século XXI, a Penguin Books compete num mercado crescentemente consciente a respeito do design e repleto de capas de excelente qualidade e, hoje, suas capas de ficção e não ficção, sob a direção de Jim Stoddart, apresentam uma grande variedade e são definidas pelas necessidades criativas e de marketing de cada título e muitos designers diferentes são contratados para trabalhos individuais. Coleções especiais, como a Modern Classics em 2000, foram feitas pelo designer autônomo, Jamie Keenan; a Penguin Classics de 2003, por Angus Hyland da Pentagram > 162 e a maravilhosamente táctil Great Ideas, de 2004, por David Pearson, evidenciando, por um período breve, a abordagem inicial da Penguin, mas com seu enorme alcance e uma preocupação com o design desde o início, a Penguin Books é uma constante e influente vitrine da evolução das disciplinas e práticas da impressão, design, direção de arte, fotografia, ilustração e da própria edição de livros.

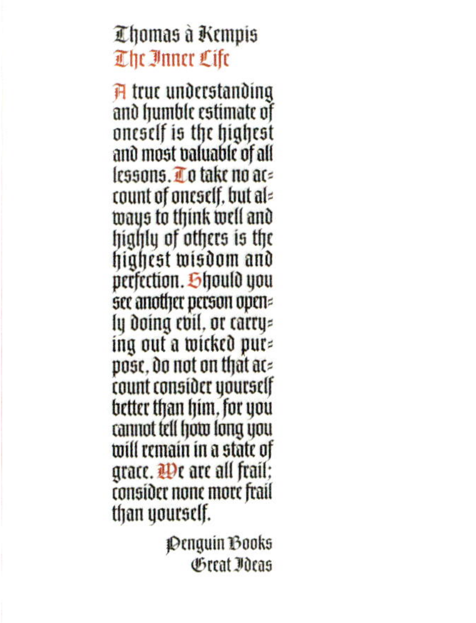
Thomas à Kempis
The Inner Life
A true understanding and humble estimate of oneself is the highest and most valuable of all lessons. To take no account of oneself, but always to think well and highly of others is the highest wisdom and perfection. Should you see another person openly doing evil, or carrying out a wicked purpose, do not on that account consider yourself better than him, for you cannot tell how long you will remain in a state of grace. We are all frail; consider none more frail than yourself.
Penguin Books
Great Ideas

***THE INNER LIFE*, Thomas Kempis / Penguin: David Pearson / Reino Unido, 2004**

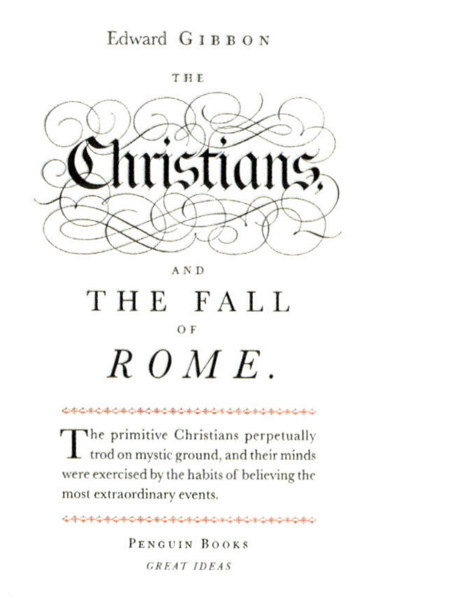
Edward GIBBON
THE
Christians
AND
THE FALL
OF
ROME.
The primitive Christians perpetually trod on mystic ground, and their minds were exercised by the habits of believing the most extraordinary events.
PENGUIN BOOKS
GREAT IDEAS

***THE CHRISTIANS AND THE FALL OF ROME*, Edward Gibbon / Phil Baines / Reino Unido, 2004**

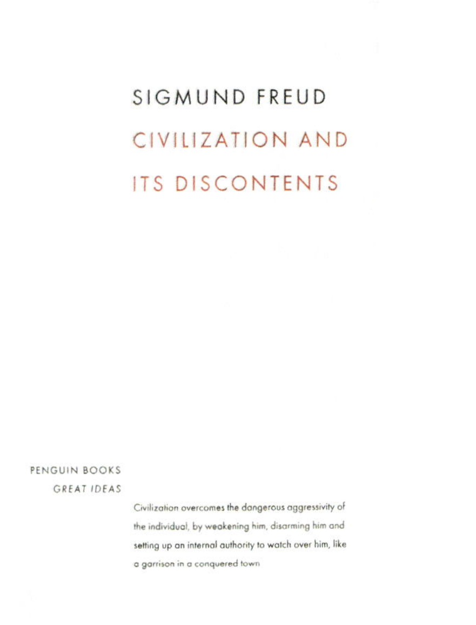
SIGMUND FREUD
CIVILIZATION AND
ITS DISCONTENTS
PENGUIN BOOKS
GREAT IDEAS
Civilization overcomes the dangerous aggressivity of the individual, by weakening him, disarming him and setting up an internal authority to watch over him, like a garrison in a conquered town

***CIVILIZATIONS AND ITS DISCONTENTS*, Sigmund Freud / Penguin: David Pearson / Reino Unido, 2004**

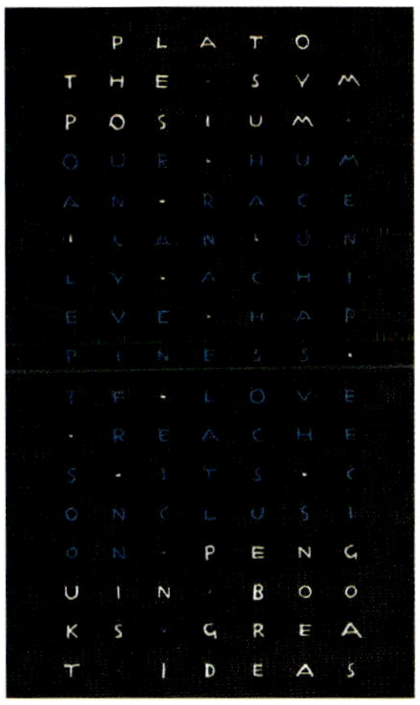

***THE SYMPOSIUM*, Plato / Penguin: David Pearson / Reino Unido, 2005**

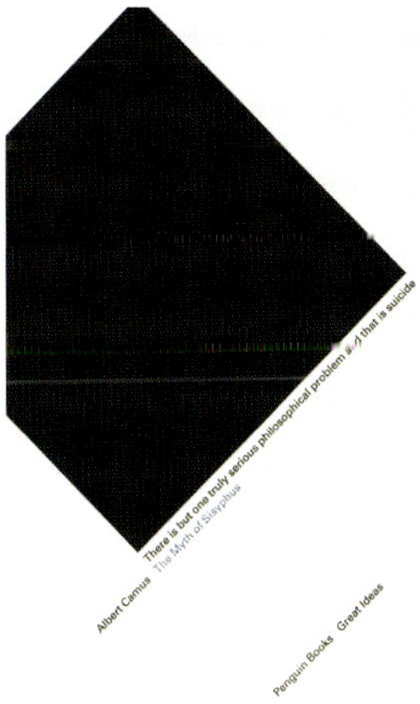
There is but one truly serious philosophical problem and that is suicide
Albert Camus The Myth of Sisyphus
Penguin Books Great Ideas

***THE MYTH OF SISYPHUS*, Albert Camus / Penguin: David Pearson / Reino Unido, 2005**

Walter Benjamin The Work of Art in the Age of Mechanical Reproduction

***THE WORK OF ART IN THE AGE OF MECHANICAL REPRODUCTION*, Walter Benjamin / Penguin: David Pearson / Reino Unido, 2008**

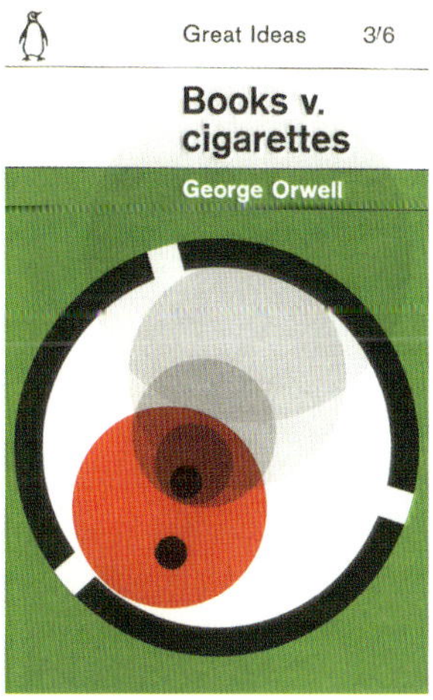
Great Ideas 3/6
Books v. cigarettes
George Orwell

***BOOKS V. CIGARETTES*, George Orwell / Penguin: David Pearson / Reino Unido, 2008**

Imagens: Reproduzidas com permissão da Penguin Books, Ltda.

New Directions

Criada em 1936 por James Laughlin aos 22 anos, a New Direction tornou-se um refúgio para poetas e escritores – como Tennessee Williams, Ezra Pound e William Carlos Williams – que estavam fora da literatura de massa, uma vez que Laughlin publicava o que os outros não queriam. As capas de alguns dos trabalhos iniciais da New Directions, incluindo antologias anuais de textos e poemas recentes, eram simples e, em contraste com seus sucessores, relativamente não atraentes, com arranjos centrados de tipografia serifada. “Um escritor amigo havia me dito”, relembra Laughlin na sua autobiografia, *The Way it Wasn’t*, “que eu deveria investigar um sujeito novo que estava fazendo umas ‘coisas esquisitas’ com os tipos”. O jovem sujeito era Alvin Lustig › 144 e o primeiro encontro deles no final dos anos 1930 resultou num relacionamento de 15 anos que gerou algumas das mais icônicas e pioneiras capas de livros da época.

Desde sua primeira capa para Laughlin – uma composição de peças metálicas de seus estojos de tipos para o livro *The Wisdom of the Heart* de Henry Miller, em 1941 –, Lustig foi capaz de desenvolver, especialmente à medida que trabalhava na série New Classics por volta de 1945, uma linguagem visual que, em vez de se basear em traduções literais ou representações, era guiada por símbolos abstratos e interpretações dos textos realizadas com admiráveis combinações de cores (tipicamente limitadas a duas ou três) e emparelhadas com certa destreza com escrita ou tipografia. Capas para a série Modern Reader, 1946 a 1955, eram semelhantes na filosofia, mas muito diferentes na execução: fotografia simbólica, em branco e preto, complementada por uma tipografia mais contida. Lustig continuou a trabalhar nas capas da New Directions mesmo quando ficou cego, por conta do diabetes, até sua morte em 1955.

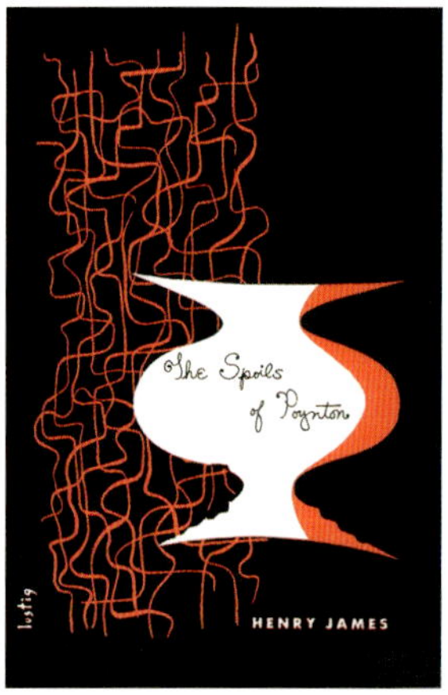
The Spoils of Poynton
HENRY JAMES
lustig

THE SPOILS OF POYNTON, **Henry James / New Directions, New Classics / 1943**

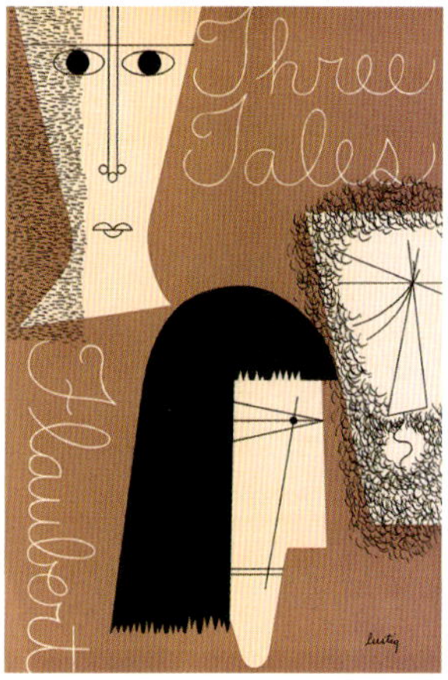
Three Tales
Flaubert

THREE TALES, **Gustave Flaubert / New Directions, New Classics / 1944**

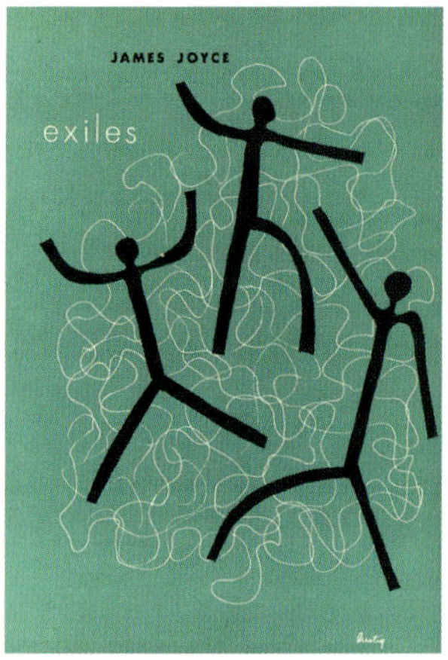
JAMES JOYCE
exiles

EXILES, **James Joyce / New Directions, New Classics / 1946**

flowers
of evil
baudelaire

FLOWERS OF EVIL, **Charles Baudelaire / New Directions, New Classics / 1946**

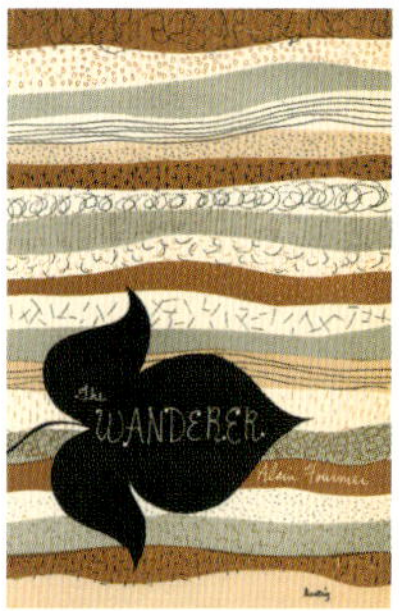
the WANDERER

THE WANDERER, **Alain Fournier / New Directions, New Classics / 1946**

THE DAY OF THE LOCUST
West
Nathanael

THE DAY OF THE LOCUST, **Nathanael West / New Directions, New Classics / 1950**

light in august

LIGHT IN AUGUST, **William Faulkner / New Directions, Modern Reader / 1946**

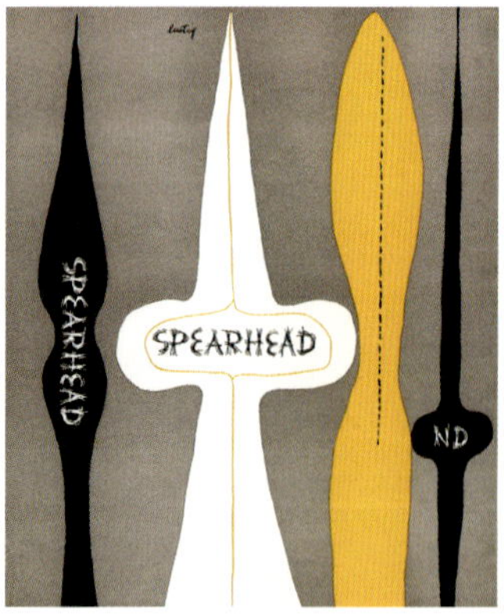
SPEARHEAD
SPEARHEAD
ND

SPEARHEAD **/ New Directions / 1947**

Lorca
3 Tragedies

3 TRAGEDIES, **Federico García Lorca / New Directions, Modern Reader / 1948**

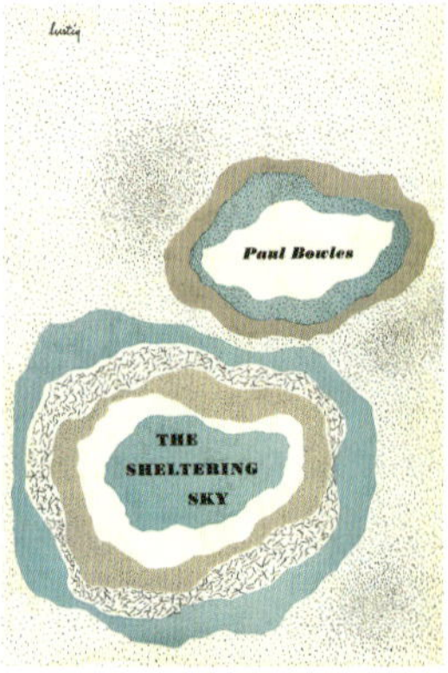
Paul Bowles
THE SHELTERING SKY

THE SHELTERING SKY, **Paul Bowles / New Directions / 1948**

Alvin Lustig / EUA

Zone Books

Quando Bruce Mau › 201 abriu sua empresa, Bruce Mau Design (BMD), em Toronto, em 1985, um dos seus primeiros projetos foi o design de *Zona 1|2: the Contemporary City*, a dupla edição inaugural do editor independente Urzone, criado naquele mesmo ano. Esse foi o início de um relacionamento que vicejou na combinação cerebral dos tópicos dos livros e seu design. Com o sucesso de *Zone 1|2*, a Urzone iniciou um programa ambicioso de publicações e, nos 15 anos seguintes, a BMD criou cada livro, hoje uma coleção de mais de 50 títulos, bem como s catálogos da Zone Books e materiais de marketing – permitindo que a Zone, como notado no livro de Mau *Life Style*, "explorasse certo terreno que não teria sido acessível nas hierarquias rígidas de produção nas editoras convencionais".

Atualizando as *Regras de Composição da Penguin*, de autoria de Jan Tschichold, a BMD desenvolveu um conjunto de estratégias conceituais de design que caracterizaram muitos dos livros. A "trama de imagens", para a série Zone Readers, apresentava duas imagens que podiam ser vistas simultaneamente; a "metamorfose Zone" fez 380 interpolações da palavra "zone" em diferentes formatos de letras para os títulos; o "comprimento tonal constante" considera o corpo do texto uma longa corda que oscila quando uma parte varia. Isoladamente, esses podem parecer conceitos rebuscados, mas, no contexto da obra, eles formam um conjunto de livros criados de maneira singular. A BMD também foi longe ao desenvolver os aspectos físicos do livro, criando tipos de papel ou formulando a tinta perfeita, como "Zone Black", que possuía a densidade correta para ser impressa ricamente em papel não revestido. Ao formarem uma relação longa e comprometida, Zone Books e BMD foram capazes de formar uma identidade flutuante, articulada na ligação entre conteúdo e forma.

DIVERSAS CAPAS DA *ZONE* / Zone Books / Bruce Mau Design / Canadá

MATTER AND MEMORY, Henri Bergson; Traduzido por N.M. Paul e W.S. Palmer / Zone Books / Bruce Mau Design / Canadá, 1991

EXEMPLOS DA METAMORFOSE ZONE, UMA INTERPOLAÇÃO DE FONTES COMO A BODONI, DIN E FUTURA QUE RESULTARAM EM 380 TRATAMENTOS TIPOGRÁFICOS NOVOS, UM PARA CADA PÁGINA DE *ZONE 6: INCORPORATIONS* / Bruce Mau Design / Canadá, 1992

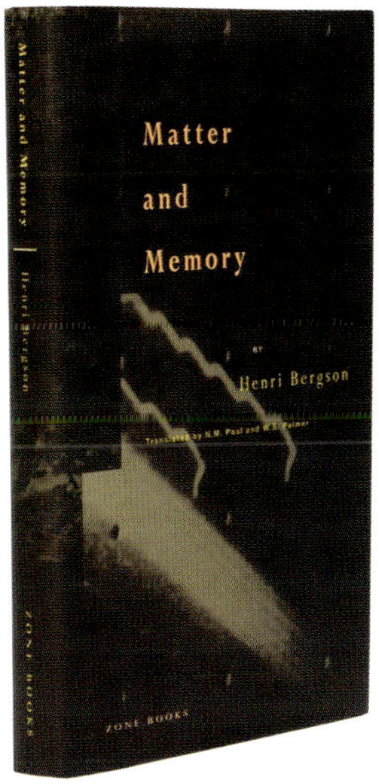
Matter
and
Memory
Henri Bergson
Matter and Memory

ZONE 6: INCORPORATIONS, editada por Jonathan Crary and Sanford Kwinter / Zone Books / Bruce Mau Design / Canadá, 1992

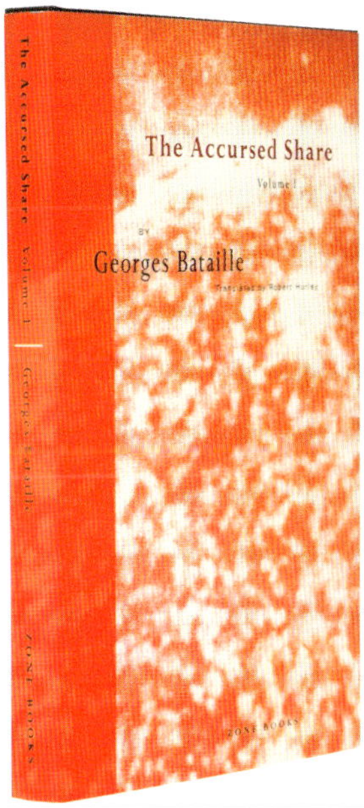
The Accursed Share
Volume I
Georges Bataille
The Accursed Share

ACCURSED SHARE, VOLUME 1: CONSUMPTION, Georges Bataille; tradução, Robert Hurley / Zone Books / Bruce Mau Design / Canadá, 1991

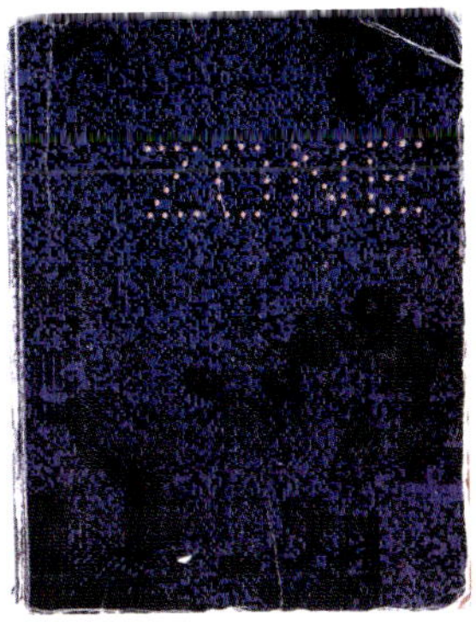

ZONE 1|2: THE CONTEMPORARY CITY, editada por Michel Feher e Sanford Kwinter / Zone Books / Bruce Mau Design / Canadá, 1985

McSweeney's

Em 1998, David Eggers publicou a primeira edição do periódico literário *McSweeney's Quarterly Concern* como uma coleção de trabalhos rejeitados de revistas, e tanto na sua cativante ingenuidade no design como na perdoável escassez técnica, estabeleceu uma estética visual que contrastava brilhantemente com os excessos visuais gerados pela web no final dos anos 1990. As primeiras edições tinham o design feito pelo próprio Eggers – um escritor realizado, conforme atestado pelo seu aclamado *A Heartbreaking Work of Staggering Genius*, mas nem de longe tão celebrado enquanto design gráfico – que escolheu a Garamond 3 como fonte padrão da publicação que, posteriormente, seria a sua fonte característica. O site da McSeeney's, lançado em 1999, afirmava com audácia na sua página "about us" (sobre nós), "Design: para nada será feito um design"; como na *Quarterly*, o conteúdo e a escrita espinhosos guiavam o design e demandavam toda a atenção.

Entre 2000 e 2001, a *Quarterly*, já com o apoio da designer independente, Elizabeth Kairys, começou uma ascensão rápida e celebrada em valores de produção. Primeiro, foram livretos avulsos numa caixa; depois, sobrecapas alternadas, elásticos, papel alumínio estampado em lombadas de tecido, capas em imitação de couro e numerosas dobras, bolsos, e orelhas fizeram com que esses livros fossem objetos para se guardar. Em 2002, Eli Horowitz uniu-se a Eggers como editor gerente – e segundo designer sem treinamento formal – da McSweeney's que, então, publicava, junto com a *Quarterly*, livros e uma revista nova, *The Believer*. A biblioteca que crescia lentamente, com obras de autores como David Byrne, Michael Chabon e Nick Hornby, recebeu o mesmo tratamento da *Quarterly* e foi luxuosamente produzida a despeito – ou talvez por causa da – feliz ignorância de Eggers e Horowitz a respeito das regras e princípios do design gráfico.

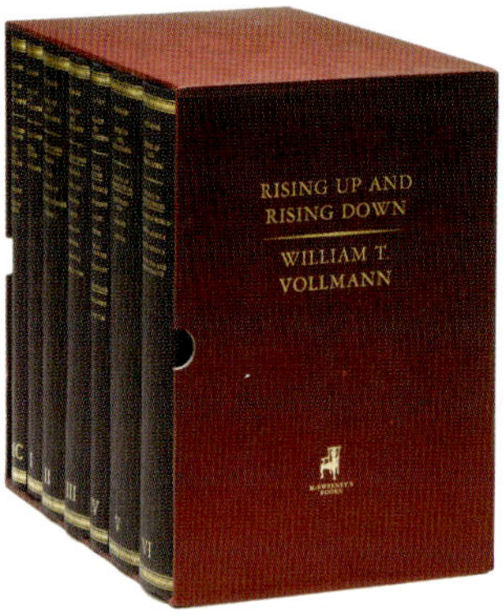
RISING UP AND
RISING DOWN
WILLIAM T.
VOLLMANN

RISING UP AND RISING DOWN, **William T. Vollmann / McSweeney's: design, Dave Eggers / EUA, 2003**

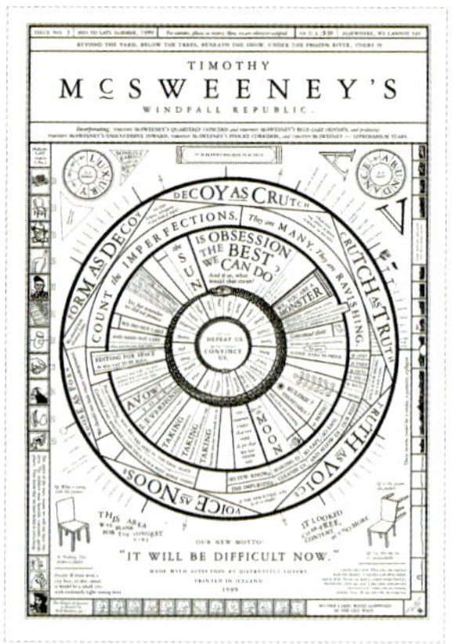
TIMOTHY
McSWEENEY'S
WINDFALL REPUBLIC
"IT WILL BE DIFFICULT NOW."

***MCSWEENEY'S* EDIÇÃO 3 / McSweeney's: design, Dave Eggers / EUA, 1999**

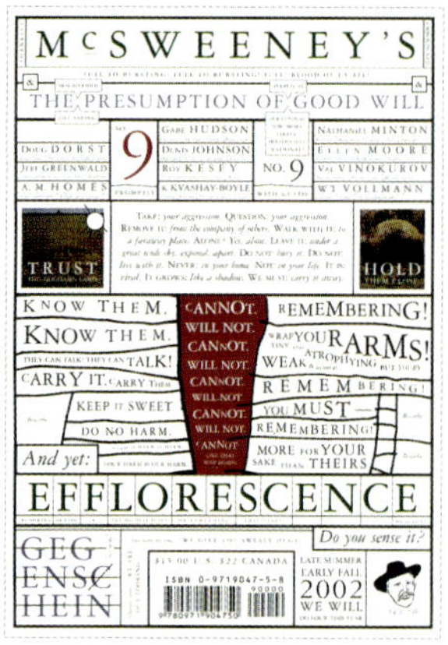
McSWEENEY'S
THE PRESUMPTION OF GOOD WILL
9
TRUST
HOLD
EFFLORESCENCE
2002

***MCSWEENEY'S* EDIÇÃO 9 / McSweeney's: design, Dave Eggers / EUA, 2002**

ALL KNOWN METAL BANDS

ALL KNOWN METAL BANDS, **Dan Nelson / McSweeney's: design, Alvaro Villanueva, Dan Nelson, Eli Horowitz, Autumn Wharton / EUA, 2008**

TWENTYSEVEN

***MCSWEENEY'S* EDIÇÃO 27 / Arte da capa para a porção do livreto de estórias / McSweeney's: artist, Scott Teplin / EUA, 2008**

ENVELOPE
PANTALAINE

***MCSWEENEY'S* EDIÇÃO 17 / McSweeney's: design, Dave Eggers, Brian McMullen (partes do Pantalaine e Yeti Researcher) / EUA, 2005**

MICHAEL
CHABON
MAPS
AND
LEGENDS

MAPS AND LEGENDS, **Michael Chabon / McSweeney's: design, Dave Eggers, Eli Horowitz, Jordan Crane; ilustração da capa e sobre-capa, Jordan Crane / EUA, 2008**

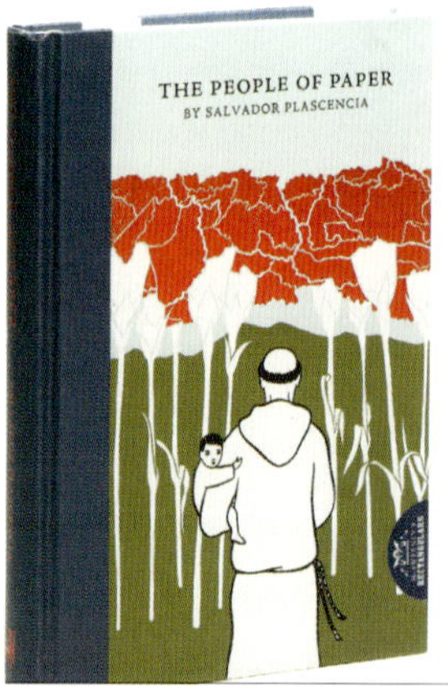
THE PEOPLE OF PAPER
BY SALVADOR PLASCENCIA

THE PEOPLE OF PAPER, **Salvador Plascencia / McSweeney's: design, Salvador Plascencia, Eli Horowitz, Rachell Sumpter; ilustração da capa, Rachell Sumpter / EUA, 2005**

Fotos: Joseph McDonald

Pocket Canons

Concebidos por Matthew Darby e publicados pela editora escocesa Canongate Books em 1997, os Pocket Canons apresentavam 12 (de um total de 66) livros da Bíblia na versão do Rei James, numa abordagem significantemente contemporânea. Cada Livro, vendido separadamente em formato de livro de bolso, apresentava uma introdução por figuras populares do mundo da cultura contemporânea, do escritor Will Self ao músico Nick Cave – iniciando uma controvérsia, pois ateístas e budistas, não cristãos, as estavam escrevendo. Os Pocket Canons eram embalados também de modo não convencional, para os padrões bíblicos.

Com o design feito por Angus Hyland, do escritório londrino da Pentagram's › 162, como se fossem capas de modernas obras de ficção, cada livro usa uma única imagem em intenso contraste preto e branco, obtidas, de fotografias de arquivo que fazem alusão ao seu conteúdo: uma explosão nuclear, o equivalente moderno ao Armagedom, para o Apocalipse; uma superfície refletora de um lago para o Gênesis; uma estrada sinuosa, para o Êxodo; e, talvez óbvio demais, uma baleia, para Jonas. O título de cada livro foi composto em minúsculas, na cor laranja brilhante, da fonte Univers › 372, modernizando ainda mais os textos com séculos de existência, hoje disponíveis ao preço de uma libra esterlina (aproximadamente R$ 3,40 à época) cada um. A série foi um sucesso, iniciando uma segunda impressão na Grã-Bretanha (totalizando 900.000 cópias em circulação) e mais de uma dúzia de países adquirindo os direitos de tradução e distribuição. Em 1999, a Canongate books lançou uma segunda série com mais 12 livros – incluindo uma introdução escrita pelo vocalista da banda U2, Bono – com o design também feito pela Pentagram. E, em 2005, eles lançaram *Revelations: Personal Responses to the Books of the Bible* (Revelações: Respostas Pessoais aos Livros da Bíblia), uma antologia de todas as introduções – mas cujo design não foi feito pela Pentagram.

exodus
genesis
ecclesiastes
john
matthew
ruth
proverbs
mark
corinthians
psalms
acts
revelation
solomon
hebrews
isaiah
jonah
samuel
job
the pocket canons

DESIGN DE LIVROS POCKET CANONS PARA A CANONGATE BOOKS / Pentagram: Angus Hyland / Reino Unido, 1997–1999 / Foto: Nick Turner

The Medium Is the Massage

O escritor, professor, crítico, teórico de mídia (uma miríade de outras qualificações) canadense, Marshall, McLuhan tinha uma enorme facilidade de construir períodos curtos ou frases sempre chamadas de *McLuhanismos*, como "O futuro do livro é o resumo" ou "Arte é qualquer coisa com que você possa se safar", e em 1964, nas páginas de *Understanding Media: The Extension of Man*, ele cunhou a expressão "O meio é a mensagem". Ele indicava que o meio – tudo, de televisão a ferrovias, a lâmpadas –, a despeito e independentemente do conteúdo que deve transmitir, tem sua própria mensagem e é tão responsável pelas mudanças nas questões humanas quanto o seu conteúdo. Em 1967, o famoso McLuhanismo foi pensado para ser o título para *The Medium Is the Massage: An Inventory of Effects,* exceto pelo fato de o responsável pela composição ter escrito "Message" (Mensagem) como "Massage" (Massagem) – um erro que deixou McLuhan um tanto satisfeito e aprovou a publicação.

The Medium is the Massage não é um livro de McLuhan, mas uma coleção de trechos de seus textos e afirmações, selecionada e organizada pelo designer gráfico Quentin Fiore e o autor, editor e criador de embalagens de livros, Jerome Agel. Por meio de cortes radicais de fotografias, mudanças na escala tipográfica e repetição de elementos, Fiore, que tinha trabalhado como artista de letreiros para Lester Beall › 146 e depois abriu o próprio escritório de design, apresentou uma estrutura altamente cinética, rigorosamente executada usando um grid simples e emprego consistente da fonte Akzidenz Grotesk › 369. Dezessete editores recusaram a oportunidade de publicar *The Medium is the Massage* antes que a Bantam Books aceitasse. A tiragem inicial de 35.000 exemplares foi rapidamente seguida de duas outras tiragens iguais e afinal o livro vendeu quase um milhão de exemplares no mundo todo.

Marshall McLuhan
Author of UNDERSTANDING MEDIA
Quentin Fiore
The Medium is the Massage
An Inventory of Effects
R3348 * $1.45 * A BANTAM BOOK

enviro

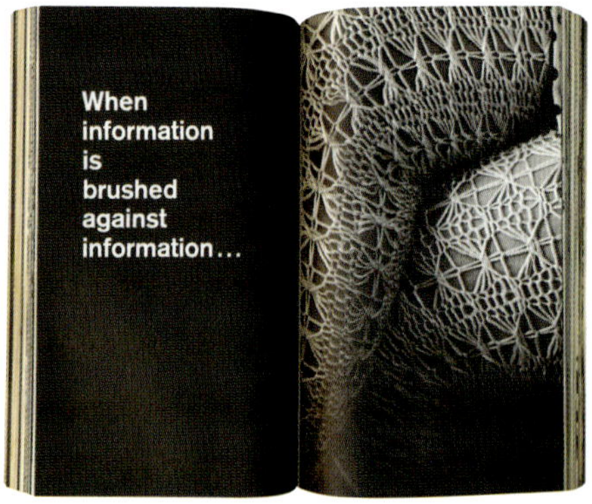
When information is brushed against information...

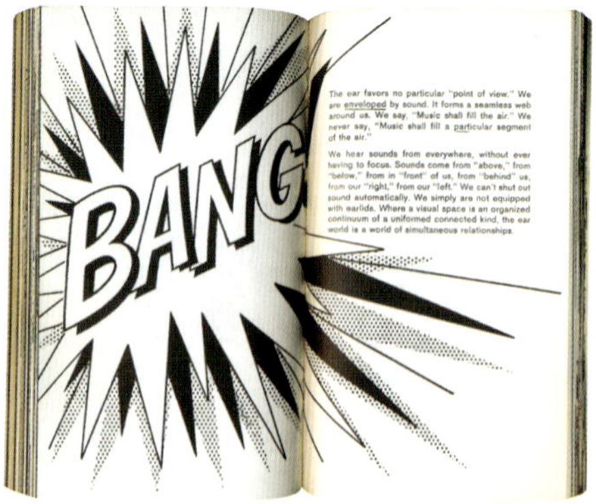
BANG

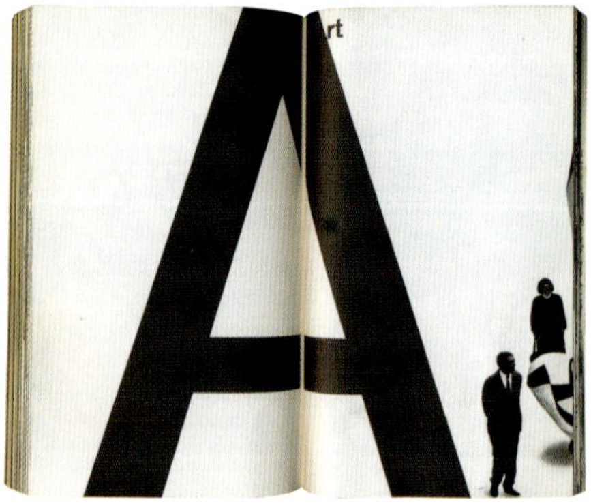
A

THE MEDIUM IS THE MASSAGE: AN INVENTORY OF EFFECTS, **Marshall McLuhan, Quentin Fiore / Bantam Books / EUA, 1967**

S, M, L, XL

Na teoria, *S, M, L, XL* eram 264 páginas criadas e acabadas em 265 dias, mas, na prática, a colaboração do arquiteto holandês, Rem Koolhaas, com o designer Bruce Mau › 201 passou para 1.344 páginas e terminadas em 1.185 dias (cinco anos). Lançado em 1995 como uma monografia de Koolhaas e trabalho de sua empresa, Office for Metropolitan Architecture (OMA), *S, M, L, XL* foi muito além das expectativas e tradições de uma monografia de arquiteto. Principalmente porque o livro não se resume a 30 e tantas casas, edifícios e projetos de urbanismo selecionados mas, ao contrário, é um conjunto de texto e imagens em harmoniosa discordância, com os projetos organizados não por setor, disciplina ou ordem cronológica, mas sim por tamanho: de pequenos (casas e vilas) a extra-grandes (planejamento urbano).

S, M, L, XL é também incomum pelo fato de, a despeito de ser uma monografia de Koolhaas, seu designer teve tanto crédito quanto o assunto, tanto figurativamente quanto literalmente: além do nome de Koolhass ser impresso em cores, o nome de Mau tem o mesmo tratamento e o livro é associado tanto à sua concepção quanto ao conteúdo. Composto numa seleção de fontes relativamente austeras – Times New Roman › 385, Bell Gothic e Monotype Grotesque –, o livro apresenta os projetos de Koolhaas, seus pensamentos, visões de mundo e muito, muito mais por meio de uma barragem de imagens dispostas de modo distinto, que vão desde desenhos de projetos à figura de um globo ocular sendo fatiado, todas em layouts sem expressão. Como elemento de conexão, um dicionário alternativo segue na extremidade esquerda de quase toda página da esquerda contendo termos como *Babel, confidence* e *iffy*. *S, M, L, XL* reflete não somente o título do livros, mas também a experiência de descobrir os menores detalhes embutidos neste livro enorme.

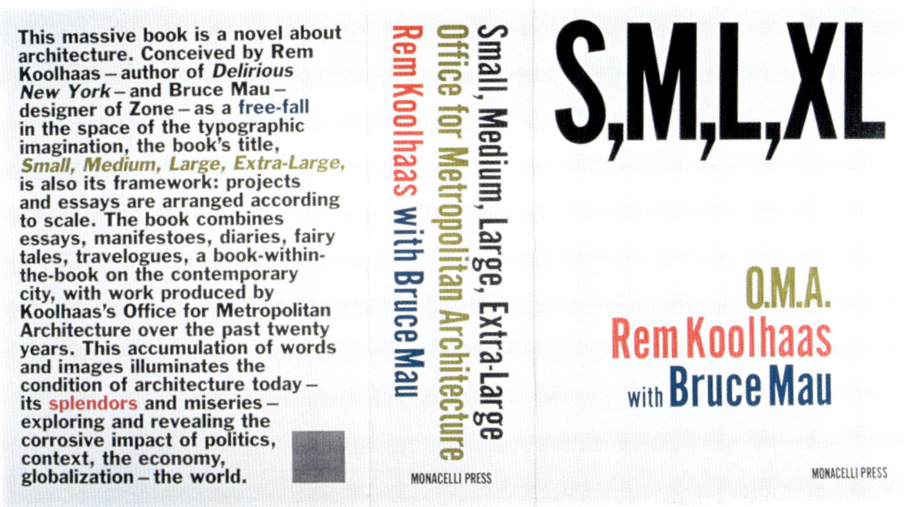
This massive book is a novel about architecture. Conceived by Rem Koolhaas – author of *Delirious New York* – and Bruce Mau – designer of Zone – as a free-fall in the space of the typographic imagination, the book's title, *Small, Medium, Large, Extra-Large*, is also its framework: projects and essays are arranged according to scale. The book combines essays, manifestoes, diaries, fairy tales, travelogues, a book-within-the-book on the contemporary city, with work produced by Koolhaas's Office for Metropolitan Architecture over the past twenty years. This accumulation of words and images illuminates the condition of architecture today – its splendors and miseries – exploring and revealing the corrosive impact of politics, context, the economy, globalization – the world.
Small, Medium, Large, Extra-Large
Office for Metropolitan Architecture
Rem Koolhaas with Bruce Mau
MONACELLI PRESS
S,M,L,XL
O.M.A.
Rem Koolhaas
with Bruce Mau
MONACELLI PRESS

S, M, L, XL, **Rem Koolhaas, Bruce Mau / Monacelli Press / Bruce Mau Design / Canadá, 1995**

SHV Think Book 1996-1896

Em, 1896 um grupo de oito famílias holandesas de comerciantes criou a Steenkolen Handels-Vereeniging (SHV ou Associação de Comércio de Carvão) e logo se estabeleceu como líder da venda do carvão alemão na Europa Ocidental. Durante o século XX, a SHV diversificou o seu negócio para petróleo, transportes e mesmo comércio de produtos de consumo com a introdução da Makro, uma cadeia de lojas de autosserviço atacadistas em 1968, hoje com 33 lojas na Europa; hoje a SHV é uma dos maiores grupos comerciais do mundo. Para comemorar o centenário da organização, o seu presidente, Paul Fentener van Vlissingen – que herdou uma grande parcela da companhia de seu pai, Frits Fentener van Vlissingen II, cujo pai tinha sido um dos membros fundadores – encomendou a designer de livros holandesa, Irma Boom › 193, com cinco anos de antecedência, um livro comemorativo.

Os requisitos eram completamente abertos e o orçamento não era necessariamente um problema, uma vez que van Vlissingen pediu simplesmente algo "incomum", dizendo que custasse o que fosse, seria certamente mais barato do que abrir uma loja nova da Makro. Trabalhando proximamente a van Vlissingen e ao historiador Johan Pijnappel, Boom passou por um processo de cindo anos. Três e meio foram gastos em pesquisa, recolhendo materiais de arquivos da SHV em toda a Europa; esses vieram em 2.136 páginas, pesando quase 4 quilos e medindo mais de 10 centímetros de espessura, necessitando de uma chapa de aço na lombada para reforçar a estrutura. Organizado em ordem cronológica inversa, o livro não tem números de páginas ou índice. O observador é levado a explorar de maneira livre o livro, uma aparente justaposição sem fim de imagens e texto de arquivos. O livro é o vencedor do prêmio "O Mais Bonito Livro do Mundo", oferecido na feira do livro de Leipzig.

SHV
PAM
makro
instel
food studio

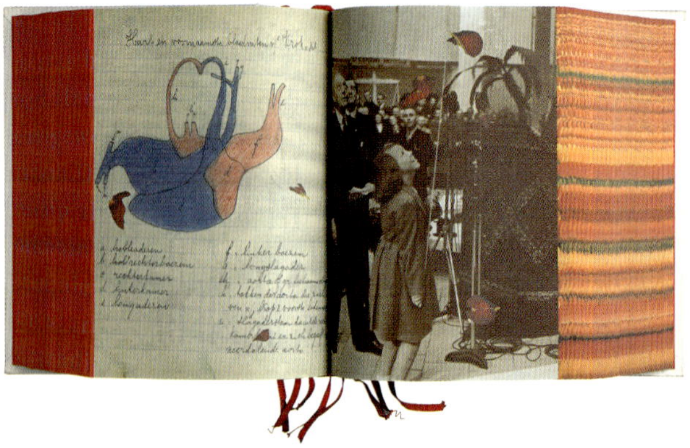

SHV THINK BOOK 1996-1896 / Irma Boom / Holanda, 1996

Fackel Wörterbuch: Redensarten

De 1899 a 1936, Karl Kraus, um escritor e jornalista austríaco, publicou, editou e escreveu sozinho *Die Fackel* (A Tocha), um periódico que ele usava para lançar críticas lancinantes à sociedade austríaca, certificando-se que nenhum líder político, artista ou autor passaria desapercebido. Kraus era também muito preocupado com a linguagem e as implicações de cada escolha e de erros no seu uso. Com *Die Fackel*, ele atacava regularmente outros escritores por suas deficiências gramaticais. Em 1999, a Academia de Austríaca de Ciências publicou *Fackel Wörtenbuch: Redensarten* (Dicionário de "A tocha": Idiomas), uma seleção de 144 verbetes em 1.056 páginas, extraídos de 37 edições de *Die Fackel*, que totalizavam mais de 30.000 páginas. O título completo do dicionário, para registro, é: *Wörtenbuch der Redensarten zu der von Karl Kraus 1899 bis 1936 herausgegebenen Zeitschrift "Die Fackel"* (Dicionário das Expressões Idiomáticas Publicadas na Revista "A Tocha" de Karl Kraus de 1899 a 1936).

Trabalhando com Evelyn Breiteneder e Hanno Biber, cientistas da literatura na Academia, a designer e educadora de Los Angeles, Anne Burdick, iniciou um processo colaborativo de dois anos para estruturar e fazer o design do dicionário linguística e visualmente complexo. No que tem de mais básico, o livro é dividido em três seções verticais; a seção central contém a maior parte do conteúdo, incluindo a reprodução direta de *Die Fackel*, e as colunas da esquerda e da direita são divididas por "textos de documentação" que quantificam e categorizam; e "textos interpretativos" para comentários editoriais. Mais detalhadamente, cada verbete requer o design cuidadoso de nove funções de texto e os ensaios no começo e final do livro usam um complexo sistema de referência e citações que fizeram com que Burdick inventasse "um sistema de pontuação em múltiplos níveis". Não sendo uma designer de livros, propriamente dita, Burdick ficou um tanto surpresa quando o livro ganhou o prêmio "O Mais Bonito Livro do Mundo" na feira do livro de Leipzig, após seus editores terem-no inscrito.

Wörterbuch der Redensarten

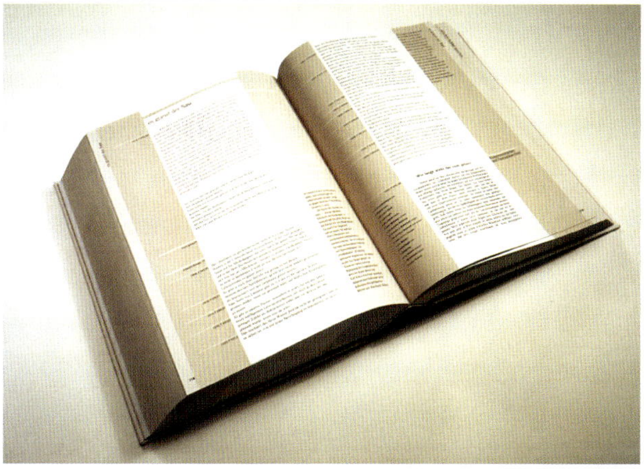

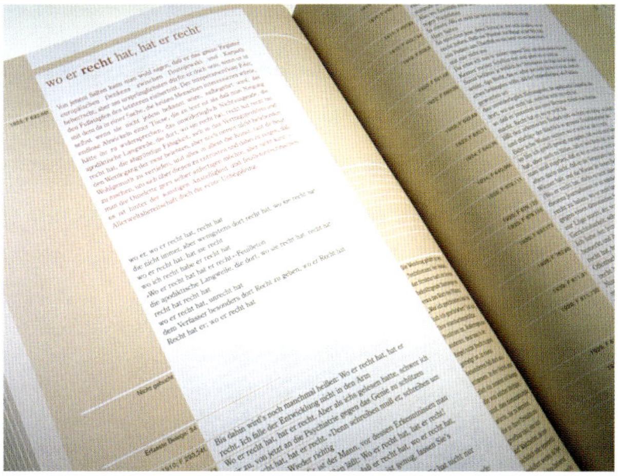
wo er recht hat, hat er recht

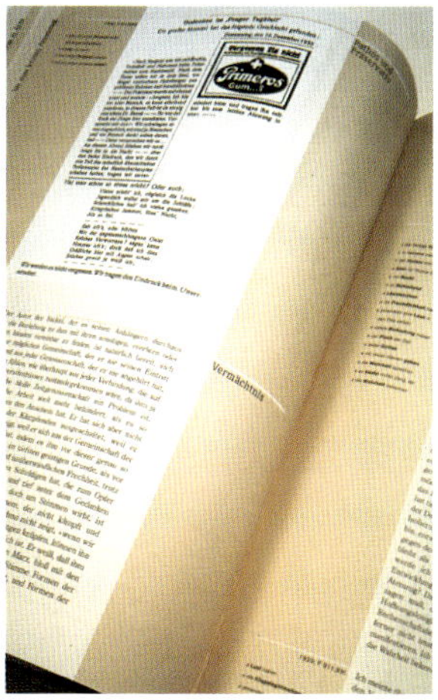

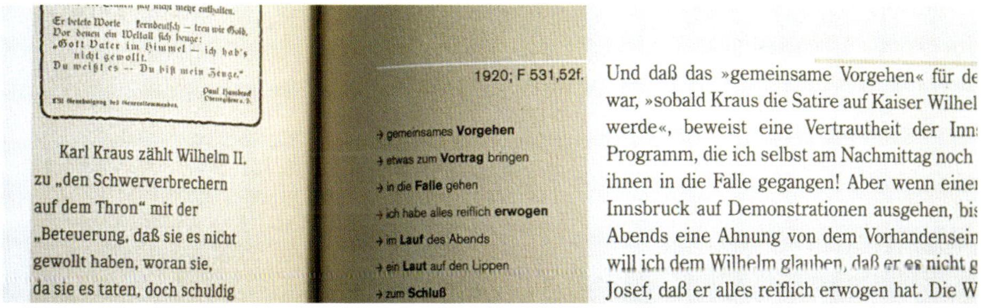
Karl Kraus zählt Wilhelm II.
zu „den Schwerverbrechern
auf dem Thron" mit der
„Beteuerung, daß sie es nicht
gewollt haben, woran sie,
da sie es taten, doch schuldig
1920; F 531,52f.
→ gemeinsames Vorgehen
→ etwas zum Vortrag bringen
→ in die Falle gehen
→ ich habe alles reiflich erwogen
→ im Lauf des Abends
→ ein Laut auf den Lippen
→ zum Schluß
Und daß das »gemeinsame Vorgehen« für de
war, »sobald Kraus die Satire auf Kaiser Wilhel
werde«, beweist eine Vertrautheit der Inn
Programm, die ich selbst am Nachmittag noch
ihnen in die Falle gegangen! Aber wenn eine
Innsbruck auf Demonstrationen ausgehen, bis
Abends eine Ahnung von dem Vorhandensein
will ich dem Wilhelm glauben, daß er es nicht g
Josef, daß er alles reiflich erwogen hat. Die W

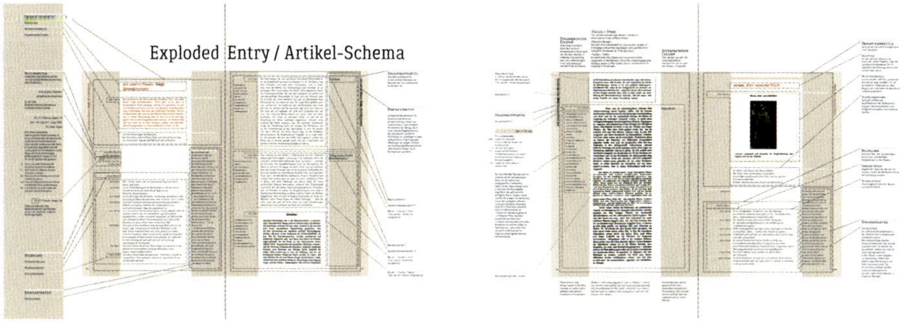
Exploded Entry / Artikel-Schema

WÖRTERBUCH DER REDENSARTEN ZU DER VON KARL KRAUS 1899 BIS 1936 HERAUSGEGEBENEN ZEITSCHRIFT 'DIE FACKEL,' **Karl Kraus, Die Fackel / Österreichischen Akademie der Wissenschaften / design, Anne Burdick; consultor de tipografia, Jens Gelhaar; foto: Susan L. Burdick / EUA, 1999**

VAS: An Opera in Flatland

Flatland, uma sátira social da era Vitoriana publicada em 1884 pelo clérigo e autor prolífico, Edwin Abbott, é narrada pelo Quadrado, que fala sobre seu mundo bidimensional e descreve um encontro com uma esfera da terceira dimensão, entre outras tramas da história. Flatland permaneceu como um livro influente nos círculos literários e matemáticos, servindo de inspiração e referência para inúmeros autores, entre eles, Steve Tomasula. Em 1995, como extensão a outro livro que estava escrevendo, Tomasula começou a desenvolver *VAS: An Opera in Flatland*, uma exploração da engenharia genética e sua influência no corpo. Com os personagens de *Flatland*, Tomasula conta a história do Quadrado, sua esposa, Círculo; e a filha deles, Oval, quando o patriarca considera fazer uma vasectomia. O livro tem um design cinético e em camadas feito por Stephen Farrell – que, coincidentemente, tinha escrito e ilustrado um ensaio inspirado por *Flatland*.

Tomasulla e Farrell tinham trabalhado juntos de modo semelhante na revista literária *Private Arts* e depois em *Emigre* › 100. Por volta de 1999, Farrell começou a dar a *VAS* sua aparência não convencionalmente atraente. O livro usa apenas três cores: sangue, com o mesmo tom do sangue de Farrell; carne, baseada na cor “carne”, fora de catálogo da Crayola, e preto. O texto é composto em três famílias de tipos – Clarendon › 375, Univers › 372 e Cholla – para as vozes dominantes da estória, com o tempero dado por fontes diferentes. As imagens vieram de várias fontes: livros de biologia evolutiva, antropologia e eugenia, catálogo de suprimentos genéticos, websites de doação de óvulos. A despeito de seu conteúdo não convencional, *VAS* encontrou um editor que o adotasse na Barrytown|Station Hill Press, Inc. com a distribuição adicional pela Winterhouse Editions. Sua primeira versão em capa dura, publicada em 2002, esgotou imediatamente. A editora da universidade de Chicago fez a edição em capa mole, agora na segunda impressão.

VAS
AN OPERA
IN FLATLAND
A NOVEL
BY STEVE TOMASULA
ART+DESIGN BY STEPHEN FARRELL

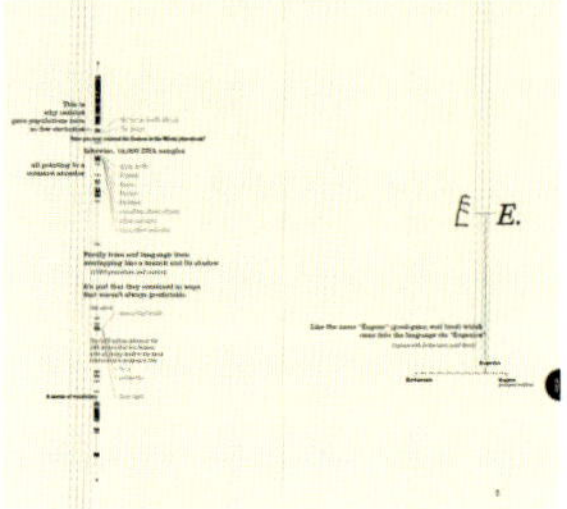

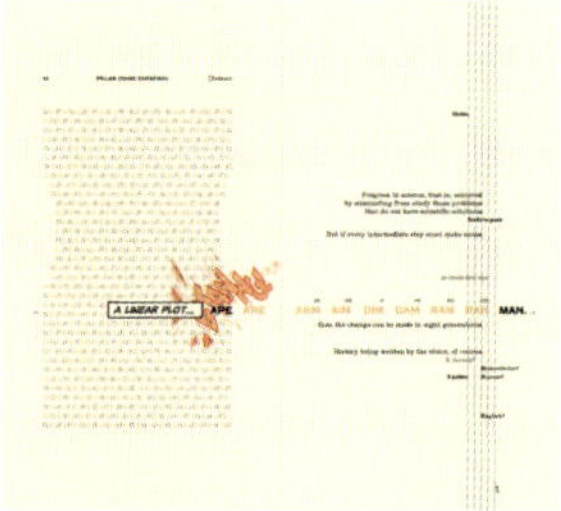

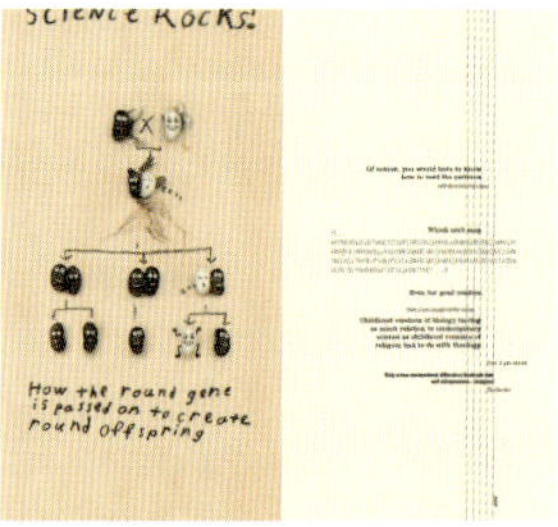
SCIENCE ROCKS!

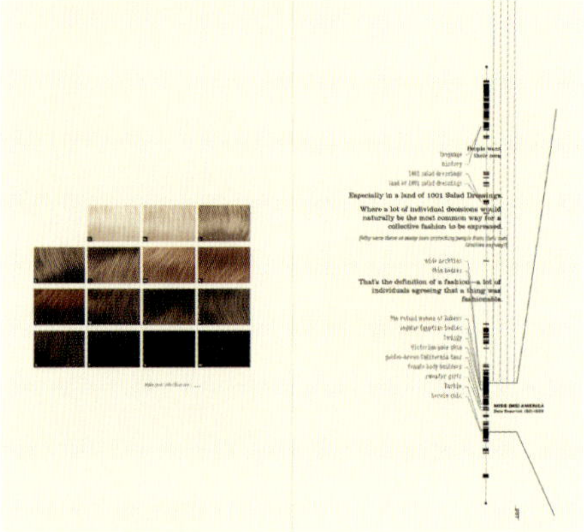

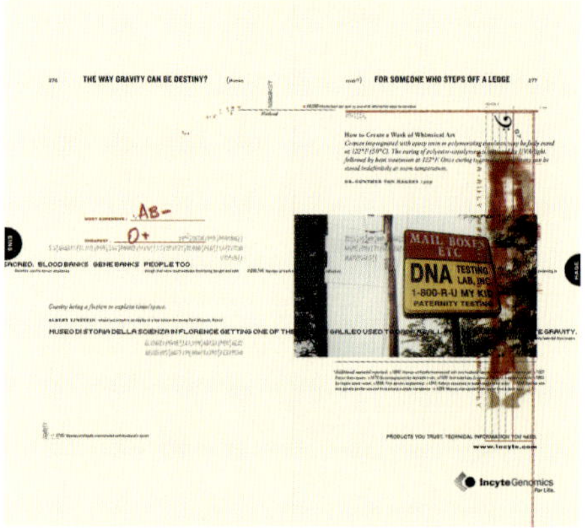
THE WAY GRAVITY CAN BE DESTINY?
FOR SOMEONE WHO STEPS OFF A LEDGE
DNA

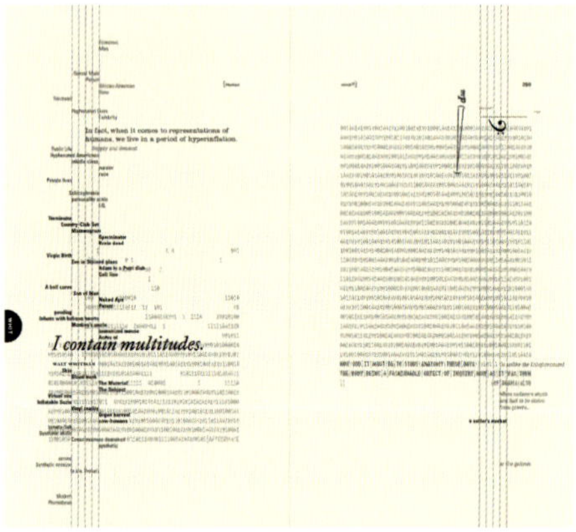
I contain multitudes.

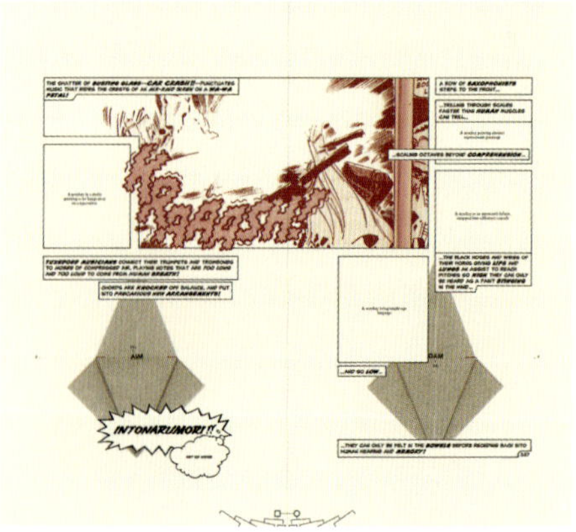
INTONARUMORI!!

VAS: AN OPERA IN FLATLAND, **Steve Tomasula, Stephen Farrell / Barrytown | Station Hill Press, Inc. / arte e design, Stephen Farrell / EUA, 2002**

America (The Book)

Como derivado do popular noticiário satírico, *The Daily Show with Jon Stewart, a Warner Books lançou America (The Book): A Citizen's Guide to Democracy Inaction* – escrito por Jon Stewart e a equipe de escritores e "correspondentes" do programa – uma avassaladoramente cômica avaliação dos Estados Unidos e de seu processo político em 1994, satirizando tudo o que os americanos presumivelmente tinham aprendido na escola. Formatado e imaginado como um livro didático, *America (The Book)* teve o design feito por Paula Scher › 182 e sua equipe, Julia Hoffmann e Keith Daigle no escritório, da Pentagram's › 162 de Nova York. Os escritores, já trabalhando próximos por quase um ano, começaram a trabalhar com a Pentagram faltando somente nove meses no cronograma.

Trabalhando colaborativamente com eles, Scher, Hoffmann e Daigle desenvolveram uma linguagem visual e estruturada que permitia manifestações visuais das piadas baseadas em texto, criando mapas, linhas do tempo, gráficos, questionário, documentos falsos e tudo mais que poderia provocar uma gargalhada à custa dos Estados Unidos. Não faltaram desafios ao livro, o menor deles pode ter sido as mais de 50 propostas para a capa. A que foi finalmente escolhida mostrava uma águia, mas como é impossível legalmente fotografar o animal (espécie em risco de extinção), um preço alto (muito alto) foi pago para um dia de fotos com uma águia dourada. Com um pouco de paciência e esforço foi feita a foto de Stewart com a águia – uma corda segurando a águia foi removida no Photoshop. Para o famoso gráfico mostrando os juízes da Suprema Corte sem roupas, a Pentagram voltou-se para uma colônia de nudistas em Vermont para obter as poses apropriadas. Essa última piada fez com que o livro fosse banido do Wal-Mart. Mas, tirando isso, o livro foi um sucesso, com mais de 2,5 milhões de cópias impressas até 2005; passou 49 semanas na lista dos mais vendidos do *New York Times* e a seguinte "Edição do Professor" apresentava as correções de "professores barbudos de faculdades na vida real".

THE DAILY SHOW WITH JON STEWART PRESENTS
AMERICA
(THE BOOK)
A Citizen's Guide to Democracy Inaction

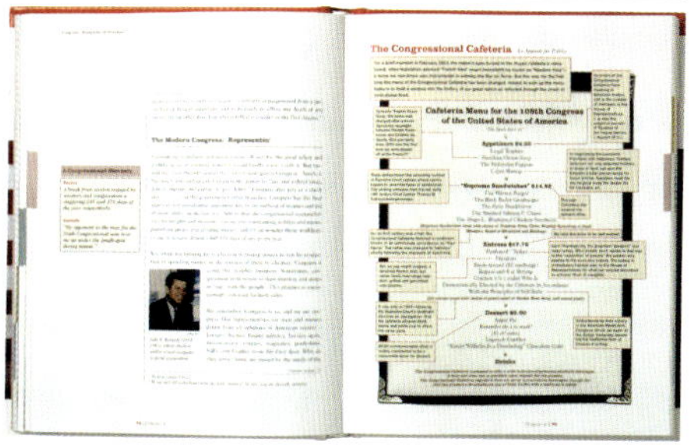

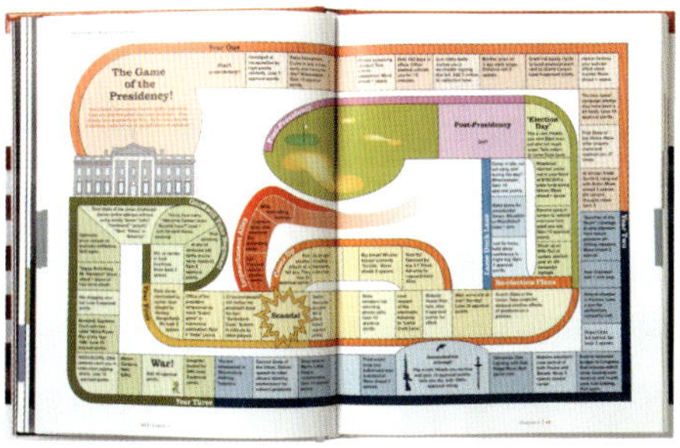

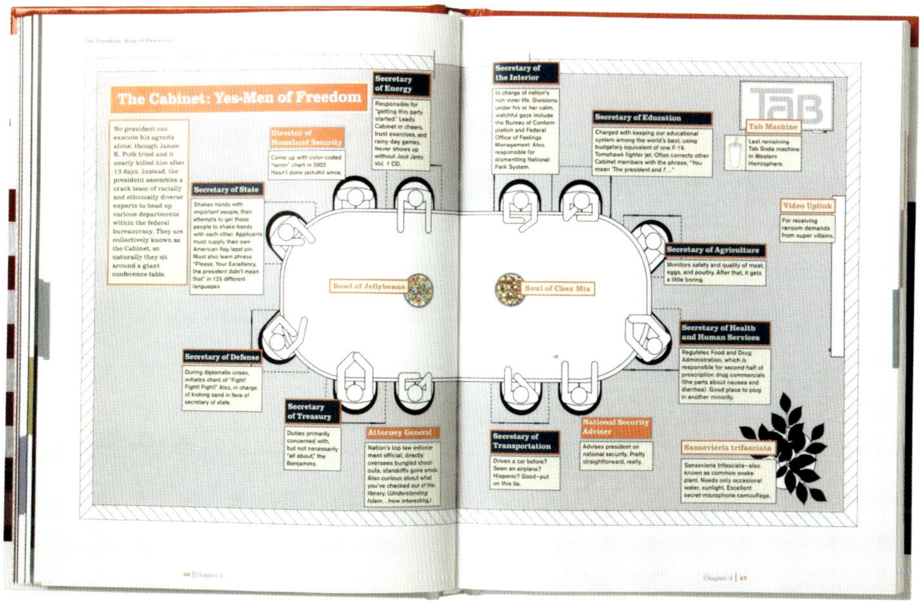
The Cabinet: Yes-Men of Freedom
Secretary of Energy
Secretary of the Interior
Director of Homeland Security
Secretary of State
Secretary of Education
Tab Machine
Video Uplink
Secretary of Agriculture
Bowl of Jellybeans
Bowl of Chex Mix
Secretary of Health and Human Services
Secretary of Defense
Secretary of Treasury
Attorney General
Secretary of Transportation
National Security Adviser
Sansevieria trifasciata

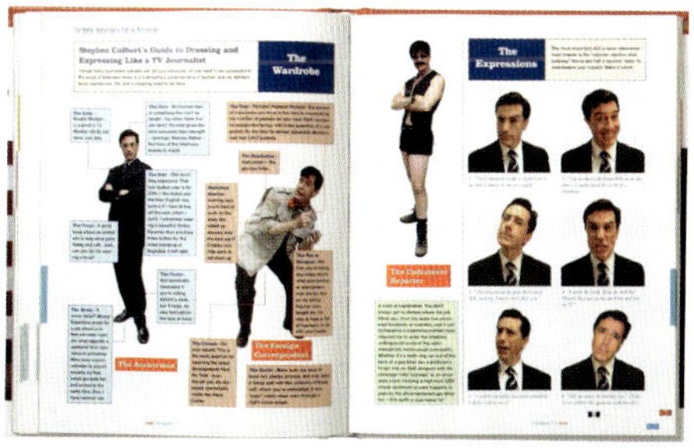

***THE DAILY SHOW WITH JON STEWART PRESENTS AMERICA (THE BOOK): A CITIZEN'S GUIDE TO DEMOCRACY INACTION*,**
Jon Stewart e os redatores do The Daily Show / Warner Books / Pentagram: Paula Scher; design, Julia Hoffman, Keith Daigle / EUA, 2004

BÍBLIA DE QUARENTA E DUAS LINHAS

Treinado como ourives e depois tendo desenvolvido as habilidades de lapidador de pedras preciosas e de trabalho com metais, Johannes Gutenberg não foi responsável pela invenção dos tipos móveis – de uma forma ou outra, já tinham sido desenvolvidos na China séculos antes –, mas criou as várias inovações que fizeram deles um método viável de produção. A primeira foi um método de criar tipos em metal fundido: uma punção de aço, contendo uma fôrma mestra com o desenho de uma letra, é estampado numa matriz mais mole em bronze, criando um "positivo" que é depois colocado em um molde (um aspecto chave da invenção de Gutenberg) que é preenchido com a liga metálica (uma fórmula própria de Gutenberg) para criar o tipo. Depois, foram as melhorias de Gutenberg na prensa propriamente dita, derivada das prensas de vinho e queijo, que resultaram numa melhor qualidade e velocidade de impressão. Avançar ainda mais estas melhorias não era barato, e

BÍBLIA LATINA, 42 LINHAS FOL. 131V-132R /
Foto: cortesias da The Pierpont Morgan Library, Nova York PML 13

Gutenberg teve que pedir emprestada uma soma considerável de dinheiro a Johann Fust, um rico mercador e banqueiro de Mogúncia (Mainz), que aceitou o equipamento de Gutemberg como garantia. Um segundo empréstimo foi feito junto a Fust para financiar a produção de uma Bíblia conforme as aspirações de Gutenberg.

Por volta de 1452, Gutenberg começou a impressão da bíblia de quarenta e duas linhas. Primeiro com duas e depois com quatro prensas, as 1.282 páginas foram compostas em letra gótica; espaços foram deixados para as iniciais maiúsculas e depois foram preenchidos à mão. Estima-se que 210 cópias foram produzidas. Em 1455, por razões indefinidas, Fust processou Gutenberg, e quando este não compareceu no tribunal, Fust confiscou todo o equipamento e obras – colhendo os benefícios da venda da importante Bíblia de 42 linhas. Gutenberg continuou a imprimir, produzindo um Católicon (dicionário religioso) para Johannes Balbus, em 1460. De acordo com a história, os mocinhos acabam vencendo – O nome de Gutenberg é sinônimo de impressão, o mesmo não ocorre com o de Fust.

Ulysses

Em 1918, *The Little Review*, uma publicação literária americana, começou a publicar partes de *Ulysses*, do escritor irlandês James Joyce; em 1920, foi julgada sob a acusação de obscenidade e determinado que parasse com a publicação. *Ulysses* foi banido dos EUA até 1933, quando a Random House foi capaz de derrubar a proibição e publicar a primeira edição americana em 1934. O livro é considerado o exemplo mais proeminente de literatura modernista, e as capas da Random House, especialmente a da primeira edição, de Ernst Reichl, e da edição de 1949, de E. McKnight Kauffer, também servem como exemplos do modernismo. Foi nessa veia simples, guiada pela tipografia – em particular, o uso do U ampliado por McKnight – que o editor e diretor de arte da Vintage Books da Random House solicitou a Carin Goldberg que criasse uma capa de livro para reimpressão de 1986. A solução de Goldberg prestou uma homenagem ao cartaz de 1928, de Paul Renner, para a exposição em Zurique dos trabalhos das Escolas de Ofícios da Bavária. Durante os anos 1980, designers como Peter Saville › 180 e Barney Bubbles › 181, no Reino Unido; e Charles S. Anderson › 195, Paula Scher › 182 e Goldberg nos Estados Unidos, começaram a garimpar recursos históricos no seu trabalho e, quando surgiram questionamentos sobre a apropriação no auge do pós-modernismo, trabalhos como a capa de Goldeberg para *Ulysses* ficaram sob fogo cerrado, acusados de abusarem da história. “Um sintoma desta tendência”, escreveram Tibor Kalman › 183, Abbott Miller e Karrie Jacobs em “Good History / Bad History”, em um artigo de 1991 para a *Print* › 94, “foi a produção do design gráfico no qual o estilo é um atributo destacável, um verniz ao invés de uma expressão do conteúdo. Isso não poderia se mais claro que na dita obra histórica e eclética que vasculhou a história do design para o estilo já pronto”. Goldberg não entrou no debate. “Eu segui em frente”, ela disse numa entrevista de 2007 para a *STEP* › 102, “o dia seguinte eu passei no computador”.

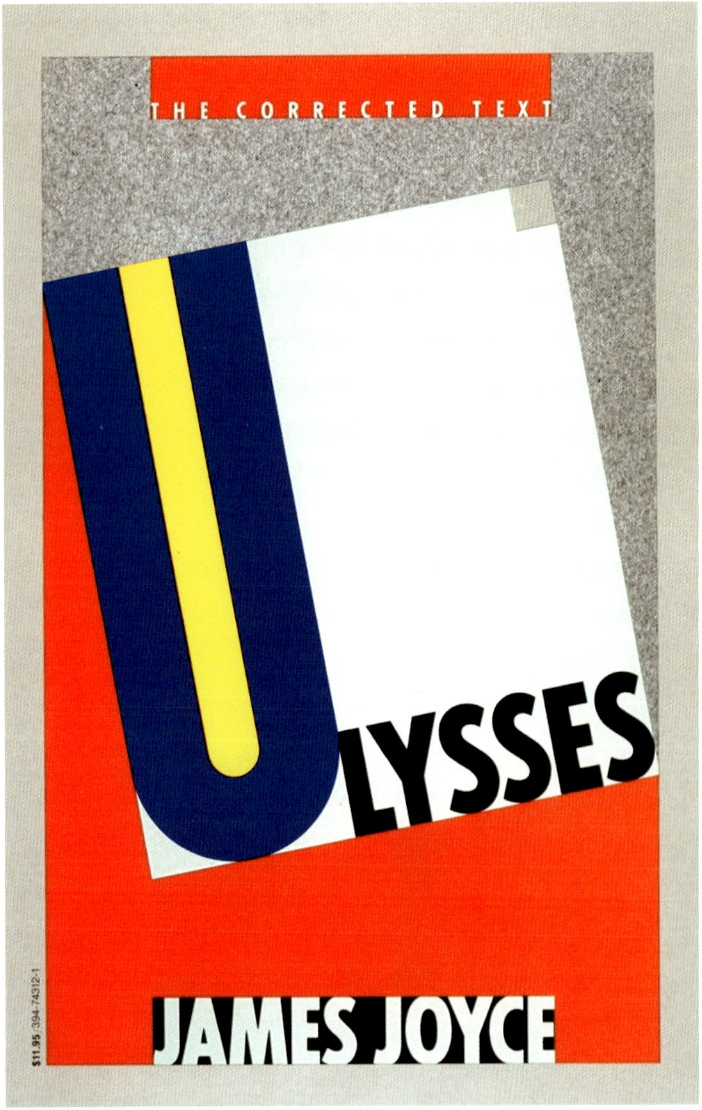
THE CORRECTED TEXT
ULYSSES
JAMES JOYCE
$11.95 394-74312-1

GEWERBLICHE
FACHSCHULEN
4 MÄRZ BIS 7 APRIL
BAYERNS
KUNST-GEWERBE-MUSEUM
AUSSTELLUNG
ZÜRICH
RENNER

CARTAZ PARA A EXPOSIÇÃO DAS *ESCOLAS DE OFÍCIOS DA BAVARIA* / Paul Renner / Alemanha, 1928

ULYSSES, James Joyce / Random House / Carin Goldberg / EUA, 1986

The Lover

“Aos quinze anos”, escreveu Marguerite Duras em *The Lover* (O Amante) de 1984, “eu tinha a face do prazer embora eu não tivesse conhecimento do prazer. Não havia como disfarçar aquela face”. As memórias de Duras, contando seu caso com um homem de negócios chinês quando ela tinha 15 anos, na Indochina colonial, começa com reflexões sobre suas características faciais e suas transformações ao longo do tempo – um estado de fluxo, capturado elegantemente na fotografia da autora que adorna a capa criada por Louise Fili › 197, então diretora de arte na Pantheon. A fotografia de Duras, tirada na época do romance, é destacada, isolando o rosto de todo o contexto e atraindo diretamente o leitor.

Como em muitas de suas capas, na de *The Lover*, Fili interpolou uma estética histórica, no caso Art Deco dos anos 1930, com seu instinto não convencional para reviver fontes encontradas em materiais impressos e embalagens que ela encontra em mercados de pulgas ao redor do mundo. Para *The Lover*, ela trabalhou com o letrista e designer Craig, De Camps, para criar as letras vermelhas e alongadas com suas sombras quase inexistentes. Em contraste com outras capas de livros da época, a de Fili, em três cores, era sutilmente gritante.

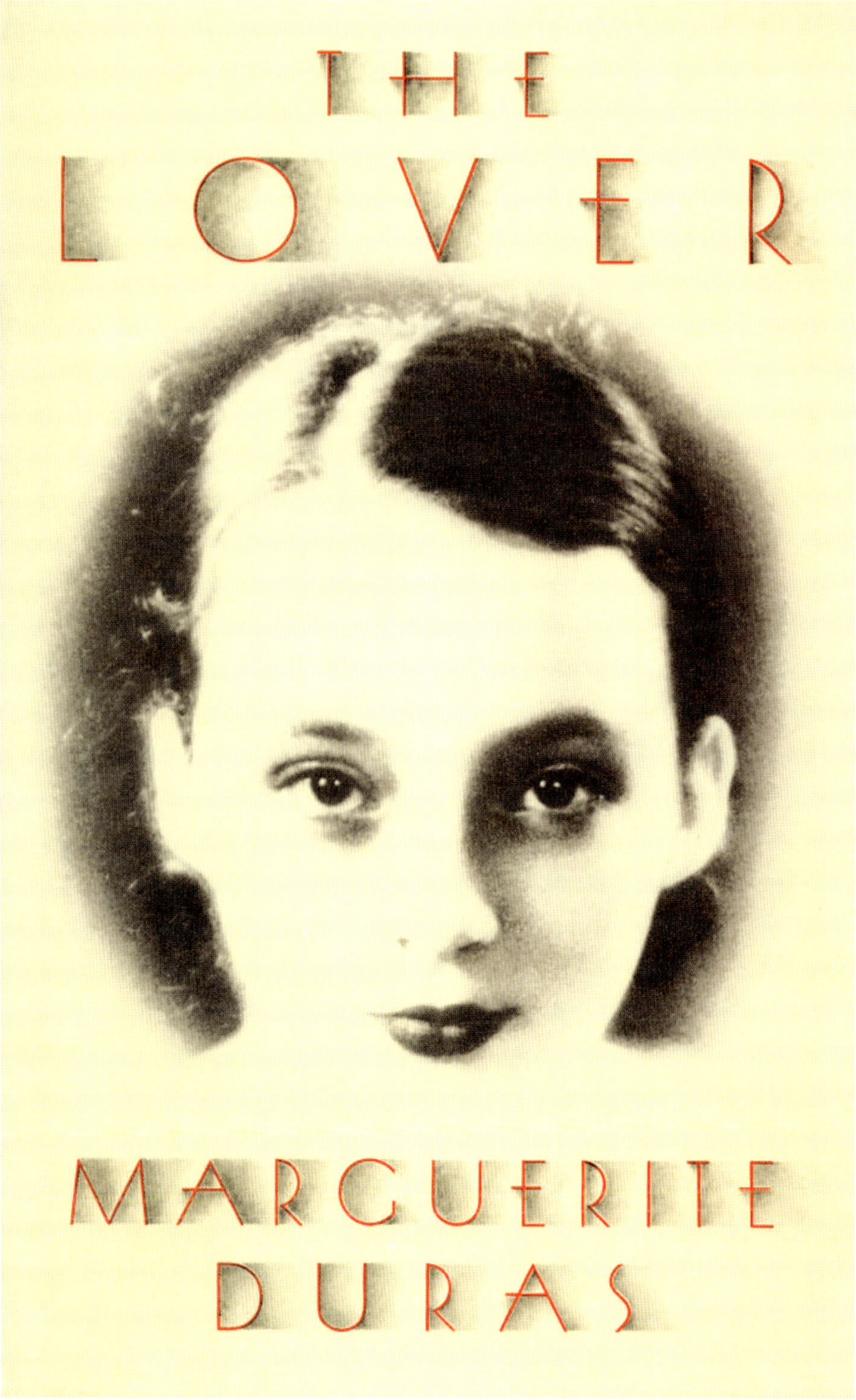
THE
LOVER
MARGUERITE
DURAS

THE LOVER, **Marguerite Duras / Pantheon / Louise Fili / EUA, 1983**

Everything is Illuminated
Jonathan Safran Foer
New York Times Bestseller

EVERYTHING IS ILLUMINATED, Jonathan Safran Foer / Perennial, um selo da HarperCollins / Jonathan Gray / EUA, 2002

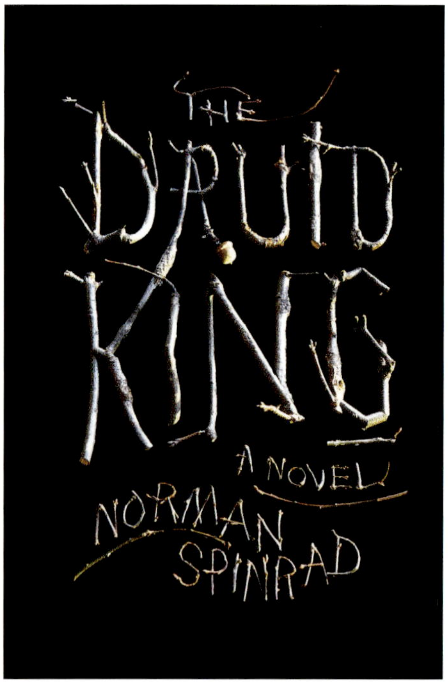
The Druid King
A Novel
Norman Spinrad

THE DRUID KING, Norman Spinrad / Knopf Publishing Group, Random House / Doyle Partners: Stephen Doyle / EUA, 2003

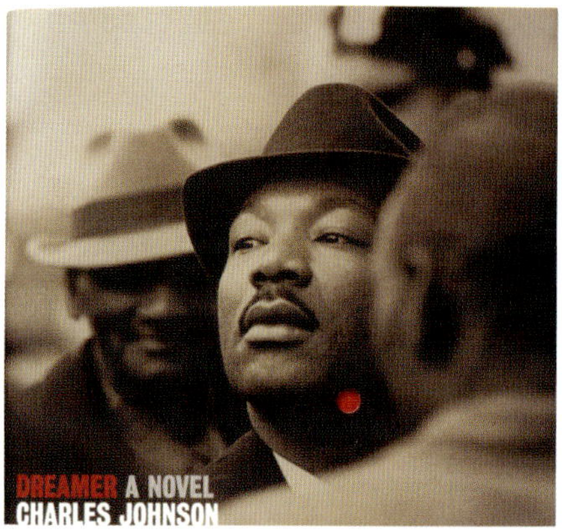
DREAMER A NOVEL
CHARLES JOHNSON

DREAMER, Charles Johnson / Scribner / Pentagram: Angus Hyland / Reino Unido, 1999

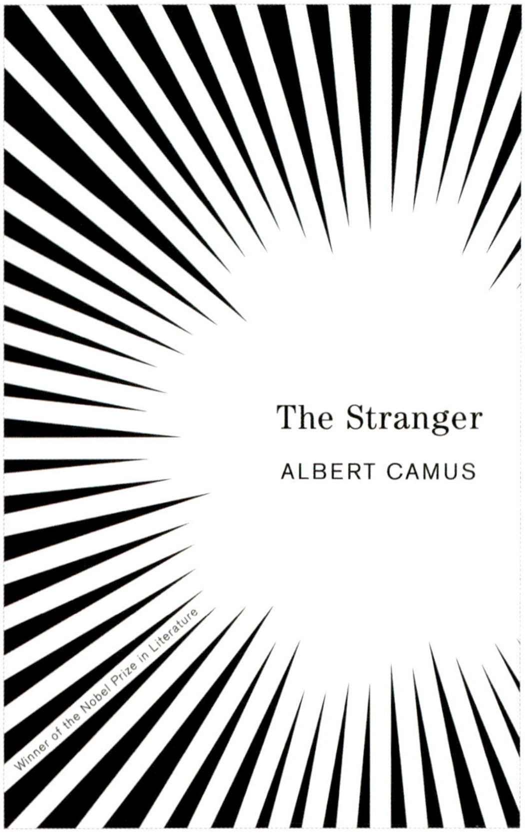
The Stranger
ALBERT CAMUS
Winner of the Nobel Prize in Literature

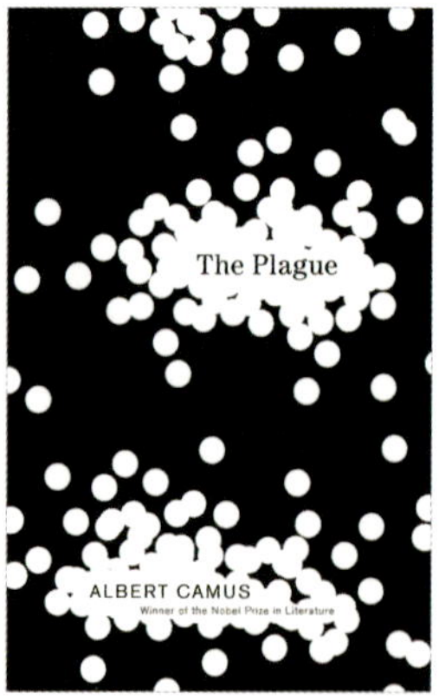
The Plague
ALBERT CAMUS
Winner of the Nobel Prize in Literature

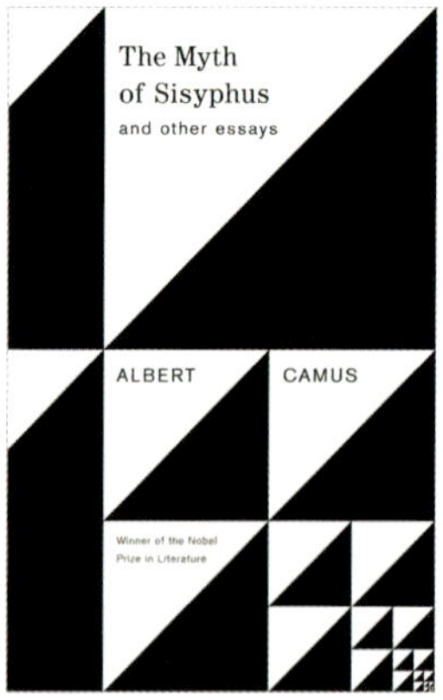
The Myth of Sisyphus
and other essays
ALBERT
CAMUS
Winner of the Nobel Prize in Literature

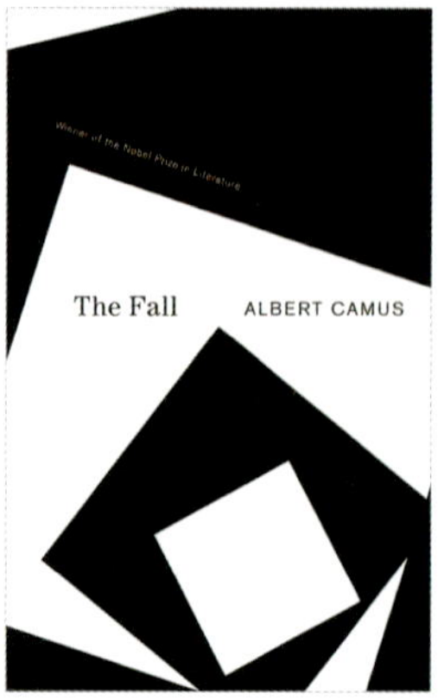
Winner of the Nobel Prize in Literature
The Fall
ALBERT CAMUS

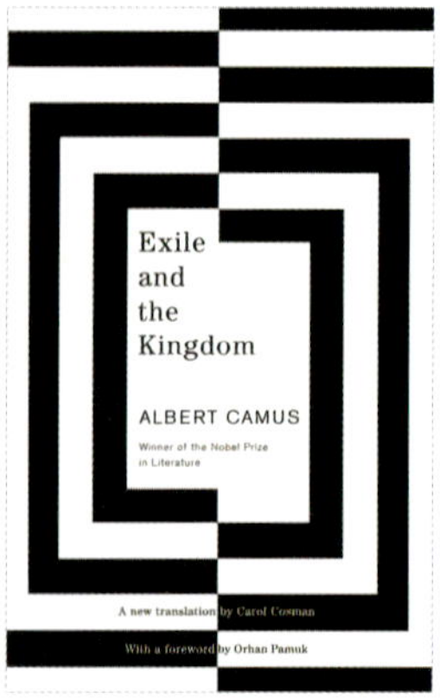
Exile and the Kingdom
ALBERT CAMUS
Winner of the Nobel Prize in Literature
A new translation by Carol Cosman
With a foreword by Orhan Pamuk

SÉRIE ALBERT CAMUS / Vintage / direção de arte, John Gall; design, Helen Yentus / 1989, 1991, 1991, 1991, 2007

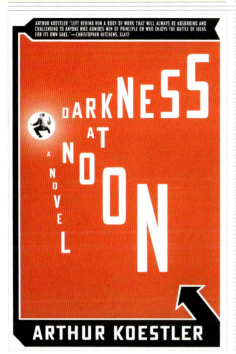
ARTHUR KOESTLER "LEFT BEHIND HIM A BODY OF WORK THAT WILL ALWAYS BE ABSORBING AND CHALLENGING TO ANYONE WHO ADMIRES MEN OF PRINCIPLE OR WHO ENJOYS THE BATTLE OF IDEAS FOR ITS OWN SAKE."—CHRISTOPHER HITCHENS, SLATE
DARKNESS AT NOON
A NOVEL
ARTHUR KOESTLER

DARKNESS AT NOON, Arthur Koestler / Scribner / Paul Sahre / EUA, 2006

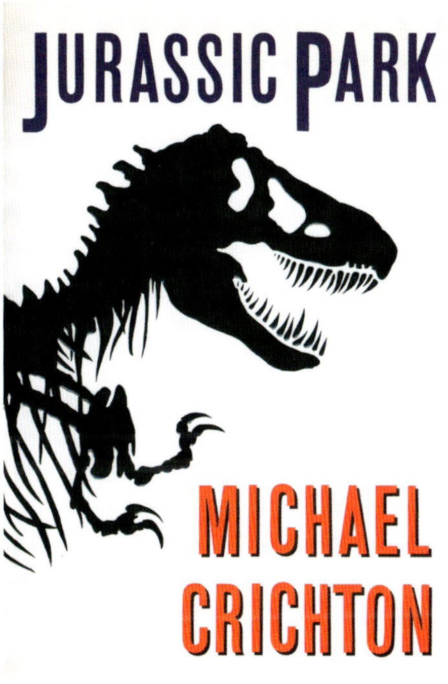
JURASSIC PARK
MICHAEL CRICHTON

JURASSIC PARK, Michael Crichton / Knopf Publishing Group, Random House / Chip Kidd / EUA, 1990

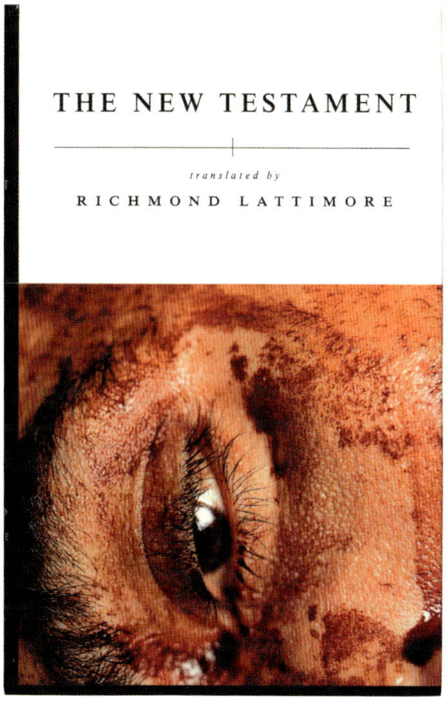
THE NEW TESTAMENT
translated by
RICHMOND LATTIMORE

THE NEW TESTAMENT, traduzido por Richmond Lattimore / North Point Press / Chip Kidd; foto: Andres Serrano / EUA, 1996

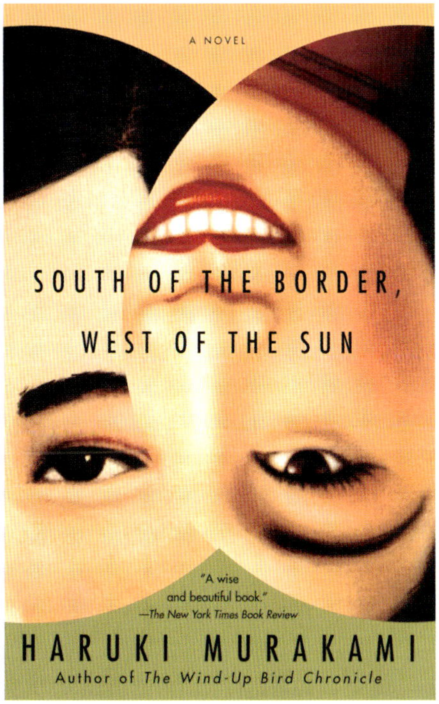
A NOVEL
SOUTH OF THE BORDER,
WEST OF THE SUN
"A wise and beautiful book."
—The New York Times Book Review
HARUKI MURAKAMI
Author of The Wind-Up Bird Chronicle

SOUTH OF THE BORDER, WEST OF THE SUN, Haruki Murakami / Vintage / John Gall / EUA, 2000

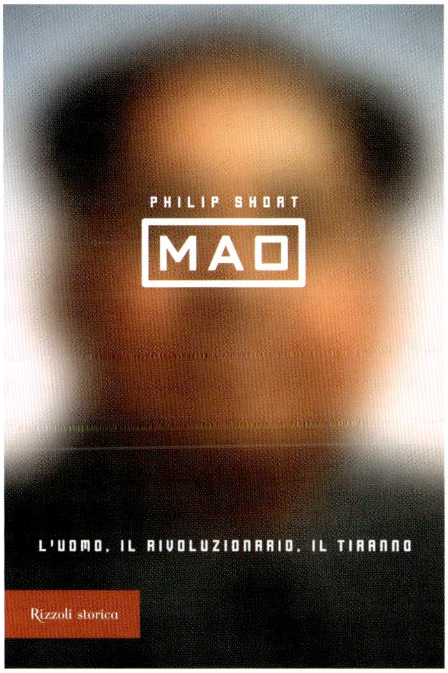
PHILIP SHORT
MAO
L'UOMO, IL RIVOLUZIONARIO, IL TIRANNO
Rizzoli storica

MAO: L'UOMO, IL RIVOLUZIONARIO, IL TIRANNO, Philip Short / Rizzoli / Mucca Design: direção de arte, Andrea Brown / Itália, 2006

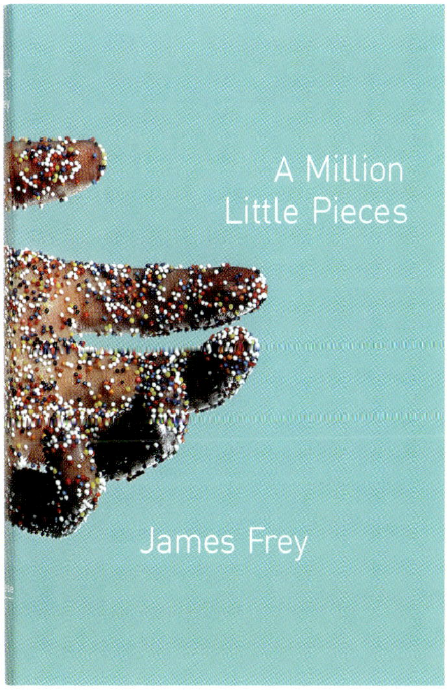
A Million
Little Pieces
James Frey

A MILLION LITTLE PIECES, James Frey / Anchor / Rodrigo Corral / EUA, 2003

ANUÁRIOS

Formada em 1934, como uma agência do governo federal americano, a Securities and Exchange Comissions (SEC) é responsável por supervisionar o mercado de ações e impedir irregularidades corporativas na venda de ações e nos relatórios financeiros aos acionistas. Como parte da Securities Exchange Act de 1934, todas as empresas com ações nas bolsas precisavam apresentar relatórios trimestrais e anuais detalhando suas finanças. A SEC não poderia imaginar que 50, 60 anos mais tarde, os anuários seriam uma das mais lucrativas e criativas categorias de projetos para a profissão de design gráfico.

Para os primeiros 10 ou 12 anos, arranjos centrados e tipografia de margem a margem eram a norma em documentos com quatro a oito páginas. No início e meados dos anos 1940, as empresas viram o potencial do relatório anual como um veículo de relações públicas para comunicar não apenas com os acionistas e o governo, mas também com os funcionários, prováveis investidores e com a mídia. Inicialmente, foram as capas dos relatórios anuais que recebiam a maior atenção; mas, de modo contínuo, à medida que a a impressão e

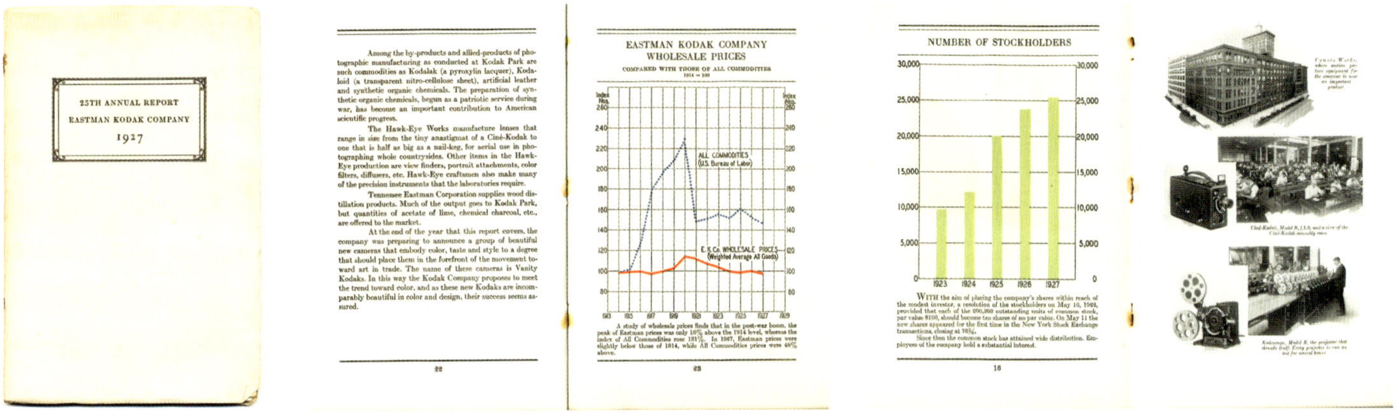
25TH ANNUAL REPORT
EASTMAN KODAK COMPANY
1927
EASTMAN KODAK COMPANY
WHOLESALE PRICES
NUMBER OF STOCKHOLDERS

ANUÁRIO DE 1927 DA EASTMAN KODAK COMPANY / EUA, 1926

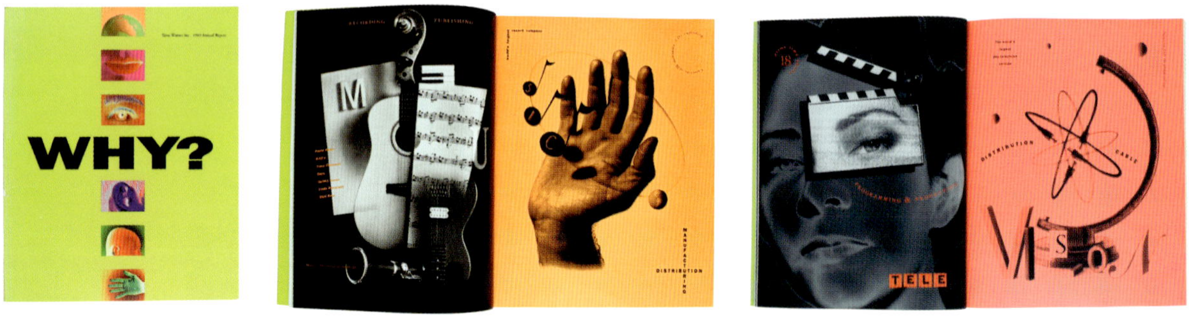
WHY?
TELE

ANUÁRIO DE 1989 DA TIME WARNER, INC. / Frankfurt Gips Balkind, NY / LA: foto da capa: Scott Morgan / EUA, 1990

ANUÁRIO DE 2001 DA TUPPERWARE CORPORATION / SamataMason / EUA, 2002

produção de tipos passaram a ser mais baratas e acessíveis, as corporações desenvolveram o interior com mais cuidado para exibir suas estórias por meio de fotografias, diagramas e ricas narrativas.

Em meados dos anos 1950, os anuários estavam atraindo designers gráficos talentosos que começaram a orquestrar a narrativa, design e produção desses documentos. Uma notável contribuição inicial foi a de Erik Nitsche › 148, encarregado da identidade da General Dynamics, que ele havia passado da propaganda aos anuários, apresentando um design coeso para a companhia. Nos anos 1960 e 1970 designers de renome, como Saul Bass › 158 e Lester Beall › 146, incluíram os anuários em suas atividades multidisciplinares. Paul Rand › 159 criou relatórios que seguiam os programas mais amplos de identidade da IBM e Cummins, e executivos internos de design, como Lou Dorfsmann › 173, na CBS; e John Massey, na Container Corporation of America fizeram trabalhos consumados. A atividade manteve um crescimento durante o final dos anos 1970 e anos 1980, com empresas, como a Arnold Saks e a Jonson Pedersen Hinrichs & Shakery, realizando múltiplos anuários todos os anos. Mesmo o Push Pin Studios › 168 estava envolvido nessa atividade. Até esse ponto eram ricamente produzidos e criados, mas seguiam normas relativamente convencionais ao apresentarem texto e imagens de maneira profissional e clara. Em 1989, a Warner Communications Inc. e a Time, Inc. uniram-se para formar uma das maiores empresas de mídia e entretenimento

ONE PAGE
NO-HOLDS-BARRED
THE LIFE OF A COMPANY.
BIG BATTLES,
STINGING DEFEATS
&
GRITTY COMEBACKS.
UNEXPECTED ALLIANCES,
DARING FORAYS
&
GAME-CHANGING
DISCOVERIES.
IBM
CHAPTER 1
REPORTS OF OUR
DEMISE
STORAGE

ANUÁRIO DE 2000 DA IBM / VSA Partners: direção de arte, Curt Schreiber, Jeff Walker; design, Greg Sylvester, Scott Hickman / EUA, 2001

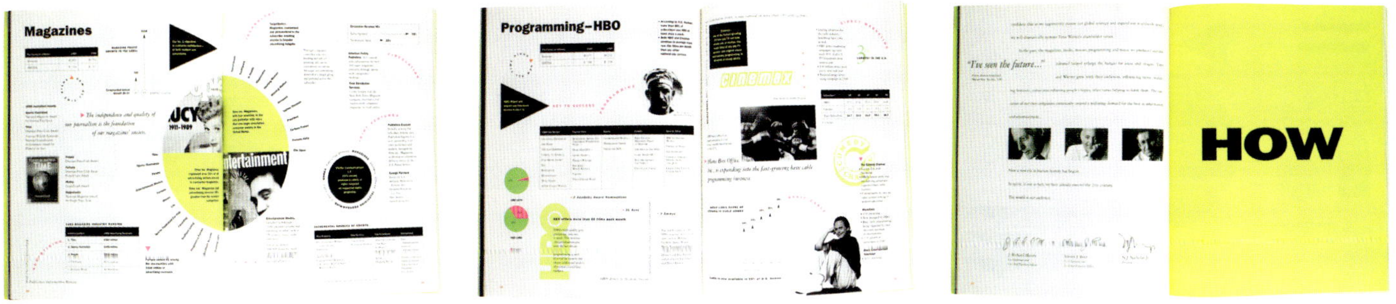
Magazines
Programming–HBO
HOW

do mundo, e seu anuário inovador serviu para sinalizar um novo tipo de companhia. Com o design feito por Frankfurt Gips Balkind, o anuário era um mostruário incansavelmente cinético de informações que apresentava expressivos bolsões de texto, fatos e imagens em partes condensadas para consumo rápido. Impresso em preto, amarelo, verde, laranja e rosa fluorescente, o relatório não apenas fala aos acionistas e à mídia, ele grita. O *New York Times* deu cobertura às críticas mistas que o relatório recebeu, com Alan Siegel afirmando que "trivializa uma companhia importante e de valor", enquanto Stephen Doyle reclamava que "(o) relatório é às vezes tão confuso que bem poderia ter sido impresso numa língua estrangeira". O trabalho de Frankfurt Gips Balkind criou espaço para uma nova classe de anuários graficamente emotivos.

À medida que os anos 1990 passavam, umas poucas empresas apareceram como líderes nessa atividade, criando dúzias de anuários a cada ano e dominando as premiações: Cahan & Associates, VSA Partners › 194 e SamataMason, juntamente com empresas menores ou designers individuais, como Tolleson Design, Thirst › 200 e Jennifer Sterling. O conceito, execução e produção de seus trabalhos eram consistentemente impressionantes e transformaram o anuário numa empreitada que precisava de uma narrativa envolvente, ritmo confiante, fotografia e ilustração criativas, tipografia sem falhas e gráficos de informação engenhosos. No final do século XX, os anuários de corporações e organizações sem fins

ANUÁRIO DE 2001 DA PODRAVKA – *APENAS PARA GOURMETS* / **Bruketa&ŽinićOM: direção de criação, Davor Bruketa, Nikola Zinic / Croácia, 2002**

ANUÁRIO DE 2002 DA PODRAVKA – *BON APPETIT* / **Bruketa&ŽinićOM: direção de criação, Davor Bruketa, Nikola Zinic / Croácia, 2003**

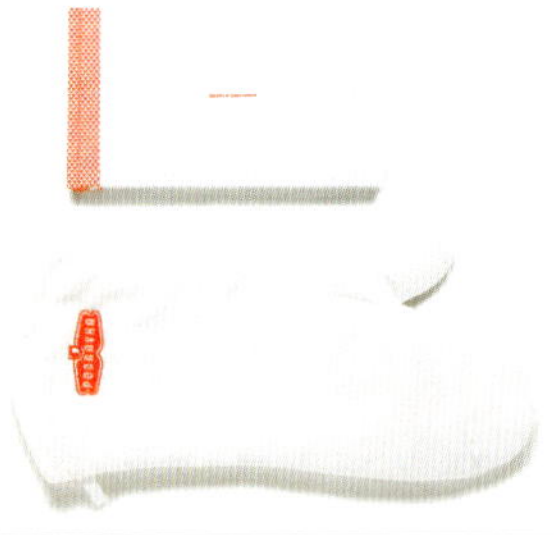

ANUÁRIO DE 2003 DA PODRAVKA – *SEGREDOS DA BOA COZINHA* / **Bruketa&ŽinićOM: direção de criação, Davor Bruketa, Nikola Zinic; direção de arte e design, Maja Bagic; foto: Marin Topic / Croácia, 2004**

ANUÁRIO DE 2004 DA PODRAVKA – *ALIMENTE-ME* / **Bruketa&ŽinićOM: direção de criação, Davor Bruketa, Nikola Zinic; foto: Marin Topic, Domagoj Kunic / Croácia, 2005**

TRECHO DO ETERNO DABATE SOBRE O CORAÇÃO – *ANUÁRIO DE 2005 DA PODRAVKA* / **Bruketa&ŽinićOM: direção de criação e texto, Davor Bruketa, Nikola Zinic; direção de arte e design, Imelda Ramovic, Mirel Hadzijusufovic; foto: Domagoj Kunic / Croácia, 2006**

Empty pages before baking
Empty plates before baking

ANUÁRIO DE 2006 DA PODRAVKA – *BEM FEITO* / **Bruketa&ŽinićOM: direção de criação e texto, Davor Bruketa, Nikola Zinic; direção de arte e design, Imelda Ramovic, Mirel Hadzijusufovic / tipografia, Nikola Djurek; ilustração, Nikola Wolf; foto: Domagoj Kunic / Croácia, 2007**

lucrativos foram alguns dos projetos mais cobiçados e celebrados. Essa quase obsessão prestou-se à zombaria. Virtual Telemetrix, uma empresa fictícia criada pelo designer John Bielenberg, lançou um anuário em 1993 e 1997 com texto, imagens e diagramas falsos, fazendo pilhéria tanto dos designers quanto dos clientes. Em 2001, para o 45º Show Anual da Mead – a hoje extinta competição de estreia para anuários –, a VSA Partners criou um compêndio em formato de bolso que mostrava os vencedores, bem como as dicas humoradas para a indústria, apresentadas em maços de 45, como em "45 Modos de Dizer Mude" e "45 Coisas que Você Esqueceu Para Ganhar Este Prêmio".

De volta a 1987, a SEC já permitia que relatórios em formato menor fossem apresentados e, começando em 1993, solicitou que o formulário 10-K, o básico da informação financeira, fosse entregue eletronicamente, deixando o adornado anuário impresso como uma opção de luxo para as empresas. Quando os orçamentos diminuíram após 2001, alguma empresas passaram a fazer os seus anuários online, tentando dar o mesmo tipo de ênfase em design para esse meio ou simplesmente postavam um documento PDF no respectivo site. Anuários atrativos impressos ainda estão sendo criados, mas sem o mesmo fervor e volume dos anos 1990, e as empresas de design que contavam com a renda do anuário diversificaram para outras atividades. Com a terrível economia em finais de 2008 e as empresas sem boas notícias para compartilhar, é possível que o anuário volte às suas origens e torne-se um monótono documento obrigatório.

ANUÁRIO DE 2001 DA SWISS ARMY BRANDS, INC. / SamataMason / EUA, 2002

a fresh start
Chiquita

ANUÁRIO DE 2001 DA CHIQUITA BRANDS INTERNATIONAL, INC. / SamataMason / EUA, 2002

After baking the pages are filled with recipes

Blue Note Records

Unidos pelo imigrante alemão, Alfred Lion, os pianistas Albert Ammons e Meade Lux Lewis, gravaram o primeiro disco da Blue Notes em janeiro de 1939. Mais tarde naquele ano, o amigo de infância de Lion, Francis Wolff, um fotógrafo, chegou em Nova York, vindo da Alemanha, e juntou-se a Lion durante seu tempo livre para desenvolver a Blue Note por meio da paixão mútua pelo Jazz. Durante os anos 1940 – com um intervalo de dois anos, começando em 1941, quando Lion foi recrutado pelo Exército dos Estados Unidos –, a Blue Notes aumentou a sua coleção e abraçou os novos sons do jazz, trabalhando com artistas como Thelonius |Monk, Fats Navarro e Bud Powell. Um dos primeiros designers de capas de disco foi o saxofonista Gil Melle, que também gravou com a Blue Note. No final dos anos 1940 e início de 1950, outros dois designers contribuíram com o selo: Paul Bacon, que mais tarde tornou-se um prolífico designer de capas de livros; e John Hermansader, cujo uso simples e ousado da fotografia e tipografia antecedeu as capas icônicas produzidas entre 1956 e 1967 por Reid Miles.

Ao chegar a Nova York, vindo de Los Angeles, Miles foi contratado por Hermansader como assistente, dando a ele a oportunidade de cortejar Lion e Wolff com seu trabalho para a Blue Note. Após uma breve passagem pela revista *Esquire* › 326, Miles foi contratado como designer pela Blue Note em 1956. Combinando fotografias emotivas em preto e branco que Wolff fazia durante as gravações, mostrando os artistas no seu verdadeiro elemento, com tratamentos tipográficos impecavelmente simples, mas infinitamente variados, e erupções isoladas de cor, Miles estabeleceu a aparência singularmente distinta da Blue Note. Curiosamente, Miles preferia muito mais a música clássica ao jazz, geralmente repassando os discos que recebia da Blue Note. Miles fez o design de mais de 500 capas até 1967 quando, dois anos depois da Liberty Records ter comprado e Blue Note, ele e Lion saíram. Wolff permaneceu no selo até morrer, em 1971.

LEITURA RECOMENDADA › 390

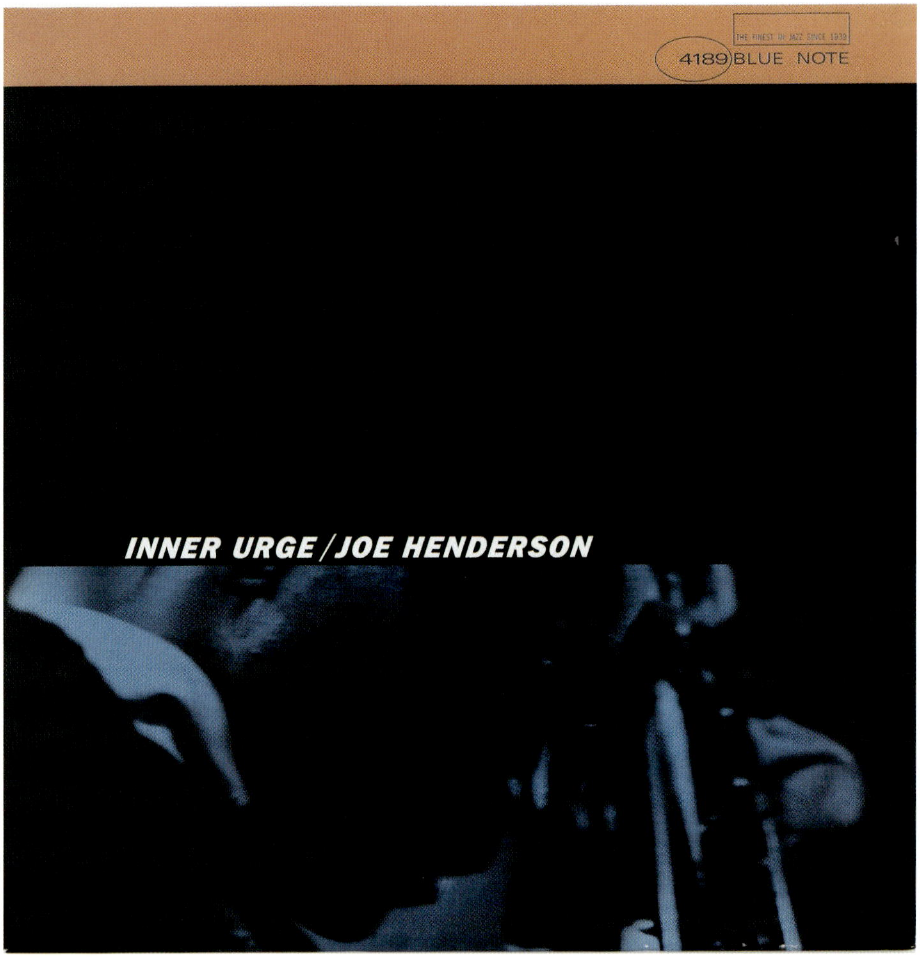
THE FINEST IN JAZZ SINCE 1939
4189 BLUE NOTE
INNER URGE / JOE HENDERSON

INNER URGE, **Joe Henderson / 1964**

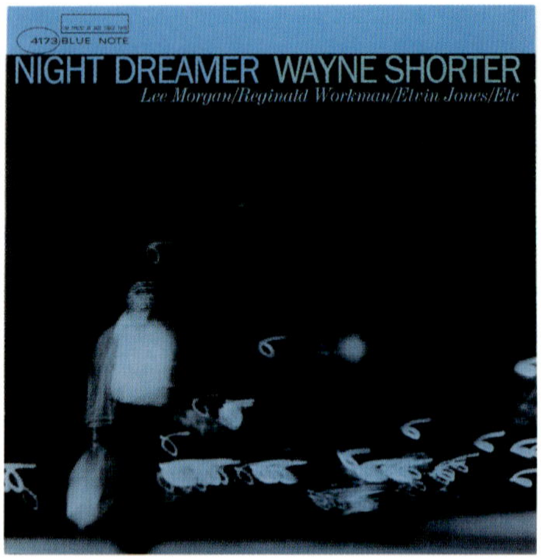
4173 BLUE NOTE
NIGHT DREAMER WAYNE SHORTER
Lee Morgan/Reginald Workman/Elvin Jones/Etc

NIGHT DREAMER, **Wayne Shorter / 1964**

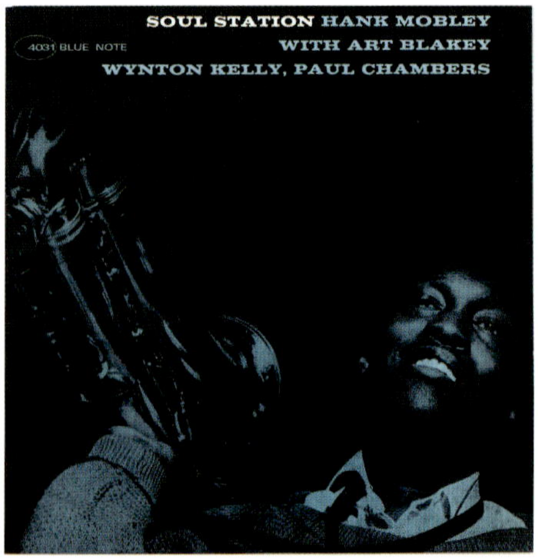
SOUL STATION HANK MOBLEY
WITH ART BLAKEY
WYNTON KELLY, PAUL CHAMBERS
4031 BLUE NOTE

SOUL STATION, **Hank Mobley / 1960**

Discos da Blue Note / design, Reid Miles; foto: Francis Wolff (exceto em *Out to Lunch!*) / EUA

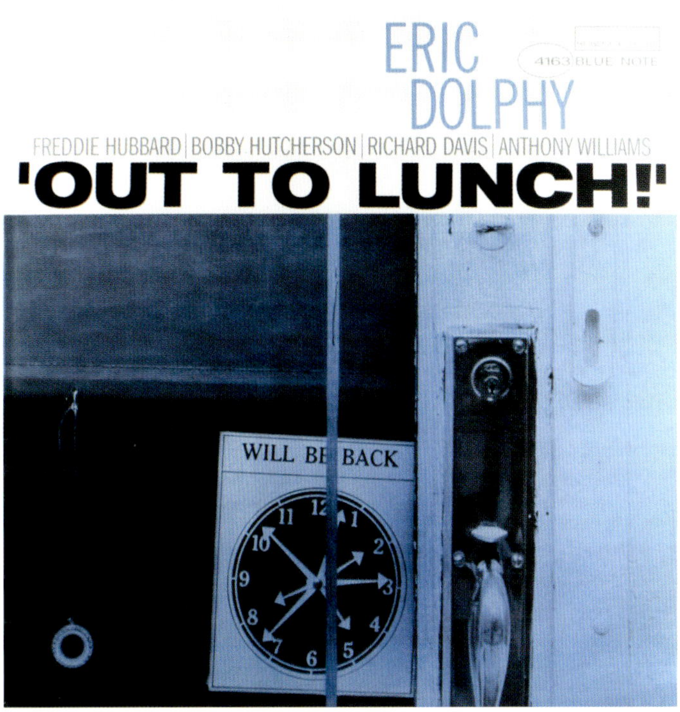
ERIC
DOLPHY
4163 BLUE NOTE
FREDDIE HUBBARD | BOBBY HUTCHERSON | RICHARD DAVIS | ANTHONY WILLIAMS
'OUT TO LUNCH!'
WILL BE BACK

OUT TO LUNCH!**, Eric Dolphy / foto: Reid Miles / 1964**

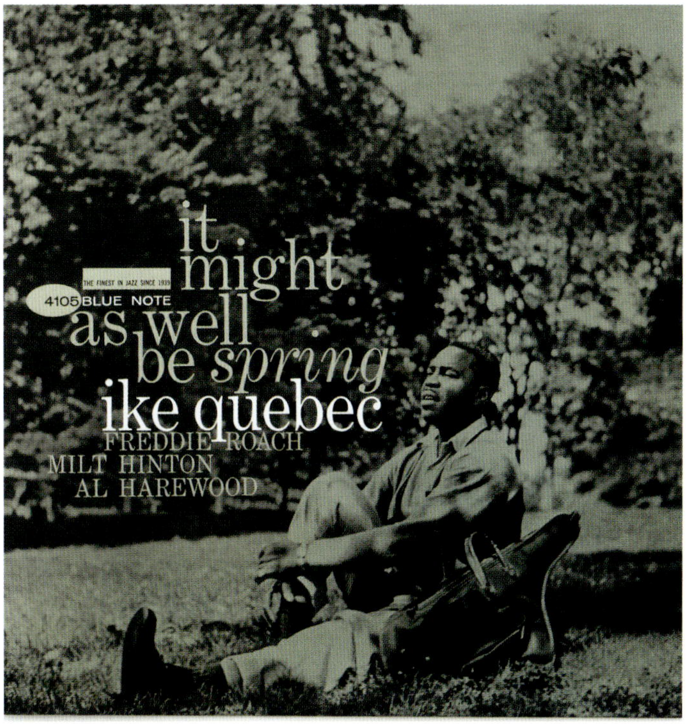
it might as well be spring
4105 BLUE NOTE
ike quebec
FREDDIE ROACH
MILT HINTON
AL HAREWOOD

IT MIGHT AS WELL BE SPRING**, Ike Quebec / 1961**

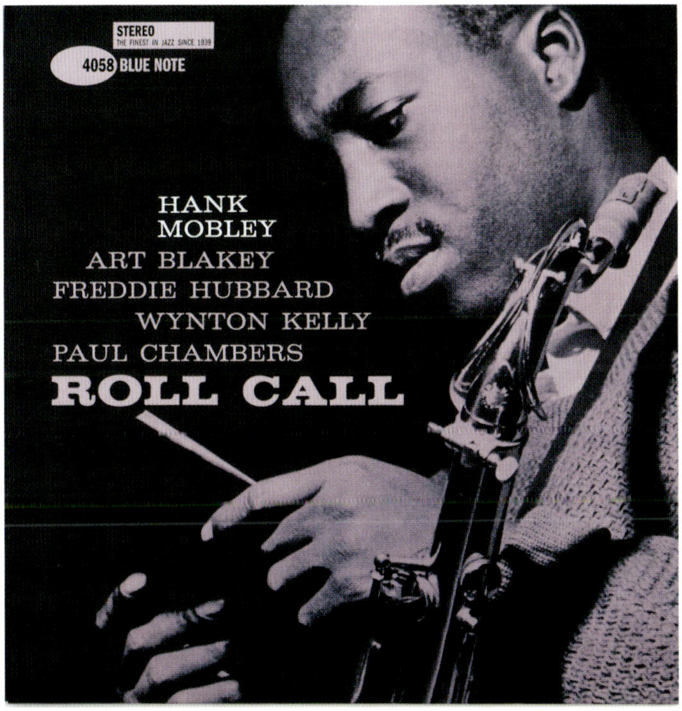
STEREO
THE FINEST IN JAZZ SINCE 1939
4058 BLUE NOTE
HANK
MOBLEY
ART BLAKEY
FREDDIE HUBBARD
WYNTON KELLY
PAUL CHAMBERS
ROLL CALL

ROLL CALL**, Hank Mobley / 1960**

STEREO
BLUE TRAIN
john coltrane
BLUE NOTE

BLUE TRAIN**, John Coltrane / 1957**

Columbia Records

Criada em 1888, a Columbia Records mudou várias vezes de proprietário e passou a ser mais um item na coleção da American Record Corporation (ARC) em 1934. Entretanto, em 1938, a Columbia Records foi recriada quando a Columbia Broadcast System (CBS) comprou a ARC. Nas quatro décadas seguintes, produziu um incrível número de capas de disco, influentes e memoráveis por meio da orientação de seus famosos diretores de arte, designers e ilustradores autônomos e fotógrafos. A responsabilidade inicial ficou com Alex Steinweiss › 142 – que, extraoficialmente inventou a capa de disco ao unir arte e tipografia para fazer as anteriormente estéreis embalagens de discos de 78 rotações. Steinweiss permaneceu na Columbia Records até 1944, quando foi para a Marinha dos Estados Unidos, mas continuou criando capas independentemente até o início dos anos 1950. Nesse meio tempo, o membro da equipe (e posteriormente renomado ilustrador) Jim Flora, assumiu seu posto, mas, cansado da dinâmica do escritório, saiu em 1950, deixando uma trilha inspirada de sua arte em numerosas capas de discos.

Em 1954, S. Neil Fujita, anteriormente na agência de publicidade N. W. Ayer & Son, foi nomeado diretor de arte. Com muitas de suas capas de discos mostrando suas próprias ilustrações, ele introduziu tipografia e fotografia mais ousadas e radicais. Tirando um ano de folga para gerir o seu próprio estúdio em 1957 – Roy Kuhlman assumiu seu lugar sem cerimônia –, Fujita sai em 1960. Tendo trabalhado para Alexey Brodovitch › 143, na *Harper's Bazaar* › 327, Bob Cato foi o diretor de arte seguinte, em 1959. Seu gosto pelo social caiu bem no departamento nos departamentos de arte, vendas e marketing e mesmo entre artistas, como Andy Wahrol, Robert Rauschenberg e R. Crumb. Em 1960, Cato contratou John Berg e os dois trabalharam em conjunto até a saída de Cato, em 1968. Com Berg no comando e a Columbia Records desfrutando de um sucesso crescente nos anos 1970, o departamento de criação do selo passou a ser um chamariz de designers de talento – entre eles, Paula Scher › 182, Carin Goldberg e Henrietta Condak –, e foi um baluarte do design de capas de disco até meados dos anos 1980. Nesse ponto, a Columbia Records perdeu o ímpeto e foi adquirida pela Sony em 1988.

Chicago

CHICAGO V **/ Em mais de uma dúzia de capas para o Chicago, John Berg manteve o tamanho e a posição do logotipo de modo consistente, executando-o de diferentemente em cada oportunidade / design, John Berg; ilustração, Nicholas Fasciano / 1969**

RIMSKY-KORSAKOV'S
GREATEST HITS
Leonard Bernstein New York Philharmonic
Andre Kostelanetz Columbia Symphony
Eugene Ormandy Philadelphia Orchestra

RIMSKY-KORSAKOV'S GREATEST HITS **/ ilustração, Milton Glaser / 1971**

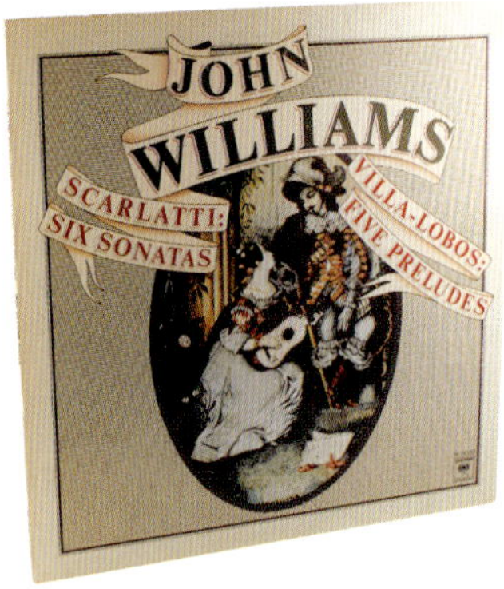
JOHN WILLIAMS
SCARLATTI: SIX SONATAS
VILLA-LOBOS: FIVE PRELUDES

SCARLATTI: SIX SONATAS; VILLA-LOBOS: FIVE PRELUDES**, John Williams / design, Paula Scher; arte da capa, cortesia do Victoria and Albert Museum / 1972**

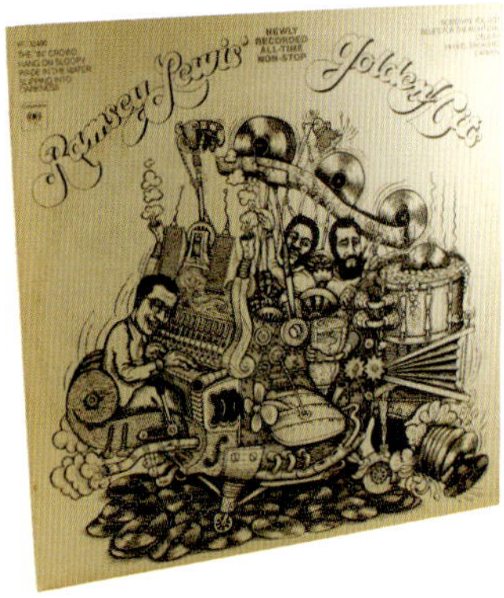
Ramsey Lewis' Golden Hits
NEWLY RECORDED ALL-TIME NON-STOP

RAMSEY LEWIS' NEWLY RECORDED, ALL-TIME, NON-STOP GOLDEN HITS **/ design, John Berg, Karen Lee Grant; ilustração, James Grashow / 1973**

MAHLER: SYMPHONY NO. 1
LEONARD BERNSTEIN
NEW YORK PHILHARMONIC

MAHLER: SYMPHONY N. 1**, Filarmônica de Nova York / design, John Berg, Hiroshi Morishima, Richard Mantel; ilustração, James McMullan / 1973**

ON STAGE
FROM SAN FRANCISCO
NEW YORK
BOSTON
Loggins and Messina
ADMIT ONE
7★42018
FRONT ROW CENTER
10 CENTS

ON STAGE**, Loggins e Messina / 1974**

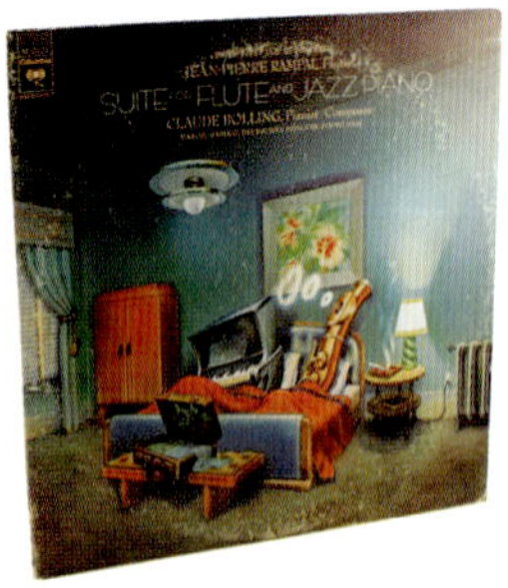
SUITE FOR FLUTE AND JAZZ PIANO
CLAUDE BOLLING

SUITE FOR FLUTE AND JAZZ PIANO**, Jean-Pierre Rampal / design, John Berg, Andy Engel; ilustração, Roger Huyssen / 1975**

Al Di Meola · Land of the Midnight Sun

LAND OF THE MIDNIGHT SUN**, Al Di Meola / design, Paula Scher; foto: Jerry Abromowitz / 1976**

GREATEST HITS OF
1·7·2·0
PACHELBEL: CANON
Philharmonia Virtuosi of New York
Richard Kapp

GREATEST HITS OF 1720**, Filarmônica Virtuosi de Nova York / design, Robert Biro; ilustração, Laszlo Kubinyi / 1977**

Columbia Records / EUA

4AD

Como funcionários do Beggars Banquet – um selo independente criado em 1977 a partir de uma série de lojas de discos novos e usados em Londres, abertas em 1974 –, Ivo Watts-Russell and Peter Kent lançaram Axis, um selo subsidiário, em 1979. Outro selo homônimo forçou-os a mudar o nome e eles ficaram com 4AD. Ao final do primeiro ano, com bandas seminais, como Modern English e Bauhaus, no catálogo, a 4AD havia lançado quase 20 discos e Kent saiu para criar outro selo, enquanto Watts-Russell permaneceu no comando.

O ano de 1981 marcou o início de uma longa colaboração entre a 4AD e Vaughan Oliver, que começou sua carreira quase à força. Atraído pela ideia de criar capas de disco, ele se matriculou na Newcastle Polytechnic em 1976 para o curso de design gráfico, mas voltou-se para a ilustração enquanto evitava a tipografia e design gráfico de todas as formas; somente quando foi trabalhar na empresa de embalagens Michael Peters & Partners (MP&P), onde foi obrigado a usá-los, é que ele descobriu o potencial da tipografia como algo que ele poderia subverter por meio de sua própria abordagem.

Oliver conhecia Watts-Russell por conta do interesse comum pela música e encontros frequentes em casas noturnas. Ele começou a trabalhar como autônomo para a 4AD quando ainda estava na MP&P, finalmente passando a empregado em tempo integral em 1983. Ele foi responsável pela maioria das capas de disco da empresa até finais dos anos 1980, estabelecendo a misteriosa e incomum linguagem visual que tornou conhecidos o selo, o designer e bandas como Pixies e Cocteau Twins. Trabalhando em colaboração com o fotógrafo Nigel Grierson, o trabalho da empresa foi creditado à Envelope 23 até 1988, quando Grierson saiu e Oliver adotou o nome V23 trabalhando colaborativamente com o designer Chris Bigg. Em 1998, eles criaram uma sociedade formal quando deixaram os escritórios da 4AD, permitindo que trabalhassem em outros projetos enquanto ainda recebiam encomendas da 4AD, que também começou a trabalhar com outros designers – mas foi a produção inicial, praticamente não adulterada da Envelope23 e V23 que deu a 4AD muito de sua atração e apelo.

Doolittle
PIXIES
5
6

***DOOLITTLE*, Pixies / 4AD / v23: direção de arte e design, Vaughan Oliver; foto: Simon Larbalestier / Reino Unido, 1989**

PIXIES

***BOSSANOVA*, Pixies / 4AD / v23: direção de arte e design, Vaughan Oliver; assistente de design, Chris Bigg; foto: Simon Larbalestier; globo, Pirate Design / Reino Unido, 1990**

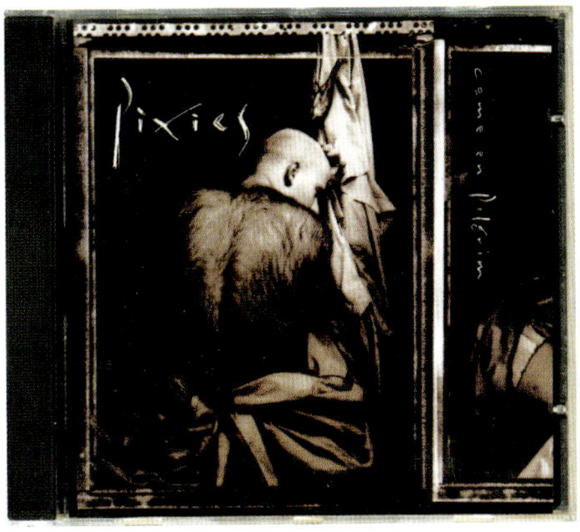
Pixies

***COME ON PILGRIM*, Pixies / 4AD / v23: direção de arte e design, Vaughan Oliver; foto: Simon Larbalestier / Reino Unido, 1987**

Cocteau Twins
TREASURE

***TREASURE*, Cocteau Twins / 4AD / 23 Envelope / Reino Unido, 1984**

THIS
Mortal Coil

***FILIGREE AND SHADOW*, This Mortal Coil / 4AD / 23 Envelope; foto: Nigel Grierson / Reino Unido, 1986**

LEITURA RECOMENDADA › 390

Hipgnosis

Fazendo capas de livros para a Penguin Books › 274 no final dos anos 1960 sob o nome de guerra Consciousness Incorporated, Storm Thorgerson e Aubrey Powell, cujo ciclo de amigos incluía Syd Barret e Roger Waters do Pink Floyd, criaram a Hipgnosis em 1968 para acomodar a encomenda da capa do segundo disco do Pink Floyd, A *Saucerful of Secrets*; a relação durou mais de duas décadas e aproximadamente uma dúzia de capas de discos. No início, as instalações da Hipgnosis consistiam no banheiro de Powell como quarto escuro, mas a empresa logo estabeleceu um estúdio em Londres e, em 1974, o músico e fotógrafo, Peter Christofer, uniu-se a eles como assistente e, depois, sócio. Thorgerson e Powell estudaram cinema e não tinham conceitos formais de design – ao menos não no sentido de conhecimento tipográfico e de layout – e sua proficiência em fotografia não era imediata; assim, suas capas de disco eram invariavelmente guiadas pela narrativa de uma imagem única, fruto da imaginação deles... e que imaginação.

Com a tecnologia digital de hoje, é fácil esquecer que as concepções surreais da Hipgnosis realmente existiam para serem fotografadas – por exemplo, os 120 balões infláveis alinhados no deserto marroquino para *Elegy* ou o porco inflável de 12 m içado sobre a Usina Elétrica de Battersea para *Animals*. Outras capas eram trabalhos excepcionais de retoque e colagens, trazendo à vida alguns dos conceitos mais inesperados, e muitos ilustradores e letristas – notável entre eles era Georgie Hardie – contribuíam mais com as capas da Hipgnosis. O grupo se separou em 1983, mas o legado visual que deixou foi provavelmente tão importante quando a marca cultural deixada pelos músicos com quem colaborou: Peter Gabriel, Genesis, Pink Floyd, Led Zeppelin e Black Sabbath.

LEITURA RECOMENDADA › 390

ANIMALS, **Pink Floyd / Columbia Records / design de capa, Roger Waters; organizado por Storm Thorgerson, Aubrey Powell; gráficos, Nick Mason; foto: Aubrey Powell, Peter Christopherson, Howard Bartrop, Nic Tucker, Bob Ellis, Bob Brimson, Colin Jones; porco inflável, E.R.G. / EUA, 1977**

peter gabriel
1

PETER GABRIEL | 1 **/ Charisma Records / Hipgnosis / Reino Unido, 1977**

HOUSE OF THE HOLY, **Led Zeppelin / Atlantic Recording Corporation / Hipgnosis / Reino Unido, 1973**

peter gabriel
3

PETER GABRIEL | 3 **/ Charisma Records / Hipgnosis / Reino Unido, 1980 (Nota: este é um relançamento; o design difere do original.)**

BLACK SABBATH
TECHNICAL ECSTASY

TECHNICAL ECSTASY, **Black Sabbath / Vertigo Records / Hipgnosis / Reino Unido, 1976**

ELEGY/THE NICE
FEATURES 6 BONUS TRACKS

ELEGY, **The Nice / Charisma Records / Hipgnosis / Reino Unido, 1971**

Sun Ra

Nascido no lado sul de Chicago no início dos anos 1950, Sun Ra – nome de batismo Herman Poole Blount, nome legal Le Sony'r Ra – foi um complexo artista do jazz, com uma mitologia incongruente. Dizia ser de outro planeta e vivia conforme uma filosofia descrita como "um híbrido inesperado da ficção científica da era espacial com antigos adereços cósmicos – religiosos egípcios –, num kit de imprensa de 1989 da A&M Records, um dos muitos selos que distribuíram suas gravações. Com o amigo e colega seguidor místico, Alton Abraham, no papel de gerente, ele criou a El Saturn Records em 1955, um dos primeiros selos independentes de propriedade de um artista. Ra tocou com um crescente e variável grupo de músicos (até 30), conhecido como Arkestra, com todos vestidos com roupas, capacete e calçados esquisitos. Ainda que pareça com um circo, tenha certeza que a contribuição deles para o jazz é levada em alta consideração.

A excentricidade de Ra e sua Arkestra permeava o design e métodos de produção das capas de seus discos, principalmente porque Ra ou algum membro da Arkestra desenhava regularmente a arte, temas espaciais e de outro mundo, além de iconografia egípcia eram referências visuais constantes do grupo, bem como os retratos de herói de Ra ocupando toda capa. Os discos e suas capas eram raramente produzidos em massa; ao contrário, as últimas eram impressas à mão no estúdio de gravação usando silkscreen ou por matrizes metálicas, pintadas manualmente e imprimindo individualmente cada capa; em alguns casos, um membro da Arkestra simplesmente desenharia o que seria um item único naquela edição. Como Ra e sua arkestra vagavam entre Nova York e Filadélfia, apresentando-se em todo lugar, das pirâmides do Egito ao *Saturday Night Live*, eles produziram centenas de capas de disco de pequena tiragem que são, de fato, de outro mundo.

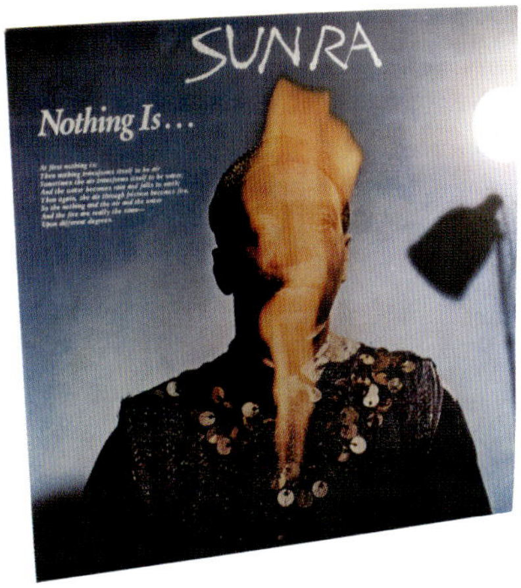
SUN RA
Nothing Is...

NOTHING IS..., **Sun Ra / ESP-Disk / design, Raphael Boguslav, Howard Bernstein, Baby Jerry; foto da capa: Thomas Hunter / EUA, 1970**

SUN RA
LANQUIDITY

LANQUIDITY, **Sun Ra / Philly Jazz, Inc. / foto: Charles Shabacon / EUA, 1978**

Sun Ra
AND HIS SOLAR ARKESTRA Visits
Planet Earth
JOHN GILMORE
PAT PATRICK
CHARLES DAVIS

THE MAGIC CITY, **Sun Ra and His Solar Arkestra / Saturn Records / direção de arte, Rothacker Advertising & Design; arte da capa, William White / EUA, 1966**

PLANES OF THERE
SUN RA

JAZZ IN SILHOUETTE, **Sun Ra and His Arkestra / Saturn Records / direção de arte, Spencer Drate e Judith Salavetz; gráficos do disco, Marcolina Design / EUA, 1958**

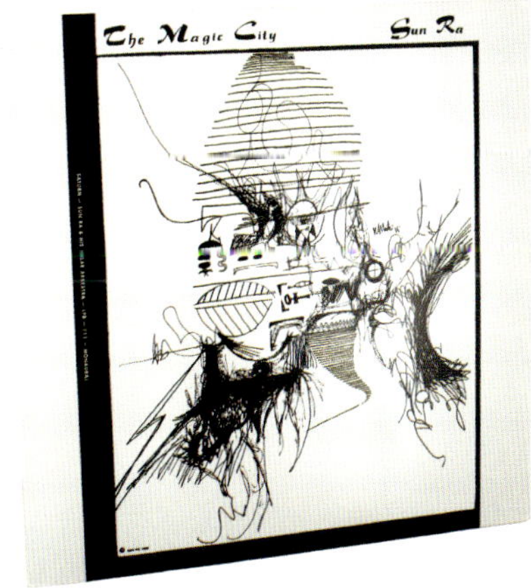
The Magic City
Sun Ra

ATLANTIS, **Sun Ra and His Astro Infinity Arkestra / Saturn Records / direção de arte, Rothacker Advertising & Design / EUA, 1969**

SUN RA AND HIS ARKESTRA
SUPER-SONIC JAZZ
featuring JOHN GILMORE on TENOR SAX
JULIAN PRIESTER on TROMBONE

SUPER-SONIC JAZZ, **Sun Ra and His Arkestra / "Sobre a capa: com o olho de sua mente, você é convidado a ver outras cenas da era espacial ao focalizar seu olhos na capa e sua mente na música. As cenas são do vazio espacial." / Saturn Records / EUA, 1957**

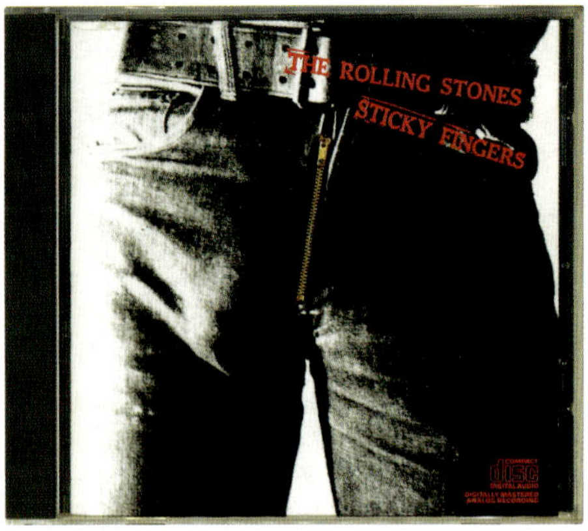
THE ROLLING STONES
STICKY FINGERS

STICKY FINGERS, Rolling Stones / Columbia Records / conceito da capa, Andy Warhol; design, Craigbrauninc. / EUA, 1971

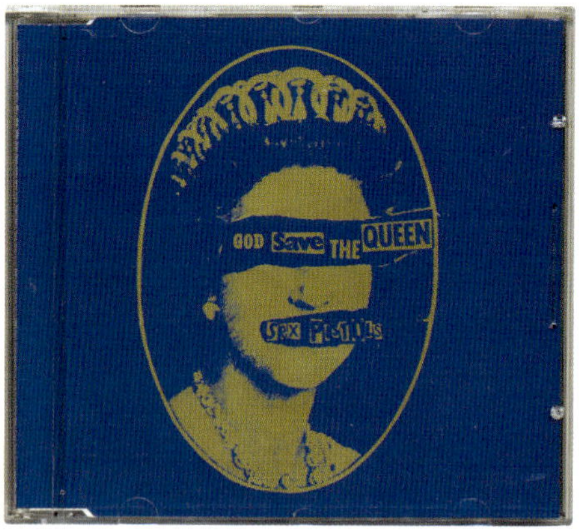
GOD Save THE QUEEN
SEX PISTOLS

COMPACTO *GOD SAVE THE QUEEN*, Sex Pistols / Virgin Records / Jamie Ried / Reino Unido, 1977

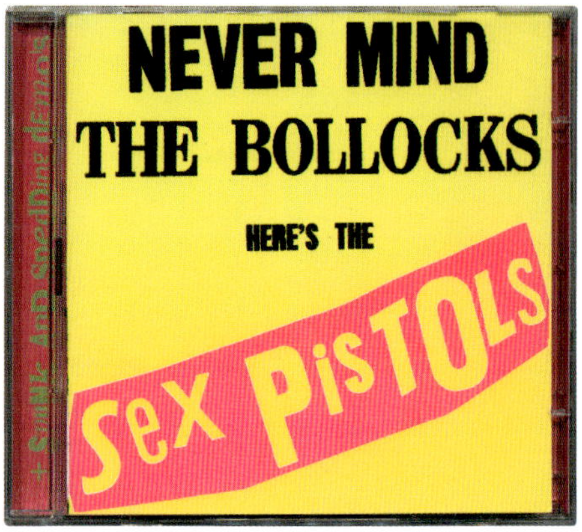
NEVER MIND
THE BOLLOCKS
HERE'S THE
Sex PisTOLs

NEVER MIND THE BOLLOCKS, HERE'S THE SEX PISTOLS / Virgin Records / Jamie Ried / Reino Unido, 1977

NIRVANA
NEVERMIND

NEVERMIND, Nirvana / Geffen Records / direção de arte e design, Robert Fisher; foto de capa: Kirk Weddle / EUA, 1991

DARK SIDE OF THE MOON, Pink Floyd / Harvest Records / Hipgnosis: Nicholas Thirkell Associates; George Hardie / Reino Unido, 1973

LOOK INTO THE EYEBALL
DAVID BYRNE

LOOK INTO THE EYEBALL, David Byrne / Virgin Records / Doyle Partners: foto: Stephen Doyle / EUA, 2001

BECK
THE INFORMATION
New Round
We Dance Alone
MOTORCADE
No Complaints

THE INFORMATION, Beck / O livreto vem com uma seleção de adesivos de modo que a capa pode ser personalizada / Interscope Records / Big Actice, Mat Maitland, Gerard Saint; Beck / EUA, 2006

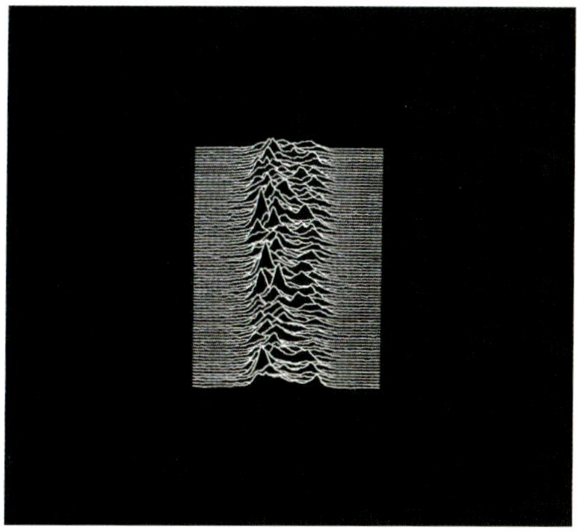

UNKNOWN PLEASURES, Joy Division / Factory Records / direção de arte, Peter Saville; design, Saville Parris Wakefield; foto: Kevin Cummins / Reino Unido, 1979

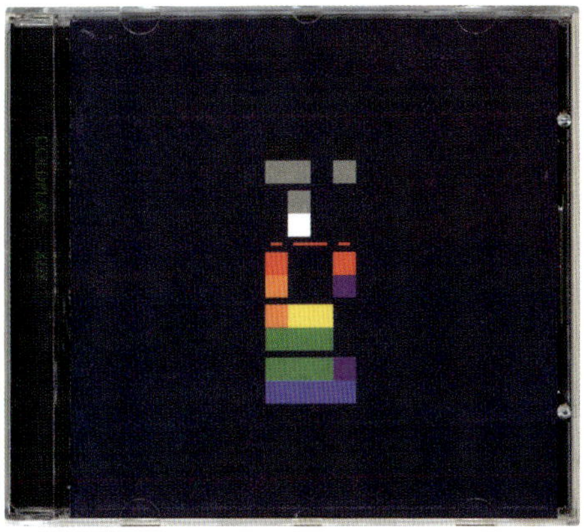

X&Y, Coldplay / EMI Records Ltda. / direção de arte e design, Tappin Gofton; foto: Kevin Westenberg, Tom Sheehan, Coldplay / EUA, 2005

COMPACTO *BLUE MONDAY*, New Order / Factory / design, Peter Saville, Brett Wickens / Reino Unido, 1983

SGT. PEPPERS
LONELY HEARTS
CLUB BAND
BEATLES

SGT. PEPPER'S LONELY HEARTS CLUB BAND, Beatles / EMI Records Ltda. / direção de arte, Robert Fraser; design, Peter Blake, Jann Haworth; foto: Michael Cooper / Reino Unido, 1967

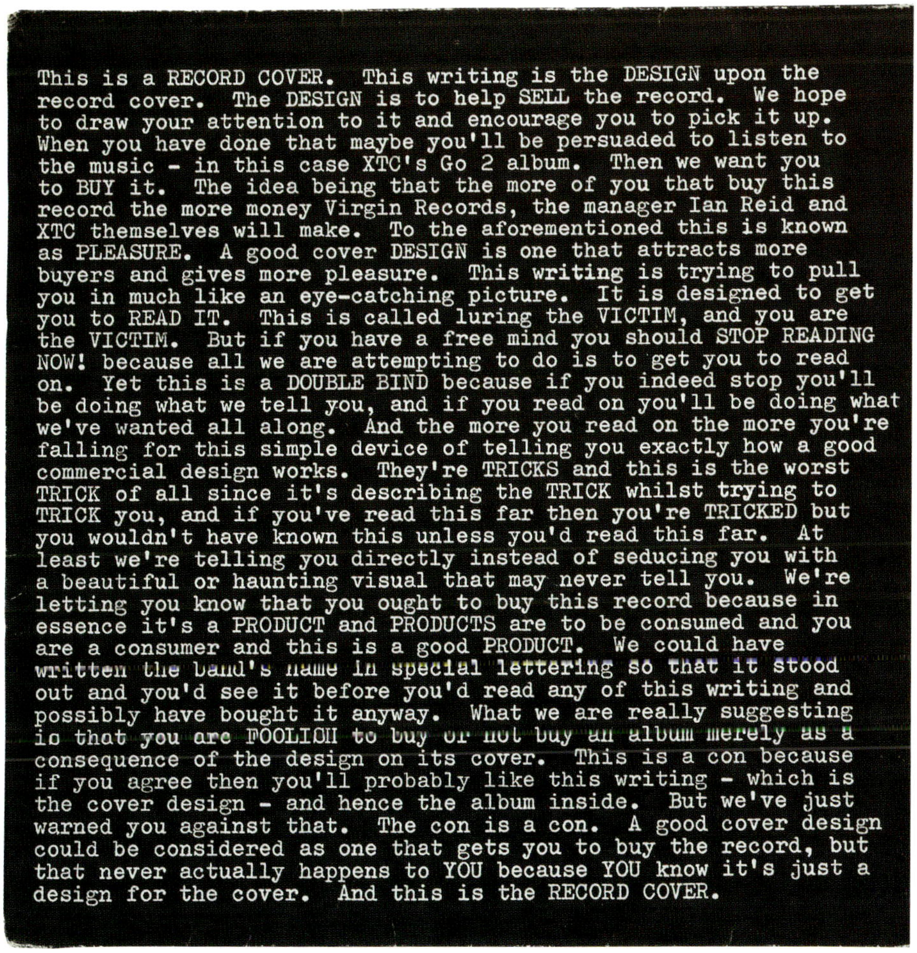
This is a RECORD COVER. This writing is the DESIGN upon the
record cover. The DESIGN is to help SELL the record. We hope
to draw your attention to it and encourage you to pick it up.
When you have done that maybe you'll be persuaded to listen to
the music - in this case XTC's Go 2 album. Then we want you
to BUY it. The idea being that the more of you that buy this
record the more money Virgin Records, the manager Ian Reid and
XTC themselves will make. To the aforementioned this is known
as PLEASURE. A good cover DESIGN is one that attracts more
buyers and gives more pleasure. This writing is trying to pull
you in much like an eye-catching picture. It is designed to get
you to READ IT. This is called luring the VICTIM, and you are
the VICTIM. But if you have a free mind you should STOP READING
NOW! because all we are attempting to do is to get you to read
on. Yet this is a DOUBLE BIND because if you indeed stop you'll
be doing what we tell you, and if you read on you'll be doing what
we've wanted all along. And the more you read on the more you're
falling for this simple device of telling you exactly how a good
commercial design works. They're TRICKS and this is the worst
TRICK of all since it's describing the TRICK whilst trying to
TRICK you, and if you've read this far then you're TRICKED but
you wouldn't have known this unless you'd read this far. At
least we're telling you directly instead of seducing you with
a beautiful or haunting visual that may never tell you. We're
letting you know that you ought to buy this record because in
essence it's a PRODUCT and PRODUCTS are to be consumed and you
are a consumer and this is a good PRODUCT. We could have
written the band's name in special lettering so that it stood
out and you'd see it before you'd read any of this writing and
possibly have bought it anyway. What we are really suggesting
is that you are FOOLISH to buy or not buy an album merely as a
consequence of the design on its cover. This is a con because
if you agree then you'll probably like this writing - which is
the cover design - and hence the album inside. But we've just
warned you against that. The con is a con. A good cover design
could be considered as one that gets you to buy the record, but
that never actually happens to YOU because YOU know it's just a
design for the cover. And this is the RECORD COVER.

GO2, XTC / Virgin Records / Hipgnosis / Reino Unido, 1978

Altoids

A Smith & Co. foi uma empresa de confeitos iniciada em Londres por William Smith em 1780, e um de seus primeiros produtos foi Altoids, uma pastilha destinada a remediar a indigestão, não o mau-hálito. Altoids foram comercializados em farmácias pela Smith & Co. junto com outros produtos, como Benoids e Zenoids, durante os anos 1920 e 1930 como pílula dietética ou suplemento alimentar. Durante a Segunda Guerra, o fabricante tinha um contrato para enviar Altoids para as forças armadas. Não é claro quando a Altoids chegou aos Estados Unidos. Algumas fontes dizem que foi já em 1918 e, segundo outras, somente em 1980, mas o certo é que a Altoids tem desfrutado uma considerável popularidade na América. Parte de seu apelo inicial estava na latinha, introduzida nos anos 1920 para substituir caixinhas de papelão que tinham a tendência de deixar o produto escapar ou ser esmagado. A Altoids ganhou força em meados dos anos 1990 com uma campanha publicitária comicamente inquieta e, às vezes, cáustica da Leo Burnett, mas o que separava a Altoids de outras balas de menta da concorrência é sua distinta embalagem em latinha, que evoca uma nostalgia do Velho Mundo enquanto adverte o público sobre seu "curioso" poder.

The Original Celebrated
ALTOIDS
CURIOUSLY STRONG MINTS
100% Natural
PEPPERMINT
NET WT 1.76 OZ (50g)

Tiffany & Co.

"Charles Louis Tiffany tem uma coisa em estoque que você não pode comprar por mais dinheiro que possa oferecer", dizia um artigo no *New York Sun* em 1906, "Ele apenas dará a você. E é uma de suas caixas". O fundador da Tiffany & Co. entendia como controlar sua marca desde o início. O artigo segue explicando como nenhuma caixa ou sacola na cor azul (no mesmo tom da cor dos ovos do melro) podia deixar a loja em "um artigo que fora vendido por eles e pelo qual eram responsáveis". A caixa azul da Tiffany veio a significar muitas coisas além das joias que guardam: luxo, romance, expectativa. A caixa e o azul – designado Pantone 1837, baseado no ano em que foi criado, e não na numeração e espectro da Pantone – permaneceram consistentes todos esses anos e, em 2003, Paula Scher, da Pentagram › 162, adicionou outro nível de consistência e luxo ao redesenhar a marca e colocando-a estampada em papel metálico ao invés de impressa nas caixas, que agora são embrulhadas, dentro e fora, com um papel personalizado com luxuoso acabamento fosco. Corações em todo mundo palpitam.

TIFFANY & CO.

IDENTIDADE E EMBALAGEM DA TIFFANY & CO. / Pentagram: Paula Scher / EUA, 2003 / Fotos: Nick Turner

Absolut

Absolut rent brännvin, que quer dizer "vodka" absolutamente pura, foi uma bebida criada em 1879 na pequena vila de Åhus, na Suécia. Em 1917, a Vin & Spirit (V&S), um monopólio nacional para produção, importação, exportação e comércio em atacado de bebidas alcoólicas, assumiu o controle, e nos anos 1970 procurou exportar o produto para os Estados Unidos. A V&S contratou os publicitários Lars Börje Carlsson e Gunnar Broman para criar um design de garrafa e a propaganda. Entre muitas opções, eles escolheram para apresentação uma garrafa de remédio com um gargalo curto e cantos arredondados. No final dos anos 1970, Broman e representantes da V&S viajaram para os Estados Unidos, os últimos para encontrar um distribuidor e o primeiro para assegurar uma parceria com a prestigiada agência de publicidade N. W. Ayer & Son, em Nova York. Broman teve sucesso e avançou com o design de uma garrafa transparente com o nome e a legenda impressos diretamente nela – uma anomalia no mercado de bebidas. Após muitas rejeições, a distribuição foi assegurada com a Carillon Importers, que contratou a agência de publicidade TBWA para promover o produto. A despeito de pesquisas com consumidores mostrarem que o nome era presunçoso e a garrafa feia e difícil de ler, a TBWA centrou sua campanha de publicidade para criar a hoje legendária série de anúncios, com artistas como Keith Haring, Ed Ruscha e Andy Warhol.

ABSOLUT
Country of Sweden
VODKA
IMPORTED

ABSOLUT VODKA / **Gunnar Broman, Lars Borje Carlsson / Suécia, 1979**

ABSOLUT
100
RUBY RED
PEARS
IMPORTED

FAMÍLIA ABSOLUT / **Suécia, 1986–2008**

LEITURA RECOMENDADA › 390

Lucky Strike

Desde a sua introdução em 1871, como tabaco para mascar vendido em latas verdes pela R. A. Patterson Tobacco Company, o Lucky Strike tem usado um círculo vermelho com seu nome escrito em preto, dividido em duas linhas. Comprado pela American Tobacco Company (ATC) em 1905, nos anos 1930 Lucky Strike desenvolveu seu design original para um pacote em verde tingido com tipografia simplificada no círculo vermelho, agora com outros círculos concêntricos dourado, branco e preto ao seu redor, criando um alvo icônico. Buscando atrair consumidoras do sexo feminino, a ATC encomendou a Raymond Lowey, um designer de sucesso nos ramos industrial e de identidade, que melhorasse a embalagem – diz-se que o presidente da ATC, George Washington Hill, apostou com ele US$50.000 para melhorar as vendas. Lowey removeu a cor verde, simplificou o logotipo e o colocou na frente e atrás da embalagem. O novo design foi lançado em 1942 e Lowey ganhou a aposta. Mais de 60 anos depois, a embalagem permanece quase a mesma.

20 CLASS A CIGARETTES
SURGEON GENERAL'S WARNING: Cigarette Smoke Contains Carbon Monoxide.
LUCKY STRIKE
"IT'S TOASTED"
CIGARETTES

LEITURA RECOMENDADA › 390

Coca-Cola

Em maio de 1886 na Jacob's Pharmacy em Atlanta, Georgia, o farmacêutico Dr. John S. Pemberton fez a Coca-Cola ao combinar água com gás e um xarope por ele inventado. Durante o final do século XIX e início do XX, a Coca-Cola era consumida a partir de máquina de refrigerantes, onde um atendente misturava a bebida conforme o pedido e a servia num copo de vidro. Joseph A. Biederman, dono de uma máquina de refrigerante em Vicksburg, Mississippi, foi um dos primeiros a oferecer a Coca-Cola em garrafas, por volta de 1894, mas foram Benjamin F. Thomas e Joseph B. Whitehead de Chattanooga, Tennessee, que fizeram um contrato para engarrafar com exclusividade em larga escala, começando em 1899. Pelos 15 anos seguintes, a Coca-Cola foi embalada numa garrafa de lados retos com o logotipo em relevo e um rótulo em forma de diamante. Frente às imitações do produto, a Coca-Cola tratou de se diferenciar por meio de uma garrafa única, pedindo por uma garrafa que, "mesmo se estivesse quebrada", conforme estabelecido na proposta, "uma pessoa seria capaz de reconhecê-la". Alexander Samuelson e Earl R. Dean, da Root Glass Company, em Terre Haute, Indiana, desenvolveram uma forma de saiote, em vidro na cor verde esmaecida, em 1916. A garrafa desde então tem evoluído – sua última concepção, uma garrafa lisa de alumínio com design de Turner Duckworth em 2007, está sendo testada para distribuição em grande escala –, mas permanece um dos designs mais reconhecidos no mundo.

LEITURA RECOMENDADA › 390

GARRAFA CLÁSSICA EM VIDRO DA COCA-COLA / EUA, 1916

EMBALAGEM DE COCA-COLA PARA AS VERSÕES CLÁSSICA, ZERO E DIET / Turner Duckworth / EUA, 2006–2007

Sopa de Tomate Campbell's

Após alguns anos de operação sob nomes diferentes, a Joseph Campbell Preserve Co. foi criada em 1891, especializando-se primeiro em produtos para enlatar e, mais tarde, em sopa. O primeiro rótulo de sopa de tomate foi criado em 1895, com um letreiro elaborado e ilustração de dois homens carregando um tomate vermelho contra um fundo branco. Em 1897, a sopa condensada foi apresentada com o mesmo design, agora com uma divisão horizontal no fundo em azul e laranja. O primeiro rótulo vermelho e branco apareceu em 1898, após o tesoureiro da companhia assistir a um jogo de futebol da Universidade de Cornell e ficar admirado com os uniformes brancos e vermelhos e sugeriu essas cores para o rótulo. Na Exposição Nacional de Exportação de 1899, na Filadélfia, a sopa foi premiada com um medalhão dourado pela excelência e uma imagem do medalhão foi colocada no rótulo. Este foi substituído pelo medalhão ganho na Exposição Internacional de Paris, em 1900, que permanece no rótulo ainda hoje. O design foi simplificado em 1942, removendo o endereço da base e o par de tochas dos lados. Excetuando-se pequenas modificações durante os anos, o rótulo da sopa de tomate parece muito com o de 60 anos atrás.

Campbell's
CONDENSED
PARIS INTERNATIONAL EXPOSITION
1900
Tomato
SOUP

RÓTULO DA SOPA DE TOMATE CAMPBELL'S / EUA, 1978–1998, 2001

Barra de Chocolate Hershey's

Após ter abandonado a escola aos 13 anos e sendo aprendiz de confeiteiro, Milton S. Hershey era um empreendedor improvável, mas em 1900 vendeu seu primeiro negócio de caramelo por 1 milhão de dólares e começou uma nova empreitada para desenvolver um chocolate de baixo custo. O resultado foi a barra de chocolate Hershey's de cinco centavos. Preparando uma fábrica em 1903 em Derry Church, Pensilvânia, para produzir em massa seu chocolate, Hershey criou uma estrutura urbana sem precedentes, incluindo sistema de transporte, escolas, lojas, centro comunitário e mesmo seu próprio correio, para apoiar os funcionários. A cidade foi rebatizada de Hershey em 1906.

O sucesso da barra de chocolate foi instantâneo e o ritual de desempacotar o papel alumínio deixa as pessoas com água na boca por quase um século. Embalado num papel brilhante e sedoso, o design foi apresentado inicialmente com um fundo branco, mudando para a cor característica marrom escura em 1902. Até 1911, as letras eram serifadas adornadas; em 1912 uma sem serifa sólida foi introduzida e evoluiu ousadamente com o passar dos anos. Em 2003, o papel alumínio e o invólucro de papel foram substituídos por um único invólucro de plástico como os usados pelo restante do mercado – uma mudança compreensível que limita o desperdício de material, mas um grande golpe na nostalgia.

HERSHEY'S®
NET WT. 1.55 OZ. (43 g)
MILK CHOCOLATE

LEITURA RECOMENDADA › 390

Toblerone

Com o Matterhorn como pano de fundo para a cidade de Berna, na Suíça – e, como diz a lenda, também servindo de inspiração a forma triangular e os picos da barra do chocolate – Theodor Tobler e Emil Batman apresentaram o Toblerone em 1908. Com o passar dos anos, a embalagem triangular permaneceu a mesma, embora a tipografia tenha evoluído e os ícones tenham ido e vindo. Primeiro foi a águia, que em 1920 foi substituída pelo urso – símbolo heráldico de Berna – para depois retornar em 1930, agarrando um T. De 1969 em diante, um abstrato Mattehorn com a palavra Tobler sobre ele serviu como logotipo até 2000, quando a consultoria de branding, SiebertHead, apresentou um design simplificado com um novo logotipo mostrando o Matterhorn num desenho simples e a silhueta de um urso quase imperceptível na sua superfície. Curioso? Procure-o embaixo.

SWISS MILK CHOCOLATE WITH HONEY AND ALMOND NOUGAT
TOBLERONE
OF SWITZERLAND
NET WT 3.52 OZ (100g)
TOBLERONE
OF SWITZERLAND

Fossil

Tom Kartsotis, um empreendedor de Dallas, começou a importar, em 1984, do extremo oriente, relógios em diferentes estilos de design seguindo o conselho de seu irmão, Kosta, e vendia-os para lojas de departamento e boutiques; um de seus estilos mais populares era uma linha de relógios retrô. Em 1986, eles começaram a criar e fabricar seus próprios relógios; a primeira linha foi chamada de Fossil, o mesmo apelido de seu pai. Tim Hale, que fazia alguns trabalhos avulsos para Tom, juntou-se à Fossil como diretor de arte em 1987 e Kosta foi para a empresa em 1988, enquanto a companhia experimentava um rápido sucesso. O último, voltou de uma viagem à Europa com uma caixa de lápis metálica, notando quão bem seus relógios cabiam nela. Os primeiros relógios Fossil numa lata estavam nas prateleiras em 1989.

Partindo de uma premissa retrô para o produto, Hale estabeleceu um sistema altamente mutável para o design das latas com alegres referências aos gráficos efêmeros americanos dos anos 1940 e 1950: caixas de fósforos, embalagens de consumíveis, cartões de figuras esportivas, revistas de estilo, catálogos de viagens e invólucros de sabonete de hotel, tudo servia como inspiração para Hale e sua equipe de designers gráficos, que seguiam as dicas visuais do material das fontes e os reinterpretavam nas latas. Não só imitando os estilos, os designers tentam incorporar as técnicas e materiais daquela era e, então, digitaliza-os. O resultado nas prateleiras – nas lojas de departamento e nas mais de cem lojas da Fossil – é uma distinta e imediatamente identificável embalagem consistentemente renovada; a companhia apresenta novos designs quatro a cinco vezes por ano. Depois de duas décadas e mil designs de latas depois, Hale e sua equipe estão longe de perder sua fonte de inspiração já que os anos 1970 e 1980 passam a ser o novo retrô.

FOSSIL BRAND
The American Classic

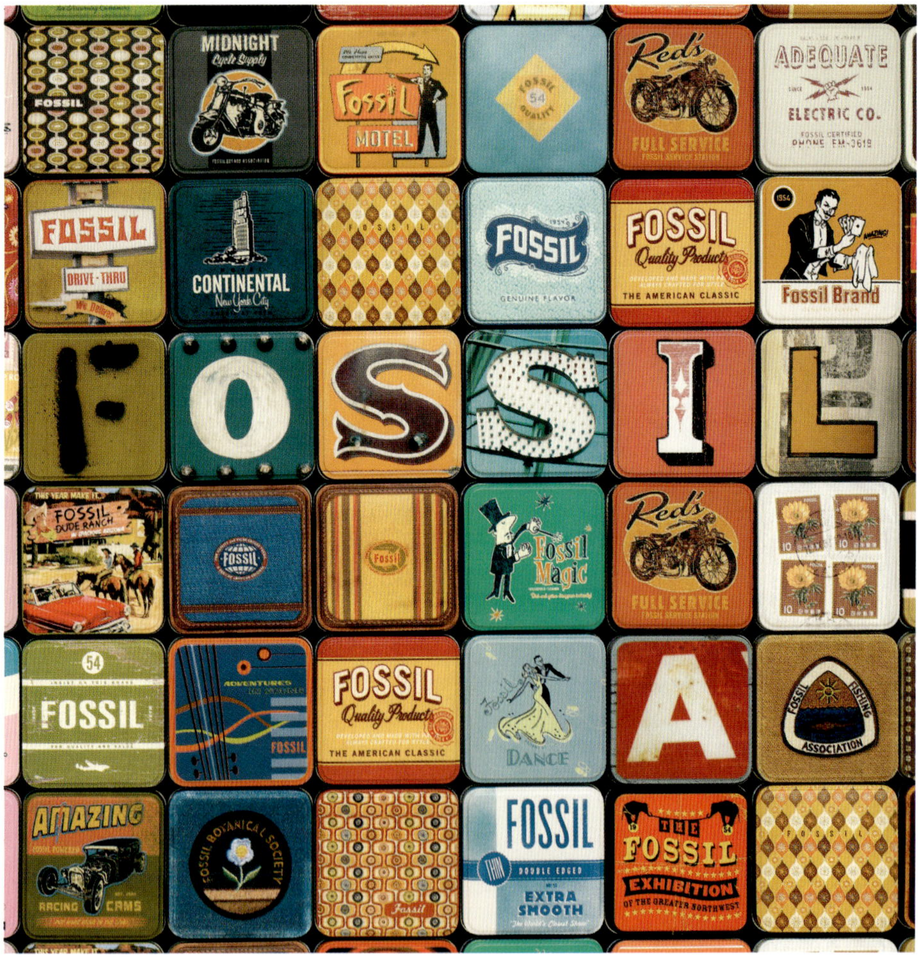
MIDNIGHT
Cycle Supply
MOTEL
Red's
FULL SERVICE
ADEQUATE
ELECTRIC CO.
FOSSIL
DRIVE-THRU
CONTINENTAL
New York City
Quality Products
THE AMERICAN CLASSIC
Fossil Brand
F O S S I L
FOSSIL
DUDE RANCH
Fossil Magic
A
FOSSIL FISHING ASSOCIATION
DANCE
AMAZING
RACING CAMS
FOSSIL BOTANICAL SOCIETY
FOSSIL
EXTRA SMOOTH
EXHIBITION
OF THE GREATER NORTHWEST

LETRAS DA FOSSIL / EUA, © 2002 Fossil Design

LEITURA RECOMENDADA › 390

Dr. Bronner's Magic Soaps

O descendente de três gerações de fabricantes de sabão da Alemanha, Emmanuel Heilbronner, imigrou para os Estados Unidos em 1929, aos 21 anos, trabalhando com vários fabricantes de sabão no leste antes de se estabelecer em Milwaukee em 1930, e retirar a primeira sílaba de seu sobrenome. Nos anos 1940, agora autointitulado Doutor, Bronner começou a rascunhar e compartilhar de forma persistente um plano para a paz mundial na "Espaçonave Terra", por meio da unidade religiosa. Em 1945, Dr. Bronner foi preso por falar sem autorização na Universidade de Chicago e foi internado no asilo estadual de insanos, Elgin. Fugiu seis meses depois e foi para Los Angeles. Lá, em seu pequeno apartamento, começou a misturar sabão com um cabo de vassoura, e vendia o produto enquanto expunha suas teorias no parque público da Pershing Square. Quando ele percebeu que as pessoas comparavam seu sabão, mas não se importavam em ouvir o que ele dizia, ele começou a escrever sua filosofia nos rótulos.

Nos anos 1960, os sabões mágicos do Dr. Bronner ganharam popularidade com a cultura hippie por conta de seus ingredientes totalmente naturais, durabilidade e sua real eficácia em limpar cabelos longos e encaracolados, fundos de calças jeans e Kombis. Embalados em garrafas de plástico marrom, bastante simples, com rótulos em cor única – o texto nos produtos de Dr. Bronner tornaram-se monólogos em evolução sobre a filosofia do fundador, referida como "O ABC Moral". Os rótulos da embalagem de 32 onças contêm quase 3.000 palavras expressando o pensamento do Dr. Bronner que faz referência a tudo, de Mao Tse-Tung a Albert Einstein, Joseph Stalin e o cometa Halley. Dr. Bronner faleceu em 1997, mas seus filhos mantêm o legado e estão supervisionando sua crescente popularidade. Os Bronners têm recusado propostas de compra e, enquanto a venda possa ser ainda possível, os rótulos estarão em segurança: um dispositivo nos regulamentos da empresa estabelece que eles devem permanecer os mesmos.

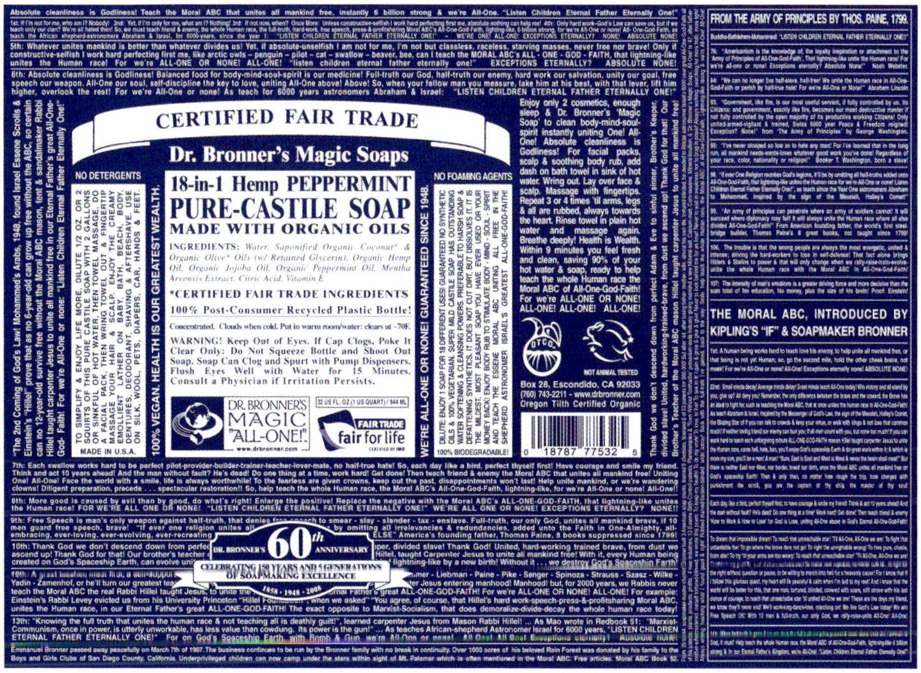
CERTIFIED FAIR TRADE
Dr. Bronner's Magic Soaps
18-in-1 Hemp PEPPERMINT
PURE-CASTILE SOAP
MADE WITH ORGANIC OILS
NO DETERGENTS
NO FOAMING AGENTS
FROM THE ARMY OF PRINCIPLES BY THOS. PAINE, 1799.
THE MORAL ABC, INTRODUCED BY KIPLING'S "IF" & SOAPMAKER BRONNER
DR. BRONNER'S MAGIC "ALL-ONE!"
fair for life
60th ANNIVERSARY

SABÕES MÁGICOS / Cosmic Egg / EUA

Jones Soda

Após anos como esquiador profissional e instrutor, Peter van Stolk criou a Urban Juice e Soda Company (UJS) em Vancouver, Canadá, em 1987 para distribuir bebidas de nicho, como chás AriZona, Just Pik't Juices e West End Soda. Ele começou a engarrafar uma cerveja artesanal da Thomas Kemper Brewing Co. em Seattle. Em 1994, van Stolk concentrou-se no desenvolvimento de suas próprias bebidas, apresentando a água engarrafada Wazu em 1995; e a bebida gaseificada Jones Soda, em 1996. Com o lema "Run with the little guy..." e sem nenhum orçamento para marketing, promovia a Jones Soda colocando geladeiras em pontos estratégicos onde podia abastecer o seu público-alvo, de 18 a 24 anos de idade: pistas de skate, salões de tatuagem e lojas de roupas. Por meio do boca a boca e transmitindo uma autenticidade que só era possível em sonhos para as grandes companhias, a Jones Soda rapidamente tornou-se *cult* entre a geração mais jovem.

Ao invés de gastar mais de um quarto de milhão de dólares numa garrafa personalizada, van Stolk optou por componentes padrão, combinando uma garrafa transparente e uma tampa de rosquear simples que permite que apareçam as cores vivas dos sabores exóticos, como Blue Bubble Gum, Chocolate Fudge e Fufu Berry. Criadas por SamataMason, com escritórios em Vancouver e Chicago, as garrafas da Jones Soda são enganosamente simples. Os rótulos mostram o nome sem obstruções no interior de um fundo branco ou preto que emoldura uma fotografia – a chave para que a Jones Soda forme um elo com seus consumidores. Os primeiros 35 rótulos eram imagens feitas pelo fotógrafo de Vancouver, Victor John Penner, mas após isso, a Jones Soda voltou-se a conteúdo gerado pelos usuários muito antes que os produtos mais conhecidos o fizessem. Os consumidores da Jones Soda submetem fotos online (mais de 875.000 até o momento). Os vencedores são escolhidos internamente e impressos nos lotes subsequentes de garrafas e no myjones.com, qualquer um pode solicitar um pacote de 12 garrafas com suas próprias fotografias.

JONES
SODA CO.
GREEN APPLE SODA

EMBALAGEM DA JONES SODA PARA URBAN JUICE & SODA / SamataMason: design, Dave Mason, Victor John Penner, Pamela Lee / EUA, 1994–1995 / Fotos: Victor John Penner

Tazo

Mestre fabricante de chá, Steve Smith criou a Stash Tea Company em 1972, em Portland, Oregon; e supervisionou seu crescimento e popularidade como uma das empresas de chá de maior sucesso nos Estados Unidos, até ele deixar a empresa em 1994. Com vasta experiência na indústria de chá, ele se deu conta que a indústria de chá podia ser qualquer coisa, menos excitante, e então começou a criar um novo tipo de companhia de chá com misturas inovadoras e uma história arrebatadora. Com o sócio, Steve Lee, também criador da Stash Tea, Smith imaginou uma marca que giraria em torno do tema "Marco Polo encontra o Mago Merlin com boas pitadas de Caçadores da arca perdida". Trabalhando com Steve Sandoz, da Wieden + Kennedy e Steve Sandstrom, da Sandstrom Partners, ambos de Portland, decidiram criar uma mitologia e história do chá totalmente novas. Sandoz propôs o nome Tazo, desprovido de significado de modo que eles poderiam imbuí-lo do deles próprio – embora mais tarde, quando Smith teve suas folhas de chá lidas por uma cigana, aprendeu que significa "rio da vida", na língua dela, o Romaní.

Sandoz continuou a desenvolver a linguagem para a Tazo, misturando fato com ficção e dando a ela uma voz excêntrica e antiga, às vezes indo muito longe ao traduzir sua cópia para outra língua e de volta para o inglês. O design de Sandstrom seguia a mesma veia, com tipografia que parecia retirada de inscrições ou manuscritos antigos, ou mesmo alienígenas. Assim, mesmo com suas bases no antigo, a Tazo passa uma sensação decididamente contemporânea e que tem uma forte presença na prateleira. A Tazo foi comprada pela Starbucks em 1999, recebendo uma maior exposição e, mesmo que a embalagem tenha gradualmente diminuído a atração do chá, a Tazo ainda consegue contar uma história interessante mesmo estando em uma categoria monótona.

TAZO
Brambleberry
JUICED TEA

TAZO
Mambo
Zen
Awake

TAZO
Zen
Calm
Wild Sweet Orange
Spice
Passion
Awake
Earl Grey
Refresh

EMBALAGEM DO CHÁ TAZO / Sandstrom Partners: direção de criação, Steve Sandstrom / EUA, 1994–até o presente

Target Halloween

Com magos do design como Michael Graves, Isaac Mizrahi e Cynthia Rowley, criando peças de baixo custo e bom design, a grande cadeia de varejo Target tem sido a preferida do público americano desde finais dos anos 1990, quando a linha elegante e amigável de produtos para casa (incluindo uma torradeira que dava vontade de abraçar), criada por Graves, foi lançada em 1999. Em 2005, apresentou sua campanha 'Design para Todos' – "Grande Design. Todo dia. Para todos' – estabelecendo-a ainda mais como um local de compras da moda.

Por todo seu sucesso na criação de alternativas acessíveis de design e introdução de inovações, como a embalagem de remédios ClearRx > 318, uma das mais avançadas soluções de design da Target pode ser a de um de seus mais elementares desafios: o Halloween. Antes de 2001, a Target adornava suas lojas com decoração típica do período, distribuindo abóboras, fantasmas e morcegos por todos os lados. Esses eram esforços adequados para dar o tom correto para o período, mas não eram memoráveis. Logo após a temporada de Halloween de 2000, a Target encomendou à Werner Design Werks (WDW), em St. Paul, Minnesota, para criar uma identidade para o período em 2001. A Target não tinha um documento específico de orientação do design para Sharon Werner e Sarah Nelson da WDW, mas precisava de um sistema de modo a que dúzias de fabricantes, fornecedores e parceiros pudessem implementar sozinhos. Werner e Nelson criaram uma família de personagens – bruxa, fantasma,

Miss Kitty
Skeleton Boy
Mr. Dark
Mummy's Boy
Miss Witch
Little Boy Ghoul
Lucky
Lil Frankie
Madame Webb
Lucky
Miss Witch
the Count
Mr. Grim
Mr. Boo
Miss Screech

Happy

Miss Witch
Miss Kitty
Lil Frankie

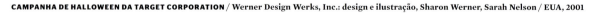

CAMPANHA DE HALLOWEEN DA TARGET CORPORATION / Werner Design Werks, Inc.: design e ilustração, Sharon Werner, Sarah Nelson / EUA, 2001

vampiro, Frankenstein, aranha, entre outros – com estilo de ilustração coesivo, bem como uma série de padrões, margens e molduras. Eles criaram dois guias de estilos, um para "linhas duras" (pratos, copos etc.) e uma para "linhas moles" (pijamas, camisetas, pacotes etc.) e entregaram-nos para a Target em dezembro de 2000. No Halloween de 2001, a Target e seus fornecedores desenvolveram uma inimaginável quantidade de produtos e decorações baseados nos guias de estilo e até criaram um comercial de TV, que foi pioneiro para os esforços de Halloween da Target.

O sucesso da identidade e guia de estilo da WDW foi seguido em 2003 pela Charles S. Anderson Design (CSA), de Minneapolis > 195. Eles criaram um conjunto de personagens macabros, margens e padrões que foram traduzidos em embrulhos para doces e aplicações tridimensionais, e apresentaram novos elementos para lojas: máscaras conformadas a vácuo com 1,5 m de altura, com inspiração antiga, para serem penduradas nos tetos. Alguns designers gráficos esperaram pacientemente a Target jogar fora as máscaras para recolhê-las.

Outras contribuições notáveis têm sido as da Office, uma empresa de São Francisco liderada pelo designer Jason Schulte, que já foi da CSA e da Parham Santana, de Nova York, em 2006, que acrescentaram diversidade ao relacionar o Halloween ao feriado latino do Dia dos Mortos e fizeram referência à técnica de cortar papel, usada para decorar praças em pequenas cidades rurais das cidades latinas. Halloween para Todos.

CAMPANHA DE HALLOWEEN DA TARGET CORPORATION / Target: direção de criação, Eric Erickson; direção de arte, Ron Anderson / Charles S. Anderson Design Company: direção de arte, Charles S. Anderson; design, Charles S. Anderson, Todd Piper-Hauswirth, Erik Johnson, Kyle Hames, Sheraton Green, Jovaney Hollingsworth / EUA, 2003

Martha Stewart Everyday

Por volta de 1995, a cadeia de varejo Kmart fechou mais de 200 lojas, quase indo à falência, com enorme perda em faturamento. Entre outras estratégias de recuperação, estava a iniciativa de expandir sua marca própria e linhas com rótulos particulares, uma delas era a de Martha Stewart, que havia se associado a Kmart em 1987. Com o nome Martha Stewart Everyday (MSE), em 1997, a Kmart criou a linha de produtos que ia de utensílios, roupa de cama, mesa, vidraria, louça, jardinagem, cozinha e banho – produtos para o cotidiano. Desde sua concepção e pelos cinco anos seguintes, Stephen Doyle da Doyle Partners liderou a equipe que fez o design da identidade e toda a linha de embalagens para a MSE.

Doyle foi contratado pela Kmart, mas trabalhou em colaboração próxima com o grupo de criação da Martha Stewart Living Omnimedia (MSLO) – que incluía sua esposa e chefe de criação na MSLO, Gael Towey e com a própria Martha Stewart – especialmente quando supervisionavam as fotografias dos produtos para envolvê-los com a estética da marca, que eles tinham estabelecido com sucesso na sua revista principal > 335. Doyle trouxe um sentido de acessibilidade e um aspecto lúdico ao varejo de massa que não eram vistos com frequência nas prateleiras antes da MSE. Por meio de uma vibrante seleção de cores pontuando fundos totalmente brancos que permeavam tanto os produtos quanto as embalagens, a MSE se transformou numa linha de produtos coesa, ainda que flexível, que podia ser facilmente identificável e abordável, pois a maioria dos itens era embalada de modo que era possível tocá-los. As embalagens eram também cheias de informações, receitas e desenhos dos produtos relacionados, estendendo a promessa de inspiração e informação da marca Martha Stewart.

MARTHA STEWART everyday
45
stainless steel flatware
stainless steel flatware
12
4
64
4
double old fashioneds
goblets

PRODUTOS DE USO COTIDIANO MARTHA STEWART PARA A KMART / **Doyle Partners: direção de criação, Stephen Doyle; design, Rosemarie Turk, Lisa Yee, Vivian Ghazarian, Ariel Apte / EUA, 1997–2000**

Adobe CS1, CS2

Após estabelecer-se como um ingrediente intrínseco da revolução dos computadores em meados dos anos 1980, com a criação da linguagem PostScript adotada pela Apple Computer, a Adobe System entrou no mercado de software para o consumidor em 1987, com o Adobe Illustrator versão 1-88, seguido pelo Adobe Photoshop versão 1, em 1988. Por mais de 20 anos, esses dois programas passaram a ser os aplicativos de fato de designers de todo o mundo – menos os fanáticos pelo Macromedia Freehands – à medida que cada versão ficava mais refinada, poderosa e acessível. Enquanto algumas funções mudavam, a identidade visual – da embalagem à tela de início e ícones dos aplicativos – permaneceu a mesma durante o século XX. O Illustrator era representado pelo quadro *O Nascimento de Vênus*, de Sandro Botticelli, enquanto o Photoshop era identificado por um olho flutuante, geralmente acompanhado por lentes de uma câmera. Essas pistas visuais passaram a ser tão onipresentes quanto o software.

Em 2002, Illustrator e Photoshop chegaram, respectivamente, nas versões 10 e 7 e o InDesign versão 1.5 tinha começado a ganhar fôlego. Buscando apresentar uma face única, a Adobe desenvolveu a Creative Suite (CS), fazendo com que todos os aplicativos ficassem com o mesmo número para a versão, padronizando a interface do usuário com um design integrado. Apresentado em 2003, o software recebeu grandes melhorias, assim como o seu design. Foram embora a Vênus e o olho. A MetaDesign, de São Francisco, liderada pelo diretor de criação, Brett Wickens, e pelo diretor de design, Conon Mangat, criou uma identidade nova, baseada no tema natureza, usada como uma “metáfora para o processo criativo, refletindo a precisão, beleza e anseios”. Imagens nas silhuetas contra fundos brancos forneciam o entusiasmo que determinou CS como um novo conjunto de software. Adobe CS2 seguiu-se em 2005 e a MetaDesign fez uma bela evolução de seu design original, adotando elementos para cada aplicativo – flor para o Illustrator, pena para o PhotoShop, borboleta para o InDesign e estrelas para o GoLive – e assim expondo, literalmente, a beleza interior deles. Nick Veasey, o famoso fotógrafo e radiografista britânico, criou imagens em raio-X. Como o software, o design teve uma atualização de valor.

Adobe Creative Suite Premium
Adobe Photoshop CS
Adobe Illustrator CS
Adobe InDesign CS
Adobe GoLive CS

EMBALAGEM DO ADOBE CS1 / **MetaDesign: direção de criação, Brett Wickens; design, Brett Wickens, Conor Mangat, Kihwan Oh; foto: Brett Wickens, Stephen Underwood / EUA, 2003**

Adobe Creative Suite 2 Premium
Adobe Photoshop CS2
Adobe Illustrator CS2
Adobe InDesign CS2
Adobe GoLive CS2

EMBALAGEM DO ADOBE CS2 / **MetaDesign: direção de criação, Brett Wickens; design, Brett Wickens, Hui-Ling Chen; radiografia, Nick Veasey / EUA, 2004**

Target ClearRx

Quando Deborah Adler era uma estudante no programa de mestrado "Design Como Autor", da School of Visual Arts › 132, seu projeto de curso de 2002 – uma reação à sua avó ter tomado acidentalmente um remédio do avô – resultou nos planos para a um novo sistema de comunicação e inovadora embalagem de remédios ClearRx, da Target, lançados em 2005. Por meio de uma parceria com a Target e a colaboração de Milton Glaser › 170, Deborah conseguiu resolver um problema com meio século de existência. O novo frasco de remédios, na cor âmbar, apoia-se firmemente na sua tampa. A cada membro da família é dado um anel colorido que identifica os remédios de cada um. Etiquetas mostram claramente o nome da medicação no topo, seguido pelas instruções de dosagem, informação do médico e opções de recarga, ao passo que o outro lado apresenta ícones claros de alerta. Um cartão com informações adicionais do paciente é colocado atrás do rótulo posterior. Para adocicar a contribuição de Deborah, a Target oferece nos sabores cereja ou uva.

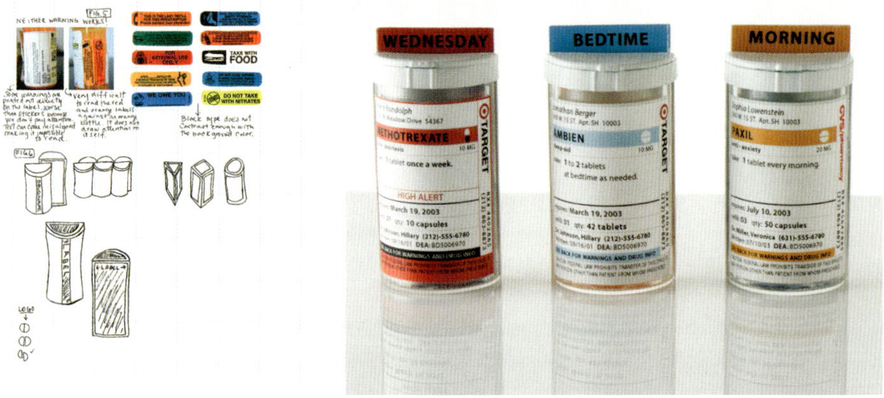
WEDNESDAY
BEDTIME
MORNING
METHOTREXATE
AMBIEN
PAXIL
TARGET

SAFERX - PROJETO DE CONCLUSÃO DE CURSO NO MESTRADO "DESIGN COMO AUTOR" NA SCHOOL OF VISUAL ARTS / Deborah Adler / EUA, 2002

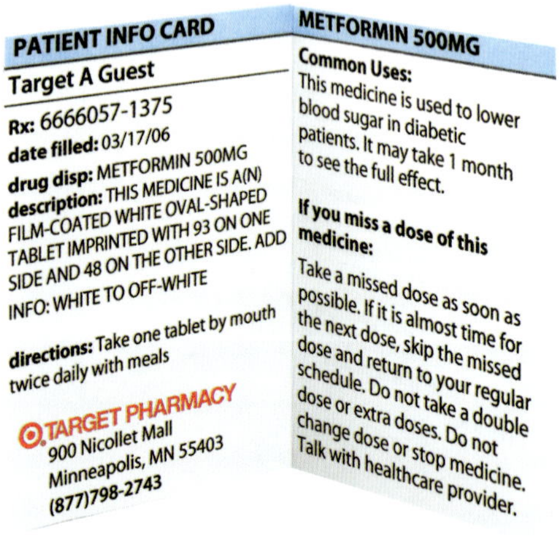
PATIENT INFO CARD
Target A Guest
Rx: 6666057-1375
date filled: 03/17/06
drug disp: METFORMIN 500MG
description: THIS MEDICINE IS A(N) FILM-COATED WHITE OVAL-SHAPED TABLET IMPRINTED WITH 93 ON ONE SIDE AND 48 ON THE OTHER SIDE. ADD INFO: WHITE TO OFF-WHITE
directions: Take one tablet by mouth twice daily with meals
TARGET PHARMACY
900 Nicollet Mall
Minneapolis, MN 55403
(877)798-2743
METFORMIN 500MG
Common Uses:
This medicine is used to lower blood sugar in diabetic patients. It may take 1 month to see the full effect.
If you miss a dose of this medicine:
Take a missed dose as soon as possible. If it is almost time for the next dose, skip the missed dose and return to your regular schedule. Do not take a double dose or extra doses. Do not change dose or stop medicine. Talk with healthcare provider.

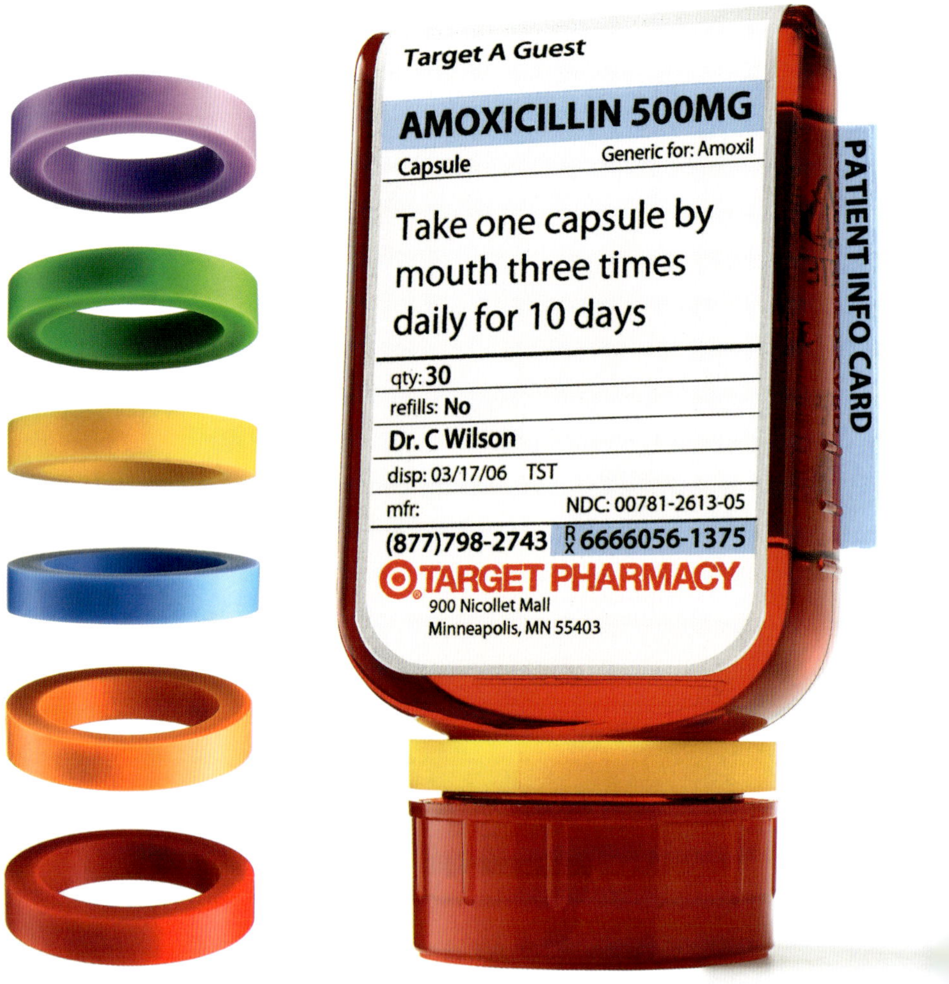
Target A Guest
AMOXICILLIN 500MG
Capsule
Generic for: Amoxil
Take one capsule by mouth three times daily for 10 days
qty: 30
refills: No
Dr. C Wilson
disp: 03/17/06 TST
mfr:
NDC: 00781-2613-05
(877)798-2743
℞ 6666056-1375
TARGET PHARMACY
900 Nicollet Mall
Minneapolis, MN 55403
PATIENT INFO CARD

EMBALAGEM CLEARRX DA TARGET CORPORATION / Deborah Adler; design industrial, Klaus Rosburg / EUA, 2005

Saks Fifth Avenue

Desde sua criação, no início dos anos 1900, e abertura da sua loja principal na Quinta Avenida de Manhattan, em 1924, a Saks Fifth Avenue tem sido um sinônimo de qualidade, elegância e moda. Por toda sua história, muitos designers e tipógrafos, incluindo Frederic W. Goudy, Alexey Brodovitch › 143, Erik Nitsche › 148, Tom Carnase e Massimo Vignelli › 160, estiveram envolvidos com a Saks na propaganda ou design, ainda que uma identidade icônica ou marca cultural como o azul da Tiffany & Co.'s › 306 ou o xadrez da Burberry a tenha superado. Em 2004, a Saks encomendou ao sócio da Pentagram › 162, Michael Bierut › 203, um logotipo novo e identidade global que pudessem ser aplicadas às suas numerosas formas de embalagens, de sacolas de compras a caixas de vários tamanhos. Percorrendo a história dos logotipos da Saks, Bierut notou que sempre foram usadas letras imitando escrita e uma versão de 1973, de Tom Carnase, chamou sua atenção.

Bierut trabalhou com o designer de logotipos e letras, Joe Finocchiaro, para atualizar o logotipo de Carnase com linhas mais esbeltas. Ele, então, colocou o novo letreiro branco num quadrado preto, cortando as extremidades e seguiu fatiando-o em 64 quadrados menores que podiam ser configurados de, literalmente, milhares de maneiras. O logotipo em si permaneceu intacto e aparece em toda a identidade, mas as intermináveis combinações de pequenos quadrados brancos e pretos são vertiginosamente aplicadas em toda superfície possível da embalagem. O resultado é uma identidade extremamente mutável que permanece consistente em sua cor e textura. Agora os compradores ostentam suas compras em icônicas sacolas de compra da Saks Fifth Avenue.

Saks
Fifth
Avenue

SAKS FIFTH AVENUE IDENTITY AND BRANDING APPLICATIONS / Pentagram: Michael Bierut / EUA, 2006–2007 / Fotos: Cortesia de Saks Fifth Avenue / Foto na rua: Elizabeth Bierut

20TH
ANNIVERSARY
ISSUE

PRÁTICA

Nas Bancas de Revista

322

Uma revista com um bom design é uma amálgama única de disciplinas: a capa deve ter um logotipo reconhecível; a fotografia e ilustração, do início ao fim, devem ter direção de arte engenhosa e criativa; a tipografia deve ser ao mesmo tempo rígida e estruturada no corpo do exemplar, bem como evocativa e lúdica nas manchetes, quase como se a estivéssemos fazendo a composição de um romance e um cartaz ao mesmo tempo; o ritmo deve permitir que o leitor avance e retroceda e vá até as suas seções preferidas; e deve balancear o design das capas com umas características editoriais para criar um sentido consistente, ainda que flexível, por toda a publicação. A evolução da revista poderia ser provavelmente documentada pelo crescimento epidêmico dos títulos na capa e mesmo que esses pedaços de texto na capa possam representar o declínio do design editorial convencional, vários designers e editores têm conseguido criar publicações interessantes dentro dos padrões da indústria e das expectativas do seu tempo.

Detalhe de ***PLAYBOY* 21, N. 1** / **direção de arte, Art Paul; Foto: Dwight Hooker / EUA, Janeiro 1974**

Eros, Fact:, Avant Garde

Por meio de uma influente parceria entre Ralph Ginzburg e Herb Lubalin › 167, três revistas distintas foram publicadas nos anos 1960: *Eros*, *Fact*: e *Avant Garde*. Ginzburg, que havia trabalhado como editor na *Esquire* › 326 e também tinha publicado vários livros, começou a trabalhar com Lubalin em 1962 para criar sua primeira revista trimestral, *Eros*, batizada com o nome do deus grego do amor e do desejo, e devotada ao erotismo, amor e sexo, através da história, política, arte e literatura. A Lubalin foi dado todo o controle no design e com uma variedade de tipos para apresentação dirigidos pelo conteúdo, fotografia de bom gosto e layouts ousados, *Eros* foi publicada em quatro edições, com o quinto número nunca indo além das mesas dos produtores. Enquanto nenhuma despesa parece ter sido poupada na revista de 96 páginas com capa dura, preocupações legais levaram ao seu fracasso uma vez que a carta promocional original, que buscava assinantes, recebida por milhões de indivíduos, foi parar nos tribunais. Após anos de procedimentos legais, os termos da carta, não a revista em si, foram considerados obscenos e Ginzburg foi condenado a três anos de prisão.

Ginzburg e Lubalin formaram uma segunda parceria no periódico político chamado *Fact*: que, como seu nome indica, procurava esclarecer as situações e revelar verdades ocultas. Publicada inicialmente em 1964, a abordagem do design de *Fact*: era relacionada diretamente às restrições do orçamento; eles frequentemente contratavam um ilustrador, para trabalhar em todos os artigos de uma edição, a preço fixo. Com o uso limitado de cores e manchetes ousadas, frequentemente em fontes serifadas, foi obtida uma elegância minimalista que se destacava das outras publicações da época. No primeiro ano, Ginzburg foi processado por difamação pelo então candidato republicano, Barry Goldwater, um conflito que ele perderia após alguns anos. Os problemas com as finanças de Ginzburg forçaram-no a encerrar a publicação de *Fact*:, mas sua determinação não havia arrefecido inteiramente.

EROS
Summer 1962

REVISTA *EROS* N. 2 / Herb Lubalin; foto, Donald Snyder / EUA, Verão 1962

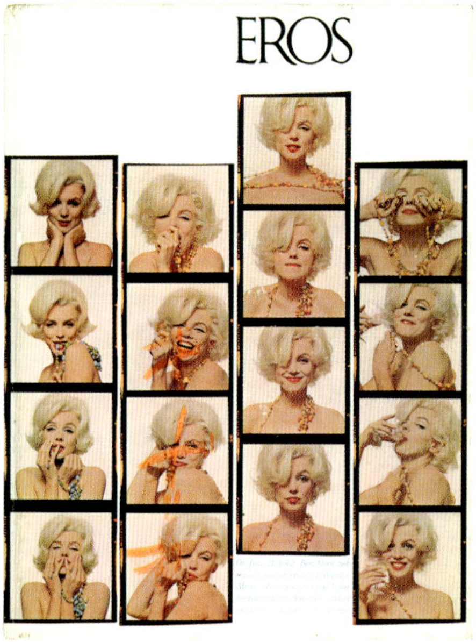
EROS

REVISTA *EROS* N. 3 / Herb Lubalin; foto, Bert Stern / EUA, Outono 1962

AVANT GARDE
PICASSO'S EROTIC GRAVURES

AVANT GARDE #8: PICASSO'S EROTIC GRAVURES / Herb Lubalin / EUA, Setembro 1969

AVANT GARDE
25¢
LARGE CHARGE:
THE EXCITING ART OF ROY CARRUTHERS

EDIÇÃO PROTÓTIPO DE *AVANT GARDE* / Herb Lubalin / EUA, 1974

Imagens: cortesia do Centro de Estudos Herb Lubalin de Design e Tipografia na Cooper Union School of Art

Avant Garde, lançada em 1968, era uma revista que também desafiava o *status quo* social, embora menos causticamente do que suas predecessoras, ao incluir ensaios, reportagem, e ficção, cobrindo a política, arte e cultura. Lubalin criou uma estrutura altamente geométrica na publicação, percebida mais facilmente no título principal, com letras criadas por Tom Carnase, em que círculos perfeitos, linhas retas, ligações múltiplas e mínimos espaço de kern foram um precedente particular para o desenvolvimento posterior da letra > 374. Após 16 edições, o número final de *Avant Garde* foi publicado quando Ginzburg começou a cumprir uma pena reduzida de oito meses na prisão. Embora um retorno tenha sido tentado quando de sua soltura, a situação financeira de Ginzburg não permitia levar adiante a empreitada.

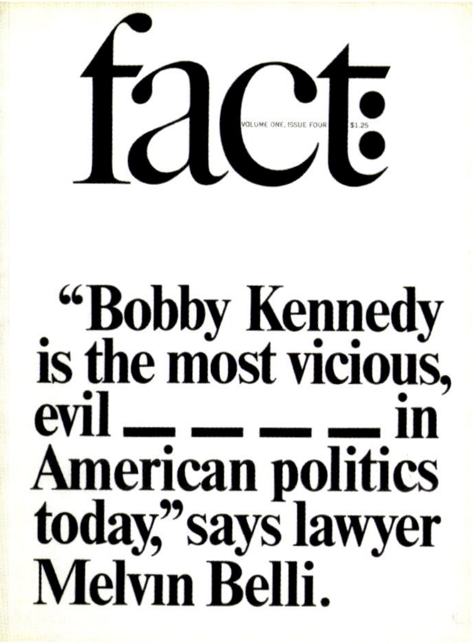
fact:
VOLUME ONE, ISSUE FOUR
$1.25
"Bobby Kennedy is the most vicious, evil _ _ _ _ in American politics today," says lawyer Melvin Belli.

FACT: / **Herb Lubalin / EUA, Julho-Agosto 1964**

fact:
"The Star Spangled Banner is just so much trash." -Joan Baez
Westbrook Pegler: "I think The Star-Spangled Banner is just terrible." Louis Untermeyer: "The poets and composers of America could come up with something much better." Richard Rodgers: "It's impossible to sing." Marya Mannes: "Any musician will tell you it's a lousy piece of music." Meredith Willson: "It violates every single principle of song writing." Elmer Bernstein: "In today's world, we could do without warlike anthems like The Star-Spangled Banner." Godfrey Cambridge: "It has no meaning for the black man." LeRoi Jones: "It's pompous, hypocritical, vapid, and sterile." Fannie Hurst: "The Star-Spangled Banner, long may it not wave!"

FACT: / **Herb Lubalin / EUA, Janeiro-Fevereiro 1965**

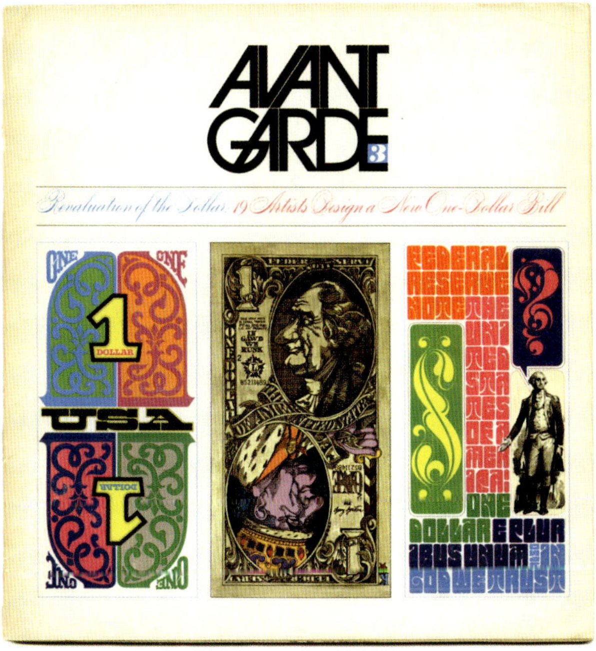
AVANT GARDE 3
Revaluation of the Dollar 19 Artists Design a New One-Dollar Bill

AVANT GARDE #3: REVALUATION OF THE DOLLAR / **Herb Lubalin; cover dollar ilustrações, Tom Carnase / EUA, Maio 1968**

Andy's Girls
VIVA

***ANDY'S GIRLS* – PÁGINA DUPLA DE *AVANT GARDE* #3** / **Herb Lubalin / EUA, Maio 1968**

BELLES LETTRES
A PHOTO-ALPHABET

BELLES LETRES: A PHOTO ALPHABET - PÁGINA DUPLA DE *AVANT GARDE* #14 / **Herb Lubalin; Ed Van Der Elsken, Anna Beeke / EUA, Verão 1971**

Playboy

Após sua formatura na Universidade de Illinois, Hugh Hefner teve vários empregos em editoras antes de trabalhar na *Esquire* › 326, então considerada uma das publicações para homens com mais conteúdo de sexo, em parte por contas das garotas de Alberto Vargas. Em 1953, quando estava empregado na revista *Children's Activities*, Hefner começou a montar um novo tipo de revista para homens, definido por um estilo de vida ilusório, com sofisticação material e cultural além de riquezas que também celebravam o sexo como uma ocorrência do cotidiano e não um tabu como era considerado; o título era *Stag Party*. Trabalhando com o cartunista Arv Miller, que criou os layouts e um veado mascote, a edição piloto de Hefner não era satisfatória; e foi Art Paul, um designer e ilustrador de Chicago, formado no Instituto László Moholy-Nagy de Design, que criou as bases para os 30 anos seguintes.

ENTERTAINMENT FOR MEN
PLAYBOY
ENTERTAINMENT FOR MEN
PLAYBOY
PLAYBOY
GALA CHRISTMAS ISSUE
ENTERTAINMENT FOR MEN
PLAYBOY
20TH ANNIVERSARY ISSUE

REVISTA *PLAYBOY* / direção de arte, Arthur Paul / EUA, 1967 e 1974

Uma das primeiras objeções de Paul foi a respeito do nome. Dada a ameaça de uma revista de caça chamada *Stag*, Hefner escolheu *Playboy* para o título e um coelho como mascote. A ideia do mascote foi mantida, mudou apenas a cabeça. O ícone agora famoso e o perfil do coelho, desenhados por Paul, tiveram sua estreia na terceira edição, e desse momento em diante passou a ser o desafio visual de Paul para os leitores de playboy: encontrar o coelho nas sofisticadas, espirituosas e conceituais capas dos anos 1960 e 1970 – uma grande diferença da apresentação bruta de bustos da revista atual. Dentro, Paul complementou os artigos eruditos e entrevistas com um layout um tanto rebuscado que permitia um jogo tipográfico e a integração de ilustrações de alguns dos mais respeitados artistas e ilustradores comerciais da época. Quer as pessoas comprassem a Playboy por conta dos artigos ou da nudez, durante 30 anos o seu conteúdo preferido foi sempre apresentado de maneira bela.

ENTERTAINMENT FOR MEN
PLAYBOY
"THE GIRLS OF PARIS"
BEGINNING A NEW ACTION
NOVEL BY EVAN HUNTER
AN EXCLUSIVE INTERVIEW
WITH MICHAEL CAINE

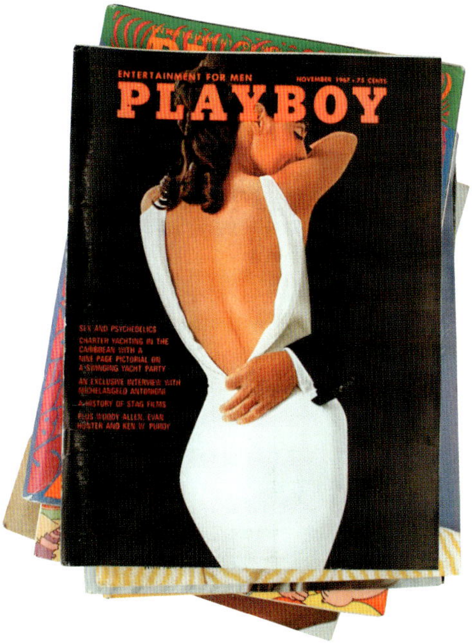
ENTERTAINMENT FOR MEN
PLAYBOY

ENTERTAINMENT FOR MEN
AUGUST 1974 · $1.25
PLAYBOY
THE WEDDING NIGHT: A PICTORIAL FANTASY
ANDY WARHOL PHOTOGRAPHS HIS FILM STARS
PLAYBOY'S PRO FOOTBALL FORECAST

ENTERTAINMENT FOR MEN
PLAYBOY
SEPTEMBER 1974 · $1.25

Esquire

Com nenhuma publicação para o homem comparável a *Vogue* ou *Harper's Bazaar* › 327, em 1933 os editores, *David* A. Smart e Arnold Gingrich, lançaram *Esquire*, uma revista que combinava ficção, esportes, humor, poesia, moda e outros elementos de um estilo de vida exuberante voltado para o homem. Publicar o trabalho de escritores, como Ernest Hemingway e F. Scott Fitzgerald, deu à *Esquire* uma reputação adequada, mas as *pinups* desenhadas por Alberto Vargas e George Petty atraíram o tipo errado de atenção quando a direção dos Correios dos Estados Unidos tentou revogar, por conta de seu conteúdo "obsceno" os privilégios de envio de impressos de que a revista gozava, culminando na decisão da Suprema Corte em favor de *Esquire* em 1946. Com o passar dos anos, especialmente nos loucos anos 1960, a revista ganhou notoriedade por seu jornalismo e conteúdo, ferozmente incorporado pelas capas criadas pelo gigante da publicidade, George Lois.

A direção de arte da *Esquire* tem uma rica história, com várias figuras notáveis aparecendo no cabeçalho, incluindo Paul Rand › 159em meados dos anos 1930, Henry Wolf nos anos 1950, Sam Antupit nos anos 1960, Milton Glaser › 170 nos anos 1970 e Roger Black nos 1990, mas são as capas de Lois que estão mais enraizadas na cultura visual americana. Após deixar a agência Doyle Dane Bernbach, ele criou a Papert Koenig Lois em 1960 e recebeu sua primeira encomenda da *Esquire* em 1962 – onde, ousadamente (ou tolamente), mostrou uma foto de Lloyd Patterson (bem, alguém posando no lugar dele) derrotado nas mãos de Sonny Liston... Antes da luta ter acontecido. Através de imagens visionárias e tocantes (fotografadas regularmente por Carl Fischer) e textos de capa geralmente reservadas para anúncios impressos, as capas de Lois nos dez anos seguintes indiscutivelmente ajudaram a *Esquire* a superar dificuldades econômicas e editoriais. Mais importante, elas refletiam uma era tempestuosa própria para o comentário visual.

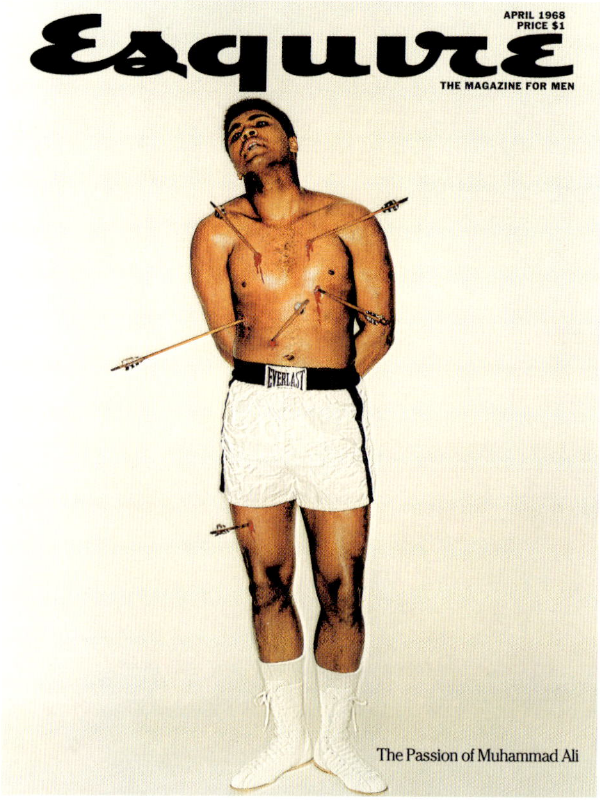
Esquire
APRIL 1968
PRICE $1
THE MAGAZINE FOR MEN
EVERLAST
The Passion of Muhammad Ali

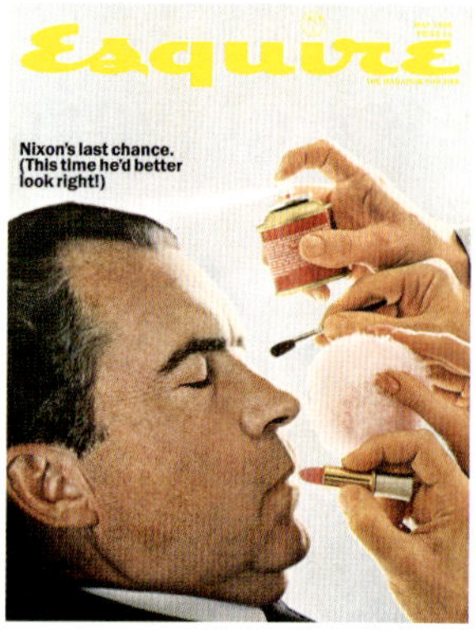
Esquire
Nixon's last chance.
(This time he'd better look right!)

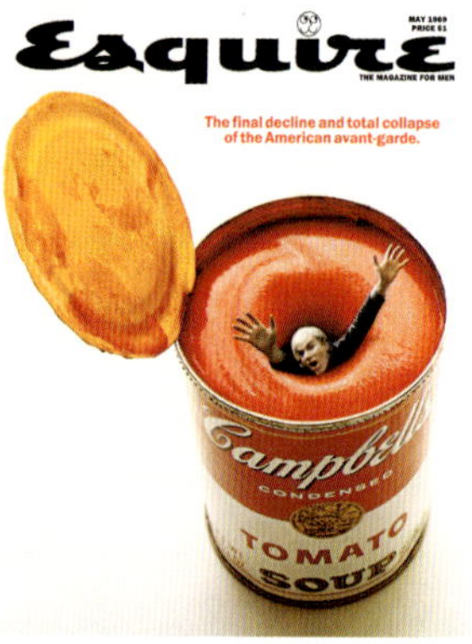
Esquire
THE MAGAZINE FOR MEN
The final decline and total collapse of the American avant-garde.
Campbell's
CONDENSED
TOMATO
SOUP

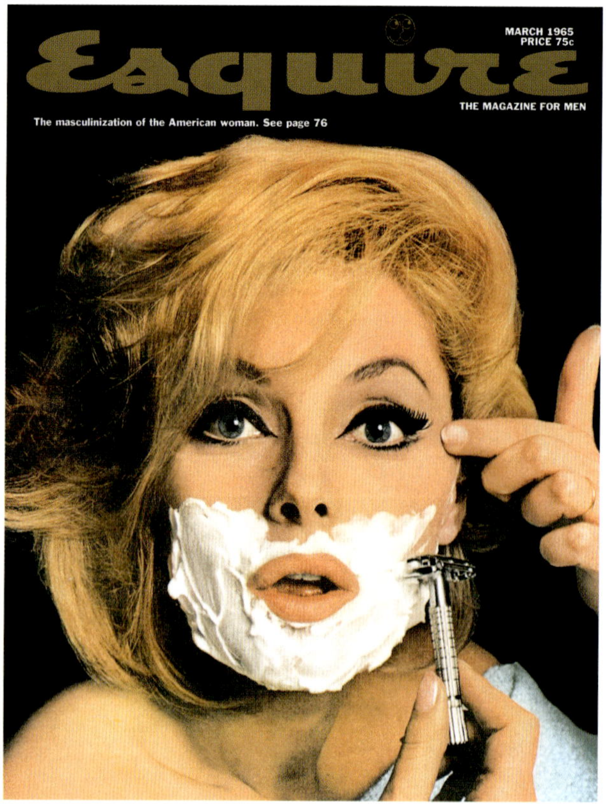
Esquire
MARCH 1965
PRICE 75c
THE MAGAZINE FOR MEN
The masculinization of the American woman. See page 76

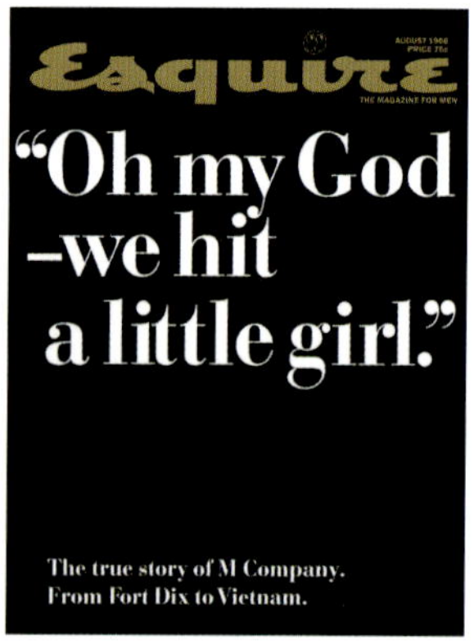
Esquire
THE MAGAZINE FOR MEN
"Oh my God
–we hit
a little girl."
The true story of M Company.
From Fort Dix to Vietnam.

REVISTA *ESQUIRE* / George Lois; foto: Carl Fischer / EUA, 1965–1969

Harper's Bazaar

Harper e Brothers, uma gráfica e editora emergente, criou *Harper's Bazaar* em 1867 como um primeiro veículo para a moda vitoriana. Foi comprada em 1912 por William Randolph Hearst e até hoje é propriedade da Hearst Corporation. Enquanto *Harper's Bazaar* tem sido desde há muito um árbitro da moda e tenha continuado relevante pelo seu conteúdo, também serviu como exemplo de design editorial em mais de uma ocasião. A primeira foi nos anos 1930, quando Carmel Snow assumiu a editoria-chefe e começou a formar uma equipe que ajudou a revolucionar a noção de design de revista e fotografia. A equipe incluía Martin Minkacsi, que tirou as fotos de moda do interior do estúdio e a colocou no mundo exterior e Alexey Brodovitch › 143, que liberou a página para desfrutar no espaço vazio e o ritmo bem ajustado do texto e da imagem.

Brodovitch fez encomendas de trabalhos a artistas europeus, com o Man Ray, Salvador Dali e A.M. Cassandre, e apoiou o trabalho de fotógrafos americanos, como Lisette Model, Diane Arbus e Richard Avedon que passou 20 anos como fotógrafo da equipe até 1965. Após a saída de Brodovitch em 1958, Henry Wolf assumiu o papel de diretor de arte e infundiu na revista as suas próprias acuidade e sensibilidade tipográficas. Seu período terminou em 1961 e foi seguido pela direção de arte colaborativa de Ruth Ansel e Bea Feitler. Outro período significativo em termos editoriais e criativos veio quando Liz Tilberis tornou-se editora-chefe, em 1992, indicando Fabien Baron – voltando de temporadas de sucesso na *Vogue* italiana e na *Interview* de Andy Wahrol – como diretor de criação. Com uma nova versão da família de tipos Didot, usada pela revista, e pela Hoefler & Frere-Jones › 230, Baron apresentou um equilíbrio assertivo entre tipografia esculpida e fotografia vibrante para criar uma publicação afirmativa. Tilberis faleceu em 1999 e Baron saiu no mesmo ano.

Harper's BAZAAR
October 1939
BEAUTY
BRIDES
AUTUMN FASHIONS

Harper's
BAZAAR
Spring Preview:
The Flowering
of the New Look

An entirely new spectrum of prints came down spring's runways, spurred on by designers' fascination with the psychedelic era. Brilliant patchwork. Plaids within plaids. Color-splashed tie-dye. And, of course, stripes and florals were out in force—but reworked in modern shades and sizes. The big news: the use of light, transparent fabrics in layers that all mix and move together, all defining a soft new sexiness for the nineties. Photographed by Patrick Demarchelier

HARPER'S
May 1952
Bazaar

ELANIE
PLAYS
USE

BAZAAR
A WHOLE NEW LOOK
MELANIE GRIFFITH
THE DUCHESS OF YORK
THE MAYFLOWER MADAM AND
MADONNA

REVISTA *HARPER'S BAZAAR* / EUA, 1933–1999

Rolling Stone

Em 1967, em meio às revoltas sociais, políticas e culturais da época e acompanhando a onda da imprensa underground, o crítico de música, Ralph J. *Gleason*, e o fã de rock-and-roll, de 21 anos, Jann S. Wenner, lançaram *Rolling Stone*, uma publicação que tinha a música como epicentro jornalístico. *Rolling Stone* habilmente estabeleceu-se como uma publicação influente para uma nova geração não apenas de leitores, mas de escritores, como Hunter S. Thompson e Cameron Crowe, além de fotógrafos como Annie Leibovitz, e promoveu as contribuições de numerosos diretores de arte. Inicialmente, a direção de arte coube a John Williams por um ano, depois Robert Kingsbury até 1974, dois elementos que se distinguiam eram o logotipo, desenhado pelo designer de cartazes psicodélicos Rick Griffth, e a margem de Oxford (ou escocesa), uma borda com uma linha grossa e outra fina, talvez o dispositivo visual mais simples, mas definidor da *Rolling Stone*.

Seguindo Mike Salisbury e Tony Lane, Roger Black introduziu um sistema mais coeso em 1976, contratando o artista de letreiros, Jim Parkinson, para recriar o logotipo e criar uma família robusta de tipos com serifa baseada na obra de Griffith, conferindo à revista uma aparência e textura próprias. Black saiu em 1978 e, durante os anos 1980, a *Rolling Stone* se desviou gradualmente de seu design, terminando com layouts dominados por tipos sem serifas. Em 1987, Fred Woodward, que havia ascendido cautelosamente à direção de arte em outras revistas, foi para a *Rolling Stone* e, nos 14 anos seguintes, se infundiu um jogo tipográfico desenfreado que deu aos textos o seu sabor singular, com uma família de quatro partes chamada The Proteus Project, criada pela Hoefler & Frere-Jones › 230, trazendo alguma consistência; auxiliada pela reintrodução da margem Oxford. Também com a direção de arte de Gail Anderson, a *Rolling Stone* ofereceu algumas das páginas duplas mais arrojadas dos anos 1990.

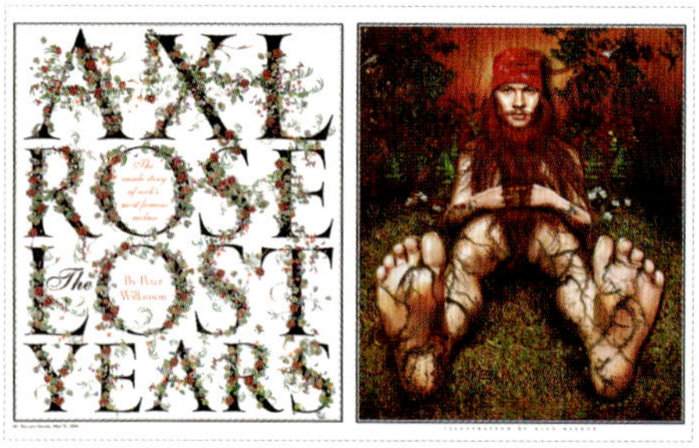
AXL ROSE
The LOST YEARS

***AXL ROSE LOST YEARS*, revista *Rolling Stone* / direção de arte, Fred Woodward; design, Fred Woodward, de arte Anderson; ilustração, Alex Ostroy / EUA, 11 Maio de 2000**

BALANCING ACT
EDDIE
VANH
ALE
N
THE
ROLLING STONE
INTERVIEW BY DAVID WILD
PHOTOGRAPHS BY MARK SELIGER

***BALANCING ACT: EDDIE VAN HALEN*, revista *Rolling Stone* / direção de arte, Fred Woodward; design, Geraldine Hessler; foto: Mark Seliger / EUA, 6 de Abril, 1955**

MAN OF THE YEAR
DAVID LETTERMAN

***MAN OF THE YEAR: DAVID LETTERMAN*, revista *Rolling Stone* / direção de arte, Fred Woodward; design, Fred Woodward, Geraldine Hessler; ilustração, David Cowles / EUA, 12 de Janeiro, 1995**

CHRIS
ROCK
STAR
BY FRED SCHRUERS
PHOTOGRAPHS BY MARK SELIGER
BEING AMERICA'S FUNNIEST MAN IS NO SIMPLE CASE OF BLACK AND WHITE

***CHRIS ROCK STAR*, revista *Rolling Stone* / direção de arte, Fred Woodward; design, Fred Woodward, Gail Anderson; foto: Mark Seliger / EUA, 2 de Outubro, 1997**

LADY
SOUL

***LADY SOUL*, *Rolling Stone* / direção de arte, Fred Woodward; design, Siung Tjia; foto: Mark Seliger / EUA, 18 de Fevereiro, 1999**

DMX
REIGNS AS THE DARK PRINCE OF HIP-HOP
WHOSE TALES OF HELL ON EARTH COME FROM HIS OWN HARROWING PAST
BY TOURÉ

***DMX REIGNS AS THE DARK PRINCE OF HIP-HOP*, revista *Rolling Stone* / direção de arte, Fred Woodward; foto: Albert Watson / EUA, 13 de Abril, 2000**

Spy

Por mais de dois anos, antes da primeira edição ir às bancas em outubro de 1986, a revista *Spy* foi uma alternativa impalpável para a indústria editorial de Nova York, habitada por revistas como *New York* › 336, *New Yorker* e *Village Voice*, nas mentes de Kurt Andersen e E. Graydon Carter, quando um era crítico de arquitetura da *Time* e o outro, escritor na *Life*, respectivamente, e estimulados pelo banqueiro de investimentos, Tom Phillips, que tinha faro para negócios. Essa alternativa talvez fosse melhor descrita numa mensagem inicial que solicitava assinantes: "*Spy* é uma revista alegre, sem medos, de ritmo rápido para os nova-iorquinos astutos... *Spy* é refinada e satírica; sofisticada, ainda que maliciosa; bem vestida, mas um pouco rude, instruída, urbana – e só um pouquinho perigosa".

Spy lançou um ataque nas camadas social, econômica, política e cultural da cidade e suas figuras mais públicas por meio de uma mistura de irreverência, irritação e, algumas vezes, vileza, apresentadas por um design repleto de tipografia, mapas, gráficos, símbolos e títulos soltos. Em retrospecto, Donald Trump e os espaços vazios sofreram muito nas mãos da *Spy*. O piloto e números iniciais tiveram o design feito pela Drenttel Doyle Partners e, em 1987, Alexander Isley, anteriormente funcionário da M&Co. › 183, tornou-se diretor de arte, levando a *Spy* numa direção visual cada vez mais rebuscada e cheia de nuances, que exagerava em diagramas satíricos e infográficos, ao mesmo tempo em que maximizava o impacto ridicularizador de fotografias em branco e preto menos que espetaculares. Isley saiu um pouco mais de dois anos depois e foi sucedido por B. W. Honeycutt. *Spy* lutou continuamente para assegurar anunciantes, finalmente conseguindo pagar o investimento depois de três anos, mas logo teve que enfrentar uma recessão e foi vendida em 1991, finalmente falindo em 1998. Hoje, o design e voz jornalística da *Spy* só são aparentes, e ausentes, em toda a mídia.

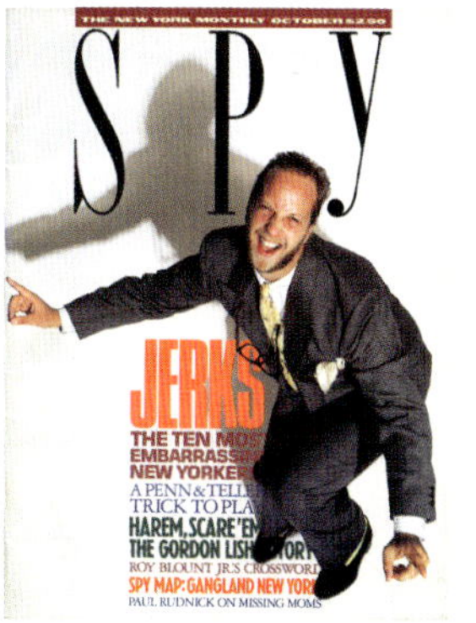
THE NEW YORK MONTHLY OCTOBER $2.50
SPY
JERKS
THE TEN MOST EMBARRASSING NEW YORKERS
SPY MAP: GANGLAND NEW YORK

Drenttel Doyle Partners: direção de arte, Stephen Doyle / Outubro 1986

THE NICE NEW YORK MONTHLY · APRIL $2.50
SPY
Our NICE ISSUE
DONALD TRUMP
GLAMOROUS GALS
IT'S FUN
PAUL SIMON

THE NICE NEW YORK MONTHLY · APRIL $2.50
Spy

Direção de arte e design, Alexander Isley; foto, Deborah Feingold / Abril 1989

too rich & too thin

Direção de arte e design, Alexander Isley / Março 1987

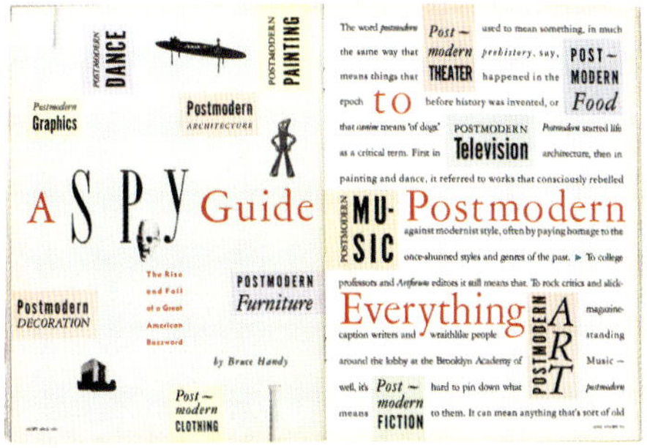
A SPY Guide
Postmodern
Everything
ART
MU-SIC
Television
THEATER
Food

Direção de arte e design, Alexander Isley / Abril 1988

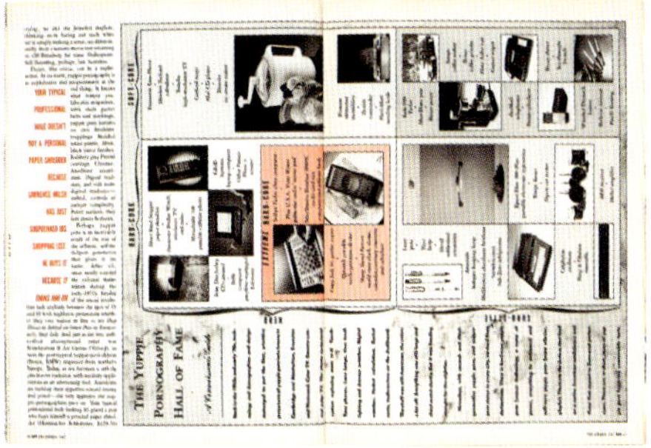

Direção de arte, Alexander Isley / Dezembro 1987

THE NEW YORK MONTHLY · MAY $2.50
SPY
Welcome to Rat City!
The Man Who Would Be MURDOCH
Our MAFIA Entrance Exam
GROVELING in New York's Fast Lane
RESTAURANT Gods Revealed

Direção de arte e design, Alexander Isley; foto: Neil Selkirk / Maio 1988

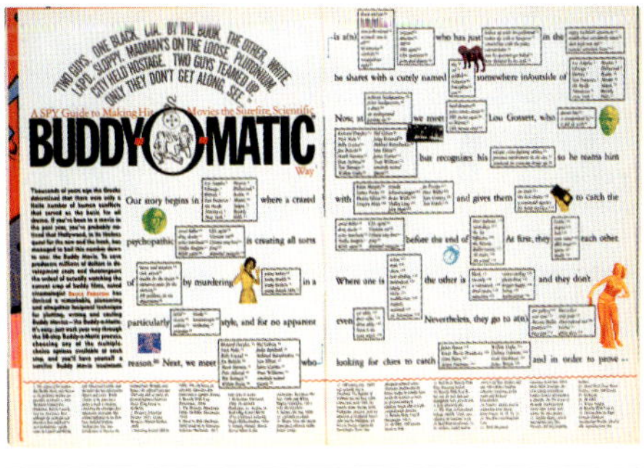
BUDDY-O-MATIC

Direção de arte, B.W. Honeycutt / Fevereiro 1993

REVISTA *SPY* / EUA

Ray Gun

Buscando começar um novo tipo de publicação ligada ao estilo e atitude, que contemplasse as feições mutantes da música nos espasmos do grunge e outros estilos musicais em evolução e que não tinham cobertura da MTV › 352, *Rolling Stone* › 328 ou *Spin*, Marvin Scott Jarrett, que previamente tinha gerido a revista *Creem* e procurou David Carson › 186, para ser o primeiro diretor de arte, baseado na sua obra mostrada na *Beach Culture* que teve vida curta. Quando ainda trabalhava na revista *Surfer*, Carson fez a primeira edição durante a noite e finais de semana e, em 1992 *Ray Gun* foi lançada – levando ao auge a abordagem de Carson de contrariar as normas e dar a seu estilo uma audiência relativamente mais popular. Diferentemente das relações típicas entre editor e direção de arte, Carson e Jarrett trabalhavam em cidades diversas, raramente discutiam a direção de design do conteúdo além das capas. Jarrett deu a Carson liberdade ilimitada e os resultados provocaram muitos comentários favoráveis e desfavoráveis das indústrias do design, publicação e música – gerando imitações sem fim.

O cerne da técnica de Carson estava em desmontar vigorosamente a tipografia; ele distorceu as letras, separou palavras, espremeu parágrafos e desfigurou layouts – algumas vezes em benefício da estória, outras vezes, não. No que havia de mais louvável, as páginas de *Ray Gun* eram cinéticas e cativantes e o que mais incomodava era um texto composto em Zapf Dingbats (símbolos). Talvez perdido em meio aos designs de Carson estava seu papel de diretor de arte; encomendando habilmente trabalhos com muita energia de novos fotógrafos, ilustradores e designers de tipos, creditando generosamente suas contribuições na revista. GaragaFonts, uma fábrica digital de tipos, foi criada em 1993 para distribuir e criar as letras usadas em *Ray Gun*. Carson e Jarrett encerram sua colaboração em 1995, após 30 edições. A revista tomou diferentes direções de design, sob diferentes diretores de arte antes de falir em 2000.

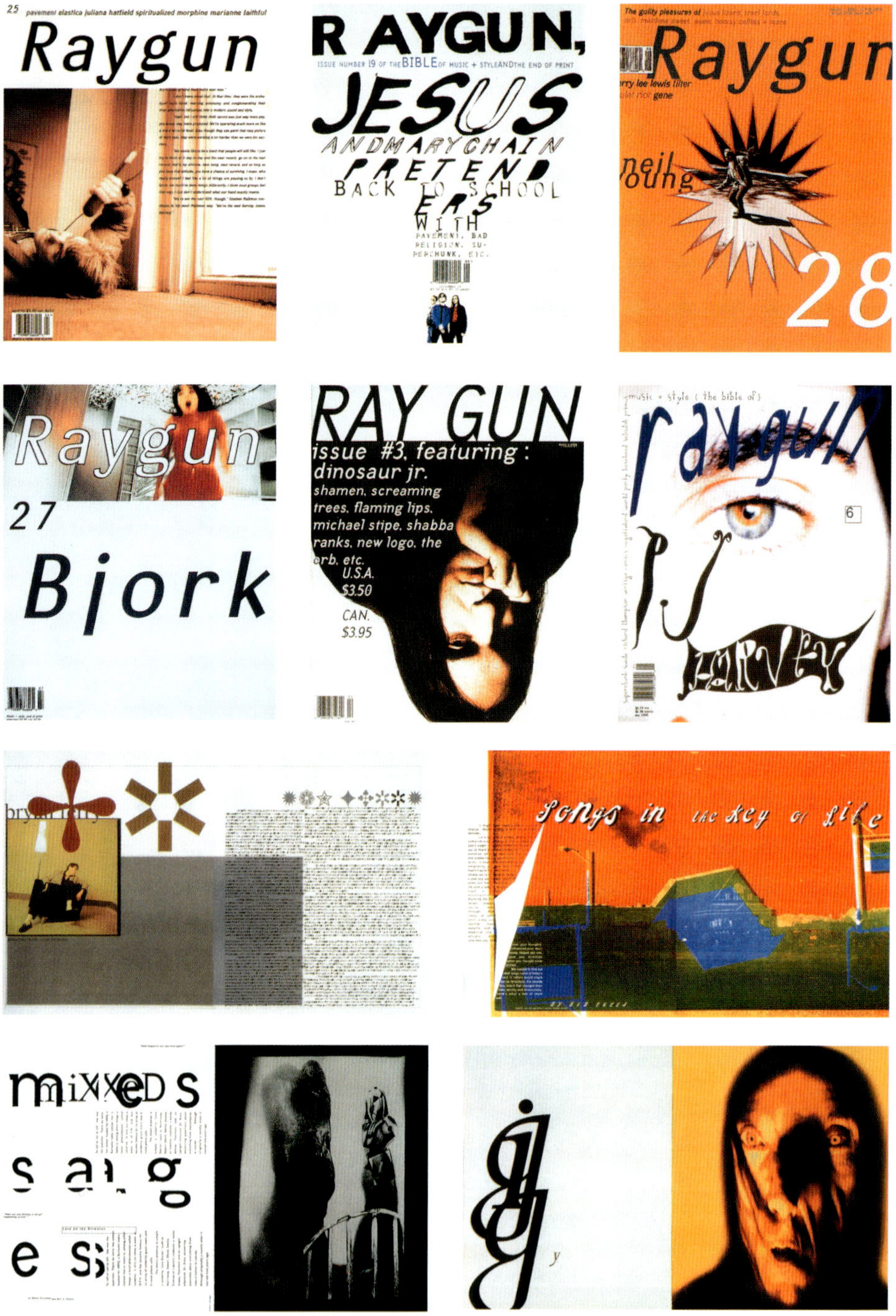
Raygun
R AYGUN,
JESUS
Raygun
neil young
28
Raygun
27
Bjork
RAY GUN
issue #3, featuring :
dinosaur jr.
shamen, screaming trees, flaming lips, michael stipe, shabba ranks, new logo, the orb, etc.
U.S.A. $3.50
CAN. $3.95
raygun
6
songs in the key of life

REVISTA *RAY GUN* / David Carson / EUA, 1992–1995

Colors

Três indivíduos tiveram um papel importante na criação da revista *Colors*: Luciano Benetton, fundador da empresa italiana de roupas Benetton; o fotógrafo Oliviero Toscani, encarregado da publicidade da Benetton e o designer Tibor Kalman › 183. Em 1991, Toscani abordou Kalman sobre desenvolver uma revista multicultural, patrocinada somente pela Benetton, que teria um apelo nas gerações mais novas, um tanto insatisfeitas e politizadas – uma plataforma que ambos apreciavam. Disponível em todo o mundo, em cinco versões bilíngues diferentes (francês/inglês, espanhol/inglês etc.), a revista achou sua abordagem global quando adotou edições temáticas, iniciando com raça na quarta edição. Com dois anos de projeto, Kalman fechou seu estúdio de Nova York, M&Co., e foi para Roma a fim de dedicar toda a sua energia à *Colors*.

Kalman dirigiu uma revista singular cuja falta de elementos decorativos e dispositivos visuais, além do uso de fontes sem serifas, permitiam que o conteúdo e a fotografia falassem mais alto do que o design; o conteúdo podia tanto encantar quanto enraivecer, frequentemente chocando as pessoas para que iniciem uma discussão, que é justamente o que *Colors* se propunha a fazer. Em 1995, Kalman completa a sua última edição, número 13, uma publicação sem palavras inspirada pelo filme *Power of Ten*, de Charles e Earl Eames. Após sua partida, Fernando Gutierrez, que trabalhara com Kalman em sua última edição, assumiu a revista, recriando-a para seguir uma abordagem mais jornalística e aprofundada. À medida que a revista avançava, o centro de pesquisa em comunicações da Benetton, Fabrica, em Treviso, Itália, assumiu o controle da revista. Em 2004, na edição 17, a empresa de design de Emily Oberman (que fez o design do logotipo original da Colors, quando era funcionária da M&Co.) e Bonnie Siegler fizeram o design da revista juntamente com o então editor, Kurt Andersen, por um breve período. Atualmente, *Colors* está novamente sob a supervisão de Fábrica.

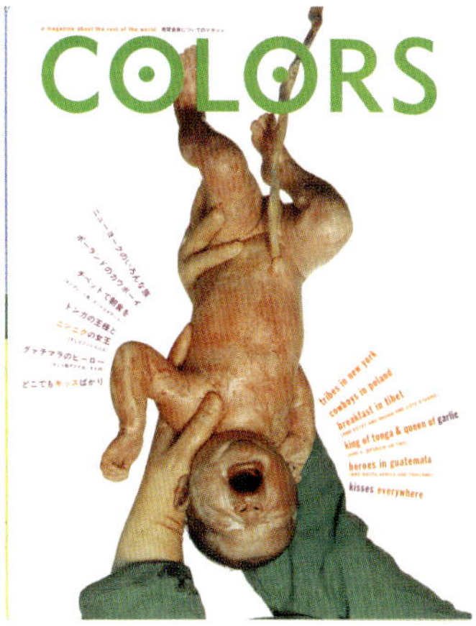
COLORS

COLORS N. 1 / M&Co.: design, Emily Oberman; foto da capa: Oliviero Toscani / 1991

COLORS

COLORS N. 2 / M&Co.: design, Gary Koepke; foto da capa: Associated Press / Primavera 1992

COLORS

COLORS N. 3 / M&Co.: design, Paul Ritter; foto da capa: Steve McCurry / Outono 1992

COLORS
oops!
ecology now
ecologia hoy

COLORS N. 6: *ECOLOGY* / M&Co.: design, Scott Stowell; foto da capa: Marcus Muzi / Março 1994

So, what's the difference?
Entonces ¿cuál es la diferencia?

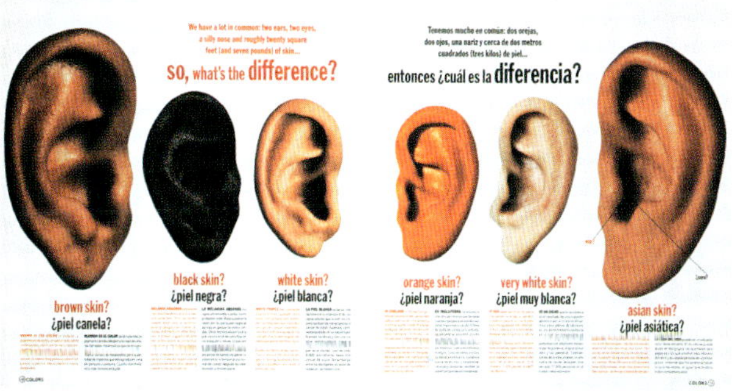
So, what's the difference?
entonces ¿cuál es la diferencia?
brown skin? ¿piel canela?
black skin? ¿piel negra?
white skin? ¿piel blanca?
orange skin? ¿piel naranja?
very white skin? ¿piel muy blanca?
asian skin? ¿piel asiática?

COLORS
raza
race

Acima e à direita **COLORS N. 4: *RACE*** / M&Co.: design, Paul Ritter; foto da capa: Oliviero Toscani / Primavera, 1993

tribes of johannesburg

REVISTA *COLORS* / Editor chefe, Tibor Kalman / EUA, Itália, 1991–1995

The Face

Concentrando-se na mudança da moda no início da década, o editor Nick Logan lançou *The Face* em 1980 com um orçamento mínimo, uma limitação que talvez tenha sido uma vantagem. *The Face* rapidamente tornou-se um manual popular de estilo da cultura e moda de rua com baixo orçamento que, afinal, como outros modismos subversivos, acaba cooptado pelo comercialismo e propaganda – algo também experimentado por seu diretor de arte, Neville Brody. Seu período se inicia em 1981, após dois anos trabalhando para selos musicais independentes. Primeiramente, o design parecia quase titubeante, usando fontes comerciais em layouts simples. Lentamente, *The Face* transformou-se em um playground cinético para exploração tipográfica e rejeitos gráficos que vai largando pelo caminho.

Em 1984, Brody instituiu um design altamente expressivo e outras revistas começaram a imitar o estilo de *The Face*. Brody apresentou a primeira fonte personalizada na edição n. 50, criando uma estética audaciosamente única. Nas mais de 25 edições subsequentes, novas fontes apareceriam, criando uma gama infinita e mutável de soluções tipográficas para manchetes, leads para artigos, enquanto o corpo do texto permanecia altamente acessível. Ele também jogou com a continuidade permitida pela revista, desconstruindo gradualmente ou transformando o título de uma seção para suas possibilidades mais abstratas. A tipografia era misturada com símbolos gráficos e dispositivos; algumas vezes, a ponto de obscurecer a linhas entre texto e objeto, criando um novo vocabulário visual. Brody manteve a revista evoluindo, apresentando tipografia estendida e condensada no computador em 1985 e depois layouts mais clássicos por volta de 1986, o ano em que saiu de *The Face*. Logan e Brody trabalharam juntos novamente na *Arena* de 1987 a 1990.

THE FACE
KID CREOLE IS BACK IN TOWN
HARRISON FORD, DAVID SYLVIAN INTERVIEWS
THE MIKADO
RIDLEY SCOTT ON BLADE RUNNER
HURT
GEORGE MICHAEL
THE ROAD TO THE PLEASURE DOME
The grilling of GEORGE MICHAEL
The secret life of MAX HEADROOM
1986
52

REVISTA *THE FACE* / direção de criação, Neville Brody / Reino Unido

Speak

A primeira edição da revista *Speak* foi publicada em 1995 pelo editor Dan Rolleri que começou a desenvolver uma embalagem trimestral para textos profundos sobre cultura, abrangendo de modo geral música, moda, literatura e arte. Dois anos antes, Rolleri contratou Martin Venezky, que havia terminado o curso na Cranbrook Academy of Art › 130, dando a ele a tarefa de criar o kit de mídia da *Speak*; o design proposto levou o editor e o design aos tribunais, uma vez que disputavam a respeito do design, conteúdo, pagamentos e, no fim das contas, orgulho. Venezky foi chamado de volta quando outro design não mostrou resultados, e ele completou o kit de mídia, bem como a primeira edição. Entretanto, para a edição seguinte Venezky foi substituído por David Carson › 186.

De volta à direção de arte na terceira edição, Venezky tratou de criar uma estética quase acidental em *Speak* que derivava de sua conexão e investimento em cada página, bem como o orçamento mínimo disponível para fotografia e ilustração, o que levou ao uso de materiais disponíveis e elementos desenhados à mão. Com vasto detalhamento, disposição disprovíveis e elementos inesperados, ainda que inteligentes, cada página revelava lentamente seu conteúdo ao ocupar o leitor. De modo semelhante, a relação entre Rolleri e Venezky mostrou-se detalhada e não superficial à medida que eles amadureciam juntamente com a revista, orientando cada edição num domínio mais intelectual, com desprezo consciente por anunciantes e lucros. Enquanto *Speak* era aclamada na comunidade de design, fracassou em promover-se no mundo editorial e, enquanto seus leitores fiéis apreciavam o conteúdo, a falta de anúncios levou, finalmente, à falência da revista em 2001, após a publicação de 21 edições.

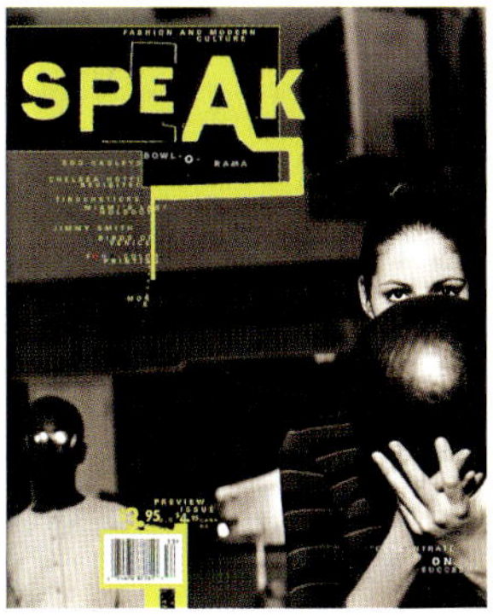
SPEAK

N. 1 / Edição de pré-estreia / Outono 1995

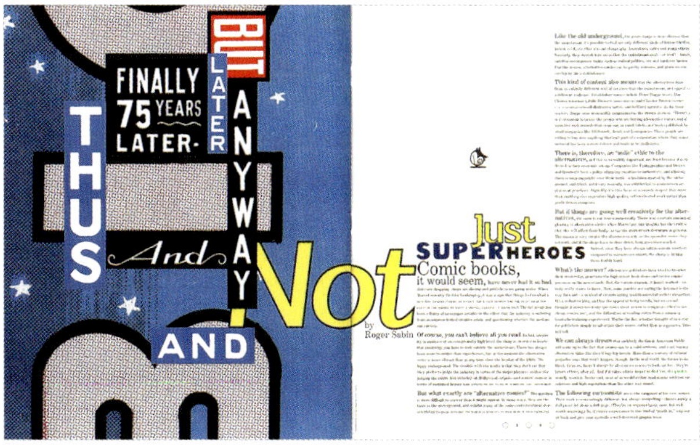
FINALLY 75 YEARS LATER-
THUS
BUT LATER ANYWAY
And
AND
Not
Just SUPERHEROES
Comic books,

N. 6 / Verão de 1997

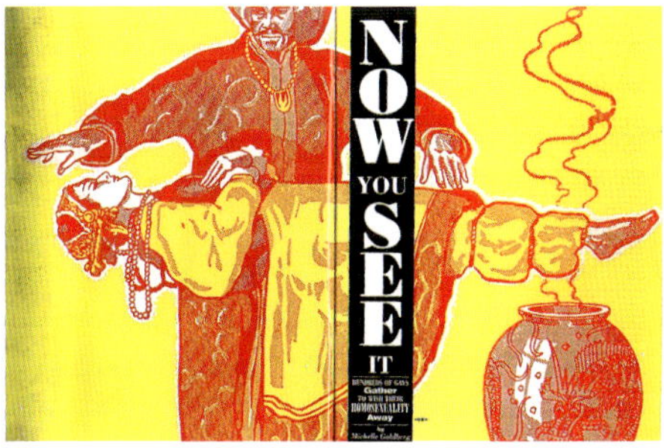
NOW YOU SEE IT

N. 20 / Martin Venezky / EUA, Outono 2000

SPEAK

N. 21 / Edição final / EUA, 2000

Momus
Nicolas
Currie
dresses
like

N. 9 / EUA, Abril-Maio 1998

takin' it where the southern cross' the yellow dog

N. 10 / Junho-Julho 1998

N. 3 / Outono 1996

REVISTA *SPEAK* / Martin Venezky / EUA

Nest

De uma experiência de trabalho com um fotógrafo num livro e uma paixão extrema por decoração de interiores – ele passou cinco anos decorando seu apartamento em Boston –, Joseph Holtzman lançou sua própria revista com ênfase em interiores; mas, como as 24 edições seguintes provaram, esse seria apenas o início de uma descrição do conteúdo de *Nest*. Com nenhuma experiência em publicação, sem know-how em design e, certamente, sem público-alvo, Holtzman alugou um apartamento adjacente ao seu em Nova York e, com seu próprio dinheiro, criou a primeira edição em 1997. Como testemunho da excentricidade controlada que se tornou a marca registrada de *Nest*, a primeira capa e seu primeiro artigo mostravam um cômodo decorado com papel de parede feito por um fã extremado, com capas de revista mostrando Farrah Fawcett. Fosse o assunto o interior de um submarino, um apartamento coberto com papel alumínio ou uma casa construída com latas de cerveja, o conteúdo de *Nest* contemplava não só o componente de choque, mas também imagens de habitações únicas que os indivíduos criam para si mesmos – um desfile infindável de individualidade que a *Nest* revelava.

A revista em si era tudo, menos tradicional e Holtzaman orgulhava-se de que ele construía cada página, embora mal pudesse operar um computador. Com o designer gráfico (e saxofonista), Tom Beckham, como seu "diretor de gráficos", Holtzaman criou uma estática de design que girava em torno de ornamentos e padrões emoldurando suas várias fotografias, com a tipografia ficando em segundo plano. Fisicamente, *Nest* mudava a cada número; apresentando cortes em matrizes caras e complexas, recortes e truques de produção que fizeram da revista mesma, um objeto de afeição. Estabelecendo ainda mais as próprias regras, Holtzaman recebeu poucos anunciantes e os relegava ao início e fim do volume, deixando os textos intactos – e não hesitou em fazer quatro furos ou uma cruz em toda a revista, anúncios incluídos. A despeito da distribuição, promoção e circulação comparativamente pequenas, a *Nest* desfrutou da aclamação da crítica. Deixou de ser publicada em 2004.

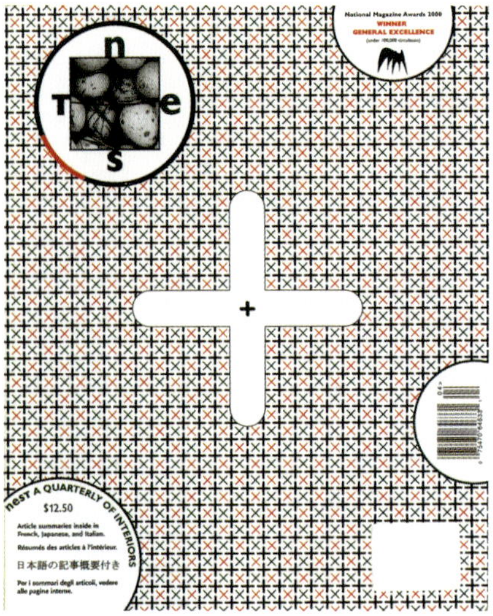
$12.50

in search of the decorator gene
nest A QUARTERLY OF INTERIORS

un
cut

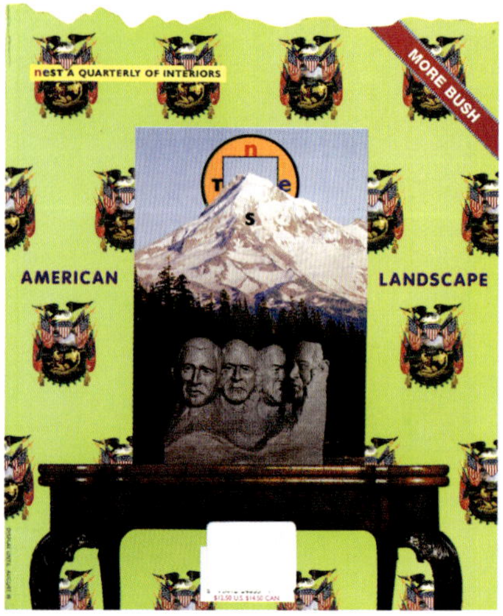
nest A QUARTERLY OF INTERIORS
MORE BUSH
AMERICAN
LANDSCAPE

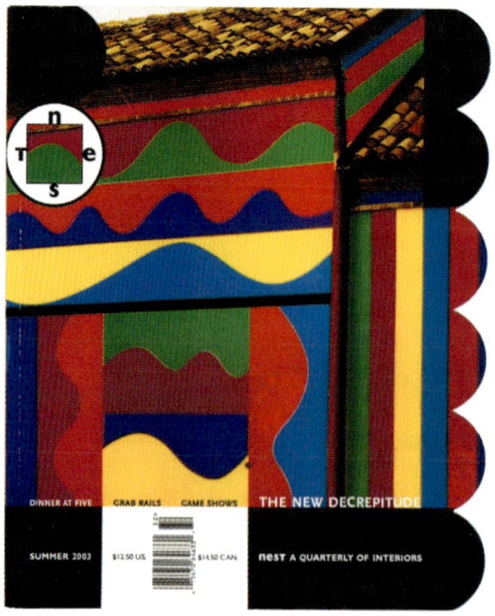
DINNER AT FIVE
GRAB RAILS
GAME SHOWS
THE NEW DECREPITUDE
SUMMER 2003
nest A QUARTERLY OF INTERIORS

nest A QUARTERLY OF INTERIORS
MAGNETIC PATCH

REVISTA *NEST* / Joseph Holtzman / EUA, 2000–2003

Martha Stewart Living

Seguindo uma carreira preliminar como corretora de ações, Martha Stewart começou um negócio de refeições de bastante sucesso que resultou em seu primeiro livro, publicado em 1982 pela Clarkson Potter (e com design de Roger Black). *Entertaining* catalogava os cardápios e as decorações de vários jantares e recepções, e lançou efetivamente a carreira de Martha em design doméstico. Com o sucesso de *Entertaining* e o crescimento da Clarkson Potter, seu editor contratou Gael Towey como diretor de arte, que trabalhara em muitos livros, entre eles o de Stewart. Em 1990, num acordo com a Time, Inc. Marta Stewart começou a desenvolver a sua revista principal, *Martha Stewart Living (MSL)* e contratou Towey como diretor de arte. A edição inaugural foi lançada no final daquele ano. Por meio de suas belas fotografias, que suscitavam um profundo enternecimento por qualquer natureza morta, seja um grão de milho ou um prendedor de guardanapo, e na sua apresentação em layouts simples e claros, coloridos em distintos tons pastel que nunca ficavam saturados, a *MSL* tornou-se um sucesso irresistível durante os anos 1990.

Com o sucesso vem a imitação e quando muitas revistas começam a imitar o estilo da *MSL*, foi necessário recriar o design. Em 2000, Towey procurou a designer de capas de livro, Barbara deWilde, para realizar a tarefa. Nos dois anos seguintes, deWilde e toda a sua equipe de design retrabalharam todos os detalhes da revista, dos gráficos das receitas aos artigos. Duas das mais características inclusões foram as famílias de tipos exclusivas, Archer e Surveyor, criadas pela Hoefler & Frere-Jones, que, juntamente com a fotografia, passaram a ser a marca registrada da revista. O novo design começou a ser implantado em outubro de 2002, e serviu como disseminador equilibrado e com nuances para numerosas receitas, decorações e produtos que dúzias de estilistas, editores, fotógrafos e diretores artísticos desenvolveram desde o início. *MSL* é hoje parte de um grande império, Martha Stewart Living Omnimedia, do qual seus valores de produção e filosofia permeiam cada aspecto, em parte por conta da liderança de Towey, seu executivo-chefe de criação desde 2005.

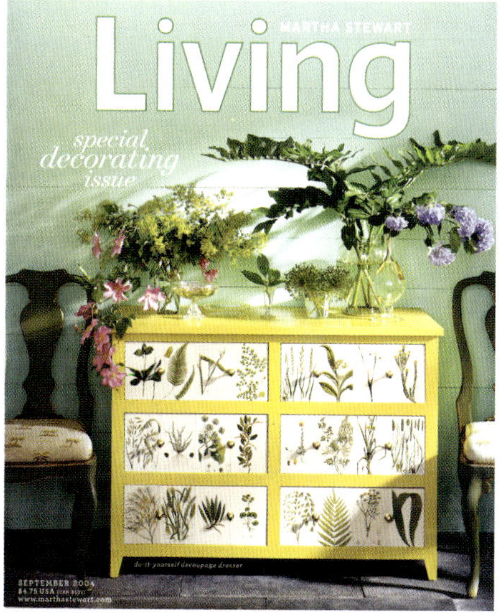
MARTHA STEWART
Living
special decorating issue
SEPTEMBER 2004

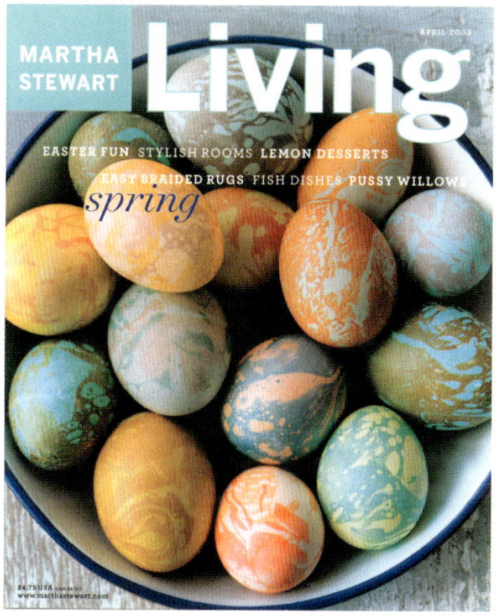
MARTHA STEWART
Living
APRIL 2003
EASTER FUN STYLISH ROOMS LEMON DESSERTS
EASY BRAIDED RUGS FISH DISHES PUSSY WILLOWS
spring

CHINA ASTERS YOU WILL FIND THEM IN ABUNDANCE AT THE FLOWER MARKET BECAUSE FLORAL DESIGNERS APPRECIATE THE LONG-STEMMED ELEGANCE OF THE BLOSSOMS, THE DELICATE YET BRIL

ROASTING
vegetables 101
BEETS
Roasted beets taste wonderful both warm and cold. Or you can toss them in a salad with blue cheese. Trim stems and roots, drizzle with olive oil, and wrap in parchment-lined foil. Roast at 450° until tender, about 1 hour. Let cool slightly, and then peel.

REVISTA *MARTHA STEWART LIVING* / EUA, 1995–2003

New York

Publicada originalmente como suplemento dominical do jornal *New York Herald Tribune* em 1964, *New York* teve duas das personalidades mais excitantes da indústria editorial de Nova York, seu editor, Clay Felker, e seu escritor, Tom Wolfe. Quando o Herald Tribune fechou em 1968, Felker e o colaborador anterior, Milton Glaser › 170, decidiram estender a vida da *New York* para um semanário que cobria cada perspectiva – mercado imobiliário, finanças, restaurantes, moda, política, compras, tudo – da vida, do trabalho e diversão na cidade. Com Felker como editor e Glaser como diretor de design, a primeira edição foi lançada em abril de 1968. Surfou numa onda crescente de atenção e críticas positivas até que o magnata da mídia, Rupert Murdoch, pegou a publicação em 1977. A *New York* continuou, mas não mais a mesma sem Felker, Glaser ou seu diretor de arte durante nove anos, Walter Bernard.

Começando em 2004, a revista passou por grandes mudanças, contratando o editor, Adam Moss, e o diretor de design, Luke Hayman. Juntos, voltaram às origens editoriais e visuais da *New York* para criar uma nova interpretação. O resultado foi uma revista bem compacta que conseguia parecer tradicional e contemporânea ao mesmo tempo por meio de uma combinação de vários ingredientes: muitas fontes (incluindo a sem serifa original), misturados e combinados livremente, Margens Oxford (ou escocesa) como dispositivos ativos para as bordas; gráficos e diagramas dinâmicos; fotografia ousada e um logotipo redesenhado por Ed Benguiat que une mais de 40 anos de publicação. Desde a saída de Hayman para se juntar à Pentagram › 162, Chris Dixon tem continuado a evolução da *New York* enquanto representação vibrante da cidade e da prática do design editorial.

The Seductions of Susan Sontag
New York
YOU'LL NEVER HAVE
STRESS
IN THIS TOWN AGAIN.

Fashion
New York

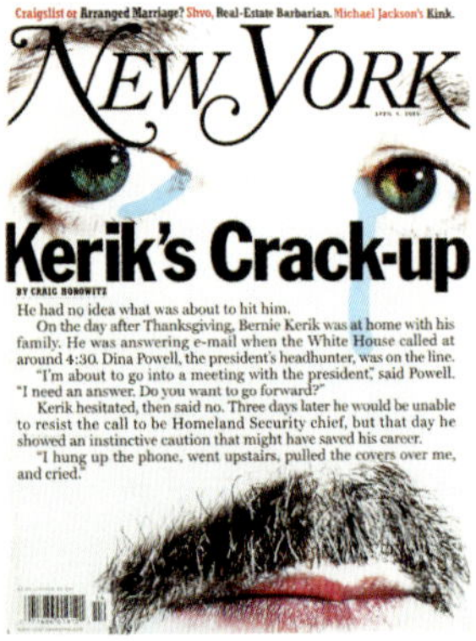
New York
Kerik's Crack-up

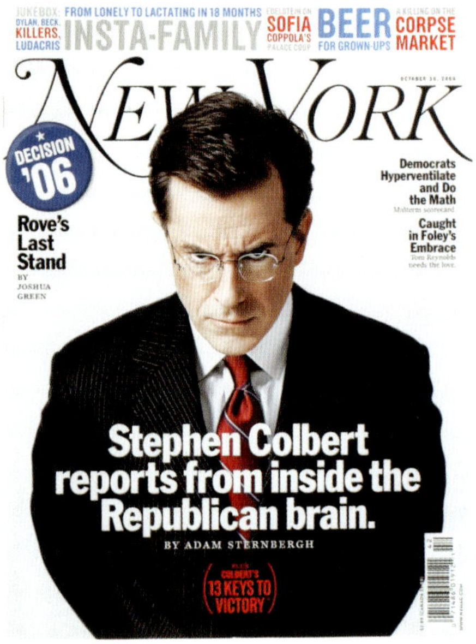
INSTA-FAMILY
SOFIA
BEER
CORPSE MARKET
New York
DECISION '06
Rove's Last Stand
Stephen Colbert reports from inside the Republican brain.
13 KEYS TO VICTORY

A MAN, A BAND, A PLAN.

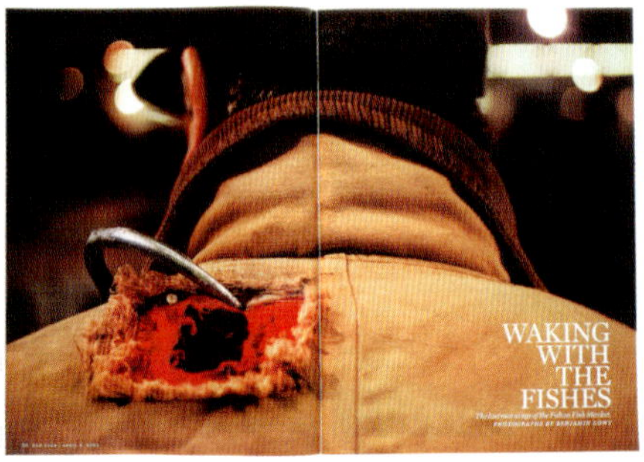
WAKING WITH THE FISHES

"Let's see it!"
VALLEY OF THE DOLLS

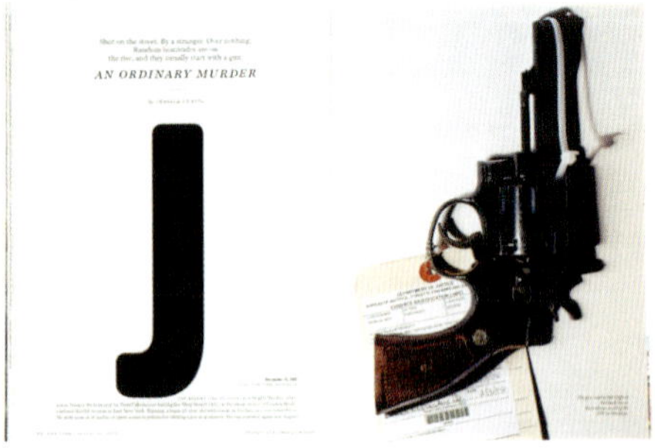
AN ORDINARY MURDER
J

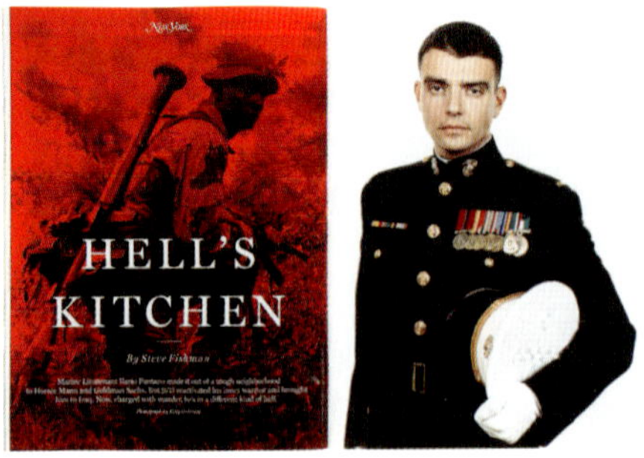
HELL'S KITCHEN

REVISTA *NEW YORK* / Pentagram: Luke Hayman / EUA, 2005–2006

The New York Times Magazine

Em 6 de setembro de 1896, as primeiras fotos impressas do *New York Times* apareceram na edição inaugural do seu suplemento dominical, *The New York Times Magazine*, e por mais de um século tem complementado as notícias com visões abrangentes dos assuntos mais importantes do momento. No final dos anos 1970 e início dos 1980, sob a direção de arte de Louis Silverstein, o jornal *The New York Times* passou por uma significativa reformulação no design, introduzindo o formato em seis colunas, criando novas seções e revisando as antigas. Silverstein contratou Ruth Ansel como diretora de arte para a revista, depois que ela deixou *Harper's Bazaar* › 327, e ainda que seu interesse imediato não fosse por páginas internas e tipografia, ela criou capas impactantes. Ela trouxe vozes diferentes para a revista ao solicitar os trabalhos de fotógrafos como Mary Ellen Mark, Gilles Peress e Bill King, e, dos seus próprios conhecimentos, usando ilustração e arte de artistas locais como Andy Warhol, Roy Lichenstein e James Rosenquist.

Ansel saiu em 1981 e Roger Black, anteriormente na revista *Rolling Stone* › 328, assumiu em 1982; ele deu à revista estrutura e consistência enquanto manteve as virtudes das capas. Começando em 1994, com a direção de arte de Janet Froelich, que trabalhara anteriormente na revista de final de semana do *Daily News*, a *Times Magazine* começou a introduzir um uso sofisticado do espaço vazio, execução inventiva da tipografia e fotografia e ilustração majestosa feita com exclusividade para a revista. Talvez uma representante da mistura astuta que a revista faz de imagem e texto seja a coluna de William Safire, "On Language", apresentada em 1979. Cada semana, Safire explora a gramática, o uso e etimologia de palavras como *guerreiro*, *epicentro* e *nuance*, e cada semana um designer ou ilustrador visualiza a palavra, evidenciando o poder comunicativo de imagem e escrita unidas.

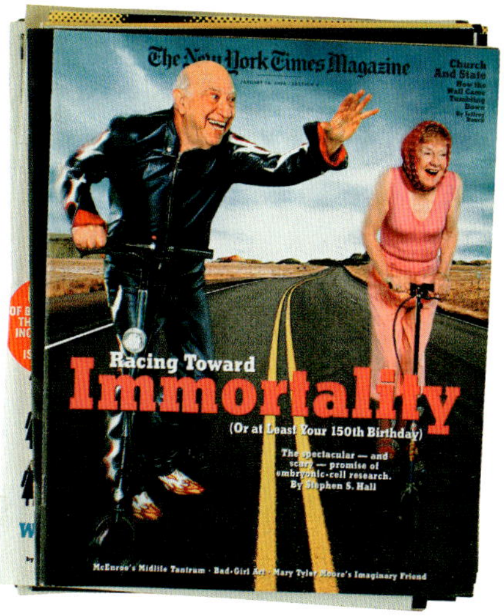
The New York Times Magazine
Racing Toward
Immortality
(Or at Least Your 150th Birthday)

The New York Times Magazine
What If Brooklyn Hadn't Surrendered?

Prisoners of Sex

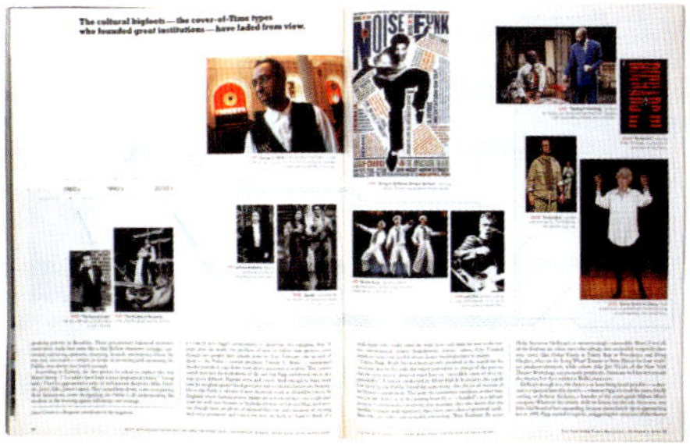

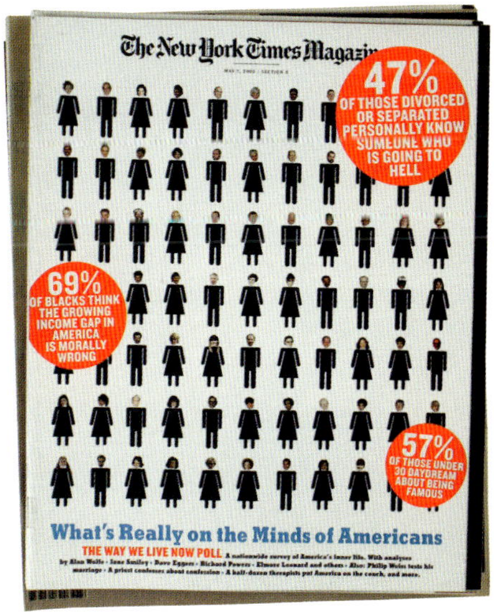
The New York Times Magazine
47% OF THOSE DIVORCED OR SEPARATED PERSONALLY KNOW SOMEONE WHO IS GOING TO HELL
69% OF BLACKS THINK THE GROWING INCOME GAP IN AMERICA IS MORALLY WRONG
57% OF THOSE UNDER 30 DAYDREAM ABOUT BEING FAMOUS
What's Really on the Minds of Americans
THE WAY WE LIVE NOW POLL

The New York Times Magazine
HEY, GIRLIE BOY! TOO BAD YOU COULDN'T CLOSE THAT DEAL. I GUESS THIS IS A MAN'S JOB, HUH! WHY DON'T YOU JUST WEAR A DRESS TO WORK? YOU'D SURE LOOK CUTE IN ONE! ...
HA HA HA HA HA HA HA HA HA HA HA!

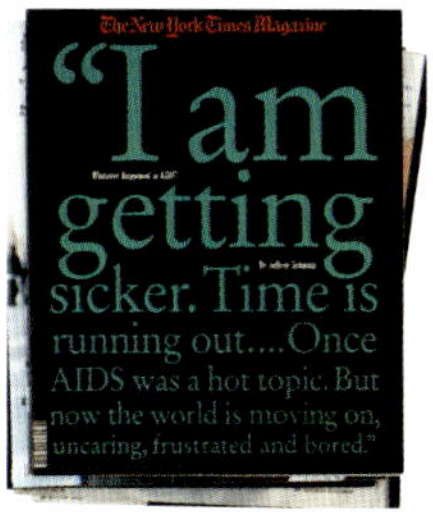
The New York Times Magazine
"I am getting sicker. Time is running out.... Once AIDS was a hot topic. But now the world is moving on, uncaring, frustrated and bored."

What if It's All Been a Big Fat Lie?

Refrigerate after op
Consumer Help Line: 0860
Unilever

PRÁTICA

Em Identidade

340

Logotipos

Para muitos designers gráficos, o logotipo é a expressão máxima do design gráfico – um ícone, abstrato, figurativo ou literal, ou ainda uma palavra-marca que representa o produto ou organização e os torna automaticamente identificáveis. Logotipos por si mesmos não podem contar toda história ou descrever todos os atributos de um produto ou organização; eles são devidos aos comportamentos de quem ou do que representam e às associações geradas por sua reputação. Logotipos são também raramente empregados sozinhos; ao contrário, eles são acompanhados de um sistema visual complementar (um programa de identidade) que realça e apoia sua presença. Não obstante, há algo de infinitamente satisfatório a respeito de um logotipo criativo, inovador, memorável e forte – especialmente um que se estabeleça por si mesmo.

350

Programas de identidade

Construir uma linguagem visual que possa servir como uma identidade envolvente para um produto ou organização requer a definição de cores, fontes, e outros elementos gráficos e sua integração em um sistema expansível que seja consistente, mas adaptável às diferentes necessidades de comunicação e meios. Programas de identidade vão do extremamente simples, definindo uma faixa de cores e aplicações do logotipo, para sistemas infinitamente expansíveis, com múltiplas versões de um logotipo e uma coleção abrangente de imagens e gráficos, que funciona como um kit com peças que podem ser montadas segundo a vontade dos designers ou vendedores herdando o programa. Nenhuma direção é melhor do que a outra e ambas necessitam de uma aplicação disciplinada para a obtenção de consistência e relevância.

Detalhe da **IDENTIDADE DA UNILEVER CONFORME USO EM EMBALAGENS AO CONSUMIDOR** / **Wolff Olins** / **Reino Unido, 2004**

Coca-Cola

O farmacêutico Dr. John S. Pemberton usou dois ingredientes principais na criação de sua famosa bebida, folhas de coca e nós de cola (kola). Frank Robinson, seu sócio e contador da empresa (executivo chefe de finanças, talvez, na terminologia de hoje), a batizou Coca-Cola, que Pemberton apresentou em 1886 na Jabob's Pharmacy em Atlanta, Georgia. O primeiro anúncio da Coca-Cola saiu no *Atlanta Journal* em 29 de maio de 1886, e mostrava o nome composto numa fonte sem serifa. Em um anúncio de junho de 1887 Robinson apresentou o logo em tipos manuscritos spencerianos, que havia desenvolvido. Depois, um sinal polido com o logotipo vermelho foi colocado no toldo da Jabob's Pharmacy. Mais de 120 anos depois, o logotipo da Coca-Cola permanece fiel ao seu original. Passou por vários refinamentos ao longo dos anos e a marca tornou-se maior e mais difícil de controlar, empresas como a Lippincott Mercer, nos anos 1960 – introduziram o sublinhado em onda baseado no contorno da garrafa – e Landor Associates, nos anos 1980 desenvolveram programas abrangentes de imagem. Seja pintado à mão numa parede de um lugarejo na zona rural ou impresso nos papéis de carta da corporação, o logotipo da Coca-Cola é um dos mais reconhecidos no mundo.

Coca-Cola ®

LOGOTIPO DA COCA-COLA

PEERLESS
DRINK
Coca-Cola
DELICIOUS AND REFRESHING

Ashland, Oregon, EUA, 2006 / Foto: usuário do Flickr ElektraCute

Buvez
Coca-Cola
Quick
Quick

Paris, França, 2008 / Foto: usuário do Flickr OTAILLON

DRINK
Coca-Cola
IN BOTTLES

Brighton, Reino Unido, 2008 / Foto: usuário do Flickr Dominic's pics

Delicious
AND
Refreshing
DRINK
Coca-Cola
RELIEVES
FATIGUE.
SOLD EVERYWHERE
5¢

Schenectady, Nova York, EUA, 2007 / Foto: usuário do Flickr roytsaplinjr

Trade-mark ®

Ridgeland, Mississippi, EUA, 2007 / Foto: usuário do Flickr iboy_daniel

LEITURA RECOMENDADA › 390

IBM

Durante a Segunda Guerra Mundial, a International Bussiness Machines Corporation (IBM) deu os primeiros passos em direção ao avanço das tecnologias de computação enquanto continuava o desenvolvimento de sua máquina de escrever elétrica. A mudança veio em 1952, quando Thomas J. Watson Sr., executivo chefe da IBM por quase quatro décadas, passou o posto para seu filho, Thomas J. Watson Jr. Determinado a colocar a IBM como uma empresa à frente das outras sob todos aspectos, de seus produtos à sua aparência pública, Watson trouxe o arquiteto e designer de interiores, Eliot Noyes, para supervisionar a transformação na arquitetura, manufatura, design do produto e comunicação visual da IBM. Noyes contratou Paul Rand › 159, que conhecia socialmente, para criar um programa de identidade, há muito necessitado, para a IBM em 1956. Embora um logotipo simplificado do acrônimo, composto numa serifada bloco, tivesse sido apresentado em 1947, o logotipo com um globo cheio de convoluções, construído a partir do nome da companhia e que foi usado pela primeira vez em 1924, podia ainda ser visto ocasionalmente. A primeira mudança de Rand foi sutil, trocando uma fonte serifada bloco por outra, Beton Bold Condensed para a City Medium. Lenta e delicadamente, Rand foi alterando o logotipo, até o ponto em que introduziu uma versão com contorno para reduzir o peso das letras. Só a partir de 1962 a famosa versão listrada foi usada pela primeira vez por Rand – oficialmenre apresentado em 1972 – à medida que buscava consolidar as letras dissonantes por meio de um conjunto unificado de linhas que iam de uma letra à seguinte. Conceitualmente, as listras eram inspiradas pela noção de linhas paralelas finas usadas em documentos legais para proteger uma assinatura de falsificação, aludindo a um sentido de autoridade. Rand criou duas versões do logotipo, uma que usava oito linhas e outra com 13. Por quase mais de 30 anos, até 1991, Rand supervisionou a aplicação do logotipo e da identidade por todas as aplicações da IBM, de embalagens a anuários, e instituiu padrões obrigatórios para o grupo interno de design em documentos como *IBM Logo Use and Abuse* (Uso e Abuso do Logotipo) e *The IBM Logo* (O Logotipo da IBM), que também mostrava a flexibilidade potencial e criatividade do logotipo. Como as identidades corporativas dos anos 1960 e 1970 lentamente desaparecem, pode ser uma questão de tempo até que a nova versão do logotipo da IBM não tenha mais listras.

IBM
IBM
www.ibm.com
www.ibm.com

IBM, ESCRITÓRIO DE CHICAGO / EUA, 2001 / Foto: usuário do Flickr alui0000

UPS

Com bicicletas e seus próprios pés, os adolescentes Jim Casey e Claude Ryan criaram um serviço privado de entregas como American Messenger Company em Seattle, Washington, em 1907. Seis anos mais tarde, a companhia adquiriu o primeiro carro de entregas, um Ford Modelo T e mudou de nome para Merchants Parcel Delivery. Em 1919, expandiu o serviço para Oakland e mudou o nome da companhia para United Parcel Service (UPS). O novo logotipo apresentava uma águia agarrando um pacote e voando sobre um escudo. Por volta de 1937, com o crescimento da empresa, um outro logotipo foi adotado, este com a sigla da companhia no interior de escudo. Após trabalhar sem sucesso com outros designers para recriar seu logotipo, a UPS procurou Paul Rand › 159, que respondeu, para a surpresa do cliente, com uma única solução de design – um escudo simplificado com um letreiro sem serifas e um contorno de um pacote com um laço. O logotipo de Rand foi usado de 1961 a 2003, quando um novo logotipo, criado pela Futurebrand, foi apresentado para sinalizar a evolução da UPS de uma companhia de entrega de pacotes para uma companhia de logística com diversos serviços para a cadeia de suprimentos.

UPS
PACKAGE CAR

CARRO DE PACOTES DA UNITED PARCEL SERVICE / **Réplica de veículo de entregas P-600 / Fabricado em Hong Kong**

UPS
Synchronizing the world of commerce
Express Envelope

ENVELOPES EXPRESSOS UPS

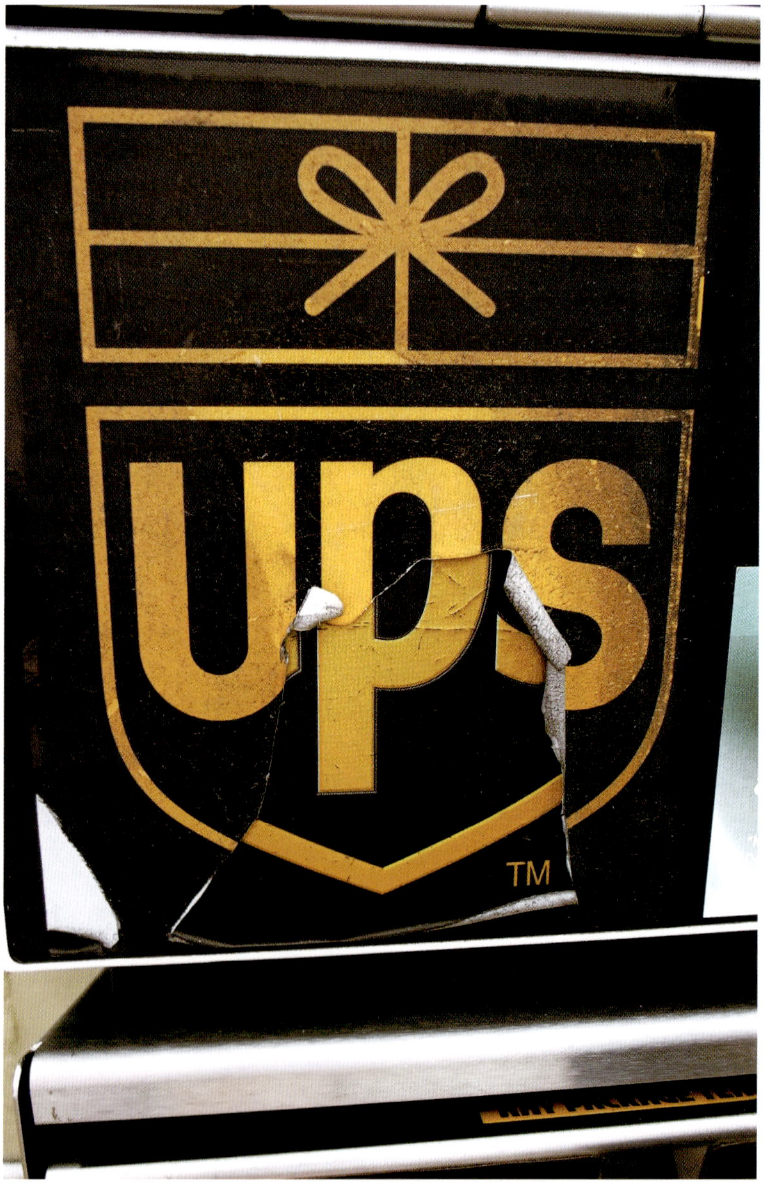
UPS
TM

POR BAIXO, SURGE O NOVO LOGOTIPO DA UPS CRIADO PELA FUTUREBRAND E POR CIMA ESTÁ O VELHO, CRIADO POR PAUL RAND / **EUA, 2008 / Foto: Brandon Shigeta**

FedEx

Federal Express, criada por Frederic W. Smith em 1973, inaugurou o conceito de serviço de entregas de um dia para o outro, ao criar um centro onde os pacotes chegavam e eram distibuídos para os seus destinos durante a noite. No final dos anos 1980, o nome era sinônimo de envio noturno. A Federal Express começou a trabalhar, no início dos anos 1990, com a Landor Associates para fortalecer a presença crescente da marca. A pesquisa da Landor revelou que o nome Federal Express não era otimizado para mercados globais e sugeriu rebatizar a companhia como FedEx, a maneira como alguns funcionários e clientes já se referiam a ela. O design da identidade foi liderado pelo diretor senior de design do escritório de São Francisco da Landor, Lindon Leader. Após centenas de explorações de design e informação dos clientes, Leader e sua equipe apresentaram seis possibilidades para uma sala cheia de executivos. Apenas Smith viu a escultura tipográfica de Leader que formava uma flecha entre o E e o x. O novo logotipo foi apresentado em 1994, mas as pessoas ainda se desafiam a encontrar a flecha escondida.

FedEx
Express

ENVELOPES FEDEX EXPRESS

FedEx
FedEx

CAMINHÕES DA FEDEX ESTACIONADOS / EUA, 2007 / Foto: usuário do Flickr Andrew Christensen

FedEx
Express

AVIÃO MCDONNELL DOUGLAS DC-10-10(F) N361FE DA FEDEX / EUA, 2008 / Foto: usuário do Flickr Cubbie_n_Vegas

Nike

Após distribuir calçados esportivos desde meados dos anos 1960 sob o nome Blue Ribbon Sports (BRS), Phil Knight estava determinado a criar sua própria linha. Buscando construir uma identidade para ela, contratou Carolyn Davidson, uma estudante de artes na Portland State University. Knight pediu um logotipo que fosse não apenas visualmente dinâmico, mas também funcional, unindo as partes inferior e superior do calçado. Davidson estipulou seu preço em US$35. Entre seus designs, estava uma marca experimental pela qual Knight e seus sócios ficaram propensos a escolher apesar da elevada dose de pessimismo. “Eu não a amo”, disse Knight, “Mas, acho que vai me conquistar”. Não se sabe ao certo quando o logotipo ficou conhecido como Swoosh, mas um dos primeiros sapatos distribuídos pela BRS foi feito de nylon, um tecido que era promovido como “Swoosh fiber”. O próximo passo era escolher um nome. Knight tinha proposto Dimension Six, com pouco entusiasmo, com Bengal sendo outra opção. Um dia antes das caixas serem pintadas, ainda não havia um nome. Na manhã seguinte, um dos sócios, Jeff Johnson apareceu com Nike, a deusa grega da vitória. “Eu acho que no momento nós ficaremos com Nike”, comentou Knight, “Eu realmente não gosto de nenhum deles, mas eu acho que é o melhor deles”. Para escolhas do tipo “patinho feio”, a sequência da história não foi nada má

start / lap
stop
view
H2O 100m
mode
set / light
50 LAP

PRODUTOS NIKE / EUA

LEITURA RECOMENDADA › 390

LOGOTIPO DA ABC / Após outros designers terem falhado, a American Broadcasting Company (ABC) procurou Paul Rand › 159. Com uma sigla visualmente convincente de três letras redondas, Rand desehou cada letra a partir de três círculos perfeitos, com seus contra-espaços também formando três círculos perfeitos. Com o passar dos anos, a ABC tentou substituir o logotipo – mesmo Peter Saville › 180 fez o design de uma alternativa em 1996 – em nenhum resultado. / Paul Rand / EUA, 1962s

LOGOTIPO DA NBC / Anos à frente de seus competidores, a National Broadcasting Company (NBC) começou a transmitir em cores em 1953. Três anos depois, o pavão da NBC mostrou suas penas coloridas pela primeira vez, não como um logotipo, mas como identificador nas transmissões para se vangloriar da saída do preto e branco. Após o logotipo abstrado *N* de 1975 ter sido considerado como infração de copyrights da Nebraska ETV Network, o pavão foi embutido no *N* em 1979. O pavão finalmente passou a ser o centro das atençoes em 1986 com um *design* simplificado por Steff Geissbuhler › 157, que reduziu suas penas de 11 para 6 e virando sua face para a direita. / Chermayeff & Geimar, Inc.; designer Steff Geissbuhler / EUA, 1986

LOGOTIPO DA CBS / Baseado nos símbolos de feitiçaria desenhados nos estábulos do Shaker para afugentar o mal e num desenho de um olho que tudo vê num livro sobre arte do Shakers, William Golden, diretor de criação da Columbia Broadcasting System (CBS), imaginou um desenho simplificado do olho, juntamente com o artista gráfico Kurt Weiss. Golden queria que ele fosse usado como dispositivo visual por apenas uma temporada, mas o presidente da CBS, Frank Stanton, o tornou logotipo oficial. / CBS: direção de criação, William Golden / EUA, 1951

I ♥ NY LOGO / Esperando impulsionar a economia do estado pelo aumento no turismo, em 1975 o Departamento de Comércio do Estado de Nova York contratou a agência de publicidade Wells, Rich, Greene e o designer Milton Glaser › 170 para desenvolver uma campanha. Com o tema "I Love New York" ("Eu amo Nova York"), Glase primeiro criou um logotipo que tinha o nome completo escrito e ele foi aceito. Enquanto andava de taxi, Glaser substituiu a palavra love por um coração e teve que convencer seus clientes que esta era uma opção melhor. Lógico que era. O tropo visual "I ♥ {espaço em branco}" tornou-se um dos mais imitados, parodiados e comercializados, para a angústia dos advogados do estado, que tinham entrado com mais de 3.000 ações de violação de marca registrada. / Milton Glaser / EUA, 1975

LOGOTIPO DE GENERAL ELETRIC / EM 1892, A companhia General Eletric de Thomas Edison foi fundida com a The Thompson-Houston Company para formar a General Electric. As iniciais *GE*, em estilo Art Nouveau, foram usadas como logotipo. Em 1900 elas foram simplificadas e circundadas por uma borda de quatro curvas turbilhonadas . "As letras *G-E* são mais que uma marca registrada", afirmava uma propaganda de 1923. "Elas são um emblema de serviço – as iniciais de um amigo". Esse amigo cresceu e se tornou uma das maiores corporações do mundo. A despeito das constantes inovações e diversificações da companhia, a GE tem mantido o seu logotipo – chamado de "almôndega" nos anos 1960 – quase sem mudanças. Uma vibrante atualização por Wolff Olins › 206, em 2004, construiu uma linguagem visual ao redor do logotipo, aumentando a vida deste em mais alguns anos – ou séculos. / Designer desconhecido / EUA, 1892 / Versão mostrada: Wolff Olins / EUA, 2004

LOGOTIPO DA BP / Após a fusão da British Petroleum (BP) e Amoco em 1998, uma marca intermediária "BP Amoco", composta numa itálica sem serifa, foi usada brevemente. Em 2000, a Landor Associates apresentou Helios, batizado como o deus grego do sol. Uma abstração radiante, mas ambígua para o sol, uma flor ou uma planta, ou todas elas, foi criada pelo escritório de São Francisco, liderado pela diretora de criação, Margareth Youngblood. O Helios passou a ser a parte central da identidade, diminuindo o acrônimo BP, em letras minúsculas, para estabelecer uma certa distância do termo *petróleo*. Uma enorme campanha publicitária, "Beyond Petroleum" ("Além do petróleo"), foi criada pela Ogylvy & Mather. Mais de uma década após a fusão, a BP simplemente quer dizer BP./ Landor Associates. EUA, 2000

LOGOTIPO DO CITI / Citicorp e Travelers Group fundiram-se em 1998 para formar o Citigroup, na época, a maior instituição financeira do mundo. Trabalhando com Michael Wolf como consultor e Paula Scher › 182 e Michael Bierut › 203 da Pentagram › 162, como designers de identidade, O citigroup deu a eles 10 semanas para criar um logotipo que melhor representasse o legado visual de ambas as corporações. Desenhando um arco vermelho sutil sobre a letra minúscula *t*, a pentagrama criou um novo e abstrato guarda-chuva, identificador do Travelers Group, que também servia como símbolo de união das duas empresas. O nome encurtado Citi, uma recomendação conjunta de Wolf e da Pentagram, foi feito em azul para conter a herança do logotipo do Citicorp. Na sua monografia, *Make it Bigger*, Scher confessa que esse foi o primeiro logotipo que esboçou, mas depois criou outras opções para mostar que uma exploração científica do logotipo fora realmente feita. / Pentagram, Paula Scher / EUA, 1998

LOGOTIPO DA UNILEVER / Como proprietária de algumas das marcas mais conhecidas das indústrias alimentícia, de bebidas e de cuidados pessoais – Ben & Jerry's, Lipton, Knorr, Dove e Pond's, só para lembrar algumas – a marca da Unilever está em produtos em mais de 150 países. Em 2004, a Unilever contratou o consultor de marcas, Wolff Olins › 206, para criar uma identidade nova. Liderado pelo diretor de criação, Lee Comber, e executado pelo design externo, Miles Newlyn, o novo logotipo é um raro exemplo de sucesso em identidade corpotativa em que mais, ao contrário de menos, é melhor. Unindo-se para formar um *U*, 25 ícones individuais representa os diferentes aspectos da Unilever – por exemplo, lábios (para beleza, boa aparência e gosto); uma abelha (para criação, polinização, trabalho duro e biodiversidade); uma tigela com comida de aparência deliciosa; e partículas (uma referência à ciência, bolhas e efervecência). / Wolff Olins / Reino Unido, 2004

LOGOTIPO DO METRÔ DE LONDRES / Quando a Central London Railway e uma série de linhas privadas do metrô foram consolidadas em 1906, elas formaram uma companhia nova, o Underground Group. Em 1907, uma antecessora da hoje famosa rodela foi criada: uma barra azul, com letreiro branco, sobre um círculo vermelho cheio. Frank Pick, responsável pela publicidade e aparência do metrô, pediu ao tipógrafo Edward Johnston, em 1916, para criar uma fonte para o sistema – Johnston Sans – e, mais tarde, em 1918, para revisar o logotipo. Johnston mudou o círculo cheio para um vazado e excreveu o nome com a sua fonte, sublinhando as letras entre o primeiro *U* e *D* final. O logotipo foi simplificado em 1935 pelo designer gráfico alemão, Hans Schlege e revisado em 1972 pela empresa londrina Design Research Unit / Edward Johnston / Reino Unido, 1918 / Versão mostrada: Design Research Unit / Reino Unido, 1972 / Imagem: cortesia da Transport for London

LOGOTIPO DA PENGUIN BOOKS / Os acessíveis livros de capa mole da Penguin Books › 274 foram publicados pela primeira vez em 1935 e foi um jovem funcionário de 21 anos, Edward Young, que criou as capas icônicas com faixas horizontais e um charmoso logotipo, este como resultado de uma visita ao zoológico. Quando Jan Tschichold › 140 foi contratado para padronizar o design da Penguin Books em 1947, uma de suas contribuições foi redesenhar o pinguin de Young, e o sócio da Pentagram › 162, Angus Hyland, fez modificações adicionais em 2003. Sendo essas alterações concernentes ao principal logotipo da penguin books, é comum encontar a criaturinha em preto e branco em diferentes formas, estilos e poses em certas coleções ou casos individuais. Uma versão recorrente é o logotipo do "pinguin dançarino" – ou, como alguns o chamam, o "pinguin com apendicite", com o seu estômago encurvado / Edward Young / Reino Unido. 1935 / Versões mostradas, da esquerda para direita: Edward Young (RU, 1935), Designer desconhecido (EUA, 1944), Jan Tschichold (RU, 1949), Pentagram (RU, 2003), David Pearson (RU, 2007)

LOGOTIPO DA NORTHWEST AIRLINES / De seu aeroporto sede nas cidades gêmeas de Minneapolis e St. Paul, a Northwest Airlines (então chamada de Northwest Airways) começou como uma transportadora de correio em 1926 e passou a transportar passageiros um ano depois. Como o nome implica, a companhia aérea voa para o norte e oeste, para Winniped, Canadá, Seattle, Washington, Alaska, e Tóquio, entre outros destinos. Em 1988, a Landor Associates criou um logotipo que era ao mesmo tempo espirituoso e sério. Honrando o nome, o logotipo mostra uma flecha apontando para noroeste (northwest) como se fosse uma bússola, com o *N* deslocado para a direita. Olhando a seta e o *N* juntos, tem-se a ideía de um *W*, para reforçar o nortwest. Em 2003, as rotas da Northwest expandiram-se bastante além dessa direção e encurtou seu nome para NWA além de ter um novo logotipo desenvolvido pela TrueBrand. A flecha ainda aponta para o noroeste, mas a brincadeira visual perdeu suas asas. / Landor associates / EUA, 1989

LOGOTIPO DA FERROVIA NACIONAL DO CANADÁ / O legado da Companhia Ferroviária Nacional do Canadá (CN) vem desde meados do século XIX e tem mais de 20.000 milhas de trilhos em rotas por todo o Canadá e Estados Unidos. Com logotipos que incluiam alces e folhas de plátano em seu passado e uma crescente percepção de algo antiquado por seu usuários, a CN encomendou ao designer nova-iorquino, James Valkus, para avaliar o projeto, e ele recomendou uma reforma completa. Valkus confiou o projeto do logotipo ao designer canadense Allan Fleming. Sua solução, uma linha única formando as letras CN – Fleming sugeriu retirar o *R* de *railway* (ferrovia) para criar uma sigla bilíngue, Canadien Nationale em francês e Canadian National em Inglês – represetando "o movimento de pessoas, materiais e mensagens de um ponto ao outro". Naquela época , Fleming afirmou que "este símbolo durará por pelo menos 50 anos", quando da impressão deste livro faltava um ano para sua profecia se concretizar / Allan Fleming / Canadá, 1960

PRESBYTERIAN CHURCH
(USA)

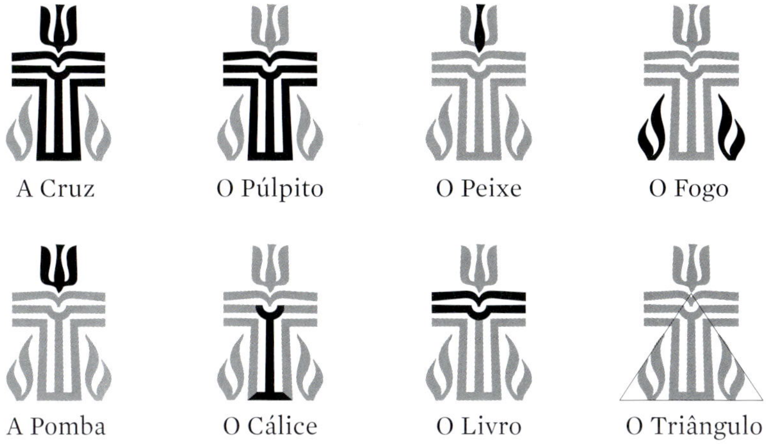
A Cruz
O Púlpito
O Peixe
O Fogo
A Pomba
O Cálice
O Livro
O Triângulo

Arte em vidro, Ed MacIlvane

LOGOTIPO DA IGREJA PRESBITERIANA (EUA) / Quando várias divisões da Igreja Presbiteriana se uniram em 1983 para formar a Igreja Presbiteriana (EUA), a maior de tais instituições nos Estados Unidos, eles contrataram Malcolm Grear Designers (MGD) de um grupo com 46possíveis consultores. A especificação do projeto indicava que o novo logotipo deveria incluir a cruz como seu elemento principal bem, como o fogo, a pomba descendente e a Bíblia. Para complicar o desafio, o contrato estipulava que um comitê ca Igreja Presbitériana supervisionaria o processo de criação e não apenas julgaria as soluções selecionadas. O resultado final é um selo impressionantemente inclusivo que incorpora todos os elementos requeridos de iconografia e ainda mais outros. O mais notável é que o logotipo foi aprovado pelo comitê inicial, depois um grupo de 40 membros e, finalmente, pelo grupo administrador com 700 membros / Malcom Grear Designers / EUA, 1985

CAMPANHA PARA DESARMAMENTO NUCLEAR

Bombas nucleares foram lançadas pelos Estados Unidos nas cidades japonesas de Hiroshima e Nagasaki em 1945. Para desencanto das pessoas ao redor do mundo, os Estados Unidos, a União Soviética e a Grã-Bretanha continuaram a testar tais armas mesmo após o término da Segunda Guerra. Um dos movimentos mais atuantes contra isso foi a Campanha para o Desarmamento Nuclear (Campaign for Nuclear Disarmament – CND), formada em Londres em 1958. Dois meses depois, em conjunto com o Comitê de Ação Direta Contra a Guerra Nuclear (DAC), o CND organizou um protesto no domingo de páscoa na Trafalgar Square, seguida de uma marcha de 52 milhas (aprox. 84 km) até o Nuclear Weapons Establishment, no lugarejo de Aldermaston. Quatro mil pessoas marcharam por quatro dias, aumentando para 10.000 nos seus momentos finais, muitas delas trazendo cartazes mostrando um círculo preto com uma cruz branca com os braços caídos.

Criado por Gerald Holtom, um designer têxtil, a intenção do símbolo era combinar o *N* e o *D* da linguagem semafórica, usado para comunicação a distância com duas bandeiras. O *N* é formado apontando os dois braços para baixo num ângulo

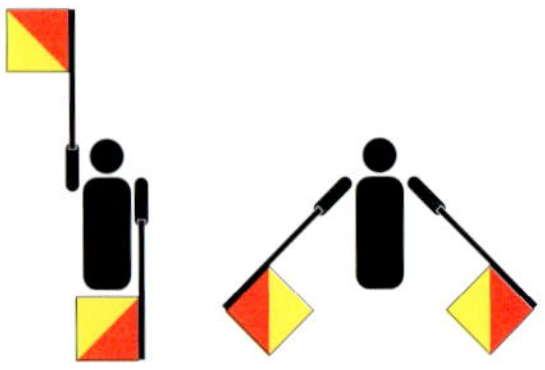

LETRAS *D* E *N* DO SISTEMA DE SINALIZAÇÃO COM BANDEIRAS

HYDE PK EXBN GD
GROSVENOR PL
VICTORIA ST
ASSEMBLY 12 NOON EASTER MONDAY MARCH 30TH
PARLIAMENT SQ
TRAFALGAR SQ 2.30 PM
KENNINGTON PK
KENNINGTON RD
WESTMINSTER BR
easter march rally
CLIMAX TO A WEEK OF PROTEST:
GOOD FRIDAY
A programme of Processions, Vigils and Services of Prayer starts at St Paul's Cathedral 9.30 am, ends in a United Service for Peace, Trafalgar Sq 4.45 pm
EASTER SATURDAY
Listen London. Open air activity at shopping centres, sports meetings ends with a West End Publicity Drive, Leicester Sq 7.30 pm
EASTER SUNDAY
Living Peace. Youth Service, Kingsway Hall 11 am. Youth Rally 2 pm (Details from YCND, 2 Carthusian St EC1)
EASTER MONDAY
Vigils from 8 am in Trafalgar Sq, Parliament Sq and at the Ministry of Defence
Further details from CND, 2 Carthusian St EC1 Phone CLE 5146/7

CARTAZES PARA A CAMPANHA DO DESARMAMENTO NUCLEAR / **Ken Garland** / **Reino Unido, 1962-1966**

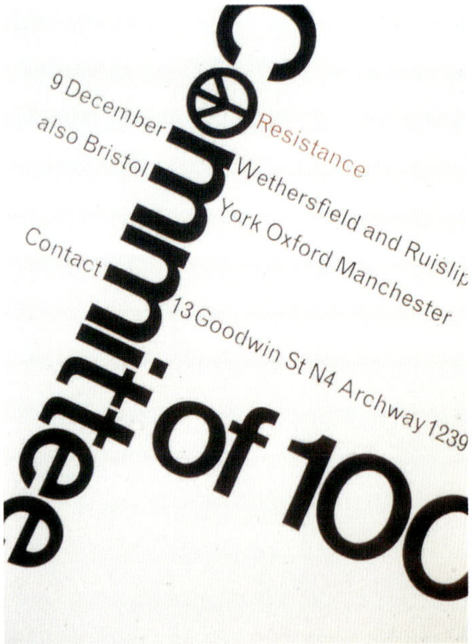
Committee of 100
9 December
Resistance
also Bristol
Wethersfield and Ruislip
York Oxford Manchester
Contact
13 Goodwin St N4 Archway 1239

SAY NO

ALDERMASTON TO LONDON march EASTER 1962
Campaign for Nuclear Disarmament
2 Carthusian St EC I

de 45°, e o *D* é formado com um braço apontado para baixo e o outro para cima. “Eu estava em desespero. Desespero profundo”, Holton explicaria mais tarde ao editor da revista *PeaceNews,* Hugh Brock. “Eu me desenhei: a representação de um indivíduo em desespero, com as mãos espalmadas, estendidas e abaixadas como um camponês de Goya diante de um pelotão de fuzilamento. Formalizei o desenho numa linha e pus um círculo ao redor dele”. Holtom apresentou o design para a DAC, que o adotou como símbolo da marcha e depois o CND o adotou como seu logotipo, colocando-o à frente e no centro quando de outras manifestações para Aldermaston nos anos subsequentes. O designer com consciência social, Ken Garland, criou muitos dos cartazes e folhetos do CND, começando em 1962, ativando o símbolo de modos diferentes.

Participando de uma manifestação em 1958 estava Bayard Rustin, um ativista americano dos direitos civis, que é reconhecido como uma das pessoas que trouxe o símbolo para os Estados Unidos e separou-o de suas conexões com o CND para uso nas manifestações pelos direitos civis. Posteriormente, ganhou popularidade como símbolo dos protestos contra a Guerra do Vietnam e com o movimento Hippie. Entretanto, gradualmente tornou-se simplesmente o símbolo da paz. Como o CND nunca registrou o símbolo, ele passou a ser propriedade de todos e isso lhe deu sua força real, tornando-se cada vez mais prevalente e significativo à medida que as pessoas o interpretavam de diferentes formas imbuindo-o de suas próprias personalidades.

PEACE
IMAGINE

REINTERPRETAÇÕES, APROPRIAÇÕES E MANIFESTAÇÕES DO SÍMBOLO DA PAZ / Fotógrafos, da esquerda para direita: Mika Hiironniemi, CarbonNYC, Jayel Aheram, aturkus, cogdogblog, jeffpearce, dental ben, hashmil, eyeliam, normanack, NatalieMaynor, Clarita / Todas as imagens colocadas no Flickr sob uma licença Creative Commons

Ferrovia New Haven

Formada em 1872, a ferrovia Nova York, New Haven e Hartford, referida comumente como "a New Haven", operava trens cargueiros e de passageiros entre Nova York e Boston, desfrutando de sucesso modesto até o início do século XX. Depois, houve uma série de problemas nos 70 anos seguintes. A New Haven evitou a falência uma vez durante a Primeira Guerra, mas não em 1935. Após reaparecer em 1947, a New Haven viu melhores dias com Frederick Dumaine Jr. como presidente. Em 1954, Patrick B. McGinnis, buscando aumentar os dividendos para os acionistas, assumiu o cargo, mas o desempenho da companhia piorou. McGinnis foi substituído menos de dois anos depois. Entretanto, ele deixou para trás um importante legado visual tanto para a identidade corporativa quanto para a indústria das ferrovias.

McGinnis trabalhou com sua esposa, Lucille McGinnis, para desenvolver uma nova identidade em 1954. Ela contratou o suíço Herbert Matter, consultor de design da Knoll e professor da Yale School of Art › 129, que criou uma fonte serifada em bloco e compôs um monograma ousadamente simples com as letras *NH* que se tornou, literalmente, a peça central do programa de identidade. Foi pintado regularmente grande –às vezes em dois lugares numa mesma capa – segundo uma paleta limitada de cores de preto e vermelho em tudo relativo a horários e a catálogos e até na frente dos trens, que também eram pintados de maneira diferente de todos os outros. Matter criou muito do material, mas, após a partida de McGinnis, as responsabilidades iriam para a New Haven, que faliu em 1961 e deixou de operar em 1968. Desde 1990, graças a um grupo de entusiastas de ferrovias, 16 locomotivas que fazem as linhas na ferrovia New York State Metro –North e na Shore Line East de Connecticut, orgulhosamente mostram a identidade criada por Matter.

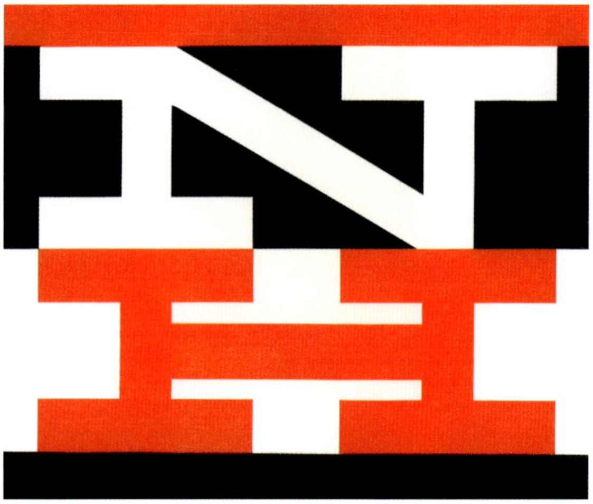

NEW HAVEN
1376
376

FERROVIA NEW YORK, NEW HAVEN E HARTFORD / EUA, 1954 / Herbert Matter / Imagens: Mark J. Frattasio Collection

The New School

Desde sua fundação em 1919 como The New School for Social Research por um grupo de ex-professores da Columbia University que se sentiam limitados pelo tipo de cursos e ensinamentos que podiam oferecer, essa instituição de Nova York tem servido como uma alternativa de educação superior. Seja por abrir suas portas aos intelectuais europeus fugindo dos regimes fascistas, oferecendo uma vasta gama de cursos de educação continuada em aulas noturnas para adultos, seja por enfrentar uma revolta estudantil recentemente em 2008 que demandava, entre outras coisas, a renúncia do reitor, Bob Kerrey, a New School tem desviado consistentemente da relativa normalidade. Com o passar dos anos, foram criadas oito divisões principais, cada qual com sua própria personalidade.

Em 1997, as diferentes escolas ficaram sob a égide da New School University, com um logotipo institucional criado pela Chermayeff & Geismar › 156, mas em 2005, após dois anos estudando a percepção do público, uma nova e ousada nomenclatura e identidade foram adotadas. "The New School" era como as pessoas já se referiam à universidade e foi adotado como seu nome oficial. Cada escola foi, então, dotada de seu próprio nome básico – por exemplo, a Parsons School of Design é agora a Parsons The New School of Design. Ligando as escolas está uma identidade decididamente diferente criada pela agência de marcas Siegel+Gale, liderada pelo diretor de criação, Howard Belk. Um sistema visual inspirado na pixação, fazendo referência ao contexto urbano da escola, dá um ponto de referência flexível que permite que o logotipo mude e pareça ser tão ativo quando seus docentes e estudantes. E, como a cidade de Nova York foi ficando sem pixações durante os anos 1980, a New School se destaca nesse ambiente recentemente limpo.

THE NEW SCHOOL
A UNIVERSITY

THE NEW SCHOO
NEW

PARSONS THE NEW SCHOOL FOR DESIGN

THE NEW
THE NEW SCHOOL

THE NEW SCHOOL FOR GENERAL STUDIES

THE NEW SCHOOL FOR SOCIAL RESEARCH

MILANO THE NEW SCHOOL FOR MANAGEMENT AND URBAN POLICY

PARSONS THE NEW SCHOOL FOR DESIGN

EUGENE LANG COLLEGE THE NEW SCHOOL FOR LIBERAL ARTS

MANNES COLLEGE THE NEW SCHOOL FOR MUSIC

THE NEW SCHOOL FOR DRAMA

THE NEW SCHOOL FOR JAZZ AND CONTEMPORARY MUSIC

THE NEW SCHOOL
THE NEW SCHOOL

VIACOM
sworthy
tonian
lywed
fangled
found
s
What would life be like without the new?
THE NEW SCHOOL

IDENTIDADE E APLICAÇÕES DA NEW SCHOOL / Siegel+Gale: direção executiva de criação, Howard Belk; direção de criação, Young Kim; design, Lloyd Blander / EUA, 2005

MTV

Trabalhando com John Lack, vice-presidente executivo da Warner Satellite Entertainment Company (WASEC), Robert Pittman, um programador de rádio de sucesso, ajudou a criar um inovador canal de TV a cabo: MTV, o canal da música. Fred Seibert, antigo produtor de discos de jazz e coordenador de promoções de estações de rádio, foi contratado por Pittman para supervisionar a identidade do canal. Seibert procurou o amigo de longa data, Frank Olinsky, que tinha acabado de fundar a Manhattan Design com dois sócios, Pat Gorman e Patty Rogoff, para criar o logotipo. O processo foi notavelmente colaborativo: Rogoff desenhou primeiro o *M* grande e trabalhou com Gorman para determinar sua perspectiva; então Gorman sugeriu colocar TV num dos lados, o que Olinsky aceitou e fez como se as letras tivessem sido escritas com spray. No meio tempo, o *M* estava sendo decorado, com os sócios o desenhando com tijolos, pontos, zebrado e sugerindo que o logotipo poderia ser todas essas coisas.

Seibert apresentou o logotipo mutante para Pittman e Lack, que resistiram à solução e à empresa por trás dela. A Seibert foi solicitado que contratasse um grande nome, como o Push Pin Studios › 168 ou Lou Dorfsman › 173, para fazer o logotipo. Ele o fez, mas como o processo se alongou e o tempo passou a ser um problema, a proposta da Manhattan design foi aprovada. Em seguida, Seibert se concentrou nas identificações da emissora para a transmissão, que Pittman igualava aos jingles de rádio, instantaneamente reconhecíveis e memorizáveis. O primeiro grupo de colaboradores abrigava produtoras como Broadcast Arts, Colossal Pictures e Perpetual Motion Pictures, que criaram dez animações surreais de dez segundos que deram vida ao logotipo da MTV. Para as identificações feitas de hora em hora, a ilustradora Candy Kugel, na Perpetual Motion, pegou imagens estáticas de Neil Armstrong pousando na Lua (disponíveis em domínio público) e colorizou o logotipo da MTV sobre a bandeira americana. Em 1 de agosto de 1981, às 00:01, ao inconfundível som da guitarra da MTV, a imagem promoveu uma nova geração de espectadores, artistas, designers e cidadãos.

MUSIC TELEVISION

LEITURA RECOMENDADA › 390

(RED)

Em janeiro de 2006, Bono, o vocalista líder do U2, e Bob Shriver, um filantropo, produtor e político, lançaram (RED), um novo modelo de negócio, para ajudar a conscientizar a respeito da epidemia de AIDS na África e gerar um fluxo sustentável para o Global Fund, um organismo de financiamento internacional que investe o dinheiro que recebe para o combate à AIDS, tuberculose e malária. (RED) se associa com algumas das marcas mais visíveis que licenciam a marca (Produto) RED para produtos e serviços específicos, com parte ou totalidade dos lucros indo para o Global Fund. A Apple lançou edições (RED) de seu iPod Nano e iPod Shuffle, a Converse lançou uma coleção de sapatos All Star Chuck Taylor feitos com tecidos obtidos na África e a GAP criou uma coleção de camisetas e acessórios (RED). Unindo todos os produtos e serviços, estava um dispositivo visual simples criado por Wolff Olins › 206.

Para a marca principal – o nome *red* (vermelho) foi escolhido por ser a cor da emergência, que certamente é o caso da AIDS – RED é composto numa sem serifa no interior dos parênteses. Para a marca licenciada , (Produto) RED, o logotipo do parceiro é colocado nos parênteses e o RED passa a ser sobrescrito; a combinação é lida, por exemplo “Apple elevada a potência RED”. A simplicidade da identidade mal indica a complexidade da tarefa de Ollins: encontrar um modo de criar uma marca nova e forte para a (RED) que pudesse ser integrada com algumas das marcas mais bem guardadas e cuidadosamente desenvolvidas, mudando coisas intocáveis, como o verde da Starbucks e o azul da American Express para vermelho. Mesmo que consumismo e filantropia permaneçam contraditórios, (RED) demonstra, por meio de ação e design, um modelo possível para sua convergência.

(RED)™
DESI(RED)
INSPI(RED)
PARTNE(RED)
ADMI(RED)
CULTU(RED)
RED
CONVERSE
RED
GAP
RED
EMPORIO ARMANI
RED
AMERICAN EXPRESS
RED
INC(RED)IBLE
INSPI(RED)
ADO(RED)

IDENTIDADE DA (RED) / Wolff Olins / EUA, 2006

Walker Art Center

De 1965 a 1995, o Walker Art Center, em Minneapolis, havia usado uma série de tipos sem serifa – Univers › 372, Helvetica › 373, Franklin Gothic › 370 e DIN › 377 – no seu logotipo e identidade geral e mostrava, como descreveu certa vez o crítico de designer, Peter Hall, "uma imperturbável aderência ao clínico sistema internacional". Em 1990, Laurie Haycock Makela foi para o Walker como diretora de design, substituindo Mildred Friedman, que teve o cargo durante 20 anos, e, em 1995, apresentou uma identidade notavelmente diferente e distinta, baseada numa nova família de tipos, a Walker. Criada por Matthew Carter em colaboração com Haycock e sua equipe, a Walker é, em essência, uma sem serifa tal como suas predecessoras, mas o sistema tipográfico completo fornece um conjunto de peças que podem gerar inúmeras permutações. Cinco estilos de serifas "encaixáveis" podem ser usados em qualquer caractere e adicionados seletivamente acima ou baixo, à esquerda ou à direita, ou todos. Também incluía variantes para linhas grossas no topo, na base ou em ambos; uma gama de conectores para criar ligaduras personalizadas e, acima de tudo, versões em itálico de todas as variantes. Tomando o lugar de um logotipo típico, a fonte Walker unifica todos os materiais do museu e dá uma identidade altamente individual. Também estabeleceu o estúdio interno de design do Walker Art Center como um dos mais inovadores.

walker art center
1965

WALKER ART CENTER
1971

Walker Art Center
1985

Walker Art Center
1977

Walker Art Center
1990

LOGOTIPOS PRÉVIOS DO WALKER ART CENTER / EUA, 1965–1990

WALKER
HEHAHRH
WALKER
SPIKE LEE
HANNAH HÖCH

THE SPACE BETWEEN THE LETTERS, Moira Cullen para reimpressão da revsita *Eye* / Laurie Haycock Makela, Deborah Littlejohn / EUA, 1995

ABCDEFGHIJKLMNO
PQRSTUVWXYZ&ÆŒ
HEMBME1234567890
THE WALKER FONT
CONTAINS FIVE DIF-
FERENT *"SNAP-ON"*
SERIFS AND THREE
JOINING STROKES:
H H H H H H
H H H H H H
H H H H H H

FONTE WALKER / Matthew Carter / EUA, 1995

ORCHIDS IN THE LAND OF TECHNOLOGY
DIANA THATER
WALKER ART CENTER

CONVITE PARA EXPOSIÇÃO DIANA THATER / Matt Eller / EUA, 1997

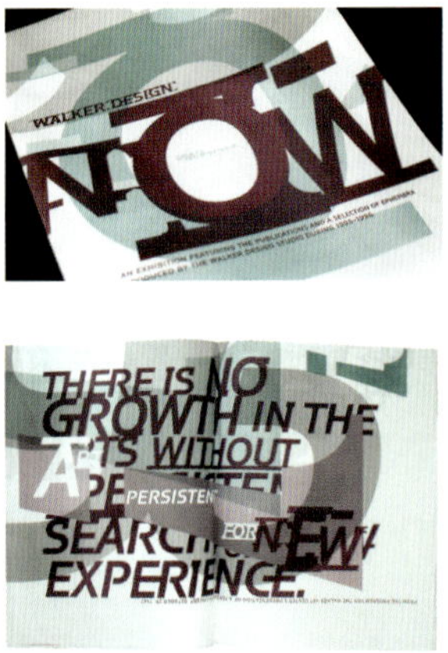
WALKER DESIGN
NOW
THERE IS NO
GROWTH IN THE
ARTS WITHOUT
PERSISTENT
SEARCH
NEW
EXPERIENCE.

CONVITE PARA *WALKER DESIGN NOW* / Laurie Haycock Makela / EUA, 1996

Em 1998, o escritor e educador em design, Andrew Blauvelt, assumiu o papel de diretor de design e desenvolveu ainda mais o estúdio de design e sua produção, supervisionando a revitalização da identidade do museu em preparação para a importante expansão de 2005. Ainda evitando um logotipo institucional e buscando expandir a viabilidade de sua abordagem anterior, Blauvelt e o designer Chad Kloepfer criaram a Walker Expanded, uma extensa gama de linhas verticais feitas em diferentes padrões e motivos, com cores brilhantes que contêm uma série de palavras que, juntas e somente quando aplicadas, formam a identidade. Compostas principalmente em Avenir com algumas palavras selecionadas escritas com a fonte Walker, o sistema é mais uma vez tipográfico; mas, ao invés de ser construído em volta de estilos como itálico ou negrito, é arranjado ao redor de grupos de palavras, padrões e motivos. Assim, por exemplo, o "peso" peer-to-peer inclui linguagem interna à instituição , como filme/vídeo, um nome de departamento, enquanto o "peso" Public Address contém uma linguagem mais típica, como filmes. O sistema é complexo, e precisa de manipulação consciente por parte dos designers – que se beneficiam de uma fonte criada por Eric Olson, que administra a Process Type Foundry em Minneapolis e já foi designer no estúdio do Walker Art Center, o que faz a combinação de palavras e padrões ser mais facilmente acessível. Ao invés de simplesmente substituí-la, a Walker Expanded apoia-se no legado e inovação de sua identidade flexível anterior e cria uma linguagem nova – literal, visual e metaforicamente.

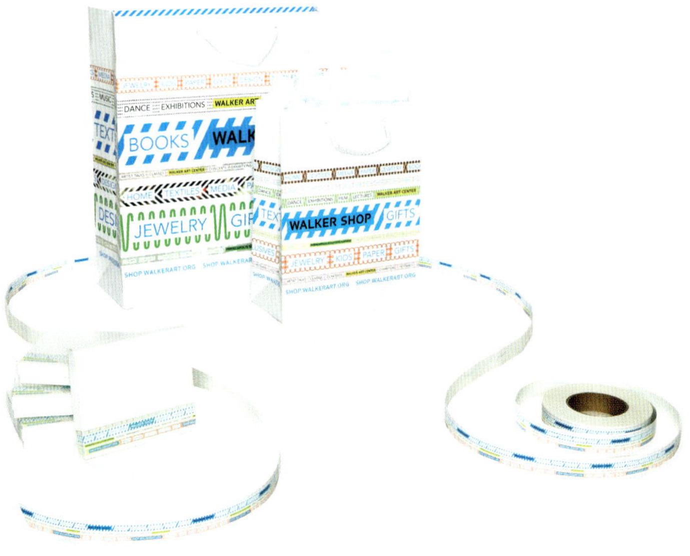
DANCE
EXHIBITIONS
BOOKS
JEWELRY
WALKER SHOP
GIFTS

SACOLAS DE COMPRAS, CAIXAS E FITAS / Andrew Blauvelt, Chad Kloepfer / EUA, 2005

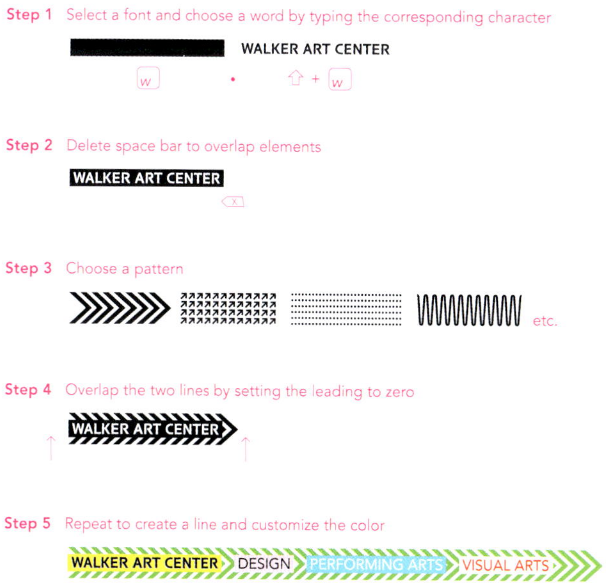
Step 1 Select a font and choose a word by typing the corresponding character
WALKER ART CENTER
Step 2 Delete space bar to overlap elements
WALKER ART CENTER
Step 3 Choose a pattern
etc.
Step 4 Overlap the two lines by setting the leading to zero
WALKER ART CENTER
Step 5 Repeat to create a line and customize the color
WALKER ART CENTER
DESIGN
PERFORMING ARTS
VISUAL ARTS

INSTRUÇÕES DE USO PARA FONTE PRÓPRIA / Andrew Blauvelt, Chad Kloepfer, Eric Olson / EUA, 2005

Sem paredes, sem problemas

Durante o ano de 2004, quando o edifício principal esteve fechado para reforma, a identidade provisória "Walker Without Walls" ("Walker Sem Paredes") foi apresentada para manter a visibilidade do museu e conhecimento de sua transição. Um sistema padronizado de curvas, flechas e bolhas, foi criado para gerar infindáveis variações para os materiais temporários de apoio e que podiam ser aplicados sobre os já existentes.

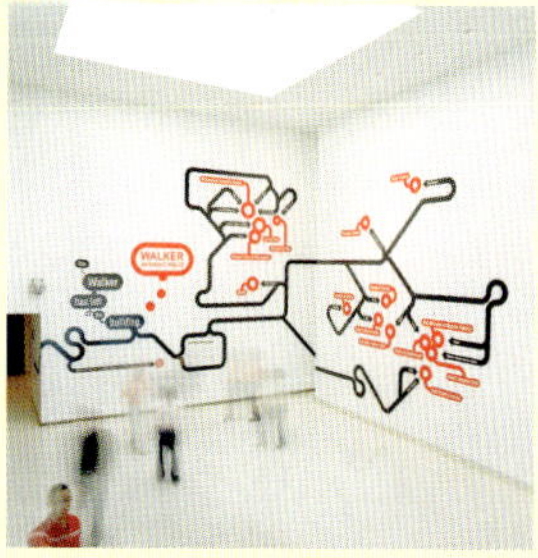

GRÁFICOS TEMPORÁRIOS DE PAREDE / Andrew Blauvelt, Alex DeArmond / EUA, 2004

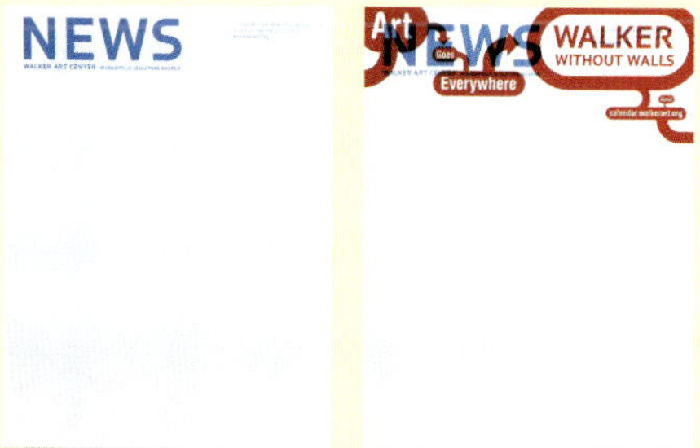
NEWS
WALKER ART CENTER
Art
NEWS
WALKER
WITHOUT WALLS
Everywhere

PAPEL DE NOTÍCIAS ORIGINAL (ESQUERDA) COM IDENTIDADE PROVISÓRIA SOBREPOSTA / Andrew Blauvelt, Alex DeArmond / EUA, 2004

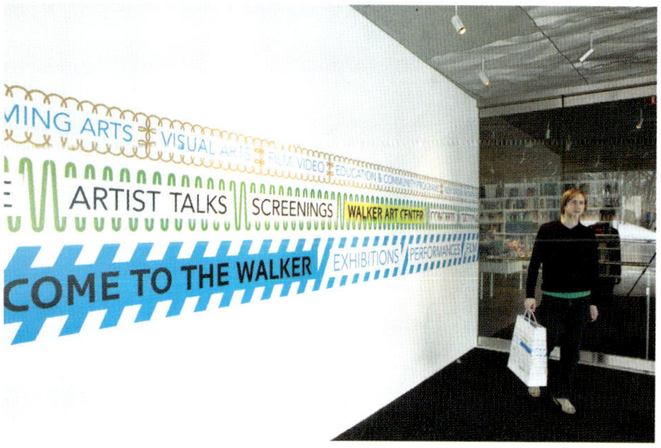
VISUAL ARTS
ARTIST TALKS
SCREENINGS
COME TO THE WALKER
EXHIBITIONS

WALL GRAPHICS / Andrew Blauvelt, Chad Kloepfer / EUA, 2005

Jogos Olímpicos de Verão

A cada quatro anos o mundo é cativado pelos Jogos Olímpicos. Para os atletas, a Olimpíada é o auge dos seus sonhos e desejos; para a mídia, uma fonte infindável de histórias de coragem. Os patrocinadores vibram ao verem os seus logotipos mostrados em cartazes e uniformes, e os designers gráficos deliciam-se na folia visual da identidade gráfica dos Jogos. Enquanto muitos desses programas extensos e abrangentes são dignos de nota, três deles são continuamente referenciados como os mais memoráveis e um deles como o mais controverso.

O agitado clima social e político na Cidade do México, em 1968, era palpável à medida que o mundo se voltava para o complicado país, com protestos estudantis que terminaram num trágico derramamento de sangue que quase cancelou os jogos. Mas, logo depois, o México estava coberto com a colorida e exuberante indumentária do programa de identidade criado por Lance Wyman (EUA), Peter Murdoch (Reino Unido) e pelo arquiteto Eduardo Terrazas (México), sob a liderança de Pedro Ramiro Vásquez, chefe do Comitê Organizador. A identidade fazia o necessário e alegre contraste com os eventos anteriores aos Jogos. Wyman imaginou um logotipo ao combinar a iconografia das civilizações indígenas do México com a Op Arte, resultando num emprego vibrante de linhas e círculos concêntricos com o número 68 como apoio – ele também foi responsável pelo desenvolvimento da maior parte do programa, trabalhando ativamente com os designers e estudantes de design mexicanos. A identidade também foi criada como um sistema que poderia ser moldado em muitas formas – às vezes, literalmente pelos artesãos mexicanos, que produziam tudo, de cata-ventos a joias, encorajando os cidadãos a adotarem a identidade como uma representação de sua cultura visual.

IDENTIDADE

UNIFORME / **Julia Johnson Marshall**

MEXICO68
ESTADIO68
OCT.14
13
10
17
13
$125.00
$125.00
OCT.14

INGRESSOS DE EVENTOS / **Beatrice Colle**

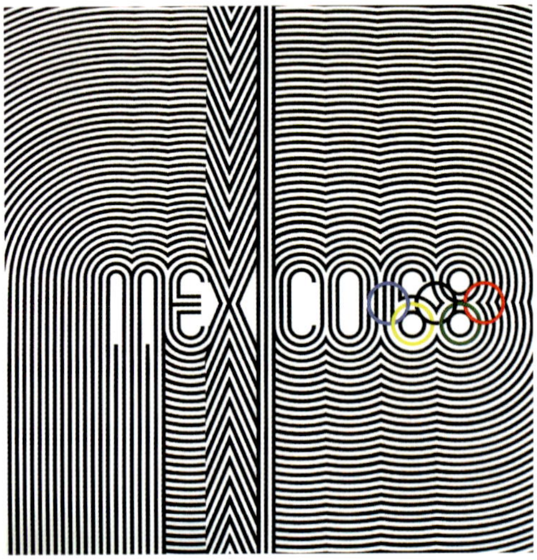
MEXICO68

CARTAZ / **direção de arte; Eduardo Terrazas, Pedro Ramirez Vásquez**

PICTOGRAMAS / **Eduardo Terrazas, estudantes da Universidad Iberoamericana**

SELOS POSTAIS

MÉXICO 1968 / **Lance Wyman** / **México, 1968**

LEITURA RECOMENDADA › 390

Em 1966, ao mesmo tempo em que Wyman ganhou o projeto, Otl Aicher › 166 recebeu a encomenda do Comitê Olímpico Nacional Alemão (CON) para os Jogos de Munique em 1972. Embora tenham sido manchados pelo ataque terrorista que tirou a vida de 11 atletas israelenses, os Jogos de Munique foram uma oportunidade de mostrar uma Alemanha diferente daquela dos jogos de 1936 em Berlin, sob Adolf Hitler. Aicher e sua equipe desenvolveram uma identidade colorida inspirada no ambiente local da Bavária sem cair no folclore puro. As imagens evocativas, com ênfase próxima nos atletas, foram casadas com um sistema sólido de grid e o uso exclusivo da fonte Univers › 372, que permitia flexibilidade e mantinha a consistência.

Desenvolver o emblema hipnótico dos jogos não foi um processo tranquilo: o primeiro design de Aicher era uma guirlanda radiante abstrata que o comitê julgou não ser característica o suficiente para se pedir os direitos de cópia; seu segundo design, baseado na letra *M*, encontrou a mesma reação. O CON então realizou uma competição aberta, gerando 2.300 propostas que não satisfaziam suas necessidades. Finalmente, um membro da equipe de Aicher, Coordt von Mannstein, juntou a guirlanda original com uma estrutura espiral para o emblema vencedor, quase um ano após a primeira versão ter sido apresentada. Aicher e sua equipe também desenvolveram um conjunto coeso de quase 180 pictogramas para os eventos esportivos, bem como para os serviços, por meio de uma grid estrita de quadrados ortogonais e diagonais, onde todos os elementos visuais eram dispostos em ângulos de 90° e 45°. A soma de todo esse trabalho foi uma identidade precisa e estruturada com a quantidade certa de entusiasmo – incorporado sucintamente na mascote Waldi, o dachshound geométrico que você não resistiria em acariciar.

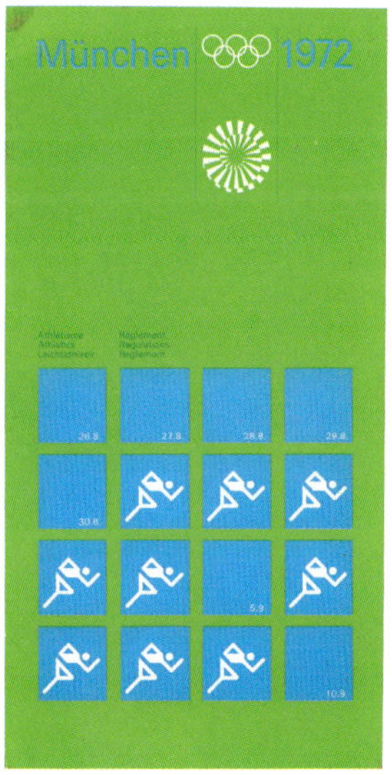
München 1972

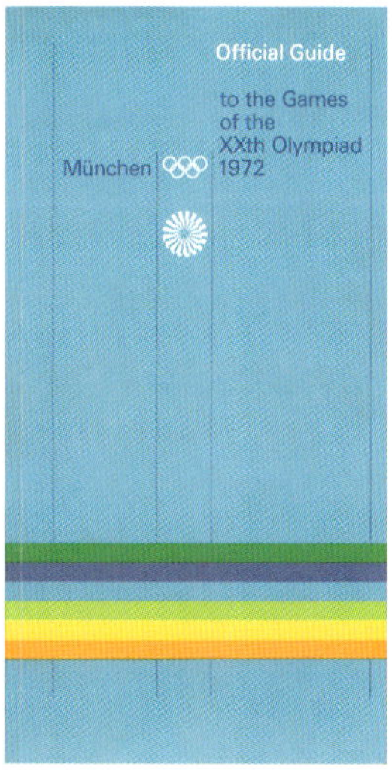
Official Guide
to the Games
of the
XXth Olympiad
München
1972

GUIA OFICIAL DOS JOGOS DA XXA OLIMPÍADA MUNIQUE 1972

1.9.72

29.8.72
schiessen
shooting
tir
preis dm 2.50

Acima e à direita **PROGRAMAS DIÁRIOS DE GINÁSTICA E TIRO**

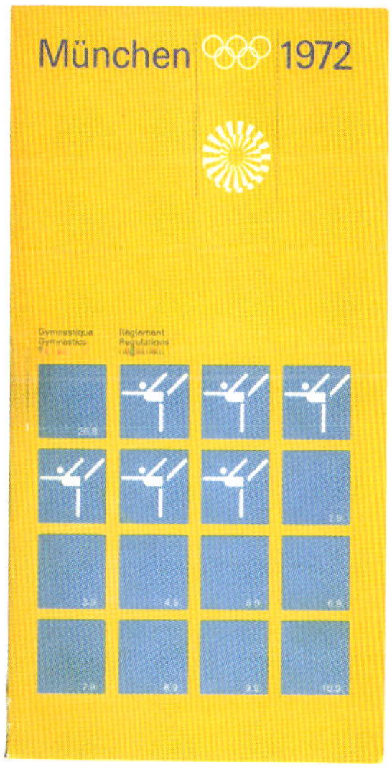
München 1972

LIVRETO DE REGRAS DE GINÁSTICA E ATLETISMO

Olympischer Sommer

***OLYMPIC SUMMER*, PROGRAMA DOS EVENTOS CULTURAIS**

München
29.8.1972 8.00 h
München
28.8.1972 10.00 h
G
3
11
München
31.8.1972 10.00 h
S

INGRESSOS DE EVENTOS

P
11281

CARTÃO DE ESTACIONAMENTO

WALDI, A MASCOTE OFICIAL, EM DIFERENTES CONFIGURAÇÕES DE CORES

MUNIQUE 1972 / Otl Aicher / Alemanha, 1966–1972 / Imagens: cortesia de Joe Miller

Após os parcos resultados financeiros dos Jogos de 1976 em Montreal e da menor participação de países desde 1956, nos Jogos de 1980 em Moscou, Los Angeles teve pouco ou nenhuma concorrência para ganhar os Jogos; apenas Nova York a desafiava na segunda fase, Teerã desistiu voluntariamente. Sem fundos públicos, o Comitê Organizador contou com as instalações esportivas existentes e vilas olímpicas improvisadas nas universidades de Los Angeles e Sul da Califórnia. Unir aproximadamente 130 locais foi a tarefa da Jerde Partneship, liderada pelo arquiteto Jon Jerde, que colaborou com a empresa de design ambiental Sussman/Prejza, dirigida por Deborah Sussman. Quando o Comitê decidiu se afastar de uma abordagem vermelha/branca/azul, Jerde e Sussman desenvolveram um kit com peças arquitetônicas e gráficas em que uma série de estruturas de andaimes, colunas, arcos e flâmulas eram decorados com incontáveis estrelas, listras, formas geométricas e mesmo um padrão de confetes feitos numa inesperada combinação de carmesim, vermelho, amarelo e verde água. A aparência final, apelidada "Federalismo Festivo" teve sucesso em estabelecer uma presença olímpica onde não havia nenhuma; quando foi desmontada, nenhum dos temidos elefantes brancos existia.

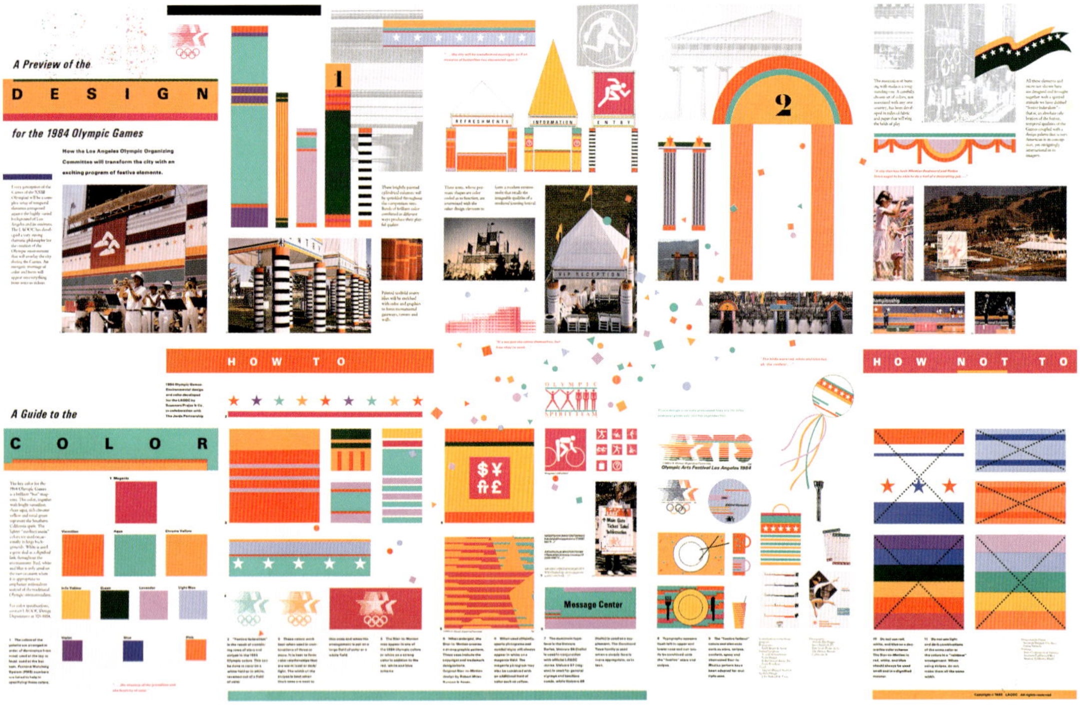
A Preview of the
DESIGN
for the 1984 Olympic Games
HOW TO
HOW NOT TO
A Guide to the
COLOR
Message Center

KIT DE PEÇAS

Acima e abaixo **APLICAÇÕES DE BRANDING E AMBIENTAÇÃO**

ARTS

LOS ANGELES 1984 / Sussman /Prejza & Company, Inc.: Deborah Sussman; The Jerde Partnership / EUA, 1984

Em contraste com esses exemplos, a identidade para os Jogos que só se realizarão em 2012 já consolidou seu lugar como uma das mais memoráveis – e não pelas razões corretas – cinco anos antes de ir para o centro das atenções do mundo. Apresentado com grande alarde em junho de 2007 por Sebastian Coe, chefe do Comitê Organizador, o logotipo, irregular, mutante e quase fluorescente encontrou uma reação negativa global. Âncoras de noticiários zombaram, jornais fizeram matérias críticas em que crianças podiam apresentar os seus logotipos (teoricamente) superiores e uma petição online para mudar o logotipo conseguiu 48.616 assinaturas em 48 horas. Foi criado em Londres por Wolff Olins › 206, que descreve a identidade como "inconvencionalmente ousada, deliberadamente animada e inesperadamente dissonante, ecoando as qualidades de Londres, de cidade moderna e com atitude". O emblema de 2012 é imaginado como uma forma que pode ser preenchida com imagens e, por sua vez, isso quer dizer que qualquer um pode fazê-lo; emprega uma linguagem visual cinética – tão cinética que um vídeo de lançamento teve que ser retirado do website porque algumas pessoas afirmavam que provocava síncopes – que prepara a identidade para a Olimpíada com mais transmissões pela TV, web e aparelhos móveis, visando deliberadamente uma geração muito mais nova de espectadores. O trabalho de Wolff Olins pode ter sido censurado, mas o potencial para redefinir as expectativas de como as identidades das Olimpíadas devem funcionar e adaptar-se é inegável.

london
TM

klmnopq
rstuvwxyz
All about you

london
passion

IDENTIDADE DOS JOGOS OLÍMPICOS DE 2012 EM LONDRES / Wolff Olins / Reino Unido, 2007

london

CAMPANHA PRESIDENCIAL OBAMA '08

No sábado, 10 de fevereiro de 2007, o jovem senador de Illinois, Barack Obama, anunciou sua candidatura para a presidência dos Estados Unidos no edifício do Capitólio Estadual na capital do estado, Springfield. Na frente do pódio e nas mãos cobertas com luvas dos assistentes na forma de cartazes, o logotipo da campanha, Obama´08 era apresentado. A letra *O* azul brilhante, com as listras brancas e vermelhas da bandeira que a atravessam formando um horizonte, era diferente de todos os logotipos jamais produzidos para uma campanha eleitoral. Isso não é arrogância nem retórica: até aquele ponto, logotipos de campanha eram sempre soluções tipográficas que, desajeitadamente, tentavam integrar estrelas e bandeiras. Obama´08 era um ícone simples que podia se manter sozinho, não muito diferente de marcas de sucesso como Nike > 343, Target e Apple. O logotipo foi criado pela Sender LLC., uma empresa de design de Chicago liderada por Sol Sender, que foi procurado pela empresa de gráficos em movimento mo/de que, por sua vez, fora contratada pela AKP&D Message and Media, a empresa de consultoria de David Axelrod, principal conselheiro de campanha de Obama. Com duas semanas para desenvolver opções, Sender e sua equipe de design , Andy Keene e Amanda Gentry, criaram mais de uma dúzia de opções de logotipos, filtrando

OBAMA'08
WWW.BARACKOBAMA.COM

LOGOTIPO DE OBAMA '08 EM VERSÃO COM DUAS CORES / Sender LLC / EUA, 2007

LOGOMARCA "O" EM VERSÕES DE UMA, DUAS E QUATRO CORES / Sender LLC / EUA, 2007

ASIAN AMERICANS PACIFIC ISLANDERS FOR OBAMA
AMERICANS ABROAD FOR OBAMA
PEOPLE OF FAITH FOR OBAMA
FIRST AMERICANS FOR OBAMA
WOMEN FOR OBAMA
LATINOS FOR OBAMA
ENVIRONMENTALISTS FOR OBAMA
OBAMA PRIDE
PRIDE.BARACKOBAMA.COM

OITO DE CATORZE APLICAÇÕES DE LOGOTIPO DA CAMPANHA DE OBAMA PARA DIFERENTES SEGMENTOS DA POPULAÇÃO AMERICANA / Campanha Obama '08 / EUA, 2008

gradualmente as propostas até duas ou três opções viáveis, com o *O* crescente sendo a de maior sucesso.

Sender entregou os materiais da identidade para a campanha com um conjunto de padrões e orientações para garantir consistência, pois diferentes fornecedores teriam que fabricar numerosos artigos de campanha. Ele nunca esperaria as permutações que fizeram a identidade da campanha ainda mais impressionante. Com John Slabyk como diretor de arte e Scott Thomas como diretor de novas mídias, a campanha desenvolveu uma identidade ampla e coesa que explorava a simplicidade do logotipo. Para alcançar e conectar-se com diferentes segmentos da população, eles adaptaram o logotipo de maneiras inteligentes; substituindo a bandeira por um maço de folhas de papel para os estudantes ou substituindo o *O* por um arco-íris para a comunidade de gays, lésbicas, bissexuais e transgêneros.

Além disso, um grupo de pessoas criativas começou a interpretar a imagem mesma de Obama e o que ela representava. A mais notável foi a de Shepard Fairey, cujo retrado auto-publicado e em três cores de Obama, apresentando a palavra *hope* (esperança), lançou uma tendência. A campanha, posteriormente encomendou a Fairey, e também a Lance Wyman, Jonathan Hoefler > 230 e Scott Hansen, entre outros artistas, para criar impressos. No meio tempo, o logotipo, nas bases, tomou a forma de biscoitos, docinhos, pratos de chili e abóboras de halloween, criando uma aura criativa contagiosa. Na terça-feira, 4 de novembro de 2008, Barack Obama foi eleito o 44º presidente dos Estados Unidos

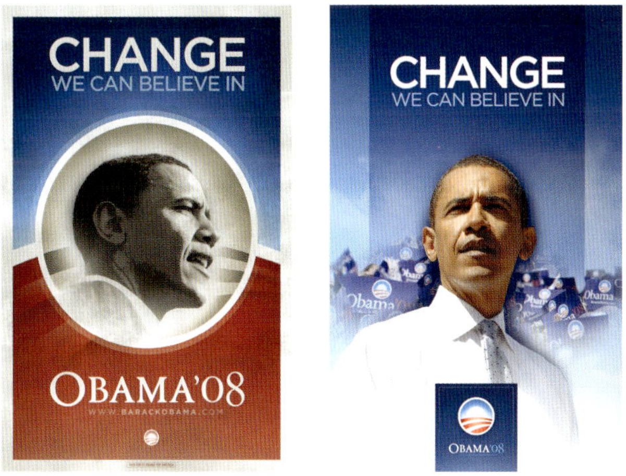
CHANGE
WE CAN BELIEVE IN
OBAMA'08
CHANGE
WE CAN BELIEVE IN
OBAMA'08

CARTAZES *CHANGE WE CAN BELIEVE IN* / Campanha Obama '08 / EUA, 2008

CARTAZES DE RON ENGLISH IN SAN FRANCISCO / Foto: usuário do Flickr Jef Poskanzer / EUA, 2008

PROGRESS

CARTAZES DE SHEPARD FAIREY EM WASHINGTON, D.C. / Foto: usuário do Flickr Daquella manera / EUA, 2008

OBAMA
OBAMA

POSTER DE OBAMA SÓSIA DE OBEY / Foto: usuário do Flickr Jef Poskanzer / EUA, 2008

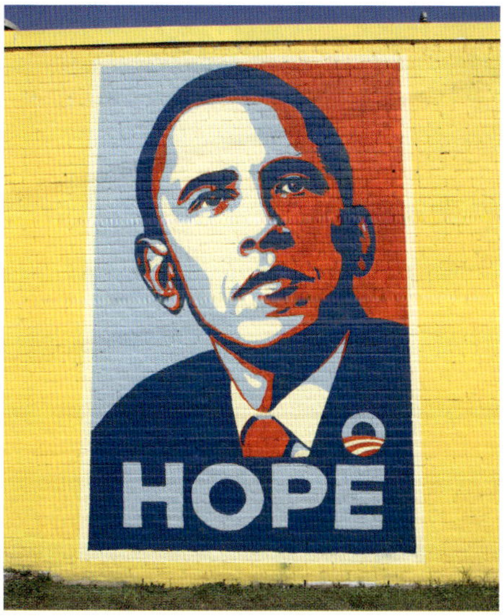
HOPE

MURAL NA PAREDE LATERAL COMITÊ DE HOUSTON DA CAMPANHA OBAMA'08, FEITO COM AEROSOL BASEADO NUM DESIGN DE SHEPARD FAIREY / Foto: usuário do Flickr jetherlot / EUA, 2008

Lo-Res

Unlike bitmap fonts, most typefaces used on today's computers are resolution independent. They are designed at very high resolutions, making their shapes scalable to virtually any size. However, because they usually are not (or can not be) optimized for low resolutions, they are difficult to read on screen at small sizes.

In contrast, a bitmap font is designed to be optimized for a specific resolution; that is, a specific number of pixels relative to it's body.

In order to achieve perfect pixel control at small sizes, bitmap designs incorporate the pixels in their structure. The result is that the pixels remain apparent when the fonts are scaled to other sizes. (Their apparent resolution does not increase as the resolution of the output device is increased, for example, from video display to a printed page.) Therefore, each bitmap design is tied to a resolution.

For ease of use, the Lo-Res fonts are provided in outline format; as stair step outlines of the bitmap design. When used at low resolutions (when the pixels are visible to the naked eye, such as on a video display) the Lo-Res fonts are best used at their intended size, or at point sizes that are integer multiples thereof.

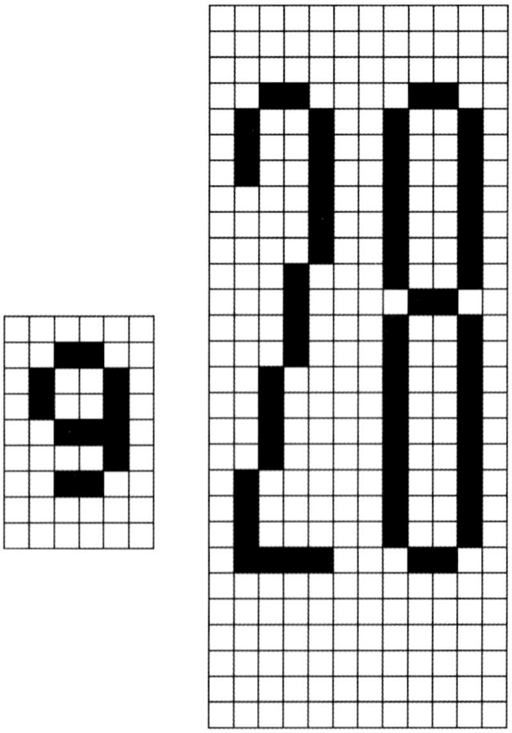

At high resolutions (when the pixels are invisible to the naked eye, such as print quality output) the Lo-Res fonts can be scaled to any size.

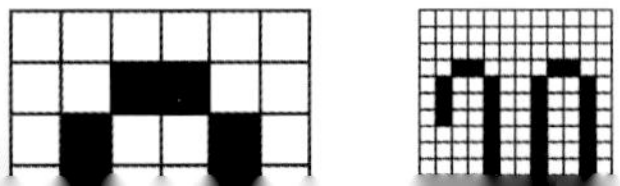

PRÁTICA

Em Letras

362

Clássicas

Por todos os avanços na tecnologia digital, chega a ser humilhante considerar que algumas das fontes mais usadas foram criadas há muito tempo, algumas no século XV. Enquanto a maioria passou pelos retoques necessários à medida que mudavam os métodos de produção – de tipos metálicos à fotocomposição e ao digital –, elas permanecem fiéis às suas origens e, em sua familiaridade e simplicidade, permanecem como escolhas tipográficas clássicas

376

Novos Clássicos

Criadas e lançadas após 1984 - a linha divisória para o design e a tecnologia digital - certos tipos de fontes tornaram-se clássicos instantâneos, sendo interpretações contemporâneas e evoluções de letras com e sem serifa ou ainda recriações de tipos existentes. Rapidamente postas em uso e muito difundidas graças à distribuição digital, essas fontes tem durado mais que sua oferta inicial, algo incomum entre as muitas fontes contemporâneas, cujo uso é mantido por apenas um período limitado.

382

Inovadoras

Quer tenham sido desafiadas pelas limitações dos métodos de produção, potencial de uma nova tecnologia ou pela curiosidade, os designers de fontes continuam a inovar tanto os atributos técnicos quanto os estéticos das fontes, quer no contexto dos pedidos dos clientes, quer por exploração pessoal. Com diferentes graus de sucesso e afinidades, essas fontes demonstram o grande espaço que ainda há para inovações nessa prática secular.

386

Desprezadas

"Não existe essa coisa de fonte ruim", escreveu Jeffery Keedy, "apenas má tipografia". Essa avaliação é verdadeira, em sua maior parte, como os melhores tipógrafos e designers têm desde sempre provado que mesmo as fontes mais impopulares podem funcionar surpreendentemente bem na execução e no contexto apropriado. Não obstante, algumas fontes são deficientes por natureza ou por associação: certas fontes podem ser mal construídas ou sofrer com uma estética discutível, enquanto outras, em razão de seu uso, abuso ou mal uso, ficam marcadas e danificadas. Não importando a causa ou a despeito dos usos apropriados para elas, encontrar alternativas é recomendado.

Detalhe do **CATÁLOGO DA LO-RES** / **Emigre: Rudy VanderLans / EUA, 2001**

Garamond

DESIGNER Claude Garamond / Jean Jannon / **DATA** séculos XV e XVI / **PAÍS DE ORIGEM** França / **CATEGORIA** Serifada / **CLASSIFICAÇÃO** Garalde

Se você perguntar aos designers de hoje sobre sua Garamond preferida, as respostas seriam tão variadas quanto as versões que foram desenvolvidas manual ou digitalmente - mostrando diferentes ângulos nas serifas, alturas-x e eixos - em mais de 100 anos, chegando até a criar certa confusão.
As primeiras recriações vieram em 1918, da American Type Founders, 1921 pela Lanston e 1922 pela Monotype, e todos acreditavam ter baseado seus designs no trabalho de Claude Garamond no século XV - até que em 1926, quando Beatrice Warde, a tipógrafa, escritora e estudiosa americana, revelou no periódico britânico *The Fleuron* que as fontes eram o trabalho de Jean Jannon, do século XVI, e que lembrava o de Garamond. Não obstante, o nome Garamond permaneceu ligado a essas fontes. A versão de 1925 da D. Stempel AG foi baseada no trabalho de Garamond e assim também o foi a versão de Robert Slimbach para a Adobe › 223 em 1989. A versão da ITC de 1975, de Tony Stan é uma interpretação menos precisa tanto do trabalho de Garamond, quanto de Jannon; é considerada por muitos designers como o patinho feio das Garamondes.

***YOUR NEW GLASS EYE* PARA 826 VALENCIA, MCSWEENEY'S PIRATE STORE** / texto, ilustração, design, produção, Sasha Wizansky / EUA, 2002

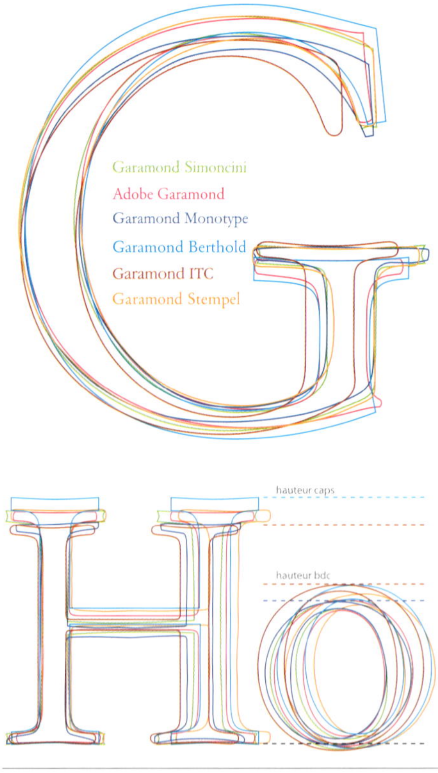
Garamond Simoncini
Adobe Garamond
Garamond Monotype
Garamond Berthold
Garamond ITC
Garamond Stempel
hauteur caps
hauteur bdc

COMPARAÇÃO DE SEIS GARAMONDES / Peter Gabor / França, 2006

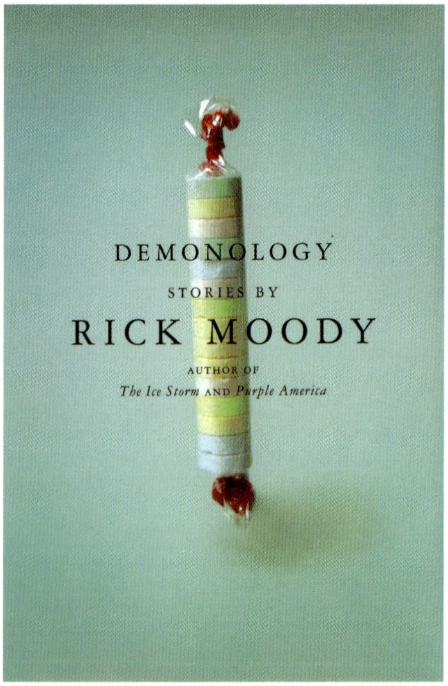
DEMONOLOGY
STORIES BY
RICK MOODY
AUTHOR OF
The Ice Storm AND Purple America

DEMONOLOGY, Rick Moody / Little, Brown / Paul Sahre / EUA, 2000

Tek
nion
abil
ity

***ABILITY* CATÁLOGO DE PRODUTOS DA TEKNION SISTEMAS DE MOBILIÁRIO** / Vanderbyl Design; Michael Vanderbyl / EUA, 1997

Bembo

DESIGNER Stanley Morison / **FÁBRICA** Monotype Corporation / **ANO** 1929 / **PAÍS DE ORIGEM** Reino Unido / **CATEGORIA** Serifada / **CLASSIFICAÇÃO** Garalde

Francesco Griffo da Bologna, um designer de fontes e fabricante de tipos, foi levado à Veneza pelo famoso gráfico da renascença, Aldus Manutius. Seu primeiro projeto foi a criação de uma fonte para *De Aetna*, um livro do estudioso italiano, Pietro Bembo - que deu nome à fonte clássica para livros criada pelo designer britânico, Stanley Morison, para a Monotype. Uma leve qualidade caligráfica é evidente na Bembo, notavelmente nas serifas, curvas de transição e nos comprimentos das ascendentes e descendentes; esses detalhes têm feito da Bembo uma favorita para grandes corpos de texto, em que confere cor e texturas consistentes, grande legibilidade e bom uso do espaço.

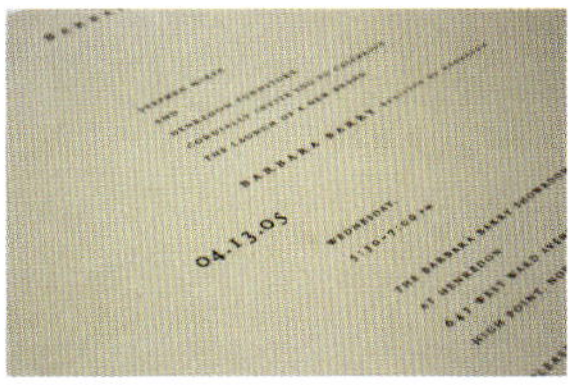

ANÚNCIO E CONVITE DE BARBARA BARRY / Vanderbyl Design: direção de criação, Michael Vanderbyl; design, Katie Repine / EUA, 2005

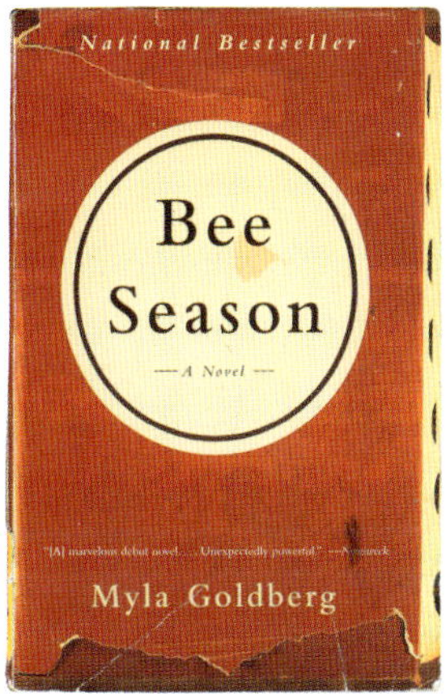
National Bestseller
Bee
Season
A Novel
Myla Goldberg

BEE SEASON, Myla Goldberg / Anchor Books, Random House / Amy C. King; foto, Barry Marcus / EUA, 2001

BA
SK
IN

***THE HUMAN CONDITION: SELECTED WORKS BY LEONARD BASKIN*, CATÁLOGO DE EXPOSIÇÃO NA STEPHEN F. AUSTIN UNIVERSITY** / Summerford Design, Inc.: Jack Summerford / EUA, 1996

Caslon

DESIGNER William Caslon I / **FÁBRICA** Caslon Foundry / **ANO** 1720–1730 / **PAÍS DE ORIGEM** Reino Unido / **CATEGORIA** Serifada / **CLASSIFICAÇÃO** Transicional

A primeira manifestação do estilo Caslon veio em 1722, quando William Caslon I criou a Caslon Old Style. Nas décadas seguintes, através da Caslon Foundry, ele lançou variações da Caslon que eram muito difundidas na Grã-Bretanha e posteriormente nos Estados Unidos. Benjamim Franklin foi um dos seus admiradores fervorosos, usando-a regularmente em suas impressões. Algumas das primeiras cópias impressas da Declaração de Independência dos Estados Unidos e da Constituição americana foram compostas em Caslon.

A Caslon foi muitas vezes recriada. Em 1902, a American Type Founders (ATF) lançou a Caslon 540 e, três anos depois, a Caslon 3, uma versão um pouco mais encorpada, modificada para funcionar melhor com as tecnologias de impressão em evolução. Em 1990, Carol Twombly digitalizou uma versão para a Adobe › 223 e, em 1998 a ITC › 220 lançou a ITC Founder's Caslon, em que cada tamanho foi digitalizado separadamente, e a ITC lançou-a nas versões com os corpos 12, 30 e 42 e também um peso para cartazes.

CARTAZ DE SHOW *THE LAB* / Graham Jones / Reino Unido, 2008

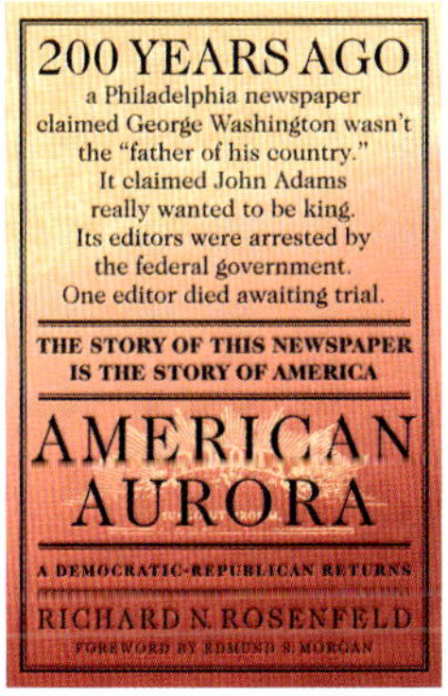
200 YEARS AGO
a Philadelphia newspaper claimed George Washington wasn't the "father of his country." It claimed John Adams really wanted to be king. Its editors were arrested by the federal government. One editor died awaiting trial.
THE STORY OF THIS NEWSPAPER IS THE STORY OF AMERICA
AMERICAN AURORA
A DEMOCRATIC-REPUBLICAN RETURNS
RICHARD N. ROSENFELD
FOREWORD BY EDMUND S. MORGAN

AMERICAN AURORA, Richard N. Rosenfeld / St. Martins Press / Henry Sene Yee / EUA, 1996

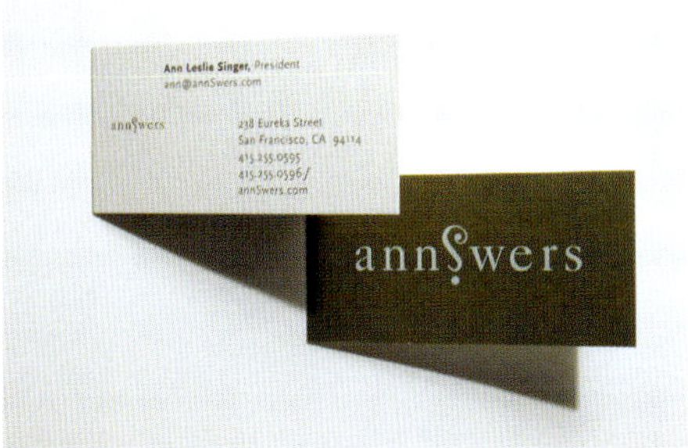
annswers

IDENTIDADE DA ANNSWERS / Aufuldish & Warinner: Bob Aufuldish / EUA, 1999

Old
Friends

OLD FRIENDS, Stephen Dixon / Melville House Publishing / David Konopka / EUA, 2004

Bodoni

DESIGNER Giambattista Bodoni / **ANO** 1790 / **PAÍS DE ORIGEM** Itália / **CATEGORIA** Serifada / **CLASSIFICAÇÃO** Didone

Como diretor da Stamparia Reale, a gráfica oficial de Ferdinando, Duque de Parma, Giambattista Bodoni estava encarregado de imprimir e produzir documentos oficiais, bem como os seus próprios. Por meio desse ofício ele desenvolveu a Bodoni. Nos finais dos anos 1790, Bodoni abandonou as serifas romanas de estilo antigo e, ao invés de encaixar a serifa nos traços horizontais, ele desenvolveu uma abordagem mais matemática e geométrica enfatizada pelo contraste de traços grossos e serifas finas, formando ângulos voltados para cima. Muitas versões existem hoje para a Bodoni; a de Morris Fuller Benton, para a American Type Founders, Inc. e a Bauer Bodoni de Henrich Jost, para a fábrica Bauer são duas das mais comuns. A despeito de qual versão da Bodoni seja usada, elegância, luxo e sofisticação são qualidades que certamente serão atingidas.

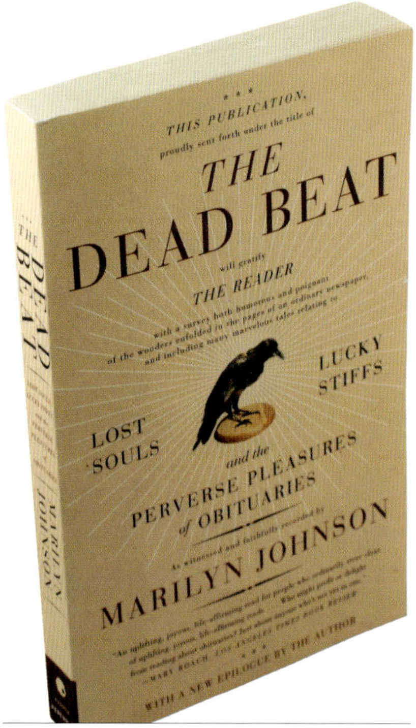
THIS PUBLICATION,
THE DEAD BEAT
THE READER
LUCKY STIFFS
LOST SOULS
and the PERVERSE PLEASURES of OBITUARIES
MARILYN JOHNSON

THE DEAD BEAT, **Marilyn Johnson / Harper Perennial / Milan Bozic; foto: Eric Workum / EUA, 2006**

BLOSSA
GLÖGG

EMBALAGEM PARA VINHO E BEBIDAS DA BLOSSA TRESTJÄRNIG / BVD: direção de criação, Catrin Vagnemark; design, Susanna Nygren Barrett, Mia Heijkenskjöld / Suécia, 2003–2007

PROSPECTO DE ADMISSÃO MARYLAND INSTITUTE COLLEGE OF ART / Rutka Weadock Design: direção de arte, Anthony Rutka; design, Hwa Lee; fotos principais: Bruce Weller / EUA, 2004

Didot

DESIGNER Firmin Didot **FÁBRICA** House of Didot / **ANO** 1784 / **PAÍS DE ORIGEM** França / **CATEGORIA** Serifada / **CLASSIFICAÇÃO** Didone

Quando estava criando a Didot, Firmin Didot, afastou-se de características caligráficas e de escrita manual, comuns à época, em busca de uma solução mais legível e limpa. Isso foi conseguido com alto contraste nos traços e uso de linhas fins e serifas horizontais e mínimo fechamento. Essas mudanças personificavam o começo do estilo moderno e a Didot tornou-se o padrão francês por mais de um século. Como acontece com as fontes mais antigas e de maior sucesso, a Didot foi recriada muitas vezes, sofrendo o processo de reinterpretação e o tratamento pelas novas tecnologias; a versão de Adrian Frutiger para a Linotype pode ser a de melhor reputação; mas interpretações mais modernas da Hoefler & Frere-Jones › 230, feitas para a *Harper's Bazaar* › 327 e depois disponibilizadas no varejo, apresentam sete tamanhos ópticos - do corpo 6 ao 96 - que otimizam cada tamanho para manter o contraste e sutileza merecidos pela elegante Didot.

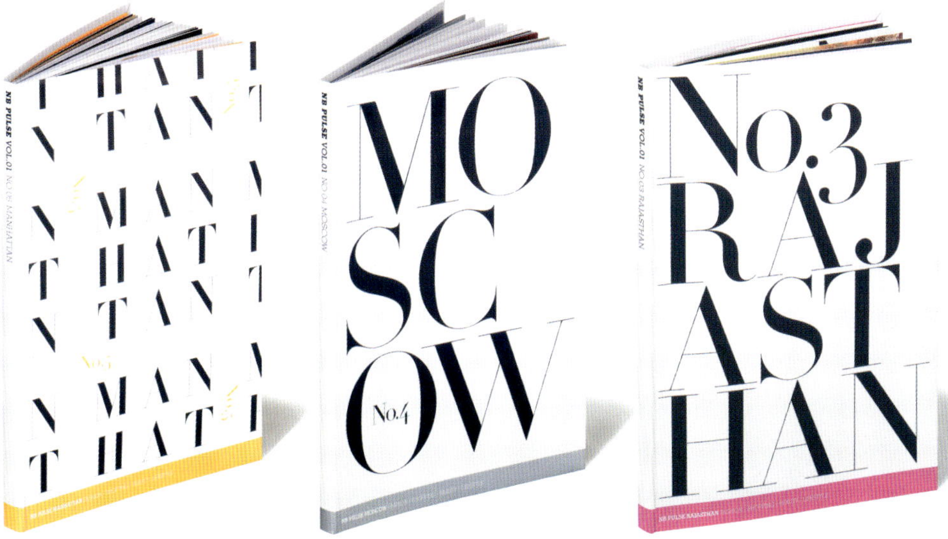
MO
SC
OW
No.4
No.3
RAJ
AST
HAN

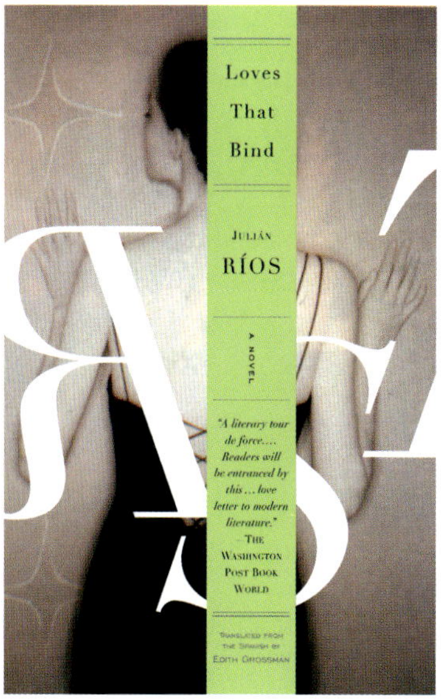
Loves
That
Bind
Julián
Ríos
A Novel

LOVES THAT BIND, **Julián Ríos / Random House / John Gall; foto, Deborah Samuels / Photonica / EUA, 1999**

SO
U
N
D
S

ALL
AMER
ICAN
BOY

GUIAS DE VIAGEM NB PULSE / Studio8 Design: direção de arte, Zoë Bather, Matt Willey; design, Zoë Bather, Matt Willey, Matt Curtis / Reino Unido, 2007–2008

Trajan

DESIGNER Carol Twombly / **FÁBRICA** Adobe Type / **ANO** 1989 / **PAÍS DE ORIGEM** Estados Unidos / **CATEGORIA** Serifada / **CLASSIFICAÇÃO** Glífica

Inspirada nas maiúsculas encontradas na coluna de Trajano, em Roma, e depois expandida com versaletes, a Trajan traduziu a manifestação esculpida da original do segundo século numa forma apropriada para o século XX. A ascensão da Trajan à fama veio do uso excessivo em cartazes e créditos de filmes, que quase fizeram disso um clichê. Ainda que possa ser encontrada em outras aplicações, tais como capa de livros e programas de TV, a presença da Trajan nos filmes tem gerado sucessivos apelos de designers que desejam por um fim a essa superexposição.

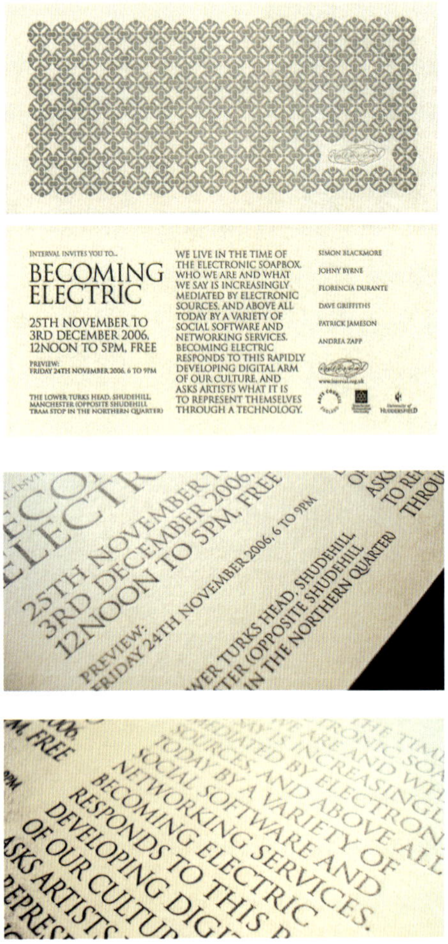
INTERVAL INVITES YOU TO...
BECOMING ELECTRIC
25TH NOVEMBER TO 3RD DECEMBER 2006, 12NOON TO 5PM, FREE
PREVIEW: FRIDAY 24TH NOVEMBER 2006, 6 TO 9PM
THE LOWER TURKS HEAD, SHUDEHILL MANCHESTER (OPPOSITE SHUDEHILL TRAM STOP IN THE NORTHERN QUARTER)
WE LIVE IN THE TIME OF THE ELECTRONIC SOAPBOX. WHO WE ARE AND WHAT WE SAY IS INCREASINGLY MEDIATED BY ELECTRONIC SOURCES, AND ABOVE ALL TODAY BY A VARIETY OF SOCIAL SOFTWARE AND NETWORKING SERVICES. BECOMING ELECTRIC RESPONDS TO THIS RAPIDLY DEVELOPING DIGITAL ARM OF OUR CULTURE, AND ASKS ARTISTS WHAT IT IS TO REPRESENT THEMSELVES THROUGH A TECHNOLOGY.
SIMON BLACKMORE
JOHNY BYRNE
FLORENCIA DURANTE
DAVE GRIFFITHS
PATRICK JAMESON
ANDREA ZAPP

BECOMING ELECTRIC **CONVITE PARA A INTERVAL** / Graham Jones / Reino Unido, 2006

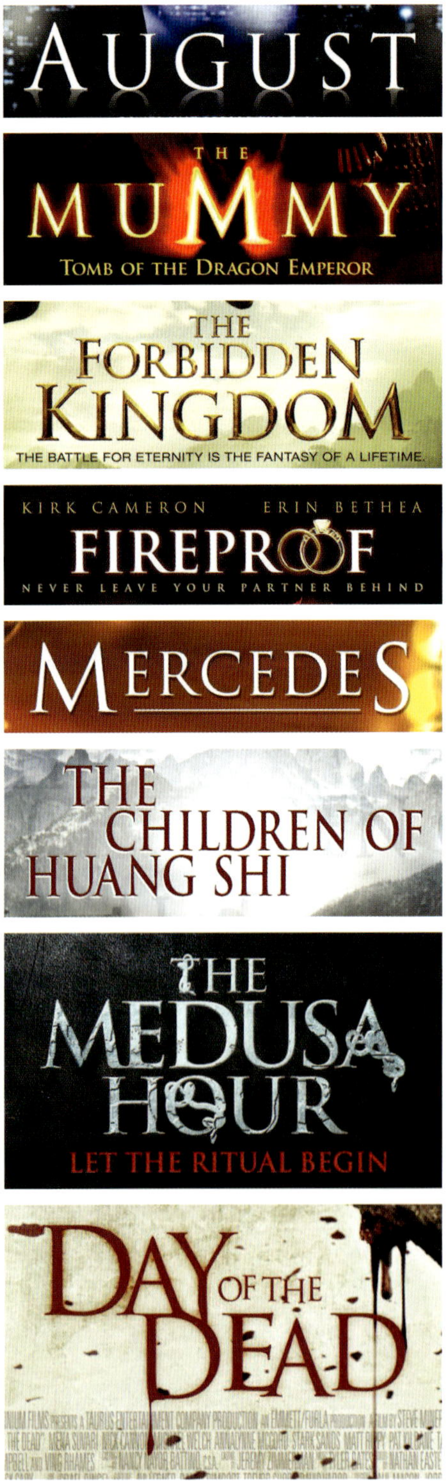
AUGUST
THE MUMMY
TOMB OF THE DRAGON EMPEROR
THE FORBIDDEN KINGDOM
THE BATTLE FOR ETERNITY IS THE FANTASY OF A LIFETIME.
KIRK CAMERON ERIN BETHEA
FIREPROOF
NEVER LEAVE YOUR PARTNER BEHIND
MERCEDES
THE CHILDREN OF HUANG SHI
THE MEDUSA HOUR
LET THE RITUAL BEGIN
DAY OF THE DEAD

EXEMPLOS DE TÍTULOS DE FILMES EXTRAÍDOS DE CARTAZES CRIADOS APENAS NO ANO DE 2008

PASSION
INNOVATE
CCAC
90

CAMPANHA DO CALIFORNIA COLLEGE OF ARTS AND CRAFTS / Vanderbyl Design: Michael Vanderbyl / EUA, 1997

Berthold Akzidenz Grotesk

DESIGNER N/A / **FÁBRICA** H. Berthold AG / **ANO** 1898 / **PAÍS DE ORIGEM** Alemanha / **CATEGORIA** Sem Serifa / **CLASSIFICAÇÃO** Neo-Grotesque Lineal

Berthold Akzidenz Grotesk foi uma das fontes sem serifa mais influentes, inspirando muitos designs de fontes sem serifas criadas mais de 50 anos depois - por sua vez, a Akzidenz Grotesk foi inspirada pela Royal Grotesk de 1880. Entretanto, a Akzidenz Grotesk, como foi distribuída pela H. Berthold AG no início do século XX, foi uma fusão de fontes criadas por várias fábricas que a H. Berthold AG ia lentamente adquirindo; como resultado, a Akzidenz Grotesk diferia em tamanho de corpo, sem reconhecer suas origens nem admitir quaisquer diferenças. Começando nos anos 1950, sob a direção de Günter Gerhard Lange, alguns dos designs foram unificados e a família expandiu-se para incluir pesos mais robustos e variações condensadas. Em 2006, a Berthold lançou a Akzidenz Grotesk Next, redesenhada por Bernd Moellenstaedt e Dieter Hofrichter, para finalmente fornecer uma versão plenamente unificada desse design inovador.

A trip to Sweden.
Design exhibition at the
Swedish Embassy in
Tokyo, October 5-15th.
スウェーデンへの旅
A trip to Sweden.
Design exhibition at the
Swedish Embassy in
Tokyo, October 5-15th.
スウェーデンへの旅
A trip to Sweden.
Design exhibition at the
Swedish Embassy in
Tokyo, October 5-15th.
スウェーデンへの旅
A trip to Sweden.
Design exhibition at the
Swedish Embassy in
Tokyo, October 5-15th.
スウェーデンへの旅

IDENTIDADE E SÉRIE DE CARTAZES PARA A EXPOSIÇÃO *A TRIP TO SWEDEN* / BVD: direção de criação, Susanna Nygren Barrett; design, Johan Andersson, Carolin Sundquist / Suécia, 2007

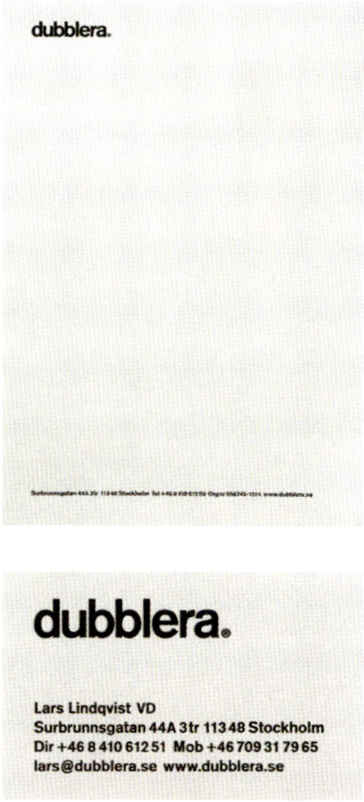
dubblera.
dubblera.
Lars Lindqvist VD
Surbrunnsgatan 44A 3tr 11348 Stockholm
Dir +46 8 410 612 51 Mob +46 709 31 79 65
lars@dubblera.se www.dubblera.se

smicker.
smicker.
Johan Holm Art Director
Surbrunnsgatan 44A 3tr 11348 Stockholm
Mob +46 707 19 65 87
johan@smicker.se www.smicker.se

IDENTIDADE DA SMICKER / BVD: direção de criação, Susanna Nygren Barrett; design, Mia Heijkenskjöld / Suécia, 2008

Ultrasilencer
Special Edition
Pia Wallén

PROGRAMA DE IDENTIDADE PARA A ELECTROLUX ULTRASILENCER EDIÇÃO ESPECIAL PIA WALLEN / BVD: direção de criação, Susanna Nygren Barrett / Suécia, 2002

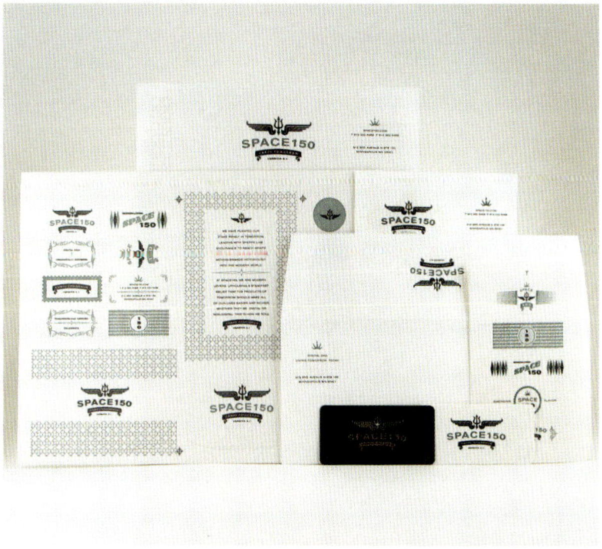
SPACE150

VERSION SIXTEEN
E PLURIBUS DIGITAL
SPACE 150
DIGITAL AGENCY

IDENTIDADE DA SPACE 150, NÚMEROS 16 E 17 / Cada 150 dias, a Space150 muda seu logotipo, papéis timbrados, website e materiais promocionais, feitos quer internamente, quer por designers externos contratados / Studio on Fire / EUA, 2006

Franklin Gothic

DESIGNER Morris Fuller Benton / **FÁBRICA** American Type Founders / **ANO** 1902–1912 / **PAÍS DE ORIGEM** Estados Unidos / **CATEGORIA** Sem Serifa / **CLASSIFICAÇÃO** Grotesque Lineal

Batizada – ou – não em homenagem a Benjamin Franklin, uma única face romana foi lançada em 1902. Por mais de uma década, Morris Fuller Benton adicionou muitos pesos e larguras à família. Uma escolha popular em propaganda, a Franklin Gothic foi expandida pela ITC em 1980, quando Victor Caruso adicionou muitos pesos nos quais ele aumentou a altura-x e condensou as formas minúsculas. Uma década mais tarde, David Berlow desenvolveu as variações, condensada, comprimida e extracomprimida, aumentando ainda mais a versatilidade e popularidade da Franklin Gothic.

localmusic
ATLANTA

localmusic
localmusic

IDENTIDADE DA LOCALMUSIC.COM / Volume, Inc.: Eric Heiman / EUA, 2000

bliss
bliss
bliss
bliss
tried+blue
bubbling
body wash
all-in-one
shampoo+
mini blue bar

KIT DE VIAGEM BLISS TRIED + BLUE TRAVEL KIT / EUA, 2008

Gill Sans

DESIGNER Eric Gill / **FÁBRICA** Monotype Corporation / **ANO** 1927 / **PAÍS DE ORIGEM** United Kingdom / **CATEGORIA** Sem Serifa / **CLASSIFICAÇÃO** Humanista Lineal

A despeito de ser uma sem serifa, a estrutura subjacente da Gill Sans revela suas inspirações serifadas – da Coluna de Trajano às escritas Carolíngias. Estas dão à Gill Sans uma aparência menos mecânica que suas contemporâneas sem serifa, como a Futura › 371. A Gill Sans é inegavelmente inspirada na Johnston Sans, a fonte criada para o metrô de Londres › 346, em 1916 pelo mentor de Gill, Edward Johnston - uma vez que a Johnston era exclusiva do metrô, a disponibilidade da Gill Sans pode ter levado ao seu vasto uso na Inglaterra. Com as suas típicas *Q, R, a, g e t*, a Gill Sans rapidamente tornou-se uma estrela britânica, usada pela BBC e pela Penguin Books › 274, entre outros. Os vários pesos na família conferem grande versatilidade em suas aplicações, pequenas ou grandes; a Gill Sans Ultra Bold se destaca por suas formas exageradas

gill
ultra
bold.

CAMISETA HIGHTEE GILL ULTRA BOLD / Toko / Austrália, 2008

brain
toniQ
The clean and intelligent think drink.
BrainToniq.com
8.4 fl. oz. (250mL)

EMBALAGEM E LOGOTIPO PARA BRAIN TONIQ / Paul Ambrose, Huc Ambrose / EUA, 2007

CITY

CENTRO DE NEGÓCIO, ARTE E TECNOLOGIA / Reino Unido, 2008 / Foto: Fernando de Mello Vargas

The portraits speak:
Chuck Close

THE PORTRAITS SPEAK: CHUCK CLOSE IN CONVERSATION WITH 27 OF HIS SUBJECTS, Chuck Close / A.R.T. Press / Lausten & Cossutta Design / EUA, 1997

Futura

DESIGNER Paul Renner / **FÁBRICA** Bauer / **ANO** 1927–1930 / **PAÍS DE ORIGEM** Alemanha / **CATEGORIA** Sem Serifa / **CLASSIFICAÇÃO** Geométrica Lineal

Baseada em formas geométricas, a Futura tornou-se uma representante dos ideais da Bauhaus naquela época – embora Paul Renner não estivesse envolvido diretamente nela – e foi uma das fontes geométricas mais influentes, inspirando outras, como a Kabel e Avenir. O design original da grande família incluía números em estilo antigo, caracteres alternativos e mesmo dois estilos para anúncios que não pareciam muito com o restante da família. Hoje, assim como no caso de outras fontes do início do século XX, existem muitas versões da Futura. Adobe, URW e Neufville Digital, todas têm versões digitais lançadas, variando em fidelidade ao original. Uma fábrica britânica, The Foundry, oferece a Archetype Renner, que apresenta as alternativas raras. O uso mais famoso da Futura é feito pela Volkswagen, celebrizado pelo radical anúncio impresso, “Lemmon”; a fábrica de carros hoje é dona de versões personalizadas da Futura.

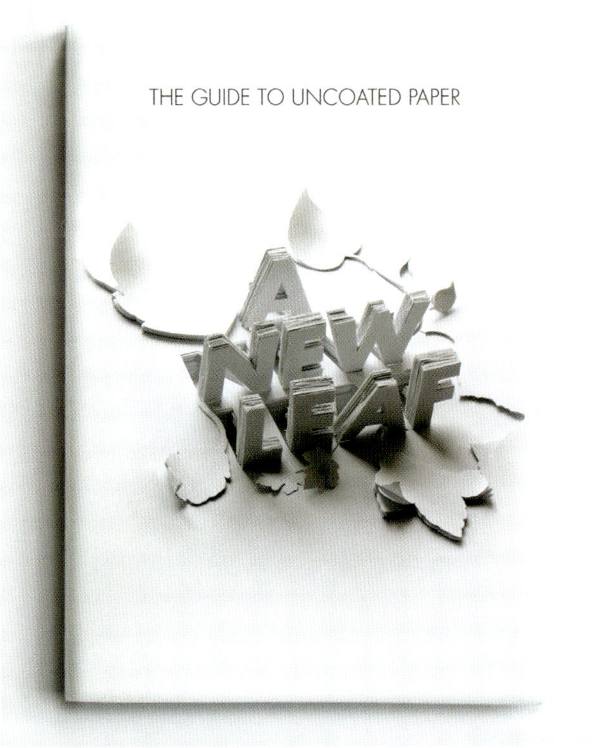
THE GUIDE TO UNCOATED PAPER
A NEW LEAF

unfold
japan

Extrema esquerda ***THE GUIDE TO UNCOATED PAPER* DA ARTIC PAPER** / Shaz Madani / Reino Unido, 2008

Esquerda ***UNFOLD JAPAN: AN EXHIBITION OF CONTEMPORARY JAPANESE FURNITURE DESIGN* PARA A VIADUCT FURNITURE** / MadeThought / Reino Unido, 2005

FIELD NOTES
48 Page Memo Book
Graph Paper / Durable Materials

FIELD NOTES, CADERNOS DE ANOTAÇÕES DE 48 / Draplin Design e Coudal Partners: design do produto, Aaron Draplin / EUA, 2008

Futura

ESTAMPA MISTERIOSA DA FUTURA SOB A PONTE DA RUA 45 NO UNIVERSITY DISTRICT DE SEATTLE, WASHINGTON / EUA, 2007 / Foto: Usuário do Flickr veganstraightedge

LOGOTIPO DO EDIFÍCIO THE CENTURY / Eric Kass / EUA, 2007

Univers

DESIGNER Adrian Frutiger / **FÁBRICA** Deberny & Peignot / **ANO** 1954 / **PAÍS DE ORIGEM** França / **CATEGORIA** Sem Serifa / **CLASSIFICAÇÃO** Neo-Grotesca Lineal

A Univers foi a primeira família a usar números como sistema de nomenclatura para seus vários pesos - 21 variações quando foi lançada pela primeira vez - construídos a partir de sua versão romana, indicada para grandes corpos de texto, a Univers 55. Baseada na Berthold Akzidenz Grotesk › 369, usa traços opticamente iguais, bem como uma grande altura-x, o que aumenta a legibilidade quando se usam as muito pequenas ou tão grandes quanto cartazes e edifícios possam suportar. Em 1997, em conjunto com a Linotype, Adrian Frutiger retrabalhou e ampliou a versão Linotype Univers para incluir 63 fontes e um terceiro dígito foi acrescentado ao sistema de numeração.

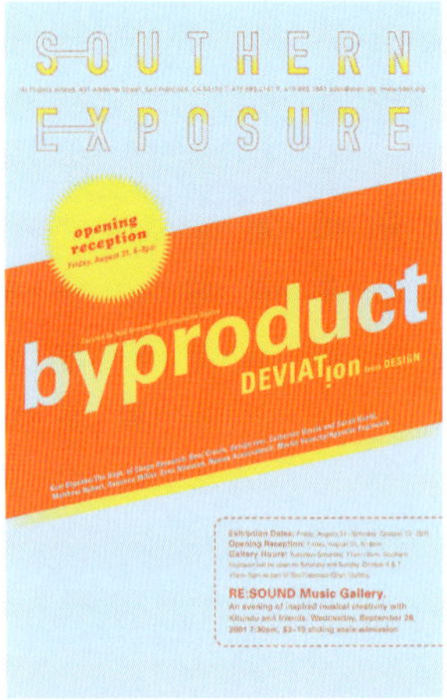
SOUTHERN
EXPOSURE
opening reception
byproduct
DEVIATion from DESIGN
RE:SOUND Music Gallery

28293031
12
3
ADKPA
FLOUR
MFBV
GNWS
HCINX
TYOZJ
B
C

AGENDA AUTOPROMOCIONAL QUE EXPERIMENTA O USO DE DUAS TINTAS PRETAS / Estúdio Ibán Ramón: direção de arte, Ibán Ramón; design, Ibán Ramón, Diego Mir, Dani Requeni / Espanha, 2007

ARTISTS
for a limited time only
byproduct
DEVIATion
from design
RE:SOUND Music Gallery

CARTAZ DA EXPOSIÇÃO *BYPRODUCT* PARA A SOUTHERN EXPOSURE / Efrat Rafaeli Design / EUA, 2001

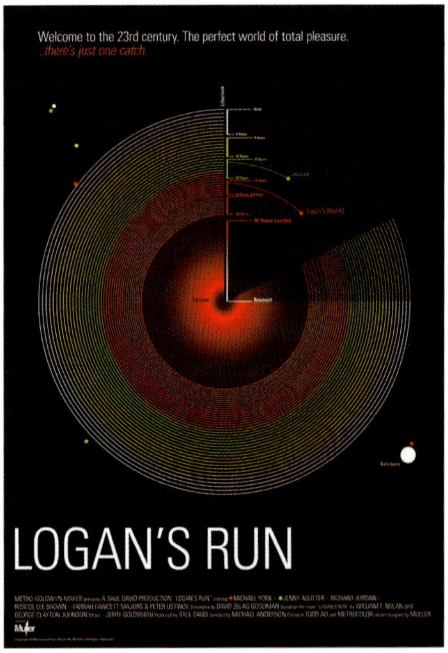
Welcome to the 23rd century. The perfect world of total pleasure.
...there's just one catch.
LOGAN'S RUN

CARTAZ DE *LOGAN'S RUN* INCLUÍDO NA EXPOSIÇÃO *NOW SHOWING* PELA WEAR IT WITH PRIDE / Muller; Tom Muller / EUA, 2008

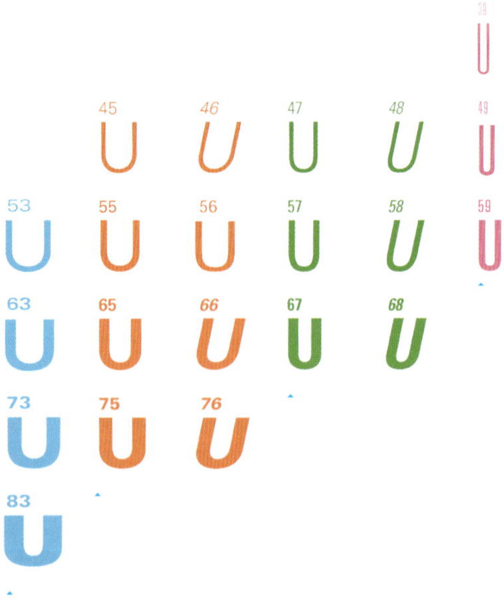
39
45 46 47 48 49
53 55 56 57 58 59
63 65 66 67 68
73 75 76
83

A univers usa um sistema de numeração para definir várias larguras, pesos e estilos. O primeiro dígito, vindo do topo para baixo na tabela, denota o peso, com 3X o mais fino e o 8X o mais espesso. O segundo dígito, indo da esquerda para a direita, denota a largura, X3 a mais expandida e X9 a mais condensada. Para diferenciar entre os estilos romano e itálico, números ímpares e pares são respectivamente usados.

Helvetica

DESIGNER Edouard Hoffman e Max Miedinger / **FÁBRICA** Haas Type Fábrica / **ANO**1957 / **PAÍS DE ORIGEM** Suíça / **CATEGORIA** Sem Serifa / **CLASSIFICAÇÃO** Neo-Grotesca Lineal

Em 1957, sob a direção de Edouard Hoffman na Haas Type Foundry, Max Miedling desenhou a Neue Haas Grotesk, baseada na cada vez mais popular Berthold Akzidenz Grotesk › 369, criada no final do século anterior. Três anos mais tarde, Linotype e D. Stempel AG redesenharam-na para que funcionasse com a máquina Linotype - entretanto, rebatizaram a fonte para evitar vendê-la com o nome do competidor. O primeiro nome foi Helvetia (nome em latim da Suíça) e depois Helvetica (palavra latina para designar o natural da Suíça), a pedido de Hoffman.

A Helvetica rapidamente tornou-se uma das fontes mais populares nos anos 1960 e 1970, especificamente tanto como bastião do estilo Tipográfico Internacional, quanto como Identidade corporativa. Da Suíça para os Estados Unidos, designers influentes, de Josef Müller-Brockmann › 152 a Massimo Vignelli › 160, exploraram-na como primeiro elemento de comunicação visual. Desde então, a Helvetica tem sido uma escolha polarizadora entre designers, que simplesmente a amam ou a odeiam. Nos anos 1990, designers holandeses da Experimental Jetset usaram a Helvetica proeminentemente em seu trabalho, deixando-a mais arejada. Em 2007, Gary Huswit dirigiu o documentário Helvetica, que traça sua história e uso, além de mostrar seus amigos e inimigos.

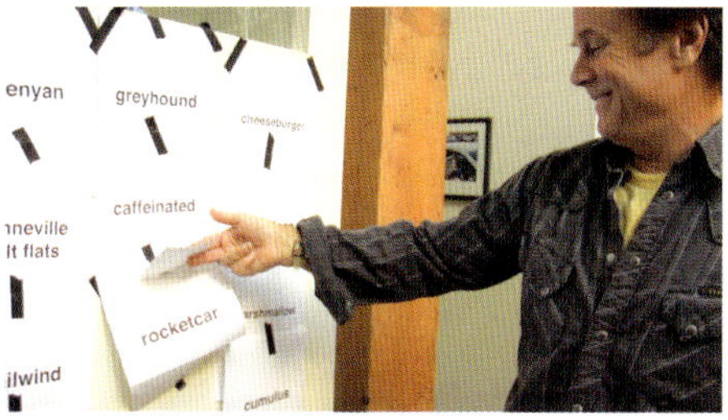

1957 Haas Grotesk
ABCDEFGHIJKL
mnopqrstuvwxyz
äÇçëèîöß&§/!?,....
1234567890*
1960 Helvetica
ABCDEFGHIJKL
mnopqrstuvwxyz
äÇçëèîöß&§/!?,....
1234567890*
afPQRS5, afPQRS5.

Helvetica

***HELVETICA*: A DOCUMENTARY FILM BY GARY HUSTWIT** / Mostrados: David Carson, Matthew Carter, Wim Crouwel / Uma produção da Swiss Dots Ltda. em associação com Veer / produção e direção, Gary Hustwit / © Swiss Dots Ltda.

everything is ok

FITA "EVERYTHING IS OK" / Um experimento de design social em positivismo subversivo / MINE™: direção de criação, Christopher Simmons; design, Christopher Simmons, Tim Belonax / EUA, 2006–até o presente

Esquerda **ESQUERDA MONTAGEM EM PRENSA E CARTAZ COMPARANDO EXEMPLOS DA NEUE HASS GROTESK E HELVETICA EM CORPO 72** / Suíça, 2008 / Fotos: Sam Mallett

Avant Garde

DESIGNER Herb Lubalin / **FÁBRICA** International Typeface Corporation / **ANO** 1970 / **PAÍS DE ORIGEM** Estados Unidos / **CATEGORIA** Sem Serifa / **CLASSIFICAÇÃO** Geométrica Lineal

Herb Lubalin › 167 trabalhou com o controverso editor Ralph Ginzburg nas revistas *Eros* e *FACT*: nos anos 60 antes de lançarem *Avant Garde* › 322, mostrando um título composto no que mais tarde seria a fonte Avant Garde. Concebida originalmente por Lubalin e seu sócio, Tom Carnase, como um alfabeto só de maiúsculas com um conjunto jovial de ligaduras, foi feita para ser usada apenas na revista que tinha direção de arte de Lubalin. Em 1970, quando Lubalin criou a ITC › 220, com Aaron Burns e Ed Rondthaler, a fábrica lançou a ITC Avant Garde, rapidamente apropriada pelo designe e agências de publicidade – nem sempre com bons efeitos. O mau uso das ligaduras e o uso excessivo dessa fonte foi um problema (amargo) para Lubalin, que considerava falho seu uso.

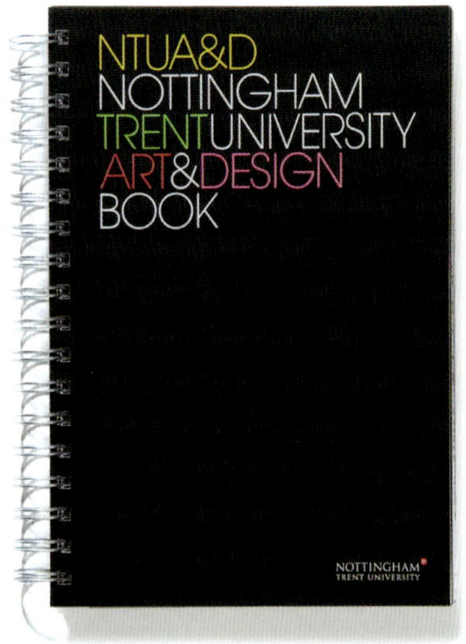
NTUA&D
NOTTINGHAM
TRENTUNIVERSITY
ART&DESIGN
BOOK
NOTTINGHAM TRENT UNIVERSITY

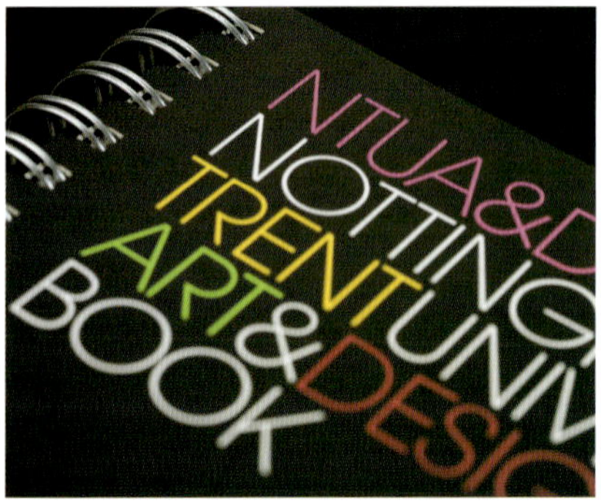

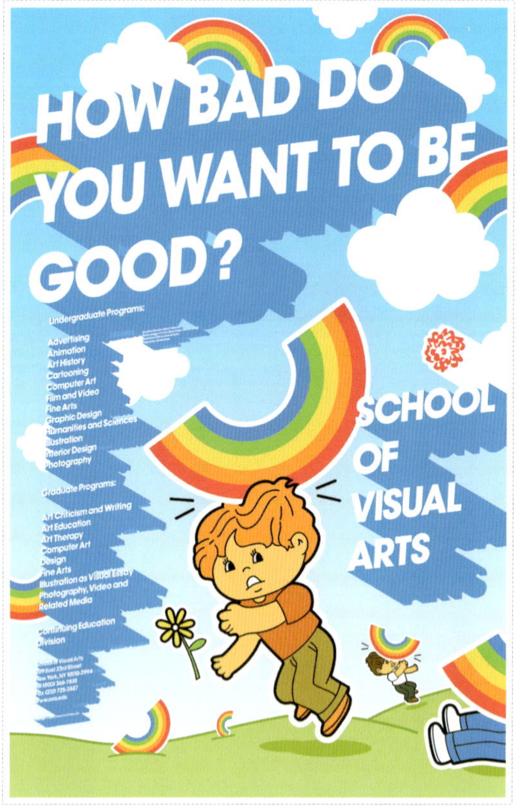
HOW BAD DO YOU WANT TO BE GOOD?
SCHOOL OF VISUAL ARTS

CARTAZ PARA ESCOLA DE ARTES VISUAIS / direção de arte, Silas H. Rhodes; design, Paul Sahre / EUA, 2006

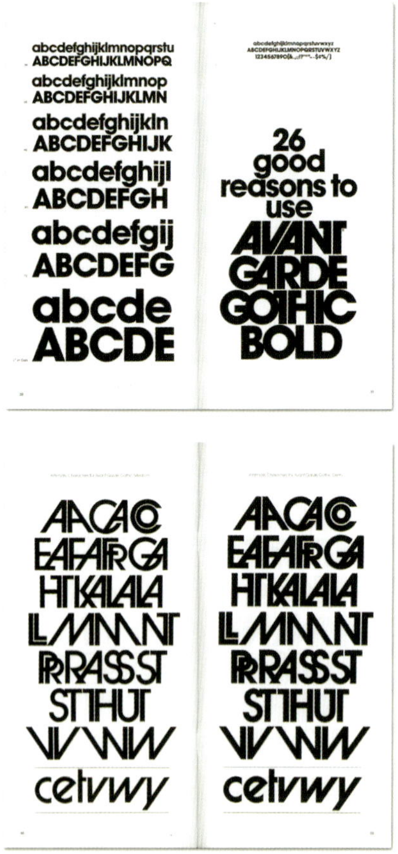
26 good reasons to use AVANT GARDE GOTHIC BOLD

MOSTRUÁRIOS DA FONTE AVANT GARDE / ITC / EUA, 1970

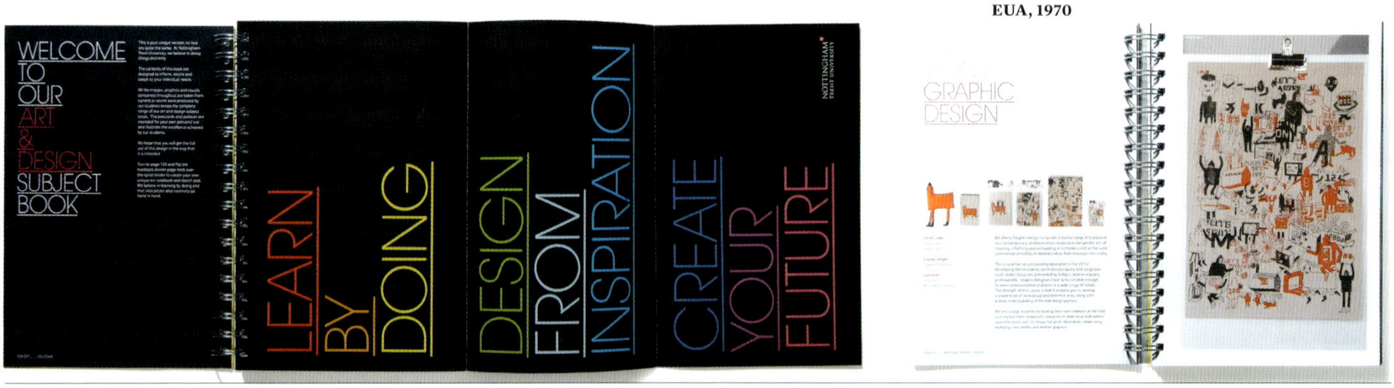
WELCOME TO OUR ART & DESIGN SUBJECT BOOK
LEARN BY DOING
DESIGN FROM INSPIRATION
CREATE YOUR FUTURE
GRAPHIC DESIGN

PROSPECTO DE ARTES E DESIGN DA NOTTINGHAM TRENT UNIVERSITY / Un.titled / Reino Unido, 2007

Clarendon

DESIGNER Robert Besley / **FÁBRICA** Fann St. Fábrica / **ANO** 1845 / **PAÍS DE ORIGEM** Reino Unido / **CATEGORIA** Serifada Bloco / **CLASSIFICAÇÃO** Geométrica Egípcia

No início do século XIX, com o advento da Revolução Industrial na Inglaterra, a tipografia experimentou um surto expressivo em apoio à produção de grandes cartazes e anúncios na forma de fontes ousadas e decorativas.
A Clarendon nasceu nesse período. Era em negrito e complementava tipos com e sem serifa. Robert Besley foi capaz de registrar a Clarendon em 1845 sob a lei de designs ornamentais de 1842 que protegia seu design, mas essa proteção só durou três anos e seu design foi rápida e amplamente pirateado. O contorno amigável da Clarendon – obtido pela curva suave que une as serifas bloco com os ramos – juntamente com a variedade de pesos, tem mantido o interesse dos designers por mais de 150 anos.

HAROLD LEE MILLER
Photographer

IDENTIDADE DA HAROLD LEE MILLER / Eric Kass / EUA, 2007

TIPOS METÁLICOS DA CLARENDON, DA COLEÇÃO DO TYPORETUM / Reino Unido, 2008 / Foto: Justin Knopp

425.

PARTE DO PROJETO M'S BUY-A-METER PROJECT / Camiseta vendida por US$425 para angariar fundos para lares em necessidade de água corrente em Hale County, Alabama / Project M / MINE™: design, Christopher Simmons / EUA, 2007

OLD STYLE

TIPOS METÁLICOS DA CLARENDON, DA COLEÇÃO DO TYPORETUM / Reino Unido, 2008 / Foto: Justin Knopp

Copperplate Gothic

DESIGNER Frederic W. Goudy / **FÁBRICA** American Type Founders / **ANO** 1901 / **PAÍS DE ORIGEM** Estados Unidos / **CATEGORIA** Sem Serifa / **CLASSIFICAÇÃO** Decorativa

Ainda que seja categorizada como uma sem serifa e tenha Gothic (gótica) no seu nome – outro modo de dizer sem serifa – a Copperplate Gothic apresenta algumas das menores, claras, finas, serifas da indústria, sugestivas de terem sido esculpidas escultura na pedra. Criada exclusivamente em maiúsculas, seu uso projetado era a produção de material de escritório timbrado personalizado – algo que persiste, uma vez que ainda é oferecida por gráficas e impressoras online de cartões de visita. Não obstante, a Copperplate Gothic foi usada apropriadamente ou não em todo contexto imaginável: embalagem de alimentos, créditos de filmes, identidades corporativas e folhetos, em todo o mundo. Apesar de não ter minúsculas, a Copperplate é legível em tamanhos pequenos e em longos períodos de texto por conta de sua estrutura larga.

COLUMBIA PICTURES
JODIE FOSTER
FOREST WHITAKER
PANIC ROOM
DAVID FINCHER

SEQÜÊNCIA DE CRÉDITOS INICIAIS DO FILME *PANIC ROOM* (QUARTO DO PÂNICO) / Columbia Pictures / diretor; David Fincher / Picture Mill: William Lebeda; produção, CafeFX; efeitos visuais, Kevin Tod Haug / EUA, 2002

RUGBY

RALPH LAUREN'S RUGBY STOREFRONT IN NOVA YORK / EUA, 2008

FF Meta

DESIGNER Erik Spiekermann / **FÁBRICA** FontShop International / **ANO** 1991–1998 / **PAÍS DE ORIGEM** Alemanha / **CATEGORIA** Sem Serifa / **CLASSIFICAÇÃO** Humanista

Em 1985, Sedley Place foi encarregada de recriar a identidade do Deutsche Bundespost (Correio da Alemanha Ocidental). A equipe de design estava convencida de que nem a Helvetica › 373, nem a Univers › 372 funcionariam, assim, solicitaram a Erik Spiekermann › 226 que desenvolvesse uma fonte corporativa que seria usada em selos, uniformes e documentos. O resultado foi a PT55, uma fonte estreita com uma grande altura-x e um estilo distinto. A despeito do trabalho para desenvolvê-la, a fonte não foi usada e acabou engavetada.

Em 1989, Spikerman criou a FontShop International › 227, ele e Just Van Rossum atualizaram os desenhos da PT55 para criarem a FF Meta – batizada com o nome do estúdio fundado por Spiekerman em 1979 (ele sairia em 2001) –, lançada em 1991 com o selo da FontFont. Nos anos seguintes, mais pesos, juntamente com as versaletes, foram lançados. A robustez e a versatilidade peculiares da fonte em textos e cartazes fizeram dessa fonte uma escolha popular nos anos 1990. Em 2007, após três anos de colaboração com Christian Schwartz › 231 e Kris Sowersby, Spiekerman lançou a FF Meta Serif, dotando a FF Meta de uma digna companheira serifada.

Documenting
Marcel
Reinhold-Brown Gallery
26 East 78th Street New York
March 5 – May 5 1996

CARTAZ DA EXPOSIÇÃO *DOCUMENTING MARCEL* / Skolos-Wedell: design, Nancy Skolos, Thomas Wedell; Foto, Thomas Wedell / EUA, 1996

3c (16)
陸拾
» sechzig «
六十
60

***LIVRO 60*, CELEBRANDO O SEXAGÉSIMO ANIVERSÁRIO DO HOMEM DE NEGÓCIOS WINFRIED ROTHRMAL** / Anja Patricia Helm / Alemanha, 2006

FF DIN

DESIGNER Albert-Jan Pool / **FÁBRICA** FontShop International / **ANO** 1995 / **PAÍS DE ORIGEM** Alemanha / **CATEGORIA** Sem Serifa / **CLASSIFICAÇÃO** Grotesca

DIN significa Deutsche Industrie Norm (Normas Industriais Alemãs), os padrões estabelecidos em 1917 pelo Instituto Alemão de Padronização de Berlin em acordo com o governo alemão. Por exemplo, a DIN25449 estabelece os padrões para o projeto e a construção de componentes em concreto em instalações nucleares, e a DIN 1451 é o padrão de tipografia usado em transportes e documentos administrativos do governo alemão, conforme estabelecido em 1936. Na DIN 1451, duas fontes são definidas: a DIN Mittelschrift e sua companheira, DIN Engschrift. Enquanto muitas variações lembram e precedem a DIN 1451, foi a DIN Mittelschrift que Albert-Jan Pool usou para criar a FF DIN para a FontFont – uma família de tipos que conta hoje com aproximadamente 30 pesos. Sua aparência austera e contornos mais amigáveis que aqueles de outras sem serifa fizeram da FF DIN uma das fontes mais universais desde fins dos anos 1990, estabelecendo-a como uma fonte contemporânea com a engenharia alemã – o que não é uma combinação má.

ESCULTURA "NEWBORN"(RECÉM-NASCIDO), CRIADA PARA COMEMORAR A DECLARAÇÃO DE INDEPENDÊNCIA DO KOSOVO EM 2008 / Ogilvy Kosova, Kosova, 2008 / Foto: Valdet Bujupi

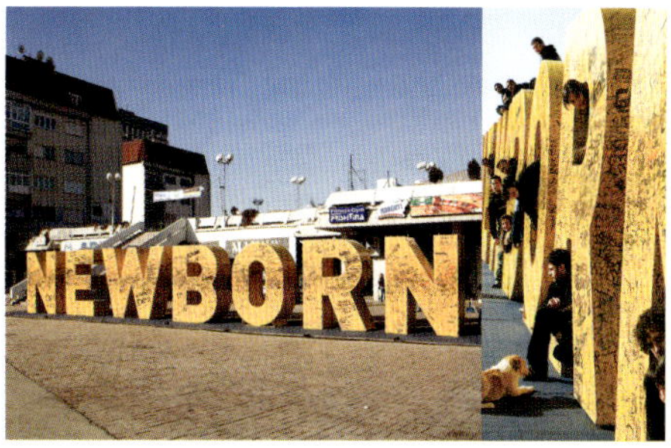
NEWBORN

ESCULTURA "NEWBORN"(RECÉM-NASCIDO), EM FRENTE AO CENTRO DA JUVENTUDE EM PRISTINA - SUA EQUIPE CELEBRA ENTRE SEUS CANTOS E RECANTOS / Ogilvy Kosova, Kosova, 2008 / Foto: Jeton Kacaniku

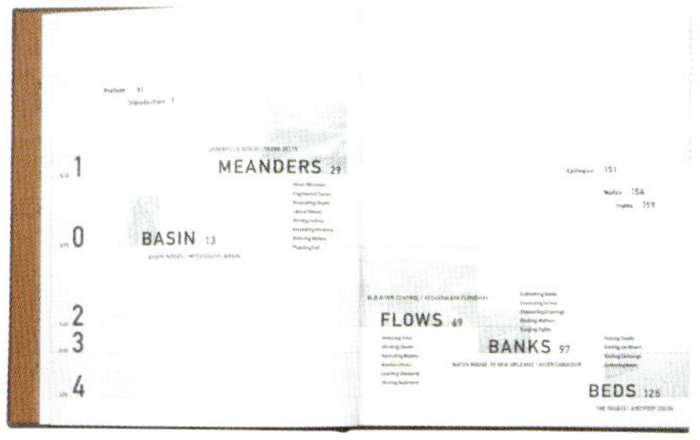
MEANDERS
BASIN
FLOWS
BANKS
BEDS

MISSISSIPPI FLOODS: DESIGNING A SHIFTING LANDSCAPE, Anuranda Mathur, Dilip Da Cunha / HVADesign: Henk van Assen / EUA, 2001

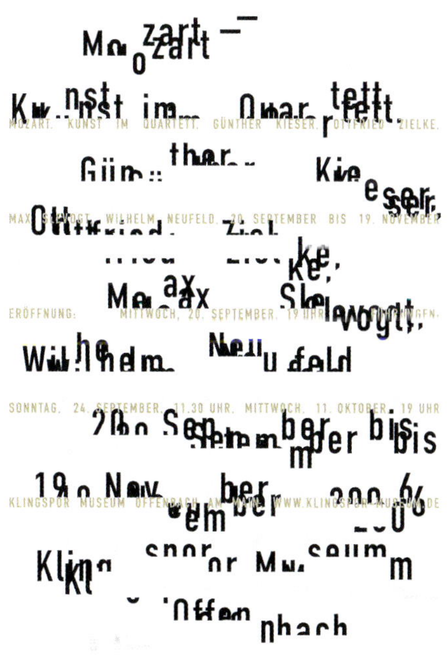
MOZART. KUNST IM QUARTETT. GÜNTHER KIESER. OTTFRIED ZIELKE.
ERÖFFNUNG:
SONNTAG, 24. SEPTEMBER, 11.30 UHR. MITTWOCH, 11. OKTOBER, 19 UHR

FINALE.
AUSSTELLUNG
DER
DIPLOMARBEITEN
KOMMUNIKATIONS-
DESIGN
IN DER
BERGISCHEN
UNIVERSITÄT
WUPPERTAL
ERÖFFNUNG
21.SEPTEMBER
2007 19 UHR

EXPOSIÇÃO DE CARTAZES DIPLOMA NO DEPARTAMENTO DE COMUNICAÇÃO VISUAL NA UNIVERSIDADE DE WUPPERTAL / Uwe Loesch / Alemanha, 2006-2007

"MY GOD'S BETTER THAN YOUR GOD"

CARTAZ DE PROTESTO AUTOPUBLICADO *MY GOD'S BETTER THAN YOUR GOD* / The Design Consortium: design, Ned Drew / EUA, 2006

Gotham

DESIGNER Tobias Frere-Jones / **FÁBRICA** Hoefler & Frere-Jones / **CLIENTE** revista *GQ* (2000) / **ANO** 2002 / **PAÍS DE ORIGEM** Estados Unidos / **CATEGORIA** Sem Serifa / **CLASSIFICAÇÃO** Geométrica

Em 2000, a revista masculina *GQ* procurou a Hoefler & Frere-Jones › 230 com uma especificação clara: criar uma fonte sem serifa própria com estrutura geométrica que fosse nova e masculina. Armado com extensa documentação fotográfica dos letreiros vernaculares de Nova York, Tobias Frere-Jones desenvolveu a Gotham, na qual ele traduziu a linguagem de sinalização mais bem concebida encontrada na cidade. Enquanto a Gotham é baseada numa sinalização composta só por maiúsculas, Frere-Jones criou uma gama de pesos que vão da estreita à preta e incluem minúsculas e itálicos. Em 2002, após o término da exclusividade da *GQ*, a Gotham foi lançada no varejo. Imediatamente tornou-se uma favorita dos designers, que louvavam sua adaptabilidade a qualquer número de projetos e indústrias. Em outras palavras, a Gotham é como uma calça jeans: cai bem com qualquer coisa.

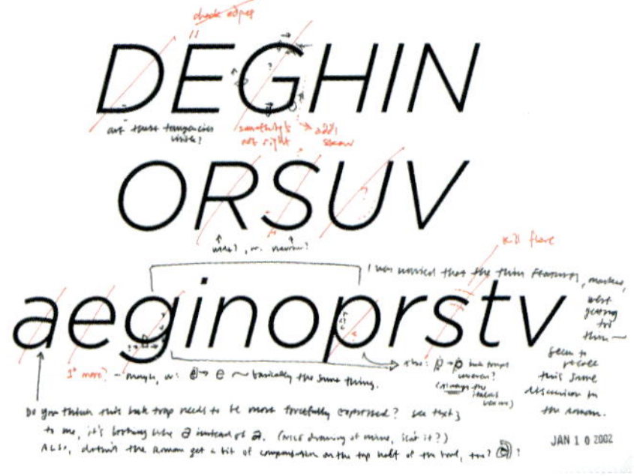
DEGHIN
ORSUV
aeginoprstv

HOEFLER & FRERE-JONES
BISON
SINGER
TRIBECA
STEERAGE
ASSOCIATES
HOMESTRETCH
GOVERNORS LANE
METROPOLITAN MUSEUM
PRECESSION OF THE EQUINOXES
CHICAGO HISTORICAL SOCIETY BUILDING
Cedar
Suffolk
Hanover
Columbia
Greenwich
Front Street
Castle Garden
Kosciusko Place
Three Park Avenue
One Worldwide Plaza
Sunset Park Courthouse

Acima e à direita **ESBOÇO DA GOTHAM E EXECUÇÃO FINAL** / **Hoefler & Frere-Jones / EUA, 2000**

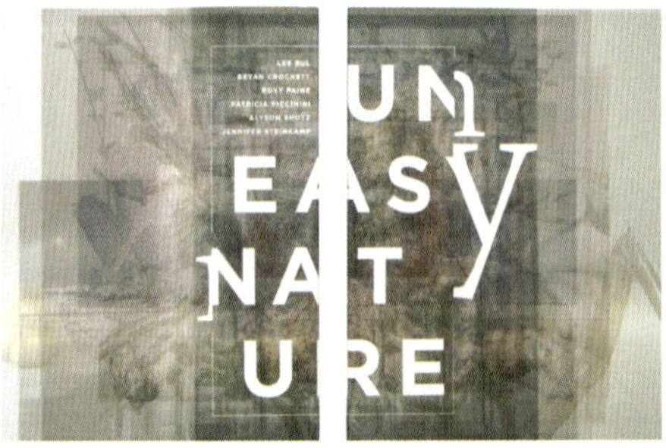
UN
EASY
NAT
URE

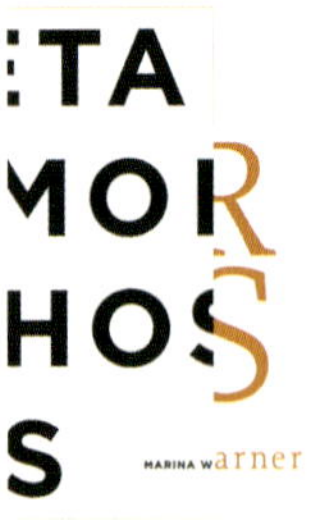

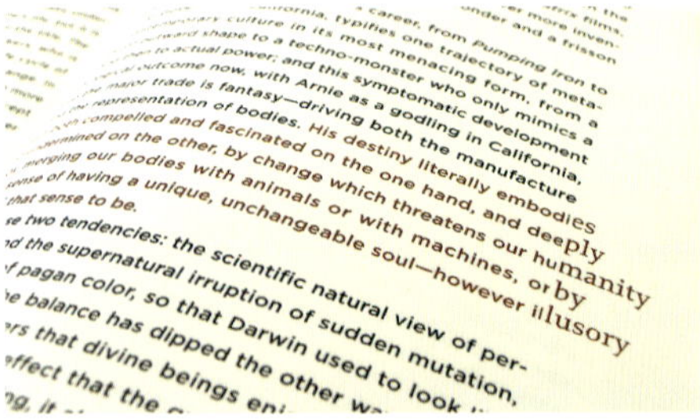

RIGHTS
CAMERA
ACTION
AN ACLU PRODUCTION

***RIGHTS*, CAMERA, ACTION – CATÁLOGO DA UNIÃO AMERICANA PELOS DIREITOS CIVIS / Hyperakt: direção de criação, Julia Vakser; design, Julia Vakser, Matthew Anderson, Deroy Peraza / EUA, 2008**

CATÁLOGO DA EXPOSIÇÃO *UNEASY NATURE* PARA O WEATHERSPOON ART MUSEUM / Volume Inc.: Eric Heiman / EUA, 2006

SYRACUSE
INTERNATIONAL
FILM FESTIVAL

IDENTIDADE E MATERIAIS DE MARKETING DO FESTIVAL INTERNACIONAL DE CINEMA DE SYRACUSE / Hyperakt: direção de criação; Julia Vakser, Deroy Peraza; design, Matthew Anderson, Jonathan Correira / EUA, 2007

HEATH CERAMICS
THE COMPLEXITY OF SIMPLICITY

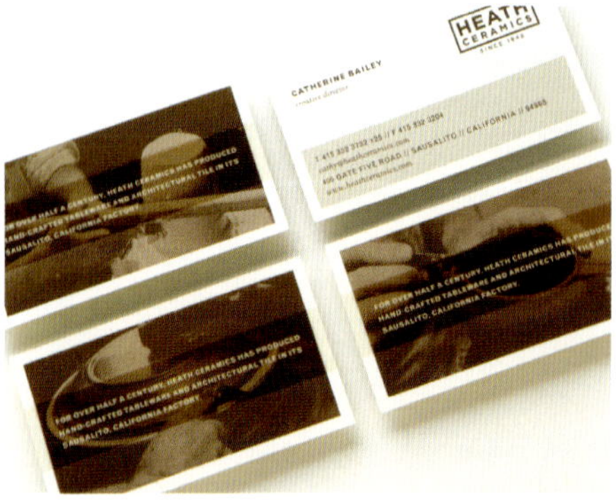
HEATH CERAMICS

IDENTIDADE E CAPA DO LIVRO HEATH CERAMICS / Volume Inc.: Eric Heiman / EUA, 2004, 2006

Knockout

DESIGNER Tobias Frere-Jones / **FÁBRICA** Hoefler & Frere-Jones / **ANO** 2000 / **PAÍS DE ORIGEM** Estados Unidos / **CATEGORIA** Sem Serifa / **CLASSIFICAÇÃO** Grotesque

Na segunda metade do século XIX fontes em metal fundido foram substituídas por tipos de madeira altamente condensados e expandidos, feitos em tamanhos grandes tomando forma como alfabetos decorativos, bem como blocos e sem serifa. Estes eram comumente usados para imprimir cartazes, associados tipicamente com grupos itinerantes de artistas. A partir dessa tradição, Tobias Frere-Jones criou 32 estilos da Knockout, indo do ultracondensado e leve ao generosamente estendido e negro. Renunciando à nomenclatura típica e à estrutura das famílias de títulos (isto é, regular, itálico, negrito, negrito itálico), a Knockout apresenta um sistema de numeração semelhante ao da Univers › 372, em que o primeiro dígito define o estilo e o segundo, o peso – este é acompanhado por nomes correspondentes aos de pesos do boxe, de peso-pesado júnior ao sumô máximo. A Knockout é baseada em trabalho anterior de Frere-Jones para a fonte particular da revista *Sports Illustrated*, a Champion Gothic.

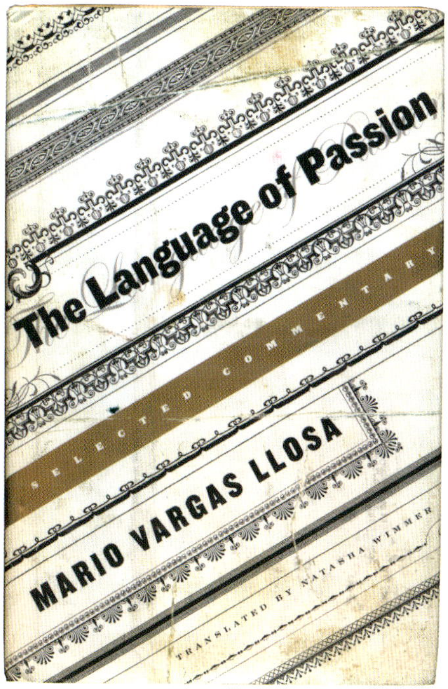
The Language of Passion
SELECTED COMMENTARY
MARIO VARGAS LLOSA
TRANSLATED BY NATASHA WIMMER

THE LANGUAGE OF PASSION, Mario Vargas Llosa / Farrar, Straus and Giroux / Kathleen DiGrado / EUA, 2003

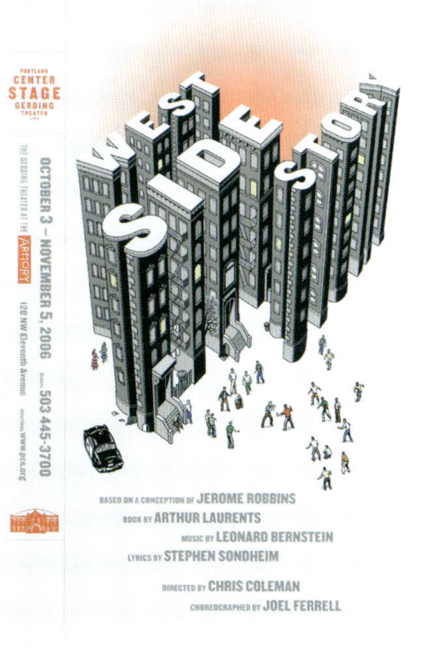
PORTLAND CENTER STAGE GERDING THEATER
WEST SIDE STORY
OCTOBER 3 – NOVEMBER 5, 2006
THE GERDING THEATER AT THE ARMORY
128 NW Eleventh Avenue
503 445-3700
www.pcs.org
BASED ON A CONCEPTION BY JEROME ROBBINS
BOOK BY ARTHUR LAURENTS
MUSIC BY LEONARD BERNSTEIN
LYRICS BY STEPHEN SONDHEIM
DIRECTED BY CHRIS COLEMAN
CHOREOGRAPHED BY JOEL FERRELL

CARTAZ PARA WEST SIDE STORY / Sandstrom Partners: direção de criação, Marc Cozza; ilustração, Howell Golson / EUA, 2006

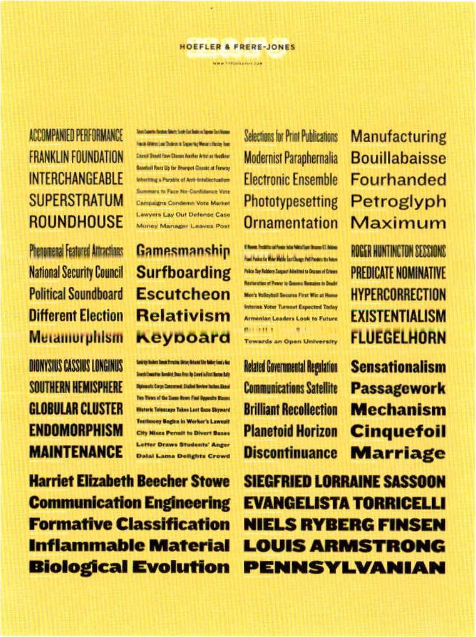
HOEFLER & FRERE-JONES
ACCOMPANIED PERFORMANCE
FRANKLIN FOUNDATION
INTERCHANGEABLE
SUPERSTRATUM
ROUNDHOUSE
Selections for Print Publications
Modernist Paraphernalia
Electronic Ensemble
Phototypesetting
Ornamentation
Manufacturing
Bouillabaisse
Fourhanded
Petroglyph
Maximum
Phenomenal Featured Attractions
National Security Council
Political Soundboard
Different Election
Metamorphism
Gamesmanship
Surfboarding
Escutcheon
Relativism
Keyboard
ROGER HUNTINGTON SESSIONS
PREDICATE NOMINATIVE
HYPERCORRECTION
EXISTENTIALISM
FLUEGELHORN
DIONYSIUS CASSIUS LONGINUS
SOUTHERN HEMISPHERE
GLOBULAR CLUSTER
ENDOMORPHISM
MAINTENANCE
Related Governmental Regulation
Communications Satellite
Brilliant Recollection
Planetoid Horizon
Discontinuance
Sensationalism
Passagework
Mechanism
Cinquefoil
Marriage
Harriet Elizabeth Beecher Stowe
Communication Engineering
Formative Classification
Inflammable Material
Biological Evolution
SIEGFRIED LORRAINE SASSOON
EVANGELISTA TORRICELLI
NIELS RYBERG FINSEN
LOUIS ARMSTRONG
PENNSYLVANIAN

KNOCKOUT / Hoefler & Frere-Jones / EUA, 1994

"Brimming with unexpected humour and poignancy."
DEEPA MEHTA
HAPPINESS
and other
DISORDERS
[short stories]
AHMAD SAIDULLAH

HAPPINESS AND OTHER DISORDERS, Ahmad Saidullah / Key Porter Books / Ingrid Paulson Design; foto: Prill Mediendesign & Fotografie / istockphoto / EUA, 2008

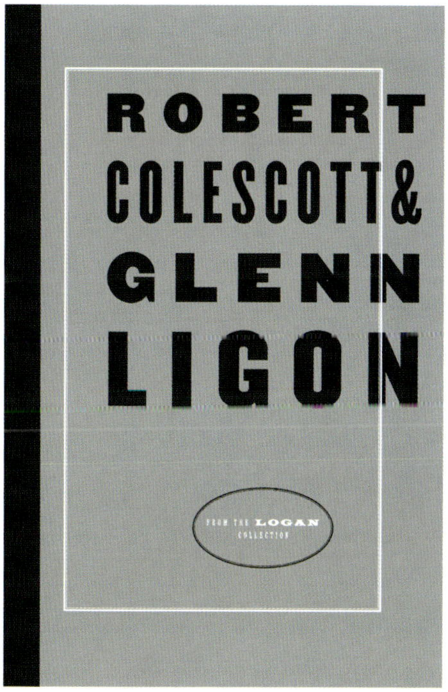
ROBERT
COLESCOTT&
GLENN
LIGON
FROM THE LOGAN COLLECTION

CATÁLOGO DA EXPOSIÇÃO ROBERT COLESCOTT E GLEN LIGON PARA A GALERIA VICTORIA H. MYHREN NA UNIVERSITY OF DENVER / Aufuldish & Warinner: Bob Aufuldish / EUA, 2004

FF Scala

DESIGNER Martin Majoor / **FÁBRICA** FontShop International / **ANO** 1988–1990 (Scala); 1993 (Scala Sans) / **PAÍS DE ORIGEM** Holanda / **CATEGORIA** Serifada, Sem Serifa / **CLASSIFICAÇÃO** Humanista

Frustrado com suas limitadas escolhas tipográficas – meras 16 fontes ao usar o PageMaker 1.0, rodando num dos primeiros computadores Macintosh – enquanto trabalhava no Centro de Música Vredenburg em Utrecht, Martin Majoor decidiu desenvolver uma fonte que satisfizesse suas necessidades, incluindo versaletes, ligaduras e números no estilo antigo. Deu à fonte o nome do Teatro della Scala de Milão. Em 1990, a FontShop International › 227 lançou a FF Scala, a mais séria fonte de texto, até aquele momento, lançada sobe o rótulo FontFont. A FF Scala Sans foi lançada três anos mais tarde; consolidando a popularidade da FF Scala por meio de sua consistente versatilidade e uma das máximas de Majoor: "Duas fontes, um princípio de forma".

A film by
Alfred Hitchcock
A film by
Stanley Kubrick
A film by
Roman Polanski

SÉRIE DE CARTAZES PARA O FESTIVAL DO FILME DE TERROR DE 2007 / Thomas Brooks / Reino Unido, 2007

2.1 million people
4.6 million people
what's neXt?
more
prisons?
more
prisoners?

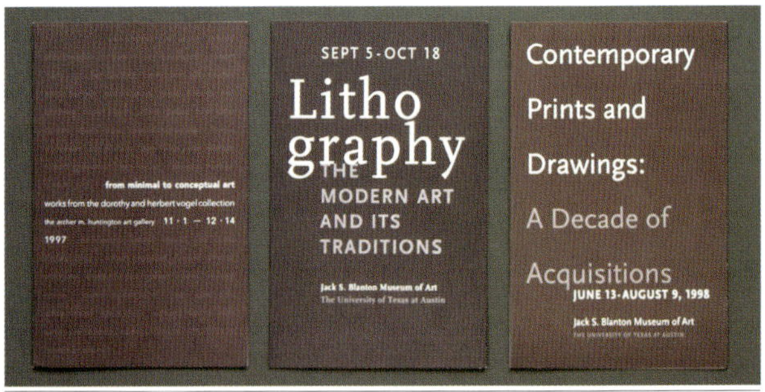
from minimal to conceptual art
works from the dorothy and herbert vogel collection
SEPT 5-OCT 18
Litho
graphy
THE
MODERN ART
AND ITS
TRADITIONS
Jack S. Blanton Museum of Art
Contemporary
Prints and
Drawings:
A Decade of
Acquisitions
JUNE 13-AUGUST 9, 1998
Jack S. Blanton Museum of Art

CONVITES PARA EXPOSIÇÕES NO MUSEU DE ARTE JACK S. BLANTON / HVADesign: Henk van Assen / EUA, 1998

Esquerda **ESQUERDA *REDUCING CRIME: WHAT'S NEXT?* RELATÓRIO DE PROGRESSO AMERICA WORKS** / Kym Abrams Design: direção de criação, Kym Abrams; design, Eric Czerwonka; texto, Valjean McLenighan / EUA, 2002

Hoefler Text

DESIGNER Jonathan Hoefler / **FÁBRICA** Hoefler & Frere-Jones / **ANO** 1991 / **PAÍS DE ORIGEM** Estados Unidos / **CATEGORIA** Serifada / **CLASSIFICAÇÃO** Transicional

No final dos anos 1980 e início dos 1990, as fábricas de tipos começaram a traduzir suas fontes mais importantes para o formato digital numa época em que a tecnologia não estava altamente avançada nem os processos estavam aperfeiçoados – com "as maiores fontes do mundo rapidamente tornando-se algumas das piores fontes do mundo", conforme notou Jonathan Hoefler. Ele começou a trabalhar numa família expandida que ambicionava estabelecer um padrão para o design e desenvolvimento das fontes na era digital.

Incluídos na ambiciosa família estão pesos romana, negrito e negro, cada um apresentando versaletes romanas e itálicas, esguichadas e esguichadas em itálicos, ligaduras alternativas e maiúsculas gravadas, entre muitas outras características inspiradas na impressão refinada. A Apple soube do trabalho de Hoefler e o procurou para aplicá-las ao seu formato TrueType GX, uma tecnologia para a criação e uso de tipografia refinada no seu sistema operacional. O TrueType GX não teve pleno sucesso, mas uma limitada família da Hoefler Text foi incluída como parte do sistema operacional do Macintosh, desde o OS7 em 1991. Hoje permanece em aberto se a ampla disponibilidade desta fonte irá torná-la a nova Times New Roman.

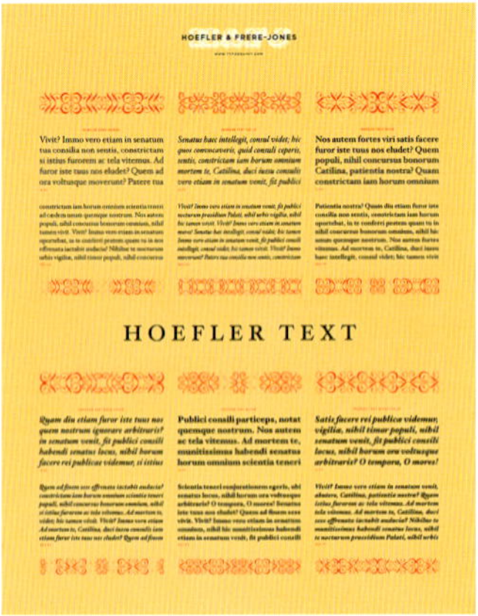
HOEFLER & FRERE-JONES
HOEFLER TEXT

HOEFLER TEXT / Hoefler & Frere-Jones / EUA, 1991

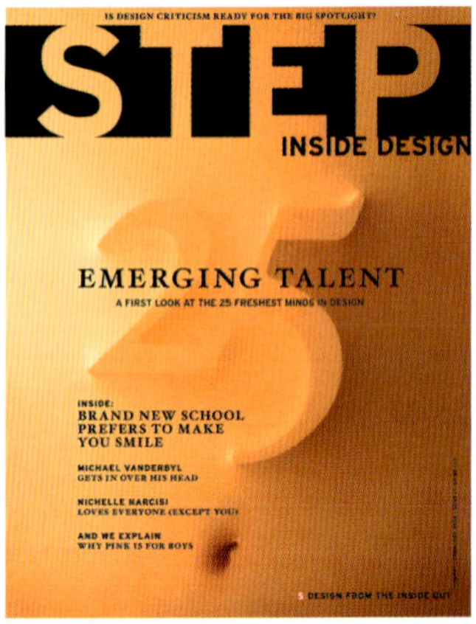
IS DESIGN CRITICISM READY FOR THE BIG SPOTLIGHT?
STEP
INSIDE DESIGN
EMERGING TALENT
A FIRST LOOK AT THE 25 FRESHEST MINDS IN DESIGN
INSIDE:
BRAND NEW SCHOOL
PREFERS TO MAKE
YOU SMILE
MICHAEL VANDERBYL
GETS IN OVER HIS HEAD
MICHELLE MARCISI
LOVES EVERYONE (EXCEPT YOU)
AND WE EXPLAIN
WHY PINK IS FOR BOYS

***STEP INSIDE DESIGN* 24, N. 1** / MINE™: Christopher Simmons; direção de arte, Michael Ulrich; edição, Tom Biederbeck / EUA, Janeiro/Fevereiro 2008

Milk

HOFLER TITLING, A CONTRAPARTE AO HOEFLER TEXT, COMPOSTA COMO SE FOSSE UMA SUBSTÂNCIA LEITOSA, VISCOSA E CAFEINADA / Gemma O'Brien / Austrália, 2008

Mrs. Eaves

DESIGNER Zuzana Licko / **FÁBRICA** Emigre Fonts / **ANO** 1996 / **PAÍS DE ORIGEM** Estados Unidos / **CATEGORIA** Serifada / **CLASSIFICAÇÃO** Serifada Transicional

A noção de reavivar o design de fontes implica tipicamente redesenhar as letras existentes para melhor ajuste aos processos de impressão e avanços tecnológicos do momento. Com a Mrs. Eaves, Zuzana Licko › 225 decidiu reinterpretar um clássico antigo, voltado aos leitores de hoje, ao mesmo tempo em que inseria nela sua própria estética. A escolha de Licko foi a Baskerville, uma fonte criada por John Bakersville nos anos 1750. Seu trabalho foi seriamente criticado à época por conta da legibilidade fraca devida ao seu contraste elevado entre espessos e finos. Baskerville, que também era um gráfico, desenvolveu uma tinta preta profunda e suave, além de papéis brilhantes jamais vistos; estes podem ter contribuído para sua obra exaltada, mas não ajudaram em sua popularidade.

Buscando manter a leveza e abertura características da fonte e desviando do contraste não compreendido e controverso, a Mrs. Eaves apresenta uma altura-x menor que compensa o contraste reduzido. Com seus pesos romano, itálico, negrito, versaletes e versaletes menores e sua série de ligaduras, a Mrs. Eaves tornou-se uma escolha imediata para os designers. Sua elegância e versatilidade fizeram-nos onipresente nos anos 1990, à medida que se afastava da estética grunge e da onda de fontes de apresentação daquela época. Em 2002, Emigre Fonts lançou a Mrs. Eaves no Open Type, fazendo com que as infindáveis opções de ligaduras e estilos de números fossem facilmente disponíveis com 1.150 glifos.

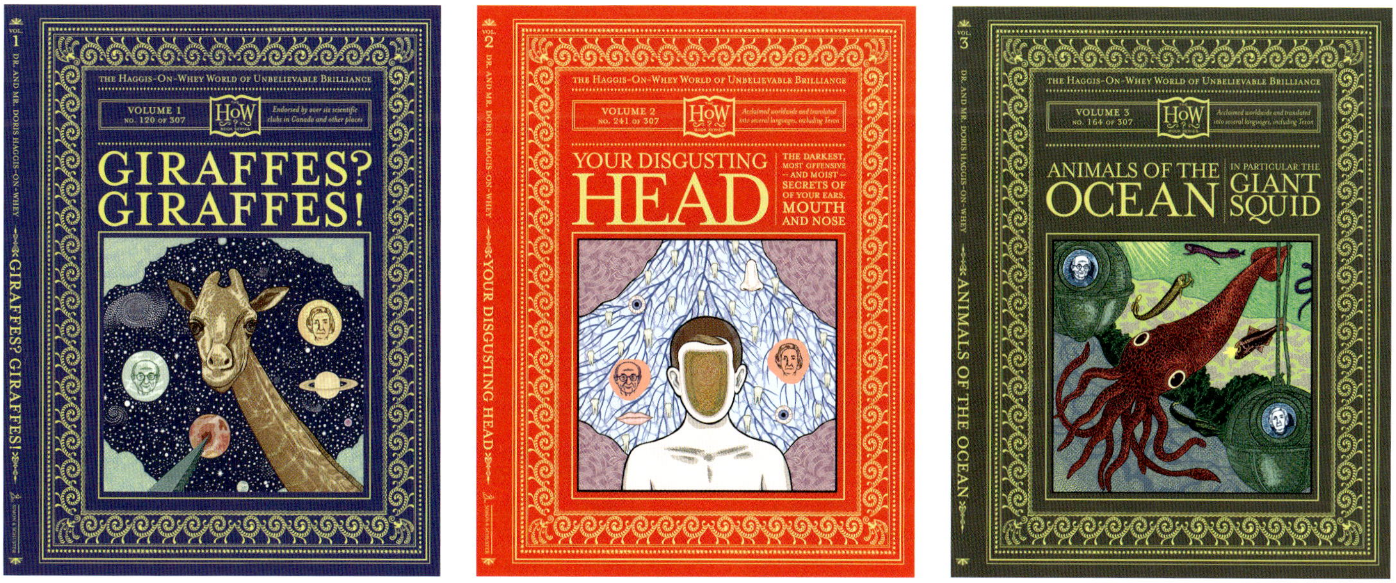

GIRAFFES? GIRAFFES!
YOUR DISGUSTING HEAD
THE DARKEST, MOST OFFENSIVE —AND MOIST— SECRETS OF YOUR EARS, MOUTH AND NOSE
ANIMALS OF THE OCEAN
IN PARTICULAR THE GIANT SQUID

SÉRIE DE LIVROS *THE HAGGIS-ON-WHEY WORLD OF UNBELIEVABLE BRILLIANCE* / Plinko: direção de arte, Dave Eggers, Plinko; ilustração, Michael Kupperman / EUA, 2003–2006

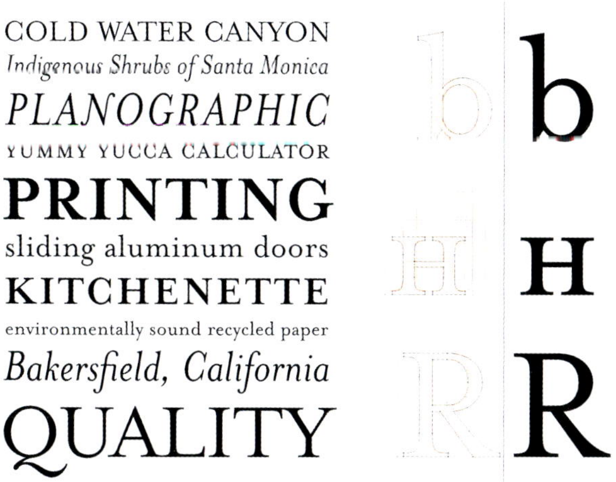

COLD WATER CANYON
Indigenous Shrubs of Santa Monica
PLANOGRAPHIC
YUMMY YUCCA CALCULATOR
PRINTING
sliding aluminum doors
KITCHENETTE
environmentally sound recycled paper
Bakersfield, California
QUALITY
b H R

MRS. EAVES / Emigre Fonts; Zuzana Licko / EUA, 1996

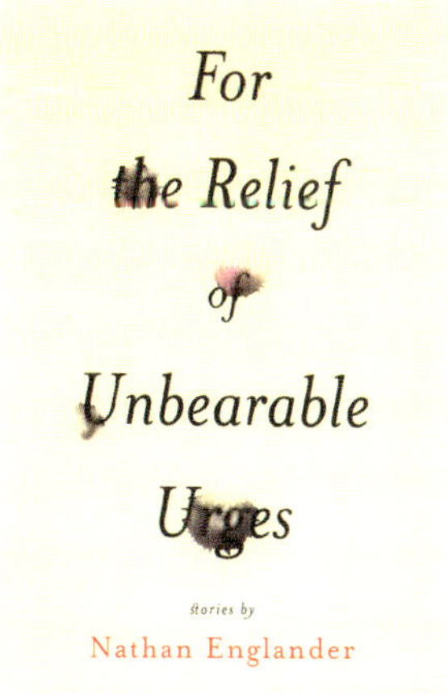

For
the Relief
of
Unbearable
Urges
stories by
Nathan Englander

FOR THE RELIEF OF UNBEARABLE URGES, Nathan Englander / Vintage / Barbara deWilde / EUA, 1999

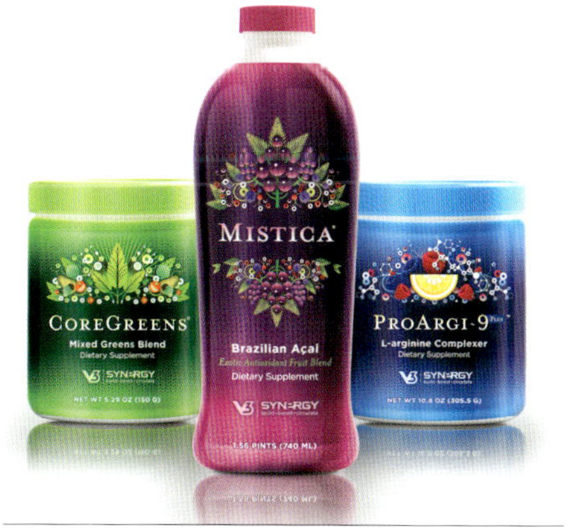

COREGREENS
MISTICA
ProArgi-9

EMBALAGEM DA LINHA SYNERGY V3 PARA A SYNERGY MUNDIAL / Moxie Sozo; Leif Steiner / EUA, 2008

Bell Centennial

DESIGNER Mathew Carter / **CLIENTE** AT&T / **ANO** 1976–1978 / **PAÍS DE ORIGEM** Estados Unidos / **CATEGORIA** Sem Serifa

Em 1976, a AT&T procurou Mark Parker, diretor do departamento de tipografia da Linotype, que depois solicitou a Matthew Carter › 221 que atualizasse a Bell Gothic, a fonte criada por Chauncey H. Griffth e usada nas listas telefônicas da companhia desde 1937. Os requisitos para a nova fonte eram rigorosos: encaixar mais caracteres por linhas, reduzir o número de abreviações e aumentar a legibilidade nos tamanhos muito pequenos impressos em papel jornal muito leve. O design de Matthew Carter condensou ligeiramente os caracteres e aumentou suas alturas-x ao mesmo tempo em que incorporava mais contadores e armadilhas de tinta nos quatro estilos da família: nome e número, endereço, sublegenda e listagem em negrito. O sucesso é certamente comprovado no seu uso e desempenho nas listas telefônicas, e Bell Centennial desfruta uma vida alternativa nas mãos de designers encantados com o modo como a tinta é retida e outras particularidades de aparência nos tamanhos maiores.

Bell Centennial
Name & Number
ABCDEFGHIJK
LMNOPQRSTU
VWXYZ&1234
567890abcdef
ghijklmnopqrs
tuvwxyz.,-:;!?

BELL CENTENNIAL NOME & NÚMERO / Encomendada por AT&T / Matthew Carter / EUA, 1976–1978

***TYPE AND TECHNOLOGY MONOGRAPH* N. 1 PELO CENTRO DE DESIGN E TIPOGRAFIA, THE COOPER UNION** / Matthew Carter / EUA, 1982

Template Gothic

DESIGNER Barry Deck / **FÁBRICA** Emigre Fonts / **ANO** 1990 / **PAÍS DE ORIGEM** Estados Unidos / **CATEGORIA** Display

Inspirada por um antigo aviso manuscrito de lavanderia que Barry Deck levou para casa após a substituição por um novo. A Template Gothic foi criada para parecer com "se tivesse sofrido as torturas distorçivas da reprodução fotomecânica", explica Deck. Naquela época, ele era estudante na CalArts › 131 onde Ed Fella › 185 e Jeffery Keedy estavam promovendo experimentações com tipos. Após uma viagem da turma para a Emigre › 224, Rudy Vanderlans perguntou a Deck sobre a possibilidade de lançar a Deck como se ela fosse uma Template Gothic – ele logo passou a ser um representante louvado e odiado dos experimentais anos 1990.

COLD WATER CANYON
CALIFORNIA
Chromolithography
AMERICAN
Indigenous Shrubs of Santa Monica

TEMPLATE GOTHIC / Emigre Fonts: Barry Deck / EUA, 1990

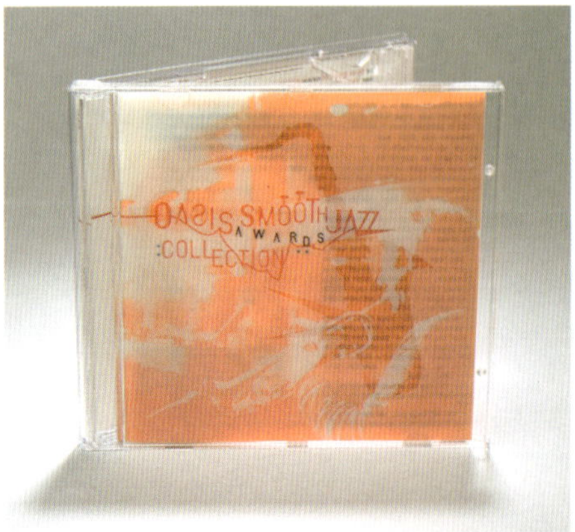
OASIS SMOOTH JAZZ
AWARDS
COLLECTION

OASIS SMOOTH JAZZ AWARDS COLLECTION, vários artistas / Native Language / Infinite ZZZ: direção de arte, Joel Venti; design, Jawsh Smyth / EUA, 2000

every
good
boy
Live!
at
{ }

CARTAZES DO SHOW *EVERY GOOD BOY* / Emigre: Rudy VanderLans / EUA, 1993

FF Blur

DESIGNER Neville Brody / **FÁBRICA** FontShop International / **ANO** 1991 / **PAÍS DE ORIGEM** Reino Unido / **CATEGORIA** Apresentação

A FF Blur foi desenvolvida num período de entusiástica experimentação tenológica. Neville Brody aproveitou a oportunidade para explorar como a tipografia e a tecnologia podiam ser aliadas por meio da mensagem e percepção. Usando o filtro Blur (embaçado) do Photoshop, além da função Autotrace, exagerou os contornos e bitmaps enfatizados foram obtidos e três pesos foram lançados: leve, médio e negrito, cada qual com seu próprio efeito. A FF Blur, como outras fontes experimentais dos anos 1990, permitiram um novo tipo de estética visual possibilitada pela adoção generaliazada do computador.

Féria
NEW Féria
MULTI-FACETED SHIMMERING COLOUR
3X HIGHLIGHTS
NEW Féri

FÉRIA DA L'OREAL PARIS / EUA, 2008

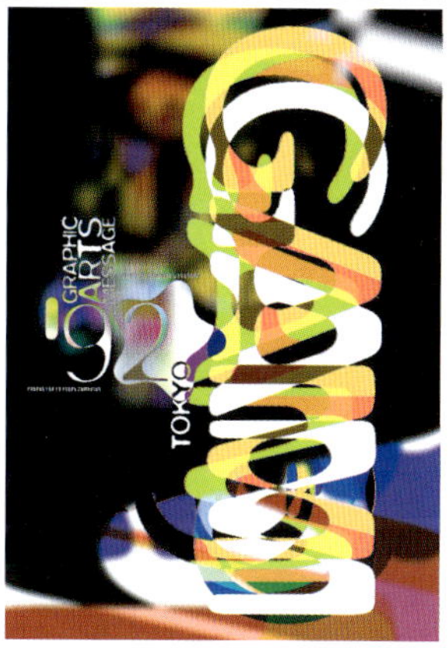
GRAPHIC ARTS MESSAGE
TOKYO

CARTAZ DA OFICINA E EXPOSIÇÃO *GRAPHIC ARTS MESSAGE* PARA A TOO CORPORATION / Research Studios / Japão, 1992

ignite

lift off

CATÁLOGO *LIFT OFF* PARA A UNISOURCE / Pressley Jacobs Design, Inc. / EUA, 1997

Lo-Res

DESIGNER Zuzana Licko / **FÁBRICA** Emigre Fonts / **ANO** 1985; 2001 / **PAÍS DE ORIGEM** Estados Unidos / **CATEGORIA** Bitmap

Nas primeiras edições do Macintosh em 1984 e 1985, fontes podiam ser criadas apenas nas suas resoluções menores e, ainda sem a ajuda do software PostScript da Adobe, resultando em fontes bitmap. Nesses primórdios dos tipos digitais, Zuzana Licko › 225 desenvolveu uma série de fontes bitmap e as forneceu a Rudy Vanderlans para uso nas primeiras edições da influente revista *Emigre* › 100. Naquela época, layouts e fontes foram recebidos com uma mistura de sentimentos, mas suas singularidades floresceram no contexto do negócio de fontes da *Emigre* › 224. Lançada originalmente como *Emigre*, Emperor, Oakland e Universal, essas fontes foram relançadas como a família Lo-Res em 2001. Essas fontes bitmap foram criadas para tamanhos específicos, baseados na quantidade vertical de pixels da grid e são mais bem aumentados na tela por fatores inteiros – por exemplo, Lo-Res 9 deve ser composta com nove corpos para parecer exata, e seu próximo tamanho ótimo será 18 corpos. A família Lo-Res vai de 9 a 28 e apresenta as opções, estreita, serifada e sem serifa. No século XXI, esses designs inovadores hoje estão repletos de nostalgia.

Emperor 8

Oakland 8

Emigre 10

Universal 19

LO-RES / Emigre: Zuzana Licko / EUA, 1985 e 2001

THE AGE OF Intelligent Machines
CHAPTER

THE AGE OF INTELLIGENT MACHINES, Raymond Kurzweil / The MIT Press / EUA, 1992

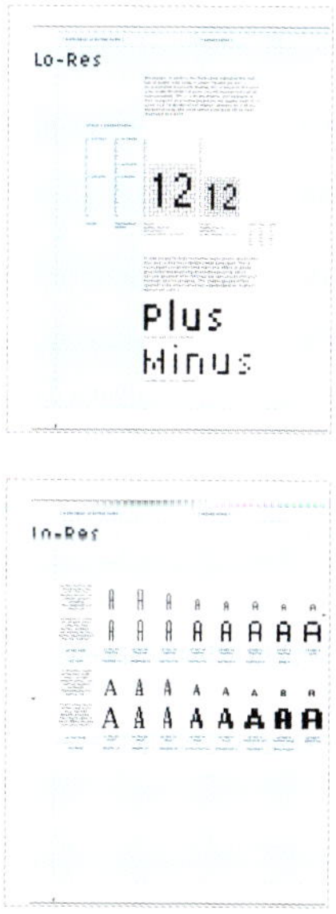
Lo-Res
12 12
Plus
Minus
Lo-Res

CATÁLOGO DA LO-RES / Emigre: Rudy VanderLans / EUA, 2001

Bello

DESIGNER Akiem Helmling, Bas Jacobs e Sami Kortemäki / **FÁBRICA** Underware / **ANO** 2004 / **PAÍS DE ORIGEM** Holanda / **CATEGORIA** Escrita

Depois que o design e desenvolvimento de fontes tornaram-se altamente mecanizados pelo computador, um movimento lento de retorno ao feitio e desenho à mão – não obstante, ainda produzido em computador – começou a emergir no início dos anos 2000. Um dos catalisadores mais adotados foi a Belle Pro, uma escrita a pincel feita manualmente e aperfeiçoada no computador. Aproveitando o florescente formato OpenType para as fontes, a Belle Pro foi capaz de produzir uma escrita convincente em que cada letra era conectada à outra, a despeito de sua combinação – algo que as fontes antigas não podiam prever ou resolver completamente – ao prover caracteres contextuais que reagiam ao que estava ao seu lado. A Bello Pro apresenta uma companhia de versaletes robustas que complementam a natureza livre dessa escrita, bem como esparramadas de início e final e mais de 60 ligaduras que conferem um tempero e imitam uma escrita mais natural.

SEEING/ BELIEVING
DENIED!

LOVE IS NOT LUST
PREFACE LOVE IS NOT LUST
The Lawyer
CADS!

IS NOT MAGAZINE / Mel Campbell, Stuart Geddes, Natasha Ludowyk, Penny Modra, Jeremy Wortsman / Austrália, 2005–2008

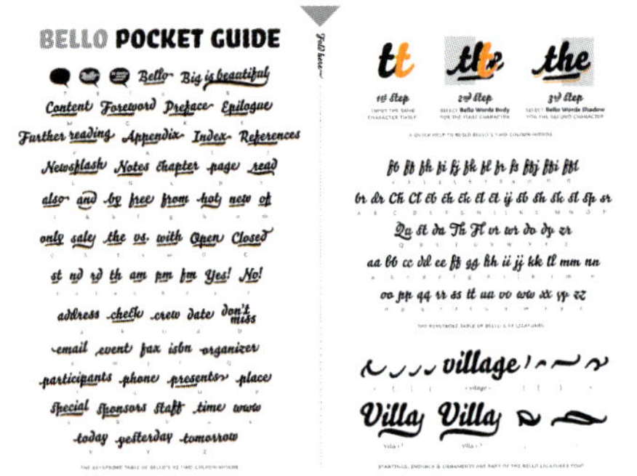
BELLO POCKET GUIDE

BELLO / Underware / Holanda, 2005

Ed Interlock

DESIGNER Ken Barber, Ed Benguiat, Tal Leming / **FÁBRICA** House Industries / **ANO** 2004 / **PAÍS DE ORIGEM** Estados Unidos / **CATEGORIA** Apresentação

Como chefe do departamento de publicação da Photo-Lettering Inc. (conhecida como PLINC), uma oficina de fotocomposição de Nova York que fornecia letras para manchetes e cartazes para agências de publicidade dos anos 1930 até ser fechada nos anos 1980, Ed Benguiat desenhou quase 500 alfabetos. Alguns foram digitalizados pela ITC › 220, mas a maioria vive apenas nos arquivos microfilmados da PLINC, comprados pela House Industries › 228 em 2003. Trabalhando com Benguiat, Ken Barber, diretor de tipografia da House Industries e especialista em letreiros, selecionou uma série de estilos para desenvolver como fontes OpenType que fizessem justiça aos letreiros fluidos de Benguiat. A coleção Ed Benguiat, lançada em 2004, apresenta a Ed Script, Ed Gothic, Ed Roman, Ed Brush e Ed Interlock – e enquanto todas elas aproveitaram a versatilidade do Open Type, é a Ed Interlock que explora mais radicalmente a tecnologia.

Como o nome sugere, o apelo da Ed Interlock (entrelaçada) está na capacidade de interligar uma letra com a seguinte de modo complexo geralmente só realizado manualmente para uma aplicação específica. Com 1.400 ligaduras, ED Interlock reage às letras sendo compostas e propõe o melhor e mais interessante entrelaçamento; e, além disso, mantém o equilíbrio visual entre ligações superiores e inferiores. Programada por Tal Leming, um especialista em tipos, a House Industries chama isso de “Inteligência Artificial”.

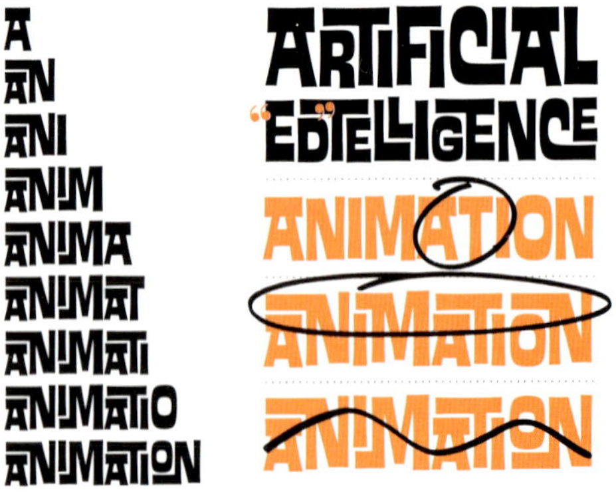
A
AN
ANI
ANIM
ANIMA
ANIMAT
ANIMATI
ANIMATIO
ANIMATION
ARTIFICIAL
“ED”TELLIGENCE
ANIMATION
ANIMATION
ANIMATION

NOTAS E ANIMAÇÃO DE ROTINAS DE SUBSTITUIÇÃO CONTEXTUAL DA ED INTERLOCK / House Industries: design, Ken Barber / EUA, 2004

EMBALAGEM DA COLEÇÃO DE FONTES ED BENGUIAT / House Industries / EUA, 2004 / Foto: Carlos Alejandro

CRUNCHY

THE ED BENGUIAT FONT COLLECTION
Cinderella

ENVELOPE DA COLEÇÃO DE FONTES ED BENGUIAT / House Industries / EUA, 2004

Times New Roman

Versão A **DESIGNER** Stanley Morison and Victor Lardent / **CLIENTE** The *Times* / **FÁBRICA** Monotype / **ANO** 1931 / **PAÍS DE ORIGEM** Reino Unido / **CATEGORIA** Serifada / **CLASSIFICAÇÃO** Garalde
Versão B **DESIGNER** Starling Burgess / **FÁBRICA** Lanston / **ANO** 1904 / **PAÍS DE ORIGEM** Estados Unidos / **CATEGORIA** Serifada / **CLASSIFICAÇÃO** Garalde /

Em 1931, o *Times* de Londres encomendou a Stanley Morison, um consultor de tipografia da Monotype Corporation, para supervisionar a produção de uma fonte nova para o jornal. Desenhada por Victor Lardent, um desenhista do departamento de publicidade do *Times*, e baseada na Plantin de Robert Granjon, a fonte estreou em 1932.

Ainda que essa seja a história oficial de suas origens, o historiador e diretor de desenvolvimento tipográfico da Mergenthaler Linotype Company durante os anos 1960 e 1970, Mike Parker, conta uma história diferente. Num artigo de 1994, intitulado “W. Starling Burgess, Type designer?” (W. Starling Burgess, designer de tipos?), para a *Printing History*, periódico da Associação Americana de História da Impressão, Parker escreveu que havia sido Starling Burgess, um engenheiro aeronáutico e naval de Boston, com interesse em tipografia que em 1903 criou uma versão romana que precedeu o design de Morison para a Lanston Type foundry. O trabalho de Burgess foi parar nos arquivos da Monotype em Londres, onde Frank Hinman Pierpoint, um designer americano que foi para a matriz da fábrica e escritório de desenho, produziu o que se tornaria a *Times* New Roman. Morison apresentou o trabalho de Pierpoint ao *Times*, sem dar os créditos devidos a ele e diminuindo o seu envolvimento.

O que é claro é que a Times New Roman é a mais difundida das fontes – talvez com um culpado. Com o tempo e sua inclusão como fonte padrão tanto nos PCs quanto nos Macintoshes e nos produtos do Microsoft Office, usados numa quantidade enorme de documentos emitidos por governos, organizações, escolas, bibliotecas, armazéns, dentistas, enfim, por qualquer um com um computador, a dignidade da Times New Roman tem diminuído.

5,0 ORIGINAL
5,0 ORIGINAL
2,5
5,0 ORIGINAL

2,5 ORIGINAL
5,0 ORIGINAL
5,0 ORIGINAL
5,0 ORIGINAL

5,0 ORIGINAL
5,0 ORIGINAL
BIER
5,0 ORIGINAL
BIER

EMBALAGEM DA CERVEJA 5.0 ORIGINAL / feldmann+schultchen design studios: André Feldmann, Arne Schultchen, Florian Schoffro, Inge-Marie Hansen, Kati Lust, Edgar Walthert / Alemanha, 2007

FANTASTIC MAN
Mr STEFANO PILATI

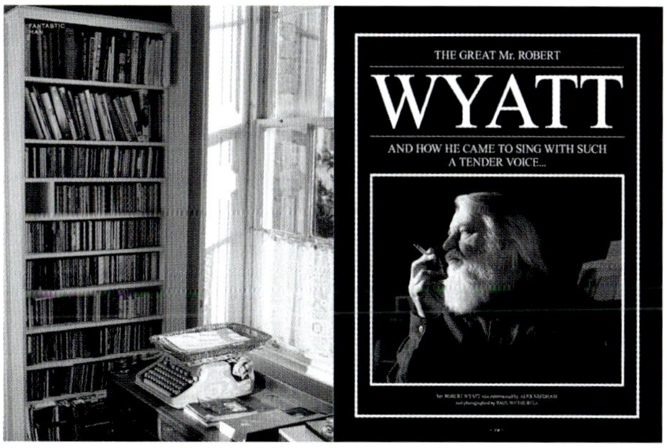
THE GREAT Mr. ROBERT
WYATT
AND HOW HE CAME TO SING WITH SUCH A TENDER VOICE...

REVISTA *FANTASTIC MAN* N. 3 / Top Publishers / Holanda, 2006

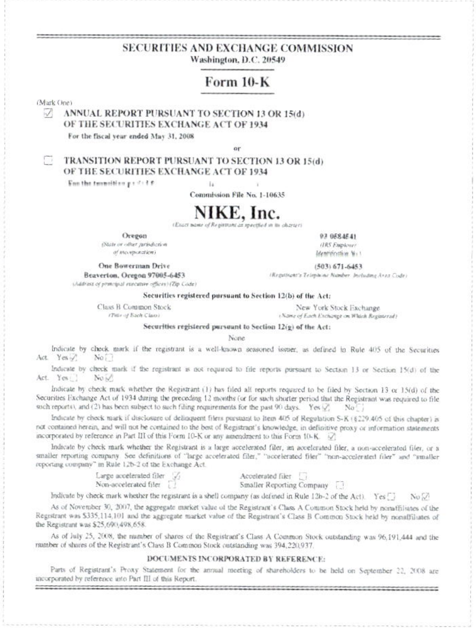

SECURITIES AND EXCHANGE COMMISSION
Washington, D.C. 20549

Form 10-K

(Mark One)
☑ ANNUAL REPORT PURSUANT TO SECTION 13 OR 15(d) OF THE SECURITIES EXCHANGE ACT OF 1934
For the fiscal year ended May 31, 2008
or
☐ TRANSITION REPORT PURSUANT TO SECTION 13 OR 15(d) OF THE SECURITIES EXCHANGE ACT OF 1934

Commission File No. 1-10635

NIKE, Inc.
(Exact name of Registrant as specified in its charter)

Oregon (State or other jurisdiction of incorporation) — 93 0584541 (IRS Employer Identification No.)
One Bowerman Drive, Beaverton, Oregon 97005-6453 (Address of principal executive offices) (Zip Code) — (503) 671-6453 (Registrant's Telephone Number, Including Area Code)

Securities registered pursuant to Section 12(b) of the Act:
Class B Common Stock (Title of Each Class) — New York Stock Exchange (Name of Each Exchange on Which Registered)

Securities registered pursuant to Section 12(g) of the Act:
None

Indicate by check mark if the registrant is a well-known seasoned issuer, as defined in Rule 405 of the Securities Act. Yes ☑ No ☐

Indicate by check mark if the registrant is not required to file reports pursuant to Section 13 or Section 15(d) of the Act. Yes ☐ No ☑

Indicate by check mark whether the Registrant (1) has filed all reports required to be filed by Section 13 or 15(d) of the Securities Exchange Act of 1934 during the preceding 12 months (or for such shorter period that the Registrant was required to file such reports), and (2) has been subject to such filing requirements for the past 90 days. Yes ☑ No ☐

Indicate by check mark if disclosure of delinquent filers pursuant to Item 405 of Regulation S-K (§229.405 of this chapter) is not contained herein, and will not be contained to the best of Registrant's knowledge, in definitive proxy or information statements incorporated by reference in Part III of this Form 10-K or any amendment to this Form 10-K. ☑

Indicate by check mark whether the Registrant is a large accelerated filer, an accelerated filer, a non-accelerated filer, or a smaller reporting company. See definitions of "large accelerated filer," "accelerated filer" "non-accelerated filer" and "smaller reporting company" in Rule 12b-2 of the Exchange Act.

Large accelerated filer ☑ Accelerated filer ☐
Non-accelerated filer ☐ Smaller Reporting Company ☐

Indicate by check mark whether the registrant is a shell company (as defined in Rule 12b-2 of the Act). Yes ☐ No ☑

As of November 30, 2007, the aggregate market value of the Registrant's Class A Common Stock held by nonaffiliates of the Registrant was $335,114,101 and the aggregate market value of the Registrant's Class B Common Stock held by nonaffiliates of the Registrant was $25,690,498,658.

As of July 25, 2008, the number of shares of the Registrant's Class A Common Stock outstanding was 96,191,444 and the number of shares of the Registrant's Class B Common Stock outstanding was 394,220,937.

DOCUMENTS INCORPORATED BY REFERENCE:

Parts of Registrant's Proxy Statement for the annual meeting of shareholders to be held on September 22, 2008 are incorporated by reference into Part III of this Report.

FORMULÁRIO 10-K, NIKE, INC. / EUA, 2008

Arial

A Arial, ou Sonoran sem serifa, como foi inicialmente batizada, foi criada e usada originalmente pelas enormes impressoras a laser de primeira geração da Xerox e IBM. Baseada na série Monotype Grotesque, apresenta curvas mais suaves e traços cortados diagonalmente para aumentar a legibilidade, mas também apresenta de maneira duvidosa as mesmas proporções da Helvetica. A Microsoft, que contatou a Monotype para fornecer fontes TrueType, colocou a Arial no sistema operacional Windows 3.1 em 1992, e essa fonte passou a ser instantaneamente a mais usada globalmente em apresentações de PowerPoint, documentos do Word e websites em todo o mundo, muito para o desgosto de designers que a consideram uma filha bastarda da Helvetica.

DESIGNER Robin Nicholas, Patricia Saunders / **FÁBRICA** Monotype Imaging / **ANO** 1982 / **PAÍS DE ORIGEM** Estados Unidos / **CATEGORIA** Sem Serifa / **CLASSIFICAÇÃO** Neo-Grotesque sem serifas

Helvetica vs. Arial
Helvetica was developed by the Haas Foundry of Switzerland in the 1950s. Microsoft distributed a typeface called Arial, a very similar typeface, that comes bundled with every desktop computer.
Thus Arial has now overtaken Helvetica as the standard font in practically everything done by those who don't know better.
Take the role of Helvetica, and let Arial know we don't need its type around here.
DIRECTIONS
Move your Helvetica character left and right with the mouse, beat Arial by jumping on it using the mouse button. Helvetica moves faster in flight.
HELVETICA; HOMAGE TO A TYPEFACE
Lars Müller Publishers
Hardcover - November 2002
BUY ONLINE
Ads by Google
Free Helvetica Font
Information and Links for Free Helvetica Font
Helvetica Fonts
Find Helvetica Fonts at Great Prices.
Smackdown Vs. Raw
Check out the Latest News & Reviews for Smackdown! Vs. Raw.
Ariel
Huge selection of Ariel items.
TOGGLE QUALITY HI MED LO
tica vs. Ari
Helvetica
iklmnorstuvwxz9876543 21
Arial
abcdefhiklmnorstuvwxz 987654321

HELVETICA *VERSUS* ARIAL, UM LUGAR PARA PISAR NA ARIAL E LIBERAR SUA FÚRIA / engage studio / Reino Unido, 2003

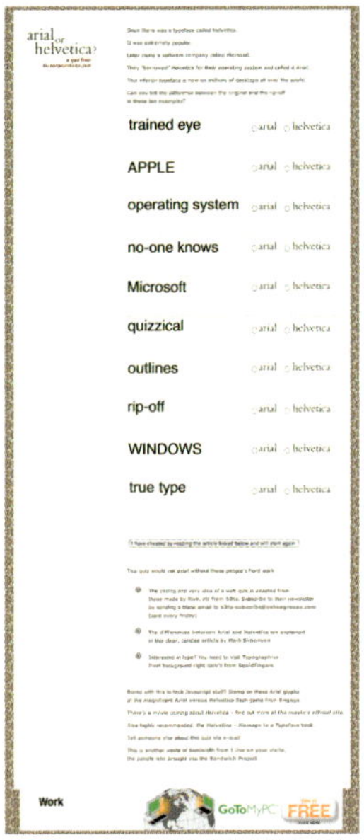
arial or helvetica
trained eye
APPLE
operating system
no-one knows
Microsoft
quizzical
outlines
rip-off
WINDOWS
true type

ARIAL OU HELVETICA? UM QUESTIONÁRIO PARA TESTAR SUAS HABILIDADES DE RECONHECIMENTO / I Live On Your Visits: Derren Wilson / Reino Unido, 2003

Papyrus

Inspirada pelo antigo Oriente Médio, imaginada como uma vernacular com 2000 anos aparentaria se composta num papiro e escrita manualmente ou texturada no papel, a Papyrus foi adquirida pela Letraset depois de ter sido recusada por dez outras fábricas. Durante um período de seis meses, a Papyrus foi criada à mão usando métodos tradicionais tais como Rapidographs, curvas francesas e Wite-Out. A popularidade da Papyrus aumentou quando foi incluída no MacOS X da Apple em 2001. Sua aparência de manuscrita fez com que passasse a ser a preferida para o design de embalagens de chá, identidades de academias de yoga, créditos de abertura de filmes, capas de CD, propaganda de imóveis, boletins, lojas de lingerie, cartões de visita, qualquer coisa orgânica e muito mais.

DESIGNER Chris Costello / **FÁBRICA** Letraset (1983) / **ANO** 1982 / **PAÍS DE ORIGEM** Estados Unidos / **CATEGORIA** Apresentação

CINNAMON RAISIN OATMEAL COOKIES
HANDMADE FRESH DAILY
OLD WORLD MARINARA
FRA DIAVOLO ARRABIATTA
TUSCAN STYLE VODKA SAUCE
HOMESTYLE WHITE BREAD
WHOLE WHEAT BREAD
HAND ROASTED WHOLE BEAN COFFEE
EXTRA VIRGIN OLIVE OIL

EMBALAGEM DA SALVAGGIO PARA A NINO SALVAGGIO INTERNATIONAL MARKETPLACE / Goldforest: direção de criação, Michael Gold, Lauren Gold; design, Carolyn Rodi / EUA, 2006

Comic Sans

DESIGNER Vincent Connare / **CLIENTE** Microsoft Corporation / **ANO** 1994 / **PAÍS DE ORIGEM** Estados Unidos / **CATEGORIA** Apresentação

A Comic Sans está sob exame minucioso e crítica constante por parte de designers, horrorizados com seu design e uso difundido em todo mundo. Criada inicialmente como fonte de apoio para a interface Microsoft Bob – um modo mais amigável de interagir com o Windows 95 – e nunca foi pensada para estar disponível ao público. Ainda assim, a Comic Sans foi lançada como parte do Windows 95 juntamente com a Trebuchet, Webdings e Verdana. Hoje, pode ser encontrada em quase todas as ruas do mundo e também online, seja como escolha consciente ou seleção padrão, ou mesmo por desdenho, como nos esforços da bancomicsans.com.

for a purrr-fect
cup of coffee,
to get you
feline great!

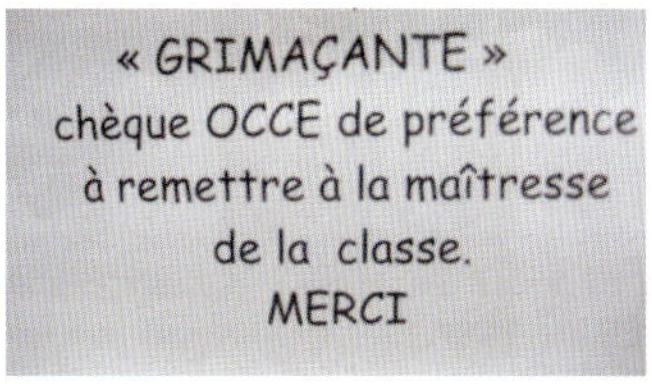
« GRIMAÇANTE »
chèque OCCE de préférence
à remettre à la maîtresse
de la classe.
MERCI

ChantAirelle

STITCH
IT ON!

Fotos: Rani Goel

WELCOME TO THE ALAMO
THE SHRINE OF TEXAS LIBERTY

Foto: Rani Goel

Foto: Dan Raynolds

architecture
architecture
écologique

Foto: Jan-Anne Heijenga

TOILETTES

Foto: Ben (Crouchingbadger) Ward

COMIC SANS EM USO

Fajita

DESIGNER Noel Rubin / **FÁBRICA** Image Club / **ANO** 1994 / **PAÍS DE ORIGEM** Estados Unidos / **CATEGORIA** Apresentação

Baseada nas fontes Sarah Elizabeth, encontrada num dos muitos compêndios de tipos Dan X. Solo, a Fajita foi desenvolvida em dois pesos, Suave e Picante, que incluíam diferentes caracteres acentuados. Desde seu lançamento, a Fajita pode ser encontrada em toldos e cardápios em todo o país em restaurantes de comida mexicana ou "tex-mex" – lentamente misturando todas para formar um estereótipo simples. Ainda que a Fajita não seja a maior realização da tipografia, é digno de nota o seu impacto em classificar visualmente a indústria alimentícia para um grupo demográfico.

NEW
NEW FONTS
FAJITA PICANTÉ
FAJITA MILD $29
Letraset Ignatius $19
Metropolis $19

CATÁLOGO DO IMAGE CLUB / Splorp: Grant Hutchinson / Canadá, 1993

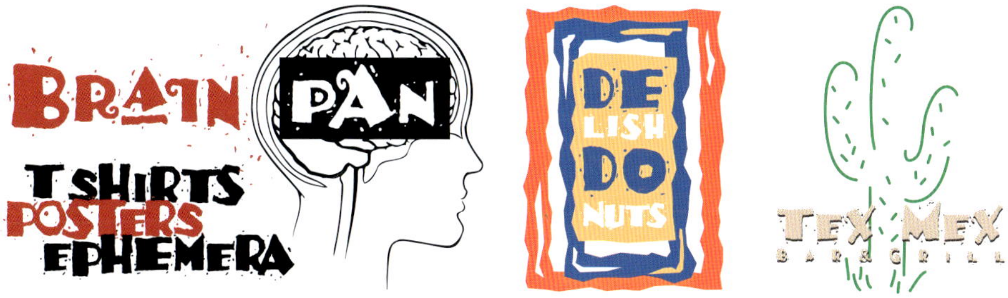
BRAIN PAN
T SHIRTS
POSTERS
EPHEMERA
DE
LISH
DO
NUTS
TEX MEX
BAR & GRILL

EXEMPLOS DE APLICAÇÕES DA FAJITA / Splorp: Grant Hutchinson / Canadá, 1993

COOPER BLACK

Buscando uma carreira em ilustração, em 1899 Oswald Bruce Cooper matriculou-se na escola de ilustração Frank Holme, em Chicago, onde um de seus professores foi Frederic W. Goudy, um dos mais prolíficos criadores de tipos dos Estados Unidos. Cooper finalmente terminou em letreiros e design, longe da ilustração, tornando-se professor na Holme. Fred Bertsch, que geria um negócio de serviços de Arte vizinho à escola, tornou-se amigo de Cooper e, em 1904, criaram a Bertsch & Cooper, combinando o tino para negócios de Bertsch e o talento de Cooper. Começando com clientes locais, eles criaram letreiros para propaganda e logo se viram com encomendas maiores para campanhas nacionais. Com a maior exposição, a Barnhart Brothers & Splinder (BS&S) notou o trabalho de Cooper e o procurou para criar uma família de tipos baseada em seus letreiros. Inicialmente apreensivo, Cooper concordou e, em 1918, criou uma fonte romana com serifas arredondadas que foi chamada simplesmente de Cooper e depois rebatizada como Cooper Old Style. Dois anos depois, ele criou a Cooper Black, levando ao extremo as serifas arredondadas da fonte original para criar a fonte mais pesada até aquele momento, literalmente quanto

easyJet
easyJet.com

PINTURA DA EASYJET / © easyJet airline company limited / EUA

Cooper Black
OIL sold
half 8
PINK drapery
delighted FRIEND
BE paid
3 days IN
BOLD style
4 stage HITS
REAL position
inspected HOMES
Cooper Black Italic
SIX tails
HOME delights
indisputable STORY
shift 4
NO mail
5 built UP
MEN signed
sold 28 LOTS
REAL publicity
duplicates ORDER

MOSTRUÁRIO DO TIPO COOPER BLACK / EUA, 2007 / Foto: Matthew Desmond

yes

COOPER BLACK EM CASA / Francis Chan / Canadá, 2007

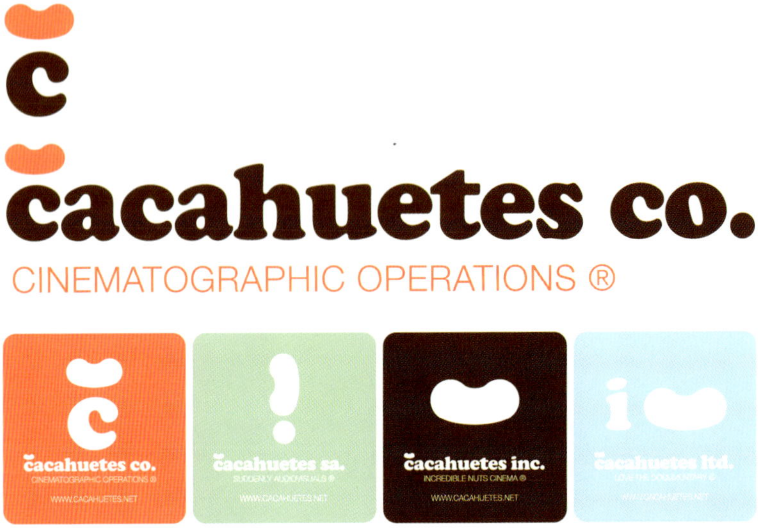
c
cacahuetes co.
CINEMATOGRAPHIC OPERATIONS ®
cacahuetes co.
cacahuetes sa.
cacahuetes inc.
INCREDIBLE NUTS CINEMA ®
WWW.CACAHUETES.NET
cacahuetes ltd.

IDENTIDADE DA CACAHUATES, INC. / Tea Time Studio; desenvolvida com aBe / Espanha, 2004–2006

figurativamente: pois com fontes metálicas de 120 corpos, o alfabeto completo pesava quase 40 quilogramas e, quando composta, chamava a atenção de modo inequívoco por sua grande massa a Cooper Black tornou-se o tipo mais vendido da BS&S e criou uma tendência em letras cheias de seus concorrentes, incluindo um primeiro estranho derivado, Goudy Typeface, pelo antigo professor de Cooper. A Cooper Black também se tornou a escolha de fato da propaganda com sua amabildade exuberante e ousadia. Em 1924, Cooper criou uma companheira itálica para seu original romano e, dois anos depois, a Cooper Black itálica popularizou ainda mais os designs de tipos de Cooper. A Cooper Black e sua companheira itálica tiveram sucesso durante os anos 1930, mas outras fontes em negrito como a Futura › 371, Univers › 372 e Helvetica › 373, substituíram-na durantes os anos 1960 e 1970. As fontes Cooper foram brevemente ressuscitadas pela propaganda nas últimas décadas, mas finalmente passaram a ser a escolha padrão para sinais de lojas, folhetos e outras aplicações monótonas. Na virada do século, a Cooper Black e sua itálica tiveram um ressurgimento, primeiro em revitalizações como a Oz Black e Patrick Gleason, em 1999, e a Rosemary de Chank Diesel, em 2000, e depois por exalarem um sentido de nostalgia nos designers gráficos. Usada ironicamente, a Cooper Black tem reaparecido não só em propagandas, mas em livros e revistas, gráficos de movimento e mesmo em identidades de marcas e corporações.

BAGEL
FANCY
COLD SALAD BAR • COLD BE
ATM FOR CASH
FINE JEWEL
203 CANAL ST.
WHOLESALE & RETAIL
JOYERIA PALMA
MAYOREO Reparaciones
LIQUOR
GIFTS
Kodak 1/2 HOUR PHOTO
Tel.333-59

COOPER BLACK, COMO ENCONTRADA NAS RUAS DE CHICAGO E NOVA YORK / EUA, 2004–2006

cacahuetes ltd.
cacahuetes co.
cacahuetes sa.
cacahuetes inc.

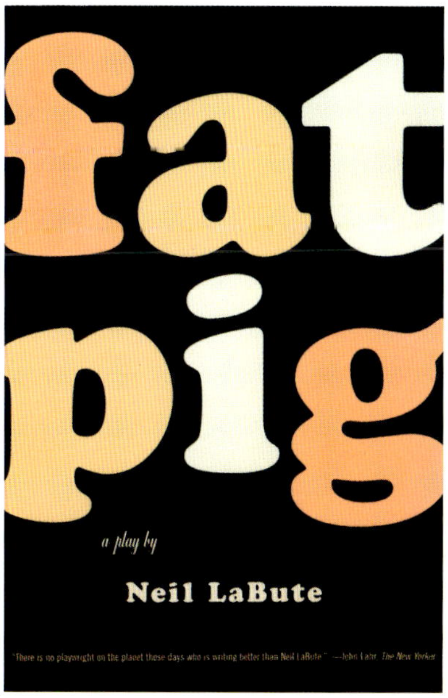
fat
pig
a play by
Neil LaBute

FAT PIG, **Neil LaBute / Faber and Faber, uma afiliada da Farrar, Straus e Giroux / Charlotte Strick / EUA, 2004**

LEITURA RECOMENDADA

4AD › 301
Vaughan Oliver: Visceral Pleasures por Rick Poynor and Vaughan Oliver, Booth-Clibborn Editions, 2000

ABSOLUT › 307
Absolut Book: The Absolut Vodka Advertising Story por Richard W. Lewis, Journey Editions, 1996

Absolut: Biography of a Bottle, por Carl Hamilton, Texere, 2002

AICHER, OTL › 166
Otl Aicher por Markus Rathgeb, Phaidon, 2007

BEALL, LESTER › 146
Lester Beall: Trailblazer of American Graphic Design por R. Roger Remington, W.W. Norton, 1996

BLUE NOTE RECORDS › 298
Blue Note Records: The Biography por Richard Cook, Charles & Co., 2004

Blue Note: The Album Cover Art, editado por Graham Marsh, Felix Cromey e Glyn Calligham, Chronicle, 1991

The Blue Note Years: The Jazz Photography of Francis Wolff por Michael Cuscana, Charlie Lourie e Francis Wolff, Rizzoli, 2001

BRODOVICH, ALEXEY › 143
Alexey Brodovitch por Gabriel Bauret, Assouline, 2005

Alexey Brodovitch por Kerry William Purcell, Phaidon, 2002

BROWNJOHN, ROBERT › 155
Robert Brownjohn: Sex and Typography por Emily King, Laurence King Publishing, Princeton Architectural Press, 2005

BUBBLES, BARNEY
Reasons to Be Cheerful: The Life and Work of Barney Bubbles por Paul Gorman, Adelita, 2008

CARTER, MATTHEW › 221
Typographically Speaking: The Art of Matthew Carter por Margaret Re, Princeton Architectural Press, 2003

CATO PARTNERS › 208
Design by Thinking por Ken Cato, HBI, 2005

Ken Cato: The Dimensions of Designs por Ken Cato, Images Publishing, 2006

CHANTRY, ART › 184
Some People Can't Surf: The Graphic Design of Art Chantry por Julie Lasky, Chronicle Books 2001

COCA-COLA › 308, 340
For God, Country, and Coca-Cola: The Definitive History of the Great American Soft Drink and the Company That Makes It por Mark Pendergrast, Basic Books, 2000

COR › 56, 57
Complete Color Harmony Workbook por Kiki Eldridge, Rockport 2007

DORFSMAN, LOU › 173
Dorfsman and CBS por Dick Hess and Marion Muller, American Showcase, 1987

EATOCK , DANIEL › 211
Daniel Eatock Imprint: Works 1975–2007 por Daniel Eatock, Princeton Architectural Press, 2008

***EMIGRE* › 100**
Merz to Emigre and Beyond: Avant-Garde Magazine Design of the Twentieth Century, por Steven Heller, Phaidon, 2003

ESCOLDA DE DESIGN BASILEIA› 128
Graphic Design Manual: Principles and Practice, por Armin Hofmann, Arthur Niggli, 2001

Swiss Graphic Design: The Origins and Growth of an International Style, 1920–1965, por Richard Hollis, Yale University Press, 2006

The Road to Basel: Typographic Reflections by Students of the Typographer and Teacher Emil Ruder, por Helmut Schmid, Helmut Schmid Design, 199

FLETCHER/FORBES/GILL › 161
Alan Fletcher: Picturing and Poeting, por Alan Fletcher, Phaidon, 2006

Graphic Design as a Second Language, por Bob Gill, Images Publishing, 2004

The Art of Looking Sideways, por Alan Fletcher, Phaidon, 2001

FOSSIL › 310
Tinspiration: The Art and Inspiration of the Fossil Tin, por Fossil, Fossil Partners Ltd., 2006

HERSHEY'S CHOCOLATE › 309
Hershey: Milton S. Hershey's Extraordinary Life of Wealth, Empire, and Utopian Dreams, por Michael D'Antonio, Simon & Schuster, 2007

HIPGNOSIS › 302
Comfortably Numb: The Inside Story of Pink Floyd, por Mark Blake, Da Capo, 2008

For the Love of Vinyl: The Album Art of Hipgnosis, por Storm Thorgerson e Aubrey Powell, PictureBox, 2008

Taken by Storm, por Storm Thorgerson e Peter Curzon, Vision On, 2007

HOUSE INDUSTRIES › 228
House Industries, by House Industries, Die Gestalten Verlag, 2003

JOGOS OLÍMPICOS DE VERÃO › 356
Historical Dictionary of the Modern Olympic Movement, por John E. Findling and Kimberly D. Pelle, Greenwood Press, 1996

JOHNSON, MICHAEL › 209
Problem Solved: A Primer in Design and Communication, por Michael Johnson, Phaidon, 2004

KENT, SISTER MARY CORITA › 172
Come Alive! The Spirited Art of Sister Corita, por Julie Ault, Four Corners Books, 2006

LETRA GÓTICA › 68
Blackletter: Type and National Identity, por Peter Bain and Paul Shaw, Princeton Architectural Press, 1998

Fraktur Mon Amour, por Judith Schalansky, Verlag Hermann Schmidt Mainz, 2006

Fraktur: Form und Geschichte der Gebrochenen Schriften, por Albert Kapr, Verlag Hermann Schmidt Mainz, 1993

Mexican Blackletter, por Cristina Paoli, Mark Batty Publisher, 2006

M&CO. › 183

Tibor Kalman, Perverse Optimist, por Michael Bierut, Peter Hall e Tibor Kalman, Booth-Clibborn Editions, 1998

MASSIN, ROBERT › 154

Massin and Books: Typography at Play, by Roxane Joubert and Margo Rouard-Snowman, Broché, 2007*Massin*, by Laetitia Wolff, Phaidon, 2007

MEGGS, PHILIP B. › 236

Meggs: Making Graphic Design History, por Rob Carter, Wiley, 2007

MTV › 352

Inside MTV, por R. Serge Denisoff, Transaction Publishers, 1988

***NEUE GRAFIK* › 97**

Swiss Graphic Design: The Origins and Growth of an International Style, 1920–1965, por Richard Hollis, Yale University Press, 2006

NIKE › 343

Swoosh: The Unauthorized Story of Nike and the Men Who Played There, por J. B. Strasser e Laurie Becklund, Collins Business, 1993

PENGUIN BOOKS › 274

Penguin by Design: A Cover Story, 1935–2005, por Phil Baines, Penguin Books, 2005

PENTAGRAM › 162

Ideas on Design, por Pentagram, Faber & Faber, 1986

Living by Design, por Pentagram, Lund Humphries, 1978

Pentagram Book Five, por Randall Rothenberg, Monacelli, 1999

Pentagram: The Compendium, por Pentagram, Phaidon, 1993

Pentagram: The Work of Five Designers, por Pentagram, Whitney Library of Design, 1972

Profile: Pentagram Design, por vários autores, Phaidon, 2004

The Pentagram Papers, por the Pentagram Partners, Chronicle Books, 2006

PINELES, CIPE › 145

Cipe Pineles: A Life of Design, por Martha Scotford, W.W. Norton, 1998

Cipe Pineles: Two Remembrances, por Estelle Ellis, Carol Burtin Fripp, RIT Cary Graphic Arts Press, 2005

PUSH PIN STUDIOS › 168

The Push Pin Graphic, por Seymour Chwast, Steven Heller e Martin Venezky, Chronicle, 2004

RAND, PAUL › 159

Design, Form, and Chaos, por Paul Rand, Yale University Press, 1993

From Lascaux to Brooklyn, por Paul Rand, Yale University Press, 1996

Paul Rand, by Steven Heller, Phaidon, 1999

Paul Rand: A Designer's Art, por Paul Rand, Yale University Press, 1985

Paul Rand: Conversations with Students, por Michael Kroeger, Princeton Architectural Press, 2008

Thoughts on Design, por Paul Rand, Wittenborn Schultz, 1946

***RAY GUN* › 330**

Ray Gun: Out of Control, por Marvin Scott Jarrett, Booth-Clibborn Editions, 2000

SAVILLE, PETER › 180

Designed by Peter Saville, editado por Emily King, Princeton Architectural Press, 2003

Factory Records: The Complete Graphic Album, by Matthew Robertson, Chronicle Books, 2006

Peter Saville: Estate 1-127, edited by Heike Munder, JRP-Ringier, 2007

SCHER, PAULA › 182

Make It Bigger por Paula Scher, Princeton Architectural Press, 2005

***SPY* › 329**

Spy: The Funny Years, por Kurt Andersen, Graydon Carter e George Kalogerakis, Miramax, 2006

STEINWEISS, ALEX › 142

For the Record: The Life and Work of Alex Steinweiss, por Jennifer McKnight-Trontz e Alex Steinweiss, Princeton Architectural Press 2000

TSCHICHOLD, JAN › 140

Active Literature: Jan Tschichold and New Typography, por Christopher Burke, Hyphen Press, 2008

Jan Tschichold: A Life in Typography, por Ruari McLean, Princeton Architectural Press, 1997

Jan Tschichold, Designer: The Penguin Years, por Richard B. Doubleday, Oak Knoll Press, 2006

***TYPOGRAPHICA* › 95**

Typographica, por Rick Poynor, Princeton Architectural Press, 2001

***U&LC* › 98**

U&lc: Influencing Design and Typography, por John D. Berry, Mark Batty Publisher, 2005

VALICENTI, RICK › 200

Emotion as Promotion, por Rick Valicenti, Monacelli, 2005

VIGNELLI, MASSIMO › 160

Design: Vignelli, por Massimo Vignelli, Rizzoli, 1981

Vignelli: From A to Z, por Massimo Vignelli, Images Publishing, 2007

WEINGART, WOLFGANG › 178

Wolfgang Weingart: My Way to Typography, by Wolfgang Weingart, Lars Müller Publishers, 2000

WOLFF OLINS › 206

Wally Olins on Brand, por Wally Olins, Thames & Hudson, 2004

ÍNDICE

Os números em bold indicam a página específica de cada tópico.

P

Q

R

S

LISTA DOS COLABORADORES

Hunt, Randy J. 132
citizenscholar.com
Huynh, Abi 58
abiabiabi.com
HvADesign 377, 380
hvadesign.com
Hyperakt 80, 88, 378
hyperakt.com
Iboy_daniel 340
flickr.com/people/iboy_daniel
Iceberg 40
iceberg.it
Imaginary Forces 46
imaginaryforces.com
Inhouse Design Group Ltd. 28
inhousedesign.co.nz
Jacquillat, Agathe 135
flat33.com
Jenkins, Tracy 129
tracyjenkins.com
Jetherlot 361
Johnston, Kylie
Jones, Graham 365, 368
flickr.com/people/g-man77/
k2design 33
k2design.gr
Kacaniku, Jeton 377
jentonkacaniku.com
Karlssonwilker, Inc. 89
karlssonwilker.com
Karpov the wrecked train 82
flickr.com/people/karpov85
Keller, Conor 82
flickr.com/people/conorkeller/
King, J. Brandon 35
flickr.com/photos/bking
Kinon, Jennifer 27
Labenz , Seth 131
posttypography.com
Lausen, Marcia 53
studiolab.com
Lausten & Cossutta Design 370
laustencossutta.com
Lee, Jin Young 132
jinyounglee.com
Lippincott 24
lippincott.com
LIQUID Agentur für Gestaltung 39
liquid.ag
Llanes, Rolaine 83
flickr.com/photos/rolaine
Lobo 35
lobo.cx
Loesch, Uwe 377
uweloesch.de
Lopez, Jeanne 263
jeannelopez.com
Lynam, Ian 131
ianlynam.com
Madani, Shaz 371
smadani.com
MadeThought 371
maderhought.com
Mallett, Sam 373
sammallett.com
Marianek, Joe 134
joemarianek.com
Martin, Bobby C., Jr. 132
bobbycmartin.com
Mellier, Fanette 56
fanettemellier.com
Heijenga, Jan-Anne 387
Moxie Sozo 381
moxiesozo.com
Mucca Design 24
muccadesign.com
Muller, Tom 372
hellomuller.com
Müller-Lancé, Joachim 128
kamedesign.com
Multistorey 79
multistorey.net
Newlyn, Miles 68
newlyn.com
Niggendijker, Tanja 263
flickr.com/people/greenchartreuse
Number 17 256
number17.com
Number 27 36
number27.org
O'Brien, Gemma 380
gemmaobrien.com
onlab 53
onlab.ch
Otaillon 340
flickr.com/people/olitaillon
Parkinson Type Design 68
typedesign.com
Paulson, Ingrid 379
ingridpaulson.com
Picture Mill 375
picturemill.com
Piscatello Design Center 41
piscatello.com
Plinko 381
plinko.com
Porkka & Kuutsa 25
porkka-kuutsa.fi
Poskanzer, Jef 361
flickr.com/people/jef
Potts, Sam 30, 134
sampottsinc.com
Pressley Jacobs 383
pjd.com
Raynolds, Dan 387
typeoff.de
Repine, Katie 365
someofmywork.com
Research Studios 383
researchstudios.com
RGB Studio 84, 87, 88
rgbstudio.co.uk
Richt... 82
flickr.com/people/richt
Riddle 35
flickr.com/people/riddle
Rigsby Hull 54
rigsbyhull.com
Rowe, Tom 58
eveningtweed.com
Roytsaplinjr 340
Rub, Roy 131
posttypography.com
Rutka Weadock Design 366
rutkaweadock.com
Ryan, Jay 40
thebirdmachine.com
Salmela, Kai 134
kaisalmela.com
Sandstrom Partners 379
sandstrompartners.com
Saveliev, Nikolay 55
nikolaysaveliev.com
Sene Yee, Henry 365
henryseneyee.blogspot.com
Servais, Emily 81
earlymissive.ca
Shanley, Kate 35
flickr.com/people/kateshanley
Shigeta, Brandon 342
flickr.com/people/brandonshigeta
Siegel, Dmitri 129
dmitrisiegel.com
Silvas, Steve 84
supasteve.com
Simmons, Christopher 373, 375, 380
minesf.com
Skolos-Wedell 376
skolos-wedell.com
Smyth, Jawsh 382
infinitezzz.com
Sockwell, Felix 33
felixsockwell.com
SS+K 45, 56
ssk.com
StockholmDesignLab 43
stockholmdesignlab.se
Studio on Fire 369
studioonfire.com
Studio8 Design 39, 367
studio8design.co.uk
Summerford Design,Inc. 365
Superfad 47
superfad.com
Tank Design 42
tank.no
Tea Time Studio 80, 388
teatimestudio.com
Thirteen 88
thirteen.co.uk
Thomas W. Cox 26
twcdesign.com
Toko 29, 57, 370
toko.nu
Tongzhou Zhao, Ellen 28
buro-gds.com
Top Publishers 385
fantasticman.com
Trollbäck + Company 46
trollback.com
Turnstyle 33, 55
turnstylestudio.com
Typoretum 375
typoretum.co.uk
Ulrich, Diego 135
diegoulrich.com
Un.titled 84, 88, 374
un.titled.co.uk
Valentine Group 29
velentinegroup.com
van Middelkoop, Catelijne 130
strangeattractors.com
Vanderbyl Design 364, 365, 368
vanderbyldesign.com
Veganstraightedge 371
flickr.com/people/veganstraightedge
Vinh, Khoi 33, 50
subtraction.com
Vollauschek, Tomi 135
flat33.com
Volume Inc. 56, 370, 378
volumesf.com
Ward, Ben 387
crouchingbadger.com
Weikert, Mike 134
weikertdesign.com
Werner, Dave 134
okaysamurai.com
Willen, Bruce 134
posttypography.com
Wizansky, Sasha 364
squashco.com